De herinnerde soldaat

Anjet Daanje

De herinnerde soldaat

Roman

Uitgeverij Passage, Groningen

De auteur ontving voor het schrijven van dit boek een projectsubsidie van het Nederlands Letterenfonds.

N ederlands
N letterenfonds
dutch foundation
for literature

1e druk november 2019
2e druk april 2020
3e druk mei 2020
4e druk september 2020

Omslag: Dieb en Anjet
Foto auteur: Henk Veenstra
Druk: Wilco, Meppel

Uitgeverij Passage, Postbus 216, 9700 AE Groningen.
www.uitgeverijpassage.nl
www.anjetdaanje.nl
www.facebook.com/AnjetDaanje

ISBN 97890 5452 367 3 / NUR 301

1

Misschien is dit de laatste keer dat hij als de man die Noen Merckem wordt genoemd door deze vertrouwde gang loopt, de deur daar aan zijn linkerhand met die vriendelijke ruitjes kan het einde van zijn bestaan betekenen, alsof hij met knikkende knieën naar het schavot wordt gevoerd, zo voelt hij zich ineens, de hoop die hem vergezelde, de overtuiging dat alles nieuw en onvoorstelbaar veel beter en eindelijk normaal zou worden, dat hij die alledaagse deur binnen zou gaan en een ander zou zijn als hij weer naar buiten kwam, een man met een gezin en een huis en een leven buiten deze muren, het vloeit ineens allemaal uit hem. En hij blijft staan op de zonbevlekte tegels en broeder Reginald keert zich naar hem toe en ziet de radeloosheid op zijn gezicht en hij zegt zacht dat God hem nooit zwaarder zal beproeven dan hij dragen kan, en hij knikt er bemoedigend bij, en Noen zwijgt, want erg veel geruststellende voorbeelden van Gods opvattingen over draaglijkheid heeft hij in de vier jaar dat hij hier nu is niet gezien.

En zijn hart bonst in zijn keel terwijl hij op de stoel in de spreekkamer van dokter De Moor zit en hij staart naar de gekleurde tegels op de vloer, het zich herhalende patroon, de voorspelbaarheid ervan, en hij probeert de deur uit zijn hoofd te bannen die vanaf een paar meter afstand naar hem gluurt en roerloos wacht en straks open zal gaan en haar binnen zal laten. De tuinen, hij is in de tuinen, op zijn knieën wiedt hij onkruid en het regent zacht, de kroppen sla, de andijvie, de kool, de bonen, alles is met dikke waterdruppels bedekt en hij ziet ze langzaam naar beneden rollen, hun dood in de zwarte aarde tegemoet. En juist als de stilte in de tuin haar naderende komst onmogelijk heeft gemaakt, ondenkbaar zoals een verzinsel dat dagenlang zijn gedachten heeft beheerst en plots bij het ontwaken zijn macht over hem blijkt te hebben verloren, juist dan hoort hij haar stem op de gang. Ze praat met dokter De Moor en ze naderen de deur, een schrille, onaangename stem heeft ze, ze lijkt niet aan te voelen dat alles hier zo min mogelijk geluid behoort te maken, de mensen en de voetstappen en de dingen en zelfs de nachtmerries, alsof je benauwend lang je hoofd onder de dekens verstopt, zo voelt het soms, en als het stormt en zijn zaalgenoten onrustig en angstig zijn, gaat Noen stiekem de tuin in om naar het gehuil van de wind rond het gebouw te luisteren en zich voor even een levend deel van de wereld te voelen.

En ze heeft het over haar man, Kamiel noemt ze hem, nooit heeft ze in zijn dood kunnen geloven, zegt ze, ze heeft het geprobeerd, maar ze bleef over hem dromen zoals toen hij nog bij haar was, en dan 's ochtends was het alsof hij haar 's nachts had bezocht om haar moed in te spreken. En ze houdt stil voor de deur en hij ziet door het hekwerk van het ruitje haar silhouet, een broos vrouwenhoofd, een hoed met uitbundige bloemen en een brede rand, en zijn adem gaat jachtig door zijn keel, en zij, zij moet net zo zenuwachtig zijn als hij, hij denkt het in haar stem te horen, en hij voelt een zacht medeleven met haar, en bij de gedachte aan haar angst, wordt de zijne minder. En de klink aan de andere zijde van de deur wordt naar beneden geduwd en broeder Reginald gebaart naar hem dat hij moet opstaan, en de deur gaat open en dokter De Moor doet een pas opzij en laat haar voorgaan.

En ze is mooi, hij had zich alleen een onbestemde voorstelling van zijn vrouw gemaakt, zoals een figuur in een droom, meer gevoel dan tastbare contouren, maar ze was nooit zoals zij, met donker haar, in kunstig golvende strengen opgestoken, elegant en slank, en smaakvol gekleed. En ze durft niet naar hem op te kijken, terwijl ze over de drempel stapt is hij zich bewust van haar blik die op zijn grove gestichtsschoenen rust en omhoogkruipt langs de pijpen van zijn broek en op de hoogte van zijn knieën blijft hangen, en dokter De Moor sluit de deur geruisloos achter haar, en met de moed der wanhoop besluit ze dat dit dan maar het moment moet zijn. Ze slaat haar ogen op en huiverig kijkt ze hem in zijn gezicht, ze heeft grote, donkerbruine ogen, de kleur van natte aarde, en zij moet het zijn, dat kan niet anders, van haar zou hij kunnen houden, oprecht en veel, en een last valt van zijn schouders en hij glimlacht voorzichtig naar haar.

Maar zij staart hem aan en een diepe ontgoocheling zakt over haar mooie trekken, zo diep dat alle schoonheid uit haar vloeit, en haar donkere ogen vullen zich met tranen en ze schudt haar hoofd, niet zoals bij een ontkenning, maar onbeheerst alsof ze zichzelf wil straffen omdat ze wekenlang domme, naïeve gedachten heeft gekoesterd, gedachten die ze nu ver van zich wil werpen. En ze wendt zich tot dokter De Moor, en ze begint over haar Kamiel te praten, bezwerend, alsof ze hoopt dat als ze straks opnieuw naar hem zal durven kijken hij in haar man zal zijn veranderd, en haar schelle stem vult de spreekkamer, haar Kamiel, zegt ze, was een held die voor het vaderland vocht, hij offerde zich op voor zijn kameraden, hij deelde zijn laatste eten met hen, bracht gewonden met gevaar voor eigen leven terug in de loopgraaf, dat hebben ze haar na zijn vermissing geschreven, zegt ze. En ze spreekt het niet uit, maar het klinkt in ieder woord door, deze man, deze simpele man die hier voor haar staat in zijn armzalige gestichtskleding, zou nooit aan de eisen kunnen voldoen die zij aan haar Kamiel stelt, sinds december 1917 wordt hij vermist en bijna vijf jaar heeft ze de tijd gehad om hem te vervolmaken, hij is haar kunstwerk, haar toevluchtsoord, en ze is verontwaardigd dat dokter De Moor haar er met die advertentie toe heeft overgehaald om te geloven dat haar Kamiel de vorm van een krankzinnige met geheugenverlies zou kunnen aannemen.

En dokter De Moor luistert geduldig naar haar, zijn blik op haar gezicht gericht en hij lijkt haar woorden vriendelijk te wegen, zoals ook bij gesprekken met zijn patiënten, maar uit ervaring weet Noen dat hij na de eerste zin al een diagnose heeft gesteld en na de tweede zijn gedachten de vrije loop heeft gelaten en niets meer hoort, alleen dat wat zijn diagnose bevestigt.

En ook Noen kan niet naar haar luisteren, het gevoel dat hij deze pijn bij haar heeft veroorzaakt, deze immense teleurstelling die ze minuten en minutenlang probeert weg te praten en die ze zich tot het eind van haar leven zal blijven herinneren, dringt zich beklemmend aan hem op, niets heeft hij gedaan, alleen hier gezeten en op haar gewacht, en hij is niemand, hij bestaat niet en toch is het blijkbaar mogelijk dat hij de verkeerde is, en hij zegt tegen haar dat het hem spijt, en haar woordenvloed stopt onthutst en ze keert zich half naar hem toe, maar ze durft het niet aan en haar blik raakt zijn linkeroor en maakt dan haastig rechtsomkeert, alsof hij de materialisatie van haar grootste nachtmerrie is, en hij zwijgt en buigt zijn hoofd en hij tuurt naar het tegelpatroon en hij probeert haar en haar leed te vergeten.

En het duurt lang voordat ze gaat, dokter De Moor doet verschillende pogingen om het gesprek beleefd af te kappen, maar ze blijft maar praten, en niet eenmaal wendt ze zich tot Noen, voor wie ze was gekomen, ze is bang voor hem en tegelijkertijd durft ze het idee dat hij haar Kamiel zou zijn niet op te geven en zich zonder de illusies van een uur geleden aan de dag uit te leveren, en ze praat maar door, ze praat maar door. En uiteindelijk zegt dokter De Moor dat de volgende vrouw op hem zit te wachten, en ze zwijgt geschokt, de volgende vrouw, en even gelooft Noen dat ze zal gaan huilen, ze vertrekt haar gezicht in een gepijnigde grimas, en hij kan haar verdriet niet aanzien, hij gaat op de stoel zitten en steunt zijn hoofd in zijn handen en pas als hij de deur hoort sluiten durft hij op te kijken, en ze is weg, en het is alsof ze zijn verlangens met zich mee heeft genomen, de stille tuin in de regen is verdwenen, de wereld buiten de muren, de volgende vrouw, en hij wacht.

En de volgende vrouw is een vrouw zoals hij die kent van zondagen, ze bezoeken zijn zaalgenoten en ze laten zich niet van de wijs brengen door het gesticht, degelijke, praktische vrouwen zijn het, die redderen en het geklaag van hun man negeren of doodslaan met een troostrijke dood-doener. En ze staat op de drempel en ze zoekt hem onmiddellijk met haar ogen, en hun blikken botsen op elkaar als onhandige vreemden in een te kleine ruimte, en ze is ouder dan hij, halverwege de veertig schat hij, en ze is mager en onaantrekkelijk, maar haar gezicht heeft iets ont-roerends, iets wat hem raakt, alsof ze vreselijk haar best doet om haar gevoelens te verbergen en hij desondanks de slapeloze nachten en de te gretige hoop in haar ogen kan lezen, en hij is bang dat hij daar ooit ver-liefd op is geworden, op die vergeefse zelfbeheersing van haar, en dat dit de vrouw is van wie hij al weken probeert te dromen.

En over haar gezicht trekt een bevreesde aarzeling, alsof ze niet aan haar twijfels en de daaruit voortvloeiende teleurstelling wil toe-geven, en haar blik strijkt over zijn voorhoofd en zijn kin en dan langs zijn borst naar beneden, over zijn handen, zijn benen, en Noen kijkt op zijn beurt in angstige afwachting naar haar, naar haar eenvoudige kleren en haar gebruinde huid en haar werkhanden, en hun blik-ken kruisen elkaar per ongeluk en het is alsof ze een dier aankijkt, zo schaamteloos ziet ze hem in de ogen, zonder gedachten over zijn gevoelens of mening. En ze vraagt aan dokter De Moor, zou hij 'dag mijn lief doefke' kunnen zeggen, en ze spreekt ieder woord met na-druk uit alsof het op zichzelf staat, in een poging haar volkse accent te verbergen, en opnieuw ontroert ze hem, en hij herhaalt de woorden zo nuchter mogelijk, alsof hij een versje opzegt, maar al bij de eerste lettergreep verandert de uitdrukking op haar gezicht en een vreemd soort intimiteit springt er tussen hen op, beiden zijn ze zich bewust dat het gevoel op verzinsels berust en toch kunnen ze het niet verwer-pen, en heel even denkt hij te weten hoe het is om getrouwd te zijn, de huiselijkheid, de vanzelfsprekendheid van die ander die er altijd is, en zij laat de gedachte toe, werkelijk toe, dat hij haar man is, en ze herin-nert zich weer wat ze heeft moeten vergeten om in leven te blijven, en haar gezicht opent zich weerloos als dat van een kind, en hij zegt nog eens tegen haar, dag mijn lief doefke, en ze lacht naar hem en hij ziet de tranen in haar ogen opwellen, en ook hij zou kunnen huilen, van ontroering en omdat de vier jaar in het gesticht ineens zo dodelijk leeg lijken.

En dokter De Moor zegt streng tegen hem dat hij een paar passen terug moet doen, en haar vraagt hij of ze een kenmerk van haar man kan noemen, en ze ontwaken allebei uit hun zelfbegoocheling en ze durven elkaar beschaamd niet aan te zien, en zij denkt na en ze zegt dat haar man een moedervlek aan de achterzijde van zijn bovenbeen heeft, zo groot, zegt ze, en ze geeft met haar vingers anderhalve centimeter aan, en dokter De Moor wendt zich tot Noen en vraagt of hij haar zijn dij kan laten zien. En Noen verroert zich niet, en dokter De Moor herhaalt zijn verzoek, en Noen buigt zijn hoofd, en dokter De Moor zegt dat als hij niet meewerkt hij genoodzaakt is om de hulp in te roepen van twee broeders, en hoe voel je je dan, zegt hij, als je onder de ogen van een vrouw door twee broeders moet worden uitgekleed.

En Noen doet zijn jasje uit, en terwijl hij zijn bretels van zijn schouders trekt, werpt hij een blik op haar, en zij geneert zich zo mogelijk nog meer dan hij, en met neergeslagen ogen laat hij zijn broek zakken en op aandringen van dokter De Moor stroopt hij ook de pijpen van zijn onderbroek op, en zij wil niet, maar ze moet wel kijken, en hij hoort haar rokken ruisen terwijl ze achter hem neerknielt en hij weet dat ze naar zijn dijen tuurt en daar zal ze geen moedervlek vinden, en hoe langer de situatie duurt hoe belachelijker en ongeloofwaardiger hun intimiteit van daarnet wordt.

En ook dokter De Moor bukt zich en bestudeert zijn benen, en na even richt zij zich op, en dokter De Moor zegt tegen haar dat het hem spijt, en zij zwijgt, en net voordat ze haastig de deur uit loopt, ziet hij de teleurstelling op haar gezicht, nog dieper en pijnlijker dan bij de vorige vrouw, en ze neemt beleefd afscheid van dokter De Moor, maar geen blik, geen woord voor de man die haar man had kunnen zijn en die haar zo'n verdriet heeft gedaan dat ze de komende tijd niet meer zal durven geloven in haar fantasieën over zijn terugkeer, weken, maanden zal het duren voordat ze die gedachten weer zal toelaten.

En Noen voelt zich er zo schuldig en ellendig onder, hij had gemeend dat hij eindelijk zou weten wie hij was, maar hij weet alleen wie hij niet is. De man die hij in de afgelopen vier jaar zorgvuldig uit het niets heeft opgebouwd, alle handelingen die gewoonlijk zijn maandagmiddag uitmaken, en waaraan hij zich als een leuning langs een gammele trap kan vasthouden, stuk voor stuk hebben ze hun betekenis verloren, en diep in hem, duister en van de wereld losgezongen, roert de paniek zich, en de angst voor die allesvernietigende paniek komt in golven en is bijna net zo ondraaglijk als de paniek zelf.

En hij zegt tegen dokter De Moor dat hij het niet kan, en dokter De Moor zegt dat hij naar de slaapzaal moet gaan om wat uit te rusten, en over een uurtje, zegt hij, kan hij de derde vrouw ontmoeten, en nee, zegt Noen, ik kan het niet, en hij hoort de wanhoop in zijn eigen stem, alsof hij naar de stem van een vreemde luistert. En hij voelt hoe de blik van dokter De Moor op zijn gezicht rust, een koele, beoordelende blik, en blijkbaar ziet hij er slecht uit, want dokter De Moor zegt zacht dat het goed is, morgen, zegt hij, morgen kun je de volgende vrouwen ontmoeten, en hij zegt dat het er nog maar twee zijn, een vrouw die gelooft dat ze zijn moeder is, en een vrouw die in hem haar echtgenoot ziet, en wie weet, wie weet heeft een van hen het bij het rechte eind, zegt hij, en hij praat op geruststellende toon verder over de tientallen vrouwen die op de advertentie hebben gereageerd en die ze hebben gevraagd om in een brief de vermiste te beschrijven die ze zochten, en toen vielen de meeste af, zegt hij, en bij degenen die overbleven hebben ze de gegevens van de vermiste mannen in militaire archieven nagezocht, en dus, zegt hij, dus is de kans groot dat een van de twee vrouwen die hij nog gaat ontmoeten hem werkelijk kent, en bedenk dan eens hoe je leven verandert, zegt hij, en hij glimlacht naar hem. En Noen verlangt onnoemelijk naar de moestuin en de kas, en naar zijn bed tussen dat van Maurice en Basiel in de slaapzaal, en naar de stemmen van de meisjes uit de keuken die 's avonds over de binnenplaats schallen, en naar de kalme voorspelbaarheid van dat alles.

En hij schoffelt het onkruid tussen twee rijen aardappelplanten los, en hij probeert zich op de bewegingen van zijn armen te concentreren en op de zon die warm op zijn rug schijnt, maar Jules die achter hem aan loopt en het onkruid opraapt en in een mand gooit, praat dwingend tegen hem over zijn vrouw die een hoer is omdat ze hem met God weet wie heeft bedrogen terwijl hij aan het front was, en nu nog steeds, daarom komt ze nooit op bezoek, zegt hij, en Noen weet dat het geen zin heeft om hem eraan te herinneren dat zijn vrouw al jaren dood is.

En aan het einde van het veld, tegen de muur van het betalende paviljoen geleund, staan Cyriel en Ferdinand en Eugeen te roken en ze hebben het ongetwijfeld over de oorlog, Cyriel over de Duitser die voor zijn ogen door een granaatscherf werd onthoofd en Ferdinand over zijn gesneuvelde broer en Eugeen is ervan overtuigd dat de oorlog nog steeds voortduurt en dat het hier wemelt van de Duitse spionnen, en geen van drieën horen ze wat de ander zegt, ze vlechten onder het mom van een gesprek drie monologen door elkaar, en als broeder Honoré langsloopt veranderen ze snel van onderwerp, want praten over de oorlog vertraagt volgens dokter De Moor de genezing en is niet toegestaan.

En in de rij naast Noen staat André te schoffelen en de hele dag, letterlijk de hele dag, mompelt hij het Onzevader om zijn schuld in te lossen, maar hij kan niemand duidelijk maken wat die ontzaglijke schuld inhoudt en wat hij heeft misdaan, en Maurice zit knikkebollend midden in het aardappelveld in het zand omdat hij 's nachts wakker ligt uit angst voor nachtmerries, waarvan hij Noen eens heeft toevertrouwd dat ze bestaan uit gruwelijke frontherinneringen, maar het vreselijkste is dat hij er zo opgewonden van raakt dat hij een zaadlozing krijgt en dan staat hij midden in de nacht zijn lakens onder de kraan schoon te wassen, en dan is er nog Alfred met zijn verlamde ledematen, de ene dag zijn linkerbeen, de volgende dag zijn rechterarm, en Constant met zijn nerveuze tics en zijn gestotter.

Bevreemd ziet Noen het allemaal rondom hem gebeuren, alsof hij maanden weg is geweest en maar niet aan zijn omgeving kan wennen, en het denkbeeld van de twee ontgoochelde vrouwen zweeft ook nog steeds in zijn hoofd, het heeft zich losgemaakt van de werkelijkheid, alsof hij het heeft verzonnen, en hoewel hij vaak zijn zaalgenoten sust en naar hun zich eindeloos herhalende verhalen luistert, vraagt nu niemand hem hoe zijn ontmoetingen met de vrouwen zijn verlopen, alsof hem buiten hun belevingswereld niets kan gebeuren. En hij probeert de mannen en hun vreemde gedrag weer als vanzelfsprekend te ervaren, zichzelf in zijn leven te passen, maar het wringt in zijn hoofd, en hij zet zijn schoffel tegen de muur en loopt weg, en broeder Honoré vertrouwt hem en laat hem gaan, en hij zit in de benauwd warme kas tussen de tomatenplanten en de druivenranken en het is eindelijk stil.

Allemaal zijn ze jaloers op zijn geheugenverlies, nooit gekweld door herinneringen, geen nachtmerries, zelfs de broeders benijden hem, voor hen is inwisselbaarheid van uiterlijk en karakter het hoogst bereikbare, en onthechting waardoor ze God nader komen, en in hun ogen heeft hij in de schoot geworpen gekregen waarvoor zij een leven lang moeten lijden, en ook die vrouwen waren gelukkig met zijn gebrek aan herinneringen, iedereen vult hem naar believen in als een kleurplaat, en hij kan zich er niet tegen verzetten. En hij vertelt zichzelf over de enige tijd die hij zich herinnert, de jaren hier in het gesticht, over zijn zekerheden, zijn twijfels, zijn verdiensten, over de man die hij wel moet zijn, wat er ook aan vooraf is gegaan, wat er ook zal komen.

Maar tijdens het avondmaal in de refter voelt hij nog steeds dezelfde eenzame bevreemding, Octave die kokhalzend zijn eten naar binnen werkt omdat alles wat hij in zijn mond stopt hem doet denken aan het rottende lichaam van een kameraad dat in zijn gezicht uit elkaar spatte toen hij er per ongeluk op ging staan, en broeder Deodatus die Eugeens mond met geweld openspert en broeder Thomas die daar dan snel een hap in propt omdat Eugeen ervan overtuigd is dat de Duitse spionnen hem proberen te vergiftigen, en samen worstelen de broeders met hem terwijl hij het eten weer probeert uit te spugen, en bij iedere hap gaat het zo, en Constant die vandaag zo'n last heeft van zijn tics dat de helft van zijn soep op de vloer spettert, en Noen heeft al honderden keren zo met hen aan tafel gezeten, maar vanavond kan hij het niet verdragen, en hij laat zijn eten staan.

En hij zit in de gang op de grond met zijn rug tegen de muur, en hij hoort voetstappen naderen, het is Basiel, hij komt naast hem zitten en hij pakt zijn potlood en opschrijfboekje uit zijn zak en hij schrijft wat op en hij toont het Noen, hoe ging het, is zijn vraag, en Noen merkt dat praten over de ontmoetingen met de vrouwen hem tegenstaat, door er woorden voor te zoeken en die hardop uit te spreken wordt de onaan-vaardbaarheid van hun teleurstelling alleen groter, alsof hij hen nog eens en nu met opzet pijn doet, en hij maakt zich er met een paar zinnen van af, en Basiel schrijft in zijn boekje dat hij blij is dat Noen nog even hier blijft, en Noen knikt, ik ook, zegt hij, en ze glimlachen naar elkaar en samen zitten ze in stilte op de koele tegelvloer, en dat is het fijne van Basiels gezelschap, als hij bij hem is vergeet Noen soms zijn aanwezig-heid en toch voelt hij zich dan niet alleen, en dokter De Moor gelooft dat Basiel weigert te praten, niet omdat hij het niet kan maar omdat hij het onbewust niet wil, hij heeft de verschrikkingen van de oorlog onschade-lijk gemaakt door ze te verzwijgen, zoals Noen ze is vergeten.

En 's avonds spelen ze met z'n allen pandoeren in de recreatiezaal, en na zes rondes is Alfred de grote verliezer, en hij moet dus vannacht opblijven om de anderen uit hun nachtmerries te wekken, en Basiel speelt op de piano en hij kan dat goed en omdat alle geluiden de hele dag zo onopvallend zijn, banen de tonen zich een weg naar hun hart en ze luisteren allemaal ontroerd en Ferdinand en Octave huilen, en Noen vergeet de vrouwen die hij verdriet heeft gedaan en de twee die hij morgen nog verdriet gaat doen, en hij zinkt in zijn leven weg als in een donzen matras, en pas als hij zich in de slaapzaal uitkleedt, herinnert hij zich weer wat deze dag van de voorgaande onderscheidt, en door die onderbreking in zijn zorgen lijken de ontmoetingen met de vrouwen des te grimmiger en onoverkomelijker.

En Constant leidt broeder Konrad af door met opzet een lampetkan vol water om te stoten, en ondertussen binden Noen en Jules en Basiel ongezien André met hun sokken aan de beddenspijlen vast, omdat hij gelooft dat hij 's nachts in een vlaag van verstandsverbijstering zelfmoord zal plegen, en ze mogen hem niet vastbinden van dokter De Moor, die is ervan overtuigd dat André zich niet van het leven zal beroven, maar André is zo bang voor zichzelf dat hij hen met zijn gehuil en geprevel anders allemaal wakker houdt en naar het onrustige paviljoen zal worden overgeplaatst. En broeder Konrad blaast de lampen uit, en de deur laat hij openstaan en hij gaat in de gang op een stoel zitten lezen, en Noen keert zich op zijn zij en sluit zijn ogen, en die mooie vrouw warrelt zijn hoofd binnen, en hij denkt aan haar, hoe zij nu ook in bed ligt en ze huilt, denkt hij, ze huilt vanwege hem, en hij probeert zich voor te stellen hoe zijn leven eruit had gezien als hij haar man zou zijn geweest, als zij hem had herkend en zij hem met haar leven had gevuld.

En iemand schudt hem ruw door elkaar, hij schrikt wakker, en Alfred staat in het donker naast zijn bed en fluistert dat hij zich alsmaar omdraaide en met zijn armen om zich heen maaide, en Noen bedankt hem, en ze horen broeder Konrad op de gang zijn stoel verschuiven en Alfred loopt snel terug naar zijn eigen bed en springt erin. En Noen ligt op zijn rug en die vrouwen, het komt natuurlijk door die vrouwen, hij heeft bijna nooit nachtmerries, het laatste jaar heeft hij er niet een gehad, en als het hem overkomt herinnert hij zich nooit wat hij heeft gedroomd, en ook nu komt niet één beeld bovendrijven, hij heeft alleen een afschuwelijk gevoel van verlatenheid en zelfverachting aan zijn droom overgehouden, en hij ligt te wachten totdat het wegtrekt, maar het laat zich niet verdrijven.

En de nacht kruipt voorbij, zwart en tijdloos, en het licht van broeder Konrads lamp dat door de kier van de deur naar binnen valt werpt naargeestig schaduwen over de vloer, en in de verte klinkt het geschreeuw van de wanhopige mannen uit het onrustige paviljoen en de isoleercellen dat door de donkere, lege gangen galmt, en gewoonlijk is het een geluid dat er nu eenmaal is, zoals het fluiten van vogels of het gerinkel van bestek, maar nu vermengt het zich met het verschrikkelijke gevoel uit zijn droom. En Constant en Jules worden op tijd door Alfred gewekt, voordat broeder Konrad hun angstdromen heeft opgemerkt en een overplaatsing naar het onrustige paviljoen kan overwegen, en nieuwe, altijd dezelfde, zich herhalende nachtmerries vullen de zuchtende, woelende, snurkende slaapzaal.

En dan eindelijk, eindelijk wordt het schoorvoetend licht, en nog neemt het wezenloze gevoel van zelfverachting niet af, het vergezelt hem als een schaduw bij het opstaan en het aankleden en tijdens de mis, en zittend in de kerkbank mompelt hij werktuigelijk de Latijnse formuleringen mee, en de woorden zonder betekenis zijn als zachte muziek en de verheven kalmte spreidt beschermend haar vleugels over hem uit, maar het gevoel verdwijnt niet, het verandert alleen van vorm, zodat hij er niet meer door wordt overweldigd en het van een afstandje kan beschouwen.

En tegen de tijd dat broeder Thaddeus hem komt halen en hem naar de spreekkamer van dokter De Moor brengt, weet hij het zeker, en hij vertelt hem dat hij de twee vrouwen niet wil ontmoeten, en broeder Thaddeus zegt dat hij rustig moet gaan zitten, dan zal hij dokter De Moor waarschuwen. En na even komt dokter De Moor gehaast de spreekkamer binnen, en Noen herhaalt zijn besluit tegen hem en dokter De Moor noemt het een egoïstische opwelling, die arme vrouwen, zegt hij, hij heeft ze al een hele dag laten wachten en nu wil hij ze ook nog eens onverrichterzake naar huis sturen. En Noen probeert hem uit te leggen hoe angstwekkend leeg hij zich voelt en dat hij bang is dat de man die hij in de afgelopen vier jaar met moeite is geworden hem zal verlaten, en dokter De Moor zegt onaangedaan dat verantwoordelijkheid leren dragen een deel van het genezingsproces is, een heer komt niet op zijn afspraken terug omdat het hem even niet uitkomt, zegt hij, en het gaat nog maar om één vrouw, de tweede was zo aangeslagen door het uitstel van gisteren dat ze naar huis is vertrokken, één vrouw, tien minuten van zijn leven, zodat deze ene vrouw tenminste zekerheid heeft en 's nachts weer rustig kan slapen. En Noen zegt dat hij gisteren die twee vrouwen alleen pijn heeft gedaan, het was beter geweest als ze hem nooit hadden gezien, hij neemt dit besluit niet alleen voor zichzelf, ook voor die onbekende vrouw, en dokter De Moor zegt kalm dat het niet aan hem is om over haar lot te beslissen, sterker nog hij is niet eens in staat om over dat van hemzelf te beslissen, dat moet dokter De Moor voor hem doen, en als hij niet wil meewerken dan moet ik je dwingen, zegt hij.

En broeder Thaddeus is inmiddels weggegaan en komt met broeder Thomas terug, en hij heeft een crèmekleurige jas met lange mouwen in zijn hand en Noen weet wat er zal volgen, en hij vlucht naar de deur en broeder Thomas grijpt hem stevig rond zijn middel beet en Noen worstelt met de twee broeders, maar hij maakt geen schijn van kans tegen hen, binnen een paar minuten hebben ze hem in de jas gewurmd en broeder Thaddeus gespt de riemen vast zodat zijn armen gekruist op zijn borst belanden en zijn handen bijna op zijn rug.

Ga maar op die stoel zitten, zegt dokter De Moor, en in de ijzige toon van zijn stem hoort Noen wie hij is geworden, een krankzinnige, en ze hebben hem vaker zo behandeld, maar nooit terwijl hij helder kon denken en kon uitleggen wat hem bezielde, en in hem kolkt een woede die hij alleen zou kunnen uiten door als een gevaarlijke gek brullend door de spreekkamer te stormen en zijn hoofd tegen de muur te bonken.

En hij zit op de stoel en haalt een paar keer diep adem, en ook dat gaat eigenlijk niet omdat broeder Thaddeus de riemen strak heeft aangetrokken, en hij buigt zijn hoofd en probeert in het regelmatige patroon van de tegelvloer te verdwijnen. En hij hoort dokter De Moors zware voetstappen en de snellere, lichtere van een vrouw door de gang naderen, en de deur gaat open, en hij kijkt niet op, ook als de deur achter hen wordt gesloten kijkt hij niet op.

En dokter De Moor zegt tegen haar, hij is boos vandaag, en de manier waarop hij het zegt, alsof Noen een lastig kind is, en de vrouw zegt, wilt u me niet ontmoeten, en ze heeft een diepe, lijzige stem, alsof het leven haar verveelt, en de vanzelfsprekendheid waarmee ze zich niet tot dokter De Moor richt maar tot hem, de man voor wie ze is gekomen, die haar een dag heeft laten wachten en ook dat neemt ze hem niet kwalijk.

En zijn blik springt over het crème-rode tegelpatroon naar haar toe en klimt voorzichtig in haar, en haar schoenen zijn oud maar keurig gepoetst en haar donkerbruine zondagse jurk is eenvoudig en ook haar jas is niet chic, en haar ademhaling gaat snel en haar bloed bonst zichtbaar in haar hals en, o, zegt ze en het klinkt vreemd dierlijk alsof het een geluid is dat ondanks haarzelf aan haar lichaam ontsnapt, en hij kijkt haar in het gezicht, en nog nooit heeft hij zo veel stralend oprecht geluk gezien, het is als huilen en lachen en dromen tegelijk en ze is alles en iedereen om zich heen vergeten, ze weet alleen dat hij er is, en hij had geen idee dat een mens zo naar een ander mens kon kijken, en hij lacht overrompeld naar haar. En zij wil naar hem toe lopen, maar dokter De Moor gaat voor haar staan en hij zegt dat ze beter niet bij zijn patiënt in de buurt kan komen, maar dat is Amand, zegt ze vol onbegrip, en dokter De Moor zegt dat ze rustig plaats moet nemen, en ze gaat op de stoel zitten tegenover die van dokter De Moor bij zijn bureau, en hij neemt de gegevens van haar man met haar door, Amand Stephaan Coppens, 35 jaar oud, 1 meter 63 lang, vermist geraakt bij Diksmuide op 18 december 1917, en ja, zegt ze afwezig, dat klopt allemaal, en intussen kijkt ze naar hem alsof ze haar ogen niet kan geloven, en dokter De Moor herinnert haar eraan dat de man die hier voor haar zit pas op 22 december achter het front bij Merckem is gevonden, en ze zegt dat hij blijkbaar dagenlang heeft rondgezworven, en Merckem is niet ver van Diksmuide, zegt ze.

En ze kijkt naar hem en hij naar haar en hij probeert zich haar te herinneren, haar lijzige stem en haar kastanjebruine krullen die ze vanmorgen voor de spiegel in een knot heeft geprobeerd te dwingen en haar fletse, bruine ogen en haar bleke, onregelmatige huid en haar mollige, wat gedrongen postuur, en misschien is het omdat ze zo alledaags is, niet mooi, niet lelijk, niet grof, niet elegant, niet dik, niet slank, een vrouw die je tien keer voorbij kunt lopen zonder dat ze je opvalt, maar hem wil helemaal niets te binnen schieten, zijn gedachten blijven steken in haar stralende, verwonderde glimlach, alsof hij bang is om ook haar pijn te moeten doen, en hoe onvoorstelbaar diep zal haar teleurstelling zijn, dieper dan haar geluk ooit groot kan zijn.

En dokter De Moor vraagt haar of ze een bijzonder kenmerk van haar man kan noemen, en ze kijkt Noen aan en de vraag dringt niet tot haar door, en dokter De Moor moet hem nog eens herhalen, en haar blik trekt zich nadenkend een eindje uit de zijne terug, en na even zegt ze dat hij op z'n negentiende een trap van een paard heeft gehad, er zit een litteken boven zijn slaap, zegt ze, net onder zijn haar, en hij ziet in haar ogen dat ze in gedachten haar hand uitstrekt en zijn haar wegstrijkt en het litteken aanraakt. En hij was zichzelf vergeten in haar blijdschap en nu ineens is hij zich bewust van zijn ongemakkelijke houding in de dwangbuis en dat hij zijn armen niet kan bewegen, en het is vernederend, al die liefde die over hem wordt uitgestort terwijl hij er zo bijzit, en zij staat op van haar stoel, en dokter De Moor is haar voor en loopt haastig naar Noen toe, en zij volgt hem aarzelend op een afstandje, en Noen blijft haar aankijken en glimlacht geruststellend naar haar, want hij weet dat hij precies op de plek die zij heeft omschreven een litteken heeft, hij geloofde dat het een oorlogswond was, zijn enige aanspraak op een heldhaftige verklaring voor zijn geheugenverlies, en dokter De Moor bukt zich en met een gebaar dat bijna teder is strijkt hij Noens haar opzij, eerst op zijn ene slaap en dan op de andere, en hij ziet het litteken, inderdaad, u heeft gelijk, zegt hij verrast tegen haar, en hoewel Noen niet weet of hij werkelijk haar man wil zijn, voelt hij een triomf alsof ze samen dokter De Moor een hak hebben gezet.

En dokter De Moor gaat weer zitten en vraagt of ze hem een foto van haar man kan laten zien, en ja ze heeft een foto bij zich, ze pakt hem uit haar tas terwijl ze vertelt dat het de enige is die ze van hem bezit, want Amand is fotograaf en hij stond dus altijd achter de camera, niet ervoor, dit is onze trouwfoto, zegt ze, en ze geeft hem aan dokter De Moor en als ze ziet dat hij de man op de foto aandachtig met Noen vergelijkt, zegt ze dat het een oude foto is, van dertien jaar geleden, en dokter De Moor kijkt nog eens en knikt dan langzaam en geeft hem aan haar terug.

En zij merkt dat Noen zich vooroverbuigt om een glimp van de foto op te vangen, en ze loopt aarzelend naar hem toe en dokter De Moor houdt haar niet tegen, en ze staat voor hem en hij kan zijn vastgegespte handen niet gebruiken en ze houdt de kleine foto onhandig voor hem op, vlak voor zijn ogen, en hij ziet haar en hem staan in zwart-wit, stijfjes naast elkaar, hun handen te stevig in elkaar vervlochten alsof ze bang zijn dat niet op de foto zal overkomen dat ze bij elkaar horen, en hij heeft een donker kostuum aan en zijn hoed houdt hij in zijn hand, en zij draagt een eenvoudige, nette jurk en allebei hebben ze aan de linker- kant, net onder hun schouder, een witte corsage opgespeld, en ze kijken strak en enigszins wantrouwend in de camera, en zij ziet er jong en naïef uit, en hij ook, hij is dikker dan hij nu is en hij heeft een snor en zijn haar is langer en het valt verder over zijn voorhoofd, en het is onvoorstelbaar vreemd om die man te zien en te beseffen dat hij dat zelf is.

En hij draait zijn hoofd van de foto weg en hij kijkt haar aan, en nog nooit heeft hij een vrouw van zo nabij gezien, ze is overweldigend le- vensecht en vooral dringt zich haar anders-zijn aan hem op, alsof de meisjes uit de keuken die hij 's avonds vanachter de ramen van de re- creatiezaal naar huis ziet vertrekken, en de vrouwen die zondags zijn zaalgenoten bezoeken, en zelfs de twee vrouwen van gisteren, alsof hij hen allemaal als verlengstukken van zijn eigen ik beschouwde, maar zij bestaat angstwekkend los van hem.

En ze wordt verlegen onder zijn blik en ze zegt, ik ben Julienne, herken je me niet, en de vanzelfsprekendheid waarmee ze hem met jij aanspreekt, en de huiselijke toon in haar stem, ze ziet niet de krankzin- nige in de dwangbuis die dokter De Moor van hem heeft geprobeerd te maken, ze ziet de man met wie ze jaren samen is geweest, en zijn keel knijpt zich dicht en hij slikt zijn ontroering weg en hij zegt tegen haar dat hij niet weet of hij haar herkent, en terwijl hij praat beseffen ze bei- den dat het de eerste keer is dat ze zijn stem hoort en haar blik krijgt iets wazigs alsof ze langs hem heen in de verte kijkt, en hij zegt haar naam, Julienne, en die rolt onwennig van zijn tong, en zij legt voorzichtig haar hand op zijn schouder en hij staat op van de stoel en omdat hij zijn armen niet kan bewegen wankelt hij even en hij voelt hoe ze zijn schouder vastgrijpt, en ze staan tegenover elkaar en zij doet een stap naar hem toe en ze legt haar armen om hem heen, eerst weifelend en als ze merkt dat hij meegeeft steviger, en de brede, slappe rand van haar hoed strijkt langs zijn wang en haar lauwe adem langs zijn nek, en haar rechterhand streelt over zijn ingesnoerde linkerarm naar beneden, over zijn bovenarm en zijn elleboog en dan vindt ze zijn rechterhand en die neemt ze zacht in de hare, en haar linkerhand ligt in zijn nek, tussen zijn boord en zijn haar, en haar handen zijn warm en aandoenlijk zweterig, en rust dwarrelt als een donsveertje in hem neer, en zij merkt dat hij zich in haar armen ontspant, en ze richt haar hoofd op van zijn schouder en ze kijkt hem van vlakbij in zijn ogen en ze glimlacht vanuit de schaduw van haar hoed naar hem, en de vertrouwelijkheid van haar nabijheid, de onbevangen intimiteit ervan overspoelt hem en het is alsof zijn vorige leven een ondeelbare fractie van een seconde voor het grijpen ligt.

En zij laat hem los en onhandig staan ze weer tegenover elkaar, en ze wendt zich tot dokter De Moor die ijverig in zijn papieren tuurt alsof hij geen getuige is geweest van iets wat zich alleen in de beslotenheid van haar eigen huis behoort af te spelen, en ze vraagt hem of Amand uit de dwangbuis kan worden gehaald, ik weet zeker dat hij ons geen kwaad zal doen, zegt ze, en dokter De Moor knikt zwijgend naar broeder Thaddeus, en Noen keert broeder Thaddeus zijn rug toe en die maakt de gespen los en trekt hem de dwangbuis uit, en Noen beweegt zijn stijve armen en schouders, en hij wilde dat ze hem nog eens zou omhelzen, en hij zou zijn armen om haar heen leggen en met zijn handen over haar zachte vrouwenrug strelen.

Maar zij is weer op de stoel tegenover dokter De Moor gaan zitten, en ze hebben het over de kleren die hij droeg toen hij bij Merckem door de soldaten van een veldkeuken werd gevonden, een bij elkaar geraapt geheel bestaand uit delen van een Vlaams en een Frans en een Duits uniform en zonder enig herkenningsteken, zo staat het in zijn dossier, en dokter De Moor zegt dat soldaten in de loop van de oorlog hun kleren overal vandaan haalden, vooral als het winter was, en zij knikt alsof ze dat al jaren wist en ze werpt een blik op Noen, en dan vraagt ze beschaamd dokter De Moor naar zijn ondergoed, ik heb zijn initialen erin genaaid toen hij werd gemobiliseerd, zegt ze. En dokter De Moor bekijkt zijn dossier, maar nee, hij droeg deels Duits, deels Frans legerondergoed, en ze vraagt of hij zijn zilveren horloge bij zich had, en nee, ook geen horloge, en dan vraagt ze of hij brieven van haar op zak had, en dokter De Moor zegt, geen brieven, maar hij was in de war en niet aanspreekbaar en het enige dat de arts in het veldhospitaal uit zijn woorden begreep was dat hij terug wilde naar zijn kameraden en dat er iets met een brief was, en een jaar lang, in het veldhospitaal in De Panne en het hospitaal in Châteaugiron en zelfs toen hij na de oorlog hier naar het Guislaingesticht in Gent werd gebracht, had hij het voortdurend over die brief.

En ze is ontroerd, en ze zegt tegen dokter De Moor dat zij ook jaren en jaren op een brief van hem heeft gewacht, en zelfs eergisteren, zegt ze, en ze kijkt Noen ongelovig aan, alsof de gedachte aan al dat wachten onverenigbaar is met zijn bestaan, zelfs eergisteren, zegt ze, wachtte ik nog op een brief van je. En het is vreemd, al die tijd dacht hij los van de wereld te staan, geen verleden, geen toekomst, nooit bezoek, en al die tijd was zij er en ze wachtte op hem, iedere dag dat hij opstond en naar de mis ging en in de tuin werkte en zich haar weer niet herinnerde deed hij haar pijn. En ze ziet dat haar woorden hem treurig maken, en ze zegt tegen hem dat ze naar huis zullen gaan en dan wordt alles anders, zegt ze, en hij krijgt een brok in zijn keel, hij heeft een huis, een plek om thuis te horen, om naar terug te keren, om naar te verlangen, en ook haar ogen vullen zich met tranen, en ze kijken elkaar aan en ze vraagt hem zacht, ga je met me mee naar huis, en hij knikt heftig en woordeloos.

En dokter De Moor zegt, u moet hem geen beloften doen die u niet waar kunt maken, mevrouw Coppens, en zij herhaalt dat alles anders zal worden, en het klinkt als een bezwering, en dokter De Moor probeert haar uit te leggen dat ze hem niet zomaar mee kan nemen, hij is mijn man, zegt ze, hij hoort hier niet, en dokter De Moor zegt dat ze niet weet waarover ze het heeft. En ze kijkt naar Noen en ze zegt hem dat de staat hem acht jaar geleden van haar heeft afgenomen om met zijn lichaam en met dat van miljoenen andere mannen een oorlog uit te vechten waar niemand om had gevraagd, toen was ik jong en goedgelovig, zegt ze, maar dit keer gaat het anders. En dokter De Moor zwijgt, en hij staat op en zegt dat hij met de directeur-overste moet overleggen, u kunt hiernaast wachten, zegt hij, maar zij blijft zitten en hij dringt niet aan, hij wisselt een blik met broeder Thaddeus en loopt dan weg en sluit de deur geruisloos en nadrukkelijk achter zich.

En het is stil in de spreekkamer, het is alsof de aanwezigheid van dokter De Moor hun samenzijn vormgaf, zonder hem weten ze niet wat ze tegen elkaar moeten zeggen en ze durven elkaar nauwelijks aan te kijken, en hij haat die verlegenheid in hemzelf, maar in haar vindt hij hem aandoenlijk, en hij begint op goed geluk over zijn leven in het gesticht te praten, over de strakke dagindeling en het werken in de tuin, en hij ziet haar opluchting en ze kijken elkaar aan en hij glimlacht geruststellend naar haar, en misschien heeft hij haar zo bedeesd nog liever, en hij vraagt haar of ze de tuinen wil zien, en ja, zegt ze, dat wil ze heel graag.

En broeder Thaddeus loopt met hen mee door de gangen, en ze zwijgen alle drie, en in de verte horen ze een man in het onrustige paviljoen hartverscheurend schreeuwen, en hij ziet het medelijden op haar gezicht, en hij schaamt zich voor het gesticht, alsof het gebouw zijn lichaam is en de afstotelijke geluiden zijn stem, en broeder Thaddeus houdt de buitendeur voor hen open, en ze lopen samen door de galerij en de zon valt in plechtige bogen aan hun voeten, en dan zijn ze op de binnenplaats in het volle, warme licht, en bij het rozenperk kijkt Noen om en hij ziet dat broeder Thaddeus nog steeds in de deuropening staat en hen in de gaten houdt, en ook zij ziet het en ze komt dichter naast hem lopen alsof ze wil bewijzen dat ze zich niet bang laat maken.

En hij laat haar de bloemperken op de binnenplaats zien, en hij vertelt haar over de verzorging van de planten en de grasvelden en de bomen en de heggen, en over de tuinen en de boerderij en de wasserij, en zij vraagt of alle, ze aarzelt en wil niet het woord 'gekken' gebruiken, inwoners, zegt ze, of alle inwoners werken. En hij legt haar de hiërarchie van het gesticht uit, bovenaan staan de rustige paviljoens, en helemaal onderaan de onrustige, waar je in bed moet blijven, of zelfs de hele dag in een warm bad moet zitten, werken of naar buiten mag je in geen geval, en dan zijn er nog de patiënten in de betalende paviljoens, die hebben meer privileges, zegt hij, maar daar is hij nog nooit geweest, want ja, hij heeft geen familie die voor hem betaalt, en zelfs de staat vergoedt zijn verblijf niet, voor de wet bestaat hij niet, en al die jaren heeft het gesticht de kosten voor hem gedragen, uit christelijke naastenliefde, zegt hij, en zij vraagt hem naar de Broeders van Liefde, of al het personeel tot de kloosterorde behoort of alleen de verplegers, en ze vraagt naar zijn vrienden in het gesticht en naar de tuinen, en het gesprek meandert als vanzelf verder.

En op zondagen komen de families van zijn zaalgenoten op bezoek en ze tonen belangstelling voor het leven in het gesticht en de gedachtewereld van hun man of zoon of vader die hier moet verblijven, en hoe ze ook hun best doen Noen proeft medelijden en angst in hun reacties, en als ze na een uurtje weer terug kunnen naar de gewone wereld zijn ze opgelucht, maar zij is anders, hij heeft het wonderbaarlijke gevoel dat ze de buitenwereld een tijdje heeft afgelegd en zich zonder voorbehoud aan hem en het gesticht heeft uitgeleverd, haar interesse is oprecht en ze heeft geen medelijden met hem en ze is niet bang, ze ziet alleen dat hij haar man is en dat dit het leven is dat hij de afgelopen vier jaar heeft geleid terwijl zij op hem wachtte en aan hem dacht, en daarom is het ook een beetje haar leven geworden.

En hij vertelt haar over zijn dagen, en over zijn taken in de tuin, en over het kaarten en biljarten in de recreatiezaal, en hij kijkt er door haar ogen naar en alles stroomt vol betekenis en schoonheid, alsof hij net als zij vier jaar lang op het moment heeft gewacht waarop hij met haar samen zou zijn, alsof zijn leven een verhaal en een richting heeft gekregen, en zo moet het voelen om iemand te zijn, niet alleen hijzelf is veranderd, ook alles om hem heen, alsof de hele wereld met hem samenhangt, en hij voelt zich vrij, ongekend vrij aan haar zijde.

En hij laat haar de moestuin zien en het leifruit dat langs de buitenmuren van de tuin groeit, en ze proeft van de rode bessen en de abrikozen en hij vertelt haar dat hij in de kas mag komen, en iedereen in het gesticht weet dat dat een groot privilege is, maar haar moet hij uitleggen dat het vanwege het glas alleen voor betrouwbare, rustige patiënten is, eigenlijk alleen voor de broeders en voor hem, ze is als een kind zo onwetend in zijn wereld en hij is door haar betoverd, door het idee dat ze bij hem hoort en dat ze zijn vrouw is, door de manier waarop ze hem in de ogen kijkt, hoe ze haar passen naar de zijne regelt, hoe ze luistert en vraagt, hoe ze nog meer door hem is betoverd dan hij door haar. En hij neemt haar mee naar de kas, en hij trekt zijn jasje uit en spreidt het voor haar uit in het zand tussen de druiven en de tomaten en de citroenen, en hij gaat naast haar zitten, en ze zwijgen een tijdje en de stilte is niet ongemakkelijk, het is alsof ze in gedachten verder praten, en zij lacht plotseling en ze zegt dat ze toch gelijk had, al die jaren dat ze stug volhield dat hij nog leefde en mensen haar niet wilden geloven, sommigen geloofden dat ze gek was en anderen hadden medelijden met haar, en allemaal zeiden ze dat ze het beter uit haar hoofd kon zetten, en ik wist het, zegt ze, ik wist gewoon dat je nog leefde en dat ik je eens zou vinden, en ze lacht nog eens, ongelovig en verbijsterd door haar eigen geluk.

En daar in de vochtige warmte van de kas vertelt ze hem dat ze sinds het einde van de oorlog in tientallen hospitalen en gestichten naar hem heeft gezocht, vaak wist ze eigenlijk al van tevoren dat de patiënt die ze ging bezoeken niet haar man kon zijn, maar toch moest ze gaan, want stel je voor dat ze zich vergiste, dat ze uit achteloosheid haar enige kans om hem terug te vinden liet schieten, en natuurlijk kreeg ze in de dagen voorafgaand aan zo'n bezoek tegen beter weten in toch weer hoop, en achteraf was ze bitter teleurgesteld, en ook al wist ze dat het zo zou gaan, ze kon er niet aan ontkomen, en ze bezocht zwaar verminkte mannen en doofstomme en verwarde en krankzinnige, en niemand die zich om hen bekommerde, vaak was zij hun eerste bezoeker in jaren, en het was zo treurig, zo treurig. En in haar nachtmerries was hij een van hen, hij kon niet praten en hij was verminkt, en ze las in zijn ogen dat hij wist wie ze was, en uit angst voor zijn monsterlijke gezicht en zijn misvormde lichaam deed ze alsof ze hem niet herkende, en op het moment dat hij besefte dat ze hem in de steek zou laten en haar een hulpeloze, gekwetste blik toewierp schrok ze altijd wakker, een vreselijke droom was het en ze had hem steeds vaker, in de aanloop naar dit bezoek zelfs iedere nacht.

Had ik geweten dat vandaag een wonder zou zijn, zegt ze, maar had ze het geweten dan was het ook minder wonderbaarlijk geweest, gisteravond twijfelde ze nog of ze wel moest gaan, en vanochtend durfde ze niet, want wat als ook hij Amand niet bleek te zijn en haar hoop van de afgelopen weken zou vervliegen, en de oorlog was al zo lang geleden, misschien was dit haar laatste kans om hem te vinden, en zie nou, zegt ze, zie ons hier nou samen zitten, en ze kijkt verbijsterd naar hem en hij naar haar.

En hij plukt een rijpe tomaat voor haar, en ze weet dat het een tomaat is, maar ze heeft er nog nooit een geproefd, is het lekker, vraagt ze wantrouwend, en hij zegt dat ze het mag uitspugen als ze het vies vindt, en uiteindelijk neemt ze een hap, en ze moet aan de smaak wennen en dan zegt ze dat het heerlijk is, en ze eet de tomaat helemaal op en het vocht druipt langs haar kin en hij leent haar zijn zakdoek om haar mond af te vegen, en ze lacht om zichzelf, en hij wilde dat ze hier nog uren konden blijven, tussen de tomaten en de druiven en de citroenen.

En ze praat over thuis, ze wonen in Kortrijk, zegt ze, ze hebben samen een fotostudio en twee kinderen, Gust is nu tien en Roos zeven, en dat hij zomaar een vrouw heeft gekregen is een groot geluk, maar de kinderen benauwen hem, kinderen die van alles van hem verwachten, voor wie hij verantwoordelijkheid moet dragen, en zij merkt dat hij stil is geworden, heb ik iets verkeerds gezegd, vraagt ze, en hij zegt van niet, en ze glimlachen naar elkaar, en haar gezicht is rood van de warmte en zweetdruppeltjes parelen op haar voorhoofd en haar bovenlip, en hij vraagt of ze liever buiten op een bankje wil zitten, en nee, zegt ze, ze wil graag hier nog even met hem blijven, en ze zitten zwijgend naast elkaar en allebei zijn ze zich bewust van de nabijheid van de ander en van de intimiteit van hun samenzijn.

En de deur van de kas gaat open en broeder Thaddeus stapt naar binnen en hij zegt dat hij al dacht dat ze hier waren, overste Segers en dokter De Moor willen met u praten, zegt hij tegen haar, en ze staat gauw op en hij ook, en hij schiet zijn colbertje aan en zij trekt haar jurk recht, en allebei hebben ze het gevoel dat ze ergens op zijn betrapt.

En in de kamer van overste Segers zitten ze vlak naast elkaar, als ze haar voet verplaatst voelt hij haar jurk langs zijn broekspijp strijken, en zo nu en dan kijkt ze opzij naar hem en blijft haar blik even in de zijne hangen, maar de vanzelfsprekende verbondenheid van daarnet in de kas is verdwenen, dokter De Moor vertelt haar wie de man die ze mee naar huis wil nemen werkelijk is, en met ieder woord drijft hij hen verder uit elkaar.

Hij weet niets meer, zegt dokter De Moor, alleen de afgelopen vier jaar die hij hier heeft doorgebracht herinnert hij zich, toen hij in december 1917 bij Merckem werd gevonden, kon hij niet vertellen wie hij was, bij welk regiment hij hoorde, hoe oud hij was, waar hij woonde, of hij getrouwd was, niets, en omdat hij rond het middaguur in het veldhospitaal werd binnengebracht, gaf de arts hem de naam Noen Merckem, en volgens zijn dossier reageerde hij niet als hij werd aangesproken, hij praatte warrig in zichzelf en hij was geagiteerd, en er waren ook dagen waarop hij roerloos op een stoel zat en voor zich uit staarde, lichamelijk mankeerde hij niets, hij had alleen luizen en schurft en loopgraafvoeten, en na een korte observatieperiode in het veldhospitaal van De Panne waren de artsen ervan overtuigd dat hij geen deserteur was die krankzinnigheid voorwendde om niet terug te hoeven naar het front, en ze stuurden hem naar een basishospitaal in Frankrijk dat was gespecialiseerd in zenuwziekten, en daar in Châteaugiron zetten ze hem eerst een paar maanden in isolatie, en toen hij enigszins aanspreekbaar was geworden, gaven ze hem hydrotherapie met afwisselend droge en natte wikkelingen, en vervolgens een badbehandeling om zijn hersenen te kalmeren, en rustiger werd hij inderdaad, maar nog steeds herinnerde hij zich niets, en dus probeerden ze hypnose, en ook dat leverde geen herinneringen op, en na injecties met amobarbital, het waarheidsserum, gaf hij alleen informatie die niet klopte, hij zei dat hij zeventien jaar was en dat hij was gesneuveld.

En toen was inmiddels de oorlog voorbij, zegt dokter De Moor, en kwam hij hier terecht in het Guislaingesticht, en onder invloed van rust en regelmaat en arbeidstherapie werd hij weer een mens, een mens zonder verleden weliswaar, maar een mens. En ik moet benadrukken, mevrouw Coppens, zegt dokter De Moor, dat hij ook hier verschillende keren een ernstige terugval heeft gehad en in het onrustige paviljoen opgenomen is geweest, de laatste keer was nog geen jaar geleden, ik wil dat u dat goed tot u door laat dringen.

En Noen durft beschaamd niet naar haar te kijken, de man naast wie ze in de kas heeft gezeten tussen de tomaten en de druiven en de citroenen, de man die haar zo wonderbaarlijk gelukkig heeft gemaakt, bestaat niet, zijn geest is net zo misvormd als het lichaam van de man uit haar grootste nachtmerrie, ze zal hem in de steek laten, verraden, hij heeft een vrouw, maar net als de vrouw van Ferdinand en de vrouw van André zal ze haar man alleen in de tijd van de paascommunie een keer komen opzoeken, en hij kan het haar niet kwalijk nemen.

En zij zegt tegen dokter De Moor dat het Amand goed zal doen om thuis in een vertrouwde omgeving te zijn, en er is geen angst of aarzeling in haar stem te ontdekken, en hij kijkt verrast naar haar, en ook dokter De Moor en overste Segers verbazen zich, en dokter De Moor legt haar uit dat Noen lijdt aan neurasthenie, en als zij niet reageert, zegt hij dat het in de volksmond d'n klop wordt genoemd, en zij knikt en zegt dat ze weet wat het is, hij is ziek van de oorlog, zegt ze.

En dokter De Moor zegt dat ze zich moet realiseren dat een te snelle verandering van omgeving een nieuwe terugval kan veroorzaken, en zij zwijgt, en dokter De Moor zegt dat hij voor Noen in principe een kennismaking met zijn oude leven als therapie zou aanraden, maar niet op stel en sprong, eerst komt u een aantal maanden zo nu en dan op bezoek, zodat hij u kan leren kennen, dan neemt u hem een dagje mee naar huis, en als dat goed gaat, twee dagen en dan drie dagen, totdat hij zo gewend is aan thuis zijn dat het geen verandering meer is, en dan kan hij bij u gaan wonen, maar dat is een proces van maanden, misschien een jaar, zegt dokter De Moor.

Nee, zegt ze, nee, zo wil ik het niet, en ze zegt het zacht en ze durft dokter De Moor er niet bij aan te kijken, maar ze is onverzettelijk, en Noen is zo trots op haar, en zij is zijn vrouw, zijn vrouw, en voor het eerst begrijpt hij hoe het is om bij iemand te horen, waarom mensen met elkaar trouwen, een vrouw die voor je opkomt alsof het haarzelf betreft, en nooit meer ergens alleen voor staan, zolang zij bij hem is weet hij zich veilig.

En dokter De Moor probeert haar nog eens uit te leggen wat haar met haar man te wachten staat, maar zij zegt dat zij Amand het beste kent, en dokter De Moor vertelt haar over Noens kalme dagindeling in het gesticht en dat die rust hem goed doet, en u woont in een stad, zegt hij, en hoe meer hij aandringt en zijn medische kennis en mannelijke overwicht tegen haar gebruikt, hoe halsstarriger ze wordt, ik ben de vrouw van Amand Coppens, zegt ze, en die is hier nooit opgenomen geweest, als ik nu met hem de deur uit loop, kunt u mij niet tegenhouden, en dokter De Moor zegt dat hij haar dat ten zeerste afraadt, en hij weet zijn ergernis nauwelijks meer te verbergen.

En overste Segers stelt een compromis voor, ze neemt hem bij wijze van proefverlof een dag mee naar huis, dan kan ze kijken hoe het bevalt, en daarna praten we verder, zegt hij, en zij zwijgt veelbetekenend, en overste Segers zegt dat Noen wat hem betreft ook een week op proefverlof mag, zolang ze hem vervolgens maar door dokter De Moor laat onderzoeken en als het niet goed met hem gaat moet ze ook bereid zijn om mee te werken aan een geleidelijker overgang tussen gesticht en thuis.

Een maand proefverlof, zegt ze, en als er geen problemen zijn, daarna definitief ontslag, en dokter De Moor vindt dat veel te lang en te plotseling, maar overste Segers stemt in met haar voorstel, onder voorwaarde dat ze hem niet vandaag maar pas morgen meeneemt, dan kan hij aan het idee wennen, zegt overste Segers, en met enige tegenzin geeft ze toe, morgenochtend om acht uur, zegt ze, en ze kijkt hem vragend aan, en hij knikt. En als ze opstaat en dokter De Moor en overste Segers een hand heeft gegeven, staat ze verlegen voor hem, en ze zegt zacht, morgen kom ik je halen, en hij zegt dat hij op haar zal wachten en de minuten tot haar komst zal aftellen, en even gelooft hij, hoopt hij, dat ze hem weer zal omhelzen, maar ze geeft hem een hand, en die houdt hij te lang in de zijne, zo lang dat ze moet lachen, dag, zegt ze, en op de drempel kijkt ze nog eens naar hem om, en die blik over haar schouder, alsof ze hem op het laatste ogenblik in haar geheugen wil prenten om straks in alle rust aan hem te denken, die blik zweeft als een beschermengel met hem mee door de gangen, naar de refter, en terwijl hij zijn middagmaal eet weet hij ineens zeker dat ze al eens eerder zo naar hem heeft gekeken, op het perron, op de dag van zijn mobilisatie.

En hij wil haar zo lang mogelijk voor zichzelf houden, hij is bang dat als hij zijn zaalgenoten over haar vertelt ze net zo alledaags zal worden als hun vrouwen, maar hij is opgewonden en hij kan nauwelijks stil blijven zitten, hij moet het wonder van haar bestaan delen, en tijdens het eten mag er niet worden gepraat, hij maakt Basiel met gebaren duidelijk dat hij in zijn boekje wil schrijven en Basiel geeft het hem onder de tafel, en hij schrijft erin, mijn vrouw heeft mij gevonden, ik ga morgen naar huis, en Basiel leest het en Noen ziet de schrik op zijn gezicht, een paar seconden en dan glimlacht hij naar Noen en knikt geestdriftig. Maar vandaag is Noen niet in staat om rekening te houden met de gevoelens van zijn vrienden, en tijdens het werk in de tuin praat hij voortdurend tegen hen over haar en over het leven dat hij met haar zal krijgen, en ze willen weten of ze mooi is en opwindend en of ze in is voor je weet wel, en Ferdinand voorspelt dat hij binnen een week weer terug is bij hen in het gesticht, mensen daarbuiten houden niet van gekken, zegt hij, en Constants verhaal was altijd dat zijn vrouw hem tegen zijn zin na drie maanden hier heeft teruggebracht, maar nu zegt hij dat hij er zelf op heeft aangedrongen, omdat hij het gewone leven niet aankon, en broeder Thomas moet hen verschillende malen manen om zachter te praten en aan het werk te gaan, en Noen kan zich alleen met moeite beheersen, hij wil schreeuwen en lachen en bewegen, en hij is bang dat ze hem morgen niet zullen laten gaan als ze weten hoe hij eraan toe is.

En hij zit in de kas op de plek waar hij ook met haar zat en hij probeert te kalmeren, en de ochtend met haar rent juichend rondjes door zijn hoofd, en hij voelt zich raar en hij weet niet of het van geluk of van angst is, en na een halfuurtje komt Basiel naar de kas en zijn ingetogen verdriet maakt Noen tot een verrader die opgewekt zijn vrienden in de steek wil laten, wie zal er straks naar hun zich eindeloos herhalende verhalen luisteren, wie zal hen geruststellen als ze in paniek zijn, wie zal hen in het gareel houden als ze in de tuin moeten werken, wie zal er nog met Basiel praten, maar als hij niet verlangt naar een leven met haar verraadt hij haar, de vrouw die voor hem heeft gevochten zoals geen ander ooit heeft gedaan.

En de dag trekt aan hem voorbij zonder sporen in hem achter te laten, er is alleen de eindeloze herhaling van de ochtend met haar en het gespannen verlangen naar morgenvroeg, en 's avonds in de recreatiezaal biedt hij aan om vannacht over hen en hun nachtmerries te waken, en ze nemen zijn zoenoffer aan, en hij gaat met zijn tekening voor Laurent die nog niet af is aan een tafel in de hoek zitten, zo ver mogelijk bij broeder Deodatus vandaan, en Laurent geeft hem fluisterend aanwijzingen over het lichaam van zijn vrouw, het lichaam waarvan hij zou willen dat zij het had, grotere borsten, nog groter, bredere heupen, dikke billen, en Noen tekent een wulpse Rubensvrouw voor Laurent zoals hij die kent van de reproducties in de kunstboeken in de bibliotheek, verleidelijk liggend op haar zij, haar ene been iets opgetrokken, haar ogen en tepels staren de kijker aan, en Noen heeft het gezicht van Laurents vrouw stiekem getekend terwijl ze bij Laurent op bezoek was, dat lijkt heel goed, zegt Laurent, en gewoonlijk gaat het tekenen van een vrouwenlichaam Noen makkelijk af, maar nu wil het niet lukken, het is alsof ze hem weer omhelst en hij zijn handen uit de dwangbuis heeft gewurmd en in het geniep onder haar rokken tast en haar borsten bevoelt terwijl zij koppig een wonder in hem wil zien, en hij raffelt de tekening af, en anders vraagt hij twee pakjes Bastos-sigaretten voor zo'n naakt, maar nu neemt hij genoegen met één.

En terwijl de anderen kaarten en biljarten, pakt hij in de stille, schemerige slaapzaal zijn weinige bezittingen bij elkaar, zijn kleren, zijn scheerspullen, een tandenborstel, een potje tandpoeder, zijn tekenpotloden, zijn aantekenboekje, zijn bijbel, en drie briefkaarten die hij van vrienden heeft gekregen nadat ze uit het gesticht waren ontslagen, en zittend op de rand van zijn bed poetst hij zijn schoenen, en het is eenzaam zo, hij hoort niet meer bij hen en nog niet bij haar.

En voor de laatste keer blijft hij 's nachts wakker terwijl zij slapen, en het kost hem geen enkele moeite, want moe is hij niet, hij ligt op zijn rug en hij kijkt naar de schaduwen op de muur en het plafond, en om hem heen wordt gesnurkt en gewoeld en gemompeld, en in de verte schreeuwen de mannen in het onrustige paviljoen hun angsten uit en een van hen huilt als een kind, en het is alsof hij vanuit het leven dat op hem wacht met nostalgie terugkijkt naar deze nacht, alsof hij hier niet echt in bed ligt. En hij wekt Maurice uit een nachtmerrie, en Eugeen, en Constant die tijdens altijd dezelfde slaapwandeling dekking zoekt onder zijn bed, en dan tegen vijven als het buiten heel voorzichtig licht begint te worden, hoort hij een rauwe, gesmoorde kreet als van een dier in het nauw, en het geluid komt uit Basiels bed, nooit eerder heeft Noen zijn stem gehoord, en hij schudt hem voorzichtig wakker, en hij laat zijn hand even op zijn schouder rusten en hij fluistert tegen hem dat hij nog niet weg is, en straks kunnen ze nog steeds gesprekken voeren, zegt hij, alleen nu allebei met geschreven woorden, en als hij weer in bed ligt trekt hij het laken over zijn hoofd en hij huilt met geruisloze snikken, ach Basiel, wat moet er van hem worden, en van Maurice en Jules en André en Constant, iedereen die hier nu ligt te dromen en te draaien, en zij is ver, ver weg alsof hij haar heeft verzonnen, en misschien moet hij niet gaan, moet hij hier bij hen blijven, en hij stelt het zich voor, weer duizenden dezelfde kalme dagen, jaren zonder einde, naar de vroegmis, eten in de refter, werken in de tuin, slapen bij het geluid van andermans nachtmerries, en niemand meer die zo naar hem kijkt als zij gisteren deed, nee, dat kan niet, hij kan hier niet blijven nu hij weet dat zij bestaat.

En hij staat nog vroeger op dan anders, zelfs de broeders slapen nog, en hij loopt door de uitgestorven gangen terwijl buiten de ochtendhemel bleekblauw kleurt, en hij zit in de kapel in de harde, houten bank waarop hij altijd tijdens de vroegmis zit, en zij, zij is vast ook wakker, waarschijnlijk heeft ze net als hij niet geslapen, de hele nacht woelend in het vreemde hotelbed, en hij wacht, hij wacht tot de mis begint, tot de mis is afgelopen, tot hij kan gaan ontbijten, en hij is zenuwachtig en hij verlangt terug naar vannacht toen acht uur 's ochtends nog veilig ver weg was, een tijdstip waarover hij kon fantaseren, het nadert met beangstigend rappe schreden, en wat als zij vannacht over dokter De Moors woorden heeft nagedacht, wat als ze niet meer durft, wat als ze niet komt en nu in de trein naar huis zit, de gedachte laat hem niet meer los, hij krijgt geen hap door zijn keel tijdens het ontbijt. En de broeders komen een voor een afscheid van hem nemen, en ze wensen hem veel geluk en wijsheid en ze zeggen dat ze hem zullen missen, en God zij met hem, en zijn vrienden en zaalgenoten volgen hun voorbeeld, en hij belooft om hen te schrijven en te bezoeken, en bij iedere hand die hij schudt denkt hij hoe beschamend het is als straks blijkt dat hij helemaal niet gaat, verlaten door een vrouw die nooit de zijne is geweest, en misschien is het beter als ze niet komt, eenvoudiger, veiliger, rustiger.

En tegen de tijd dat het halfacht is, en hij trillend in de koele ochtendzon op de binnenplaats op haar staat te wachten, heeft hij al zoveel bedacht dat hij niets meer verlangt of vreest, niets meer hoopt, alleen dat het gauw voorbij zal zijn, maakt niet uit hoe, als hij maar zekerheid heeft en het verleden tijd is, en hij loopt een rondje en nog een, en dan hoort hij een deur opengaan en aarzelende voetstappen naderen. En daar is ze, veel te vroeg, net als hij, en hij was gaan geloven dat hij liever had dat ze niet zou komen, maar hij is zo opgelucht nu hij haar ziet, en hij wordt plotseling kalm, en de vrouw naar wie hij een dag en een nacht heeft uitgekeken, steekt onbeholpen haar hand naar hem op, ze is nerveus en bleek en moe, alsof ze vanaf het moment dat ze gisteren bij hem wegging heeft gevreesd dat hij toch niet met haar mee zou willen of mogen, en ze lopen elkaar haastig tegemoet, langs de rozen en de buxushaag, en ze heeft een koffer bij zich die bij iedere pas tegen haar been slaat, en ze is kleiner en onbeduidender dan hij zich haar herinnerde.

En buiten adem staat ze voor hem, je bent er, zegt hij, ik ben er, zegt ze, en ze glimlacht met strakke, nerveus op elkaar geklemde lippen, en hij stelt haar gerust, dokter De Moor en overste Segers hebben zich niet bedacht en hijzelf al helemaal niet, en ze ontspant zich enigszins, en ze zegt dat ze kleren voor hem bij zich heeft, en hij is blij dat hij niet in zijn gestichtsuniform de straat op hoeft.

En ze lopen samen door de gangen en dan de trappen op naar de slaapzaal, en hij ziet hoe ze naar de rijen eendere, opgemaakte bedden kijkt en naar de als versieringen vermomde tralies voor de ramen, maar ze zegt niets, en ze legt de koffer op het bed dat hij haar als het zijne aanwijst, en ze haalt er een grijs herenkostuum uit en een wit overhemd en een das en een zomerjas en een hoed en zelfs schoenen, ze heeft overal aan gedacht, en ze zegt dat hij deze kleren op de dag voor zijn mobilisatie nog heeft gedragen, en hij durft haar niet te vragen of ze ditzelfde kostuum iedere keer, ook bij haar bezoeken aan die gruwelijk verminkte of doofstomme mannen, heeft meegenomen, of dat ze het eergisteren bij haar vertrek speciaal voor hem heeft uitgezocht.

En ze wacht op de gang terwijl hij zich verkleedt, de broek is hem iets te wijd en het colbert is in de schouders wat te ruim, en na de ruwe stof van zijn gestichtsuniform zijn deze kleren een wonder van verfijning, hij loopt op zijn nieuwe schoenen tussen de bedden door en het is alsof hij zweeft, maar hij weet niet hoe hij de das moet knopen. En hij opent de deur en zij staat tegen de muur geleund te wachten, en ze ziet niet hem maar de man die in 1914 dit kostuum droeg, en de blik die ze hem toewerpt, houdt het midden tussen ontroering en verdriet, alsof de jaren van verlies haar bespringen, en hij zegt beschaamd tegen haar dat het hem niet lukt om de das te knopen.

En ze staat voor hem en ze zegt dat hij naar haar moet kijken, niet naar de das, je handen weten hoe het moet, zegt ze, je hebt het duizenden keren gedaan, en ze helpt hem met het begin en dan legt hij zelf de knoop, hij heeft geen idee hoe hij het doet, het is alsof zijn lichaam een ander toebehoort, en haar zachtbruine ogen lachen vol geluk naar hem, en hij voelt zich ineens heel alleen, alsof ze zich ongevraagd zijn lichaam heeft toegeëigend en er haar man van heeft gekneed, en ze zet hem de gleufhoed op en hij trekt de lange zomerjas aan, en hij tilt de koffer voor haar en aan haar zijde loopt hij onwennig door de gangen van het gesticht alsof hij er op bezoek is.

En dokter De Moor en overste Segers komen hen tegemoet, en hij ziet haar verstrakken, zo meneer Coppens, zegt overste Segers tegen hem, en niet alleen zijn lichaam ook zijn naam is niet meer van hem, en overste Segers wenst hem veel geluk en dokter De Moor doet hetzelfde, en hij voegt eraan toe dat mocht het niet goed gaan er hier altijd een plek voor hem is en hij kan dokter De Moor ook schrijven en om advies vragen of voor een consult komen, en zijn woorden richt dokter De Moor niet tot haar, maar tot hem, alsof hij door de burgerkleren een persoon is geworden, iemand die beslissingen over zichzelf geacht wordt te kunnen nemen, en de wereld buiten de muur is plotseling angstwekkend nabij, en wat heeft hij nou om zich daarin staande te kunnen houden, geen herinneringen, geen ervaringen, geen plek om zich thuis te voelen of te verschuilen, hij heeft alleen haar, en hij weet niets van haar, niets.

En samen lopen ze voor de laatste keer door de gangen met het crème-rode tegelpatroon en langs de deuren met de vriendelijke ruitjes, en omdat hij de koffer draagt opent zij de buitendeur, en hij loopt naast haar over de onverwacht korte oprijlaan die hij alleen vanachter het glas en de tralies kent, en misschien voelt ze zijn twijfels aan want voordat ze de straat op stappen, geeft ze hem een arm.

En het is een rustige weg door de velden, een boer passeert hen met paard-en-wagen, en dan komen ze bij een smal kanaal, en aan de overzijde ziet hij de stad liggen, een golvende, grijsbruine zee van huizen, kerktorens en fabrieksschoorstenen, en ze werpt een blik op hem en omklemt zijn arm steviger, en hij is banger voor haar zorgen dan voor de onbekende wereld om hen heen, en ze lopen langs het kanaal en dan over de brug naar de overkant, en daar wachten ze op de tram, en er staan meer mensen bij de halte, maar geen van hen vermoedt dat hij tien minuten geleden nog een krankzinnige was, een keurige heer op reis is hij, met aan zijn arm zijn vrouw op wie ook niets is aan te merken, en zijn vertrouwen groeit, en weer kijkt ze bezorgd naar hem en hij glimlacht naar haar, en ze glimlacht aarzelend terug.

En ze stappen in de tram, en de conducteur richt het woord tot hem, maar zij antwoordt, en ook de twee kaartjes geeft de conducteur aan hem, en hij stopt ze in zijn jaszak, en de conducteur zegt tegen hem, dat is dan 72 centiemen, meneer, en zij pakt haar portemonnee uit haar tas en terwijl ze de muntstukken bij elkaar zoekt, ziet hij de conducteur nieuwsgierig naar hem kijken, alsof hij zich afvraagt wat hem mankeert, en zij merkt het ook en met neergeslagen blik geeft ze de conducteur het geld.

En hij loopt achter haar aan door het gangpad, en ze passeren verschillende lege plaatsen waar ze niet naast elkaar kunnen zitten, en ze vindt een bank die helemaal leeg is, en ze laat hem voorgaan zodat hij de plek bij het raam krijgt, en om hem heen ziet hij dat echtparen de zitplaatsen juist andersom hebben verdeeld, de vrouw bij het raam en de man bij het gangpad, en hij vraagt haar of ze niet liever bij het raam zit, en ze schudt haar hoofd, en als hij aandringt zegt ze dat ze misselijk wordt als ze naar al die achteruit wegglijdende gebouwen moet kijken.

En dus zit hij bij het raam, en de stad trekt boordevol aan hem voorbij, huizen en enorme gebouwen en kerken en torens en straten en pleinen, en fietsers en voetgangers en rijtuigen en paarden en handkarren en auto's en roepende venters en rennende kinderen, alles krioelt door elkaar, en de trambestuurder moet verschillende keren bellen omdat er iemand midden op de trambaan loopt, en het eigenaardige is dat hij zich niet kan herinneren ooit in een stad te zijn geweest en het hem toch niet vreemd is, alsof die drukte en al die geluiden een gevoel bevestigen dat onbereikbaar diep weg is gezakt, en hoe onterecht was zijn angst voor de onbekende wereld rondom het gesticht, als een groots avontuur strekt de dag zich voor zijn voeten uit, en zij merkt dat hij ontspannen is en hij merkt dat zij zich daarom ook ontspant, en ze praten over de reis en over Kortrijk, en ze zijn samen in de rammelende tram bijna net zo gelukkig als gisteren in de stille kas.

En bij de zuidstatie stappen ze uit, en de stad ruikt naar de paarden-stal van het gesticht, en ze geeft hem weer een arm en ze worden samen opgenomen in de mensenmassa die de statie binnen stroomt, en zo anoniem zijn, precies zoals alle anderen, is geruststellend en gevaarlijk vertrouwd alsof zijn lichaam zich herinnert hoe het is om soldaat te zijn in een duizendkoppig leger.

En in de rij voor het loket pakt zij haar portemonnee uit haar tas en ze drukt hem wat munten in zijn hand en ze zegt op gedempte toon, der-deklassekaartjes, en dan zijn ze aan de beurt en zij doet bescheiden een stap terug zodat ze schuin achter hem staat en onopvallend in de gaten kan houden of hij niets verkeerd doet, en hij zegt tegen de spoorwegbe-ambte, tweemaal enkele reis Kortrijk, derde klasse, en de man trekt de kaartjes uit een machine en legt ze voor hem op de balie, dertien franken en negentig centiemen, graag meneer, zegt hij. En Noen opent zijn vuist en bekijkt de munten die zij hem heeft gegeven, het zijn er veel, en hij telt de één-frankstukken en dan de vijftig-centiemenstukken en hij heeft er ook nog een aantal van tien en vijf centiemen, en het duurt lang, te lang, hij voelt hoe voor hem de spoorwegbeambte ongeduldig toekijkt en hoe achter hem zij zich staat te verbijten en de rij wachtenden groeit, heeft u geen vijf-frankenbiljetten, meneer, vraagt de man, en Noen wil zich naar haar toekeren om het haar te vragen, maar ze geeft hem een zachte por in zijn rug, en hij zegt tegen de man dat hij geen vijf-franken-biljetten heeft, en hij telt haastig verder, en dan schuift hij het bedrag over de balie naar de man toe, tien centiemen, fluistert zij in zijn oor, en hij doet er nog een munt bij, en de man telt het razendsnel na en knikt naar hem, en hij draait zich om en vergeet in zijn opluchting de kaartjes mee te nemen, en weer port ze hem in zijn zij, en hij grist de kaartjes van de balie, en met gebogen hoofd loopt hij langs de mensen in de rij, maar zij geeft hem een arm en ze houdt haar hoofd zelfbewust geheven, alsof ze trots op hem is.

En de trein naar Kortrijk vertrekt pas over veertig minuten, ze gaan samen op een bankje zitten, en de statiehal lijkt een tropische kas, er staan palmen en bloeiende struiken en vrolijk rode bloemen waarvan hij de naam niet kent, en het zomerse licht valt ruim en warm door het glazen dak op hen neer, en om hen heen lopen mensen af en aan, en op andere bankjes zitten reizigers de krant te lezen of ze praten met elkaar, en de stemmen van krantenverkopers en kruiers en de duizenden voetstappen en het koeren van de duiven, boven hen op de balken, vermengen zich tot een eentonige ruis, alsof hij in het gesticht voor het raam zit op een stormachtige dag. En hij legt zijn hoofd in zijn nek en tuurt naar de ingewikkelde gietijzeren constructie die het glazen dak draagt, en de grond trilt onder zijn voeten en een donderend geluid vult de ruimte en krijst en scheurt door hem heen en het slorpt hem op, en hij is een afgrijselijk duistere leegte als een nacht zonder einde, en tegelijkertijd is hij ook degene die constateert dat het klamme zweet hem uitbreekt, en die de man veracht die niet het fatsoen kan opbrengen om kalm naast haar op het bankje te blijven zitten, de man die ineenkrimpt en zijn knieën optrekt en als een krankzinnige zijn hoofd in zijn armen verbergt, en die bibbert en naar adem hapt en zo bang is, zo bang, en het donderende gedreun gaat over in fluitend gesis en dan in zacht gesuis, en hij weet, het is een locomotief, hij is op een station, het is een locomotief, maar zijn lichaam blijft trillen en zijn hoofd is boordevol leegte, er kan geen redelijke gedachte bij.

En zij staat voor hem en buigt zich naar hem toe, en de schaduw van haar hoed zakt als een grote vogel over hem heen, en ze legt haar armen om zijn schouders, onhandig en krampachtig, helemaal niet zoals gisteren, en hij drukt zijn gezicht tegen haar jas en ze blijft roerloos staan, en langzaam, heel langzaam trekt het duister zich uit hem terug, en een suizende stilte omgeeft hem alsof hij alleen op de wereld is, en hij omhelst haar en klampt zich aan haar vast, en haar lichaam verstart onder zijn handen, en hij laat haar los en zij hem ook, haastig, en ze kijkt hem in zijn gezicht, en die blik van haar, de angst in haar ogen, en hij zegt, het is alweer over, het was niets, en hij probeert zijn stem luchthartig te laten klinken.

En hij ziet dat passanten aarzelend zijn blijven staan en naar hen kijken, en ook de reizigers op de bankjes om hen heen kijken naar hen, en
de schaamte is tenminste van hen samen, zij gaat naast hem zitten en ze
doen allebei alsof er niets aan de hand is, en eindelijk lopen de mensen
verder, en hij zegt tegen haar dat hij het zou begrijpen als ze hem niet
wil meenemen naar haar huis, als ze nu zouden omkeren en zij hem
terugbrengt naar het gesticht, nee, zegt ze, nee dat wil ze niet, en hij
dringt nog eens aan, en hij weet niet of hij hoopt dat ze zal toegeven,
maar ze weigert het in overweging te nemen, haar voorhoofd plooit zich
in een verontwaardigde frons en ze vraagt hem of hij terug wil, en als
hij om haar gaf zou hij dat beamen, maar het gesticht is als de dood, een
ontkenning van al het leven, en hij zegt dat hij bij haar wil blijven, en
ze glimlacht naar hem, het kost haar moeite, en haar ogen zijn leeg en
angstig, en hij voelt zich schuldig.

2

In de trein zit hij tegenover haar op de harde, houten bank, hun knieën raken elkaar net niet, en de locomotief zwoegt luidruchtig door het stille, groene Vlaamse land, het geraas overstemt alles wat ze tegen elkaar zouden kunnen zeggen, zelfs zijn gedachten, en hij kijkt naar buiten, het is een duizelingwekkend mooie wereld, al die kleuren en golvende weidsheid en drijvende, witte wolkensteden, en als dit hem al die tijd heeft omgeven, ondoorgrondelijk en oneindig groot, hoe is het dan mogelijk dat er een leven bestond zoals het zijne, gevangen binnen de benauwende muren van het gesticht, alsof hij met een machtige zwaai is uitgewist, zo voelt hij zich, en hij probeert er niet over na te denken, in geen geval mag hij weer zo'n aanval krijgen als daarnet op het perron, en hij weet dat zij hetzelfde denkt, want hij betrapt haar zo nu en dan op een argwanende blik in zijn richting.

En op het perron in Kortrijk geeft ze hem een knellende arm, alsof ze bang is om hem kwijt te raken, en ze dirigeert hem links en rechts tussen de mensen door over het perron, en op steigers zijn vier mannen bezig het glas in de grote koepel boven het spoor te vervangen, vrijwel alle ruiten zijn gebroken, en pas als hij met haar over het statieplein loopt en ziet dat ook daar mannen bezig zijn de bovenverdieping van een café te herbouwen, dringt tot hem door dat het oorlogsschade moet zijn, voor hem bestond de oorlog alleen in de gedachten en nachtmerries van anderen, en nu is die geheimzinnige tijd zomaar voor zijn ogen gematerialiseerd, en gefascineerd kijkt hij naar het kapotte dak dat de sporen van het verleden in zich draagt, en voor het eerst sinds hij vanochtend is opgestaan heeft hij een vaag gevoel van continuïteit.

En het is rustiger hier in Kortrijk dan in Gent, gemoedelijker, en ook dat geeft hem hoop, en ze lopen door een straat met aan weerskanten jonge bomen, en dan na een kruising bestaat de bebouwing aan de linkerzijde uitsluitend uit een lang, historisch gebouw met allemaal eendere ramen dat eindigt in een smalle toren, en zij houdt stil aan de voet van de toren en ze lijkt iets van hem te verwachten, en hij volgt haar blik, schuin tegenover hen, aan de overkant van de straat is in rode letters 'Photographie A. Coppens' op een etalageruit geschilderd, en hij beseft dat hij dat is, A. Coppens, en hij probeert zich voor te stellen dat hij hier ontelbare malen heeft gelopen en dat hij dat smalle, witte huis zag en het gevoel had dat hij thuis was, zijn huis waarin hij woonde met haar, en het doet hem niets, de straat, het huis, zijn naam in rode letters, en zij zwijgt, maar hij weet dat ze teleurgesteld is, en hij zegt dat hij misschien de binnenzijde van het huis zal herkennen.

En ze steken de straat over, en de etalage is gevuld met ingelijste foto's van gezinnen en verminkte veteranen, en ernaast hangt een bordje met de tekst 'Portretten: tien procent vermindering in prijs aan oorlogsinvaliden', en ze opent de deur en een belletje rinkelt schel, en ze zijn in een kleine winkel, hij ziet rekken met briefkaarten, maar ook pakjes sigaretten en kranten en zeep en schoenpoets, en vlak voor de trap naar boven blijft ze staan, het overvalt haar dat ze hier is met hem, alsof pas werkelijk tot haar doordringt dat ze hem heeft gevonden nu hij in haar vertrouwde omgeving is, en ze klemt haar lippen op elkaar en haar ogen worden vochtig, en hij weet niet of hij geacht wordt haar te troosten, hij steekt aarzelend zijn hand naar haar uit om hem op haar arm te leggen, en ze doet snel een stap achteruit, alsof ze bang is om onder zijn aanraking te bezwijken, en hij draait haar zijn rug toe zodat ze zich ongemerkt kan herstellen, hij hoort haar een zucht slaken en haar neus snuiten.

En hij loopt wat door de winkel en dan door de fotostudio aan de achterzijde van het huis, en hij zou zich zo graag iets herinneren, al was het maar een onbeduidend detail, een geur, een geluid, een lichtval, maar het is hem allemaal volstrekt onbekend alsof hij het voor het eerst ziet, en zij staat in de deuropening, enigszins beschaamd, ga je mee, vraagt ze, en hij zegt haar niet dat hij niets herkent en zij vraagt er niet naar. En hij loopt achter haar aan de trap op, en ze komen in een smal, donker gangetje met een wastafel en twee deuren, en ze vraagt hem zacht of hij er klaar voor is, en ze is nerveus, haar stem trilt, en hij hoort achter een van de deuren een vrouw en een meisje praten, en hij begrijpt, de kinderen, hij gaat de kinderen ontmoeten, en hij zet zijn hoed af en zij trekt zijn das recht, en ze herinnert hem aan de namen van hun kinderen, Gust en Roos, zo heten ze, en hij knikt, en ze klopt op de deur, en de vrouw roept, kom binnen.

En ze staan in een keuken, en aan de tafel zitten een vrouw en een tengere jongen en een meisje dat op Julienne lijkt aan het middagmaal, en alle drie kijken ze verrast naar hem, en Julienne zegt tegen Gust en Roos, ik heb papa gevonden, en even gelooft hij dat ze weer zal gaan huilen, maar ze vermant zich, en er valt een verbijsterde stilte in de keuken, en de vrouw vraagt of die man in het gesticht in Gent, die man die ze ging bezoeken, was hij het, en Julienne knikt, en ze tast zonder haar ogen van de vrouw af te wenden naar zijn hand en neemt hem in de hare, hij is het, zegt ze, en ze lacht alsof ze het zelf ook niet kan geloven, hij is het, herhaalt ze. En ze vertelt over zijn geheugenverlies en hun ontmoeting in het gesticht, en de vrouw, die de benedenbuurvrouw blijkt te zijn en Felice van Gucht heet, zegt dat ze aan tafel moeten komen zitten om wat mee te eten, en hij zou het liefst dicht bij Julienne blijven, maar Felice zet een stoel voor hem neer naast Gust, en hij en de kinderen kijken tersluiks naar elkaar en ze zeggen geen van drieën een woord, alleen Felice en Julienne praten. Felice verzucht verschillende malen wat een geluk Julienne heeft gehad, het is onvoorstelbaar, zegt ze, en dan benadrukt Julienne dat hij haar niet herkent, dat hij zich niets herinnert, dat ze hem terug heeft en toch ook niet, het is alsof ze zich verontschuldigt voor het onwaarschijnlijke dat haar is overkomen, alsof ze bang is dat Felice het haar niet zal gunnen, en tegelijkertijd moet ze alsmaar over hem blijven praten, ze kan het niet laten, alsof ze Felices ongeloof nodig heeft om in haar eigen geluk te blijven geloven, en Felice zegt dat ze zo blij is, wie had dat gedacht na al die jaren zoeken, Juul, zegt ze, en haar ontroering heeft iets onwaarachtigs, maar misschien komt dat door haar modieuze kleren en de rouge en lippenstift en het kortgeknipte jongenshaar dat als een onnatuurlijk zwarte helm op haar hoofd rust.

En de kinderen moeten naar school, en Julienne zegt dat ze vanmiddag thuis mogen blijven omdat het feest is, maar Gust zegt dat het vast niet mag van de meester, en Julienne zegt dat de meester het zeker zal begrijpen, gewoonlijk krijgen vaders een kind, zegt ze, welke kinderen krijgen nu na acht jaar plots hun vader terug. Niemand, zegt Gust vastbesloten, en daar moet Noen om lachen, en Gust werpt hem een argwanende, bozige blik toe, en jij, Roos, vraagt Julienne, wil jij thuis blijven, en Roos schudt haar hoofd.

En dus gaan ze naar school, ze geven Felice een hand en kussen hun moeder op de wang en voordat ze de deur uit kunnen lopen zegt zij dat ze nog iets zijn vergeten, en ze knikt naar hem, en ze begrijpen dat het de bedoeling is dat ze ook hem goedendag zeggen, en hij zegt snel dat het niet hoeft, maar zij zegt dat het respectloos is, en Gust geeft hem met neergeslagen ogen een hand, en Roos aarzelt, en uiteindelijk vat ze moed, en hij houdt haar kleine meisjeshand in de zijne, en ze kijkt hem verrast aan met de lichtbruine ogen van haar moeder, heeft u geen nephand, vraagt ze, en ze lachen allemaal, en als Roos lacht lijkt ze nog meer op haar moeder, en ze zegt ter verdediging dat al die soldaten van wie mama foto's maakt nephanden en -benen en -voeten en -neuzen hebben, en hij zegt dat hij niets mankeert. Behalve dan dat hij niets meer weet, zegt Gust minachtend.

En Julienne laat hem het huis zien, helemaal beneden zijn de winkel en de fotostudio en een achterplaatsje, en daarboven is de verdieping die Julienne onderverhuurt aan Felice, en daar zijn ook het privaat en de waterkraan, zegt Julienne, en de tweede verdieping is van hen, aan de straatkant is de keuken en aan de tuinzijde een kamer die zij de salon noemt, hoewel die zo'n deftige benaming niet verdient, en op zolder zullen wel de slaapkamers zijn, maar die slaat ze over, en hij voelt zich gedwongen om haar te vertellen dat hij zich niets herinnert, ik weet het, zegt ze berustend, en als hij het aan het einde van de ronde door het huis herhaalt omdat hij bang is dat ze te veel van hem verwacht, zegt ze dat het vanzelf wel komt als hij hier een tijdje woont, en het benauwt hem dat ze blijkbaar dag in dag uit zal hopen dat hij vandaag dan eindelijk iets zal herkennen.

En ze begint aan het koken van wat volgens haar zijn lievelingsmaal is, konijn met pruimen, en terwijl ze de aardappels schilt zit hij bij haar aan de keukentafel, en hij vreest dat hij op deze feestelijke dag nog meer mensen zal moeten leren kennen die hij zich ook niet zal herinneren, en hij vraagt haar naar zijn familie en naar de hare, en ze zegt dat haar twee oudere broers zijn gesneuveld en dat haar ouders aan het begin van de oorlog met de jongere kinderen naar Nederland zijn gevlucht en daar zijn gebleven, en hij, zegt ze, hij had twee jongere broers die allebei aan het front zijn gestorven, en zijn ouders zijn vlak voor de bevrijding bij een bombardement omgekomen omdat ze hun kruidenierszaak niet alleen durfden te laten, en ze gelooft dat hij teleurgesteld is, en met een verlegen spottend lachje zegt ze dat hij met haar en de kinderen genoegen zal moeten nemen, en hij verzekert haar ervan dat dat meer dan voldoende is.

En ze staat op en ze zegt dat ze nu iets moet doen waaraan hij een verschrikkelijke hekel heeft, maar het hoort nu eenmaal bij het bereiden van zijn lievelingsgerecht, en ze stuurt hem naar de salon en zegt dat hij daar moet blijven totdat ze hem roept, en hij hoort haar de trappen af lopen en de deur naar het achterplaatsje openen, en hij gaat voor het raam staan. En hij ziet hoe ze voor het konijnenhok neerknielt en een klein, bruin konijn uitkiest, ze neemt het dier in haar armen en kust het op zijn kop en met haar wijsvinger tekent ze een kruis op zijn rug, en dan neemt ze hem met haar ene hand bij zijn achterpoten en met haar andere pakt ze zijn nek beet, en Noen ziet nauwelijks wat er gebeurt, zo vlug en bedreven breekt ze zijn nek, het konijn hangt slap in haar handen, en ze ziet hem achter het raam staan, ze maakt een gebaar naar hem, niet kijken, en hij vraagt zich bezorgd af wat voor een laffe soldaat hij moet zijn geweest als hij niet eens het slachten van een konijn kon verdragen. En hij loopt de trappen af en opent de deur naar het achterplaatsje, ze heeft het konijn aan een tak van de kastanje gehangen en met een scherp mes snijdt ze de huid los van zijn achterpoten, en hij zegt tegen haar dat hij het voor haar zal doen, dit is toch geen vrouwenwerk, zegt hij, en hij meende haar een plezier te doen door haar zijn hulp aan te bieden, maar ze zegt kortaf dat hij naar binnen moet gaan, en hij zegt dat hij aan het front heeft gevochten, een dood konijn doet hem niets meer, maar ze wil het niet horen, ze houdt vol dat hij niet tegen bloed kan, en hij hoort aan haar stem dat ze boos op hem is en ze is aangedaan, alsof hij haar iets heeft ontnomen waarvan ze hield.

En hij gaat in de studio aan de tafel zitten en kijkt door het raam toe terwijl zij het konijn vilt en ontweidt en in stukken snijdt, en ze doet het kundig en koelbloedig, ze is niet de vrouw die gisteren dromerig met hem in de kas zat, niet de vrouw aan wie hij de hele nacht heeft gedacht, op wie hij heeft gewacht, en zij denkt iets soortgelijks over hem, want ze komt naar binnen met bebloede handen en een pan vol stukken konijn en ze loopt vlak langs hem heen en ze zwijgt, en hij vraagt haar verzoenend of hij naar de salon zal gaan, en zij zegt dat dat niet nodig is als hij gelooft dat hij de geur van dood konijn kan verdragen.

En hij zit bij haar in de keuken, en allebei doen ze hun best om de ander tegemoet te komen, maar het benauwende, ontgoochelde gevoel blijft, en hij gelooft dat het bij haar ook niet overgaat, en de kinderen komen thuis uit school, en ze stuurt Roos schuin tegenover naar café In den gouden aap om een kan bier te halen, en Gust naar de Epicerie Anversoise om gedroogde pruimen, en Felice komt ook nog langs om te vragen of ze ergens mee kan helpen, en Julienne zegt dat ze niets nodig heeft, ze heeft alles wat ze zich kan wensen, zegt ze, en hij gelooft dat hij ironie in haar stem hoort, maar daar kan hij zich in vergissen, want Felice begint weer over haar onvoorstelbare geluk.

En hij is moe en duizenden gedachten cirkelen door zijn hoofd, het zijn er zoveel dat ze hun betekenis verliezen en samen tellen ze op tot een beklemmende leegte, en hij ziet dat zij zo nu en dan bezorgd naar hem kijkt, en als hij in de salon gaat zitten om tot rust te komen, staat ze binnen een minuut op de drempel en ze vraagt of het goed gaat, en dat beaamt hij en dan kan hij niet weigeren om met haar terug te gaan naar de keuken. Het is er warm, de ramen zijn beslagen, en het gestoofde konijn ruikt zuur en zoetig tegelijk, en hij wil het niet, maar hij denkt alsmaar aan die locomotief, hoe die de statie binnen denderde, en op de een of andere manier heeft dat geluid iets te maken met hoe zij dat konijn vilde, en hij staat van zijn stoel op en onmiddellijk draait zij zich bij het fornuis om, en hij zegt dat hij even naar het privaat gaat, en zij vraagt of hij weet waar het is, en hij zegt van wel, en hij is op de gang, alleen, en hij loopt langzaam de trap af, en hij sluit de deur van het privaat achter zich, en de toiletpot is een houten geval, en ernaast op de vloer liggen stapels catalogi van fotografische apparatuur en kranten waarmee je je blijkbaar moet afvegen, en hij gaat zitten en probeert met gesloten ogen te kalmeren, en geleidelijk verdwijnen de locomotief en ook het gevilde konijn uit zijn hoofd. En hij hoort voetstappen op de trap en dan haar stem, Amand, vraagt ze en ze klopt aarzelend op de deur, is alles goed, en hij hoort zijn eigen angst in haar stem, en hij trekt snel door, en ze staat voor de deur van het privaat, hij botst bijna tegen haar op, en hij zegt dat er niets aan de hand is en hij loopt met haar mee naar boven. En hij zoekt de vrouw uit de kas in haar terwijl ze kookt en de tafel in de salon dekt, en Gust vindt het belachelijk dat ze in de salon eten, dat doen ze anders nooit, en Julienne zegt dat het een bijzondere dag is, een dag die ze zich altijd zullen herinneren, zegt ze, en Gust betwijfelt dat, maar hij zwijgt.

En Noen, die eigenlijk Amand heet, zit tegenover haar aan tafel en naast Roos, en hij heeft geen honger, hij zou liever soep en brood eten zoals 's avonds in het gesticht, maar schijnbaar is dit zijn lievelingsmaal, en hij is zich bewust van haar blik die verwachtingsvol op hem rust alsof ze hoopt dat de smaak van konijn met pruimen herinneringen in hem naar boven zal brengen, en ze praat over vorige keren dat ze dit aten, de eerste keer, toen waren we net getrouwd, zegt ze, en de laatste keer, daar heeft ze zich het hoofd over gebroken, die herinnert ze zich niet precies, ongemerkt is die voorbijgegaan, en dat geeft nu niet meer, zegt ze, want het is niet langer de laatste keer, en ze vraagt hem of het lekker is, en hij zegt dat het heel lekker is, maar hij ziet in haar ogen dat hij het niet overtuigend genoeg brengt, en hij probeert het nog eens, en daar maakt hij het alleen erger mee, en zij probeert het hem niet kwalijk te nemen, en dat is nog erger.

En ze doet de afwas en ze schuurt de pannen en ze leegt de asla van het fornuis en ze veegt de vloer, en hij zit bij haar in de keuken en rookt een Bastos, en hij ziet haar zo nu en dan steels achter haar hand gapen, en om halftien vraagt ze of hij moe is, en hij zegt dat hij erg moe is, en zij bekent dat ze de afgelopen twee nachten in het hotel geen oog dicht heeft gedaan, en hij zegt dat hij ook twee nachten wakker heeft gelegen, en ze kijken elkaar aan, en even, heel even ziet hij de vrouw in haar voor wie hij gisteren naar het einde van de wereld zou zijn gereisd, en ze zegt zacht, ik ben zo blij dat je er bent, zo blij, en hij gelooft dat ze zelf gelooft dat ze het meent.

En ze staat van haar stoel op en hij ook, en hij weet niet of ze verwacht dat hij bij haar in de kamer of misschien zelfs in bed zal slapen, hij wil zo graag alleen zijn, al is het maar voor één nacht, en ze staan tegenover elkaar in de gang onderaan de trap naar haar slaapkamer, en ze zegt verlegen dat het haar beter lijkt als hij op de sofa in de studio slaapt, of vind je dat raar, vraagt ze, en hij kan zijn opluchting niet verbergen, en zij is niet beledigd, ze lacht en hij ook, en het komt goed, het komt allemaal goed, ze moeten alleen aan elkaar wennen. En ze haalt een deken en een laken en een kussen van boven en een nachthemd, en ze maakt de sofa in de studio voor hem op, en ze wil dat hij probeert of zijn geïmproviseerde bed zacht genoeg is en niet te kort, en hij ligt languit op zijn rug met zijn hoofd op het kussen en hij kijkt naar haar op, en het voelt vreemd ongepast om in haar bijzijn te liggen, en hij gaat overeind zitten, en ze wenst hem een goede nacht en hij haar ook, en als er iets is, zegt ze, roep maar van onderaan de trap, dan word ik wel wakker, en hij zegt dat ze zich geen zorgen over hem hoeft te maken.

En ze doet de deur achter zich dicht en hij is eindelijk alleen, hij zit aan de tafel en het is alsof de wereld barmhartig de ogen sluit en er voor het eerst vandaag niemand naar hem kijkt en een krankzinnige ziet, en hij kleedt zich uit en trekt het nachthemd aan dat zij voor hem heeft klaargelegd, en hij bekijkt de muurhoge schildering die aan een rail naast de sofa hangt, de voorgrond bestaat uit een keurig gegraven loopgraaf met een borstwering van zandzakken, en daarachter in het niemandsland groeien groene bomen onder een zomers blauwe lucht, en tussen de bomen hangen wat rookwolkjes van ontplofte granaten en in de verte is de romantische ruïne van een dorp te zien, een afgebrokkelde kerktoren, een verlaten boerderij, en hij gaat op de stapel zandzakken zitten waarop zij oorlogsveteranen voor een foto laat poseren, en de lens van haar camera staart hem vanaf het statief wezenloos aan, en achter zijn rug sluimert de oorlog, zo idyllisch en onverdorven als het uitzicht uit het raam van de trein, en op de een of andere manier herinnert die valse onschuld hem aan de duisternis in zijn hoofd toen de locomotief de statie binnen denderde, alsof beide van dezelfde substantie zijn gemaakt.

En hij ligt in het donker op de sofa onder haar naar zeep en wind en vocht ruikende laken, en hij verlangt naar de vertrouwde oorlog van de nachtmerries en het geschreeuw van de mannen in het onrustige paviljoen, en in zijn hoofd vermengt het romantische slagveld zich met de angst in haar ogen in de statie van Gent en met de tomaat die zij at en met zijn verlies, zo'n groot verlies dat hij zich niet eens herinnert wat hij heeft verloren.

En hij schrikt wakker, om hem heen is het aardedonker, hij kan de streep licht van de lamp van de nachtbroeder niet vinden en ook de schaduwen die over de muren en het plafond behoren te spelen zijn zoek, en hij luistert met angstig bonzend hart, zijn slapende vrienden zijn doodstil, ze mompelen niet, snurken niet, woelen niet, hij is alleen, helemaal alleen, en hij beseft dat ze hem in de isoleercel moeten hebben opgesloten, en in paniek probeert hij zich te herinneren wat er is gebeurd, een dwangbuis, er was iets met een dwangbuis, en in deze ondoordringbare duisternis bestaat geen tijd en geen afstand, er zal nooit een eind aan dit moment komen, het zal niet verstrijken, hij kan er niet van weglopen, want deze ontkenning van alles dat is hijzelf, en hij tast wild zich heen, de muur is zacht als een mensenlichaam, en hij trekt zijn hand geschrokken terug, en hij ligt onder een schoon laken en een warme deken, en haar herinnert hij zich het eerst, hoe ze zijn bed opmaakte, en dan herinnert hij zich pas zichzelf en zijn nieuwe leven, en in het donker herschikt de isoleercel zich tot de fotostudio, aan zijn voeteneinde het romantische slagveld, achter hem de kast, naast hem de tafel en stoelen, en drie verdiepingen boven hem zij in haar bed.

En hij gaat zitten en steekt de gaslamp aan, en griezelig reëel springt de wereld tevoorschijn alsof die in een hinderlaag op hem heeft liggen wachten, en de paniek verdwijnt niet, hij durft niet meer te gaan slapen, stil ligt hij te wachten totdat het licht wordt, hij hoort in de verte een trein langskomen, nog een trein en nog een, en ver weg slaat de klok van een kerk vijf uur, en de eerste kar op straat, paardenhoeven op de stenen, en dan meer karren en voetstappen en stemmen, en geruststellend kruipt de schemerige ochtend over het achterplaatsje de studio binnen. En als de kerkklok halfzes slaat kleedt hij zich aan, maar het huis is nog in diepe rust, en zes uur en nog steeds is er niemand opgestaan, en om kwart over zes beieren de kerkklokken in de verte voor de vroegmis en dat is een vertrouwd geluid, en zij, de kinderen, Felice, iedereen slaapt, pas tegen zevenen hoort hij de treden van de trap kraken en een deur opengaan en dan het doorspoelen van het privaat, en als hij haar stem en die van Roos herkent gaat hij naar boven, en op de trap komt hij Gust tegen die met de kolenkit in zijn handen naar beneden loopt, en Amand wenst hem goedemorgen en biedt aan om de kolen voor hem te halen, maar Gust passeert hem zwijgend.

En de deur naar de keuken staat op een kier en Amand duwt hem open, de gordijnen voor de ramen naar de straat zijn slordig dichtgetrokken, en in het vale licht wast zij bij een teiltje haar oksels, hij ziet haar blote, bleke kuiten en haar lange, witte onderbroek en haar keurslijf dat tot aan haar decolleté openhangt, en ze schrikt, maar minder dan hij, en hij draait zich snel om en wacht op de gang, maar Gust loopt met de gevulde kolenkit langs hem heen en gaat gewoon naar binnen. En dan na even komt ze hem halen en ze zegt dat hij zich nu kan wassen, en ze gaat naar boven om zich aan te kleden, en hij wast zich in de keuken met het koude water waarin haar zeepresten en een paar krullende haren ronddrijven, en intussen steekt Gust het fornuis aan, en als zij weer beneden is, netjes gekleed, haalt Gust buiten de volle melkfles van de stoep en vult hij een pan met water bij de kraan op de verdieping beneden de hunne, zodat zij pap en cichoreikoffie kan maken, en al die tijd zit Amand werkeloos aan de keukentafel, niemand schijnt van hem te verwachten dat hij helpt.

En om acht uur opent ze de winkel en ze sorteert de kranten van vandaag en ze legt ze in de kast bij de toonbank, en hij kijkt verveeld wat rond, op het briefkaartenrek hangt een papiertje met de tekst 'Slagvelden: tien centiemen', er zijn briefkaarten van kale velden met afgeknakte, ontbladerde bomen, en van golvende weilanden voorzichtig begroeid met gras, en hij pakt een briefkaart uit het rek waarbij staat vermeld dat het Merckem voorstelt, het is een foto van een ingestort huis in een troosteloos landschap van kuilen en modder en resten van bomen en muren en misschien van lichamen, en hij probeert zich voor te stellen dat hij daar heeft gelopen, maar het is net zo onwerkelijk als het romantische slagveld bij de sofa, en hij voelt haar blik in zijn rug branden, hij zet de briefkaart terug en hij vraagt of ze iets te doen heeft voor hem, en eigenlijk heeft ze dat niet, maar ze bedenkt dat hij de vloer kan vegen, en hij kwijt zich zo serieus mogelijk van zijn taak, hij veegt in alle hoeken en tussen de kieren van de vloerplanken. En zij is aan de tafel in de studio gaan zitten en retoucheert een glasnegatief, voorovergebogen tuurt ze door een vergrootglas en ze verandert met een loodpotlood en een mesje bijna onzichtbare details aan het zwart-witbeeld, maar ze kan

42

haar aandacht er niet bij houden, zo nu en dan kijkt ze op en haar blik dwaalt onrustig door de studio, en eerst denkt hij dat ze hem zelfs zoiets simpels als het vegen van de vloer niet toevertrouwt, maar dan merkt hij dat ze de winkel in kijkt en dat er mensen op straat door de etalageruit naar binnen gluren, en nadat het groepje is doorgelopen, komen er andere mensen die hetzelfde doen.

En na even staat ze op en ze loopt geërgerd de winkel in en ze opent de buitendeur, ze vraagt of ze niet binnen willen komen, en de mannen lopen snel door, maar de vrouwen geven gehoor aan haar uitnodiging, ze stappen over de drempel en ze richten hun blikken onmiddellijk met huiverige nieuwsgierigheid op hem, en ze vragen haar of het waar is dat hij haar man is, en ja, zegt ze, ze heeft inderdaad haar man teruggevonden, de man naar wie ze vijf jaar lang heeft gezocht, en de vrouwen willen weten hoe het mogelijk is dat hij nooit contact met haar heeft opgenomen en zij hem toch heeft opgespoord, en met enige schroom begint ze te vertellen, en alsof haar woorden met terugwerkende kracht een glans aan haar zoektocht verlenen die ze niet eerder heeft opgemerkt, krijgt ze er algauw plezier in, en ze zegt dat ze zo veel geluk heeft gehad, het is een wonder, en van het gesticht maakt ze een ziekenhuis en ze schrijft zijn geheugenverlies toe aan een hoofdwond, en de artsen, zegt ze, de artsen zijn ervan overtuigd dat hij snel zijn herinneringen terug zal krijgen.

En de hele dag vertelt ze datzelfde verhaal, tientallen vrouwen uit omliggende straten komen naar hem kijken, en ook een paar mannen en kinderen, zijn opmerkelijke terugkeer gaat als een lopend vuurtje door de buurt, en de vrouwen praten met haar over hem, maar tegen hem zeggen ze geen woord, en als ze haar grote wonder hebben aangehoord, beginnen ze over hun eigen mannen en zoons en broers en vaders die gesneuveld of verminkt of vermist of gedecoreerd zijn, en hoe dapper ze zijn geweest aan het front, ze bieden tegen elkaar op alsof een wereldoorlog een bron van na-ijver is.

En hij zit eenzaam aan de tafel in de studio en hij gelooft dat ook zij eenzaam is, haar wonderbaarlijke verhaal wordt in de loop van de dag steeds korter, en zij wordt steeds stiller, alsof ze het gevoel heeft dat in vergelijking met al die mooie woorden de werkelijkheid van hun ontmoeting alleen tekort kan schieten. En tijdens het avondmaal zegt ze niet veel, en Gust haalt het water voor de vaat, en ze wacht staand bij het fornuis totdat het kookt en ze zwijgt, en hij zegt dat nu toch wel iedereen die dat wilde naar hem is komen kijken, en ja, dat denkt ze ook, zegt ze zonder zich naar hem om te draaien en ze doet geen moeite voor een gesprek. En om tien uur gaan ze slapen, hij weer op de sofa in de studio, en ze wenst hem goedenacht, maar niet zoals gisteravond, het is alsof ze hem in gedachten al de rug heeft toegekeerd en halverwege de trap naar boven is, en hij trekt zijn nachthemd aan en kruipt onder de deken, en hij is bang dat hij weer midden in de nacht zal vergeten waar hij is, en hij laat de gaslamp branden, het romantische slagveld ligt aan zijn voeten, en de zwarte ramen naar het achterplaatsje kijken hem ernstig aan, en hij sluit zijn ogen en hij denkt aan haar.

En badend in het zweet schrikt hij wakker, hij trilt over zijn hele lichaam en er hangt een doodse stilte in de verlichte studio, een stilte die volgt op een oorverdovend geluid, en hij gelooft dat hij heeft geschreeuwd, en roerloos luistert hij of hij iemand heeft gewekt, hij hoort de planken vloer kraken, twee of drie verdiepingen boven hem, en nog eens, en zij mag hem niet gehoord hebben, niet zij, hij blaast de lamp uit en wacht in het donker op haar voetstappen op de trap en de piepende deur en haar gefluisterde zorgen, en hij houdt zich slapend, maar ze komt niet, en hij steekt de lamp weer aan, hij herinnert zich vaag dat hij in zijn droom op het romantische slagveld was met de groene bomen, de afschuwelijke leegte van het niemandsland hangt nog in zijn hoofd, alsof iets hem van binnenuit heeft aangevreten, en hij valt niet meer in slaap.

En hij weet nu dat het geen zin heeft om voor zevenen op te staan, hij blijft liggen totdat hij haar boven hoort rondlopen, en terwijl zij zich wast, wacht hij in de salon, hoewel zij achteloos de keukendeur op een kier heeft laten staan en hij haar met het water hoort spetteren en als hij een paar passen opzij zou doen hij haar ook zou kunnen zien.

En aan het einde van de ochtend stappen er vier vrouwen de winkel binnen die toch weer voor hem komen, en tot zijn verbazing blijkt zij ze zelf te hebben uitgenodigd, het zijn vriendinnen van haar en Felice, ze kunnen hun ogen niet van hem afhouden, verrukt geven ze hem een hand en ze stellen zich voor, Virgenie en Elodie dragen allebei rouwkleding, Hortense is de luidruchtigste en Camille de mooiste. En Julienne troont hen mee naar de salon, hij wil in de rustige winkel blijven maar ze legt haar hand op zijn schouder en laat hem voorgaan de trap op, en de vriendinnen hebben van Felice gehoord dat Julienne haar man heeft teruggevonden, en nu willen ze het verhaal uit Juliennes eigen mond horen, en weer vertelt ze over het wonder dat haar is overkomen, over het ongelofelijke, duizendmaal gedroomde moment waarop ze hem herkende, en over zijn geheugen dat zich waarschijnlijk snel zal herstellen. En ze is opgewekt en druk en lacherig en vrouwelijker en emotioneler ook dan hij haar kent, alsof ze zich in zijn gezelschap nog nooit echt op haar gemak heeft gevoeld, en nu er andere vrouwen bij zijn weet ze precies hoe ze met haar man behoort om te gaan, ze lacht naar hem, wisselt liefdevolle blikken met hem, raakt hem soms op gepaste momenten aan. En uit het gesprek maakt hij op dat de mannen van alle vier deze vriendinnen worden vermist, en dat ze jarenlang hun verdriet en twijfels en hoop met elkaar hebben gedeeld, Hortense is de enige die inmiddels is hertrouwd en Camille is verloofd, voor hen is hij een levend verwijt, alsof ieder moment hun dood gewaande eerste echtgenoot op de stoep zou kunnen staan, en aan Virgenie en Elodie geeft zijn bestaan nieuwe valse hoop, en allemaal zijn ze jaloers op Julienne, en zij leeft op bij dat idee, alsof ze hun blikken nodig heeft om haar eigen geluk te kunnen zien.

En nadat Julienne heeft verteld hoe ze hem heeft gevonden, richten ze zich tot hem, ze willen dat hij met hen praat, dat hij naar hen kijkt en hen opneemt in zijn wonderbaarlijke bestaan, als Julienne er niet bij was geweest hadden ze hem misschien zelfs betast en zich heimelijk voorgesteld dat hij hun teruggekeerde man was, ze zien in hem de rechtvaardiging voor hun jarenlang gekoesterde vrees en verlangens, en ze vragen hem naar zijn geheugen, wat hij nog weet en wat niet, en waarom hij zich niets meer herinnert, en ze doen erg hun best om hem en Julienne het allerbeste te gunnen, en toch betrappen ze zichzelf tot hun schaamte op woorden die het tegenovergestelde uitdrukken, alsof er diep in hen een kind huist dat krijsend over hun onrechtvaardige lot Juliennes ogen zou willen uitkrabben. En hij probeert Juliennes verhaal niet te ontkrachten, hij noemt het gesticht niet, en hij hoort zichzelf beweren dat zijn geheugenverlies tijdelijk is en dat hij erg gelukkig is met zijn onverwacht opgedoken vrouw en kinderen, en bij de leegte uit zijn droom die zijn hoofd maar niet wil verlaten, voegt zich nu ook nog eens het gevoel dat hij naast zichzelf staat, hij ziet zichzelf zitten met die opgewonden pratende vrouwen, en er is geen verband tussen dit moment en de afgelopen nacht op de sofa, of het avondmaal van konijn en pruimen eergisteravond, en zeker niet met zijn leven in het gesticht.

En het winkelbelletje rinkelt en hij is bang dat ze hem in de salon alleen zal laten met haar vriendinnen, maar ze neemt hen mee naar beneden en kust hen bij het afscheid op de wang, en daarna helpt ze de klant die om een stuk Sunlight-zeep vraagt, en vervolgens komt er nog een klant binnen, die wil advies over een Kodak-fotorolletje, en in het bijzijn van haar klanten is ze nog weer een andere vrouw, beleefd en fatsoenlijk en doordrongen van een bescheiden zelfbewustzijn, zodat niemand kan vergeten dat ze zich in de winkel in haar domein bevinden. En hij kijkt naar haar zoals ze daar achter de toonbank staat, er zweeft een meisjesachtige blos op haar wangen en haar ogen lijken bij het schemerige licht dat onder de markies door valt donker en mysterieus, en ze praat niet meer zo lijzig, bijna geanimeerd, alsof ze zich in gedachten nog warmt aan de jaloezie van haar vriendinnen, en hij voelt niets voor haar, alleen een vage angst.

En die nacht slaapt hij opnieuw slecht, en ook het verontrustend lege gevoel in zijn hoofd blijft, het staat als een glazen wand tussen hem en de wereld, en hij besluit dat hij zoals in het gesticht een taak, een dagindeling moet hebben, en hij vraagt haar om een prijslijst van de artikelen die ze in de winkel verkoopt en die geeft ze hem zonder commentaar, en hij gaat ermee op het achterplaatsje in de zon zitten en probeert de prijzen uit zijn hoofd te leren. En het is zaterdagmiddag, de kinderen zijn vrij van school, en Roos komt verveeld bij hem zitten en ze vraagt wat hij aan het doen is, en ze pakt het vel papier uit zijn handen en vraagt hem hoeveel een doosje lucifers kost, en als hij dat niet weet vraagt ze, en kachelpoets en tandpoeder, en hij geeft verkeerde antwoorden beweert ze, en hoeveel kost dan een grassprietje en een wolk en een draak, wil ze weten, en daar lachen ze samen om, en ze vertelt hem over school en over haar vriendinnetjes, ze gaat ervanuit dat hij haar interesses deelt en ze legt niets uit, hij weet niet wie Lucie is of Cecile, hij weet niet welke lessen ze krijgt op school, hij kent de spelletjes niet waarover ze het heeft, maar haar vertrouwen in hem is ongedwongen en grenzeloos, alsof hun verstandhouding geen begin en geen einde kan kennen omdat hij nu eenmaal op dit moment hier bij haar is, en hij doet zijn best om haar niet teleur te stellen, en dat lukt niet altijd en dan verbaast zij zich over zijn onwetendheid en ze vraagt hem of het komt door zijn geheugenverlies, en nee, zegt hij, dat gelooft hij niet, en ze wil weten hoe het kan dat hij alles is vergeten en toch kan lopen en praten en met mes en vork eten, en daar heeft hij geen antwoord op, en ze zegt wijs dat God het zo heeft beschikt en dat je niet alles moet willen begrijpen, en ze is zo vertederend, voor het eerst sinds zijn vertrek uit het gesticht gelooft hij dat hij zich thuis zou kunnen voelen bij Julienne en de kinderen.

En als hij in de richting van de studio kijkt ziet hij haar, ze staat voor het raam naar hen tweeën te kijken, hij weet niet hoe lang al, en ze komt naar buiten en legt haar arm om Roos heen, en ze trekt haar ontroerd tegen zich aan en ze vraagt, heb je leuk met papa gepraat, en Roos vertelt dat een wolk honderdduizend franken kost en dat hij niet zo veel weet als de vader van Cecile, maar toch best veel voor iemand zonder geheugen, zegt ze, en Julienne ziet hem over Roos' hoofd heen aan en ze glimlacht, maar hij heeft het gevoel dat haar welwillende blik langs hem heen zeilt, alsof ze liever niet al te goed naar hem kijkt. En ze zegt tegen Roos dat ze voor haar naar de marktkraam van Feys moet om uien en wortels te halen, en Roos' gezicht betrekt en ze vraagt of Gust het niet kan doen, en Julienne zegt dat ze niet altijd haar taken op een ander moet proberen af te schuiven, dat doen alleen domme meisjes, zegt ze, en Roos verdwijnt met tegenzin naar binnen. En Julienne blijft nog even naast hem in de zon staan, en die dag in het gesticht had ze hem zoveel te vertellen, maar nu wil haar niets te binnen schieten, hij voelt haar onbehagen, het verspreidt zich verlammend door zijn gedachten, en hij kan ook niets zinnigs bedenken om tegen haar te zeggen, en uiteindelijk zucht ze en laat ze hem alleen.

En hij gaat als laatste van het gezin in de tobbe, in het lauwe zeepwater van zijn drie voorgangers, ze heeft een schone handdoek en nachthemd voor hem over een stoel gehangen, en als hij klaar is leegt hij de tobbe met een emmer, zoals ze hem gevraagd heeft, en hij hoort de plens on-zichtbaar meters beneden hem op de stoep uiteen spatten. En zij ligt al in bed, en hij loopt de trappen af naar de studio, het huis is donker en beklemmend onbewoond en helemaal beneden in de studio drukt het gewicht van de bovenliggende verdiepingen op hem, en hij durft niet te gaan slapen, hij pakt de prijslijst en repeteert de artikelen en de bedra-gen, hij kan ze maar niet onthouden, hij is moe.

En tegen de ochtend schrikt hij met een klap wakker, hij heeft het koud en op de een of andere manier kan hij de dingen om hem heen niet in hun verband zien, alsof de wereld in stukken uiteen is gevallen die hij niet in elkaar kan passen, en in paniek vertelt hij zichzelf over zijn leven in het gesticht, hoe zij hem kwam halen en hoe hij met haar meeging, en nu is hij hier, maar het helpt niet. En hij ziet de prijslijst lig-gen en hij herhaalt hardop de namen van de artikelen en de bedragen, telkens opnieuw als een rijmpje, en hij kalmeert een beetje. De kerkklok slaat vijf uur en hij trekt het schone, bruine kostuum aan dat zij voor hem heeft neergelegd, en hij neemt de prijslijst mee naar de winkel en daar pakt hij ieder artikel op en prent het beeld ervan in zijn hoofd terwijl hij de prijs hardop uitspreekt, en in gedachten ziet hij een hele rij producten voor zich, gerangschikt van goedkoop naar duur, en het werkt, hij verbaast zich over zijn geheugen dat feilloos werkt en toch zo verminkt is. En ze verkoopt van alles in de winkel, sigaretten, kranten, schrijfwaren, zeep, scheerspullen, cichorei, maar ook fotorolletjes en fotografische platen en briefkaarten, het opvallendste zijn de potjes zand van de slagvelden in de buurt, Ieper, Poperinghe, Houthulst, Merckem, Diksmuide, Poelcappelle, Passchendaele, vier franken durft ze ervoor te vragen, en hij verdenkt haar ervan dat het gewoon zand van haar eigen achterplaatsje is.

En tegen de tijd dat de klok zes uur slaat, kent hij de prijzen van alle artikelen, de chaos in zijn hoofd is gesust, en hij haalt de kolenkit uit de keuken en stapt ermee de stoep op, de stralen van de ochtendzon strijken over de daken van de huizen en de straat baadt in een vriendelijk zachtgeel licht, en wagens en voetgangers en fietsers passeren hem, en sommige mensen groeten hem en hij groet terug, en hij vindt het luik van het kolenhok, hij vult de kolenkit en op weg naar binnen neemt hij ook de volle melkfles mee die voor de deur staat.

En in de keuken leegt hij de asla en hij steekt het fornuis aan met behulp van een prop papier, zoals hij het Gust heeft zien doen, het is moeilijker dan hij dacht, maar uiteindelijk lukt het, net voordat Gust de keuken binnenkomt, en Gust ziet hem daar op zijn hurken zitten en hij zegt aanvallend tegen hem dat hij het fornuis altijd aansteekt, en Amand zegt dat het zwaar, vuil werk is, niets voor een kind, en Gust is beledigd, het is zijn taak, zijn moeder heeft het hem ooit gevraagd, en hoelang is Amand hier nou, nog niet eens een week, en straks gaat hij natuurlijk toch weer terug naar dat gesticht waar hij vandaan komt, en hij heeft het ook verkeerd gedaan, zegt Gust, hij moet de kolen niet verspreiden maar opstapelen, anders gaat het vuur uit, en hij praat zo hard, hij schreeuwt bijna. Zij komt kijken wat er aan de hand is, en ze heeft haar nachtjapon nog aan en haar haar hangt in bruine golven over haar rug, het reikt tot haar middel, en ze ziet er vreemd onbekend uit, meisjesachtig en weerloos, alsof hij haar heeft betrapt op een intimiteit die niet voor zijn ogen is bedoeld, en ze kiest zonder aarzelen zijn kant, ze zegt tegen Gust dat het toch fijn is als zijn vader voortaan de kolen doet, dan kan Gust wat langer slapen, en Gust loopt boos de keuken uit, de trap op. En Amand kijkt naar haar, het is als in een droom, hij weet dat zij het is, en toch is ze het tegelijkertijd ook niet, het komt door die losse haren, maar er is ook iets raars in hemzelf waardoor hij haar niet kan zien zoals ze behoort te zijn, en zij merkt dat hij alsmaar naar haar kijkt, en slecht op haar gemak draait ze zich om en gaat naar boven.

En hij haalt met een grote pan water bij de kraan in de gang op de eerste verdieping, en hij zet de pan op het brandende fornuis, en vlak voordat hij haar voetstappen op de trap hoort, kookt het water, en hij giet het warme water bij het koude in het teiltje, en hij zet het voor haar klaar zodat ze zich nu eens niet met koud water hoeft te wassen, en hij loopt snel de salon in en hij wacht. Hij hoort haar de keuken binnenkomen en na een paar stappen staat ze stil, en hij stelt zich voor dat ze verrast het gevulde teiltje ziet, en hij hoort hoe ze de washand in het water dompelt, en ze wast zich spetterend en plonzend, en ze droogt zich af en dan klopt ze op de deur naar de salon, en ze zegt, jij kunt je wassen, en ze loopt weg, de trap op, en teleurgesteld wast hij zich met het warme water dat zij voor hem heeft laten staan, en omdat het zondag is scheert hij zich ook. En ze komt alweer van boven en ze klopt op de keukendeur, ben je nog niet klaar, vraagt ze, en hij zegt dat hij zich aan het scheren is, en zonder te vragen opent ze de deur en ze loopt naar binnen, en ze doet niet speciaal moeite om niet naar zijn blote armen en zijn hemd te kijken en ze kijkt ook weer niet te nadrukkelijk naar hem, alsof hij een vanzelfsprekende aanwezigheid is, zoals de tafel of de muur, en hij werpt een snelle blik op haar, ze heeft een schone, blauwgrijze jurk aangetrokken en haar meisjesachtige krullen zijn netjes in een knot verborgen, en ze maakt de pap en zet de cichoreikoffie, en ze zegt tegen hem dat hij echt haar waswater niet hoeft te verwarmen, en hij hoort aan haar stem dat ze zich gevleid voelt en zich ook schaamt, ik ben geen deftige dame, zegt ze, en ze lacht.

En aan het ontbijt zegt Gust geen woord en Roos wil weten waarom hij boos is, en hij geeft geen antwoord, en Julienne zegt tegen Gust dat zijn vader al de kolen voor haar haalde en het fornuis aanstak toen Gust nog niet eens was geboren, en ze bedankt hem dat hij haar al die tijd zo trouw heeft geholpen, maar voortaan kan papa het weer doen, zegt ze, en Gust staat van tafel op en loopt de keuken uit, en ze roept hem na dat hij niet met zijn zondagse kleren buiten mag spelen, en ze horen het winkelbelletje rinkelen en hij is op straat.

En om halftien klopt Felice op de keukendeur, en ze zit aan de tafel en ze vraagt Julienne hoe het gaat en ze doelt natuurlijk op hem, maar Julienne zegt dat Roos alweer bijna uit haar jurkjes is gegroeid, en heeft Felice het al gehoord, mevrouw Kruyt uit de Langesteenstraat is van een tweeling bevallen, en nee, dat wist Felice nog niet, twee jongetjes zijn het, zegt Julienne, God bewaar me, en je kunt ze niet uit elkaar houden. En ze roept Gust en Roos, en hij neemt aan dat ze met z'n allen naar de hoogmis zullen gaan, maar tot zijn verbazing begint Julienne aan het sorteren van het wasgoed en Felice staat van tafel op en de kinderen lopen met haar mee de gang in. En Julienne ziet de verrassing op zijn gezicht, wil je met hen naar de mis, vraagt ze, en in het gesticht ging hij iedere ochtend en op zondag zelfs twee keer, maar hij twijfelt omdat zij blijkbaar niet gaat, en ze zegt dat hij vanwege haar niet thuis hoeft te blijven, ik vind het niet erg als je met hen meegaat, zegt ze, en ze doet haar best om het overtuigend te laten klinken.

En hij blijft bij haar, hij helpt haar met de was, hij haalt water voor haar, wringt het wasgoed uit, trekt met haar de lakens recht voordat zij ze op het achterplaatsje aan de lijn hangt, en het is gemoedelijk, zo met z'n tweeën thuis, een beetje alsof ze weer samen verscholen zitten in de kas, en hij durft haar niet te vragen waarom ze niet naar de kerk gaat, ze bidt voor en na iedere maaltijd, ze ziet erop toe dat de kinderen bidden, ze bekruist een konijn voordat ze het slacht, en op vrijdag eten ze vis, en als Felice en de kinderen weer terug zijn van de mis praat ze onbevangen met hen over de dienst, en allemaal vinden ze het de gewoonste zaak van de wereld dat ze zelf niet mee is geweest, en haar lijkt het ook niet dwars te zitten, en hij gelooft dat het heeft geholpen dat ze een tijdje samen zijn geweest, ze is opgewekter en niet zo stil.

En tegen het einde van de middag, nadat hij naar het privaat is geweest, weet hij niet waar ze is gebleven, ze is niet in de keuken, niet in de salon, en hij loopt de trap af naar de studio, daar is ze ook niet, maar net als hij zich wil omdraaien om in de winkel te zoeken, ziet hij haar op het achterplaatsje tegen de schutting geleund staan, ze rookt een sigaret, en hij heeft nog nooit een vrouw zien roken, hij wist niet dat het ook voor hen was bedoeld, en ze doet het ook anders dan een man, met de elleboog van haar rechterarm steunt ze op haar linkerarm die ze over haar buik heeft gekruist, en ze neemt omzichtig een trekje waarna ze de rook in wolkensliertjes uit haar rechtermondhoek blaast, alsof ze zich schaamt voor de rook die uit haar tevoorschijn komt, en ze staart met een nietsziende blik voor zich uit, en zijn hart krimpt in zijn borst, ze ziet er zo treurig uit, zo eenzaam. En ze draait haar hoofd en ziet hem staan, en hij opent de buitendeur en hij loopt naar haar toe, en snel laat ze haar peuk op de stenen vallen en maakt hem uit onder haar schoenzool, en hij neemt zelf een Bastos uit het pakje in zijn zak en biedt haar er ook een aan, zodat ze tenminste samen kunnen roken, maar ze schudt haar hoofd en ze bloost, de gloed stijgt vanuit haar hals vlekkerig naar haar wangen, en ze loopt haastig langs hem heen naar binnen, en hij rookt, net als zij, in zijn eentje een sigaret in het gezelschap van de wapperende was en de witte wolken.

En hij is zo moe, na het avondmaal ligt hij op de sofa en de studio dobbert om hem heen, en hij hoort haar in de keuken, of misschien is het

Felice, het gerammel van de vaat, voetstappen, het winkelbelletje als de kinderen van de straat binnenkomen, hun stemmen en die van haar, de levende avond is zoveel vriendelijker dan de nacht. En blijkbaar valt hij in slaap, want plots staat ze aan zijn voeteneinde en ze zegt, Amand, en hij vraagt zich in zijn droom af of hij wel de Amand is die ze zoekt, hij gelooft van niet, ze is niet echt mijn vrouw, denkt hij, hoort ze geen lang, los haar te hebben, en ze zegt nog eens, Amand, en hij gaat snel overeind zitten en hij is zich bewust van zijn onaantrekkelijk slaperige gezicht, en haar blik dwaalt heel even naar zijn hals, en hij voelt dat de kraag van zijn overhemd dubbel zit en beschaamd trekt hij die recht, en zij zegt dat hij morgenochtend het fornuis eerder moet aansteken, eerder, herhaalt hij werktuigelijk, om zes uur, zegt ze, en dat belooft hij, zes uur, hoewel hij niet begrijpt waarom, want zij staat altijd pas tegen zevenen op, en ze vraagt of ze hem op tijd zal wekken, en hij zegt dat hij uit zichzelf wel wakker wordt, en ze wenst hem goedenacht, en hij haar op zijn beurt ook, en ze trekt de deur achter zich dicht en hij hoort haar de trappen op lopen, ze heeft geen idee hoe zijn nachten zijn hier beneden, de studio heeft zijn naargeestige, nachtelijke uiterlijk al aangenomen, met de zwarte, starende ruiten en de scherp omlijnde schaduwen, en er zijn geen prijzen meer om uit het hoofd te leren. Hij bekijkt de inhoud van de kasten, de laden zijn gevuld met honderden glasnegatieven, portretten van onbekenden met spookachtig zwarte gezichten en ogen en witte haren en achter hen geschilderde zwarte wolken en witte bomen, en als de klok in de verte twee uur slaat is hij zo moe.

En hij wordt wakker in een blinde paniek, zijn mond is gortdroog en zijn tong plakt aan zijn verhemelte, en hij drinkt minutenlang gulzig uit de kraan in de donkere kamer, en hij durft niet meer in slaap te vallen, hij houdt zichzelf wakker door rondjes te lopen, en de nacht duurt onvoorstelbaar lang en hij pakt een stoel uit de studio en gaat voor de winkeldeur zitten, de straat dommelt in het licht van de straatlantaarns, de ramen van de huizen zijn donker, maar de slapende mensen die hij achter de gevels weet, geven hem een gevoel van veiligheid, alsof hij zich aan hen kan vasthouden, en om drie uur gaat het licht aan in bakkerij Marchal aan de overzijde van de straat, en dat er iemand aan het werk is zo dichtbij maakt het bijna normaal om hier midden in de nacht te zitten, en langzaam ontwaakt de stad, de melkboer, arbeiders op weg naar de fabriek, dienstmeisjes, en de beklemming wijkt.

En als de klok zes uur slaat, precies op het moment dat zij heeft aangegeven, loopt hij met de gevulde kolenkit de trap op naar de keuken, en hij veegt de asla schoon en steekt het fornuis aan, en hij hoort voetstappen op de trap, het is Gust die net als hij vroeg is opgestaan, en hij komt de keuken binnen en ziet dat Amand het fornuis al heeft aangestoken, en verontwaardigd gaat hij weer terug naar boven. En Amand wacht zittend aan de keukentafel tot kwart voor zeven, dan kookt hij water en hij zet het teiltje voor haar klaar en hij trekt zich terug in de salon. En ze komt naar beneden en ze opent de deur naar de salon op een kier, is Gust al beneden geweest, vraagt ze, iets na zessen, zegt hij, ja, zegt ze, dat dacht ik al, en ze sluit de deur weer en hij hoort dat ze zich wast, en ze zegt niets over het warme water. En aan het ontbijt zegt ze streng tegen Gust dat hij moet ophouden zijn vader dwars te zitten, hij doet zijn best, zegt ze, dan moet jij dat ook doen, en die toon van haar, zo zou ze ook een ruzie tussen twee lastige kinderen sussen.

En als hij met haar in de winkel is, somt hij voor haar de prijzen van de rookwaren en de kranten op, en ze is verrast, ze laat hem een klant helpen, het is een vrouw uit de buurt die vorige week nieuwsgierig naar hem is komen kijken, ze zegt dat ze cichorei nodig heeft, en ze richt zich tot Julienne, maar Julienne doet alsof ze druk bezig is met het ordenen van de kranten in de kast, en hij vraagt of ze cichorei van De Beukelaer wil of van Pacha, De Beukelaer, zegt ze met een weifelende blik in Juliennes richting, en hij vraagt of hij haar verder nog van dienst kan zijn, zoals hij het ook Julienne heeft zien doen, en de vrouw zegt van niet, en hij zegt dat hij dan een frank en zeventien centiemen van haar krijgt, en de vrouw aarzelt, en ze zegt tegen Juliennes rug dat de cichorei volgens haar vorige keer een frank en vijftien centiemen kostte, en Julienne zegt kortaf, een frank en zeventien centiemen, en de vrouw betaalt, en hij merkt dat Julienne zich half heeft omgedraaid en in de gaten houdt of hij zich niet vergist met de munten, en hij telt nerveus het wisselgeld nog eens na, en de vrouw ziet het en als hij haar de centiemen in de hand drukt, controleert ze het bedrag stiekem, en het winkelbelletje doet haar uitgeleide, en Julienne glimlacht naar hem en ze zegt, ze proberen altijd korting te krijgen, ze zijn pas tevreden als we alles gratis weggeven, en de vanzelfsprekende manier waarop ze het over 'we' heeft maakt veel goed, hij helpt alle klanten die ochtend, behalve een oorlogsveteraan die voor een portretfoto komt, en het is kalm en vertrouwd met haar in de winkel in de schaduw van de markiezen.

En 's middags parkeert een man zijn bakfiets voor de winkel op de stoep, 'G. Gyselinck, fotohandel' staat er op de zijkant geschilderd, en Julienne is verrast dat meneer Gyselinck zelf haar fotopapier brengt en geen loopjongen heeft gestuurd, maar meneer Gyselinck komt voor Amand, hij geeft hem een hand en hij veronderstelt, u bent meneer

Coppens, en dat beaamt Amand, en meneer Gyselinck zegt dat hij met hem wil praten, van man tot man, en Julienne zegt snel dat meneer Gyselinck zijn zaken nog steeds met haar moet afhandelen, en meneer Gyselinck loopt met haar mee naar de studio en hij werpt een bevreemde en enigszins minachtende blik op Amand, en Amand schaamt zich. Zij sluit de deur zorgvuldig achter hen, en hij hoort hun stemmen, de hare zacht en bescheiden, de zijne dwingend, op het onbeschofte af, en om haar een plezier te doen probeert Amand niet te luisteren, en de deur gaat open en meneer Gyselinck loopt met grote passen naar zijn bakfiets, hij tilt er vijf dozen fotopapier uit, en Amand neemt ze van hem over en zet ze in de studio neer, en meneer Gyselinck stapt op zijn fiets en vertrekt zonder hun goedendag te wensen, en zij zegt de rest van de middag niet veel.

En 's avonds vouwt zij in haar slaapkamer de was op, en hij verdenkt haar ervan dat ze hem ontloopt, want ze blijft wel erg lang weg, en hij zit aan de keukentafel en schrijft een brief aan zijn vrienden in het gesticht, hij wilde hun vertellen over zijn nachten, maar door zijn wanhoop te omschrijven wordt die slechts onoverkomelijker, en alle brieven worden gecensureerd, dokter De Moor zou zijn hartenkreet lezen, hij zou zijn eigen doodvonnis tekenen, en hij probeert te liegen dat het goed met hem gaat, dat hij van haar houdt, en zij van hem en dat ze gelukkig zijn samen, en het idee dat het een mogelijkheid zou zijn, en niet eens zo'n onwaarschijnlijke, maakt de huidige situatie nog treuriger. En hij hoort haar voetstappen op de trap en hij bergt zijn opschrijfboekje en potlood in zijn zak, en ze komt bij hem aan tafel zitten, en ze praat wat met hem over de winkel, ze doen allebei hun best, en hij is zo bang dat ze zal zeggen dat ze naar bed gaat dat hij haar bijna bekent hoe vreselijk zijn nachten zijn, en misschien voelt ze zijn wanhoop aan, want ze blijft tot na elven op, veel langer dan andere avonden, ze zitten samen aan de keukentafel en zij legt een jurk van Roos uit en hij rookt een sigaret, en ze zeggen niet veel tegen elkaar, maar hij is niet alleen, en hij gelooft dat ze het begrijpt en dat ze hem op haar manier probeert te helpen, en die nacht valt hij in slaap en pas om halfzeven wordt hij wakker, het is al licht, en hij blijft nog even liggen, genietend van het idee dat hij heeft geslapen, als een normaal mens heeft hij geslapen.

En het regent, de druppels lopen langs de ramen en hij wordt nat terwijl hij de kolen uit het kolenhok schept, en het lekt in de keuken, het water loopt langs de muur bij het fornuis en hij ruimt de plas op en laat de dweil liggen zodat die nieuw water kan opnemen, en terwijl ze de pap maakt en de koffie zet stapt ze achteloos over de natte dweil heen, het lekt, zegt hij en zij zegt dat het dak niet in orde is en dat het komt door het Britse bombardement. En hij begrijpt het niet, de oorlog is vier jaar geleden, vier jaar een lekkage, en hij biedt aan om het dak te repareren, er liggen waarschijnlijk wat pannen los, of als er ergens een gat zit kan hij dat met een paar nieuwe dakpannen en wat hout ook voor haar herstellen, zegt hij, en zij reageert niet, alsof ze denkt dat hij maar wat zegt, en hij herhaalt zijn aanbod, nee, zegt ze, dat hoeft niet, maar het lekt, zegt hij, en zij zwijgt en ze haalt de pap van het vuur, en de kinderen komen de keuken binnen en ook zij trekken zich niets van het water op de vloer aan.

En ze zitten aan tafel en met gesloten ogen mompelen ze alle vier haastig het Onzevader, en dan eten ze hun pap, en hij ziet een druppel langs de muur glijden, en nog een druppel die dezelfde weg gaat en nog een, en Roos die naast hem zit ziet hem kijken, dat komt door het dak, zegt ze, bij ons boven lekt het ook. En hij biedt Julienne nog eens aan om het te repareren, en hij benadrukt dat het niet veel werk is, en zij zegt dat hij het niet kan, waarom niet, vraagt hij, en zij zegt dat hij te onhandig is, en het is niet dat ze hem erom veracht, het is nu eenmaal zo, net als de regen en de lekkage, en omdat het nu eenmaal zo is, omdat het bij de man hoort op wie ze jaren heeft gewacht, duldt ze geen tegenspraak. Hij zegt dat hij in het gesticht eigenhandig de kas heeft gebouwd en heeft geholpen om het dak van de schuur te herstellen, en zij zegt dat hij zich tegen haar niet beter hoeft voor te doen dan hij is, ze kent hem immers, ze kan zich voorstellen dat hij in de oorlog heeft geleerd om hard en dapper te zijn, dat moet wel, anders had hij het niet overleefd, maar nu is hij thuis, zegt ze, thuis bij haar, hij hoeft niet meer op zijn tenen te lopen. En verward weet hij niet wat hij daar tegenin moet brengen, en hij eet zijn pap en probeert niet op de druppels te letten die langs de muur sijpelen en op de groeiende plas water bij het fornuis, en het blijft maar regenen, de hele dag, pas 's avonds wordt het droog en zij dweilt op haar knieën de keukenvloer, en hij zit aan de tafel en zegt niets. En 's nachts slaapt hij slecht, hij schrikt wakker omdat hij gelooft dat hij verdrinkt, niet in water maar in iets zwaars dat op hem ligt, en het duurt tot de ochtend voordat hij het drukkende gevoel van zich af weet te zetten.

En na schooltijd geeft Julienne Roos vijftig centiemen mee om een pond Flandria-havergort bij de Epicerie Anversoise te kopen, en Roos kijkt naar het muntstuk in haar hand en ze klemt het in haar knuistje en met lood in de schoenen loopt ze naar de keukendeur, hij zegt dat hij best even op de winkel kan passen, dan kan Julienne zelf naar de kruidenier, en Julienne schudt haar hoofd, en hij dringt aan, hij kan de havergort kopen, en Roos zegt opgelucht, ja papa kan het doen, maar Julienne zegt dat Roos moet gaan, en Roos zegt dat zij papa zal wijzen waar de kruidenier is, en dan zal ze buiten wachten terwijl papa de havergort koopt, en Julienne zegt dat Roos best weet dat zij het zelf moet doen, ga nou maar, zegt ze. En Roos verroert zich niet en ze kijkt vol verwachting naar hem, en hij zegt tegen Julienne dat hij toch ook klanten in de winkel helpt, hij is heel goed in staat om havergort te kopen, dat weet ik, zegt zij, maar ik wil dat Roos gaat, en hij begrijpt het niet, maar hij durft haar niet voor het hoofd te stoten, en hij zegt tegen Roos dat ze naar haar moeder moet luisteren, en Roos is diep teleurgesteld, met nauwelijks bedwongen tranen in haar stem zegt ze, mama, ik wil niet, ik wil niet, en ze stampvoet. En Juliennes gezicht verstrakt en ze zegt dat Roos zich niet moet aanstellen, denk je dat ik niet voortdurend van alles moet doen waar ik geen zin in heb, zegt ze, en Roos zwijgt, en ze blijft staan in de hoop dat haar vader of moeder van gedachten zal veranderen, en Julienne negeert Roos en gaat verder met het snijden van de rode kool, en Amand buigt beschaamd zijn hoofd en hij wacht, en eindelijk hoort hij haar weglopen, ze trekt de deur achter zich dicht, en langzaam met slepende stappen loopt ze de trap af, het duurt een paar minuten voordat het winkelbelletje aankondigt dat ze op straat is. En hij kijkt op naar Julienne, en zij voelt zijn onuitgesproken verwijt en ze zegt zonder haar blik van de snijplank te wenden dat Roos veel gevoel voor drama heeft, en hij zwijgt.

En na een halfuurtje is Roos terug en ze zet het pak havergort voor Julienne op tafel neer, hoe ging het, vraagt Julienne, en Roos zegt dat mevrouw DeJager zei dat haar moeder de volgende keer zelf moest komen, en Julienne veegt haar handen aan haar schort af en ze streelt Roos door haar haar, ga maar spelen, zegt ze, en Roos rent naar de deur en ze zingt op de trap, en Julienne kijkt hem met een spottende glimlach aan alsof ze wil zeggen, zie je, drama dat niets voorstelt. En die nacht herinnert hij zich voor het eerst wat hij heeft gedroomd, hij zat in de refter van het gesticht aan het middagmaal, en hij at en hij at en at, maar zij zoog het allemaal met een dweil weer uit hem, en hij werd steeds leger totdat er alleen een gat van hem overbleef.

Het winkelbelletje rinkelt, en er komt een vrouw van tegen de veertig binnen, en hij vraagt waarmee hij haar kan helpen, en ze laat hem een beduimeld, vervaagd portret zien van een man en ze zegt dat ze zo graag een goede afdruk van de foto zou willen hebben, en hij roept Julienne die in de studio bezig is, en zij praat met de vrouw, ze weet exact de juiste toon te treffen, medelevend en niet te emotioneel, en de vrouw vertrouwt haar toe dat het een portret van haar man is en dat hij al sinds 1916 wordt vermist, en terwijl ze dat zegt werpt ze een steelse blik op Amand, en Julienne laat doorschemeren dat ze weet hoe het is om als onbestorven weduwe door het leven te moeten gaan, en eigenlijk vertelt ze niets nieuws, ze vult alleen aan wat de vrouw zelf al heeft gezegd, en de vrouw voelt zich begrepen en gezien, en weer kijkt ze naar Amand, en hij denkt dat zij misschien liever alleen is met Julienne, vrouwen onder elkaar, en hij gaat naar de studio, maar Julienne roept hem terug, kun je de zeep en het stijfsel een plank hoger neerleggen, vraagt ze, en een uur geleden heeft hij die nu juist naar beneden verplaatst zodat zij er makkelijker bij kon, en hij pakt het trapje en doet alsof hij aan het werk is.

En Julienne vertelt de vrouw over het wonder dat haar is overkomen, zo voelde het toen ze haar man na acht jaar terugvond, zegt ze, en ze kan het nog steeds niet geloven, iedere ochtend bij het ontwaken is ze het even vergeten, en dan draait ze zich om en ziet ze hem naast zich liggen en dan weet ze het weer, ze heeft het niet verdiend, zegt ze, al dat geluk, ze heeft het stoutmoedig afgedwongen door voortdurend aan hem te denken, door zichzelf ervan te overtuigen dat ze hem terug zou krijgen. En ja, zegt de vrouw, dat deed zij in de beginjaren van haar mans vermissing ook, toen kon ze er nog in geloven, maar het is moeilijk, zegt ze, en dat begrijpt Julienne, als iemand het begrijpt is zij het wel, en ze suggereert dat het zou helpen als de vrouw zich iedere dag het wonder zou kunnen herinneren dat Julienne en Amand is overkomen, zo levendig alsof ze hier weer in de winkel bij hen stond, zegt ze, en ze spreekt de woorden zelf niet uit, ze plant ze gewiekst in het hoofd van de vrouw en ze rollen uit die ander haar mond, alsof ze niets met Julienne van doen hebben, en ze durft zelfs te doen alsof ze aan het idee moet wennen om haar eigen man met een onbekende vrouw voor een portretfoto te laten poseren, en ze laat de arme vrouw aandringen en pas na even gaat ze overstag, en het merkwaardige is dat ze de vrouw manipuleert en ze toch volkomen oprecht is, alsof haar onschuld zo groot is dat ze niet begrijpt wat liegen is.

En de vrouw komt naar hem toe en geeft hem een hand, en ze houdt hem gretig in de hare, alsof alleen al zijn handdruk haar geluk zal brengen, en hij zou haar de waarheid moeten vertellen over zijn huwelijk met Julienne en over zijn afschuwelijke nachten, maar ze kijkt hem met stralende ogen aan, en hij kan het niet. En Julienne loopt met de vrouw de studio in, en ze vraagt hem niet eens of hij wel aan de bedrieglijke foto wil meewerken, en hij blijft in de winkel staan, kom je, zegt ze, nee, zegt hij, en het klinkt niet vastbesloten zoals hij wilde, alleen beledigd en ruzieachtig, en zij keert zich verrast naar hem toe en ze kijkt hem in zijn ogen, veel langer dan betamelijk is, maar hij slaat zijn blik niet neer, ze is nijdig en dat op zich is al een overwinning. En hij zwijgt terwijl zij de vrouw het idee dat ze haar zo omzichtig heeft aangepraat weer moet afraden, ze zegt dat haar man nog maar kort thuis is uit het ziekenhuis en aan de wereld moet wennen, en de vrouw schaamt zich voor haar opdringerigheid en ze biedt hem zijn verontschuldigingen aan, en dat wordt hem echt te veel, hij zegt dat ze zich door haar verdriet niet tot irrationele beslissingen moet laten verleiden, geluk laat zich niet dwingen, zegt hij, het overkomt je zonder reden, en hij wilde haar kant kiezen tegen Julienne, maar hij heeft het idee dat de vrouw zich door hem aangevallen voelt, en ze neemt emotioneel afscheid van Julienne, ze zegt dat ze blij is dat ze naar haar winkel is gekomen en met haar heeft gepraat, en ook Julienne is ontroerd, en hij ziet het ongelovig aan.

En zij doet de vrouw uitgeleide en als ze weer terug is bij hem in de winkel zegt ze dat hij er niets van begrijpt, en haar stem klinkt mild, alsof ze zich intussen heeft herinnerd dat hij in een gesticht opgenomen is geweest, en hij zegt gekwetst dat ze het hem dan maar moet uitleggen. Iedereen heeft hoop nodig, zegt ze, zonder hoop kun je niet leven, en hij informeert hoeveel ze voor die broodnodige hoop van haar wil rekenen, twee franken, vijf franken, tien, en ze zwijgt, hoeveel had je zelf voor zulke volksverlakkerij overgehad toen je op mij wachtte, vraagt hij, en ze pakt de groezelige foto van de toonbank die de vrouw haar ter reproductie heeft toevertrouwd en ze kijkt er afwezig naar, alles, zegt ze, ik had er alles voor overgehad.

En op zondagavond, als de kinderen in bed liggen en de afwas is gedaan, zegt zij dat ze een uurtje naar Felice gaat, jij redt je wel, toch, zegt ze, en het is geen echte vraag en dus geeft hij ook geen echt antwoord, en hij zit in de stille keuken aan de tafel, en hij is zo moe, zijn gedachten dwarrelen in flarden door zijn hoofd en versmelten zonder logische samenhang met elkaar. En hij sluit zijn ogen, en hij stelt zich de rust in de tuin van het gesticht voor, de eenvoud van het leven daar, en hij is in de kas, hij zit in het zand tussen de rijpende tomaten en de nog zure, witte druiven, en zij is bij hem, hij herkent het verwarrende gevoel dat bij haar hoort, een mengsel van afkeer en genegenheid, en toch ziet ze er anders uit, zoals toen hij haar in een nachtjapon zag met loshangend haar, en het beangstigt hem dat ze niet zichzelf is, zonder haar heeft hij geen idee wie hij moet zijn. En misschien heeft hij geslapen, misschien slaapt hij nog steeds, want hij opent zijn ogen en zij is bij hem, en het is alsof de gedachte van de vrouw in de kas voor zijn ogen is gematerialiseerd, ze staat aan het hoofdeinde van de tafel en hij heeft haar niet de keuken-deur horen openen, niet haar voetstappen op de planken gehoord, en geen woord heeft ze tegen hem gezegd, en even, heel even weet hij ze-ker dat hij haar heeft verzonnen, dat ze hem heeft teruggevonden en uit het gesticht mee naar huis heeft genomen, en dit, zijn leven met haar, al-les verzonnen, en het is alsof zich een duizelingwekkend diepe afgrond aan zijn voeten opent, het duurt een seconde, nog niet eens, dan is het voorbij, maar het onvaste gevoel blijft, alsof hij niet op zichzelf kan ver-trouwen, en ze buigt zich naar hem toe over de tafel, sliep je, vraagt ze, en haar stem klinkt bedrieglijk teder, en hij antwoordt niet, ze zegt dat Felice het leuk vindt als hij ook komt, en die formulering, Felice vindt het leuk, zijzelf niet.

En ze gaan samen naar Felices appartement, en Felice biedt hem bier aan of wijn, maar alcohol lijkt hem onverstandig, en ze zet koffie, echte koffie, en ze komt naast hem aan de keukentafel zitten en Julienne te-genover hem, en Felice praat met hem zoals Julienne al dagen niet meer heeft gedaan, ze vraagt hem uit over het gesticht en over zijn leven hier, ze heeft donkere ogen, bijna zwart lijken ze door de kohlranden die ze eromheen heeft getekend, en ze kijkt hem er geïnteresseerd mee aan en ze luistert, en hij merkt dat hij graag zijn hart bij haar had uitgestort, maar Julienne zit tegenover hem, met neergeslagen blik hoort ze zijn diplomatieke antwoorden aan en ze wrijft met haar wijsvinger over een oneffenheid in het tafelblad, telkens heen en weer, en hij denkt dat ze zelf vanavond haar benauwde gemoed bij Felice had willen luchten, daarom liet ze hem aan de keukentafel achter, en misschien wilde Felice haar geklaag over haar huwelijk niet horen, omdat, zo begrijpt hij nu, ze zelf ooit ook getrouwd was en haar man in de oorlog heeft verloren, on-herroepelijk verloren, of misschien kwam Julienne erachter toen ze de eerste zin van haar beklag uitsprak dat het Felices afgunst was waarnaar ze verlangde, niet haar medeleven.

En hij vertelt Felice dat hem nog niets over vroeger te binnen is geschoten, maar waarschijnlijk komt dat wel, zegt hij, want een paar nachten geleden herinnerde hij zich voor het eerst een droom, en hij ziet dat Julienne opkijkt van haar wrijvende wijsvinger en het tafelblad, en hij vertelt over het uit zijn hoofd leren van de prijslijst en zijn taken in de winkel en Felice staat op om nog eens koffie in te schenken, en haar hand rust even op zijn schouder, vertrouwelijk en geruststellend, alsof ze heeft geraden dat dat is waarnaar hij verlangt, alleen niet van haar, en Julienne ziet het natuurlijk, haar blik schiet van Felices hand op zijn schouder naar zijn gezicht.

En Felice en zij praten over hun gezamenlijke vriendinnen, de onbestorven weduwen, over Camille die haar trouwdatum alsmaar voor zich uit blijft schuiven, en over die afschuwelijke rouwjurken van Virgenie en Elodie, en Felice zegt dat ze niet begrijpt waarom de dood van haar man een vrouw lelijk zou moeten maken, zij weet zeker dat Sylvain nooit zou hebben gewild dat zij zich jarenlang in zo'n zwarte hobbezak zou hijsen alleen omdat hij er niet meer is om naar haar te kijken. En Julienne doet een schep suiker in haar koffie en schuift de suikerpot over tafel naar hem toe, en hij heeft het idee dat ze al een tijdje op dit moment heeft gebroed, ze tilt haar hand op en haar vingers zweven weifelend boven de zijne, maar ze kan het niet, haar tegenzin is te groot, en haar hand landt vlak naast die van hem, haar vingertoppen beroeren alleen zijn pink, en zelfs dat nauwelijks, en zijn eigen schaamte is bijna net zo groot als de hare.

En de rest van de avond praat ze met Felice alsof zijn aanwezigheid haar is ontschoten, ze hebben het over mode en jurken en hoeden, Felice is vendeuse in een naaiatelier, en ze roddelt over de clientèle en over de eigenares van het atelier, madame De Coninck-Van Wormhoudt, steeds noemt ze haar bij haar volledige naam, en hij komt er niet achter of het uit respect is of uit spot, en Felices man, Sylvain, was kleermaker, en ze vertelt uitgebreid over de kleding die ze voor de oorlog droegen, zij en Sylvain, en wat een mooi stel ze waren, iedereen op straat keek hen na, zegt ze. En Julienne heeft geen elegante jurken en niet veel idee van mode, ze spreekt Felice nooit tegen, en ook als ze het over de schaarste tijdens de oorlog hebben of zelfs over kinderen, die Felice niet heeft, zegt ze geen onvertogen woord, en ze is ineens zo kleurloos als ze er op het eerste gezicht uitziet, en de overgave aan Felices overwicht kost haar geen moeite, misschien is ze zelfs opgelucht, en hij denkt dat het aan hem moet liggen, hij dwingt haar thuis in een rol die haar niet past, een rol die ze zich heeft aangemeten in de jaren van zijn vermissing, moeder en vader en kostwinner ineen.

En bij het afscheid omhelzen Felice en zij elkaar, en ze zegt dat Felice gewoon als vanouds 's avonds kan langskomen om gezellig te kletsen, je moet niet wegblijven, zegt ze, er is tussen ons niets veranderd, en Felice zegt dat het toeval is dat ze de afgelopen anderhalve week niet is geweest, en ze belooft om Julienne weer vaak op te zoeken, morgen of overmorgen, zegt ze, en ik neem een fles wijn mee. Maar ze komt niet.

En na schooltijd rent Roos de keuken binnen, waar hij aan de tafel de krant zit te lezen en Julienne staand in de vensterbank de ramen zeemt, en ze vraagt Julienne of ze vanmiddag bij Cecile mag spelen, en dat vindt Julienne goed, maar eerst moet Roos naar de groenselkraam van Feys om savooikool en uien te halen, en Roos zegt met een klein stemmetje dat ze het echt niet meer kan, u moet zelf gaan, mama, maar Julienne legt de zemelap weg en stapt uit de vensterbank en ze pakt haar portemonnee en ze geeft Roos een paar munten van tien centiemen en ze herhaalt, een pond uien en drie ons savooikool, en daarna mag je naar Cecile. En Roos treuzelt, Julienne is alweer in de vensterbank geklommen en doopt de spons in de emmer water, en Roos zegt dat ze Cecile kan meenemen, geen sprake van, zegt Julienne, dat weet je best. En Roos zegt dat ze dan niet gaat, en Julienne zegt geërgerd, je gaat naar Feys, Rosalie, en in je eentje, maar Roos staat koppig zwijgend voor haar, als je niet gaat, zegt Julienne, dan krijg je geen eten, en jij niet alleen, ook Gust en papa en ik, ook wij moeten honger lijden, is dat wat je wilt. En Roos antwoordt niet, ze wacht, maar Julienne boent met de spons over de ruit en pakt dan de zemelap en ze lijkt Roos te zijn vergeten, en Roos loopt langzaam en met gebogen hoofd de deur uit, en Julienne zwijgt en zeemt het raam, en hij ziet dat ze de bovenste helft voor de tweede keer doet, zodat ze nog een tijdje met haar rug naar hem toegekeerd kan blijven staan, en hij weet niet wie hij meer veracht, haar of hemzelf, omdat hij Roos niet heeft geholpen.

En hij staat op en loopt de gang in om een paar minuten op het privaat alleen te kunnen zijn, en daar op de gang staat Roos hem op te wachten, en ze vraagt hem fluisterend of hij met haar mee wil gaan naar Feys, alstublieft papa, mama hoeft het niet te weten, maar hij weet dat Julienne het natuurlijk zal ontdekken, en hij durft niet, hij zegt tegen Roos, ga maar snel, dan ben je er vanaf, en met pijn in zijn hart kijkt hij haar na, ze laat haar hand over de leuning van de trap glijden alsof ze zichzelf moed inspreekt door er een spelletje van te maken, en hij gaat naar het privaat en blijft daar zitten totdat hij het weer aankan om door Juliennes ogen naar zichzelf te kijken.

En het duurt lang voordat Roos terugkomt, en Julienne probeert voor hem te verbergen dat ze zich zorgen maakt, ze gaat naar beneden om de winkelruiten te zemen, en als ze die gedaan heeft is Roos er nog steeds niet, en eindelijk, na meer dan een uur horen ze haar voetstappen op de trap, en ze heeft een zak uien en savooikool bij zich en een briefje van meneer Feys dat ze aan Julienne geeft, en Julienne pakt het van haar aan, en Roos zegt dat meneer Feys haar heeft opgedragen ervoor te zorgen dat haar moeder het dit keer ook daadwerkelijk leest, en Julienne werpt er niet eens een blik op, ze verkreukelt het en gooit het in de vuilnisbak.

En na het ontbijt staat hij van tafel op en zegt dat hij het dak gaat repareren, en voordat ze kan protesteren, loopt hij al de gang in, de trap op naar de zolder, en zij komt haastig achter hem aan, en ook Gust en Roos rennen, nieuwsgierig en opgewonden, mee naar boven, en zij zegt dat het veel te gevaarlijk is, en dan dat ze het niet erg vindt dat het lekt, en dan, als hij nog steeds niet reageert, dat het de verantwoordelijkheid van de huisbaas is, niet die van hen. En hij is bovenaan de trap, en daar begint ook direct de ruimte die voor haar slaapkamer moet doorgaan, er is geen deur, geen raam, geen lamp, het enige licht valt door het trapgat naar binnen, en in de schemering ziet hij een tiental waslijnen gespannen tussen de schimmelige, benauwend lage, schuine wanden, en daaronder slaapt zij in een tweepersoonsbed bedekt met een versleten deken, er is zelfs geen kast, haar kleren bewaart ze in twee kartonnen dozen, en verspreid op de vochtige, houten vloer staan pannen en kommen halfvol bruinig regenwater van het dak.

En zij ziet zijn geschokte blik en ze zegt beschaamd dat ze er nog niet aan toe is gekomen om het hierboven op te knappen, en nu hij het weet herkent hij het overal om hem heen, het schooluniform van Roos dat is gekeerd, Gusts pet en broek die vele malen zijn versteld, haar eigen jurken, waarvan ze er maar twee heeft, de donkerbruine en de blauwgrijze, en ook die zijn versleten en gekeerd, de meubels in de zogenaamde salon die ooit mooi waren maar nu kaal en wankel, de staartklok die stilstaat, en het enige vlees dat ze hebben gegeten was het konijn bij zijn thuiskomst. Alleen hem heeft ze voor hun armoede behoed, haar goede deken en kussen heeft ze aan hem afgestaan, zijn kostuums, waaraan niets mankeert, heeft ze acht jaar lang bewaard en er geen kleren voor haarzelf of de kinderen van genaaid, en zelfs zijn zilveren manchetknopen en dasspeld en haar gouden trouwring heeft ze niet verkocht, en iedere middag aan tafel zegt ze dat ze geen honger heeft en schept ze hem en de kinderen nog eens op, en hij wist het niet, hij wist het niet, een extra mond om te voeden is hij, een last.

En hij vraagt of er ergens een dakraam is, en Gust zegt dat er een op de slaapkamer van hem en Roos is, en die slaapkamer heeft wel een deur en is iets minder armoedig, er staat tenminste een klerenkast en het is er niet zo donker. En hij opent het raampje en kijkt langs het dak, hij ziet al onmiddellijk drie pannen die verkeerd liggen, en hij pakt de twee dakpannen onder het raamkozijn weg en legt ze binnen op de vloer, en hij zwaait zijn benen naar buiten, en zij grijpt hem bij zijn arm beet, je gaat niet, zegt ze, je blijft hier, en haar stem trilt van angst, en ze zegt zijn naam, Amand, alsof het een gebed is, en nog eens, Amand, en hij weet wat ze denkt, de oorlog overleefd, tegen iedere verwachting in teruggevonden en heelhuids thuisgebracht en nu zal hij alsnog sterven bij een dom, volstrekt onnodig ongeluk. En hij ziet het steile, schuine dak onder hem en de dakgoot, en diep beneden hem de straat, en als zij niet zo bang was had hij misschien niet gedurfd, maar met haar angst verheft zij het tot een heldendaad, en hij wendt zijn blik van de afgrond en zet zijn voeten op de gording en hij staat op het dak, en zij houdt nog steeds zijn arm vast, alsof ze hem met die vijf wanhopige vingers van haar zou kunnen redden als hij valt, en hij schuift twee pannen schuin boven het raampje opzij en hij trekt zijn arm los uit haar greep en klautert omhoog, en zij gilt hem na, Amand, kom terug, en ze schrikt van de paniek in haar eigen stem, en ze zwijgt. En Gust hangt vol ontzag uit het raampje om te kijken hoe ver zijn vader al het dak op is geklommen, en zij trekt Gust terug naar binnen, jullie gaan met mij naar beneden, zegt ze, als jullie vader met alle geweld te pletter wil vallen dan moet hij dat zelf maar weten, mij kan het niet schelen, en ze zegt het luid, zodat hij het ook hoort, en dan wordt het stil op zolder, en hij is alleen, op het steile, hoge dak.

En hij is moe van al die half doorwaakte nachten en zijn benen trillen, en hij onderdrukt de gedachte dat zij weleens gelijk zou kunnen hebben, onverantwoord en gevaarlijk is het wat hij doet, en hij leunt tegen het dak en kijkt niet naar beneden maar om zich heen, de daken van de huizen liggen als een heuvellandschap aan zijn voeten, en links van hem aan het einde van de straat ziet hij de spoorlijn, en naar de andere kant eindigt de straat in een druk marktplein, en rondom hem telt hij wel vijf torens en vlak boven zijn hoofd drijven grote, witte wolken over, alsof hij alleen zijn arm zou hoeven uitstrekken om ze te strelen, hij is als een god op zijn troon. En hij richt zich op en klimt schuin over het dak omhoog, en hij legt tientallen verzakte pannen recht, en dan is hij boven, als een ruiter te paard zit hij op de nok, en hij kijkt aan de andere zijde van het huis naar beneden, en hij ziet haar ver beneden hem op het achterplaatsje, onder het mom van het vegen van het straatje staat ze op de bezem geleund met haar hoofd in haar nek naar het dak te turen, en hij zwaait naar haar, en snel buigt ze zich voorover en ze veegt verder, en hij wacht totdat ze opnieuw naar hem zal kijken, hij weet dat ze het niet zal kunnen laten. En het duurt zo lang dat hij aan de achterzijde van het huis kriskras langs het dak naar beneden klimt om pannen recht te leggen, en dan kijkt ze toch omhoog, en hij doet alsof hij het niet merkt en zij blijft roerloos naar hem staan turen, een klein, menselijk, blauwgrijs figuurtje, en haar blik vergezelt hem op zijn tocht langs het steile dak, het is alsof ze hem beschermend omarmt, alsof hem niets kan overkomen zolang zij daar beneden hem is en in stilte wenst en bidt en smeekt, en hij haalt een dakpan weg die helemaal verkeerd ligt en een vogelnest komt eronder tevoorschijn, het rolt steeds sneller naar beneden over het dak en tuimelt over de dakgoot en dan kwakt het aan haar voeten op de stenen, en ze springt geschrokken opzij, en het is een heel eind om te vallen, dat ziet hij nu ook, en hij sluit zijn ogen om de beangstigende bekoring van de diepte te vergeten, en ze roept iets naar hem wat hij niet verstaat, dat hij voorzichtig moet zijn, of een andere nutteloze waarschuwing, en hij opent zijn ogen en kijkt alleen rechts van hem naar het dak, niet meer naar haar, en hij klimt omhoog en legt de laatste pannen goed, en pas als hij weer op de nok zit, durft hij naar beneden te kijken, ze is naar binnen gegaan, de bezem staat eenzaam tegen de schutting.

En hij daalt aan de andere kant van het dak af en controleert of daar alle pannen inderdaad recht liggen, en dan stapt hij het zolderraam binnen, en hij verdenkt haar ervan dat ze op de trap heeft staan wachten, want ze is wel erg snel bij hem. En hij verzamelt de pannen en kommen vol regenwater, maar zij wil niet dat hij ze mee naar beneden neemt, het lekt niet meer, zegt hij, laat ze nog even staan, zegt ze, en hij lacht om haar, gewoon voor de veiligheid, zegt ze, en hij gooit het water uit de kommen en pannen uit het raam en zet ze demonstratief leeg weer op hun plek, zodat ze bij de eerste de beste regenbui zal moeten toegeven hoe onterecht haar gebrek aan vertrouwen in hem is.

En dan een halve week later, als hij weer eens wanhopig midden in de nacht wakker ligt, hoort hij het regenen, het plenst, hij staat op van de sofa en opent de deur naar het achterplaatsje, de druppels dansen op de stenen en in de uitdijende plassen, en hij loopt zachtjes de trap op naar de keuken en hij legt zijn hand op de muur naast het fornuis, droog, en er staat ook geen water op de vloer, en hij hoopt dat het in de slaapkamers ook niet lekt, hij is al halverwege de trap naar de zolder om het te controleren, en hij stelt zich voor dat hij haar in bed ziet liggen, haar lichaam een dommelende bult onder de deken en haar gezicht een vage, bleke vlek op het kussen, en dat kan natuurlijk niet, hij kan niet 's nachts haar slaapkamer binnensluipen. En hij loopt de trap weer af, een trede kraakt, en hij blijft met ingehouden adem wachten, en hij verbeeldt zich dat hij haar zich hoort omdraaien en ze slaakt een zucht, en ze is zo dichtbij, en in de eenzame, wanhopige nacht waarin de ochtend zo langzaam nadert dat het lijkt of de tijd stilstaat, kan hij geen afstand doen van het idee dat hij niet langer alleen is, en hij gaat op de trede zitten, en hij luistert, hij gelooft dat hij haar ademhaling hoort.

En hij schrikt wakker, met een stijve nek en pijn in zijn rug, en het is al licht, hij hoort boven zijn hoofd haar blote voeten op de planken vloer, en hij snelt geluidloos de trappen af naar de studio en hij schiet zijn kleren aan en hij haalt de kolen, en hij zit nog op zijn knieën bij het fornuis als zij de keuken binnenkomt, en hij denkt dat ze alleen haar ondergoed aanheeft omdat ze zich wil wassen, en hij zegt zonder om te kijken dat ze even moet wachten, geen druppel, zegt ze, en hij draait zich verrast naar haar toe, en daar staat ze in haar nachtjapon, haar lange haar los, en in haar handen de lege pannen en kommen uit haar slaapkamer, geen druppel, herhaalt ze, en ze doet geen moeite om haar verbazing te verbergen, dat zei ik toch, zegt hij, en ze lacht, en ze is hem ineens wonderlijk nabij, alsof ze terug zijn in de kas en ze samen kunnen zwijgen en praten en het altijd zo zal blijven.

En in de winkel knoopt hij een gesprek aan met een vrouw van wie de oudste zoon wordt vermist, waarschijnlijk gesneuveld, zo stond er achter zijn naam vermeld op de lijst van het Rode Kruis, maar zijn lichaam is nog steeds niet gevonden, zegt ze, en hij hoort de hoop in haar stem, waarvan ze zelf weet hoe vergeefs die is, maar toch, de hoop is er nog altijd, en hij vertelt haar over zijn geheugenverlies en dat hij vier jaar na de oorlog, op een moment dat niemand het meer voor mogelijk hield, zijn vrouw en kinderen heeft teruggevonden, en het verbaast hem hoe eenvoudig zijn leven is om te vormen tot een inspirerend verhaal waarvan ieder feit klopt, maar dat toch van begin tot eind gelogen is. En Julienne houdt zich bij hen in de buurt bezig met een onnodig karweitje, klaar om in te grijpen als hij iets raars zou zeggen, maar algauw merkt hij dat ze zich ontspant en hem de klant toevertrouwt, ze controleert aan de andere kant van de winkel of er zeep en scheerspullen bijbesteld moeten worden, en hij vertelt de vrouw dat Julienne jaren heeft gehoopt en gewacht, en Julienne begrijpt waarmee hij bezig is, en hij wilde haar zorgen verlichten, maar als hij een blik op haar werpt, ziet ze er in zichzelf gekeerd uit, alsof ze probeert te verbergen dat hij haar heeft gekwetst. En hij wil het niet zo verraderlijk aanpakken als zij, hij stelt het zelf aan de vrouw voor, of ze gelooft dat het zou helpen als ze met hem voor een foto zou poseren, en hij zou de foto signeren en er een persoonlijke boodschap achterop schrijven, zegt hij, en dat wil de vrouw graag, zegt ze, en ze aarzelt, hoeveel zou u daarvoor willen hebben, zegt ze, en hij kijkt vragend naar Julienne, vijf franken, zegt zij onmiddellijk alsof ze dat al dagen geleden heeft besloten, en het is behoorlijk veel voor een fotoportret, maar de vrouw stemt ermee in.

En ze gaan naar de studio, en de vrouw zegt dat ze het prettig vindt om door een vrouw te worden gefotografeerd, dat heeft ze niet eerder meegemaakt, zegt ze, maar als Julienne haar vraagt op een kruk voor het romantische slagvelddecor te gaan zitten en treurig langs de camera te kijken, en hem erachter plaatst, alsof hij haar droombeeld is, zegt ze, en ze vervolgens afstand neemt en kritisch naar de compositie kijkt, en de vrouw vraagt om op te staan en opnieuw te gaan zitten zodat de plooien in haar jurk mooier vallen, voelt de vrouw zich slecht op haar gemak, alsof ze bang is dat een vrouwelijke blik haar niets zal vergeven. En hij laat zich door haar vertellen hoe hij moet staan en kijken, ze geeft hem een wandelstok en hij laat zijn hand er nonchalant op rusten, nee, zegt ze, leun erop alsof je de steun nodig hebt, en zegt ze, haal je hand eens door je haar, maar hij doet het niet zoals zij het wil, en ze staat voor hem en zonder schroom strijkt ze zijn haar opzij, hij voelt haar hand over zijn hoofd glijden, en ze is verontrustend dichtbij, hij kijkt haar in haar gezicht, maar haar ogen zijn over hem heen gericht, op zijn kruin, en ze doet een stap naar achteren en ze kijkt naar hem. En haar aandacht voor ieder onbeduidend deel van hem is betoverend, het voelt als liefde, en nadat ze haar hoofd onder de zwarte doek heeft verborgen en de foto heeft gemaakt is het voorbij, alsof het er nooit is geweest, het heeft iets hardvochtigs, alsof het bezit van een camera haar het recht geeft om haar medemensen te misbruiken.

En de vrouw betaalt vijf franken en Julienne zegt dat ze de ingelijste foto morgenmiddag kan komen halen, en het winkelbelletje rinkelt en ze zijn weer met z'n tweeën, en ze bergt het geld in de lade van de toonbank, en zonder haar hoofd op te heffen zegt ze tegen hem dat hij niet met weduwen op de foto hoeft als het hem tegenstaat, en hij zegt dat hij het graag doet, en ze wil zijn medelijden niet, maar ze kan zich geen trots veroorloven, en ze zwijgt. En samen strikken ze die middag nog een klant, en ze zijn al op elkaar ingespeeld geraakt, zij oppert dat de vrouw een fotoportret met hem zou kunnen laten maken en hij stribbelt tegen, zodat ze meer kunnen vragen, zeven franken is de vrouw bereid om ervoor te betalen, en hij voelt zich niet schuldig, het is een spel. En aan het einde van de dag, als ze denkt dat hij niet op haar let, ziet hij dat ze verheugd de omzet telt, en ze stuurt Gust met wat geld naar paardenbeenhouwerij Vandecasteele, en die avond eten ze aardappelen met ragout, en het had hem verstandig geleken om in ieder geval een klein deel van hun schulden bij de groenselier en de kruidenier af te lossen, maar de kinderen zijn blij met het vlees, en hij verzekert haar ervan dat haar ragout lekkerder is dan al het woensdagse vlees dat hij in het gesticht heeft gegeten, en nu zij hem er in ruil iets voor heeft teruggegeven, kan ze zijn offer aan haar en de kinderen aanvaarden.

En ze werkt de hele avond in de studio aan het ontwikkelen en retoucheren en afdrukken van de twee foto's, ze doet het met veel meer toewijding dan nodig is, alsof ze werkelijk gelooft in wat ze de vrouwen heeft voorgespiegeld, dat zijn beeltenis hun geluk zal brengen. En als ze naar bed is gegaan en er weer een lange, afschuwelijke nacht op hem ligt te wachten, bekijkt hij de foto's die naast elkaar op tafel liggen te drogen, hij heeft nog nooit een portret van zichzelf gezien, hij herkent de man die peinzend op zijn wandelstok leunt nauwelijks, en het is een vreemd idee dat deze afbeelding van hem een eigen leven zal leiden, wat er ook met hem gebeurt, of hij nou sterft of zichzelf vergeet, dit blijft er altijd van hem bestaan, alsof het hem zou kunnen vervangen en hijzelf niet meer nodig is. En hij trekt zijn nachthemd aan en ligt vermoeid op de sofa, maar hij kan haar versies van hemzelf daar plat op de tafel niet uit zijn hoofd zetten, en hij durft niet te gaan slapen.

En nadat ze de kinderen in bed heeft gestopt zitten ze samen op het achterplaatsje in de avondzon, en zij heeft het over fotograferen, dat ze probeert te begrijpen hoe een klant zichzelf het liefst ziet, en dat geeft ze hem dan, zegt ze, en hij probeert interesse te tonen, maar hij zegt altijd net het verkeerde, hij is zo moe, zijn gedachten zakken als zand in een meer naar de modderige bodem van zijn verstand, en zij wordt steeds stiller totdat ze stuurs zwijgt, en de laatste zon schijnt op zijn gezicht en hij sluit zijn ogen en hij zou kunnen slapen nu, veilig naast haar. En hij is op het dak en zij is daar ook, ze zit schrijlings op de nok, en hij kan onder haar jurk kijken, hij ziet haar jarretels en de aanzet van haar bleke dijen, en hij klimt naar haar toe, maar hij stapt mis en hij valt diep, heel diep, en hij opent zijn ogen en zij heeft een konijn op schoot genomen, het grootste konijn uit het hok, en het beest laat zich met zijn oren plat in zijn nek onbeweeglijk door haar aaien, en ze buigt zich over hem heen en ze fluistert lieve woordjes tegen hem. En hij weet niet of ze is vergeten dat ze ditzelfde konijn ooit koelbloedig de nek zal breken, zoals ze dan zal zijn vergeten dat ze het ooit in de avondzon heeft geliefkoosd, of dat ze zichzelf met opzet kastijdt door te gaan houden van een wezen dat ze moet doden.

En midden in de nacht schrikt hij wakker, de gaslamp is uitgewaaid en een inktzwarte duisternis heeft hem opgeslokt, het zwart is in zijn hart gedrongen en in zijn buik en zijn hoofd en het verstikt zijn keel, en hij opent zijn mond om te schreeuwen, nog net op tijd weet hij zichzelf ervan te weerhouden, en de uitroep hangt in zijn strot, alsof hij alleen zijn mond zal hoeven te openen en het geluid gutst eruit, en dan zal zij komen, in haar nachtjapon en met haar lange, losse haar, en ze zal niet haar man zien maar de krankzinnige die hij werkelijk is. En hij propt zijn vuist in zijn mond, en hij bijt hard en hij bestaat echt, want het doet pijn en hij hoort zichzelf kreunen, en de ijzerachtige smaak van zijn eigen bloed vult hem met walging, en hij weet plots zeker dat hij dit al eens eerder heeft meegemaakt, in een droom, en het is alsof hij levend is begraven, het duister rust loodzwaar op hem en hij krijgt geen adem, en er is niemand, niemand meer, hij is alleen.

En dan, boven zijn hoofd hoort hij blote voeten op de planken en de deur van het privaat piept, en hij luistert, zij is het, haar water ruist kolkend door de buizen, en dan hoort hij haar voetstappen op de trap naar boven, en ze is in de keuken, ze verschuift een stoel en ze gaat zitten. En kalmte komt over hem, hij staat op van de sofa en hij loopt de kille treden op en hij staat voor de keukendeur, zijn hand op de klink, om haar te bekennen dat zijn nachten afschuwelijk, werkelijk afschuwelijk zijn, en misschien zal ze het begrijpen, want het is ver na twaalven en ze slaapt zelf ook niet, maar hij durft niet.

En met veel moeite weet ze Roos zover te krijgen dat ze aardappels gaat halen of als dat niet lukt, rijst, maar Roos komt met lege handen weer thuis, ze zegt dat ze het bij Feys heeft geprobeerd, en daarna bij de groenselkraam van Huysentruyt, en ze is ook naar de Epicerie Anversoise geweest, en mevrouw DeJager heeft tegen haar gezegd dat ze haar moeder moet vertellen dat het goedkoop is om op het gemoed van de winkeliers te werken door een onschuldig, klein meisje te sturen, als Julienne wil dat ze haar nog iets verkopen, zal ze eerst zelf moeten komen om de openstaande rekeningen te betalen, en van meneer Feys moest Roos tegen haar moeder zeggen dat hij al heel erg lang zeer coulant tegen haar is geweest, omdat ze in haar eentje een winkel draaiende moest houden en voor twee kinderen moest zorgen, maar nu is haar man terug en is er dus geen reden meer voor medelijden, dat zei meneer Feys. En Julienne zegt verontwaardigd dat de zoon van Feys aan het begin van de oorlog naar Nederland is gevlucht, zonder een schot te hebben gelost, en zo iemand durft te beweren dat zij niet te vertrouwen is, alsof ze haar schulden niet zou afbetalen als ze kon, zegt ze. En ze telt het geld uit de lade van de keukenkast en haalt dan nog wat franken uit de winkel, en ze helpt een klant en ruimt de studio op en helpt nog een klant, ze ziet er zo tegenop om naar Feys en de Epicerie Anversoise te moeten, nog meer dan Roos al die keren, en hij zegt tegen haar dat hij zal gaan, nee, zegt ze, en hij zegt dat ze samen zullen gaan, ik kan doen alsof ik krankzinnig ben, zegt hij, misschien krijgen we dan uitstel, nee, zegt ze geschokt, en ze trekt haar jas aan en zet haar hoed op, en hij ziet haar gaan, met rechte rug en opgeheven hoofd, maar met lood in de schoenen. En als ze na een uurtje terugkomt heeft ze een zak aardappels en uien en wortels bij zich en een pak rijst, en ze is stil en in zichzelf gekeerd, en Roos wil nieuwsgierig weten wat meneer Feys heeft gezegd, en ze zegt dat hij haar heeft laten betalen voor alle jaren dat hij vriendelijk tegen haar is geweest.

En tijdens het eten zegt ze bijna niets, en de hele avond zit ze over haar glasnegatieven gebogen en werkt ze ongerechtigheden weg totdat de portretten precies zijn zoals ze moeten zijn, en de volgende dag praat ze met Roos en Gust en met de klanten in de winkel, en ook tegen hem zegt ze zo nu en dan iets, afwezig maar niet onvriendelijk, en hij doet zijn best om haar op te vrolijken, en steeds is het net niet goed wat hij zegt, hij ziet het op haar gezicht, en zij vergeeft het hem, en de volgende keer doet hij nog iets harder zijn best, waardoor hij er nog meer naast zit, en ze drijft alsmaar verder van hem vandaan, totdat ze geen woord kunnen wisselen zonder er allebei ongelukkig van te worden. En al om halftien zegt ze dat ze naar bed gaat, en ten einde raad zegt hij tegen haar dat ze moeten praten, en hij wil haar de waarheid opbiechten over zijn nachtmerries en zijn slapeloosheid, en hoe vreemd zijn leven hem is, alsof hij door de ogen van een ander naar zichzelf kijkt, en hij wil haar smeken om hem te helpen, maar hij kijkt haar in de ogen en het is alsof ze in gedachten achteruitdeinst, en ze zegt dat ze moe is, dat ze nu echt naar bed moet, en ze maakt zich uit de voeten.

En hij is in de studio, in haar huis, en hopeloos alleen, en hij voelt niets, alsof ze hem heeft gevild en ontweid en er een leeg omhulsel van hem over is. En hij begrijpt het niet, dokter De Moor heeft haar gewaarschuwd, en ze ziet hem toch iedere dag, ze moet weten dat het niet goed met hem gaat, dat hij het niet zal redden zonder haar hulp, en dan komt het besef met een dreun, ze heeft besloten om hem bij het controlebezoek achter te laten in het gesticht, nog maar een week hoeft ze hem in haar leven te dulden, dan is ze van hem af. En bevend zit hij op de sofa voor het romantische slagveld, en hij houdt van de studio, zo licht in de duistere, lange nacht, hij houdt van het griezelige gekreun van het oude huis, hij houdt van de weduwen die hij bedriegt met zijn beeltenis, hij houdt zelfs van zijn ondraaglijke slapeloosheid terwijl in de verte de klokken de uren aftellen, en hij houdt van haar, vooral van haar, hij kan niet terug naar het gesticht.

En midden in de nacht schrikt hij wakker van een hard geluid, het is donker om hem heen en hij staat rechtop, hij ligt niet, en hij heeft zijn voet gestoten aan iets hards en hoekigs dat tot zijn middel reikt, en in zijn neus hangt de misselijkmakende geur van bederf en hij hoort ver weg het gedreun van het afweergeschut, hij is in slaap gevallen tijdens het wachtlopen, en hij tast naar zijn geweer, maar hij draagt alleen een dun nachthemd dat doorweekt is van zijn zweet, en dat ritmische gedreun, dat is zijn bloed, en het is alsof zijn omgeving zich binnenstebuiten keert, het niemandsland en de loopgraaf en de ontploffende nachthemel kruipen in hem en buiten hem laten ze een onbekende leegte achter. En hij steekt in paniek zijn hand uit, hij voelt een harde, gladde rand en daarboven niets, en achter hem en naast hem ook niets, een duister gapende wereld die op hem loert, geen aarde beneden hem, geen hemel boven hem, en hij grijpt zich vast aan de harde rand, hij knijpt erin totdat zijn handen pijn doen, en de pijn dekt de angst als een deken toe, het fornuis, beseft hij, hij heeft het fornuis beet, hij is in de keuken. En rondom hem richt zich het huis op met zijn vier verdiepingen, de winkel en de studio helemaal beneden, Felices verdieping, de keuken en de salon, en boven hem zij en de kinderen rustig dromend in hun bed, en op trillende benen tast hij zich een weg naar beneden, en halverwege de eerste trap moet hij zich klappertandend van schrik en vermoeidheid op een trede laten zakken omdat hij niet verder kan, en daar zit hij een tijdje, en dan als hij is gekalmeerd gaat hij naar het privaat.

En in de studio waakt hij tot het ochtendlicht, de dag rijst dreigend uit het duister op, alsof hij niet al drie weken de kolen voor haar doet en haar waswater verwarmt, en met haar en de kinderen eet, alsof hij een ongenode gast is in zijn eigen leven, en hij probeert het gevoel van vervreemding van zich af te zetten, om gewoon met haar te praten en met Roos en zelfs met Gust, en wat hij ook doet, intussen denken zijn gedachten als een nooit slapend zichzelf in stand houdend mechanisme verder, en hij kijkt naar haar terwijl ze verstrooid haar pap eet, en in haar hoofd moet op dit moment ook van alles rondwaren, zorgen, herinneringen, waarnemingen, gissingen, conclusies, voornemens, emoties, onkenbaar voor iedereen behalve haarzelf, en als dit ontbijt aan deze keukentafel in haar gedachten niet het ontbijt aan deze keukentafel in zijn gedachten is, wat is het dan in werkelijkheid, en als niemand dat werkelijke ontbijt beleeft, alleen misschien God, bestaat dat ontbijt met haar dan wel, o, de chaos, de chaos die hij zijn leven noemt. En 's avonds voordat hij uitgeput in slaap kan vallen, bindt hij zijn pols met zijn bretels aan de poot van de sofa vast, maar hij had het achterwege kunnen laten, want slapen doet hij niet, en de volgende dag voelt hij zich nog vreemder, alsof hij de ware aard van de dingen en de mensen om hem heen niet kan ervaren, alsof wat hij ziet slechts een vermomming is, en hoe goed hij het ook weet te verbergen, zij moet er wel iets van merken, maar ze zegt niets, ze vraagt niets, ze ontloopt hem, en als het echt niet anders kan, richt ze voorzichtig het woord tot hem, ze is bang voor hem, en hoe meer hij haar probeert gerust te stellen, hoe banger ze wordt.

En als hij een klant in de winkel een pakje Michel-sigaretten verkoopt omdat zij boven het middagmaal aan het koken is, ziet hij dat ze in de lade van de toonbank geld apart heeft gelegd, acht franken en twintig centiemen telt hij, en nu hij erop let merkt hij dat ze bij ieder bedrag dat een klant haar betaalt een klein deel achterhoudt, en tegen sluitingstijd is het bedrag gegroeid naar twaalf franken en vijfentachtig centiemen, en hij begrijpt waarvoor ze spaart, de reis met hem naar Gent. En 's nachts neemt hij twee franken van haar spaargeld uit de lade in de toonbank en legt het bij het huishoudgeld in de keukenkast, en hij ziet hoe ze 's middags de franken aan Roos meegeeft om er aardappels en witte bonen van te kopen, en de nacht erna doet hij nog eens hetzelfde, van de achttien franken en tien centiemen in de winkel hevelt hij vier franken over naar de keuken, en het stelt hem gerust dat ze straks over drie dagen de 29 franken en 24 centiemen niet zal kunnen opbrengen om zich van hem te ontdoen, en hij slaapt, diep en droomloos, alsof hij bewusteloos is.

En hij schrikt wakker van een vrouw die iemand roept die Amand heet, Amand, zegt ze, ze staat aan zijn voeteneinde en ze buigt zich met behoedzame tegenzin voorover om aan zijn benen te schudden, en als ze ziet dat hij wakker is, richt ze zich snel op, en ze zegt dat het al halfacht is, kom je ontbijten, zegt ze, en hij zit in zijn nachthemd beschaamd rechtop, en zij kijkt hem niet aan, haar blik dwaalt van hem vandaan, over zijn schouder langs zijn rechterarm naar zijn hand, en hij verschikt onopvallend de deken zodat die over zijn vastgebonden pols valt, maar ze heeft het gezien, hij weet het zeker, en als ze er nog niet van overtuigd was dat ze hem in het gesticht moet achterlaten, dan is ze het nu. Ze bedenkt ineens dat ze naar Quivron moet om kolen te bestellen, en ze blijft meer dan een uur weg, en daarna verschanst ze zich in de keuken om het middagmaal te koken, en 's middags strijkt ze en dweilt ze en schuurt ze de pannen, en al die tijd laat ze hem de winkel en de klanten, zolang ze maar niet in zijn buurt hoeft te zijn. En een dikke man komt de winkel binnen en vraagt om mevrouw Coppens te spreken, hij wil zijn naam niet geven, en Amand moet naar boven om haar te halen, en ze vraagt hem, wie is het, en hij moet zeggen dat hij het niet weet, en ze vraagt of hij lang is en blond, nee, zegt hij, is hij oud, vraagt ze, 45 jaar, schat hij, en ze knoopt haar schort los, en onwillig gaat ze met hem mee naar de winkel.

En ze ziet de man staan en haar gezicht bevriest en ze zegt ijzig, dag meneer Lambert, u hier, en meneer Lambert zegt dat ze hem heeft gedwongen om naar haar toe te komen, op de eerste van de maand zou hij de huur van haar krijgen en het is nu al de dertiende, en hij moet niet alleen de huur van de maand september nog van haar hebben, ook die van juli en augustus, en ze biedt hem onderdanig haar verontschuldigingen aan, ze wilde morgen komen, zegt ze, en ze haalt vijfentwintig franken uit de lade van de toonbank en geeft ze hem, en ze zegt dat ze tot haar spijt op het ogenblik niet meer heeft, en ze liegt, dat weet Amand. En meneer Lambert neemt geen genoegen met een maand huur, hij wil nog eens vijftig franken hebben, zegt hij, en zij begint over de kinderen die uit hun kleren zijn gegroeid en de winter die eraan komt, en meneer Lambert zegt dat hij al jaren ongekend aardig voor haar is geweest, zijn vrouw heeft er vaak op aangedrongen dat hij een andere huurder zou nemen, maar hij had medelijden met haar, zegt hij, hij kon het niet over zijn hart verkrijgen om een weduwe met twee kleine kinderen op straat te zetten, maar nu is uw man terug, zegt hij. En hij wendt zich tot Amand en vraagt wat hij ervan vindt dat zijn vrouw in zijn afwezigheid zijn goede naam te grabbel heeft gegooid door links en rechts schulden te maken, en Amand verdenkt mannen zoals meneer Feys en deze meneer Lambert, met hun zogenaamde liefdadigheid tegenover haar, van bijbedoelingen, en hij zegt dat meneer Lambert het huis schandalig slecht heeft onderhouden, en zij valt hem onmiddellijk bij, het dak lekt, zegt ze, de trap is vermolmd, de muren bladderen af, maar meneer Lambert laat zich niet vermurwen, als zij haar huur als een fatsoenlijke vrouw op tijd betaalt, zegt hij, zal hij het huis repareren, en niet eerder, het is van de zotte dat zij eisen aan hem meent te kunnen stellen, terwijl zij haar eigen verplichtingen al jaren niet nakomt, ze betaalt hem nu die vijftig franken, anders kan ze vandaag nog haar spullen pakken.

En ze zwijgt, ze neemt iets meer dan twintig franken uit de lade van de toonbank, en Amand ziet dat daar ook het spaargeld voor de reis bij is, en van boven haalt ze nog tegen de tien franken aan huishoudgeld, en ze drukt het meneer Lambert in de hand, dat is niet genoeg, zegt hij, en ze zegt, het is alles wat we hebben, en ze begint te huilen. En Amand wendt geschokt zijn blik af, en ook meneer Lambert geneert zich, hij vraagt of ze geen geld meer heeft om eten te kopen, en ze knikt snikkend, en hij geeft haar twee franken terug en hij zegt dat hij op 1 oktober, en geen dag later, zegt hij, op 1 oktober het resterende bedrag plus de huur van die maand wil hebben, en zij bedankt hem voor zijn vrijgevigheid en ze huilt nog steeds, en hij zegt haar haastig goedendag en hij knikt naar Amand. En als het winkelbelletje rinkelt en hij de straat op is gestapt, precies op het moment dat de deur achter hem dichtvalt, houdt ze op met snikken, ze veegt haar wangen droog en ze snuit haar neus, en ze ziet zijn onthutste, veroordelende blik, en ze zegt dat ze vroeger alleen huilde als ze verdriet had, maar sinds de oorlog, zegt ze, kan ik het op ieder willekeurig moment.

En die twee franken van meneer Lambert zijn echt hun laatste geld, de dag erop verdienen ze wat met de winkel, maar ze hebben ook aardappels en wortels nodig, en 's avonds, vlak voordat zij om acht uur de winkel sluit, telt hij nog niet eens twaalf franken in de lade van de toonbank, en terwijl zij na het avondmaal de vaat doet blijft hij bij haar aan de keukentafel zitten en hij vraagt voorzichtig hoe ze morgen in Gent moeten komen als ze geen geld hebben, en hij heeft een gesprek met haar voorbereid dat hij de hele nacht heeft gerepeteerd, dat ze een brief aan dokter De Moor zullen schrijven om te vertellen dat het goed met hem gaat, dat ze het controlebezoek een maand zullen uitstellen, of dat hij desnoods alleen zal gaan, maar ze zwijgt. En de kinderen komen binnen van de straat en ze kussen haar goedenacht en geven hem een hand, en ze is zo afwezig, hij gelooft dat ze op zijn vraag zal terugkomen nu ze alleen zijn, en hij zet zich schrap, maar ze zegt niets en hij durft zijn vraag niet te herhalen, ze stoft af in de salon en ze veegt de vloer, en dan ineens, alsof ze eindelijk de benodigde moed heeft verzameld, doet ze haar schort af en ze loopt de deur uit, en hij hoort haar voetstappen op de trap naar beneden en ze klopt op de deur van Felices appartement. En na een kwartiertje komt ze de keuken weer binnen, de opluchting staat op haar gezicht te lezen, en ze laat hem de zes bankbiljetten van vijf franken zien die ze in haar hand heeft, niet triomfantelijk maar alsof ze meent dat ze hem ermee geruststelt, en ze bergt ze in de keukenlade.

En het beeld van die stilletjes wachtende bankbiljetten in de lade vergezelt hem de hele avond, in de studio terwijl zij een glasnegatief retoucheert, op het privaat, op de sofa nadat zij naar bed is gegaan, het geld ligt voor het grijpen maar hij kan het niet wegnemen, hij moet lijdzaam toezien hoe zijn laatste uren in vrijheid wegtikken, en in gedachten gaat hij door het huis en hij neemt afscheid van zijn nieuwe leven, van het achterplaatsje met de overdrijvende wolken, van de winkel en het rinkelende belletje, van het romantische slagveld, van de geur van aardappels en cichorei, van de kolen en het lauwe waswater, en aan haar probeert hij niet te denken.

En hij wordt wakker omdat iemand hem op zijn borst timmert, en tot zijn verbijstering merkt hij dat hij haar vasthoudt, met zijn ene hand heeft hij haar nek beet en zijn andere ligt over haar mond en met zijn wijsvinger en duim knijpt hij haar neus dicht, en haar geluidloze worsteling naar adem is schrikbarend dichtbij en reëel, geschokt laat hij haar los. En bij het licht van de petroleumlamp die op de vloer staat, ziet hij dat ze in de gang zijn, onderaan de trap naar de zolder, en haar gezicht is rood aangelopen, ze hapt naar lucht, een keer, twee keer, drie keer, en nog steeds houdt ze hem met een hand bij zijn nachthemd vast, alsof ze bang is dat hij ervandoor zal gaan, en hij voelt dat ze over haar hele lichaam trilt, en zelf zakt hij bijna door zijn benen, hij gaat op de vloer zitten, en zij zit tegenover hem, haar blote voeten raken zacht zijn knieën. En hij wil haar vertellen hoe erg het hem spijt, maar in plaats daarvan begint hij te huilen, en hij drukt zijn hand tegen zijn mond om zijn snikken te smoren, en hij kan er niet mee stoppen, met dat beschamende gehuil, en zij buigt haar hoofd en wacht, en haar geduld maakt het allemaal nog erger, en als hij eindelijk iets weet uit te brengen, kan hij alleen tegen haar zeggen dat hij geen idee heeft wat er is gebeurd en dat hij haar nooit pijn zou willen doen, en zij is kalm, ze zegt dat het niet geeft, het was een droom, zegt ze, je kunt het niet helpen.

En ze geeft hem haar hand en die is steenkoud, en ze trekt hem overeind en ze houdt hem stevig vast terwijl ze met hem de trappen af loopt naar de studio, en hij ziet dat zijn bretels nog aan zijn broek over de rugleuning van de stoel hangen, hij is in slaap gevallen voordat hij zichzelf kon vastbinden, en hij gaat op de sofa liggen en zijn hoofd voelt vreemd helder, als een nachthemel bij vorst, en zijn lichaam is uitgeput alsof het zich heeft losgemaakt van zijn gedachten. En zij zit aan de tafel, en hij begrijpt dat ze van plan is om vannacht over hem te waken, en dat verbiedt hij haar, ze moet bij hem uit de buurt blijven, zegt hij, en hij vraagt haar of ze een sleutel voor de deur van de studio heeft zodat ze hem kan opsluiten, ben je mal, zegt ze, en hij zegt dat als ze het niet voor zichzelf wil doen ze het voor hem moet doen, en zij zegt dat er geen sleutel is, ik ben wel wat gewend, zegt ze, ik ben echt niet bang voor mijn eigen man, en dat is niet waar, dat weet hij zeker, en het maakt haar begrip des te ontroerender en onbegrijpelijker ook.

En als ze eindelijk terug is gegaan naar haar eigen bed, en hij zijn pols stevig aan de poot van de sofa vastbindt, merkt hij dat hij zijn nacht-hemd achterstevoren aanheeft, en hij herinnert zich vaag, alsof het een ander jaren geleden is overkomen, dat hij in zijn droom zijn uniform uittrok, en beschaamd beseft hij dat zij hem halfnaakt in de gang moet hebben aangetroffen en dat ze hem aan het aankleden was toen hij haar probeerde te verstikken. Ze zal hem in het gesticht achterlaten over een paar uur, en mocht ze dat uit misplaatste loyaliteit toch niet durven dan moet hij haar van zichzelf redden, hij zal dokter De Moor vertellen dat hij de buitenwereld niet aankan, en haar zal hij vertellen dat hij in het gesticht wil blijven, en hij zal haar verbieden om hem daar te komen op-zoeken en als ze toch komt zal hij weigeren om haar te ontmoeten, net zolang totdat ze het opgeeft en hem vergeet.

En ze zitten naast elkaar in de derdeklassecoupé en ze zeggen niet veel, zij ziet er moe uit en hij gelooft dat ze net als hij geen oog meer heeft dichtgedaan nadat hij haar bijna had verstikt, en misschien zou hij met haar moeten praten, haar een laatste keer zien glimlachen op die afwe-zige manier van haar, alsof haar lach zich binnenin haar bevindt en hij slechts de schaduw ervan ziet, en zou hij het voorbijtrekkende, voor-zichtig herfstig verkleurende landschap in zich moeten opnemen, maar als hij het dan toch allemaal moet verliezen wil hij het zich liever straks niet al te levendig herinneren, en het is er ook niet echt meer, het heeft zich vervormd tot een voorbode van het gesticht.

En hoewel het gesticht overal doorheen schemert, door de treinreis, de statie, de stad, is hij toch niet voorbereid op het moment dat hij naast haar de oprijlaan op loopt en het crème-rode gebouw ziet liggen, en eenmaal binnen, die tegelvloer, die geur, die onmenselijke stilte, het is alsof het op hem heeft liggen wachten en zich hongerig op hem stort. En ze zijn te vroeg, hij zegt tegen haar dat hij graag zijn vrienden zou bezoeken, en zij vraagt niet of ze mee mag, ze zegt dat ze op de binnen-plaats op hem wacht, let je op de tijd, zegt ze, en dat belooft hij, en hij loopt de tuin in en hij ziet hen in de verte op het aardappelveld werken, en zelfs van deze afstand is duidelijk dat het geen normale mannen zijn, hun bewegingen, hun manier van praten tegen elkaar, nooit eerder is hem dat opgevallen, en zijn gevoel weifelt tussen pijnlijk mededogen en nog pijnlijker weerzin, en misschien is het ook een vorm van arrogantie, want hij loopt naar hen toe en ze begroeten hem en hij praat met hen, en hij denkt, nee dit kan niet, zo ben ik niet, ik was nooit zoals zij, en ook zij houden angstvallig afstand tot hem, ze bewonderen spottend zijn kostuum, maken flauwe opmerkingen over zijn huwelijk, en het enige wat ze over de buitenwereld willen weten is hoe het eten er is, ze vragen niet of hij hen heeft gemist, of hij al is gewend aan het leven buiten de poort, en hij kan hun niet vertellen dat hij is gekomen om bij hen te blijven.

En hij zoekt Basiel op in de wasserij, en die is blij om hem te zien, maar ook Basiel is zo anders dan de mensen in de buitenwereld, hij weet niet meer hoe hij tegen hem moet praten, en hij neemt afscheid van hem alsof hij hem niet al bij het middagmaal weer zal zien, en in peilloze eenzaamheid loopt hij terug naar de binnenplaats, en daar zit zij naast het uitgebloeide rozenperk op een bankje en ze staart voor zich uit, en haar vormeloze gestalte, haar verstelde, roodbruine, zondagse jurk, haar in zichzelf gekeerde blik, ze is hem zo vertrouwd, zo lief, hij moet even blijven staan om zijn tranen weg te slikken.

En zij ziet hem en ze komt naar hem toe, en ze vraagt niets, ze neemt zijn arm en legt zacht haar hand op de zijne, en ze lopen samen een paar rusteloze rondjes over de binnenplaats omdat het nog geen tijd is, en ze is nerveus, net als hij, zullen we dan maar, zegt ze, en ze zucht. En ze lopen door de galerij en dan door de lange gangen naar de spreekkamer van dokter De Moor, en de muren schemeren om hem heen alsof ze ieder moment op hem kunnen vallen, en het geluid van hun voetstappen jaagt ongedurig achter hen aan, en voor de deur van de spreekkamer blijven ze staan, en geen van beiden durven ze hun hand op de klink te leggen, en ze keert zich naar hem toe en ze kijkt hem ernstig aan, en even gelooft hij dat ze het gaat uitspreken, zodat het hem daarbinnen in dokter De Moors bijzijn niet zal overvallen, maar ze zegt, je hoed, en hij zet zijn hoed af, en ze klopt op de deur.

En daar zijn ze weer samen in de kamer waar hij haar voor het eerst zag, en het is alsof de vrouw die hij toen ontmoette niet degene is die nu naast hem zit, ze is hem nader gekomen en tegelijkertijd ontglipt, en zij doet het woord, dokter De Moors vragen beantwoordt ze zoals ze ook met haar klanten praat, op haar onoprechte, zeer oprechte toon, en hij zit stil naast haar, met gebogen hoofd en hij wacht op haar vonnis. In het verslag dat zij dokter De Moor van de afgelopen maand geeft, herkent hij alleen met moeite de maand die hij zelf heeft meegemaakt, ze laat de paniekaanval op het station in Gent weg, de dagen waarop ze zo goed als niets tegen elkaar hebben gezegd, de onenigheden die ze hebben gehad, en zelfs het slaapwandelen en dat hij haar heeft geprobeerd te verstikken is uit haar verhaal verdwenen, maar ze vertelt het met zo veel overtuiging dat het geen leugen is, ze heeft alleen weggelaten wat voor haar niet van belang was.

En hij is misselijk, het koude zweet drupt langs zijn rug en hun stemmen hoort hij gedempt alsof hij van hen weg is gedreven, en dan komt het moment dat hij heeft gevreesd, dokter De Moor vraagt hem hoe hij zich voelt, slaapt hij goed, heeft hij geen last gehad van nachtmerries, en zij wendt haar hoofd en kijkt naar hem, en hij ziet dat ze haar handen in elkaar klemt om te verbergen dat ze trillen en haar hart bonst nerveus in haar hals, en hij beseft dat terwijl hij geloofde dat zij hem hier wilde achterlaten, zij heeft geloofd dat hij hier zou willen blijven, en hij kan het niet, het zou het beste zijn voor haar, dat weet hij zeker, maar hij is zo laf, hij kan het niet, hij herhaalt haar leugens, en uit zijn mond veranderen ze in echte leugens, want hij kan er niet zoals zij in geloven.

En haar opluchting is zo groot dat die ook over hem neerdaalt, en ze praat ontspannen met dokter De Moor en die geeft toe dat hij zijn patiënt heeft onderschat, en zij is trots op hem alsof ze zijn genezing niet uit haar duim heeft gezogen, en dokter De Moor vult de ontslagpapieren in en gaat weg om ze door overste Segers te laten tekenen, en ze zijn samen in de spreekkamer en ze glimlacht naar hem, en o, hij voelt zich zo schuldig. En ook nadat dokter De Moor afscheid van hen heeft genomen en hen het allerbeste samen heeft toegewenst, en de deur van het gesticht voorgoed achter hen is dichtgevallen, kan hij alleen denken aan wat hij haar willens en wetens heeft aangedaan, en hij neemt zich voor om haar gelukkig te maken, met alles wat hij in zich heeft. En ze lopen zij aan zij over de oprijlaan, tussen de twee buxushagen en voor hen het hek naar de straat, en ze werpt een snelle blik om zich heen, er is niemand die hen ziet, en ze pakt zijn hand, nou, zegt ze, voor de laatste keer hier, ze geeft een kneepje in zijn vingers, en hij voelt de harde, koude band van haar trouwring.

3

De straat, het huis, het winkelbelletje verwelkomen hem, er is niets veranderd en toch is alles anders, alsof de wereld de afgelopen maand de adem in heeft gehouden, wachtend op dit moment waarop zijn leven hier met haar onontkoombaar zou zijn geworden, en zij heeft eenzelfde gevoel van onherroepelijkheid, want terwijl ze de vaat van het middagmaal doet, vraagt ze hem of hij nog weet hoe je foto's afdrukt, en nee, hij moet toegeven dat hij zich daar niets van herinnert, hij weet alleen wat hij haar in de voorbije maand heeft zien doen. En ze neemt hem mee naar de studio, en tussen het helpen van de klanten door leert ze hem hoe je van een glasnegatief een afdruk op fotopapier maakt, het mengen van de verschillende scheikundige baden, niet te koud, niet te warm, goed roeren en nooit dezelfde tang bij het fixeren en het ontwikkelen gebruiken, het schatten van de juiste belichtingstijd en de afstand tot de lamp, het corrigeren van kleine fouten, wittinten die grijs worden, vlekken op de afdruk door luchtbellen in de ontwikkelaar, en altijd gelijkmatig spoelen, de afdruk telkens keren, en te drogen leggen op een stuk stof op een volkomen vlakke tafel. En al die aanwijzingen, het duizelt hem en ze zegt dat het een kwestie van ervaring is, ze laat hem helemaal zelf een afdruk maken, die is veel te donker en zit vol vlekken, en ze zegt dat hij de eerste foto had moeten zien die zij afdrukte, je hebt het nog in de vingers, zegt ze, over een paar dagen kun je me helpen met foto's voor klanten.

En hij mag haar niet teleurstellen, hij oefent totdat zij van bovenaan de trap roept, Amand, kom je eten, en als hij aan tafel zit, op zijn plek tegenover haar en naast Roos, merkt hij pas hoe moe hij is, maar hij praat met Roos over koning Albert en, zij het wat stroef, met Gust over treinen, en zij mengt zich zo nu en dan ook in het gesprek, het is gemoedelijk, zoals hij zich voorstelt dat het eraan toegaat in een normaal gezin. En om acht uur als de kinderen in bed liggen gaat zij altijd even bij hen kijken, en ze is druk bezig met het vegen van de vloer, hij biedt aan om in haar plaats te gaan, o, zegt ze verrast, ja dat kan, en hij zegt dat zij het ook kan doen als ze het geen goed idee vindt, nee, nee, zegt ze, ze moeten aan jou wennen, ga jij maar, en het is alsof hij haar iets ontneemt in plaats van dat hij haar helpt, zoals zijn bedoeling was. En Gust en Roos knielen met gevouwen handen naast hun bed als hij hun slaapkamer binnenkomt, en hun Weesgegroetjes haperen als ze hem zien, maar ze vragen niet naar mama, hij zit bij hen op het voeteneinde van hun bed en hij stelt voor om hun een verhaaltje te vertellen, een sprookje misschien of een heiligenleven, maar Gust wil weten wat voor geweer hij in de oorlog had en of hij veel boches heeft doodgemaakt, en Amand zegt dat hij niets meer weet, ook niet over de oorlog, vraagt Gust, en Amand probeert uit te leggen dat de oorlog juist de reden van zijn geheugenverlies is, en dat snapt Gust, en ook Roos, niet, hoe kun je zoiets ontzaglijks vergeten. En Amand vertelt hun dat hij bij het front in Merckem werd gevonden en dat hij geen idee had wie hij was, als een pasgeboren baby moesten de artsen hem een naam geven, Noen Merckem noemden ze hem, en Roos en Gust vinden het een spannend en vreemd verhaal, en Roos gelooft dat ze wel een mooiere naam voor hem hadden kunnen bedenken, en hij vraagt haar welke naam zij hem had gegeven, Raphaël, zegt ze, en Gust lacht haar uit en zegt dat ze alles Raphaël wil noemen, de vogels, de straat, haar eigen haar, en dan krijg je heel rare zinnen, zegt hij, zoals, ik liep met wapperende Raphaël door de Raphaël terwijl de Raphaëls floten, en daar lachen ze gedrieën eensgezind om. En Gust vraagt hem of de artsen hem niet beter konden maken, en Amand zegt dat ze van alles hebben geprobeerd, het lukte niet, zegt hij, jullie drieën zijn de enigen die mij kunnen genezen. Wij, roept Roos uit, en Gust lacht hard, zo hard dat Julienne bezorgd naar boven komt, slapen jullie nog niet, zegt ze, en Roos zegt dat ze bezig zijn met papa beter maken, en Gust vraagt Julienne of de artsen haar hebben verteld hoe ze hem moeten genezen, hij is niet ziek, zegt ze. En hoe zit het, wil Gust weten, als we hem niet beter kunnen maken, moet hij dan terug naar het gesticht, hij is niet ziek, herhaalt ze, iedereen vergeet weleens wat, en Gust en Roos lachen aarzelend. En nu slapen, zegt ze, en ze buigt zich naar hen toe en kust hen op de wang, en hij wenst hun ook goedenacht, alleen in woorden, en zij blaast de lamp uit, en het spijt hem dat hij niet nog even bij Gust en Roos en al de Raphaëls kan blijven.

En ze werken samen in de studio, zij retoucheert glasnegatieven en hij drukt foto's af, met wisselend succes, maar zij zegt dat ze hem met opzet moeilijke negatieven heeft gegeven en dat hij grote vorderingen maakt, ze zit naast hem, achter een afscheiding die de tafel in tweeën deelt, zodat het licht dat zij voor het retoucheren nodig heeft niet op zijn foto-papier valt, en hij ziet van haar alleen haar gebogen rug. En soms als hij wacht totdat de foto uit het fixeerbad kan, en hij in zijn stoel achterover leunt, kijkt hij een tijdje naar haar intense concentratie, hoe ze door het vergrootglas naar het negatief tuurt, en haar hand aarzelt nooit, blindelings pakt ze het juiste loodpotlood, de penseel of het mesje, en met het puntje van haar tong kinderlijk tussen haar lippen geklemd, verliest ze zich in een wereld waar iedere schaduw precies valt waar zij hem hebben wil, waar het verschil tussen droefenis en geluk uit een potloodstreep in een mondhoek bestaat, waar iedere fout is te herstellen. En er gaat zo'n rust van haar uit, het is alsof hij, omgeven door huizen en mensen en luidende kerkklokken en langsrijdende treinen, alleen is met haar, alsof ze zich samen op een plek bevinden die niemand anders kent, en het vreemde gevoel bekruipt hem dat hij dit al eens eerder heeft meegemaakt, precies ditzelfde moment, zij aan de tafel naast hem, geconcentreerd aan het werk, en hij die naar haar keek, en die verbondenheid met haar.

En hij vraagt haar of ze vroeger ook samen in de studio werkten, en ze vertelt, zonder van haar negatief op te kijken, dat ze vele avonden zo hebben doorgebracht, zij retoucheerde en hij ontwikkelde en drukte af, en hij zegt haar, ik geloof dat ik het me herinner, en hij vertelt haar dat hij weet dat hij hier zat, naast haar en dat hij naar haar keek terwijl ze zich net als nu over een negatief boog. En hij verwachtte blijdschap van haar, maar ze zwijgt en haar hand gaat onverstoorbaar verder met het aanbrengen van grijze stipjes, en teleurgesteld wil hij opstaan om in de donkere kamer een afdruk te spoelen, maar hij hoort haar krampachtig slikken en ze zegt dat het moet zijn geweest toen ze net waren getrouwd en de keuken ook hun studio was, en haar stem breekt. Het idee dat ze een herinnering delen, het is wonderbaarlijk, alsof zij in zijn hoofd is gekropen en voelt wat hij voelt en denkt wat hij denkt, alsof er achter iedere nieuwe dag samen een staart van vervulde dagen zwiert, en zij kijkt op van haar werk en ze ziet de tranen over zijn wangen rollen, en ze had nu juist met moeite haar ontroering bedwongen, o toe nou, zegt ze lacherig, en haar ogen vullen zich weer met tranen, en ze lachen samen of misschien is het toch huilen, en hij staat op om haar te omhelzen, zoals in het gesticht die eerste keer, maar hij aarzelt net iets te lang en dan kan het niet meer.

Hij spoelt de foto onder de kraan in de donkere kamer, en als hij terug is in de studio is hun verbondenheid vervluchtigd, hij vraagt haar naar die avonden vroeger in de studio, en ze beschrijft hoe ze soms tot na middernacht aan de portretfoto's werkten en hoe ze die saamhorigheid de afgelopen jaren heeft gemist, en hoewel zij er ook naar verlangt blijft het gevoel van daarnet weg, hoe meer hij erop hoopt, hoe onechter zijn genegenheid voor haar lijkt te worden, en ongepast ook, alsof hij een onbekende vrouw belaagt.

En ze zijn allebei moe, ze gaan vroeg naar bed, en tot zijn verbazing slaapt hij de hele nacht als een blok, maar hij is niet uitgerust als hij om kwart voor zeven opstaat, lusteloos is hij en terneergeslagen, en hij weet niet of het daardoor komt dat de afstand tot haar nog groter is geworden, of dat hij zich juist zo voelt omdat zij hopeloos onbereikbaar is, en zij is ook stil en in zichzelf gekeerd, alsof ze zich schaamt voor haar ontroering van gisteravond, of erger nog, er zelfs bang voor is.

En dagenlang draaien ze zo om elkaar heen, het is niet dat ze hem ontloopt, ze zijn vaak samen, hij zit bij haar in de keuken als ze kookt, ze werken met z'n tweeën in de studio, zij laat hem portretfoto's voor klanten afdrukken en inlijsten, en ze is blij, zegt ze, dat hij een deel van haar werk overneemt, dat is een grote hulp. En ze proberen elkaar nader te komen, ze praten samen, ze wisselen blikken, ze glimlachen naar elkaar, zij legt haar hand op zijn schouder, hij zijn hand op haar rug, maar iedere poging strandt op een giftig mengsel van te veel goede bedoelingen, te hoog gespannen verwachtingen en twijfels, en na verloop van tijd komen daar nog gevoelens van teleurstelling en schaamte bij. Hoe kan het dat ze voor de oorlog moeiteloos bij elkaar hoorden, acht jaar lang heeft ze erop moeten wachten en nu ligt het voor het grijpen en alsnog kan ze er niet bij, het moet zijn schuld zijn, misschien heeft een mens een verleden nodig om gelukkig te kunnen zijn, en soms ook gelooft hij dat het aan haar ligt, er is iets met haar, iets onbenoembaars.

En op zaterdagavond eten ze haastig, als Gust niet opschiet pakt ze zijn bord halfleeg van tafel en snel neemt hij nog twee happen, zijn wangen staan bol van de bonensoep en Roos lacht om hem en hij moet om haar lachen, de inhoud van zijn mond sproeit over Juliennes jurk, kijk nou wat je doet, roept ze verontwaardigd uit, zo kan ik niet naar de cinema, en ze probeert de vlek er met water en zeep uit te boenen. En Felice komt om op de kinderen te passen, ze biedt Julienne een jurk van haar aan, maar Julienne zegt dat die haar veel te nauw is, en ze trekt haar jas aan en ze zegt ongeduldig tegen hem, kom je, en ze lopen de trap af en op straat geeft hij haar een arm, en ze moppert op de vlek in haar jurk en op Gust en Roos en op de drukte in de stad, en hij blijft staan en zegt, zullen we dan maar weer naar huis gaan, waarom, vraagt ze onthutst, en hij zegt dat zij zo graag naar de cinema wilde, niet hij, en ze beweert dat ze nog steeds graag wil, en ze lopen verder door de Doornijkstraat naar de Groote Markt en ze houdt haar mond.

Niet eerder is hij in het donker op straat geweest, het is een beetje mistig en vage bollen van licht zweven rond de straatlantaarns, en diezelfde bollen liggen ook aan zijn voeten op de natte stenen in de vorm van een weerspiegeling, en ze lopen langs de etalages van winkels waar ze bontjassen verkopen of damesondergoed of speelgoed, en al die spullen, al die mensen die vanavond uitgaan, en ook hij maakt deel uit van dat kleurrijke, opgewekte geheel, en andere mannen en vrouwen zoals zij tweeën doemen uit de nevelige duisternis op, gearmd lopen ze en sommige zijn verliefd, hij ziet hun innige blikken en de manier waarop ze elkaar vasthouden, en hij omklemt haar arm steviger en hij vraagt haar of ze vroeger vaak samen naar de cinema gingen, en hij hoopt dat ze naar hem zal kijken zoals die andere vrouwen naar hun man, maar ze wijst dat ze linksaf moeten de Graanmarkt op.

En als ze op de stoep voor De gouden lanteern in de rij staan, trekt ze haar arm uit de zijne en ze knoopt haar jas los en voelt steels aan haar jurk, de vlek is nog steeds vochtig en ze geven hun jassen niet bij de garderobe af. De ouvreuse wijst hun twee plaatsen aan achter in de zaal, ze zitten naast elkaar op lange, houten banken met aan weerszijden armleuningen, waarvan hij er een met haar moet delen en een met een onbekende man, en achter hem, voor hem, naast hem, overal rokende mannen, pratende vrouwen, een zee van donkere en lichte hoofden en dameshoeden, en hij dacht dat er beelden op het grote, witte doek boven het podium zouden worden vertoond, maar er gebeurt niets.

En dan gaat het licht uit en de zaal wordt donker, een onzichtbaar orkest begint te spelen en een mannenstem zweeft vanuit het duister naar hem toe, en hij vergeet te luisteren, hij is betoverd door de schokkerige zwart-witbeelden op het scherm, een straat ziet hij en auto's en een trein en mensen, en ze bewegen, hij kijkt terug in de tijd, een moment is uit het leven van deze mensen gelicht en intussen hebben ze verder geleefd en nog steeds bestaat dat moment hier op het scherm, alsof het zijn eigen toekomst heeft ingehaald, een geheugen zonder verstand. En hij schrikt van gedreun en geroffel, en de zaal om hem heen lacht, een vrouw voor hem gilt, en de zaal lacht luider, en de straat verandert in een bergachtig landschap en soldaten met geweren liggen op hun buik op een bergtop en ze schieten op soldaten die over een helling komen aanrennen, en als bevroren staart hij naar de beelden, het is alsof de nachtmerries zijn ontsnapt uit zijn hoofd en in deze lacherige, rokerige zaal met muziek en commentaar worden opgeluisterd, de man en vrouw schuin voor hem kijken niet eens, ze hebben alleen oog voor elkaar, achter hem zit een groepje giechelende vrouwen, en twee mannen rechts van hem praten op luide toon over de vlasoogst van dit jaar, en als er op het filmdoek een soldaat door een ontploffende granaat neervalt wordt er hier en daar geapplaudisseerd. En hij kijkt naar Julienne, in het vale licht van de projector ziet haar gezicht er bleek en ernstig uit, en hij buigt zich naar haar toe en hij fluistert geschokt, het gaat over een oorlog, waarom lachen ze, en zij zegt sussend, het is ver weg in Turkije, alsof ze niet begrijpt dat het soldatenlichaam dat daar stil in de rechterbenedenhoek van het scherm ligt ook een vrouw heeft die vergeefs op hem wacht. En de oorlog is alweer voorbij, en net zo makkelijk vertellen de beelden en de stem van de explicateur en het onzichtbare orkest over een autorace en over een modeshow met mooie vrouwen en over een bezoek van koning Albert, en het is alsof de gevangen zwart-witmomenten alle kleur uit de wereld zuigen, zinloosheid omgeeft hem, waarom zou hij zijn geheugen willen terugkrijgen, waarom zou hij van haar willen houden, waarom zou hij naar bed gaan en iedere ochtend weer opstaan als dit het is.

En de tijd staat stil, de beelden verdwijnen en het wordt donker in de zaal, de explicateur zwijgt, alleen het orkest speelt verder en hij voelt meer dan hij ziet dat de jongeman direct links van hem zich naar de vrouw toebuigt met wie hij is gekomen, en hij vermoedt dat ze elkaar stiekem kussen, en ook achter hem is het verdacht stil geworden, en hij is zich bewust van Juliennes lichaam vlak naast hem, haar knieën houdt ze krampachtig tegen elkaar gedrukt zodat ze niet per ongeluk zijn been kunnen raken, en haar arm rust niet naast de zijne op de leuning, maar in haar schoot, het is alsof de zaal hen hun huwelijkse onvermogen van de afgelopen dagen nog eens inpepert, en in roerloze eendracht wachten ze samen totdat ze uit het duister zullen worden verlost.

En het wordt lichter, op het scherm wordt aangekondigd dat er iets begint wat *De sjeik* heet, gespeeld door Rudolph Valentino en Agnes Ayres, en dat is blijkbaar de film waarvoor ze naar de cinema zijn gekomen, beelden van grote tenten in een woestijn, mannen in lange jurken en een westerse vrouw in een broek, en eerst fascineert het hem dat die kussende, jonge mensen en de over de vlasoogst pratende mannen en ook de mensen die voor de dood applaudisseerden, dat ze met z'n allen als kinderen naar een verzonnen vertelling zitten te kijken, met ingehouden adem en luidruchtig medeleven, en ook hij laat zich verleiden, maar gaandeweg verdwijnt de magie van de bewegende beelden en

van de poëtisch dramatische tussentitels. Het is een belachelijk ongeloofwaardig verhaal, de sjeik ontvoert de westerse vrouw en wil haar
dwingen om van hem te houden, alsof dat mogelijk is, en zij ontsnapt
een paar keer en hij redt haar van gewelddadige bandieten waarbij hij
gewond raakt, en hij blijkt ook nog eens geen echte sjeik te zijn maar
een veredelde westerling en dan natuurlijk is zij verliefd op hem, zo
makkelijk gaat dat, en tot zijn verbazing hoort hij een vrouw achter hem
ontroerd snikken en een ander snuit zacht haar neus, en de jongeman
naast hem houdt de hand van zijn verloofde of zijn vrouw vast en zo nu
en dan wisselen ze een innig liefhebbende blik.

En hij kijkt naar Julienne, het grijze licht flikkert over haar gezicht
alsof ze in een bleekgrauw vuur staart, haar ogen zijn ingespannen op
het filmdoek gericht, haar linkerknie is naar hem toe gezakt en rust tegen zijn kuit, en haar vingers houdt ze om de armleuning geklemd alsof
ze bidt voor een goede afloop, ze is hem vergeten, de acht jaar dat ze op
hem heeft gewacht, haar geluk bij hun ontmoeting, hun moeilijkheden
de afgelopen weken. En zijn eigen levensverhaal komt hem ineens net
zo absurd ongeloofwaardig voor als deze ontvoering in een woestijn,
hij ziet zichzelf naast haar zitten op de houten bank en hij herkent die
man niet, hij is zichzelf net zo vreemd als hem al die andere cinemabe-
zoekers zijn, en de schemerige zaal drijft duizelend van hem vandaan,
het klamme zweet breekt hem uit, en hij sluit zijn ogen en knijpt hard
in zijn been, harder, nog harder, en de pijn baant zich een weg door zijn
lichaam en vermengt zich met de muziek van het orkest, en hij voelt dat
zij zijn hand beetpakt, haar trouwring drukt tegen zijn handpalm, en
warm alsof hij in de tobbe water over zich heen giet, stroomt zijn leven
weer in hem terug, hij opent zijn ogen en kijkt naar haar, ze heeft zich
niet verroerd, haar blik is nog steeds geboeid op het scherm gericht,
haar hand omklemt de armleuning.

En als de laatste filmbeelden over het doek glijden, en de westerse
vrouw liefdevol haar hoofd op de borst van de gewonde sjeik legt, fluit
en joelt en applaudisseert de hele zaal en ook zij klapt, en als de lichten
aangaan glimlacht ze naar hem, dromerig en een tikje melancholiek, en
het ergert hem dat hem dat ontroert, en in de menigte op weg naar de
uitgang pakt ze onder dekking van al die mensenlichamen heimelijk
zijn hand, en het is buiten nog mistiger geworden, ze laat zijn hand niet
los terwijl ze naar huis lopen, en op plaatsen waar geen straatlantaarns
staan, leunt ze tegen hem aan en legt ze haar hoofd op zijn schouder,
haar hand rust klam zweterig in de zijne, en hij voelt haar lichaamswarmte door haar jas heen naar hem wenken, en hij ruikt de muffe geur

van haar haar en haar kleren, hij is Rudolph Valentino en zij Agnes Ayres en een orkest begeleidt al haar gedachten, al haar bewegingen, en zoals ze naar hem kijkt, bij iedere stap die ze samen zetten, wordt hij bedroefder, en verontwaardigder ook, en bozer, dat is het dus, ze wil een onzinnig romantisch verhaal, pas dan kan ze van hem houden.

En hij trekt zijn hand uit de hare, en de laatste meters naar huis leggen ze af op een ontnuchterde, beleefde afstand van elkaar, en de winkel ligt in het donker op hen te wachten, ze opent voorzichtig de deur zodat het belletje de kinderen niet wekt, en ze loopt naar de trap en ze vraagt, zal ik koffiezetten, en hij loopt zwijgend de studio binnen, zij komt achter hem aan en ze blijft aarzelend op de drempel staan, hij ziet haar silhouet, haar schouders, haar lange jas, haar hoed en de gedachte dringt zich aan hem op dat ze hem wil omhelzen en kussen, en haastig zegt hij dat ze de volgende keer maar alleen naar de cinema moet, vond je Agnes Ayres niet mooi, vraagt ze, en hij hoort een behaagzieke toon in haar stem alsof ze in gedachten een andere vrouw probeert te zijn, en hij zegt dat een verhaal over een sjeik die vrouwen in een woestijn ontvoert misschien iets voor meisjes van Roos' leeftijd is, maar niet voor volwassen mensen zoals zij tweeën, en ze lacht zacht, slaapwel, zegt ze, en hij luistert naar haar voetstappen op de trap, en in het donker gaat hij op de sofa liggen, zijn jas heeft hij nog aan, en hij probeert niet aan haar te denken, hoe ze in haar bed onder de hanenbalken ligt en fantaseert dat ze zich door die Rudolph Valentino laat kussen.

En als hij wakker wordt is het stikdonker om hem heen en hij herinnert zich vaag dat hij over een vliegtuig heeft gedroomd, als een neergeschoten vogel was het in de aarde gestort, met zijn neus voorover in de modder, zijn vleugels hulpeloos gespreid en de staart als door een laatste stuiptrekking in de lucht gestoken, en bij het beeld van dat verminkte vliegtuig hoort een gevoel van totale verlatenheid, alsof hij niet alleen door alle mensen in de steek is gelaten, maar hij ook voor zichzelf onbereikbaar is. En hij staat op en gaat naar buiten, het is mistig en hij ziet het vliegtuig niet, het moet achter die huizen liggen, en hij slaat linksaf de straat in, hij gelooft dat hij in de verte de in de lucht priemende staart herkent, maar als hij dichterbij komt blijkt het een kerktoren te zijn, daar waar het vliegtuig en zijn kameraden zijn staan ook geen huizen, hij moet de stad uit. En hij dwaalt verder, en eindelijk verdwijnen de huizen, de straat wordt een smalle zandweg en aan weerskanten strekt zich het land onzichtbaar in de duisternis en de mist uit, de granaattrechters vol stinkend water, de allesverstikkende modder, de verkoolde bossen met duizenden armen die wanhopig naar de hemel reiken, de kraters, de heuvels, het landschap dat bij iedere ontploffing verraderlijk van vorm verandert, en hij voelt de dreiging om hem heen waren, alsof links, rechts, achter, voor, boven hem, overal constant de dood op hem loert, en onder zijn voeten bevinden zich de lichamen van de mannen die de dood al heeft buitgemaakt, niet te onderscheiden van de modder, niet van de levenloosheid die hierboven voor leven doorgaat. En nog steeds ziet hij het vliegtuig niet, maar heel voorzichtig wordt het ochtend, de stralen van de verscholen zon dringen door de mist heen en werpen een schel, egaal licht over het land, en zo groen en kleurrijk en vruchtbaar en bewoond als de wereld is, hij kan het niet geloven, fluitende vogels, een huilende baby, een vrouw die sussend voor het kind zingt, hoelang heeft hij dat al niet gehoord, hij was vergeten hoe een vrouwenstem klonk, en al die vurige herfstkleuren, die bomen en die glooiende heuvels. En hij stapt over het hek een weide in, hij knielt neer en hij streelt de groene grassprieten, ze kietelen zijn handpalmen, en ze zijn wonderbaarlijk vriendelijk en zacht, en hij laat zich er languit in vallen en hij verbergt zijn gezicht erin, het ruikt naar leven.

En hij ligt daar en hij denkt aan de tomaten in de kas van het gesticht, en hij beseft dat hij van huis is weggelopen, van haar, en in de verte hoort hij een kerkklok slaan, acht uur is het, ze is al opgestaan, ze is naar beneden gegaan om hem te wekken, maar de sofa was leeg, ze heeft het huis doorzocht en nu loopt ze waarschijnlijk in de Doornijkstraat, en ze zal zijn geschrokken, ze zal nog een paar dagen naar hem blijven zoeken, maar dan zal ze aan zichzelf durven toegeven dat ze opgelucht is, en misschien zal ze het haar plicht vinden om op hem te blijven wachten, zoals ze dat de afgelopen acht jaar heeft gedaan, maar hij zal niet de man zijn op wie ze wacht, niet krankzinnig zal hij zijn, en hij zal zich haar herinneren toen ze nog jong was en onvoorwaardelijk van haar houden, en misschien zal hij op Rudolph Valentino gaan lijken in de loop van de tijd. Hij heeft een herkansing gekregen, en hij hoeft geen moed te verzamelen om het juiste te doen, hij heeft het al gedaan, hij moet het alleen nog afmaken, en hij staat op uit het gras en vervolgt zijn weg door het ochtendlijke boerenland, hij stelt zich voor dat hij haar met iedere pas die hij bij haar vandaan zet een uur geluk schenkt, en een gevoel van daadkracht, van vrijheid vergezelt hem, alsof hij met zijn huwelijk ook zijn nachtmerries achter zich heeft gelaten, hij was nooit gelukkig geworden met haar, nooit zou hij aan haar verwachtingen hebben voldaan.

En hij loopt een dorpje binnen, er zijn mensen op straat, een boer met paard-en-wagen, spelende kinderen in hun zondagse kleren, een groepje vrouwen van de vroegmis op weg naar huis, en hij groet hen opgewekt, en dan aan het einde van het dorp, waar de weg voorzichtig een heuvel op klimt, ziet hij haar, ze komt hem tegemoet in een lange jas van Felice waarin ze er als een dame uitziet, en ze draagt een hoed die hij niet kent, maar ze is het en ze heeft hem ook gezien, kalm nadert ze hem, en hij legt zich erbij neer dat hij naar huis zal moeten. Maar als ze vlakbij is beseft hij dat het een onbekende vrouw is, ze lijkt niet eens op haar, en hij is teleurgesteld, hij verlangt ineens vreselijk naar haar, haar lijzige stem, haar in zichzelf gekeerde glimlach, tegenover haar zitten aan de keukentafel terwijl ze de aardappels schilt, samen aan de foto's werken in de studio, het gevoel een verleden te hebben, iemand te zijn in haar ogen.

En hij keert om, hij vraagt de mensen die voor de kerk staan te praten de weg naar Kortrijk, en hij is ver van huis, zo'n tien kilometer, en hij loopt snel door zonder te rusten, hoewel zijn voeten steeds meer pijn beginnen te doen. Hij stelt zich voor dat zij hem zoekt, en iedere minuut van wanhoop die hij haar kan besparen is waardevol, met opzet houdt hij de drukke, doorgaande wegen aan, zodat er een kans is dat ze elkaar tegen zullen komen, en hoopvol kijkt hij iedere vrouw die hij ontmoet in het gezicht, maar telkens is zij het niet. En hij passeert de eerste huizen van de stad, en nog steeds heeft ze hem niet gevonden, en hij begint te twijfelen, misschien zoekt ze niet zo hard, is ze niet in paniek, hij wilde haar toch bevrijden van het verleden, wat doet hij hier, hij is een egoïst, een lafaard, en hij blijft staan, hij kan nog terug, ze zal nooit weten dat hij alweer bijna thuis was.

En in de verte, over de brug, ziet hij een vrouw aankomen in een roodbruine jurk, niet meer dan een stipje is ze nog, maar hij weet, dat is ze, en hij loopt haar tegemoet, ze haast zich van de ene kant van de straat naar de andere, en ze spreekt mensen aan, en het stipje wordt een vrouw, ze draagt geen jas ziet hij, ook geen hoed, en haar krullen zijn uit haar knot losgeraakt en pieken om haar gezicht, en het moment waarop ze vanochtend vroeg moet hebben beseft dat ze hem kwijt was, wringt zich pijnlijk in zijn borst. En hij steekt zijn hand op en zwaait naar haar, en ze herkent hem, zelfs van de overzijde van de straat kan hij de opluchting op haar gezicht onderscheiden, het is geen geluk, zoals die eerste keer in het gesticht, meer ongeloof zoals in de eerste seconden na het ontwaken uit een nachtmerrie, en ze steekt op een holletje over, een fietser kan haar nog net ontwijken, en op de stoep botst ze tegen een man op en ze vergeet excuses te maken.

En buiten adem staat ze voor hem, waar was je, brengt ze uit, en haar stem beeft alsof ze ieder moment in tranen kan uitbarsten, waar was je, en hij legt zijn armen om haar heen en trekt haar tegen zich aan, en hij voelt haar hand voorzichtig over zijn rug strijken, alsof ze nagaat of hij wel echt is, haar wang rust tegen zijn schouder en haar adem kriebelt lauwwarm langs zijn hals, ze ruikt naar thuis, en hij zegt dat het hem spijt, hij werd vanochtend vroeg wakker en tijdens een wandeling is hij verdwaald, zegt hij, en ze zwijgt, hij weet dat ze hem niet gelooft, maar ze vraagt niet verder. En ze hebben elkaar midden op de stoep omarmd, aan weerskanten passeren mensen hen met afkeurende en nieuwsgierige blikken, vertrekt hij naar het front, mevrouw, vraagt een jongeman haar spottend, en een moeder merkt verontwaardigd op dat dit blijkbaar het voorbeeld is dat kinderen tegenwoordig krijgen. En ze lachen verlegen naar elkaar en laten elkaar los, en het is nog bijna een halfuur lopen naar huis, ze heeft het koud en hij geeft haar zijn jas, en ze steekt haar haar opnieuw op, maar haar jurk en schoenen en kousen zitten vol moddervlekken en zijn jas is haar veel te groot, tussen al die mensen in hun zondagse kleren onderweg naar de hoogmis ziet ze er aandoenlijk berooid en lomp uit.

En thuis maakt ze pap en cichoreikoffie, ze zijn alleen, de kinderen zijn met Felice naar de mis, en de winkel is gesloten, en ze ontbijten samen aan de keukentafel in het stille huis, de herfstzon valt door de kier van de salondeur over de tafel en speelt met haar handen, en in de verte rijdt een trein langs, en zij bekent dat ze teleurgesteld is, ze heeft acht jaar lang gedroomd van wat ze nu heeft, zegt ze, en ze wist dat haar verwachtingen te hoog gespannen waren, en ze heeft ze geprobeerd te temperen, om zoals voor de oorlog tevreden te zijn met haar leven met hem, maar het lukt haar niet, ik denk dat ik ben veranderd, zegt ze, en ze kijkt er verlegen bij naar de tafel. En hij zegt dat hij natuurlijk degene is die is veranderd, niet zij, het spijt me, zegt hij, en zij zegt haastig dat het niet aan hem ligt, en schuldbewust herhaalt ze dat nog een paar keer, hij is niet veranderd, zegt ze, niet wezenlijk tenminste, en het leven dat ze samen hadden is ook zo'n beetje hetzelfde gebleven, ze was alleen vergeten hoe het werkelijk was, de alledaagsheid ervan, de dagen van de ochtend tot de avond en dan de volgende dag weer precies hetzelfde opnieuw, het komt door de oorlog, zegt ze, ze heeft honger geleden, duizenden angsten uitgestaan, en het maakte allemaal niet uit, want hij zou terugkeren en dan zou alles beter worden. En ze zwijgt, hij heeft het gevoel dat ze afscheid van hem aan het nemen is, dat ze zich vanochtend toen hij haar in zijn armen sloot, heeft gerealiseerd dat ze toch niet zo blij was dat ze hem had teruggevonden. En ze zegt dat het een wonder is dat hij uit de dood is opgestaan, daar is ze zich van bewust, en ze weet dat ze dolgelukkig zou moeten zijn, dat verwacht iedereen van haar, honderdduizenden weduwen zouden er alles voor overhebben om met haar te ruilen, en zij kan alleen geluk veinzen, ik voel me zo schuldig, zegt ze. En hij zegt dat hij het begrijpt, in het gesticht heeft hij ook jarenlang gedroomd van een gezin en een leven in de buitenwereld, en nu hij alles heeft wat hij zich toen wenste, in veel opzichten zelfs meer dan dat, weet hij niet wat hij ermee moet, en hij voelt zich verloren, bekent hij, hij is bang, zo bang dat hij soms terug wil naar het gesticht om zich daar voor de wereld te verstoppen, terwijl hij gelukkig zou moeten zijn, haar gelukkig zou moeten maken.

En ze kijken elkaar over de zongestreepte tafel heen aan, en het vreemde is dat nu ze beiden hebben toegegeven ongelukkig te zijn het er niet meer toedoet, en hij denkt te begrijpen wat het is om getrouwd te zijn, om tot aan je dood onherroepelijk met een ander mens verbonden te blijven, het is onmogelijk om genoeg te hebben van haar, om haar te verlaten, ze maakt deel uit van hem, zoals zijn benen of zijn ogen, en hij legt zijn hand vlak bij de hare op tafel en hij beroert de toppen van haar vingers en ze glimlacht naar hem, berustend en een beetje droevig, en ze staat op om af te ruimen.

En 's avonds werken ze samen in de studio aan de foto's, ze zeggen niet veel, ze zijn moe en de schijn ophouden hoeft niet meer, om halftien zegt ze dat ze gaat slapen, ze steekt de petroleumlamp aan en hij wenst haar goedenacht, en ze staat aarzelend in de deuropening, wil je, vraagt ze, en ze maakt met de hand waarmee ze de lamp vasthoudt een vaag gebaar in de richting van de trap, en haar vraag blijft in de lucht hangen, en hij zegt dat ze zich geen zorgen hoeft te maken, hij loopt niet weer weg, en ze herhaalt verlegen haar vraag, wil je mee naar boven, zegt ze, en hij knikt, geen vreselijke nacht alleen in de studio, hij wil niets liever. En hij neemt zijn kussen en deken en nachthemd mee en klimt achter haar aan de trappen op naar haar slaapkamer onder het dak, het is er koud en het enige licht komt van de petroleumlamp die ze van beneden heeft meegenomen, ze zet hem op de vloer, en de schaduwen van het bed en van de was aan de lijnen, die langs het voeteneinde van het bed zijn gespannen, vallen langgerekt over de schuine muren en de vloer, zij weet uit ervaring wanneer ze moet bukken, maar hij stoot zijn hoofd aan het lage dak en raakt verstrikt in de waslijnen, pas op, zegt ze nadat het al is gebeurd, en ze lacht ingehouden.

En ze blaast de lamp uit, het is volkomen donker, hij ziet geen hand voor ogen, pas na even kan hij het trapgat onderscheiden en hij ziet heel vaag haar silhouet, ze bukt zich en hij hoort geritsel en geruis en hij begrijpt dat ze zich uitkleedt, en hij doet haastig hetzelfde, op de tast vindt hij het nachthemd dat hij op het bed heeft neergelegd, en hij hoort haar slordig een Weesgegroetje mompelen, en hij knielt ook en bidt, en als hij amen heeft gezegd tast hij naast zich naar het bed, en hij voelt een massieve bobbel die te groot is voor een kussen, en zij zegt op meisjesachtig lacherige toon, jij slaapt aan de andere kant. En hij weet om het bed heen te lopen zonder opnieuw in de waslijnen verstrikt te raken, en hij stapt in bed, onder de dekens naast haar, en ze is onverwacht nabij, de warmte van haar lichaam omgeeft hem, en hij durft zich niet te bewegen, bang om haar per ongeluk op een onzedelijke plek te beroeren. Slaapwel, zegt ze, en hij wenst haar hetzelfde toe, en hij voelt hoe ze zich omdraait, haar rug naar hem toe, het bed deint en kreunt, en dan wordt het stil, en hij ontspant zich een beetje, maar in slaap vallen en een nachtmerrie krijgen mag hij niet hier naast haar, en hij luistert naar haar ademhaling, zij slaapt ook niet, ze doet alsof, hij gelooft dat ze bang voor hem is.

En hij wordt wakker omdat ze hard aan zijn schouders schudt en zijn naam zegt, en slaapdronken stapt hij uit bed en biedt haar zijn excuses aan, maar zij zegt dat hij haar niet heeft geprobeerd te verstikken en ook geen pijn heeft gedaan, ze heeft hem alleen gewekt omdat hij een nachtmerrie had, dat leek me beter, zegt ze, had ik dat niet moeten doen. En hij gaat weer naast haar in bed liggen, het verlaten gevoel uit zijn droom heeft hem nog in zijn greep, en zijn nachthemd is doorweekt van het angstzweet, en hij is zo blij dat zij bij hem is, hij vertelt haar dat ze in het gesticht om de beurt 's nachts de wacht hielden om elkaar van de oorlog in hun hoofd te redden, ik was de enige die nooit nachtmerries had, zegt hij. Je hebt ze pas sinds je weer bij mij bent, zegt zij spottend, en ja, zo is het wel moet hij toegeven, en daar lachen ze samen om, gedempt onder de dekens om de kinderen niet te wekken, en zij fluistert dat het bij haar juist andersom is, ze had geregeld nachtmerries over de loopgraven, maar nu hij er is nooit meer. En hij vraagt verrast of ze dan aan het front is geweest, nee, zegt ze, ik had tweedehands nachtmerries, en haar toon, kortaf en een tikje ironisch, sluit verder vragen uit, en hij vat haar oorlogsdromen op als uitingen van liefde voor hem, maar als ze elkaar weer de rug hebben toegekeerd en hij op de slaap wacht die nu voor het eerst in weken mag komen, weet hij niet zo zeker of dat wel was wat ze bedoelde.

4

En hij slaapt, hij slaapt, en als hij wakker wordt, slaat in de verte de klok van het belfort het halfuur, halfzeven neemt hij aan, want de stad is al ontwaakt, en hij steekt geruisloos de petroleumlamp aan, het schijnsel onthult het ondergoed aan de waslijn, het hare gemoedelijk naast het zijne, en aan de voorste lijn hangen de jurk en het keurslijf en de kousen op haar te wachten die ze gisteravond in het donker heeft uitgetrokken. Ze slaapt nog, en de vertrouwelijkheid van dat tafereel, zij op haar rug, haar haar als de kroon van een boom boven haar hoofd uitgespreid, haar rechterhand tot een vuist geklemd naast haar op het kussen, haar mond een eindje open en ze snurkt licht, de vertrouwelijkheid ervan lijkt gestolen, alsof ze gisteravond toen ze hem mee naar boven vroeg vergeten heeft stil te staan bij dit onwaardige vervolg, en hij wendt zijn blik af en sluipt met zijn kleren onder zijn arm de trap af.

Hij verkleedt zich in de keuken en doet de kolen, en zij komt al naar beneden terwijl hij het waswater nog voor haar aan het verwarmen is, en ze zit in haar ondergoed bij hem aan de keukentafel te wachten, zo zonder bijgedachten doet ze het dat het een belediging zou zijn als hij zich in de salon terugtrok, en ze wast zich ook terwijl hij bij haar in de keuken is, hij probeert zo onopvallend mogelijk niet naar haar te kijken, maar haar lijkt het niet uit te maken. En terwijl ze de pap kookt gaapt ze zonder haar hand voor haar mond te slaan, en tegen het einde van de ochtend, als hij een Bastos rookt en zij tegenover hem aan de keukentafel de aardappels schilt, neuriet ze gedachteloos, alsof haar is ontschoten dat ze niet alleen is. En ze zijn samen in de winkel en ze zegt niet zoals anders dat ze naar het privaat gaat, ik moet even naar de koer, zegt ze, en het valt haar blijkbaar zelf niet op dat ze een armeluiswoord gebruikt, een woord dat hoort bij de mannen uit het gesticht die in de buitenwereld gewend waren om een kakhuis met een heel huizenblok te moeten delen. En met terugwerkende kracht ziet hij dat ze zichzelf de afgelopen weken in zijn bijzijn constant in de gaten heeft gehouden, nu pas heeft ze hem echt in haar leven toegelaten.

En hij voelt zich op zijn gemak bij haar, ze werken samen in de studio en ze laten lange, ongedwongen stiltes vallen, ze kleden zich in het donker aan weerskanten van hun bed uit en het gesprek dat ze voerden kabbelt intussen ontspannen verder, en naast elkaar liggend in bed raakt soms haar blote voet de zijne of zijn hand haar rug en het maakt niet uit, en zonder dat hij het haar heeft hoeven vragen, wekt ze hem als ze merkt dat hij een nachtmerrie heeft. En dat zij naast hem ligt, dat hij niet alleen is in het nachtelijk duister, dat hij haar kalme ademhaling hoort en zij van zijn gruwelijke dromen weet, is zo'n geruststelling dat hij voor het eerst sinds zijn vertrek uit het gesticht durft te slapen, en ook zij ligt niet meer wakker, ze slapen bedaard samen van de avond tot de ochtend.

Ze verslapen zich zelfs, hij wordt wakker omdat hij de stemmen van de kinderen in de slaapkamer naast de hunne hoort, en hij wekt haar en ze zit slaapdronken rechtop in bed, hoe laat is het, vraagt ze, en het is al halfacht, hij schiet zijn kleren aan en op de trap komt hij Gust tegen die hem een beduusde blik toewerpt en zijn groet niet beantwoordt. En hij steekt het kolenfornuis aan terwijl zij zich met koud water wast omdat er geen tijd is om het te verwarmen, en Gust komt de keuken binnen, en hij vraagt haar of hij, en hij wijst met een beschuldigende vinger naar Amand, of hij tegenwoordig boven slaapt, en ze plenst water in haar gezicht en ze antwoordt niet, slaapt hij bij u in bed, vraagt Gust, natuurlijk, zegt ze, en Gust wil weten sinds wanneer dat is, en zij zegt, hij is mijn man, Gust trekt een minachtend gezicht, en jouw vader, zegt ze, en Gust mompelt iets over een gesticht, wat zeg je, vraagt ze op strenge toon, en Gust buigt zijn hoofd en zwijgt, en ze draait zich naar Amand toe en wisselt een blik van verstandhouding met hem.

En al die nachten dat hij tevreden en gerust naast haar lag, is niet in hem opgekomen dat hij haar lichaam zou kunnen begeren, en zelfs al die keren dat ze zich in zijn bijzijn heeft gewassen en hij beleefd niet naar haar heeft gekeken, wekte het idee van haar gedeeltelijk ontklede lichaam, zo nabij, eerder weerzin dan lust in hem, het komt door Gust, door de suggestie die er van zijn verontwaardiging uitgaat dat zijn blik ongewild van haar gezicht naar haar hals zakt en dan steels in de schemering van haar half losgeknoopte keurslijfje verdwijnt, en hij ziet de ronding van haar borsten, lijkbleek en vulgair en intiem, en het onbegrijpelijke is dat haar blote lichaam hem nog steeds afkeer inboezemt, maar dat hij er daarom juist naar moet kijken, alsof het een straf is die hij zichzelf oplegt. En zij heeft zijn onbeschaamde blik niet opgemerkt, haar aandacht is alweer bij Gust en dan keert ze zich om naar het wasteiltje, maar Gust heeft het wel gezien, hun ogen ontmoeten elkaar en

Amand buigt gegeneerd zijn hoofd, en dat had hij niet moeten doen, tijdens het ontbijt betrapt hij Gust verschillende keren terwijl hij naar hem kijkt, alsof hij niet begrijpt wat zijn moeder met zo'n onnozelaar moet. En als Gust en Roos naar school gaan, en Roos zoals iedere morgen met een kus afscheid van haar neemt en het vervolgens Gusts beurt is, probeert hij zich er met een achteloos 'dag mama' vanaf te maken, en hij is al bij de deur, krijg ik geen kus, zegt ze, en hij keert zich naar haar toe en ze ziet de tegenzin op zijn gezicht, alsof ze hem heeft gevraagd om haar blote borsten te zoenen, en ze krijgt een kleur, doe niet zo raar, zegt ze, kom hier, en ze steekt haar hand naar hem uit, en Gust zet een paar weifelende passen in haar richting, en zij trekt hem naar zich toe en legt haar arm om hem heen en ze kust hem op zijn wang, en ze zegt dat omdat papa nu bij haar slaapt het niet zo is dat Gust en Roos nooit meer bij haar in bed mogen kruipen, als je akelig hebt gedroomd of als het onweert, zegt ze, dan kom je gewoon naar me toe, er is niets veranderd. En Gust trekt zich beschaamd los uit haar omhelzing en maakt zich uit de voeten.

En ze werkt avondenlang aan het retoucheren van negatieven, portretten van oorlogsinvaliden, maar vooral dubbelportretten van hem met onbestorven weduwen, de vrouwen vertellen het aan elkaar door, zo'n twee van die klanten hebben ze per dag, en nog steeds besteedt ze veel meer aandacht dan strikt noodzakelijk is aan het perfectioneren van de foto, alsof het haar heilige plicht is zit ze urenlang krampachtig over de gammele, houten constructie gebogen waarin ze het glasnegatief schuin rechtop heeft neergezet met daarachter een petroleumlamp die er licht doorheen werpt, en hij kan op die manier nauwelijks wit van zwart onderscheiden op het negatief, zij is er onwaarschijnlijk bedreven in, maar aan het einde van de avond zijn haar ogen zo vermoeid dat ze alleen nog maar kan gaan slapen, en haar schouders en haar nek en haar rug doen pijn, en dan ligt ze een tijdje languit op de harde planken vloer, of ze loopt rondjes om de tafel.

En de winter nadert, ze heeft het koud terwijl ze aan een negatief zit te werken, er is een kolenkachel in de studio, maar die wil ze pas aansteken als het vriest, zegt ze, en hij biedt aan om een deken voor haar van boven te halen, en dat vindt ze overdreven, hij dringt aan, en uiteindelijk zegt ze dat er een dunne deken in de rechterdoos op hun slaapkamer ligt, helemaal onderin, zegt ze. En hij neemt de petroleumlamp mee en klimt de drie trappen naar de zolder op, in de kartonnen doos die ze heeft omschreven bewaart ze haar onderbroeken en keurslijfjes en kousen en nachtjaponnen, en hij heeft nooit goed naar haar durven kijken als ze geen jurk aanheeft, en haar bovenkleren en die van de kinderen repareert ze altijd zorgvuldig, maar haar ondergoed heeft ze laten verslonzen, oud is het en ernstig versleten en niet versteld, en hij heeft het gevoel dat hij in haar geheimste gedachten moet wroeten.

Helemaal onder in de doos vindt hij een deken, en er blijkt een glazen potje in te zijn gerold, gevuld met zand, en op het etiket staat in haar handschrift Diksmuide geschreven, en hij dacht dat ze in de winkel zand van haar eigen binnenplaatsje aan die goedgelovige weduwen verkocht. Hij draait het deksel los en laat de droge, zwarte aarde tussen zijn vingers door glijden, dit moet zij de afgelopen jaren tientallen malen hebben gedaan, hier knielend onder het lage, schuine dak terwijl ze aan hem dacht en zich voorstelde dat ze bloed en zweet en tranen aanraakte en minuscule resten van soldaten en de munitie die hen had gedood, dat ze misschien in handen had wat hij als laatste had gezien, en het verleden is griezelig nabij, kippenvel strijkt over zijn rug en zijn armen.

En hij brengt haar de deken en hij zegt geen woord over het zand of over haar ondergoed, en zonder van het negatief op te kijken vraagt ze of hij de deken over haar heen wil leggen, en zo goed en zo kwaad als het gaat wikkelt hij haar erin, zijn handen glijden over haar schoot en haar dijen en haar kuiten en hij verbiedt zichzelf om daar ongepaste gedachten bij te hebben, en zij ondergaat het alsof het haar eigen handen zijn die haar beroeren. En op het negatief dat ze aan het retoucheren is herkent hij zichzelf, ze staart al een uur naar zijn gezicht en zijn wit verkleurde haren, zijn exotisch donkere huid en zijn lichte ogen, haar penseel streelt zijn wangen en zijn hals, haar mesje snijdt in zijn oren, haar loodpotlood kust zijn lippen, en ze kent iedere rimpel, iedere baardstoppel, en de blik in zijn ogen als ze hem vraagt peinzend in de verte te kijken en hij stiekem aan haar denkt. En als ze hem het negatief geeft om het af te drukken, bestudeert hij haar verbeteringen, hij probeert te achterhalen hoe ze hem het liefst zou willen zien, en dat doet hij een paar dagen met verschillende negatieven, de ene keer heeft ze hem dromeriger gemaakt, de volgende keer geheimzinniger of droeviger of somberder of zelfverzekerder, maar nooit heeft ze hem gelaten zoals hij was toen ze de foto nam.

En ze leert hem fotograferen, ze verbaast hem met haar technische kennis, ze hebben twee camera's, allebei van voor de oorlog, een Eastman Kodak Empire State met een zestien inch Bausch & Lomb-portretlens voor het studiowerk, en een Rochester Premo View met een twaalf inch Goerz-Dagor-lens voor het fotograferen van landschappen, en ze vertelt hem over brandpuntafstanden, balgfactoren, sluitertijden, scherptediepte, het instellen van de sluiter, het scherpstellen, de knijpbal waarmee je op afstand de ontspanner kunt bedienen, de belichting die je moet regelen door middel van vier gordijnen voor het raam naar het achterplaatsje en een verplaatsbaar reflecterend scherm. En ze heeft er plezier in om hem in de geheimen van haar werk in te wijden, ze heeft het zichzelf allemaal geleerd, toen hij in 1914 werd gemobiliseerd legde hij haar in een uur alles over fotograferen, ontwikkelen en afdrukken uit, en daar onthield ze natuurlijk zo goed als niets van, zegt ze, en toen stond ze er alleen voor. En hij heeft bewondering voor haar, dat zegt hij haar, en ze lacht gevleid en verlegen, en ze laat hem zijn eerste foto maken, een foto van haar, zeg maar hoe je me wilt hebben, zegt ze, terwijl ze voor het romantische slagveld gaat staan, en hij geeft haar weifelend aanwijzingen, maar wat hij ook zegt, ze volgt het gedwee op, en hij begrijpt waarom ze van fotograferen houdt, waarom hij het vroeger deed, het wekt de illusie van volledige controle, enkele vierkante centimeters van de wereld waarbinnen geen teleurstelling, angst of verdriet bestaat.

En na het avondmaal neemt ze hem mee naar de donkere kamer om hem te laten zien hoe hij de glasnegatieven van zijn foto's moet ontwikkelen, ze sluit de deur achter hen en in het rode licht ziet de wereld er onwezenlijk uit, haar oogwit is rood en haar jas die ze vanwege de kou heeft aangetrokken, is zo zwart als een soutane, en een bijna onbedwingbare neiging overvalt hem om onder de tafel te kruipen en op de grond te gaan liggen, alsof er van alle kanten gevaar dreigt, en hij heeft het benauwd, hij probeert diep te ademen, maar het lukt niet, er drukt loodzwaar iets op zijn borst, het bedekt zijn mond en zijn neus, zijn hele lichaam, en de rode muren schemeren om hem heen en de vloer kantelt. En zij pakt hem bij zijn schouders en duwt hem zacht op de grond neer en zelf komt ze naast hem zitten, vertel me waar je bang voor bent, dat helpt, zegt ze, en zonder dat hij weet wat hij gaat zeggen, vertelt hij haar over een nachtelijke patrouille in het niemandsland, de rode lichtkogels die boven zijn hoofd hingen, voorbodes van mitrailleurvuur en granaten, en hij herinnert zich vaag dat hij dekking zocht in een mangat in de wand van een loopgraaf en dat stortte in, hij werd levend begraven, en terwijl hij de woorden uitspreekt weet hij dat ze niet waar zijn.

Ze zitten samen naast de tafel met hun rug tegen de muur, en hij voelt haar hand onder zijn colbert glijden en hij denkt dat hij het verzint, maar hij buigt zijn hoofd en ziet haar arm, haar vingers strelen zijn borst en hij houdt zijn adem in. Ze haalt het doosje lucifers en het pakje Bastos uit zijn binnenzak, twee sigaretten neemt ze eruit en ze klemt ze tussen haar lippen en ze steekt ze allebei aan, geroutineerd neemt ze een flinke trek, hij ziet ze oranje opgloeien in de rode schemering, en dan duwt ze, alsof ze het honderden malen zo heeft gedaan, een ervan tussen zijn lippen, de sigaret is vochtig van haar speeksel als een tedere kus. En hij wordt kalm, zo heeft hij vaak met een kameraad gerookt, 's nachts samen op wacht, overdag zich samen vervelend, tijdens een bombardement, rustig, terwijl om hen heen de wereld verging. En ja, hij was levend begraven, dat weet hij plots zeker, niet onder het zand, maar onder dode en gewonde mensenlichamen.

En die nacht droomt hij dat hij in een smalle loopgraaf zit, met zijn rug tegen de ene wand en zijn voeten tegen de andere, en om hem heen hangt een oorverdovend lawaai, zo hard dat hij het niet hoort maar voelt, het dreunt door de aarde en via de wanden van de loopgraaf door zijn lichaam, en overal bovenuit herkent hij angstig gillende vrouwenstemmen die exploderen als ze de grond raken. En hij rookt kalm twee sigaretten, een in iedere mondhoek, en ondertussen leest hij haar brief, ze schrijft dat ze warm ondergoed voor hem heeft gebreid en ze hoopt, schrijft ze, dat er geen vetrandjes aan het vlees zitten, want ze weet dat hij daar ziek van wordt. En hij kijkt op, en ze staat vlak bij hem in de loopgraaf, en hij staart naar haar lichaam, onthutsend bloot is ze van haar kruin tot aan haar tenen, en het wordt doodstil om hen heen, een dreigende, benauwde stilte, alsof de wereld buiten gehoorsafstand kwaadaardige plannen smeedt.

Dat herinnert hij zich bij het ontwaken, de hele dag blijft de droom hem bij, en als zij zich 's avonds in het donker aan haar zijde van het bed ruisend en ritselend uitkleedt, verbiedt hij zichzelf om haar lichaam met zijn gedachten te bevlekken, maar hij weet te goed hoe het eruitziet, centimeter voor centimeter, alsof hij het in ruil voor een pakje sigaretten heeft uitgetekend.

En terwijl zij het avondmaal kookt is hij in de studio bezig, en een priester komt de winkel binnen, hij geeft Amand een hand en stelt zich voor als kapelaan Annaert, en u bent meneer Coppens, veronderstelt hij, hij heeft gehoord van Amands terugkeer en zijn geheugenverlies, en hij komt vragen hoe het met hem gaat, of hij al een beetje gewend is geraakt aan zijn nieuwe leven, en als u steun nodig heeft, zegt hij vriendelijk, u bent natuurlijk altijd van harte welkom in de kerk. En het lijkt Amand verstandig om terughoudend te zijn, hij vermijdt haar naam en hij noemt het gesticht een ziekenhuis, hij vertelt dat hij door de Broeders van Liefde is verpleegd en dat hij iedere dag naar de mis ging, en dat verheugt kapelaan Annaert, hij dringt erop aan dat hij met Gust en Roos naar de hoogmis komt, en praat u eens met uw vrouw, zegt hij. En Amand houdt zich op de vlakte, kapelaan Annaert glimlacht en zegt dat hij weet dat mevrouw Coppens eigenwijs is, maar nu u bent teruggekeerd is ze misschien van gedachten veranderd, naar u luistert ze vast wel, zegt hij op ironische toon, en Amand zwijgt.

En zij roept vanaf de trap, Amand kom je eten, en kapelaan Annaert zegt haastig dat hij beter kan gaan, ik hoop u zondag bij de mis te zien, zegt hij. Maar zij heeft zijn stem herkend en ze staat al in de winkel, u weet dat ik niet met u praat, zegt ze, en kapelaan Annaert zegt dat hij voor haar man kwam, niet voor haar, en zij zegt verontwaardigd dat hij haar man dood wilde laten verklaren, maar nu hij springlevend blijkt te zijn, is hij kennelijk ineens toch van waarde voor de kerk, ik wil dat u uit zijn buurt blijft, zegt ze. Kom, mevrouw Coppens, zegt hij, en uit zijn mond klinkt haar naam spottend alsof hij haar eigenlijk te ordinair vindt om een mevrouw te kunnen zijn, laten we proberen als beschaafde mensen met elkaar te praten, hoe komt u erbij dat ik uw man dood wilde laten verklaren. En zij zegt dat hij er verschillende malen bij haar op heeft aangedrongen dat ze zich bij zijn dood moest neerleggen omdat het Gods wil was, en de kapelaan zegt dat hij haar alleen heeft getracht te overtuigen van de ondoorgrondelijkheid van de bedoelingen van de Heer, en dat het niet aan de mens is om een oordeel te vellen, want hij had het idee, zegt hij, dat mevrouw Coppens Onze Lieve Heer de wet probeerde voor te schrijven door van Hem te eisen dat Hij haar man bij haar zou terugbrengen. En zij zegt met een van ingehouden woede overslaande stem dat de kapelaan haar alle hoop wilde ontnemen op een moment waarop ze die het hardst nodig had, met een God die zo wreed is, wil ze niets te maken hebben, zegt ze. En kapelaan Annaert weet onthutst niet hoe hij op die godslastering moet reageren, en ook Amand is geschokt door de toon die ze tegen een geestelijke durft aan te slaan, en kapelaan Annaert zegt dat ze elkaar verkeerd hebben begrepen, hij heeft haar altijd alleen willen helpen, en hij weet zeker, zegt hij, dat zij niet meende wat ze daarnet zei, heus mevrouw Coppens, gelooft u mij, komt u op zondag gewoon met uw gezin naar de mis, dat is het beste, en probeert u te luisteren naar wat God u wil vertellen, Hij alleen kan u vergiffenis schenken, ik kan dat niet, en uzelf kunt dat al helemaal niet, hoezeer u daar ook naar verlangt.

Gaan we nog niet eten, mama, vraagt Gust, hij komt de trap af gerend en hij ziet kapelaan Annaert en zijn moeder vijandig tegenover elkaar staan, en hij wurmt zich tussen hen in, zijn rug beschermend naar haar en zijn gezicht angstig naar kapelaan Annaert toegekeerd, maar hij zegt kalm, alsof hij een volwassen man is, wij willen dat u gaat, meneer de kapelaan. En kapelaan Annaert kijkt vragend naar Amand, maar die slaat zijn ogen neer, en dan kijkt hij naar haar, en zij zwijgt, en Gust herhaalt zijn verzoek nog eens dwingend, en de kapelaan loopt naar de deur en hij zegt, denkt u er nog eens over na, mevrouw Coppens, ik zie u graag zondag bij de mis, en dan rinkelt het winkelbelletje en is hij op straat.

En zij zegt tegen Gust dat hij zich er niet mee moet bemoeien, ik wil niet dat jij erin betrokken raakt, zegt ze, en Gust zegt verontwaardigd dat hij daar, haar man, te laf is om het voor haar op te nemen, en dus moet Gust het wel doen. Weg jij, uit mijn ogen, valt ze tegen hem uit, en ze wijst naar de trap, en Amand zegt zacht dat Gust gelijk heeft, hij had moeten ingrijpen, en door die bekentenis wordt Gusts minachting voor zijn vader zo mogelijk nog groter, maar zij zegt dat Amand volwassen en verstandig is en Gust is een dom jongetje dat nergens iets van begrijpt, zegt ze, en diep beledigd loopt Gust weg, de trap op.

En ze zijn samen in de winkel, en hij heeft het gevoel dat hij getuige is geweest van iets verschrikkelijks, iets onherstelbaars, en ze ziet zijn geschokte blik, en ze zegt dat ze ruzie met meneer de kapelaan heeft, niet met God, en hij zwijgt, Hij heeft mij jou teruggegeven, zegt ze, dat is het bewijs dat Hij aan mijn kant staat. En misschien beseft ze zelf ook wat een gevaarlijke hoogmoed er in die gedachte schuilt, want 's avonds in het duister van hun slaapkamer knielt ze naast het bed neer en ze raffelt het Weesgegroetje niet zoals anders af, en ze ligt naast hem en ze slaapt niet, ze draait zich om en om en om, en ze zucht.

En om hem heen hangt gebulder en gedonder, zo zwaar, dat het is alsof het een massa heeft en hem neerdrukt, en de grondtoon bestaat uit gegil en geschreeuw en gekreun, een symfonie van onmenselijk menselijk leed, dit zijn de laatste minuten van zijn leven, dat weet hij, maar het doet hem niets, hij is al jaren dood, hij hoort niet, ziet niet, voelt niet, kent geen angst. En naast hem in de loopgraaf staat een jonge soldaat die nog geen week aan het front is, hij beeft over zijn hele lichaam en hij huilt, zijn gezicht vertrokken in kinderlijk verdriet, en Amand pakt hem bij zijn hand en brult iets in zijn oor over brandpuntafstanden en sluitertijden, en dat verbaast hem zelf ook, hij had hem moed willen inspreken, en de angst van de jongen vloeit via zijn zwetende, trillende hand in Amand, en hij denkt aan thuis, aan haar, ze eist van God dat hij bij haar terug zal keren, dat ene waardeloze leven van hem in ruil voor de levens van al die duizenden anderen, dit gruwelijke lijden gebeurt uit zijn naam, om hem te redden, hoe kan hij ooit nog rustig slapen, hij moet wakker worden.

En links en rechts van hem klimmen de soldaten van zijn bataljon over de borstwering, en hij laat de jongen voorgaan op de ladder, hij duwt hem voor zich uit alsof hij een baal vodden is, en de jongen huilt nog steeds, hij hoort het boven het gebulder en gegil uit, alsof het uit zijn eigen borst opwelt. En hij ziet zichzelf het niemandsland in stappen, geheel onbeschermd staat hij daar, op dat kostbare, felbegeerde stukje aarde dat door de halve wereld wordt bevochten, en God is wreed, maar de mens is wreder, en hij bukt zich en begint zigzaggend door de kogelregen naar de prikkeldraadversperring te rennen, tussen de levenloze lichamen van zijn voorgangers door, geweervuur ratelt over hen heen, ze worden om en omgerold en ze zwaaien met armen en benen alsof ze vergeefs om genade smeken. En de kameraden die naast hem lopen herkent hij nauwelijks, hun gezichten zijn vertrokken in een verbeten waanzinsgrimas, en zij zegt dat hij peinzend langs de camera in de verte moet kijken, en hij drukt het door haar geretoucheerde negatief af, ze heeft diezelfde waanzinsgrimas op zijn gezicht getekend, zo was het toch, zegt ze, herinner je je dat niet meer. En de jonge soldaat loopt verdwaasd rechtop, alsof hij in een drukke straat wandelt, en verbazingwekkend genoeg is hij ongedeerd, en Amand roept naar hem dat hij moet rennen en bukken, en de jongen kijkt dwars door hem heen, hij ziet niet het brandende, dansende zand van het niemandsland, hij ligt languit in het gras en het is wonderbaarlijk groen en zacht en het ruikt naar leven.

En Amand rent en springt en duikt en kruipt op goed geluk door de regen van razernij, kluiten aarde en kluiten God mag weten wat vallen met doffe tikken op zijn helm, en hij stapt over de lichamen van de mannen heen die in zijn plaats zijn geraakt, en hij herkent de jonge soldaat, hij is door een granaatscherf in zijn buik getroffen, en hij grijpt Amand smekend bij zijn been en hij roept iets, wat verstaat Amand niet, hij buigt zich naar hem toe, en de jongen zegt het nog eens, mama's brief, zegt hij, en hij kijkt in het gezicht van de jongen, het is Julienne, haar ogen opengesperd in doodsangst, haar schreeuwende mond, de bleke sporen van vuilzwarte tranen op haar wangen, haar bebloede hand die zich in paniek aan hem vastklampt, en hij rukt zich los en hij roept dat een brancardier haar zo zal komen halen, maar hij weet dat die zal wachten totdat de aanval voorbij is, of zelfs totdat het donker is, en dan is het te laat, en hij verstaat nu ook wat ze naar hem gilt, Amand wordt wakker, Amand, en ze schudt aan zijn schouders.

En hij is wakker, en ze legt haar arm om hem heen en zijn hoofd rust op haar borst, en ze fluistert dat het voorbij is, rustig maar, en ze vraagt wat hij droomde, het helpt om er een verhaal van te maken, zegt ze, en hij wil het haar vertellen, maar als zij het ook weet vergeet hij het nooit meer, en hij zegt dat hij het zich niet herinnert. En haar hand streelt sussend door zijn haar en ze wiegt hem in haar armen alsof hij haar kind is, en dat lichaam dat ze in alle onschuld tegen hem aandrukt, al dat zachte, bleke vlees van haar, ze heeft geen flauw benul hoe kwetsbaar en vergankelijk het is, en hij kan wel om haar huilen. En hij valt in haar armen in slaap, als hij 's ochtends ontwaakt, ligt zij op haar helft van het bed en hij op de zijne, en hij weet niet meer of haar omhelzing onderdeel was van zijn droom, en hij vraagt haar of ze hem vannacht uit een nachtmerrie heeft moeten wekken, en ze knikt slaperig, ze zit op de rand van hun bed, haar kastanjebruine haar golft overvloedig over haar rug en ze rekt zich uit en ze gaapt, en het is plotseling onvoorstelbaar vreemd dat hij hier in deze armoedige zolderkamer met haar samen is, alsof zijn verleden wankelt en nog net niet valt, en hij is bang voor zichzelf, voor wat zijn verstand al die jaren voor hem verborgen heeft weten te houden, het moet iets verschrikkelijks zijn.

En op zondag gaan de kinderen met Felice naar de mis, en hij blijft zoals vanouds thuis bij haar en ze maken er geen woorden aan vuil, hij helpt haar met het wringen en mangelen en ophangen van de was, en 's middags komen haar onbestorven weduwevriendinnen en ook Felice op bezoek, ze heeft hem gevraagd om de kolenkachel in de salon aan te steken, en ze serveert cichoreikoffie, koekjes kunnen we niet betalen, zegt ze, het spijt me, en het verbaast hem dat ze zo openhartig tegen hen is over hun armoede. En de vrouwen praten over de oorlog en over vage kennissen en over Camilles verloofde, en heeft ze nu nog steeds geen trouwdatum gekozen. En het gesprek komt op een vrouw die aan de Vlasmarkt woont, ze had haar vermiste man door de rechtbank dood laten verklaren en toen hij na een halfjaar toch uit een krijgsgevangenenkamp terugkwam, moest ze bijna duizend franken weduwepensioen terugbetalen, en zo'n magische terugkeer is tegelijkertijd het ideaal en het schrikbeeld van hen allemaal, Julienne is de enige van hen zessen, waarschijnlijk zelfs van heel Kortrijk, zegt Hortense, die vijf jaar lang heeft geweigerd om haar man dood te laten verklaren. En ze berekenen lacherig en huiverend hoeveel ze de Nationale Kas voor Oorlogspensioenen schuldig zou zijn geweest als ze niet zo koppig had volgehouden, en ze komen uit op meer dan 4400 franken, en Julienne lacht, niet triomfantelijk, eerder bedremmeld, alsof ze zich herinnert hoe vaak ze op het punt heeft gestaan om haar verzet op te geven. En Felice zegt dat Julienne natuurlijk zou zijn gestopt met zoeken als ze Amand had laten doodverklaren, dus dan had ze hem nu niet gevonden en had ze ook niet voor de rest van haar leven krom hoeven liggen, en Virgenie wil weten hoelang Julienne nog op hem was blijven wachten, niet zo lang zeker, veronderstelt ze hoopvol. Tot mijn dood, zegt Julienne, en weer zegt ze het zonder trots, eerder beschaamd, en haar vriendinnen weigeren haar te geloven, niet tot aan haar dood, dat kan niet, en hoe harder ze het in twijfel trekken hoe koppiger zij volhoudt, tot mijn dood, zegt ze, en haar vriendinnen proeven een verwijt in haar eeuwige trouw, zoals ook de ontbrekende koekjes en haar armoedige, verstelde jurken haar moreel boven hen lijken te verheffen.

En ze vragen haar uit over de stand van haar huwelijk, en ze hopen in stilte dat het toch niet zo goed tussen hen gaat, en ze zou hen met gemak kunnen overtroeven, ze zou er niet eens zo heel erg voor hoeven liegen, maar ze is oprecht en bescheiden, ze zegt dat het moeilijker is dan ze had gedacht en dat hij misschien wel nooit meer zijn geheugen terugkrijgt, dat ze eigenlijk helemaal opnieuw moeten beginnen samen, als twee vreemden. En hij gelooft dat ze het niet zegt om haar vriendinnen te sparen, het is andersom, ze beschermt haar kwetsbare geluk en verwachtingen juist tegen hun jaloerse blikken, zoals ze in de jaren van zijn vermissing halsstarrig haar hoop als een kleinood heeft gekoesterd, het is van haar alleen, niemand mag erbij in de buurt komen, en hij heeft het eenzame idee dat het zelfs niet zoveel met hem van doen heeft.

En hij staat op en zegt dat hij een wandelingetje gaat maken, en ze is verrast en wil weten waar hij heen gaat, en hij zegt dat hij gewoon de benen wil strekken, en als ze met z'n tweeën waren geweest zou ze erop hebben aangedrongen hem te vergezellen, maar nu houdt ze de schijn van zijn onafhankelijkheid op. En hij is al halverwege de trap als ze achter hem aankomt, hij blijft staan en kijkt naar haar op, en ze weten allebei wat ze zou willen vragen, maar ze durft de achterdochtige woorden niet uit te spreken, maak je geen zorgen, zegt hij, ik kom weer terug, en hij glimlacht geruststellend naar haar, en ze bloost, ze zegt dat ze zich alleen afvroeg of hij terug is voor het avondmaal, en dat belooft hij.

Hij houdt van op straat lopen, gewoon een mens tussen de mensen in een wereld die niets van hem eist, en in de Tuinstraat passeert hij een gebombardeerd, verlaten huis en hij stapt door het raam naar binnen en kijkt binnen wat rond, een gezin zoals het zijne heeft hier gegeten, geslapen, kinderen hebben er gespeeld, en alles wat aan dat verleden herinnert zijn een modderig tot op de draad versleten tapijt, wat servies-scherven, verkoolde gordijnen, al het andere hebben plunderaars zich toegeëigend, zelfs de trapleuningen en de toiletbril, en hijzelf neemt een deel van een tafelblad mee en nog wat kleinere planken en balkjes met scharnieren eraan en een stuk glas.

Zij is in de keuken als hij thuiskomt, ze hoort het winkelbelletje en loopt haastig de trappen af, ik ben het, roept hij, maar ze gaat niet terug naar boven, terwijl hij het afvalhout en het glas op het achterplaatsje neerzet, staat ze ineens achter hem en ze vraagt verschrikt of mensen uit de buurt hem daarmee op straat hebben gezien, we zijn geen zwervers, zegt ze. En Roos en Gust, die de konijnen hebben gevoerd met het on-kruid dat ze langs het spoor hebben geplukt, komen ook kijken, en Roos wil weten wat hij met het hout gaat doen, iets voor je moeder maken, zegt hij, en Gust en Roos proberen te raden wat, een kast, een stoel, een tafel, en nee, allemaal niet, zegt hij, het is iets wat alleen jullie moeder kan gebruiken, en hij kijkt naar haar en ze wendt met geveinsde onver-schilligheid haar hoofd af en zegt tegen Gust dat de konijnen terug in het hok moeten, maar ze kan haar nieuwsgierigheid niet bedwingen, verschillende keren gluurt ze over zijn schouder mee terwijl hij aan de keukentafel een ontwerp tekent, en ze vraagt niets, hij weet niet of ze begrijpt dat het een retoucheertafeltje wordt, inklapbaar, in alle rich-tingen verstelbaar, en op maat gemaakt voor haar zodat ze niet langer avondenlang in een verkeerde houding hoeft te werken, en het glas wil hij met papier beplakken zodat het licht uit de petroleumlamp zich ge-lijkmatig over het negatief verspreidt.

De volgende dag begint hij op het achterplaatsje aan het uitvoeren van het ontwerp, het is koud, en zij heeft haar jas aan terwijl ze op de drempel van de deur naar de studio zit om daar de aardappels voor het middagmaal te schillen, ze kijkt nauwelijks naar haar handen en het mesje, haar aandacht is bij hem, hoe hij in zijn hemdsmouwen staat te zagen en te schaven, en hij zegt dat hij een retoucheertafeltje voor haar maakt zoals hij in de fotografiecatalogi op het privaat heeft gezien, en dat lijkt haar erg moeilijk, kun je dat, vraagt ze. En hij komt naast haar op de drempel zitten en legt haar aan de hand van de tekening uit hoe hij het had gedacht, en ze is als een kind zo blij, ze kan niet geloven dat hij dat echt voor haar kan maken, en hij vraagt haar of hij dat vroeger dan niet had gekund, en ze zegt dat ze het niet weet, hij deed het in ieder geval nooit, met je handen werken is iets voor arbeiders, zegt ze met een beschaamd lachje, haar vader maakte bedden voor haar en haar broers en zussen en een keukentafel voor haar moeder en stoelen voor oma. Kom je uit een arbeidersgezin, vraagt hij, en ze zegt aanvallend, is dat erg, en hij schudt overrompeld zijn hoofd, en ze zwijgen beiden, verrast door de vijandigheid die er ineens tussen hen lijkt te bestaan, en hij staat op en gaat verder met het schaven van de planken, het wordt vast erg mooi, zegt ze op verzoenende toon, en als hij opnieuw van zijn werk opkijkt is ze naar binnen verdwenen.

En na drie dagen is het retoucheertafeltje klaar, hij zet het voor haar op de tafel in de studio neer, na de afwas vindt ze het daar, en hij laat haar zien hoe ze het aan haar houding en wensen kan aanpassen zodat ze geen pijn meer in haar nek en haar rug krijgt en haar ogen aan het einde van de avond niet zo vermoeid zijn, en ze is ontroerd, niemand heeft ooit zoiets moois voor haar gemaakt, zegt ze, zich zo in haar verdiept, en uit haar mond klinkt het alsof hij haar met een zaag, een schaaf en een hamer de liefde heeft verklaard, en hij was zich er niet van bewust, maar misschien is dat inderdaad wat hij heeft gedaan, voor de vrouw die hem zijn leven heeft teruggegeven. En ze retoucheert een portret van hem en een weduwe, haar hand en pols strijken over het hout dat hij heeft geschuurd, het matte licht dat hij haar heeft toegedacht streelt haar ogen, en ze zeggen niet veel tegen elkaar, en als ze wat zeggen zijn het nuchtere opmerkingen over de foto's, maar ze is hem zo nabij.

En misschien had hij niet moeten verlangen naar haar letterlijke nabijheid, niet in het geniep moeten fantaseren hoe het zou zijn om haar aan te raken vannacht, te kussen, want als ze zich eensgezind in het donker uitkleden en ze naast hem in bed ligt en slechts enkele centimeters en hun nachthemden haar lichaam van het zijne scheiden, maakt de intimiteit plaats voor teleurstelling. Samen slapen is een praktische aangelegenheid met ongeschreven regels, zoiets als samen de was ophangen, als hij zich in het smalle bed op zijn rechterzij draait, doet zij dat ook, als zij op haar rug ligt, kan hij niet ook die houding aannemen zonder dat hun schouders elkaar raken, en dus keert hij zich van haar af, en met hun gezichten naar elkaar toe liggen mag niet, en gebeurt alleen bij vergissing in hun slaap. En ze zegt slaapwel tegen hem, en hij wenst haar hetzelfde, en zoals iedere avond vallen ze met hun ruggen naar elkaar toegedraaid in slaap.

En hij ligt in een grote, lauwe plas bloed, hij heeft geen pijn, maar hij moet gewond zijn, en hij tast langs zijn borst en buik en benen, voorzichtig om haar niet te wekken, en hij voelt geen angst, geen spijt, geen woede om de zinloosheid van dit alles, alleen ongeduld, alsof het maar beter snel afgelopen kan zijn nu het zover is, en in zijn binnenzak zit de afscheidsbrief die hij jaren geleden aan haar heeft geschreven, die zal ze na zijn dood krijgen, als iemand hem tenminste vindt, als er nog iets van hem over is om te vinden, en voor haar is het erger dan voor hem, zij leeft nog, voelt, gelooft in onschuld en liefde en schoonheid, weet van niets. En hij knoopt zijn gulp open en richt de straal op de aarden wal tegenover hem, voor de laatste keer, zodat hij tenminste tijdens de aanval niet hoeft, en zijn kameraden doen hetzelfde, mannetje aan mannetje staan ze in de doodlopende zijgang van de loopgraaf die ze als latrine gebruiken, en de geur van hun angst vermengt zich met de stank van rottende modder en kruitdamp en dood en stront, als er iets is waarover niet gevochten hoeft te worden is het wel deze smerige hel.

En zijn pis spettert geluidloos in een kuiltje in het zand, en hij neuriet, of hij denkt alleen dat hij dat doet, door het aanhoudende gebulder van de zware artillerie kent hij het verschil tussen gedachten en hardop uitgesproken woorden niet meer, en in de koude ochtendlucht stijgt damp op van de pis die hij en zijn kameraden aan de aarde schenken, en verderop hangt precies zo'n mistflard boven de loopgraaf, en aan zijn andere zijde ook, en alsof hij zich van zijn lichaam heeft losgemaakt, ziet hij duizenden soldaten zo staan aftellend tot hun einde, en kilometers frontlinie, slingerend, zichzelf in de staart bijtend, soms zo dicht bij de loopgraven aan de overzijde dat ze de Duitsers kunnen horen praten, dan weer zo ver weg dat de vijand een idee lijkt dat is verzonnen om hen bezig te houden, maar overal diezelfde lauwe, riekende pismist, een nietig bewijs van menselijke kwetsbaarheid, machines kunnen dag en nacht verderf zaaien, een mens moet poepen en plassen en eten en slapen, en God weet wat nog meer, daar wil hij nu niet aan denken, neuken, liefhebben, dromen, en heel even voelt hij in zich iets roeren wat op angst lijkt, en hij herinnert zich de woorden van het liedje dat hij neuriet en hij zingt ze luidkeels terwijl hij plast, zij daar naast hem in haar nachtjapon zal wel geloven dat hij bidt, maar God is hier niet, die heeft hen verlaten, de Duitsers aan de overkant bidden net zo hard tot Hem, er is niets wat Hij voor hen kan doen, maak elkaar maar af, en hij plast, voor de laatste keer, hij concentreert zich zingend op het weldadige gevoel, gestaag en warm stroomt het uit hem.

En dit is geen bloed, het is urine, hij voelt aan het laken dat het matras bedekt en ruikt aan zijn vingers, hij ligt verdomme in zijn eigen pis, hij heeft in bed geplast, haar bed, door afschuw overmand verroert hij zich niet in de hoop dat het bij zijn droom hoort, en de natte plek wordt kil en breidt zich langzaam uit, o mijn God, zij moet ook in zijn pis liggen, hij zal haar moeten wekken en vertellen dat hij, hij weet niet eens hoe hij het netjes moet verwoorden. Patiënten in het gesticht overkwam dit regelmatig, maar hem nooit, nooit, hij begrijpt ook niet waarom nu wel, juist nu hij gelukkig dreigt te worden, het is alsof zijn lichaam zich tegen de gedaanteverandering verzet, alsof het ziek wil blijven. En hij verzamelt moed, Julienne, zegt hij zachtjes, en ze reageert niet, Julienne, hij schudt voorzichtig aan haar schouders, geen reactie, hij schudt harder en zegt haar naam in haar oor, wat, zegt ze slaapdronken, wat is er, en ze zit geschrokken rechtop, en hij begint aan een stamelend beschaamde zin, maar ze heeft het al begrepen.

Ze stapt uit bed en steekt de petroleumlamp aan, het spijt me, zegt hij, het spijt me verschrikkelijk, en zij reageert niet, ze zegt dat hij ook uit bed moet komen, en hij staat naast haar op de planken vloer en hij ziet de natte plek in haar nachtjapon, in haar zij en op haar billen, het idee dat zij in zijn pis heeft gelegen, hij wordt misselijk van schaamte, en hij biedt nog een keer zijn excuses aan en nog eens, maar ze is niet boos, niet verontwaardigd, ze walgt ook niet van hem. Hij begint het bed af te halen, en zij zegt bedaard, dat doe ik wel, ga je maar wassen en trek iets schoons aan, en na enig aandringen geeft hij toe, en in de gang komt hij Gust tegen die wakker is geworden en komt vragen wat er aan de hand is, en zij stuurt hem terug naar bed, er is niets, zegt ze, en Amand gelooft gegeneerd dat Gust doorheeft wat er is gebeurd. En hij gaat naar het privaat en leegt daar zijn blaas tot op de laatste druppel, en hij haalt water en wast zich in de keuken, en schuin boven zijn hoofd in hun slaapkamer hoort hij haar heen en weer lopen, bezig met het opruimen van zijn smerigheid, hij had niet naar haar moeten verlangen, het is alsof zijn onkuise gedachten voor straf uit hem zijn gevloeid en zij ze nu in handen heeft in de vorm van stinkende lakens, nooit, maar dan ook nooit mag hij meer aan haar lichaam denken, het is onmogelijk dat ze zich nu nog door hem zou laten aanraken, hij is belachelijk, afstotelijk, en hij trekt een oude, versleten onderbroek aan, een schoon nachthemd kan hij niet vinden. En zij komt de keuken binnen met het natte beddengoed, ze doet het in de tobbe die hij met water vult, en dan laat hij haar alleen zodat ze zich ook kan wassen, hij wacht op haar in de donkere salon, het is koud, en hij bibbert over zijn hele lichaam, zijn tanden slaan in ritmische golven op elkaar, maar hij gaat niet naar boven om een nachthemd aan te trekken, hij wil lijden, hij moet lijden.

Kom je, zegt ze, ze heeft een schone nachtjapon aan, en hij neemt het teiltje zeepsop mee en zij draagt de lamp, en ze lopen zwijgend achter elkaar de trap op, en ze boent met een natte doek over de urineplek in het matras, en hij kijkt machteloos toe, hij helpt haar bij het keren van het matras en ze maken samen het bed op met schone lakens, en zij pakt een droog nachthemd voor hem. En hij zegt dat hij beneden in de studio gaat slapen, natuurlijk niet, zegt ze vastbesloten, ze wil niet meer met hem in een bed liggen, dat weet hij zeker, ze gelooft waarschijnlijk dat hij zich vernederd zou voelen als ze hem zou wegsturen, maar het nog eens laten gebeuren is onvoorstelbaar veel vernederender, en hij zegt wanhopig dat hij nooit meer naast haar kan slapen, als ik het kan, kan jij het ook, zegt ze kortaf, alsof ze zijn gezeur erger vindt dan het bevuilen van de lakens. En ze stapt in bed en blaast de petroleumlamp uit, en uiteindelijk kruipt hij dan toch maar naast haar onder de dekens, in slaap vallen mag hij niet meer, hij schuift zo ver mogelijk van haar vandaan, de rand van het bed port in zijn zij en hij houdt zich doodstil, hij hoort aan haar onrustige ademhaling dat zij ook niet slaapt, en zo liggen ze samen in het donker, en beneden hen, aan de onderzijde van het matras, die traag drogende, schandelijke vlek, en hij denkt nog steeds urine te ruiken, verhuld door de geur van Sunlight.

En plotseling vraagt ze, herinner je je de mobilisatie, en ze wacht zijn antwoord niet af, ze draait zich op haar rug en ze begint te vertellen, om de kinderen niet te wekken doet ze het fluisterend en ze hapert nooit, ze kent de woorden, de wendingen in het verhaal, ze moet het tientallen, misschien wel honderden malen aan zichzelf hebben verteld, om niet te vergeten, om tijdens eenzame nachten getroost te kunnen inslapen, om in zijn terugkomst te kunnen blijven geloven.

Het was rond deze tijd, zegt ze, twee uur, halfdrie, in de nacht van vrijdag op zaterdag 1 augustus 1914, en ze schrokken wakker van gebons op de buitendeur, en ze wisten allebei wat dat betekende, haar oudste broer was de dag ervoor opgeroepen, en de mobilisatie was het gesprek van de dag in de buurt, de winkels, in hun fotostudio, maar met hem had ze het er alleen in algemene bewoordingen over gehad, alsof het hen niet betrof, ze geloofde dat het wel over zou waaien, dat de beroering voorbij zou zijn tegen de tijd dat zijn klasse aan de beurt was, en als hij dan toch werd gemobiliseerd zou het niets te betekenen hebben, zoals drie jaar eerder ook al was gebeurd, en was hij over een paar weken weer thuis.

Achteraf begrijpt ze niet hoe ze zo onnozel kon zijn, zegt ze, ze had geen idee wat oorlog inhield, kon zich geen voorstelling maken van de gevolgen, hoe die met je leven verweven raakten, en omdat het haar zo absurd leek zou het ook niet gebeuren, 25 jaar oud, zegt ze, vrouw en moeder, maar een kind was ze. En ze heeft zich het hoofd gebroken over de vraag of hij beter begreep wat hen te wachten stond, of hij alleen niets tegen haar had gezegd omdat hij haar niet ongerust wilde maken, dat denkt ze, zegt ze, want hij schoot zijn broek aan en liep naar beneden, ze kon niet verstaan wat er aan de deur werd gezegd, Gust was wakker geworden en riep om zijn mama, en ze tilde hem uit zijn ledikantje en op het bed zittend met hem op schoot hoorde ze de deur dichtgaan en daarna zijn blote voeten op de trap, en hij kwam de slaapkamer binnen met een roze papier in zijn hand, ik moet weg, zei hij, dat herinnert ze zich omdat zijn stem onvast klonk en hij dat onheilspellende woord gebruikte, weg, terwijl hij ook gewoon had kunnen zeggen dat hij was opgeroepen, hij wist het, zegt ze, hij wist dat het oorlog zou worden.

En hij kwam naast haar op het bed zitten en streelde Gust over zijn hoofd, binnen 48 uur moest hij zich in zijn kantonnement in Hemiksem melden, en ze overwogen om terug te gaan naar bed, maar slapen zouden ze toch niet meer, en ze kleedden zich aan, en langzaam werd het licht en de stad was in rep en roer, op straat was het drukker dan overdag en de klokken van het belfort luidden voortdurend, en ze durfde niet aan zichzelf toe te geven hoe alarmerend dat was, alsof de wereld in brand stond. Ze haalde zijn uniform uit de kist onder hun bed, het rook naar mottenballen en ze hing het een tijdje buiten en daarna streek ze het, en in zijn ondergoed borduurde ze zijn initialen AC, en voor de zekerheid stopte ze ook wollen ondergoed en dikke sokken in zijn ransel, maar toen ze dat had gedaan leek het alsof ze hem voor lange tijd weg wilde hebben, alsof ze hoopte dat het oorlog zou worden, en ze legde de winterkleren terug in de kast.

En ze lacht spottend, alsof ze zichzelf uitlacht, en op goed geluk steekt hij in het donker zijn hand uit en raakt troostend haar arm aan, of misschien is het haar schouder of haar borst, en ze verroert zich niet, alsof hij de regels van het spel breekt, en hij trekt zijn hand terug. Hij was verstandiger, zegt ze, hij leerde haar fotograferen, ontwikkelen en afdrukken voordat hij vertrok, en als ze had geweten dat ze de fotostudio acht jaar lang in haar eentje draaiende zou moeten houden, had ze beter naar hem geluisterd, maar ze was onrustig en Gust moest aangekleed worden en te eten hebben, en zijn ouders kwamen langs om afscheid te nemen en zij vertelden dat zijn opa tijdens de Frans-Duitse oorlog gemobiliseerd was geweest, uit voorzorg, hij had zich een halfjaar verveeld met nutteloos wachtlopen langs de grens. En toen zijn ouders weer naar huis waren gegaan, hadden ze het samen over de mogelijkheid dat hij maandenlang weg zou blijven, niet vanwege een oorlog, dat woord vermeden ze angstvallig alsof het een toestand was die ze over zichzelf konden afroepen, en hij stopte papier en een vulpen en enveloppen in zijn ransel zodat hij haar zou kunnen schrijven, iedere week, beloofde hij, en toen trok hij zijn uniform aan, zijn geweer zette hij tegen de muur in de gang, en hij was ineens een soldaat, en ongemerkt gleed de oorlog de keuken binnen terwijl ze brood voor hem smeerde, en ze werd bang.

En in die uren voor zijn vertrek zeiden ze niets wat achteraf gezien ook maar van enig belang was, en ze denkt ook niet dat ze dat wel hadden gedaan als ze hadden geweten dat hij in een wereldoorlog zou gaan vechten, daarvoor bestaan alleen sentimentele woorden, zegt ze, woorden die zij nooit tegen elkaar zouden gebruiken, maar later, toen ze wist dat hij jaren en jaren niet thuis zou komen, had ze er wat voor overgehad om al die dramatische woorden tegen hem te kunnen uitspreken en zichzelf voor gek te zetten, en hij had waarschijnlijk hetzelfde gedacht tijdens lange, koude, angstige nachten in de eerste linie, dat had ze zichzelf tenminste wijsgemaakt, zegt ze. En ze laat een stilte vallen, alsof ze is vergeten dat ze hardop een verhaal aan het vertellen is, en pas als ze weer verder praat, bedenkt hij dat ze hoopte dat hij haar gerust zou stellen, en hij zegt dat zij vaak in zijn dromen over het front voorkomt, en dat hij dus zeker weet dat hij in de oorlog ontelbare keren aan haar heeft gedacht, dat de gedachte aan haar hem op de been heeft gehouden, en hij hoort haar in het donker diep zuchten, alsof ze stilletjes huilt, en ze draait zich op haar zij naar hem toe, ze raakt hem niet aan, maar ze is zo dichtbij dat het is alsof ze hem over zijn volle lengte met haar lichaamswarmte streelt, en hij ondergaat het roerloos, bang om een verkeerde beweging te maken, en als ze verder vertelt strijkt haar adem fluisterend langs zijn wang.

Ze liepen naar de statie, zegt ze, hij droeg Gust op zijn arm en hij vertelde hem dat papa wegging om soldaatje te spelen, en dat vond Gust leuk, hij riep boem en paf, en Amand leerde hem de woorden leger en geweer en uniform, en hij zei dat Gust nu de man in huis was, zul je goed voor mama zorgen, vroeg hij, en dat beloofde Gust, en over Gusts hoofd heen keek hij haar aan, maar hij zei niets tegen haar. En om hen heen was het een chaos van auto's en camions en opgeëiste paarden en van mensen van wie het leven net als het hunne door de oproep op zijn kop was gezet, en mannen die gisteren nog marktkoopman of loodgieter waren geweest, marcheerden nu heldhaftig in uniform door de stad en zongen 'De Vlaamsche leeuw' en kinderen zwaaiden met vlaggetjes en ook aan sommige huizen wapperde strijdlustig de Belgische driekleur, het was alsof het bestaan van al die onbekenden was samengesmolten tot een begrip dat tot een uur geleden nog abstract voor haar was geweest, het vaderland, iets wat gezamenlijk tegen de barbaren verdedigd moest worden.

En in de overvolle statie werden ze opgenomen in een menigte van mannen in uniform die door vrouwen werden uitgezwaaid, echtgenoten, verloofden, moeders, zussen, kinderen, de meeste waren opgewekt en opgewonden, sommige kusten elkaar innig alsof oorlog vanzelfsprekend boven fatsoen ging, en andere huilden, het was een afscheid zoals ze nog nooit had meegemaakt, de onheilspellende massaliteit ervan, en plots wist ze zeker dat een groot deel van deze vrouwen hun man nooit terug zou zien, dat dit ook voor haar de laatste keer was, en ze keek naar hem, hij stond te praten met andere gemobiliseerden uit hun wijk, ongewoon druk en met veel gebaren, en in dat vreemd officiële, manhaftige, blauwe uniform met de rode kepie was het alsof het vaderland hem al van haar had afgenomen, ze kon hem niet omhelzen, hem zeggen dat ze aan hem zou denken, hem op het hart drukken dat hij niet onbezonnen moest zijn en bij haar terug moest komen, ze stond daar maar met Gust aan de hand, en hij keerde zich naar haar toe en zei dat ze niet hoefde te wachten tot de trein kwam, ga maar naar huis, zei hij, hier blijven heeft geen zin, wie weet hoelang het nog duurt, en hij knielde voor Gust neer en aaide hem over zijn hoofd, en hij richtte zich op en ze stonden onhandig tegenover elkaar, de blikken van zijn kameraden in zijn rug, dag, zei hij tegen haar alsof hij vanavond weer thuis zou zijn, en ze wilde zijn hand pakken, maar hij draaide haar al zijn rug toe, en ze begreep dat hij haar er liever niet bij wilde hebben nu hij een soldaat moest proberen te zijn, en ze liep aarzelend weg, keek nog eens om, wilde teruggaan, maar ze zou hem alleen bang maken als ze echt afscheid van hem zou nemen.

En ze bleef verderop stiekem staan wachten, ze verloor hem uit het oog toen de mannen in al die eendere uniformen elkaar bij het instappen in de trein verdrongen, vrouwen om haar heen wuifden met hun zakdoeken, mannen hingen uit het raam en zwaaiden met hun kepie en ze riepen naar hun vrouw, en traag zette de trein zich in beweging, ze tuurde naar de in stoomwolken langsglijdende ramen, en ze weet nu nog niet, tot op de dag van vandaag, of ze hem zag of dat het een andere soldaat was die haar aankeek, ze herinnert zich zijn blik, zegt ze, een blik van verbazing, alsof hij haar had betrapt op het gevoel van onheil dat ze voor hem verborgen had willen houden.

Heb je mij gezien, fluistert ze, was jij dat, en hij probeert zich te herinneren dat hij in die trein vol overmoedige soldaten zat, de chaos in de statie, zij en Gust, hij in uniform, en hij wordt overvallen door de zekerheid dat hij haar daar op het perron tussen al die andere afscheidnemende stellen heeft omhelsd, hij drukte haar tegen zich aan en zij vroeg hem of hij nog één keer haar naam wilde zeggen, en dat deed hij, in haar oor, boven het gesis van een locomotief uit, en hij voelde dat haar ademhaling stokte alsof ze moest huilen, maar ze wist zich te beheersen, en hij was een verrader, want hij keek heimelijk uit naar de oorlog, dat herinnert hij zich, een gevoel van opwinding vanwege het avontuur dat hij tegemoet ging, en haar liet hij in hun oude, eentonige leven achter.

En dat vertelt hij haar, de omhelzing, het avontuur dat op hem wachtte, en ze zegt, je moet je vergissen, en ze vertelt opnieuw haar versie en hij vervolgens de zijne, en ze vergelijken en herhalen en onderhandelen, en hoe langer ze erover praten, hoe meer zij begint te twijfelen, ze zegt dat ze zich misschien zo schuldig heeft gevoeld over haar naïviteit dat ze zonder het te beseffen hun afscheid heeft herschreven, en ze vertelt het zoals hij zegt dat het was, ze proeft de nieuwe zinnen, past ze in haar oude verhaal, en dan vertelt ze het zichzelf nog eens, in exact dezelfde bewoordingen alsof het een toverspreuk is, en hij merkt dat ze opgelucht is nu hij blijkbaar net zo onnozel was als zij, onnozeler zelfs, zij was tenminste nog bang.

En terwijl hij in de trein met duizenden anderen geestdriftig op weg was naar de slachtbanken van de oorlog liep zij met Gust terug naar huis, en in één ochtend was de wereld veranderd, zegt ze, die hele dag totdat het te donker was, maakte ze onwennig portretfoto's van soldaten in uniform, ze stonden in de rij voor de studio, en allemaal zeiden ze dat er geen oorlog zou komen, maar intussen poseerden ze wel in vol ornaat voor haar lens, met een heldhaftige blik in hun ogen, zich bewust van het historische gewicht van het beeld dat hun bestaan zou overleven en rechtvaardigen, en ze kreeg steeds meer spijt dat zij vanmorgen geen foto's van haar eigen man had gemaakt. En toen mensen vervolgens gingen hamsteren, meel, rijst, bonen, koffie, thee, suiker, van alles, totdat de winkels leeg waren, en zij ook daarmee te laat was omdat het haar overdreven leek, en het Duitse leger drie dagen na Amands vertrek België binnentrok en ze in een land in oorlog bleek te wonen, had ze het gevoel dat ze alles verkeerd had gedaan, ze was een vrouw zonder man, met een zoontje van twee en een fotostudio waarvan ze niet veel wist, en ze kon niet rekenen op steun van familie of vriendinnen, ik was helemaal alleen, zegt ze.

En 's ochtends wordt hij wakker en haar plek naast hem in bed is leeg, hij hoort haar in de keuken tegen de kinderen praten, en hij staat op en schiet zijn broek, zijn hemd en zijn colbertje aan, hij haalt kolen van beneden, en met de gevulde kolenkit loopt hij de keuken binnen, en zij is zich al met koud water aan het wassen, in haar ondergoed keert ze zich geschrokken naar hem om, en ze roept, nee, ga weg, en hij blijft verrast staan en hij vraagt wat er is, ga weg, herhaalt ze op luide toon, en ze strekt haar hand naar hem uit alsof ze daarmee haar halfnaakte lichaam meent te kunnen bedekken. En hij gaat naar de salon en sluit de deur zorgvuldig achter zich, en hij wacht aan de tafel totdat ze zich heeft gewassen, en Gust komt tegenover hem zitten, zal ik het fornuis aansteken, vraagt hij triomfantelijk, en Amand zegt dat hij dat zelf wel doet zodra zij klaar is, en Gust lacht, hij denkt dat zijn moeder eindelijk heeft ingezien hoe die man van haar werkelijk in elkaar zit, en dat ze hem terug zal sturen naar het gesticht, maar het omgekeerde is het geval, dat weet Amand zeker, zijn hart bonst in zijn keel terwijl hij zijn gedachten probeert af te leiden van haar onzedig halfblote vrouwenlichaam dat zich maar een paar meter van hem vandaan achter de keukendeur bevindt, maar omdat hij zich ervan bewust is dat zij zich tijdens het inzepen en afspoelen en afdrogen van hem bewust is, keren zijn gedachten steeds weer bij haar terug.

En zij klopt op de deur en zegt dat hij zich kan wassen, en hij wacht totdat hij haar voetstappen op de trap hoort en dan gaat hij de keuken binnen, en hij wast zich met het water waarin haar zeepschuim en okselharen drijven, en met haar washandje, en hij hoort haar schuin boven zijn hoofd in de slaapkamer rondlopen en het bed kreunt onder haar gewicht als ze gaat zitten om haar kousen aan te trekken, en hij doet zijn hemd aan en hij wacht aan de keukentafel totdat ze naar beneden komt. En ze loopt niet zoals anders achteloos de keuken binnen, ze klopt op de deur, ja, ik ben klaar, zegt hij, en ze opent de deur, haar krullen netjes gekamd en opgestoken, gekleed in haar hooggesloten, blauwgrijze jurk, mevrouw, moeder, maar haar blik verraadt haar, ze zoekt hem en als ze hem heeft gevonden kijkt ze hem onzeker aan alsof ze zich geen raad weet met zichzelf, en hij staat op en loopt langs haar heen de gang in, ik had je maar laten slapen, zegt ze, en ze wisselen een blik waarin de afgelopen nacht besloten ligt, ben je moe, vraagt hij, zal ik vanochtend de winkel doen, en ze zegt dat dat niet hoeft, en ze glimlacht, zo'n glimlach die om haar mond blijft zweven omdat ze intussen aan iets anders denkt en vergeet haar gezicht in de plooi te zetten.

En hij gaat naar boven en kleedt zich aan, en ze ontbijten met de kinderen, en Gust vraagt waarom er lakens in de tobbe staan te weken, en zij zegt zonder een spier van haar gezicht te vertrekken dat het dak heeft gelekt, en Gust kan zich niet herinneren dat het regende toen hij vannacht wakker werd van hun gepraat en gestommel, maar zij brengt het met zo veel overtuiging dat hij begint te twijfelen, en hij zegt aarzelend, heeft papa het dak niet goed gerepareerd, en nog nooit heeft hij Amand met papa aangeduid, ze staat op om de tafel af te ruimen en ze drukt een kus op Gust zijn kruin, schatteke, noemt ze hem, en Gust lacht verlegen en kijkt Amand aan, en Amand heeft medelijden met hem, hij gelooft dat hij zijn moeder weer voor zich alleen heeft. En hij vraagt Gust of hij een geweer voor hem zal maken, van hout maar niet van echt te onderscheiden, en Gust probeert onverschilligheid voor te wenden, maar zijn ogen stralen, een geweer, wat zullen zijn vriendjes daarvan zeggen, en hij praat met Amand over de Mauser van het Belgische leger en over schieten en machinegeweren, Julienne moet hem dwingen om naar school te gaan, anders was hij de hele ochtend met Amand aan de tafel blijven zitten, en als Gust en Roos zijn vertrokken is het stil in de keuken, zij doet de afwas en ze zwijgt, en hij vraagt haar of ze het erg vindt dat Gust een speelgoedgeweer krijgt, en ze zegt dat ze er geen bezwaar tegen heeft als hij dat niet heeft.

En hij gaat met een hamer en beitel terug naar het gebombardeerde huis in de Tuinstraat en neemt een eikenhouten deurpost mee naar huis, hij gaat aan het werk op het achterplaatsje, en na schooltijd hangt Gust in zijn buurt rond, hij verschoont onnodig het konijnenhok, slentert wat op en neer en blijft zo nu en dan staan om naar het stuk hout te kijken dat al op een geweer begint te lijken, en Amand laat hem het gereedschap aangeven en de geweerkolf schuren, en Gust vergeet een hekel aan hem te hebben en hij vraagt of Amand een bajonet erbij kan maken, en ze praten over wapens en hout bewerken. En zo is het dus om een zoon te hebben, iemand in wie je jezelf herkent, iemand die van je meent te kunnen leren, en hij stelt zich voor dat hijzelf op deze manier vroeger ook met zijn vader samenwerkte, en die op zijn beurt met zijn vader, en hij voelt zich onderdeel van een zich over eeuwen uitstrekkend verleden, alsof zijn eigen tekortkomingen er niet veel toedoen omdat Gust die later met zijn leven weer goed zal maken, en hij voelt zich vrij en ontspannen, en hij gelooft dat ook Gust gelukkig is.

En aan het einde van de middag komt zij bij hen zitten, ze zegt niet veel, ze kijkt toe, maar haar aanwezigheid is voldoende om het wankele evenwicht tussen vader en zoon te verstoren, Gust reageert ineens stroef en Amand slooft zich te veel uit om de vertrouwelijkheid van daarnet terug te brengen, alles wat ze doen is voor haar ogen bedoeld, en zelfs als ze naar binnen is gegaan om een klant te helpen en daarna in de fotostudio aan een negatief werkt, verbetert de verstandhouding tussen Amand en Gust niet meer.

En Amand maakt de volgende dag in zijn eentje het geweer en de bajonet af, en hij vraagt haar om olie, ze heeft alleen bruine schoensmeer en daar vet hij het hout mee in, en als Gust thuiskomt uit school geeft hij hem het geweer, Gust kan het niet geloven, zo mooi en levensecht is het wapen geworden, ga er maar mee spelen, zegt Amand, en Gust rent het geluid van schoten imiterend door de winkel naar buiten, heb je je vader bedankt, roept zij hem na, en Gust reageert niet, hij is al op straat, en Amand zegt dat Gusts blijdschap voor hem voldoende is, maar zij zegt dat het bij zijn opvoeding hoort, als je iets krijgt dan bedank je daarvoor, zegt ze.

En aan het einde van de middag, terwijl Amand een weduwe uitgeleide doet met wie hij voor een portret heeft geposeerd, ziet hij Gust verderop in de straat met zijn vriendjes oorlogje spelen, Gust met zijn geweer en bajonet, de andere jongens met stokken en ze gebruiken kastanjes als handgranaten, Gust rent gebukt tussen de voetgangers op de stoep door, verbergt zich achter een stilstaande kar, en hij springt tevoorschijn en schiet op Alfons, het zoontje van coiffeur Staels, die zich stuiptrekkend en kreunend op de grond laat vallen, en Alfons heet Napoleon en een andere jongen is koning Albert, en Gust laat zich Amand noemen, Amand is zo ontroerd.

En 's avonds als ze naar bed gaan, kleden ze zich nog steeds in het donker aan weerskanten van het bed uit, en gewoonlijk zette ze dan nog wel eens onbekommerd het gesprek voort dat ze in de studio met hem had gevoerd, maar nu trekt ze in zwijgende, preutse haast haar kleren uit en haar nachtjapon aan, en als ze naast hem in bed ligt, keert ze hem ogenblikkelijk haar rug toe, haar slaapwel spreekt ze in de richting van de duistere trap uit, en er is geen denken aan dat ze hem weer over vroeger zal vertellen. En hij kan onmogelijk alle nachten wakker blijven, nadat hij op zijn knieën in het donker een Weesgegroetje heeft gebeden, vraagt hij God of Hij alstublieft kan voorkomen dat hij weer als een klein kind in bed plast, en hij ligt naast haar en probeert aan nuchtere zaken te denken, niet aan haar lichaam, niet aan de herinnerde omhelzing op het perron, in de hoop dat zijn dromen net zo bedaard zullen zijn.

En na enkele uren wordt hij wakker, en hij moet niet nodig, maar net als voorgaande nachten stapt hij toch voorzichtig uit bed en hij vindt op de tast zijn weg langs de waslijnen naar het trapgat, en hij gelooft dat zij is ontwaakt en dat ze naar zijn gescharrel ligt te luisteren, maar ze zegt niets en ze steekt ook de petroleumlamp niet voor hem aan, alsof ze hem in stilte uitlacht omdat hij zo bang is voor bedplassen dat hij naar het privaat gaat terwijl hij eigenlijk niet hoeft. En hij weet inmiddels welke treden kraken en die slaat hij over, en de deur van de keuken is 's nachts altijd open zodat het licht van de straatlantaarn voor het huis de gang in valt, en het vergezelt hem op de trap naar beneden en hij laat de deur van het privaat op een kier staan zodat hij de pot kan onderscheiden.

En op de terugweg slaat hij rechtsaf naar de trap, en dan op hun verdieping moet hij een klein stukje door de gang en dan weer rechts de volgende trap op, maar het trapgat is verdwenen, hij tast langs de muur en die is veel te lang, ongemerkt moet hij in de keuken zijn beland, hij ziet alleen het licht van de straatlantaarn niet. En hij zoekt de deur, en ook die is onvindbaar, en terwijl hij blind ronddwaalt stoot hij tegen de tafel, de tafel, en hij ziet de keuken nu duidelijk voor zich, welke kant hij uit moet om de deur naar de gang te bereiken, en hij vindt inderdaad de muur die hij bedoelt, maar er staat geen kast tegenaan en er zitten ramen in, wat onmogelijk is, hij is in een gespiegelde, behekste keuken zoals in een sprookje, en de duisternis drukt zwaar op hem, hij begint in paniek te raken. Zijn handen voelen het koele glas van een ruit, maar het is buiten net zo donker als binnen, en als hier de ramen zijn moet de deur schuin naar rechts zijn, en hij schuifelt in de juiste richting, zijn armen uitgestrekt, en hij verwacht aan zijn rechterhand het fornuis en aan zijn linker- de tafel, maar hij struikelt over een tapijt en valt met een galmende dreun tegen iets groots aan, en voordat hij weet wat hij doet geeft hij een schreeuw.

Hij staat met bonkend hart te luisteren of zij wakker is geworden, maar hij hoort geen naderende voetstappen op de trap, en hij betast het ding waar hij tegenaan is gevallen, het is de staande klok, hij moet in de woonkamer zijn, maar er is geen sofa, geen piano, er zijn te weinig kasten, te weinig stoelen, en op de plek waar de deur zou moeten zijn is een muur. Hij is thuis, vertelt hij zichzelf, hem kan niets gebeuren, maar er gaat een redeloze dreiging uit van het binnenstebuiten gekeerde, gespiegelde, op zijn kop gezette huis, alsof hij in zijn eigen krankzinnigheid rondwaart en er geen uitweg mogelijk is.

En zonder dat hij haar heeft horen aankomen, staat ze ineens voor hem, ze pakt hem onhandig bij zijn bovenarm beet, maar ook zij is vreemd vervormd, ze is te klein en te smal en haar stem is kinderlijk hoog alsof ze een flauw spelletje met hem speelt, hij grijpt haar hand, en ook die voelt raar, te klein en te zacht, en in een flits overziet hij de situatie, de voorgaande maanden waren een verzinsel, dit is de werkelijkheid, dit nachtmerrieachtige huis, haar gekrompen lichaam, en hij krijgt in paniek geen adem meer. De gang is hier, zegt ze en dan dringt tot hem door dat Gust hem is komen redden, en hij hoort aan zijn stem dat hij verlegen is met zijn vaders angst, en terwijl Gust hem naar de gang leidt probeert Amand te kalmeren, hij voelt de deurpost en plots begrijpt hij het huis weer, het kantelt en zet zichzelf voor zijn ogen in elkaar, en hij snapt niet hoe hij zich zo heeft kunnen vergissen, en hij fluistert tegen Gust dat hij het zelf wel redt en hij trekt zijn hand uit de zijne en loopt achter hem aan de trap op, slaapwel, fluistert hij, en Gust antwoordt niet, en Amand schuifelt langs het voeteneinde van hun bed en gaat naast haar liggen, hij gelooft dat ze slaapt. En 's ochtends zegt ze niets over zijn nachtelijke dwaaltocht door het huis, maar Gust ontwijkt zijn blik, hij zegt hem geen goedemorgen, en als hij naar school gaat neemt hij alleen afscheid van zijn moeder, en zij roept hem terug en zegt dat hij iets is vergeten, en met tegenzin geeft hij zijn walgelijk zwakke vader die met Napoleon en koning Albert kon wedijveren een hand, dag, mompelt hij, en dan is hij weg, zijn voeten roffelen op de trap, niet rennen, roept zij hem na, en de winkeldeur slaat luid klingelend achter hem dicht.

Hij ligt in bed naast haar en het regent, hij hoort het geroffel op de pannen vlak boven zijn hoofd, en hij heeft zijn geheugen terug, hij herinnert zich alles, hij weet, hij begrijpt met een grote helderheid, eindelijk is hij een normale man met een verleden en een heel leven met haar, maar het is afschuwelijk, onvoorstelbaar afschuwelijk, en als zij hem hardhandig wakker schudt en zegt dat hij om haar schreeuwde in zijn nachtmerrie, blijft het gevoel van gruwel bij hem, hij gelooft dat hij nog steeds droomt en hij wacht totdat hij wakker zal worden, maar dat moment komt niet. Ze praat tegen hem, hij geeft antwoord, ze voeren een fluisterend gesprek, dat kan allemaal, en zij gaat weer slapen, en in paniek grijpt hij haar schouder beet, wek me, smeekt hij, laat me niet alleen, maar zij ligt bewegingsloos naast hem, ze is dood, een kogel van een sluipschutter, zo praatte ze met hem, laatste woorden die hij zich niet herinnert, en zo is ze er niet meer. En de eenzaamheid grijpt hem bij zijn keel, hij gaat tegen haar levenloze, koude lichaam aan liggen en legt zijn armen om haar heen, en ze mompelt iets terwijl ze zich op haar rug draait, en hij is gewoon wakker, al die tijd al, hij laat haar snel los, en hij wordt bang, zijn hart gaat tekeer, zijn adem stokt in zijn keel, hij is gek geworden, hij hallucineert. Hij probeert zich te concentreren op het vredige ritme van haar ademhaling, op het huis dat om hem heen bestaat, hij loopt er in gedachten doorheen, de trap, de gang, de keuken, de winkel, de studio waarin ze 's avonds samen werken, en hij vertelt zichzelf het verhaal over zijn mobilisatie, dat is hij, haar man die naar het front ging, die afscheid van haar nam, die bij haar terugkeerde, er is niets aan de hand, over een paar uur wordt ze wakker en dan wast ze zich en kleedt ze zich aan, en hij doet de kolen voor haar. En hij wordt kalmer, maar het gevoel van dreiging blijft, het stroomt als een onderaardse rivier overal onderdoor, hij kan het niet zien, alleen horen als hij ingespannen luistert, en hij stopt zijn vingers in zijn oren en valt in slaap.

5

En ze zitten naast elkaar op de drempel van de deur naar het achterplaatsje, hun schoenen op de stenen, en hun schouders raken elkaar net niet, hij geeft haar een vuurtje en ze neemt een trek van haar sigaret en blaast de rook uit haar mondhoek terwijl ze, zoals een poes die ligt te soezen, haar ogen dichtknijpt, iedere ochtend als het rustig is in de winkel en de kinderen op school zijn roken ze zo samen, op de grens tussen buiten en binnen, een warme rug en koude knieën, hij is de enige die weet dat ze rookt, het is hun geheim. En de koele winterzon schijnt in hun gezicht, en de wind waait haar jurk zacht tegen zijn enkels, en ze zegt dat het goed gaat met de fotostudio, dat komt vooral door het groeiend aantal weduwen dat met hem op de foto wil, ze vertellen het aan kennissen, laten hun het portret zien dat ze hebben laten maken en dan komen die kennissen ook om met hem te poseren, maar dat blijft niet zo, zegt ze, het zou verstandig zijn om hun succes uit te buiten nu het nog kan, zou je daar bezwaar tegen hebben, vraagt ze na een korte stilte. En nee, dat heeft hij niet, hij zegt dat hij er zelfs op een bepaalde manier van geniet om door haar te worden gefotografeerd, en ze kijkt verrast opzij naar hem, maar als hij zijn hoofd draait en haar blik beantwoordt kijkt ze snel weg, en hij zegt, dan zie je me tenminste, en hij is zich ervan bewust dat hij haar provoceert, en ze lacht, de camera ziet je, zegt ze. En ze schraapt met haar schoen zand bij elkaar op een hoopje en dat lijkt al haar aandacht in beslag te nemen, en dan trapt ze het plat en ze begint over een nieuwe geschilderde achtergrond voor de portretten, realistisch en spraakmakend, zegt ze, een portret zoals geen enkele andere fotostudio aandurft, en ze wil van hem weten of hij zich herinnert hoe een loopgraaf eruitzag.

En met tegenzin begint hij die avond aan een potloodschets van een niet al te gruwelijke oorlogssituatie, en zij zit naast hem aan de keukentafel en kijkt toe, op de voorgrond tekent hij een loopgraaf en een ladder om over de borstwering heen te klimmen, en zij vraagt hoe ze op de vijand konden schieten, en hij maakt een schietgat in de borstwering en een soldaat die zijn geweer erdoorheen richt, en daarnaast tekent hij een soldaat die een brief zit te schrijven, en zij wil weten of ze zich daar in de eerste linie echt mee bezighielden, en hij zegt dat het leven in zo'n smerige loopgraaf verbazingwekkend alledaags was, er werd gepraat, geruzied, gegeten, gelezen, gekaart, gebeden, gerookt, geslapen, naar het privaat gegaan, sokken werden er gedroogd, kleren gewassen. En dat idee fascineert haar, een stinkende gang in de modder die je thuis wordt, en ze wil dat hij dat ook tekent, en hij laat de schrijvende soldaat een sigaret roken, en verderop tekent hij twee soldaten die zitten te kaarten, en naast hen een gammel waslijntje met daaraan natte sokken en een broek.

En van samen met haar een oorlog bedenken gaat een vreemde aantrekkingskracht uit, hij heeft zin om druk te praten en zomaar te lachen, en zijn geestdrift is aanstekelijk, er verschijnen blosjes op haar wangen en haar ogen stralen, en ze pakt ook een potlood en ze werken samen aan de schets, ze plakken vier velletjes papier aan elkaar en de loopgraaf wordt langer, de soldaten krijgen herkenbare gezichten, een van hen speelt accordeon bij een provisorisch vuurtje, een ander slaapt, hoewel Amand denkt dat hij dood is, en achter de loopgraaf in het niemandsland verschijnen modder en prikkeldraad en granaattrechters en een dode boom en een kapotte tank en een granaat die ontploft en een zandfontein de lucht in werpt, en een Duitse patrouille die ongezien rondsluipt, en aan de overzijde, in de verte, de Duitse loopgraaf, er krinkelt rook uit omhoog, ze zijn theewater aan het koken, zegt hij tegen haar. En hij tekent zelfs een paar eenzame lijken verstrikt in het prikkeldraad, maar zij vlakt ze uit, groeiden er geen planten, vraagt ze, en hij zegt dat al het leven door explosies en gifgas werd vernietigd als de oorlog een tijdje op een plek woedde, maar niemand weet hoelang hier al wordt gevochten, twee weken, zegt hij, nog geen week, zegt ze, en ze tekent bloemen bij het prikkeldraad, en hij op zijn beurt tekent een wit-zwarte poes die over de borstwering klautert, en ze lacht en wil weten wat die daar doet, vecht hij ook voor het vaderland. En hij zegt dat de poes de ratten vangt die in de loopgraven leven, tienduizenden grote, vette ratten die 's nachts aan je vingertoppen en je oren knabbelen en het eten uit je ransel opvreten, het enige wat je ertegen kunt doen, is het eten aan een touw aan het plafond van het mangat hangen, en zelfs dat helpt nauwelijks, want ze knagen de touwen door. En hij tekent in de bek van de poes zo'n ellendige, dode rat, met zijn kop naar beneden bengelend, ik zal maar niet vertellen waarvan die ratten zo dik werden, zegt hij, en ze kijkt hem argeloos vragend aan, en dan dringt tot haar door wat hij bedoelt, o bah, zegt ze, en ze gomt de rat uit. En ze gaan laat naar bed, pas tegen twaalven, zo gelukkig zijn ze met hun oorlog van een week zonder lijken en ratten, en hij haalt water bij de kraan in de gang en ze wachten samen totdat het kookt, en hij giet het in een kruik, en die nemen ze mee naar bed, als een hond ligt hij aan hun voeteneinde, slaapwel, fluistert ze.

En het is mistig en donker en koud, een paar graden onder nul en bijna kerstmis, zijn adem vergezelt hem in de vorm van een klam wolkje, zijn handen zweten kil in de rubberen handschoenen en hij glibbert over de loopplank, hij mag niet vallen, de modder aan weerskanten lijkt bevroren, maar dat is alleen het bovenste laagje, daar zak je binnen een paar seconden doorheen, en met iedere beweging kom je dieper vast te zitten, en geen kameraad die zijn leven zal wagen om je eruit te trekken, iedereen weet dat het hopeloos is, zulke doden begraven zichzelf, zegt hij tegen haar, pas als het in het voorjaar droger wordt komen ze bovendrijven, en zij wil dat hij dat ook tekent, daar links bij de soldaat die een brief zit te schrijven, en dat is hijzelf, en hij durft niet te gaan slapen, het geknaag van de ratten houdt hem wakker, en hij mag niet aan haar denken, aan zijn oude leven dat hij zo achteloos bij haar heeft achtergelaten, dan welt er een misselijkmakende, verlammende angst in hem op, zoals de weeë pijn wanneer hij zijn bevroren voeten probeert te warmen, wat vroeger normaal was, is een ziekte geworden, hij kan nooit meer terug, en zij vraagt, maar dacht je dan nooit aan mij, en hij liegt, hij liegt, want hij wil niet voelen, niet denken, liever nog waagt hij in het niemandsland zijn leven voor de doden.

Hij kan de kleur van modder niet van de kakikleur van hun uniformen onderscheiden, maar hij herkent een koperen knoop die wonderlijk glanst in de mist en een hand die als een bleke plant uit de modder groeit, het zijn twee of drie dode soldaten, hij weet niet waar de een eindigt en de ander begint, ze liggen daar al lange tijd in elkaar verstrengeld, als een mythisch wezen met twee hoofden en vijf armen, en hij doorzoekt de vochtige zakken van hun jassen en broeken, en hij vindt een brief die begint met 'mijn allerliefste' en foto's van vrouwen en kinderen, en een pakje doorweekte sigaretten, en hij knoopt een van hun kapotjassen los en er beweegt iets onder de stof, en een kameraad die niet eerder mee is geweest op begrafenispatrouille doet geschrokken een pas achteruit, en er springt een vette rat onder de jas vandaan, de begrafenisondernemer, zegt hij lachend tegen haar, en de rat neemt niet eens de moeite om weg te rennen, hij blijft op een afstandje met zijn neus in de lucht zitten wachten, o bah, zegt ze en ze vlakt hem met haar gom uit. En in de binnenzak van de kapotjas vindt hij een immatriculatieplaatje en nog twee om een pols en een nek, en de metalen plaatjes veranderen de rottende hoop vlees in mannen met een naam en familie die op bericht van hen wacht, maar de doden hebben geen mooie laarzen nodig, zijn kameraad sjort ze met veel moeite van de rottende voeten, en hij heeft geluk dat het lijk is bevroren en nog niet zo ver is ontbonden dat hij een laars met een voet erin van het kniegewricht trekt, en ze doorzoeken de ransel die ze onder de lichamen vinden, en ze bekvechten om een half opgebrande kaars en een stuk zeep en een verrekijker, en de harde, modderige soldatenkoeken verdelen ze eerlijk, ze zijn nog goed te eten, zegt hij tegen haar, en hij houdt uitnodigend een stuk koek voor de mond van een van de doden, heb je geen honger, vraagt hij lachend, dan eet ik het zelf op, en dat is weerzinwekkend, hij weet het, maar het weerzinwekkendste van alles is dat het hem niets doet, hij is gewend geraakt aan de rottende kadavers, een dode onder de doden is hij.

En een van de lichamen is een Duitser, hij is gestorven met zijn vuist in zijn mond geklemd om het niet van de pijn uit te gillen, dagenlang heeft hij hier liggen doodgaan, in wanhoop en in eenzaamheid, en op zijn immatriculatieplaatje staat geen naam, alleen een stamnummer, ze noemen hem Heinrich, en voor hem doen ze hetzelfde als voor hun eigen soldaten, ze sjorren aan hun lichamen en rollen ze naar een granaattrechter vol water, en ze vullen de zakken van hun kapotjassen en hun uitgezakte monden met modder en ze laten hen door het dunne laagje ijs in het koude water zakken, en veiligheid gaat boven eerbied, ze nemen hun helmen niet af, maar een kameraad leest in gebrekkig Latijn het *Domine, Jesu Christe* voor, het klinkt als een liedje dat Roos bij het touwtjespringen zingt, en Amand noemt de namen die op de immatriculatieplaatjes staan, rust zacht, jongens, zegt hij en hij slaat een kruis. En een paar meter verderop vinden ze een arm in een gerafelde mouw, en hij pakt het ding op alsof hij een man een hand geeft, de vingers zijn zompig en rubberachtig, en ze besluiten dat hij bij een van de soldaten hoort die ze net hebben begraven, en hij laat de arm in het water van de granaattrechter zakken, en ze bidden nog eens voor ze en hij slaat opnieuw een kruis, en waarom, zegt hij tegen haar, waarom weet hij zelf niet, want die rottende hoop vriend en vijand die daar in elkaars armen rust, zij zijn de gelukkigen, zij zijn ontkomen, zo zou hij zelf ook wel willen slapen.

Amand, zegt ze, Amand wordt wakker, en ze schudt hem heen en weer, maar hij voelt haar vingers niet op zijn huid en haar stem komt van ver, zijn lichaam is in het niemandsland van zijn droom achtergebleven, een walgelijk rottend omhulsel dat zij zelfs met een tang niet zou moeten aanraken, en de enige emotie die hij kent is weerzin voor zijn eigen gevoelloosheid. En hij zegt tegen haar dat hij dood is, dat kan niet, zegt ze kalm, ik praat met je en je geeft antwoord, en ze buigt zich naar hem toe en hij gelooft dat ze hem zal kussen, hij voelt haar hand over zijn wang strelen, haar adem op zijn lippen, en dat lichaam van haar, slechts een kogel is ze verwijderd van een stinkende, aangevreten, afstotelijke hoop vlees, en hij deinst achteruit, en ze sust hem en ze zegt dat hij haar zijn nachtmerrie moet vertellen, dan kun je rustig slapen, zegt ze, maar als zij weet wat er in zijn hoofd rondwaart zal ze nooit van hem kunnen houden, zal hij nooit meer van haar kunnen houden.

En op de achterzijde van het grote linnen doek waarop zij een aantal jaren geleden het romantische slagvelddecor heeft geschilderd, tekenen ze in houtskool een grote versie van hun schets, zij heeft nog tubes verf en ze beginnen aan de schildering, ze werken samen alsof ze nooit anders hebben gedaan, ze voelen elkaar aan, houden rekening met elkaars sterke en zwakke punten, prijzen en bekritiseren elkaar. Zij is goed in het schilderen van levenloze dingen, de stofuitdrukking van de uniformen, een dode boom, modder, een stormachtige lucht, hij is goed in mensen, hun gezichten, hun houding, de wit-zwarte poes is ook voor hem, en ze leert hem wolken schilderen en hij haar een mensenlichaam, de juiste verhoudingen, de plaats van de ogen ten opzichte van de mond en de neus. En het is zondag, ze hebben geen klanten en de kinderen zijn met Felice naar de mis, en ze trekken allebei hun schoenen en kousen uit, en hij ook zijn colbertje en zijn overhemd, en ze geeft hem haar keukenschort en hij bindt het voor en ze zegt lacherig dat hij net een beenhouwer is, en zelf heeft ze een oude jurk aan, hij reikt tot aan haar enkels en sliert door de verf op het doek en ze bindt hem rond haar middel en rolt haar mouwen op, en zo schilderen ze samen in het winterse ochtendlicht en de warmte van de kolenkachel. Verf in alle kleuren van de regenboog kleeft onder hun voetzolen, en haar krullen pieken uit haar knot en dartelen in haar nek, en ze schildert geknield naast hem, haar blote knie raakt zijn elleboog, of ze staat op een stoel aan de lucht te werken en hij ziet haar rozigbleke dijen in de pijpen van haar onderbroek verdwijnen, en in zijn gedachten zweeft nog de herinnering aan de weerzinwekkende, dode lichamen uit zijn droom en die vermengt zich met haar lijfelijke aanwezigheid, en op een onnavolgbare manier maakt dat haar mooier en vertederender en onweerstaanbaarder, alsof ze door het leven rent op de hielen gezeten door de dood, en al haar inspanningen zijn bij voorbaat vergeefs, want de dood is met haar, in haar, hij herkent hem in het weke vlees van haar dijen en bovenarmen, in haar benige, blote voeten, zelfs in haar ogen. En hij zou haar beschermend in zijn armen willen nemen en haar vergankelijke lippen willen kussen, en soms denkt hij dat dat is waarnaar zij ook verlangt, dan leunt ze verleidelijk dicht voor hem langs om een uniformknoop te schilderen, of ze kijkt naar hem met een lange, verwonderde blik, alsof ze in gedachten deze zondag met de eenzame zondagen van een paar maanden geleden vergelijkt, en misschien wacht ze alleen op zijn initiatief, hoeft hij het er alleen op te wagen, maar wat als hij zich vergist, dan is dit gelukkige samenzijn voorlopig hun laatste.

En ze vertelt hem dat ze straatarm waren toen ze net waren getrouwd, ze hadden hun geld uitgegeven aan een Eastman Kodak Empire State-camera en een zestien inch Bausch & Lomb-lens, een studio konden ze zich niet veroorloven, ze huurden een kamer waar net een tafel en een bed in pasten, en hij maakte portretten op bruiloften en partijen en de negatieven ontwikkelde hij in de kast onder de trap. Zij was gewend om het niet breed te hebben, maar hij vond het vreselijk, en ze geloofde dat hij spijt had van zijn huwelijk met haar, als we zo waren doorgegaan waren we elkaar gaan haten, zegt ze, en ze drong erop aan dat ze zouden sparen voor de huur van een echte fotostudio, en hij hield niet van risico's nemen, hij was bang dat het zou mislukken, dat ze schulden zouden maken en op straat zouden belanden. En dus spaarde ze in het geheim, ze hield geld achter als ze naar de winkels ging, en ze loog tegen hem dat ze niet meer eten en kolen konden betalen, en ze leden honger en van de kou gingen ze om zeven uur naar bed, en na enkele maanden biechtte ze hem op wat ze had gedaan, ze had genoeg gespaard om een deel van een winkel te huren, dit huis, vraagt hij, nee, dat kwam pas later, zegt ze. Ze huurden de voorzijde van een kleine winkel, en eerst sliepen ze daar ook want ze hadden geen geld voor een kamer, en hij durfde er niet in te geloven, maar toen ze samen romantische achtergronden voor de portretten schilderden en ontdekten hoe goed ze konden samenwerken en de eerste klanten begonnen te komen, kreeg hij er steeds meer plezier en vertrouwen in. Ze vroegen voor een portret voor een van hun uitgebreide achtergronden een prijs waarvoor je in andere studio's een simpel portret kreeg voor een saaie muur of een effen gordijn, en hij raakte bedreven in het fotograferen van mensen en zij in het retoucheren van negatieven, ze kregen steeds meer klanten, en ze verdienden genoeg om mooie meubels en nieuwe kleren te kopen.

Maar toen kwam de oorlog, zegt ze, en raakte ze alles kwijt wat ze samen hadden opgebouwd, om het hoofd boven water te houden, moest ze sigaretten en kranten gaan verkopen en andere huishoudelijke artikelen die niets met fotografie te maken hadden, en de Duitse bezetter eiste haar twee camera's op en alle niet ontwikkelde glasnegatieven, met veel moeite lukte het haar om een ontheffing te krijgen, en ze maakte portretten van Duitse soldaten in uniform en verkocht hun prentbriefkaarten van de stad en het Vlaamse land dat ze hadden veroverd, ze moest wel, zegt ze. En ze kreeg ook Duitse officieren ingekwartierd, een van hen vroeg haar eens in gebrekkig Frans of hij haar gedag mocht zeggen als hij haar op straat tegenkwam, en ze zei verbaasd, natuurlijk, we kennen elkaar toch, en toen vertelde hij dat in het vorige huis waar hij was ingekwartierd de Belgen binnenshuis heel vriendelijk tegen hem waren, alleen op straat als de buren toekeken deden ze alsof hij een vreemde was, en hij had hun gevraagd of ze blij zouden zijn als ze zouden horen dat hij was gesneuveld, en ja, gaven ze toe, daar zouden ze inderdaad blij om zijn. Maar Julienne was altijd vriendelijk tegen de officieren die ze ingekwartierd kreeg, dat leek haar een kwestie van fatsoen, zegt ze, hoewel er ook mannen bij waren met wie ze niet op haar gemak was, ze herinnert zich een bonk van een kerel die met zijn helblauwe ogen naar haar loerde, ze ontliep hem en hield Gust en vooral Roosje bij hem vandaan, en ze gaf hem zwijgend zijn eten en zijn schone was en hij zei ook geen woord tegen haar, maar toen hij midden in de nacht halsoverkop terug moest naar het front, liet hij tot haar verbijstering een klaproos op de keukentafel voor haar achter en een kort, hartelijk bedankbriefje in het Frans.

En ze schilderen de hele dag en de avond door, zij gaat alleen twee keer een uurtje naar boven om het eten te koken en de vaat te doen, en dan werkt hij in zijn eentje verder, en ze is verheugd als ze ziet wat hij in haar afwezigheid heeft gedaan, maar ook een beetje weemoedig, alsof ze het geluk van deze zondag door haar vingers ziet glippen, en ook hij is na het middag-, en opnieuw na het avondmaal, bang dat door de onderbreking de betovering zal zijn verbroken, maar die ligt als een trouwe hond op hen te wachten, en als ze in de loop van de avond steeds vermoeider worden, en ze vanwege pijn in hun rug zelfs een tijdje samen op de sofa liggen, zij met haar hoofd op zijn borst omdat er weinig ruimte is, durven ze toch niet tegen elkaar te zeggen, zullen we naar bed gaan en het morgen afmaken, ze werken alsof het geluk hen voortjaagt, maar juist daardoor verwatert het, het begint op uitputting te lijken en die verflauwde versie werpt een schaduw achteruit over de zonnige dag, en nog steeds hebben ze niet de moed om er een punt achter te zetten.

Het is bijna halfdrie in de nacht als de schildering klaar is, en ze zitten samen op de vloer en ze kijken naar het doek, het is prachtig, zeggen ze tegen elkaar, en ook al is hun geluk nu terneergeslagen geraakt omdat ze zo moe zijn, de levenslange herinnering eraan hebben ze in verf vastgelegd, en ze laten alles achter zoals het is, de kwasten, de verf, de potjes terpentine, het doek en ze strompelen de trap op, en ze kleden zich in het donker uit, en zij hangt haar kleren niet zoals anders netjes over de waslijn aan het voeteneinde, ze gooit ze in een hoopje op de vloer, en ze vergeten te bidden, ze liggen in bed en hij wenst haar welterusten en ze slaapt al.

En tegen de ochtend wordt hij wakker van gebrom, het geluid komt uit hemzelf, hij neuriet, en hij is zo gelukkig, hij kan zich niet herinneren ooit zoiets te hebben gevoeld, het is groots en meeslepend en allesomvattend, alsof hij het leven in al zijn facetten overziet en begrijpt, alsof hij geen mens is maar een god. Hij heeft gedroomd, wat weet hij niet precies, over de oorlog, gelooft hij, en dat maakt zijn geluk beangstigend, het dringt zich ongewild aan hem op alsof het hem aanrandt, en hij probeert het gevoel kwijt te raken, maar hij wil er niet werkelijk vanaf, hij walgt ervan en tegelijkertijd verlangt hij ernaar, zoals naar haar lichaam, en misschien droomde hij niet over de oorlog maar over haar, hij kan het een niet van het ander scheiden, alsof de oorlog uit haar voortkomt, of zij uit de oorlog.

En ze verslapen zich, Gust komt hen verontwaardigd om kwart voor acht wekken, hij zegt dat hij strafregels krijgt als hij te laat op school komt, we hebben te lang doorgewerkt vannacht, zegt ze terwijl ze met wijdopen mond gaapt, en Amand wrijft met zijn vinger over de verfvlek op haar wang, blauw, zegt hij, lucht zegt zij en ze lacht loom naar hem, en dan is het geluk er nog, maar hij kan het niet laten, hij haalt buiten kolen en loopt in het teruggaan toch even de studio binnen, en zij denkt precies hetzelfde, ze is naar het privaat geweest en in haar nachtjapon staat ze naast hem, en ze kijken samen naar hun schilderij, in het meedogenloze daglicht omringd door vuile kwasten en halflege verftubes is het veel minder betoverend dan gisteravond bij gaslicht, bleek en slordig en vlak is het, en ze zwijgen om elkaar geen pijn te doen.

Het is nog niet klaar, zegt ze na een paar minuten, en hij hoort de teleurstelling in haar stem, en hij zegt dat ze er eerst eens een foto van moeten maken om te kijken hoe het er in zwart-wit uitziet, en als hij in uniform met de weduwen zou poseren in plaats van in burgerkostuum, dat zou ook schelen, zegt hij, dan wordt hij in de achtergrond opgenomen, en ze knikt peinzend terwijl ze naar de granaattrechters staart, en hij gelooft dat ze niet heeft gehoord wat hij zei, maar als Felice 's middags thuiskomt uit haar werk vraagt Julienne haar of ze via het naaiatelier aan een uniform kan komen, niet dat nieuwe, kakikleurige geval, ze bedoelt dat mooie donkerblauwe met de blauw-rode kepie waarin iedere Belgische vrouw haar man naar het front heeft zien vertrekken, zegt ze. En Felice wil nieuwsgierig weten waarvoor ze het nodig heeft, en Julienne laat haar hun schildering zien en vertelt dat hij er in uniform met weduwen voor zal poseren, zijn er vrouwen die zo'n portret willen hebben, vraagt Felice, en Julienne verzekert haar ervan dat het er veel zijn, en Felice zwijgt afkeurend, en dat zit Julienne dwars, ze dringt erop aan dat ze weer eens gezellig een avond langskomt, zoals vroeger, zegt ze, en Felice zegt dat haar dat leuk lijkt. Maar de volgende dag komt ze al met een uniform aan, compleet met accessoires, loopgraafschop, ransel, koppel met kogel- en pistooltas, kepie, kistjes, en het heeft nauwelijks iets gekost, en Amand heeft het gevoel dat ze zo haar best heeft gedaan, niet om haar vriendin een plezier te doen, maar om haar ongestraft te kunnen blijven ontlopen.

En terwijl zij tweeën in de studio wachten, verkleedt hij zich in de donkere kamer in het uniform, de stof hangt loodzwaar en broeierig om zijn lichaam, de lange panden van de kapotjas die hem bij iedere stap hinderen, de riemen van de ransel die in zijn schouders snijden, de koppel die in zijn buik drukt, zijn lichaam weet nog precies hoe het was om soldaat te zijn, en hij herinnert zich het moment waarop hij na lang een uniform te hebben gedragen voor het eerst weer een burgerkostuum aantrok, hoe vederlicht zijn kleren waren, naakt voelde hij zich, onbeschermd alsof hij door een zuchtje wind kon worden geveld.

En hij opent de deur en loopt de studio in, en automatisch neemt hij grote soldatenpassen, en hij ziet hoe ze allebei naar hem kijken, overrompeld, alsof ze door het al jaren vergeten verleden worden besprongen, en het is nog zo levend als toen het net was gebeurd. En Julienne staat voor hem en trekt aan de schouders van zijn kapotjas en ze overlegt met Felice, de jas moet worden ingenomen, concluderen ze, en Felice speldt de mouwen af, en Julienne knielt voor hem neer en steekt haar hand tussen zijn buik en de band van de broek, die moet worden uitgelegd, en het lijkt Felice wel zo betamelijk als Julienne die zoom afspeldt, en hij laat zijn lichaam door hen betasten en becommentariëren, ze behandelen hem alsof hij net als het uniform van levenloos materiaal is gemaakt, het is rustgevend, hij hoeft alleen maar te bestaan.

En Felice biedt aan om het uniform te verstellen, en door de manier waarop ze het zegt, net iets te gretig, of misschien is het de dromerige blik in haar ogen, heeft het iets weg van een oneerbaar voorstel, alsof ze vanavond met het uniform op schoot aan de keukentafel zal gaan zitten, en haar vingers over de ruwe stof zal laten glijden en aan Sylvain zal denken, zijn lichaam, zijn kleren, zijn geur, en Julienne bedankt Felice voor het aanbod, maar het verstellen is niet veel werk, zegt ze, dat kan ik zelf wel, en Felice houdt vol, laat mij dat nou doen, Juul, ik ben het gewend, en ze kibbelen over het uniform alsof het om een man gaat, minutenlang, tot vervelens toe, en hij vraagt Julienne of ze een foto van hem in uniform voor hun nieuwe schildering zullen maken, wat een goed idee lieverd, zegt ze, en zo noemt ze hem nooit, hij loopt weg en steekt op het achterplaatsje een sigaret op, na even opent ze de buitendeur, de kust is veilig, zegt ze met een verontschuldigend lachje, en hij geeft haar zijn sigaret, en ze neemt een trekje, haar blik streelt zijn soldatenlichaam, zijn blauwe borst met de koperen knopen, zijn brutaal rode kepie, zijn nonchalant wijde broek.

En ze gaan naar binnen, en hij poseert met Gusts houten geweer voor hun nieuwe decor, tussen de soldaat met de brief en de kaartende soldaten in, en ze vraagt hem de geweerkolf op de vloer te zetten en zijn handen om de loop te vouwen, en je benen iets uit elkaar, zegt ze, rechtop, vol zelfvertrouwen, en ze doet een paar passen naar achteren en kijkt kritisch naar hem, en hij ziet haar vanuit zijn ooghoek, hij gelooft dat ze de foto zal maken, maar het duurt lang, en hij draait voorzichtig zijn hoofd, en ze staat nog steeds op dezelfde plek, in herinneringen verzonken, en hij beseft dat de foto die ze gaat nemen de foto is die ze op de dag van de mobilisatie van hem had willen maken, de foto die ze altijd bij zich had willen dragen, waarnaar ze op eenzame avonden had willen kijken.

En ze ontwaakt uit haar gedachten en ze kijkt hem aan, en hij ontdekt liefde in haar blik, en verwondering, alsof haar gevoelens ook voor haarzelf als een verrassing komen, en hij loopt naar haar toe, hij staat voor haar en ze steekt haar arm naar hem uit en hij denkt dat ze hem over zijn wang zal strelen, hij voelt haar vingers al op zijn huid, teder en vol belofte, maar haar hand landt op zijn schouder waar ze een losgeraakte speld vaststeekt. En het idee dat ze hem zou gaan liefkozen laat hem niet meer los, hij was in gedachten al voorbij dat moment, in elkaars armen, kussend, en het is alsof er een deur achter hem in het slot is gevallen, hij kan niet meer terug, en hij buigt zich naar haar toe, zijn lippen raken de hare en hij kust haar, haar mond is verrassend zacht en warm en levend, en zijn armen glijden om haar schouders, zijn linkerhand tast over haar rug, zijn rechter- rust in haar nek en haar krullen kriebelen langs zijn vingers, en hij voelt hoe haar handen zijn uniform-jas strelen, van zijn schouders naar zijn borst, en het lijkt een liefkozing, maar ze probeert zich uit zijn omhelzing los te worstelen, hij wil het niet begrijpen, hij klemt haar tegen zich aan, en zij draait haar gezicht van hem weg, en zijn lippen raken haar oor, ze geeft hem een harde zet, ver-dwaasd laat hij haar los, en ze loopt op een holletje weg, de buitendeur naar het achterplaatsje slaat achter haar dicht, en ze zijn getrouwd, acht jaar heeft ze op hem gewacht, acht jaar, maar ze wil zich niet door hem laten kussen.

Hij zit aan de tafel en hij kijkt naar haar, ze knielt bij het konijnenhok neer, haar jurk uitwaaierend rond haar voeten als een plas water in het zand, en ze pakt het grootste konijn en neemt het op schoot, ze aait het over zijn rug en zijn kop, en haar blik rust intussen gedachteloos op het raam van de studio, op hem zittend aan de tafel, alsof ze hem met haar liefkozende handen bespot. En ze staat op en komt weer naar binnen, ze ontwijkt zijn blik en ze zeggen geen woord over wat er tussen hen is voorgevallen, hij poseert voor de foto, zij geeft hem aanwijzingen, kalm en afstandelijk, draai je schouders een beetje naar links, zo ja, kijk me aan, denk aan iets prettigs, zegt ze, en ze duikt onder de zwarte doek, en gewoonlijk komt ze nadat ze het beeld scherp heeft gesteld weer te-voorschijn, maar nu neemt ze de foto veilig in het duister verscholen, hij hoort de klik van de sluiter, en nog steeds blijft ze gebukt staan, ont-hoofd door de doek, en hij wacht, en ze duikt vanachter de camera op, ga je maar verkleden, zegt ze, en pas als hij zijn burgerkleren aanheeft, waagt ze een blik in zijn richting, vluchtig alsof ze bang is dat het hem zal uitnodigen tot nieuwe intimiteiten.

En hij drukt de foto af die zij van hem heeft gemaakt, het decor is in zwart-wit verrassend overtuigend, maar ze besluiten dat de voorgrond van het schilderij donkerder moet worden en de lucht lichter, en na het avondmaal bindt hij haar keukenschort voor en trekt zij weer haar oude jurk aan, maar ze houdt haar schoenen aan en knoopt haar jurk niet om haar middel, en ze schilderen zij aan zij in stilte, ze houdt angstvallig afstand en hij doet zijn best om niet de indruk te wekken dat hij zich zou willen opdringen, doet zij een stap naar hem toe, dan hij een stap van haar vandaan, het is een zwijgende, verbeten dans, een bespotting van hun geluk van twee avonden geleden, en nu hij weet hoe het zou kunnen zijn, voelt hij zich pijnlijk eenzaam in haar gezelschap, en als de avond vordert en zij volhardt in haar overdreven gereserveerde hou-ding, als een klein kind dat zijn zin probeert door te drukken, denkt hij, wordt hij boos op haar, hij wil het niet, hij doet zijn best om het voor haar te verbergen, maar hij is echt boos op haar. En tegen elven is de schildering klaar en het doet hen geen van beiden iets, ze gaan naar boven en zij neemt haar nachtjapon mee naar beneden en verkleedt zich in de keuken, en dat ergert hem mateloos, als ze in het donker naast hem in bed stapt moet hij zich inhouden om haar niet beet te pakken en door elkaar te rammelen en tegen haar te zeggen dat ze zich niet zo moet aanstellen, een kus was het, een kus van haar eigen man nota bene, slaapwel, zegt ze, en hij wenst haar hetzelfde toe, en in roerloze lijdzaamheid ligt ze naast hem, hij slaapt eerder dan zij.

En hij tast op zoek naar immatriculatieplaatjes onder de natte kapotjas en een beest springt tevoorschijn, het is een groot, bruin konijn, het blijft op een afstandje zitten kijken, met zijn neus in de lucht, en ze laten de lichamen van de soldaten in een granaattrechter vol ijswater zakken, en hij leest de namen van de immatriculatieplaatjes voor, en Heinrich, en een kameraad leest het *Domine, Jesu Christe* voor, en zij knielt voor hem neer en haar handen glijden over zijn uniform, het is opwindend, maar ze blijkt een naald en draad vast te hebben, sta nou eens stil, zegt ze, anders naai ik je broek aan je been, en door haar te verachten, veracht hij zichzelf, want welke man veracht nu zijn eigen vrouw, alleen een verachtelijke rotzak is tot zoiets in staat.

En hij kijkt uit over de donkere, kale, mistige woestenij van het niemandsland, hij kan alleen afleiden waar hij is doordat hij aan de horizon het silhouet van het neergestorte vliegtuig kan onderscheiden, met zijn neus in de aarde geboord, zijn vleugels hulpeloos gespreid, en je denkt het leven te zien maar het is de dood, onder zijn voeten liggen duizenden lichamen te vergaan, alsof de aarde zelf is gestorven, en het vliegtuig is het graf van de piloot, door een verrekijker kun je hem bij helder weer in de cockpit zien zitten, en naast hem achter de kapotte ruitjes en in het omhoogstekende staartstuk loeren scherpschutters, vanuit de hoogte houden ze de wacht over het niemandsland en ze schieten op alles wat beweegt, hij hoeft zich maar om te draaien en in de richting van het wrak te lopen en met zijn armen een keer boven zijn hoofd te zwaaien en het is voorbij, het eindeloze wachten dat maar niet wordt beloond, zijn zelfhaat waaraan geen ontsnappen is, geen seconde gaat er voorbij zonder dat hij zich bewust is van zijn eigen walging, en niemand merkt het, dat is het vreemde, hij rot stilletjes van binnen weg terwijl zijn lichaam aan de buitenkant als een mens vermomd blijft, alleen zij weet het, zij zou hem kunnen verlossen, maar ze laat hem aan zijn lot over, en het ondraaglijke is dat hij niet weet hoelang het gaat duren, of ze hem ooit tegemoet zal komen, of hij er dan nog is om het mee te maken, en of haar vergiffenis wel wat waard is als ze er niets van heeft begrepen. En de mist om hem heen kleurt bloedrood, hij legt zijn hoofd in zijn nek en kijkt omhoog, een felroze ster hangt sissend boven hen, en hij vloekt en laat zich op zijn buik op de bevroren modder vallen, en om hem heen doen zijn kameraden hetzelfde, het machinegeweervuur ratelt over hen heen, hij is te laf om te blijven staan, een paar seconden zou voldoende zijn, godverdomme, te laf om te sterven, te laf om te blijven leven.

En de walging voor alles wat hij denkt en voelt en is, houdt hem tot de ochtend wakker, ze steekt de petroleumlamp aan en werpt een blik op hem en ze ziet verschrikt dat hij naar haar ligt te kijken, heb je niet geslapen, vraagt ze, en hij schudt zijn hoofd, en het verlangen om haar zijn nachtmerrie te vertellen, om haar sussend te horen zeggen dat het maar een droom is, de oorlog is voorbij, stil, vergeet het, stil maar, het verlangen is zo groot, het blaast zich als een ballon in zijn borst op totdat hij er bijna in stikt, maar hij weet dat hij er niet aan moet toegeven, zij is de belichaming van zijn kwellingen, de enige die iedere keer moeiteloos de nacht overleeft. En hij doet de kolen en ze wassen zich en ze ontbijten met de kinderen, en ze is vriendelijk tegen Gust en Roos en ook tegen hem, en eerst gelooft hij opgelucht dat ze hem heeft vergeven, maar in de loop van de dag krijgt hij steeds meer het gevoel dat deze vriende- lijkheid een andere verschijningsvorm is van haar gereserveerdheid van gisteren, een vorm waartegen hij zich met goed fatsoen niet kan verzet- ten.

Ze zit bij hem aan de tafel in de studio en ze verstelt onaangedaan het uniform alsof het om een beddenlaken gaat, en ze laat hem het uniform passen en beleefd zegt ze dat het hem goed staat, en ze fotografeert hem voor hun nieuwe oorlogsdecor, nuchter en geroutineerd, en hij drukt de foto tientallen malen af en signeert hem, en ze wil klanten er vijf fran- ken voor vragen, dat vindt hij te veel en zonder commentaar maakt ze er drie van, en hij verdenkt haar ervan dat ze hem met haar redelijkheid provoceert, in de hoop dat hij volkomen onterecht boos op haar wordt en zij met terugwerkende kracht het gelijk aan haar kant heeft, alsof hij haar dan ook met geweld tot een kus moet hebben gedwongen. En hij kan niet anders dan haar met eenzelfde ijzige vriendelijkheid terugbe- talen, en daardoor wordt haar vriendelijkheid nog onverbiddelijker, het is vreselijk, zo onwaarachtig en zo eenzaam als het is om met haar in de studio aan de foto's te werken, om samen met haar op het achterplaatsje een sigaret te roken, om naast haar in bed te moeten liggen, en het enige hoopvolle is dat zij het net zo ondraaglijk vindt, want na elkaar vijf avonden met redelijkheid te hebben bestookt, zegt ze dat ze op bezoek gaat bij Felice en ze vraagt voorkomend of hij misschien mee wil, en ja, zegt hij, dat lijkt me leuk, en met moeite weet ze haar ergernis achter een glimlach te verbergen.

En ze zit naast Felice aan de keukentafel en hij zit tegenover hen, en ze weigert de wijn die Felice haar aanbiedt, ze zegt dat ze moe is, dan moet ik niet drinken, zegt ze, maar Felice houdt aan, doe niet zo ongezellig, Juul, een glaasje kan toch wel, en ze geeft toe, een, twee, en zelfs drie glazen, en haar kille muur van vriendelijkheid brokkelt af, ze krijgt meisjesblosjes op haar wangen en ze giechelt en lacht en ze praat hinderlijk druk, met Felice, niet met hem, en ook Felice richt het woord niet tot hem, maar allebei vergeten ze geen moment zijn aanwezigheid. Felice vertelt over Sylvain, hoeveel ze van elkaar hielden, hoe fantastisch hun leven samen was, hoe ze hem nog iedere dag mist, en Julienne moedigt haar aan, vertel nog eens over jullie reis naar Oostende, over jullie eerste ontmoeting, de laatste keer dat je hem zag, en hoe meer geluk Felice zichzelf met terugwerkende kracht toedicht, hoe harder ze haar verzinsels nodig heeft om haar vriendin met haar teruggekeerde man van vlees en bloed te evenaren, hoe meer Julienne durft te geloven dat ze het met hem toch niet zo slecht getroffen heeft.

En na het tweede glas wijn ziet Felice vooral de onrechtvaardigheid van haar lot, ze heeft nooit een oorlog gewild, er alleen ellende van gehad, en waarom moest juist haar Sylvain sneuvelen, en ze geeft af op de boches die half Europa hebben verwoest met hun machtswellust, en de mannen, die moesten wel vechten, dat begrijpt ze, maar de vrouwen, die vuile, fanatieke, Duitse wijven die vrijwillig in de wapenindustrie werkten voor de glorie van het vaderland, zingend en fantaserend over hun knappe, blonde helden vulden ze de hele dag *Kanisters* met roestige spijkers en krammen en naalden en prikkeldraad, alles wat ze maar konden vinden, en daarmee werden aan het front de gezichten en de ingewanden van geallieerde soldaten uiteengereten, als gehakt, zegt ze, menselijk gehakt. En ze vertelt dat ze in 1920 de door iedere vrouw zo gevreesde brief van het Rode Kruis kreeg, en ze heeft geprobeerd om erachter te komen waar zijn lichaam lag, of ze zijn graf kon bezoeken, zegt ze, maar iedereen hield de boot af, alleen zijn sergeant durfde na lang aandringen een eerlijk antwoord te geven, er was zo goed als niets van hem over, zegt ze, niets wat als zodanig herkenbaar was, dat waren de letterlijke woorden van zijn sergeant, en ze heeft een gedicht gelezen waarin zoiets moois stond en daar probeert ze sindsdien in te geloven, hij is als de regen in de aarde gezakt, als de herfstbladeren vergaan en in de lente groeien er uit hem bloemen, maar zijn botten dan, zegt ze, en zijn nagels en zijn tanden, en de glimmend gepoetste knopen van zijn uniform.

En ze zwijgen alle drie aangedaan, en hij en Julienne ook schuldbewust, ze staart naar haar vinger waarmee ze over de voet van haar glas wrijft, en ze waagt een blik over de tafel in zijn richting, ze leven nog en ze hebben elkaar, en misschien heeft ze spijt van die blik, want vervolgens verschuilt ze zich in haar vriendschap met Felice, ze herinnert Felice aan de tijd toen ze allebei nog op de terugkeer van hun man hoopten, wat een steun ze aan elkaar hadden, en Felice zegt dat als de eenzaamheid en het verdriet hen 's nachts te veel werd ze soms bij elkaar in bed kropen en tot de ochtend over Amand en Sylvain praatten, weet je nog, en ze vertellen elkaar over die keer dat ze samen wijn dronken in bed en over die zomerochtend toen ze bij zonsopgang opstonden en elkaars kleren pasten, en ook de kostuums van Amand en Sylvain, herinnert Felice zich, en daar moeten ze met z'n tweeën erg om lachen.

En hij zit daar maar aan de overzijde van de tafel met zijn halflege glas en hij lacht gedwee met hen mee, en ze weet heel goed hoe hij zich voelt, hij zou op moeten staan en zeggen dat hij naar bed gaat, kijken hoe geweldig die vriendschap van haar met Felice dan is, binnen een kwartier is ze waarschijnlijk boven, bij hem in bed, maar hij verroert zich niet. En na drie glazen wijn zegt ze dat ze even naar het privaat moet, en hij is alleen met Felice, ze schenkt wijn voor hem in en komt naast hem zitten, en Julienne heeft de hele avond gedaan alsof hij niet bestond, hij is blij met Felices aandacht, ze vraagt hem of hij zich al iets van zijn vorige leven met Julienne herinnert, en hij wil haar niet over het afscheid op het perron vertellen, dat is alleen van hem en Julienne, en hij zegt dat hij soms over de oorlog droomt, maar dat hij niet weet of het verzinsels zijn of echte gebeurtenissen, en ze kijkt hem aan met haar donkere ogen en ze zegt dat het soms best prettig kan zijn om overnieuw te beginnen, een tweede kans, zonder herinneringen, zonder verplichtingen, en ze glimlacht verleidelijk naar hem, de onschuld van een kind, zegt ze, in het lichaam van een man, en ze legt haar hand zwaar op zijn arm en haar duim streelt over zijn mouw. En hij trekt zijn arm snel weg en hij wendt zijn blik af, hij heeft het beschaamde gevoel dat hij haar geflirt heeft uitgelokt, dat hij Julienne wilde buitensluiten zoals zij de hele avond met hem heeft gedaan.

En ze komt terug van het privaat en hij drinkt wijn, precies zoals eerder, en hij luistert naar de verhalen van haar en Felice over vroeger, maar ze voelt aan dat er iets mis is, zo nu en dan rust haar blik op hem, en als ze tegen elven de trappen op lopen naar hun slaapkamer en ze zich in de kou en het donker uitkleden, wil ze weten of er iets is gebeurd toen ze op het privaat was, en hij zegt, wat zou er in hemelsnaam in die paar minuten gebeurd moeten zijn, ik weet het niet, zegt ze, ik vraag het jou, en ze stapt naast hem in bed en ze draait zich op haar zij, haar rug naar hem toegekeerd, en na even zegt ze dat Felice soms met mannen flirt, het betekent niets, zegt ze, dat is gewoon haar manier van doen, en ze wacht op zijn reactie, maar hij zwijgt, slaapwel, zegt ze, en hij wenst haar hetzelfde toe.

En vlak bij hem ontploft geluidloos een granaat, de knal wordt opgeslokt door het onophoudelijke gedreun dat hem omgeeft, en hij smakt samen met kluiten aarde en drie andere soldaten tegen de grond, zijn gezicht voorover in het zand, en in gedachten zoekt hij naar de plek waar het metaal in zijn lichaam is gedrongen, maar hij voelt geen pijn, er is geen bloed, en voorzichtig heft hij zijn hoofd op, door de kruitdamp kan hij niet verder dan enkele meters kijken, de scherpe geur brandt in zijn ogen, zijn keel, zijn longen, en hij ziet soldaten van zijn bataljon van over de heuvel aan komen rennen, ze doemen schimmig uit de rook op, geen schijn van kans maken ze, ze worden neergemaaid als halmen door een zeis, ze zijgen neer, ze vallen in rijen, in slordige hopen rondom hem. En een granaat slaat net achter hem in de uitgedroogde modder in, het regent klonten op zijn helm en rug, en een metalen scherf mist op een haar na zijn schouder, hij trekt het lichaam dat naast hem ligt als een schild over zich heen, en na even valt er een soldaat boven op hen, en dan nog een, zacht als op een bed vlijt hij zich op hen neer, en hij weet dat het Sylvain is en dat hij aan Felice zal moeten vertellen dat haar man is gesneuveld. En boven zijn hoofd davert de oorlog verder, en onder hem voelt hij de aarde beven en golven alsof hij op het dek van een oceaanstomer ligt, en hij hoort een gesmoorde, rauwe gil, en hij herkent haar stem, ze moet vlakbij zijn, een van de gewonden die op hem ligt. Hij stikt zowat onder de zware, slappe lichamen, de lucht die hij inademt bestaat uit zandkorrels en kruitdamp en de ijzerachtige geur van bloed, en zijn keel is zo droog dat zijn tong aan zijn verhemelte plakt, hij probeert zijn veldfles te pakken, hij worstelt, draait, maar het lukt niet, en hij tast naar de veldflessen van de gewonden, de stervenden, de doden die op hem liggen, met moeite weet hij er een los te trekken van een koppel, maar hij voelt verdacht licht aan, leeg.

En hij probeert zich om te keren en zich tussen de lichamen naar boven te werken, het zijn er veel en het lijkt wel of het er steeds meer worden, levend begraven onder het stervende vlees en hij heeft het zo gruwelijk warm, zijn adem raspt door zijn keel en het hart van de gewonde boven hem bonst in zijn oren, hij hoort het zelfs boven het tumult van de artillerie uit, hij port de soldaat in zijn buik, geen gekreun, geen schreeuw, geen beweging, en hij port nog eens, harder, hij voelt hem niet ademen, dat gebonk in zijn oren is zijn eigen hart dat angstig tekeergaat, en plots drijft het lawaai rondom hem weg, het wordt heel stil en kil in hem en het is alsof hij valt, oneindig diep valt, en met inspanning van al zijn krachten weet hij te voorkomen dat hij bewusteloos raakt, zo mag hij niet sterven, niet op deze laffe manier, verscholen onder de lijken, zij moet trots op hem kunnen zijn. En een lauwwarme, kleverige vloeistof drupt langs zijn wang en zijn kin, en hij weet wat het is, maar hij heeft zo'n vreselijke dorst, en hij likt het op, gulzig slikt hij het door, en nog eens en nog eens, het smaakt smerig naar ijzer, en het maakt hem niet uit, hij bidt tot God om hem meer te geven. En hij zweeft weg uit zijn lichaam, hij hangt boven zichzelf en hij kijkt dwars door de berg gewonden en doden heen, en onderop daar ligt hij, zijn lippen en tong rood van het bloed van zijn kameraden, als een beest is hij, erger dan een beest, een kannibaal, en waarom, om dat miezerige leven van hem te redden, en waarvoor, waarvoor, als alle beschaving hem heeft verlaten, laat hem toch sterven.

En hij herkent haar stem, ze zegt zijn naam, Amand, Amand, en ze heeft een diepe buikwond, donkerrood en smerig stroomt ze uit zichzelf vandaan, ze schaamt zich voor de stank van gasgangreen die uit haar binnenste opborrelt, en met twee handen tegen haar buik geklemd probeert ze wanhopig zichzelf in te dammen, en hij wordt wakker van een klap op zijn wang, en hij merkt dat hij haar haar beetheeft en haar hoofd achterover heeft gerukt alsof hij haar nek probeert te breken, geschrokken laat hij haar los, en hij wil haar vragen of hij haar pijn heeft gedaan, maar er komt geen geluid uit zijn keel, zijn mond is kurkdroog en hij hapt alsmaar naar adem alsof er niet voldoende lucht in de kamer is. En ze steekt de petroleumlamp aan, met trillende benen stapt hij uit bed, waar ga je heen, vraagt ze, en hij wijst naar zijn keel en brengt met moeite het woord dorst uit, en ze duwt hem zacht maar dwingend terug op het bed, en ze loopt naar beneden, hij ligt op zijn rug en kijkt naar de grillige schaduwen die de lamp op het schuine dak werpt en hij probeert rustig te ademen en niet aan zijn nachtmerrie te denken, en na even is ze terug met een glas water, en terwijl zij toekijkt drinkt hij het gulzig leeg, beter, vraagt ze, en ze moet wakker zijn geschrokken omdat hij haar pijn deed en toch maakt ze zich zorgen om hem, en hij bedankt haar voor het water, ze stapt naast hem in bed en blaast de lamp uit.

Straks valt ze in slaap, en dan is hij weer alleen met de duisternis van zijn verstand, en hij kan het niet, die lange, eenzame nacht, nog uren tot de ochtend, en hij luistert naar haar ademhaling, die wordt kalm en diep en zo traag dat hij het er benauwd van krijgt, en ze slaapt, en in paniek zegt hij, praat tegen me, en ze zit verschrikt rechtop in bed, praat tegen me, herhaalt hij, en hij hoort de vernederende wanhoop in zijn stem, en ze begrijpt het onmiddellijk, ze vraagt niets, niet waarom ze moet praten of waarover, ze gaat weer naast hem liggen en ze begint aan een verhaal, bedaard en bezwerend, en soms stopt ze even om te luisteren of hij in slaap is gevallen, maar hij slaapt niet.

Ze had niet geweten, zegt ze, dat ze door met hem te trouwen al het bekende zou verliezen en dat ze, hoewel ze er al haar hele leven van droomde om het te ontvluchten, het zo zou missen, ze had alleen aan hem gedacht, aan de fotostudio die ze samen zouden beginnen, aan de gerespecteerde, door en door fatsoenlijke middenstandsvrouw die ze zou worden, een vrouw met een mooie hoed en een zondagse jurk, iemand om u tegen te zeggen en mevrouw en goedemorgen. Het was geen jaloezie die haar van haar vroegere vriendinnen en haar familie scheidde, het was het beeld dat ze van haar hadden, het beeld dat zij voor die tijd zelf ook van vrouwen uit hogere klassen had gehad, ze dacht dat ze door zijn ring aan haar vinger en zijn achternaam er vanzelf een zou worden, maar beschamend genoeg was ze gedwongen te doen alsof ze was veranderd, ze was nog steeds gewoon Julienne Vandevoorde van tweehoog achter.

En nadat ze een paar weken getrouwd was, ging ze op een zondagmiddag bij haar beste vriendin, Marie, langs, ze wilde wat praten zoals ze vroeger zo vaak deden, over wat ze hadden meegemaakt, wat hen bezighield, en nu dus over Juliennes huwelijksleven, maar Marie durfde niet langer te zeggen wat ze van Juliennes belevenissen vond, en daardoor durfde Julienne er ook niet eerlijk over te vertellen, ze waren ineens vreemden voor elkaar, en toen was tot haar doorgedrongen dat ze niet alleen omhoog was getrouwd, ze was weg getrouwd. En uit wanhoop en opstandigheid was ze enkele maanden later nog eens bij Marie op bezoek gegaan, ze had opgebiecht dat zij en Amand arm waren, ze had in haar grofste dialect gepraat en had zelfs in schuttingtaal uitgelegd wat hij in bed met haar deed, maar het hielp niet, Marie wilde hardnekkig de nieuwe, deftige Julienne in haar blijven zien, alsof het hebben van een dergelijke vriendin haar zou verheffen, en het ergste was dat Julienne niet alleen huichelde wanneer ze zich als een middenstandsvrouw gedroeg, ze wist ook niet langer hoe ze het volksmeisje moest zijn dat met Marie bevriend was geweest. En in het gezelschap van haar familie verging het haar al net zo, de vier jongere zusjes voor wie ze had gezorgd omdat haar moeder de handen vol had, merkten dat zij niet wist hoe ze zich tegen hen moest gedragen en bespotten achter haar rug goedmoedig wat ze als haar deftigheid zagen, en haar drie broers die haar altijd plaagden, behandelden haar ineens met respect waardoor er een ongewenste afstand tussen hen ontstond, en haar moeder durfde niet langer met haar moeilijkheden bij haar te komen omdat ze geloofde dat haar dochter daar te belangrijk voor was geworden, en haar vader was trots op haar, in haar gezelschap slikte hij zijn flauwe, vaak schuine, grappen in en hij noemde haar ook niet meer zijn zoeteke, wat zij erg miste, maar dat kon ze hem niet vertellen. En als ze zondags met Amand op visite kwam, kon haar familie beter met hem opschieten dan met haar, en achteraf voelde ze zich nog eenzamer en ellendiger, en ze gingen steeds minder vaak, haar ouders dachten dat ze zich te goed voelde voor hen, maar ze namen haar niets kwalijk, ze hadden het beste voor haar gewild en dat had ze gekregen.

Zo gaat dat als je arm bent, zegt ze, van jongs af aan wordt je door je familie, de pastoor, de onderwijzers ingeprent dat je je bij je situatie moet neerleggen omdat je geen macht of geld hebt om er iets aan te veranderen, maar zij was eigenwijs, hoogmoedig noemde de pastoor het, zelf denkt ze dat het naïviteit was, had ze geweten wat de gevolgen zouden zijn dan had ze misschien niet met hem durven trouwen, ze verloor niet alleen de mensen met wie ze was opgegroeid, die haar begrepen, bij wie ze thuis was, ze voelde zich ook niet op haar gemak bij de mensen bij wie ze nu zou moeten horen. Ze deed haar uiterste best om een middenstandsvrouw te worden, ze keek naar de andere vrouwen, leerde zichzelf hun gewoonten aan, hun manier van praten, hun denkwijze, hun leugentjes om bestwil, en in de loop van de jaren werd ze er zo goed in dat ze er soms zelf in geloofde en vergat wie ze eigenlijk was, maar de middenstanders voelden feilloos aan dat ze niet een van hen was, dat er iets niet klopte met haar, en ze dacht dat ze misschien te beleefd tegen haar klanten was, te onderdanig alsof ze haar mevrouw waren en zij een ondergeschikte, en als ze dat probeerde te veranderen was ze juist weer te vrijpostig, en dat ze zich met dergelijke overwegingen moest bezighouden, bewees al dat ze nooit zoals de andere, de echte, middenstandsvrouwen zou kunnen worden, zij waren, terwijl Julienne alleen kon veinzen. En er werd achter haar rug over haar geroddeld, in het begin wist ze niet welke verhalen er over haar de ronde deden, ze dacht dat ze haar grof vonden, platvloers, onnozel, gierig, maar toen ze op straat eens een paar zinnen van een gesprek opving, was ze dagenlang uit het veld geslagen, arrogant en achterbaks noemden ze haar, en ze had geen idee wat ze had gedaan om dat te verdienen, behalve dan dat ze met een man was getrouwd die niet voor haar was bedoeld, die bij hen hoorde en niet bij mensen zoals zij.

En ze werd maar niet zwanger, dat was ook een reden om haar te veroordelen, er werd in de buurt gefluisterd dat ze zich te goed voelde om voor een kind te zorgen, dat ze door haar man in de watten wilde worden gelegd, daarom had ze hem verleid en naar het altaar gesleurd, en meneer pastoor kwam bezorgd vragen of ze wel genoeg haar best deed voor een kind, en Amands moeder zinspeelde er zelfs op dat ze Amand in bed niet gaf waaraan hij behoefte had, en toen ze zich diep gegeneerd verdedigde en zei dat hij zich altijd bevredigd voelde, zei haar schoonmoeder dat ze op straat misschien had geleerd dat het om genot draaide, maar zo heeft God het niet bedoeld, lieve kind, daarvan word je niet zwanger. Amands moeder wist feilloos hoe ze haar het meest kon kwetsen, ze deed het zo subtiel, met een paar goed gekozen woorden, dat het niemand anders opviel, ook Amand niet, en als Julienne zich achteraf bij hem over zijn moeder beklaagde, zag hij het probleem niet, of hij deed alsof hij het niet zag omdat hij zijn moeder niet wilde afvallen, en soms had ze zo de pest in dat ze een ruzie uitlokte en hem dwong om partij te kiezen, en omdat hij boos op haar was, koos hij dan natuurlijk voor zijn moeder, waardoor ze zich nog ongelukkiger voelde.

Iedere nacht droomde ze dat ze was vergeten hoe ze netjes moest praten en dat ze haar uitlachten en uitmaakten voor onnozelaar, en zelfs nu heeft ze die nachtmerrie nog wel eens, zegt ze, het kostte haar veel moeite, vooral toen ze pas getrouwd was, om haar volkse accent te verbergen en geen dialectwoorden te gebruiken, nooit kon ze meer spontaan zijn, ze moest er altijd voor waken dat ze haar gedachten niet op een ongewenste manier uitsprak, dodelijk vermoeiend was het, en ze maakte natuurlijk fouten en als dat in het gezelschap van zijn ouders gebeurde, corrigeerde haar schoonmoeder haar steevast, niet alleen in huiselijke kring, ook als er anderen bij waren, en zelfs op haar huwelijksdag wees ze haar in het bijzijn van haar ouders, broers en zussen, ooms, tantes, neven en nichten op haar volkse woordgebruik, en allemaal lachten ze met een gevoel van plaatsvervangende schaamte om haar voorgewende deftigheid, en ze kon er niets van zeggen, want zij was zijn moeder en

Julienne was maar een dom volksmeisje, en tijdens haar huwelijksnacht had ze gehuild en in onvervalste straattaal gescholden, en ze had hem gevraagd of hij al spijt had dat hij met haar was getrouwd, en hij had gezegd dat hij wist aan wie hij zijn jawoord gaf, maar ze betwijfelde of hij dat echt begreep.

En iedere zondagmiddag, en soms ook op doordeweekse avonden, gingen ze bij zijn ouders op bezoek, dat werd van hen verwacht, en haar schoonmoeder gaf haar huishoudelijke adviezen, ze liet doorschemeren dat Julienne van toeten noch blazen wist, dat ze geen idee had van welk eten Amand hield, dat zijn kleren versleten en vuil en ongestreken waren, dat hij ongeschoren en ongeknipt was, en elke keer weer probeerde ze Julienne eten mee te geven omdat Amand veel te mager was, ze was ervan overtuigd dat haar zoon en zijn vrouw in armoede moesten leven, en dat was ook zo maar dat ging haar niets aan. Ze bood Julienne armeluisvoedsel aan, bonen en cichoreikoffie uit haar kruidenierszaak en uitgelopen aardappels die ze anders toch zou weggooien, zei ze, en als Julienne haar steun afsloeg, probeerde ze haar te verleiden met koekjes en zelfs met chocolade, maar Julienne weigerde altijd, ook al viel ze bijna flauw van de honger en was Amand chagrijnig omdat hij niet aan hun geldgebrek kon wennen, het zou minder vernederend zijn geweest als ze in staat was de aalmoezen achteloos aan te nemen, nu zag haar schoonmoeder haar gewonde trots en wist ze dat haar treiterijen doel troffen. Amand was minder trots, als zijn moeder aandrong nam hij het eten van haar aan, en dan was Julienne zo beledigd dat ze het bij zijn thuiskomst in de vuilnisbak gooide, en dat vond hij belachelijk en onbegrijpelijk, en in plaats van dat ze eindelijk hun honger stilden, hadden ze de hele avond ruzie, en dat was precies zijn moeders opzet, dat wist Julienne zeker, maar als ze hem daarop wees, voelde hij zich verplicht om het voor zijn moeder op te nemen, en dan werd ze bang dat hij diep in zijn hart geloofde dat zijn moeder gelijk had, dat hun huwelijk een vergissing was.

En hoewel ze iedere week trouw een paar uur bij zijn ouders doorbrachten, tijd die ze eigenlijk aan hun fotostudio hadden moeten besteden, durfde zijn moeder nooit bij hen op visite te komen, ze wilde nog niet dood gevonden worden in zo'n buurt als die van hun, zei ze, als haar vriendinnen haar daar zagen zouden ze niets meer met haar van doen willen hebben, en Julienne zei dat haar vriendinnen haar alleen zouden zien als zij er zelf ook kwamen en zich dus bezondigden aan dezelfde faux pas, en toen vervolgens zijn moeder even met hem alleen was, dat had hij haar verteld, had ze hem voor Julienne gewaarschuwd, ze vindt zichzelf erg slim, had ze gezegd, dit is een meisje dat nergens voor terugdeinst, ze heeft je gebruikt om hogerop te komen en als ze de kans krijgt om het beter te krijgen, al is het een klein beetje, dan belazert ze je geweteloos, zo zijn die achterbuurtmeisjes, die zijn gewend om te moeten vechten om te overleven, je had je nooit met haar moeten inlaten, maar nu je je door haar hebt laten inpakken, moet je haar nooit vertrouwen, zorg dat je haar kort houdt. En Julienne was tegen hem uitgevallen en had gevraagd of hij het wel voor haar had opgenomen, en toen had hij haar pas verteld dat zijn ouders ook uit arbeidersgezinnen kwamen, zijn opa van vaderskant was een metselaar en van zijn moederskant zelfs een arme fabrieksarbeider, zijn ouders hadden zich samen met veel ambitie en moeite omhooggewerkt totdat ze een alom gerespecteerd kruideniersechtpaar waren, en dat lukte alleen door hard omlaag te trappen en hun verleden te ontkennen, zei hij.

En ze was verontwaardigd geweest omdat hij het haar nu pas vertelde, had hij op haar willen neerkijken vroeg ze zich af, haar een gevoel van minderwaardigheid willen aanpraten terwijl hij zelf blijkbaar geen haar beter was dan zij, en hij had gezegd dat hij niet dacht dat het iets uitmaakte wie zijn opa en oma waren, en dat was echt iets voor hem, zegt ze, zo wereldvreemd, zo lief ook. En toen drong tot haar door dat haar schoonmoeder de schijn ophield, net als zij, ze kon het bijna niet geloven, ze had er erg om gelachen, en hem gevraagd of het echt waar was, en nogmaals had ze het gevraagd en nogmaals, en bij hun volgende bezoek had ze niet aan haar schoonmoeder laten merken dat ze wist waarom zij haar zo haatte, en vanaf dat moment had ze haar beledigingen met een glimlach geslikt, ze had haar niet meer tegengesproken, zich kalm laten vernederen, zelfs haar eten aangenomen. Plots had ze macht over haar, ook al was het dan alleen in haar eigen gedachten, en haar schoonmoeder was teleurgesteld omdat ze niet meer toehapte, ze wist niet goed meer wat ze met haar moest, en ze zei tegen Amand dat zijn vrouw gevaarlijk hoogmoedig was, en de Here mocht weten waar ze dat vandaan haalde, wat had zij nou om trots op te zijn, zei ze, en toen Amand dat aan haar overbriefde, wist Julienne het helemaal zeker, haar schoonmoeder was jaloers op haar, en ze zwoor om geen misbruik te maken van die kennis, in geen geval wilde ze vals en verbitterd worden zoals zij. En pas tijdens de oorlog, toen Amand aan het front was en Julienne er met twee kleine kinderen alleen voor stond, leerden zij en haar schoonmoeder beter met elkaar opschieten, ze waren zelfs nog enige tijd vriendinnen geweest, zo zag Julienne het tenminste, haar schoonmoeder zou dat woord in verband met Julienne nooit in de mond hebben genomen, en vervolgens, begin 1917 was het toen, ging het helemaal mis tussen hen en hadden ze elkaar nooit meer gezien.

En hij valt op het wiegende, gefluisterde ritme van haar woorden in slaap, en als hij zijn ogen opent is het donker, maar aan de geluiden van de stad hoort hij dat het ochtend is, ze heeft hem door de nacht heen gepraat, en ze slaapt nog, languit op haar rug naast hem, haar ene arm onder haar hoofd, haar voet beschroomd tegen zijn scheenbeen, en de koude kruik ligt dwars tussen hen in, de ene zijde tegen haar buik de andere tegen de zijne, en hij ziet het ontroerende volksmeisje in haar dat overmoedig alles opgaf om met hem te trouwen, het meisje met haar gevoelens van minderwaardigheid, haar twijfels, haar eenzaamheid, en hij steekt voorzichtig zijn hand uit en laat hem boven haar half ontblote arm zweven, haar lichaamswarmte reikt smekend naar hem en hij laat zijn hand zakken totdat hij zacht de blonde haartjes op haar huid aanraakt, en ze beweegt zich en opent haar ogen, nog net op tijd trekt hij zijn hand terug.

En ze merkt dat hij naar haar ligt te kijken, heb je geslapen, vraagt ze, en dat beaamt hij en hij bedankt haar voor de nacht, en ze zwijgt, alsof ze zich nu pas herinnert wat er is gebeurd en spijt heeft van haar openhartigheid, ze draait hem haar rug toe en gaat op de rand van het bed zitten, en terwijl ze zich bukt om de petroleumlamp aan te steken, zinkt in het schemerige ochtendduister de donkerbruine golf van haar haar traag naar haar middel, en hij vraagt haar hoe zijn moeder eruitzag, en ze zegt met een onderdrukte geeuw dat zijn moeder vond dat hij op haar leek, maar ik heb het nooit kunnen ontdekken, zegt ze, en hij vraagt haar of hij een hekel aan zijn moeder had, nee dat niet, zegt ze kortaf. En hij blijft in bed liggen terwijl ze haar haar kamt, zijn hand rust vlak achter haar rug op de dekens, de lange, losgeraakte haren dwarrelen langs haar nachtjapon op hem neer, en hij zou haar krullen willen strelen, haar rug, de korte haren in haar nek, en ze werpt een blik over haar schouder, wat kijk je naar me, zegt ze verwijtend alsof ze weet dat hij aan het volksmeisje denkt dat ze met zo veel moeite heeft uitgebannen, en hij zegt dat hij niet begrijpt waarom zijn moeder haar het leven zo zuur maakte, en ze zwijgt, haar hand met de borstel stokt even, alsof ze schrikt, en hij zegt dat het toch niet alleen kan zijn geweest omdat ze uit een arbeidersgezin kwam, en ze bukt zich om de haarspelden uit het kistje onder het bed te pakken en ze zegt niets, en hij is zich ervan bewust dat hij er genoegen in schept om haar te kwellen, alsof het een vorm van liefkozen is, was er nog een andere reden, vraagt hij, en ze klemt de haarspelden tussen haar lippen en rolt haar krullen in een strakke wrong en ze antwoordt niet, waren je ouders straatarm, vraagt hij, en ze maakt van de wrong een knot en steekt met bruuske gebaren de haarspelden erin, moesten jullie van de bedeling leven, vraagt hij, en hij wist dat ze dat niet over haar kant zou kunnen laten gaan, en ze zegt dat ze arm waren, maar zeker niet straatarm, zegt ze, en hij vraagt wat er dan was, en ze zwijgt, en hij vraagt het nog eens, wat was er aan de hand, iets ergers, zegt ze stug, veel erger, en dat is het enige wat ze erover wil zeggen.

Ze gaat naar beneden om zich te wassen, en als ze na het ontbijt samen in de studio zijn en hij er weer over begint, kapt ze het gesprek af, het zit hem dwars dat ze hem hun gezamenlijke verleden meent te kunnen onthouden, alsof hij het door het te vergeten moedwillig aan haar heeft afgestaan, haar herinneringen geven haar macht over hem. En ze roken samen zittend op de drempel van de deur naar het achterplaatsje een sigaret en hij vraagt of een van haar familieleden of zijzelf in de gevangenis heeft gezeten, in de gevangenis, zegt ze verbluft, hoe kom je daar nou bij, en hij wil andere mogelijkheden aandragen, maar ze vraagt hem om het te laten rusten, alsjeblieft, het is beter als je het niet weet, zegt ze, of eigenlijk als zij weet dat hij het niet weet, want niet zijn gevoelens maar die van haar waren het probleem, als ze woorden hadden, was dat altijd omdat zij geloofde dat hij dacht dat zij niet goed genoeg voor hem was, ze wil deze tweede keer zonder dat beletsel met hem getrouwd zijn, zo kun je me gelukkig maken, zegt ze.

En ze wekt hem in het holst van de nacht, het is stikdonker, hij kan alleen vaag het wit van haar nachtjapon onderscheiden, en hij slaapt niet meer, maar het grootse, overdonderende geluk uit zijn droom is er nog, en hij sluit zijn ogen en probeert het vast te houden, ben je wakker, Amand, vraagt ze, Amand. En er zingt een liedje in zijn hoofd, zoo schijnen liefjes lippen, te smachten naar het spel, twee regels zijn het die zich alsmaar herhalen, alsof zijn lichaam zich met een alledaagse bezigheid moet verdoven omdat het anders van geluk uit elkaar zou spatten. Hij was in het niemandsland, herinnert hij zich, er hing een strakblauwe lucht boven hem en het was doodstil, op dat liedje in zijn hoofd na dat haar lippen bezong, en hij verlangt naar haar, ze is vlakbij en ze heeft hem nog steeds vast, hij voelt haar handen op zijn schouders, haar adem langs zijn gezicht en haar warmte omhelst hem, maar hij kan haar niet zien.

Ik heb fantastisch gedroomd, fluistert hij, o, zegt ze, en ze laat hem los, hij gelooft dat ze teleurgesteld is, en ze durft hem niet te vragen waarover zijn droom ging, als zij geheimen voor hem bewaart, moet ze ook niet alles over hem willen weten, zal ze wel denken. En hij lacht zacht, wat is er, vraagt ze, ik ben gelukkig, zegt hij, en het blijft stil aan haar kant van het bed, hij gelooft dat ze iets zal gaan zeggen, en zelf gelooft ze dat ook want hij hoort haar inademen zoals aan het begin van een zin, maar ze zwijgt.

En het wordt koud, het vriest, hij haalt 's ochtends niet alleen kolen voor het fornuis, ook voor de kachels in de winkel en de studio, en 's avonds kleden ze zich huiverend in hun onverwarmde slaapkamer uit en bidden doen ze in bed onder vier dekens en met een hete kruik tussen hen in, en in de morgen gaat hij er vroeger uit terwijl zij nog even blijft liggen totdat hij het fornuis heeft aangestoken. En hij droomt 's nachts van haar lichaam en overdag durft hij haar niet aan te raken, maar er is een verwarrend vanzelfsprekende, huiselijke intimiteit tussen hen, ze werken avondenlang samen in de studio, eten samen, slapen samen, hij houdt van het heimelijk samen roken op de drempel van de deur naar het achterplaatsje, en hij zit bij haar in de keuken als ze het eten kookt, hij kijkt naar haar terwijl ze gedachteloos uit het raam de straat in staart, of als ze werktuigelijk de aardappels schilt en zichzelf even vergeet, de schillen krullen onder haar handen op de krant en ze neuriet zacht een wijsje, en hij zit tegenover haar aan de keukentafel een sigaret te roken, en een onverwacht gevoel van vervoering welt in hem op, de rook brandt in zijn gortdroge keel en hij zit stokstijf op zijn stoel.

Ze merkt onmiddellijk dat er iets mis is, wat is er, vraagt ze, en hij wil haar antwoorden, maar zijn tong en zijn keel werken niet mee, de sigaret tuimelt uit zijn hand en zijn vingers krommen zich alsof ze zich ergens aan vastgrijpen, en het gebeurt allemaal buiten hem om, hij ziet het zichzelf doen, en ook het verpletterende geluk is niet van hem, hij probeert er uit alle macht aan deel te nemen, maar het ontglipt hem. En ze staat op, ze raapt de brandende sigaret van tafel en drukt hem uit op een aardappelschil, en ze neemt zijn hoofd stevig tussen haar handen, en alsof hij een jongetje is dat straf verdient, draait ze zijn gezicht naar haar toe en ze kijkt hem aan, zeg eens iets tegen me, vraagt ze, kun je dat, en haar stem klinkt kalm, maar hij ziet in haar ogen dat ze is geschrokken, en met moeite weet hij uit te brengen, dat liedje, en ze begrijpt niet waarover hij het heeft, welk liedje, en zijn tong is als een lap leer in zijn mond, en hij legt haar met hese stem uit dat ze zong terwijl ze de aardappels schilde, en voorzichtig neemt de alledaagse wereld van eten en slapen en getrouwd zijn met haar weer bezit van hem.

En ze gaat tegenover hem zitten en ze zingt het liedje opnieuw, nu ze zich ervan bewust is dat ze het doet en dat hij naar haar luistert, houdt ze haar ogen bedeesd neergeslagen, en hij moet zich schrap zetten om niet weer het niemandsland in te worden gesleurd, en ze luistert zelf ook en ze beseft dat ze over liefjes lippen zingt die op een reine roos lijken en smachten naar het liefdesspel, en ze wordt steeds verlegener en haar stem wordt zachter en zachter, en de laatste regel fluistert ze met een hoogrode kleur, zoo wachten liefjes lippen naar mijnen warmen kus, en ze staat snel op en gooit de krant in de vuilnisbak terwijl ze nog niet klaar is met het schillen van de aardappels.

En met haar rug naar hem toegekeerd zegt ze dat ze het liedje vroeger voor de kinderen zong om hen in slaap te wiegen, en haar moeder zong het ook voor haar en haar broers en zussen toen zij klein waren, het was een populair liedje in mijn moeders jeugd, zegt ze, en hij vertelt haar dat het in een droom van hem voorkomt, een eindeloze herhaling van dezelfde twee regels als een soort gebed, een nachtmerrie, vraagt ze, en tot haar eigen opluchting heeft ze haar verlegenheid weten af te schudden en ze komt weer tegenover hem aan tafel zitten. En hij zegt dat het een vreemde, verontrustende droom over het front is, en over mij, veronderstelt ze schuldbewust, en hij zwijgt, er zwemmen tranen in haar ogen, dat ziet hij nog net voordat ze haar hoofd buigt en verdergaat met het schillen van de aardappels, en ze zitten in stilte bij elkaar, hij hoort alleen het tikken van het fornuis dat door de hitte uitzet, en het suizen van het water voor de aardappels dat bijna kookt, en ze haalt zacht haar neus op en hij begrijpt niet waarom ze huilt. Ze heft haar hoofd op, ze merkt dat hij naar haar kijkt en ze glimlacht onzeker alsof het een vraag is, en hij zegt dat ze het hem moet vertellen, wat, vraagt ze, en hij zegt dat hij haar wil leren kennen, en als ze zwijgt voegt hij eraan toe dat hij niet van haar durft te houden zolang ze geheimen voor hem bewaart, en hij weet niet of het waar is, het zou ook kunnen dat hij juist naar haar verlangt omdat hij haar niet begrijpt, en ze is ontroerd, alweer tranen, ze wrijft ze wrevelig met de rug van haar hand weg, de hand waarmee ze de aardappel vastheeft die ze aan het schillen was, en ze zegt zacht dat ze een dienstmeisje was, zo hebben ze elkaar ontmoet, ik was de meid van je moeder, zegt ze, en ze houdt beschaamd haar blik neergeslagen.

En hij begrijpt het niet, dit was haar grote geheim, als ze zich niet zo geneerde zou hij denken dat het een grap was, en hij zegt dat het er niets toedoet, hij was een soldaat, zij een dienstmeisje, mensen zoals zij tweeën hebben het nu eenmaal niet voor het kiezen, laten we het vergeten, zegt hij, en hij ziet haar dankbaarheid, een onplezierig onderdanige dankbaarheid waarvan hij niet kan beoordelen of hij geveinsd of gemeend is. En ze heeft gelijk, het doet er wel degelijk toe, het heeft te maken met de aard van hun huwelijk, met macht, ze moeten onder de ogen van zijn ouders een tijdlang een opwindend geheime verhouding hebben gehad, hij was de zoon van haar mevrouw, zij was aan hem overgeleverd, als het uitkwam zou het schandaal haar leven hebben geruïneerd terwijl hij er zonder kleerscheuren vanaf zou zijn gekomen, maar hij was blijkbaar fatsoenlijker dan andere mannen in zijn positie, hij trouwde met haar, met de meid van zijn moeder, en zijn liefde voor haar was een soort aalmoes en haar liefde voor hem een eeuwige dankbetuiging, en hij begrijpt haar ineens, waarom ze zo trouw en toegewijd is en toch zo onbenaderbaar, waarom ze koppig is en trots en ook beschaamd, waarom ze de touwtjes altijd strak in handen houdt, waarom ze boven alles de schijn ophoudt, al moet ze ervoor verhongeren, en mijn God, wat houdt hij van haar, het beangstigt hem hoeveel hij van haar houdt. En hij strekt zijn arm over de tafel naar haar uit, hij wil haar hand pakken om haar te troosten, maar ze trekt hem vernederd terug en verbergt hem in haar schoot, en ze kijken elkaar aan, en zij weet waarom hij van haar houdt, en hij weet waarom ze hem, haar krankzinnige man zonder verleden, tegen het advies van de doktoren uit het gesticht mee naar huis nam, ze had de rollen omgedraaid. Hij wilde dat hij haar geheim kon vergeten.

En hij en zijn kameraden begraven twee of drie met elkaar versmolten soldatenlichamen en een losse arm en een Duitser die ze Heinrich noemen, en allemaal walgen ze van het smerige karwei, ze vloeken en maken grove grappen en ze lachen om elkaar als ze overgeven in de modder, en zij dweilt op haar knieën hun kots van de vloer en ze zingt over het mild geurende roosje dat naar vogelnippen tracht zoals liefjes lippen smachten naar het spel, en het idee een ander mens te moeten kussen, zonder rubberen handschoenen te moeten aanraken, maakt hem misselijk. De sergeant heeft hen aangewezen, jij en jij en jij, vannacht op begrafenispatrouille, alleen hij meldt zich vrijwillig, in de hoop even te kunnen vergeten dat hij wacht, gekmakend vergeefs en vernederend wacht, en hij doorzoekt de zakken van hun kapotjassen en hij vindt halfvergane brieven, mijn liefste, mijn allerliefste, allemaal hebben ze een vrouw die aan hen denkt, die hen schrijft, zelfs de doden.

Het is een kwelling dat wachten, erger dan de dood, iedere dag weer die onzekerheid, die twijfels, en dan opnieuw dezelfde teleurstelling, hij telt de uren, de minuten tot de foerageur aan zijn postronde begint, hij hoort hem al van verre aankomen, de blijdschap reist met hem mee door de loopgraaf, gelach, opgewonden gepraat, tergend langzaam verplaatst het zich in zijn richting, en hij probeert te doen alsof hij kalm verdergaat met het schoonmaken van zijn geweer, maar hij kan het niet laten, hij kijkt hoopvol op, en weer, weer is er niets voor hem bij, de medelijdende blikken van zijn kameraden, de vernedering, hij die nergens voor terugdeinst, die talloze malen de dood in de ogen heeft gezien, wacht op een brief van zijn vrouw, een onnozel velletje papier gevuld met een schools handschrift. En hij verlangt zo naar haar vergiffenis, dat is het enige wat hem van hemzelf zou kunnen redden, en het maakt allang niet meer uit wat ze hem schrijft, als ze maar van zich laat horen, en zelfs dat hoeft eigenlijk al niet meer, het wachten is een doel op zich geworden, een boetedoening, zou haar langverwachte brief ooit komen dan verandert er niets, en zou zij begrip voor hem tonen dan zou hij alleen ook haar verachten, Amand, zegt ze, Amand, en hij voelt haar handen op zijn schouders.

Ze staan aan het voeteneinde van het bed, en bij het licht van de petroleumlamp vallen hun schaduwen liefdevol in elkaar verstrengeld op het schuine dak, ben je wakker, vraagt ze, en hij zegt dat hij wakker is, je slaapwandelde, zegt ze, en ze gaan naast elkaar op haar helft van het bed zitten en ze vraagt wat hij droomde, en hij vertelt haar dat hij aan het front was en op een brief van haar wachtte die maar niet kwam, maandenlang, ik voelde me zo ellendig, zegt hij. En daar schrikt ze van, ze staat op en pakt de petroleumlamp van de vloer en ze neemt hem bij de hand, ze wil hem iets laten zien, zegt ze, anders doet ze vannacht geen oog meer dicht, en hij loopt achter haar aan de trap af, ze gaan naar de salon, het is er ijzig koud, en ze knielt neer bij de kast en van de onderste plank pakt ze een dun stapeltje brieven, netjes met een gestrikt touwtje bijeengebonden, en ze geeft ze aan hem, de brieven die hij haar in de oorlog heeft geschreven, het zijn er maar vijf. En ze zegt dat het moeilijk was om brieven van bezet gebied naar het front of andersom, van het front naar bezet gebied, te laten smokkelen, dat moest via Nederland of Engeland, het was duur, en kwamen ze erachter dat je illegaal post verstuurde of ontving dan werd je in Duitsland te werk gesteld, ze bewaarde zijn brieven onder haar matras, zegt ze, en soms zelfs een tijdje in haar keurslijf als er in de buurt werd gefluisterd dat er huiszoekingen zouden worden gedaan. In het begin van de oorlog konden Belgische mosselvissers haar brieven voor hem nog meenemen, maar later werd het steeds moeilijker, ze zegt dat ze hem zo vaak als ze kon heeft geschreven, en ze wist alleen dat haar brief hem had bereikt als ze maanden later, soms zelfs bijna een jaar, eindelijk antwoord van hem kreeg.

En de eerste brief is van december 1914, een verkreukeld, slordig, in haast geschreven briefje, het is zwaar aan het front, staat er, maar het gaat goed met hem, hij is niet gewond, en hij hoopt dat de oorlog snel voorbij is en hij denkt vaak aan haar en Gust. Dat is alles, hij wilde haar waarschijnlijk niet verontrusten met de waarheid, en de volgende brieven zijn net zo, die van begin 1916 gaat over de geboorte van Roos die vele maanden eerder had plaatsgevonden maar waarover hij toen pas had gehoord, en zijn laatste brief, zegt ze, kreeg ze anderhalve maand nadat ze had gehoord dat hij werd vermist, dat was heel erg raar, een paar weken was ze er ontzettend gelukkig door geweest, alsof het een bewijs was dat hij nog leefde. Het is een dun velletje papier zonder lijntjes, vrijwel onleesbaar met potlood volgekrabbeld, en de toon is beleefd en afstandelijk, de aanhef is zelfs beste Julienne, terwijl ze in voorgaande briefjes nog lieve Julie was, en ze zegt verontschuldigend dat ze elkaar toen al drie jaar niet hadden gezien, en zij schreef hem ook niet uitgebreid, zegt ze, het had geen zin om details te geven of over zorgen te beginnen, tegen de tijd dat hij haar brief kreeg was de situatie allang veranderd, en reageren op elkaars woorden was helemaal zinloos als de ander het pas een halfjaar later las. En toch heeft ze zijn brieven zorgvuldig bewaard en aan het beduimelde papier te zien vaak herlezen, en een prop wringt zich in zijn keel, al die verspilde jaren, al dat treurige, hoopvolle wachten, en hij neemt de onderste brief van het stapeltje, het is de enige die in een opengescheurde enveloppe zit en het adres is in een ander handschrift geschreven, krullerig en hoekig, mevr. J. M. Coppens-Vandevoorde Ieperstraat 87 Meenen, staat er, en hij begrijpt het niet, woonde ze dan niet in Kortrijk, in dit huis, hij kijkt haar vragend aan, en hij gaat ervanuit dat ze een onschuldige verklaring heeft, maar hij ziet de schrik op haar gezicht, alsof ze beseft dat ze iets over het hoofd heeft gezien, we woonden voor de oorlog in Meenen, zegt ze achteloos, dat heb ik je toch verteld de dag dat ik je meenam naar huis. En hij zwijgt, en ze zegt dat hun huis tijdens de bevrijding door de Britten werd gebombardeerd, en Meenen was een Duitse garnizoensstad, zegt ze, na de oorlog was er niets meer, geen gezag, geen winkels, geen scholen, geen water, geen kolen, geen eten, ze moest wel verhuizen, zegt ze, ze wilde overnieuw beginnen, zegt ze.

En hij begrijpt niet waarom ze het voor hem heeft verzwegen, ze heeft hem laten geloven dat ze iedere nacht samen in het bed slapen waarin ze vroeger sliepen, dat ze samen in de studio werken die ze voor de oorlog met z'n tweeën tot een succes hadden gemaakt, dat hij aan dezelfde keukentafel zat toen en naar haar keek terwijl ze de aardappels schilde, dat hij hetzelfde fornuis voor haar aanstak, dat hij ieder hoekje van het huis zou moeten herkennen, en hij heeft zich voorgesteld dat hun vroegere leven zich hier afspeelde, in deze kamers, dit bed, deze studio, het zich geprobeerd eigen te maken alsof hij het zich herinnerde, en nu blijkt het alleen in zijn hoofd te bestaan, hij heeft geen idee wie hij is, en hij haalt de brief uit de enveloppe en leest de kennisgeving van zijn eigen dood.

Juliennes man, Amand Coppens, wordt vermist, schrijft sergeant Fernand Raes, hij is op 18 december 1917 in de omgeving van Diksmuide voor het laatst gezien en is daar waarschijnlijk gesneuveld, hij was een goede en dappere soldaat, geliefd onder de mannen van de compagnie, hij schreef brieven voor hen, deelde zijn eten met hen en hij praatte vaak over thuis, over zijn vrouw en kinderen, en hij heeft Fernand op het hart gedrukt dat mocht er iets met hem gebeuren hij Julienne moest laten weten dat hij veel van haar had gehouden en dat hij zich geen betere vrouw had kunnen wensen. En terwijl hij de brief leest praat zij maar door, niet op de haar zo kenmerkende, lijzige toon, maar steeds gejaagder, ze zegt dat ze de brief van Fernand Raes honderden malen heeft gelezen, ze kent hem uit haar hoofd, en hoe meer ze erover nadacht hoe minder ze geloofde dat hij haar de waarheid had geschreven, ze kon zich niet voorstellen, zegt ze, dat Amand dapper was of een goede soldaat, hij haatte het leger al toen hij in dienst zat, en vertellen dat hij van haar hield was ook niets voor hem, zoiets hadden ze nog nooit tegen elkaar gezegd en hij had het haar in zijn brieven van het front ook nooit geschreven, en dat hij vaak over haar en de kinderen sprak was wel erg vaag uitgedrukt, Roosje had hij zelfs nog nooit gezien, dat zou hij dan toch ook aan Fernand Raes hebben verteld, en er stond geen woord in de brief over hoe en waarom hij vermist was geraakt, zijn lichaam was verdwenen en ook zijn immatriculatieplaatje, helemaal niets was er van hem teruggevonden, niemand had gezien dat hij werd getroffen, wie zei haar dat hij niet krijgsgevangen was gemaakt of was gedeserteerd, sergeant Fernand Raes was zo vriendelijk geweest om haar te schrijven, zegt ze, maar het was duidelijk dat hij Amand nauwelijks had gekend en dus was zijn mededeling dat hij waarschijnlijk was gesneuveld ook niets waard. En steeds sneller praat ze, ze komt adem tekort, over haar grootste angst van na de oorlog, iedere ochtend en middag en avond stond haar hart stil als ze de briefdrager de straat in zag lopen en hij voor haar deur bleef staan, en met trillende handen doorzocht ze het stapeltje post naar de beruchte enveloppe met het rode kruis in de benedenhoek en daarin de brief met de officiële mededeling van het Rode Kruis dat zijn lichaam was gevonden, zo vaak had ze zich al voorgesteld dat ze de enveloppe herkende, en iedere avond bad ze dat hij alsjeblieft nooit, nooit zou komen, dat ze soms niet zeker meer wist of het al was gebeurd en ze het alleen even was vergeten.

En haar woorden buitelen koortsachtig over elkaar heen, hij heeft het verwarrende gevoel dat ze hem probeert te overtuigen van zijn eigen bestaan, ze is in al die jaren zo gewend geraakt aan niet geloofd worden, aan achter haar rug voor gek worden verklaard, dat ze onwillekeurig in het oude patroon is vervallen, ze somt al haar vermoedens en bewijzen op, trekt op gejaagde toon conclusies zodat er geen ruimte voor twijfel kan bestaan, het is alsof ze is vergeten dat ze hem uiteindelijk heeft gevonden, dat ze toch het grootste gelijk van de wereld bleek te hebben. En hij voelt een diep medeleven met deze vrouw van wie het lot onlosmakelijk met het zijne is verbonden, dat staat tenminste vast, hoe weinig hij ook van haar weet, en hij streelt sussend over haar bovenarm, ze valt stil en staart hem aan, hulpeloos ziet ze eruit, alsof hij haar uit een droom heeft gewekt, en terwijl hij zich vooroverbuigt en zijn mond op de hare drukt, is hij zich ervan bewust dat hij zijn macht misbruikt, ze kan hem nu niet meer afwijzen, de leugenachtige meid van zijn moeder, en haar lippen zijn steenkoud en wijken vochtig vaneen, misschien omdat ze weigert toe te geven dat ze zich door hem vernederd voelt, misschien omdat ze de vorige keer, toen ze hem wegduwde, tegen zichzelf heeft gelogen.

En ze staat op en pakt zijn hand, samen lopen ze de trap op, zachtjes langs de slaapkamer van de kinderen, en ze stappen naast elkaar in bed onder de vier dekens, en zij blaast de lamp uit, de duisternis vlijt zich barmhartig over hen heen, en ze komt tegen hem aan liggen, haar lichaam is ijzig koud, hij voelt het kippenvel op haar kuiten, en hij legt zijn armen om haar heen en drukt haar tegen zich aan, en ze zucht en ze liggen heel stil in elkaars weldadige warmte. En haar handen tasten naar zijn mond, ze kust hem en terwijl ze hem over zijn wang streelt, zegt ze dat ze nog maar vijftien was toen ze bij zijn ouders kwam werken, het was mijn eerste dienstje, zegt ze, en het verrast hem dat ze hem met een verhaal probeert af te schepen, vastbesloten trekt hij haar nachtjapon omhoog, zijn handen glijden over haar blote, weke buik en over haar borsten, geheime plekken die niemand kent behalve zijzelf, en die gedachte windt hem op, rustig, fluistert ze, ik loop heus niet weg, en ze lacht zacht en plagerig, alsof ze probeert te verbergen dat ze verlegen is, en ze knoopt zijn nachthemd los, en ze zegt dat ze geen inwonend dienstmeisje was, iedere avond ging ze rond negen uur terug naar haar ouderlijk huis, een kind was ik nog, fluistert ze. En terwijl ze hem opnieuw kust, begrijpt hij wat ze van hem wil, zo moeten ze vroeger stiekem een moment samen hebben gestolen, bang en opgewonden omdat ze door zijn moeder betrapt konden worden, en ondanks of dankzij het gevaar hielden ze toen het meest van elkaar, en hij laat haar vertellen over het dienstmeisje en de zoon des huizes die ze ooit waren en ondertussen trekt hij haar nachtjapon uit en ook haar dikke sokken en haar onderbroek, en zij kleedt hem tot zijn verwondering eveneens uit totdat het laken en haar nabijheid als een briesje over zijn huid zuchten, en eerst luistert hij nauwelijks naar haar gefluister, maar naarmate haar verhaal vordert vermengt het zich met zijn begeerte, het rolt op de maat van hun strelingen en kussen verder alsof ze samen een rituele dans uitvoeren die hun verleden tot leven wekt.

En ze zegt dat ze nooit over zichzelf had nagedacht voordat zijn moeder haar mevrouw werd, van haar leerde ze wat er van een dienstmeisje werd verwacht, zegt ze, hoe ze zich behoorde te gedragen, wie ze moest lijken te zijn, wie ze werkelijk was, en zijn moeder was streng voor haar, en rechtvaardig dat wel, daar liet ze zich op voorstaan, en haar vriendelijkheid was gemeend, maar maakte toch een wat verstrooide, deftige indruk, alsof ze haar ervan wilde doordringen dat ze haar aandacht eigenlijk niet waard was. Ze had drie zonen en geen dochters, en hoewel ze dat zelf nooit zou hebben toegegeven, gaf ze om Julienne, ze zag in haar een afspiegeling van zichzelf, zij was de eerste die Julienne erop wees dat ze slim was, en eigenwijs, te eigenwijs voor een ondergeschikte, maar ze leerde snel en kon improviseren, en ze was betrouwbaar, dat was belangrijk voor een meid, zei zijn moeder. En op een bepaalde manier hoorde ze bij het gezin, ze was eigendom van zijn moeder, Julienne ving eens op dat zij met andere middenstandsvrouwen over hun meid praatte en ze nam het voor Julienne op alsof Juliennes verdiensten de hare waren, zoals ook het succes van de kruidenierszaak dat was, en Julienne keek tegen zijn moeder op, ze wilde worden zoals zij, en ze kon beter met haar opschieten dan met haar eigen moeder, die geen ambities kende en geen trots, en Julienne beklaagde zich nooit, hoe hard ze ook moest werken, misschien was ze zelfs wel tevreden, dat herinnert ze zich niet meer, ze had zich er in ieder geval bij neergelegd dat dit haar leven was en voorlopig zou blijven.

En toen raakte Amand gewond, het was in de herfst van 1906, en zij was zeventien, hij werd door een rijtuig aangereden terwijl hij de straat overstak en hij kreeg een trap van het paard, hij had een hoofdwond en een zware hersenschudding, en van de dokter moest hij zes weken het bed houden, in het begin zelfs in een schemerige kamer. Zijn moeder stond het grootste deel van de dag in de kruidenierszaak, en ze vroeg Julienne om naast haar normale bezigheden ook voor hem te zorgen, in het begin sliep hij veel, maar langzamerhand begon hij zich te vervelen en vond hij het prettig als ze nog even aan zijn bed bleef zitten nadat ze hem zijn eten had gebracht, zijn nachtspiegel had geleegd, of zijn lakens had verschoond, en ze praatten over van alles, hij zag haar als een kind, een ondergeschikte zonder eigenschappen, en zij hem als de vriendelijke, maar nutteloze zoon des huizes, over wie zijn ouders zich vanwege zijn gebrek aan ambitie zorgen maakten, maar nu ze elkaar beter leerden kennen, waren ze beiden verrast over hun overeenkomsten. Hij was de eerste uit een hogere klasse die haar voor vol aanzag, die haar nooit het gevoel gaf dat zij zijn mindere was, hij nam haar verhalen en adviezen, haar dromen serieus, en ze merkte dat ze begon uit te kijken naar hun onderonsjes in zijn schemerige kamer, ze stond eerder op om haar dagelijkse taken snel af te hebben en zo lang mogelijk bij hem te kunnen zijn, en toen het wat beter met hem ging, kwam hij soms bij haar zitten terwijl ze de vloer boende, de was deed, het eten kookte, hij had haar nodig en schaamde zich niet om haar dat te laten merken, en ook nadat hij weer helemaal was hersteld en in de winkel van zijn ouders hielp, bleef hun verstandhouding bestaan.

Dat het liefde was besefte ze pas toen hij in de herfst in dienst moest en maanden niet thuis kwam, en toen hij eindelijk verlof had, droeg hij een uniform en praatte hij ruwer, bewoog hij zich zelfverzekerder, vertelde stoere verhalen over de kazerne en zijn kameraden, en er was plots een grote afstand tussen hen, maar vreemd genoeg voelde ze zich daardoor meer tot hem aangetrokken. Hij behandelde haar op de eerste dag van zijn verlof onwennig, schutterig, alsof hij zich de vertrouwelijkheid tussen hen nog herinnerde, maar het juiste evenwicht tussen net te veel en net te weinig niet meer wist te vinden, en toen ze op de derde dag even alleen in de keuken waren, merkte ze hoe hij naar haar keek, en ze lachte verlegen en zei, is dat wat ze u leren in het leger, en hij voelde zich betrapt, maar gedurende zijn hele verlof bleef hij zo heimelijk naar haar kijken, alsof in de kazerne met al die mannen om hem heen pas tot hem was doorgedrongen wat een vrouw precies was, en dat zij er ook een was. Zijn aandacht vleide haar, ze ging met een smoes de salon binnen als ze wist dat hij daar was, kwam hem met opzet in de gang tegen, en ze raakte gehecht aan zijn bewonderende, begerige blik, ze groeide onder zijn ogen, ze was iemand, voor het eerst in haar leven, en toen hij terugging naar de kazerne, was het alsof een deel van haar afstierf.

Ze kende hem, hij zou verlangen, twijfelen, afwegen en dan toch niet durven, en een maand later, op haar vrije dag, kocht ze van het beetje geld dat ze voor haar moeder had achtergehouden een treinkaartje en vertrok naar Hemiksem, het was ver, zo ver was ze nog nooit van huis geweest, en in de kazerne vroeg ze naar hem, en bezoek, zeker van een vrouw, bleek zeer ongebruikelijk te zijn, ze moest leugenachtige smoezen vertellen, en toen ze opgelucht eindelijk voor hem stond, zag ze aan zijn gezicht dat ze hem in een lastig parket had gebracht. De andere rekruten maakten flauwe, grove grappen over zijn vriendinnetje dat hij al die tijd voor hen geheim had gehouden, ze pestten hem en hij deed niets terug, zo ging het waarschijnlijk al maanden, en hij voelde zich vernederd tegenover haar nu zij wist hoe zijn diensttijd er werkelijk uitzag, dat hij er niet bij hoorde en dat ook nooit zou doen, en woede welde in haar op, ze nam het voor hem op en gaf de rekruten de grote mond die ze onbeschofte kerels uit de buurt waar ze woonde gaf, en nu schaamde hij zich pas echt, en de rekruten lachten om haar en zeiden dat niet hij maar zijn brutale vriendinnetje bij hen in de compagnie hoorde te zitten, die verjaagt de vijand met haar grote mond en haar dikke kont, en eentje kneep haar daar zelfs, ze verkocht hem een mep en Amand wendde gegeneerd zijn hoofd af en deed niets. Uiteindelijk nam hij haar mee naar buiten, en ze werden nagefloten en nageroepen, hup, spring erop, Coppens, als jij het niet doet, doe ik het, en ze durfden elkaar beschaamd niet aan te kijken terwijl ze naar de oever van de Schelde liepen, en het was toen dat ze besefte dat ze echt verliefd op hem was, een verwarrende mengeling van lotsverbondenheid en medelijden en begrip en de zekerheid dat hij ook iets dergelijks voor haar voelde maar dat hij er nu nooit meer naar zou durven handelen omdat het door het wangedrag van zijn kameraden zijn mannelijke plicht leek te zijn geworden om haar aan te randen. Ze bleef staan, keerde zich naar hem toe en kuste hem, zo ging het, hoewel ze er later van maakten dat hij haar had gekust, zo wilde hij het graag, en dat was goed, want zij wilde ook liever dat hij het had gedaan.

En tijdens zijn volgende verlof, twee maanden later, moesten ze opnieuw aan elkaar wennen, ze hadden elkaar in de tussentijd in het geheim geschreven, geen grote, romantische woorden, maar wel woorden die hun liefde hadden aangewakkerd en die niet pasten bij de werkelijkheid waarin zij het dienstmeisje van zijn moeder was en ze elkaar niet durfden aan te kijken, laat staan met elkaar konden praten. 's Avonds nadat haar werk erop zat en ze naar huis mocht, ontmoetten ze elkaar in het steegje bij de kade, het was opwindend maar ook vulgair, alsof ze een verhaal naspeelden dat niets met hun leven te maken had, en vooral hij voelde zich daar ongemakkelijk bij, ze zaten op de stenen trap aan het water van de Leye en ze hielden elkaars hand vast en als er niemand in de buurt was kusten ze elkaar, en soms kwamen ze andere stellen tegen die schuldbewust op zoek waren naar een plekje om hetzelfde te doen, en dan de volgende dag moesten ze vergeten wat er was gebeurd en was zij weer het dienstmeisje van mevrouw Coppens en hij haar zoon. Hij hielp in de kruidenierszaak, zij deed zijn was, streek zijn hemden en onderbroeken, maakte zijn bed op, kookte zijn eten, en ze bedroog zijn moeder, het ging haar wonderwel af, verslavend goed, ze leidde een dubbelleven en niemand had het in de gaten, en toen hij weer terug was naar de kazerne zat ze in haar eentje op de trap aan het water en las ze zijn brieven, en in bed, terwijl haar zussen naast haar lagen te slapen, schreef ze hem terug, mooie woorden voor in het donker aan het water, en geleidelijk werden ze daar zelfs te hartstochtelijk voor, en soms wist ze niet of ze verliefd was op haar eigen verliefdheid of op hem, en ze werden onvoorzichtig, vooral zij, het was alsof ze betrapt wilde worden, denkt ze nu, want er was geen gemakkelijke uitweg, óf ze werden betrapt en dat zou een beslissing van hem forceren, óf ze gingen zo door totdat hij een ander ontmoette, een leuke winkeliersdochter met wie hij onvermijdelijk zou trouwen, en dan bleef zij alleen en bezoedeld achter. Zijn moeder had haar vermoedens, ze sprak hem erop aan, maar hij ontkende alles en vervolgens durfde hij nauwelijks nog naar Julienne te kijken, wat de achterdocht van zijn moeder alleen aanwakkerde, en ze werd onredelijk tegen Julienne, ze vernederde haar, en ze kende haar dienstmeisje te goed, ze wist dat ze trots was, dat ze zich zou laten uitdagen en toen zijn moeder de helft van haar loon dreigde in te houden omdat, zo beweerde ze, Julienne haar werk niet goed deed en met haar gedachten ergens anders was, had Julienne het gewoon tegen haar gezegd, het was niet bedoeld als een bekentenis, maar als een verklaring, en terwijl ze het zei voelde het als een overwinning, alsof ze haar mevrouw haar lievelingszoon had ontnomen.

En ze was dom en inderdaad veel te trots, nog maanden had ze er verschrikkelijke spijt van, ze had gewild dat hij eindelijk een beslissing over hen tweeën zou nemen, verder dan dat was ze in gedachten niet gekomen, ze had niet stilgestaan bij de gevolgen, die verstrekkend waren, de pijnlijke teleurstelling van zijn moeder in hem, maar vooral in haar, de vernedering omdat iedereen het nu wist en met andere ogen naar haar keek, alsof ze naakt voor hen stond en ze alleen dat ene nog maar was, dat ene wat ze als haar grote geluk had beschouwd dat ineens een onvergeeflijke misstap was geworden, en ook haar ontgoocheling omdat zijn moeder gemeen bleek te zijn en ordinair, geen haar beter dan de vrouwen uit Juliennes volksbuurt, o, te worden uitgestoten door het gezin dat ze naïef als het hare was gaan beschouwen, ze was zo dom.

En hij liet haar niet in de steek, hij nam het alleen niet voor haar op tegen zijn ouders, en ze wist ook niet of ze dat wel van hem had mogen verwachten, zijn moeder ontsloeg haar zonder referentie, waardoor ze geen nieuwe betrekking zou kunnen vinden, en ze moest aan haar eigen familie bekennen wat er was gebeurd, anders zou ze niet kunnen verklaren dat ze geen nieuwe baan kreeg, en haar vader ging beschaamd en nederig met mevrouw Coppens praten, en toen dat niet hielp, ging haar moeder haar om vergiffenis en een referentie voor haar onbesuisde dochter smeken, God mocht weten wat die twee vrouwen over haar zeiden, ondankbaar, dom, arrogant, ordinair, hoerig. Het was een enorm drama, en ze zwierf dagenlang over straat, wachtend op zijn verlof, en toen dat eindelijk was aangebroken ging ze hem van de trein halen, ze had zich voorgenomen om haar zelfbeheersing niet te verliezen, maar toen ze hem op het perron zag, viel ze hem om de hals en ze wist dat hij er niet van hield als ze in het openbaar haar emoties de vrije loop liet, hij deed afstandelijk tegen haar, hij begreep niet waarom ze zo stom was geweest om het aan zijn moeder op te biechten, dat was nergens goed voor, zei hij, en toen wist ze dat hij de beslissing al lang geleden had genomen, dat hij nooit meer dan dit van haar had gewild, ze huilde en zei dat ze van hem hield, dat ze niet zonder hem kon, en hij wilde niet met haar naar de trap aan het water, hij ging naar huis, en enkele dagen later kwam met de post een referentie van zijn moeder, een stijve, maar geen slechte referentie. En dat was het dan, ze vond een andere betrekking, bij een kolonelsvrouw, dit keer als inwonend meisje omdat ze niet thuis wilde blijven bij haar ouders die zich voor haar hadden moeten vernederen, en haar nieuwe mevrouw behandelde haar slecht en ze was erg ongelukkig, maar ze legde zich erbij neer, het was mijn verdiende loon, zegt ze.

En ze spreidt haar benen en trekt ze aan weerszijden van zijn heupen op, toe maar, zegt ze, en hij dringt in haar, ze hapt kreunend naar adem en ze zegt dat ze maandenlang niets van hem hoorde, en toen kwam tot haar verrassing haar jongste zus een brief van hem brengen die bij hen thuis was bezorgd, en ze zegt, rustig, maar hij heeft het al zo lang uitgesteld door dat verhaal en dat gestreel en gefriemel van haar dat hij zo klaar zal zijn, en ze zegt dat hij schreef dat hij het had geprobeerd, maar het hielp niet, hij kon haar niet vergeten. Pas op, fluistert ze, je moet op tijd uit me, we hebben geen geld voor nog een kind, en terwijl hij zijn bijdrage aan hun kindje op haar dij deponeert, zegt ze dat ze overnieuw begonnen, ze zagen elkaar tijdens zijn verlof weer in het geheim op de trap bij het water, en weer nam hij geen beslissing, en ik durfde er ook niet meer op aan te dringen, zegt ze, en hij weet niet hoe het komt dat ze dan toch zijn getrouwd, want ze valt in slaap, zo diep dat ze zich een uur lang niet verroert, ze ligt vol vertrouwen en onschuld tegen hem aan, en warm en slap is haar lichaam en van tenen tot kruin, van schouder tot schouder, van tepels tot billen van hem.

En het is volkomen verkeerd wat ze hebben gedaan, de onthutsende intimiteit ervan, alsof ze hem binnenstebuiten heeft gekeerd, een soort spel heeft ze ervan gemaakt, een spel met een rolverdeling zoals bij kinderen, jij was een man en toen was ik een vrouw en waren we getrouwd, en vreemde regels heeft ze verzonnen, ik doe alles wat je wilt zolang je met verlof bent, je mag me daar alleen aanraken als je me vertelt wat je 's nachts in de kazerne over me fantaseerde, hij kan zich niet herinneren hoe het vroeger tussen hen was in bed, maar niet zo, zo behoort het niet te zijn, dat weet hij zeker. In het gesticht praatten de anderen graag en veel over seks, stiekem als de broeders hen niet konden horen, en vrouwen kwamen in hun verhalen nauwelijks voor, die waren als het bed waar het in plaatsvond, hard nodig maar niet het vermelden waard, en hij zou nooit durven navertellen wat er vannacht tussen hen tweeën is gebeurd, maar als hij daar toch de moed voor had, draaide ieder woord onvermijdelijk om haar, zij fluisterde, zij streelde, zij bedacht, zij zoende, zij stemde toe. Ze heeft hem gegeven waar hij om vroeg, wat hij als haar man van haar had kunnen eisen, waarnaar hij verlangde, en voor straf heeft ze hem verrukkelijk en grandioos ontmand, en hij heeft het laten gebeuren.

6

De volgende ochtend wordt hij wakker en ze heeft de lamp al aangestoken, ze ligt vrijpostig naar hem te kijken zoals iemand die zich onbespied waant, en als ze merkt dat hij niet langer slaapt is het alsof zich iets in haar gezicht sluit, goedemorgen, zegt ze, ze heeft de dekens tot aan haar nek opgetrokken en ze houdt een fatsoenlijke afstand tot zijn lichaam in acht, maar haar blik verraadt dat ze net als hij nog naakt is en dat ze spijt heeft dat ze er niet aan heeft gedacht om zich aan te kleden voordat hij ontwaakte, en hij zou iets willen zeggen om de scheidsmuur tussen hun intimiteit van de afgelopen nacht en deze doorsnee woensdagochtend te slechten, maar in het donker van de nacht waren er duizenden woorden, nu zijn er geen, alleen banale, smerige, onnozele die beter ongezegd kunnen blijven. En hij draait haar galant zijn rug toe, hij hoort hoe ze onder de dekens vandaan glipt en haar nachtjapon aanschiet, ga je de kolen doen, zegt ze, en ze doet haar best om haar stem gewoon te laten klinken, en weg is ze, de trap af.

En hij steekt het fornuis aan en ook de twee kachels beneden, en ze wassen zich, zij eerst en daarna hij, en ze zijn vriendelijk en beleefd tegen elkaar, maar ze kijken elkaar niet aan, en de kinderen gaan naar school en hij zit aan de tafel terwijl zij de vuile borden opstapelt, hij vraagt haar of hij straks de geretoucheerde negatieven van gisteravond zal afdrukken, of dat ze liever heeft dat hij eerst de nieuwe negatieven ontwikkelt, en hij noemt haar Julie, en de uitdrukking op haar gezicht is ineens zo zacht, ze staat naast hem en ze zegt zijn naam zoals alleen zij dat kan, langgerekt en peinzend, en hij krijgt kippenvel van de liefde in haar stem, alsof ze zacht in zijn oor fluistert, en hij trekt haar bij zich op schoot, pas op, zegt ze, en ze weet nog net op tijd de borden terug te zetten op tafel, en ze kussen en strelen elkaar, en hij verlangt naar haar en zij naar hem, als hij het wilde zou ze met hem mee naar boven gaan, en toch is er iets in haar waarop hij geen vat krijgt, wat hem eenzaam maakt, alsof ze angstvallig zo'n compleet vergeten van zichzelf, van de wereld om hen heen, van tijd en fatsoen, zoals afgelopen nacht wil voorkomen. En dit hier aan de keukentafel bij ongenadig daglicht, tussen de vuile papborden terwijl het water voor de afwas bijna kookt, kan alleen op een teleurstelling uitdraaien, en toch kan hij het niet opgeven, en zij maakt er ook geen einde aan, het is het winkelbelletje dat hen redt. Ze stapt haastig van zijn schoot, klemt haar jarretels aan haar kousen, trekt haar jurk recht en steekt de losgeraakte plukken haar in haar knot, en net voordat ze de deur uitloopt kijkt ze hem aan met een blik vol verlegen intimiteit, en ze lijkt ineens zo weerloos dat hij ervan schrikt, en hij zit aan de keukentafel en luistert naar haar zich verwijderende voetstappen op de trap, wat hij voelt moet liefde zijn, maar het doet pijn, alsof hij medelijden met haar heeft.

En 's avonds zijn ze samen in de studio, het is stil in huis en op straat, alleen de klok van het belfort slaat het hele uur, en verder weg, enkele seconden later, herhalen de klokken van de Onze-Lieve-Vrouwekerk en de Sint Michielskerk het plechtige geluid, en haar retoucheermesje krast over het negatief, ze zit diep voorovergebogen, haar ogen gericht op zijn zwarte gezicht met spookachtig witte pupillen en achter hem de donkere wolkenlucht boven het lichte niemandsland, en aan haar gespannen houding ziet hij dat ze weet dat hij naar haar kijkt, hij hoeft maar iets te zeggen, belangstellend bij haar te komen staan, zij hoeft maar naar hem op te kijken en het gebeurt weer, en het zal zo eenzaam en banaal zijn als vanochtend in de keuken. En de drukkende stilte wordt haar te veel, hij hoort haar diep inademen, ze gaat iets zeggen, hij kijkt op hoewel hij dat niet wil, en hun blikken zuigen zich in elkaar vast, hij staat op en zij schuift haastig haar stoel naar achteren en ze is al bij de deur als ze iets over de koer mompelt, wat hij niet verstaat maar wel begrijpt.

En hij is alleen in de studio, ze komt niet meer terug, hij mist haar, verschillende keren besluit hij om haar te gaan zoeken en haar ervan te verzekeren dat ze ongestoord verder kan gaan met retoucheren, maar hij weet zichzelf ervan te weerhouden, en het wordt tien uur, en hij luistert of hij haar voetstappen op de trap naar hun slaapkamer hoort, en nee, het wordt halfelf, en stilte, en om elf uur blaast hij de lampen uit en loopt naar boven, ze ligt nog niet in bed, een streep licht valt onder de keukendeur door de gang in, en hij opent voorzichtig de deur, ze zit aan de tafel een boek te lezen, dat heeft hij haar nog nooit zien doen, ze slaat het betrapt dicht en bergt het in de kast op achter de borden.

En als ze naar bed gaan en zij op het privaat is, gaat hij stiekem terug naar de keuken en hij pakt het boek uit de kast, het is de bijbel, hij staat er verrast mee in zijn handen, en weer welt dat medelijden in hem op, acht jaar heeft ze op hem gewacht en nu is ze bang voor haar eigen geluk. En in bed ligt ze dichter bij hem dan anders, alsof ze ondanks haar tegenzin gisternacht niet kan vergeten, en hij voelt haar verleidelijke warmte, ruikt haar zilte, zoetige geur, maar hij durft haar niet aan te raken, het duurt lang voordat ze slaapt, meer dan een uur, en dan ontspant hij zich en valt zelf ook in slaap, hij droomt over haar, ze zijn in de keuken en ze kleedt zich langzaam uit, ze wil niet dat hij naar haar kijkt, draai je om, zegt ze, maar stiekem kijkt hij toch, en haar lichaam is zo geel als boterbloemen.

En ze slapen samen, dat is het juiste woord, ook de daaropvolgende nachten stappen ze naast elkaar in bed, ze wensen elkaar slaapwel en keren elkaar de rug toe, en overdag zorgt zij dat ze in de keuken moet zijn als hij in de studio is, en als zij retoucheert leest hij aan de keukentafel de krant of hij ontwikkelt negatieven in de donkere kamer, en als ze dan toch samen zijn omdat het niet anders kan, is er altijd een klant bij of zijn de kinderen in de buurt, en het tegenstrijdige is dat zij hem nog nooit zo nabij is geweest als nu, ze hebben een stilzwijgend pact gesloten en zolang zij afstand tot hem bewaart, en hij tot haar, weten ze van elkaar dat ze de nacht niet zijn vergeten waarin ze met hun lichamen en hun woorden het verleden tot leven hebben gewekt, ze liefkozen elkaar met hun afwezigheid.

En op zondagavond als de vaat is gedaan en de kinderen in bed liggen, komt ze naar de studio, en ze blijft op de drempel staan, ik ga naar Felice, zegt ze, en hij wenst haar veel plezier, en ze draait zich om en loopt de trap op, en hoewel hij de voetstappen, en zelfs als hij goed luistert, de stemmen van haar en Felice boven zijn hoofd kan horen, en ze dichter bij is dan wanneer ze in hun eigen keuken is, heeft hij toch het gevoel dat hij voor het eerst in lange tijd alleen is, dat ze hem is vergeten, en hij gaat op haar stoel zitten, achter het retoucheertafeltje, en hij bekijkt haar potloden en mesjes, legt zijn handen waar de hare hebben gelegen, tuurt door haar vergrootglas.

Amand, zegt ze, en hij draait zich met een ruk om en ze staat in de deuropening naar hem te kijken met een lachje rond haar lippen, aarzelend tussen vertedering en spot, en ze zegt dat Felice heeft aangeboden om voor de kostprijs van de stoffen twee kostuums voor hem te naaien, ga je even mee naar boven, vraagt ze. En hij zit naast Felice aan haar keukentafel, en zij en Julienne bekijken Parijse modebladen en ze hebben het over kleuren en stoffen en snit, en zo nu en dan laten ze hem getekende plaatjes zien van mannen in overdreven elegante kostuums en ze vragen hem wat hij ervan vindt, hij wil geen modieuze kleren, hij was gewend aan de grove gestichtskleding en daarvoor droeg hij een legeruniform, maar Felice zegt dat zijn kostuums ouderwets zijn, van ver voor de oorlog, zegt ze, degelijk, maar uit de mode, en ze laat het voorkomen alsof hij ermee voor schut loopt, hij vraagt Julienne of zij vindt dat hij nieuwe kleren nodig heeft, en ze kijken elkaar langs Felice heen aan, na al die dagen van onthouding enigszins onwennig, en zij zegt dat het om zijn kostuums gaat, hij moet ze willen, niet zij, maar ze ziet er zo stralend uit, hij zegt ja, voor haar.

En hij staat midden in de keuken, tussen het fornuis en de tafel, en Felice neemt met een meetlint zijn maten, ze doet het zakelijk en geroutineerd, en Julienne is blijven zitten om de getallen te noteren die zij opsomt, en terwijl twee vrouwenhanden langs de binnenzijde van zijn been glijden en over zijn heupen en zijn dij, kijken ze elkaar over Felices hoofd heen aan, en Felice vraagt hem zijn colbertje uit te trekken en ze haalt het meetlint achter hem langs, en hij voelt haar vingers in zijn middel en dan op zijn borst, en nog steeds kijkt hij Julienne aan, en het is alsof zij hem via Felices handen aanraakt en met haar blik de onschuldige beroeringen in strelingen verandert.

En Felice merkt dat hij gespannen is, schertsend zegt ze dat ze ongevaarlijk is, naar de kapper gaan is enger, zegt ze, ze lacht en draait zich om naar Julienne, en ze ziet haar verlangende, afwezige blik, en ze begrijpt wat er aan de hand is, opgelaten vraagt ze hem om zijn hand in zijn zij te zetten, en ze meet de mouwlengte van zijn schouder tot zijn pols, en omdat Felice verlegen is met de situatie maakt Julienne haar blik los uit de zijne en met neergeslagen ogen noteert ze de maat die Felice noemt, en hij knoopt op Felices verzoek zijn boord open en ze legt het meetlint rond zijn hals, en Julienne kan het niet laten, ze kijkt van haar papiertje op en haar blik verstrengelt zich weer met de zijne. En zo snel mogelijk maakt Felice zich van haar beschamende klus af, ze somt de maten op, maar achteraf als ze het papiertje onder ogen krijgt, blijkt dat Julienne is vergeten zijn schouderbreedte op te schrijven, en Felice ergert zich aan haar, je moet ook niet zo zitten dromen, zegt ze, en ze aarzelt even voor het woord dromen alsof ze dom smachten wilde zeggen of misschien zelfs geilen, en opnieuw trekt hij zijn colbertje uit en opnieuw moet Felice hem aanraken, en Julienne durft niet meer te kijken. En hij zit weer aan tafel en de vrouwen praten over mode, en Felices plaats was tussen hen in, maar ze staat een tijdje tegen de kast geleund, ze loopt wat heen en weer, en uiteindelijk gaat ze achteloos tegenover hen zitten, en Julienne wisselt een gegeneerde blik met hem.

En niet lang daarna gaan ze naar hun eigen appartement, op de trap draait ze zich naar hem om, en voordat hij weet wat er gebeurt houdt hij haar in zijn armen, en ze kussen elkaar alsof ze zich de hele avond met geweld hebben moeten inhouden, niet hier, fluistert ze, maar ze maakt zich niet los uit zijn omhelzing, pas als ze de deur van Felices keuken horen opengaan en zij op weg naar het privaat in hun richting komt, vluchten ze lacherig de trap op. En in het duister van hun slaapkamer probeert hij de knoopjes van haar jurk los te krijgen, op de tast belanden ze op het bed en ze worstelen met rokken, strikjes en knoopjes, jarretels en keurslijf, en ze kronkelt moeizaam onder zijn handen, gaat overeind zitten en weer liggen, en ineens voelt hij haar warme huid en ze ligt naakt onder hem.

De eerste keer was in een boerenschuur, fluistert ze, maar hij legt zijn hand over haar mond, niet praten, zegt hij, en ze protesteert niet, en zijn ogen wennen langzaam aan het donker, bij het metaalkleurige licht van de maan dat via het trapgat hun slaapkamer binnenglijdt, kan hij haar vaag onderscheiden, het is alsof ze alleen uit haar roerloze lichaam bestaat, alsof ze zich huiverig voor hem afsluit en met iedere beweging waarmee hij dieper in haar dringt, trekt ze zich verder in zichzelf terug, en haar ogen zijn donkere gaten, haar lichaam is kil en week, haar huid bleek als was, en zonder het verleden dat, beroofd van klok en einde, door haar gefluister wordt opgeroepen, is de dood net zo tastbaar als haar lippen die tegen zijn handpalm drukken, alles in haar wacht totdat ze haar laatste adem zal uitblazen, totdat ze een plant zal worden tussen de planten, een ding tussen de dingen, en hij walgt van wat hij haar lichaam met het zijne aandoet, dat waarvoor mensen al eeuwenlang trouwen en romantisch sterven, ondraaglijk armzalig is het, een betekenisloze, dierlijke handeling, zoals doden en schijten. En hij legt zijn hoofd in haar hals en ligt stil op haar, hij verlangt naar gedachteloosheid, een genadige leegte, en onder hem voelt hij hoe haar buik rustig daalt en stijgt, daalt en stijgt, en hoe langer ze zo bij elkaar liggen hoe meer zijn ademhaling zich naar de hare richt, ze worden samen één lichaam, en haar hand glijdt behoedzaam over zijn rug, alsof ze een paard aait dat zo groot is dat ze erbij op haar tenen moet gaan staan, de eerste keer was in een boerenschuur, fluistert ze, en ze wacht op zijn protest en als dat niet komt, begint ze te vertellen, en haar woorden zinken in hem en verdrijven de zinloosheid, de oorlog en de dood, en daaronder ligt het verlangen naar haar wonderbaarlijk kwetsbare mensenlichaam te wachten, schoonheid en liefde, het is een verhaal zoals al het andere, je moet erin durven geloven en hij waagt het erop, en nu hij weet dat hij het zelf ook op haar manier wil, goddelijk en goddeloos, is het nog ongepaster dan de vorige keer, alsof hij gemeenschap heeft met zijn herinneringen.

De eerste keer was in een boerenschuur, zegt ze, in de buurt van de kazerne in Hemiksem waar hij was gelegerd, ze waren overnieuw begonnen, ze ontmoetten elkaar weer tijdens zijn verlof op de trap aan het water, en het was nog moeilijker dan toen ze nog voor zijn moeder werkte en niemand iets vermoedde, hij moest tegen zijn achterdochtige ouders liegen, en zij moest ongezien via de achterdeur uit het huis van de kolonel zien te ontsnappen en bidden dat de kolonelsvrouw haar die avond niet nodig had. Van haar mevrouw hoefde ze geen mededogen te verwachten, Julienne wist niet of ze ervan uitging dat een meid geen gevoelens had, of dat die er alleen totaal niet toededen, Julienne verachtte alles aan haar, van haar stem, haar domme redeneringen, haar achterdocht, tot haar krampachtige voorliefde voor hoe het hoorde, maar ongemerkt begon ze zichzelf toch als het lompe, onnozele, achterbakse achterbuurtkind te zien dat de kolonelsvrouw in haar zag, en het had lang geduurd, jaren, misschien was het zelfs nog steeds niet helemaal over, voordat ze weer onbevangen naar zichzelf kon kijken en ook in haar hart het gelijk van de kolonelsvrouw durfde te betwijfelen.

Het huis van de kolonel had een moderne badkamer en een watercloset die ze een paar keer in de week moest schoonmaken, maar ze mocht ze zelf niet gebruiken, voor haar waren er de tobbe in de bijkeuken en het oude schijthuis op de koer, en ze deed de was van het hele gezin, maar haar eigen was mocht ze daar niet bijvoegen, die moest uit hygiënische overwegingen apart worden gehouden en in haar spaarzame vrije tijd worden gedaan en dan op haar eigen piepkleine kamer te drogen worden gehangen, en de kolonelsvrouw deed de kastdeuren op slot omdat ze bang was dat Julienne stiekem haar kleren zou passen of haar zou bestelen, en bij wijze van test legde ze zelfs eens een frank onder het bed van haar en haar man, ze dacht dat Julienne zo dom zou zijn om het geld te stelen, omdat ze als een dier geen zelfbeheersing kende, en Julienne raapte het muntje op en legde het tijdens het dekken voor het avondmaal naast het bord van de kolonelsvrouw, en toen ze het eten opdiende zag ze hoe haar mevrouw het muntje stilletjes opborg, ze leek teleurgesteld, en daar was Julienne de hele avond triomfantelijk over alsof ze haar een klap had durven verkopen.

Maar ook daarna vertrouwde haar mevrouw haar nog niet, en het ergste was dat Julienne inderdaad niet te vertrouwen was, bij iedere geheime ontmoeting met Amand voelde ze zich een slet en een bedriegster, maar ze kon ook niet zonder hem, zonder hem was dit alles wat er was, boenen voor haar mevrouw, koken voor haar, alles van haar slikken, alleen 's nachts kon ze stilletjes een ander meisje proberen te zijn, bij het flakkerende lamplicht herlas ze zijn brieven, vertelde ze zichzelf over hun ontmoetingen aan het water, ze telde de dagen af tot zijn verlof, en hij deed hetzelfde, schreef hij, herlezen, fantaseren, aftellen, want zijn kameraden waren bijna net zo meedogenloos als haar kolonelsvrouw.

Ze bedacht in bed honderden malen hoe hij haar dan eindelijk ten huwelijk zou vragen, en hoe ze haar ontslag zou aanbieden aan de kolonelsvrouw en dat ze vrij zou zijn en na haar huwelijk een echte mevrouw zou worden zoals zij had gedacht dat zijn moeder was, beschaafd, oprecht, medelevend, verstandig, elegant, bewonderenswaardig, ze hadden het alleen nooit over een huwelijk en ze zag hem zo weinig dat ze de tijd die ze samen hadden niet wilde verpesten door hem onder druk te zetten, ze dacht dat hij misschien met zijn aanzoek wilde wachten tot het einde van zijn diensttijd in zicht kwam zodat hij haar ook in praktisch opzicht iets te bieden zou hebben, maar ook toen hem nog maar enkele maanden restten en hij het al had over hoe het zou zijn om weer thuis te wonen, kwam het woord huwelijk nooit over zijn lippen, en ze werd bang.

Ze zagen elkaar met kerst een keer en toen wekenlang niet, het werd februari 1908 en ze woog 's nachts in bed alle mogelijkheden tegen elkaar af, iedere nacht opnieuw totdat ze in slaap viel, en uiteindelijk nadat ze al zijn brieven had herlezen en hem zo levendig voor zich zag alsof hij bij haar was, zette ze al haar onzekerheden overboord, ze vertelde zichzelf dat hij haar wilde, natuurlijk wilde hij dat, hij nam alleen nooit een beslissing, hij twijfelde altijd totdat het te laat was zodat hij zich alleen hoefde te schikken naar het lot, en dat lot was haar goedgezind, want 1908, bedacht ze, was een schrikkeljaar. En op zaterdag 29 februari vroeg ze vrij bij haar mevrouw met een smoes over een gestorven opa, en ze voelde zich er helemaal niet schuldig over, ze reisde tweeënhalf uur met de trein naar zijn kazerne, en de rekruten herkenden haar van de vorige keer, ze noemden haar spottend de generaal en ze plaagden Amand omdat het op een gewonnen schrikkeldag was toegestaan om de regels te breken en vrouwen alles mochten doen wat de rest van het jaar aan mannen voorbehouden was, en ze riepen dat Amands liefje de compagnie zou overnemen en salueerden voor haar.

En Amand nam haar mee naar de oever van de Schelde, ze werd steeds nerveuzer, maar ze kon niet naar huis teruggaan zonder te hebben gedaan wat ze zich had voorgenomen, het idee dat ze vannacht weer in haar bed zou liggen en er niets zou zijn veranderd, was ondraaglijk, en midden in een zin van hem knielde ze voor hem neer, hij dacht dat ze was gevallen en wilde haar overeind helpen, maar ze vroeg haastig en struikelend over haar woorden of hij met haar wilde trouwen, ze was zo zenuwachtig, haar gezicht was hoogrood had hij haar achteraf verteld, en hij wist niet wat hem overkwam, haar aanzoek voelde als een terechtwijzing niet als een liefdesverklaring, en beschaamd liep hij weg. Hij liet haar alleen op het zandpad achter, en ze wachtte lang op hem, in de hoop dat hij terug zou komen om haar te vertellen dat hij zich had bedacht, ze kon niet geloven dat hij haar al die tijd aan het lijntje had gehouden, maar uiteindelijk drong tot haar door dat hun liefde alleen in haar hoofd had bestaan, dat hij te aardig was geweest om haar uit de droom te helpen, en ze voelde zich diep vernederd, ze overwoog zelfs om zich in het koude water van de Schelde te verdrinken, maar dat kon ze hem niet aandoen, en huilend liep ze terug naar de statie, wat een dom meisje was ze.

En na enige tijd hoorde ze snelle voetstappen achter zich, ze keek achterom en daar was hij dan toch, hij zei dat het hem speet dat hij zo onbeleefd had gereageerd, ze had hem overrompeld en hij had tijd nodig gehad om na te denken, natuurlijk wilde hij met haar trouwen, hij wilde niets liever, er waren alleen een paar obstakels, zijn ouders en dan nog hun standsverschil, en hij had gedacht dat zij hem te laf en te zwak vond, daarom had hij het niet aangedurfd om haar te vragen, hij liet haar beloven dat ze aan niemand zou vertellen dat zij hem ten huwelijk had gevraagd, ze zouden zeggen dat hij haar een aanzoek had gedaan, dat is ons geheim, zei hij, en het maakte haar helemaal niets uit, ze was zo opgelucht dat ze niet meer wist of ze nu blij was omdat ze gingen trouwen of alleen omdat ze niet voor gek stond. Ze omhelsden elkaar, en toen er een paard-en-wagen passeerde en de boer nieuwsgierig naar hen keek, zochten ze een schuur, of ze zagen hem toevallig, dat wist ze achteraf niet meer, in ieder geval belandden ze in een schuur, zonder mensen die hen konden betrappen en hij werd ineens voortvarend alsof hij haar iets wilde bewijzen, ze kusten en hij betastte haar, ze moest hem zelfs afweren en terechtwijzen, maar ze durfde niet al te streng te zijn, ze was bang dat hij alsnog van het huwelijk zou afzien, en met wat goede wil mocht het nu allemaal ook, als ze toch zijn vrouw werd zou niemand erachter komen wat hier nu wel of niet gebeurde, en uiteindelijk liet ze hem zijn gang gaan en deden ze in een smerige schuur wat ze tot haar huwelijksnacht had moeten bewaren.

Achteraf was ze bang dat hij haar juist daardoor niet meer zou willen, dat hij haar een slet zou vinden, alleen goed voor tussen het stro en de schapenpoep, en ook was ze wekenlang bang dat ze zwanger zou blijken te zijn door zoiets doms dat ze eigenlijk niet eens had gewild, maar gelukkig kreeg ze gewoon haar regels, en het kwam niet in hem op om haar niet meer te willen, hij durfde alleen lange tijd zijn ouders niet te vertellen dat hij met hun vroegere dienstmeisje ging trouwen, op haar herhaalde aandringen deed hij het uiteindelijk toch, zijn ouders geloofden dat hij zijn verstand had verloren en weigerden toestemming te geven voor hun huwelijk, in de hoop dat hij tegen de tijd dat hij volgens de wet oud genoeg was om zelf te beslissen tot zijn zinnen zou zijn gekomen. Maar dat gebeurde niet, zegt ze, hij werd 21, en ze trouwden.

En de ochtend is precies zoals alle voorgaande, ze steekt zittend op de rand van het bed haar haren op, doe je de kolen, vraagt ze, en hij maakt het fornuis voor haar aan en ze wast zich terwijl hij in de salon op zijn beurt wacht, en toch is alles volkomen anders, onder haar alledaagse ernst trilt een uitgelatenheid die hij ook in zichzelf herkent, en hoewel ze elkaar mijden, is het alsof ze geen moment zonder elkaar zijn, alsof de hele wereld uit Julie bestaat, alsof hij haar inademt en indrinkt en uitspreekt, en de tijd breidt zich uit als een plas water op de stenen, minuten rekken zich tot uren, en toch kan hij niet navertellen wat erin gebeurt, plotseling is het moment aangebroken waarop Roos hem op zijn wang kust en Gust hem een hand geeft en weg zijn ze, naar school, en ze zijn weer met z'n tweeën, en hij denkt niet aan straks, aan de foto's die hij moet afdrukken, niet aan gisteren, niet aan morgen, zijn gedachten lossen in zijn hoofd op voordat hij ze kan bevragen, er is alleen dit ene tijdloze ogenblik waarin ze samen aan de keukentafel zitten, loom en gelukkig.

Zullen we vandaag de winkel sluiten, zegt ze, en ze gaan op een doordeweekse dag samen de stad in, dat heeft ze nog nooit van haar leven gedaan, bekent ze met een verlegen lachje, alsof ze gelooft dat hij haar op haar kop zal geven, en ze heeft het geld uit het kistje onder hun bed meegenomen, het geld dat ze hebben verdiend met de portretten van hem en de weduwen, bijna tweehonderd franken, genoeg om al hun schulden af te lossen, zegt ze. En ze maken een zegetocht, beginnend bij café In den gouden aap en apotheek Duthoo, allebei zo ongeveer tegenover hun huis, en dan langs de Epicerie Anversoise van mevrouw

DeJager, en A la tricoteuse, en omdat ze toch op de Groote Markt zijn, kunnen ze meteen naar de groenselkraam van Feys en de fruitkraam van Van Meerhaeghe, en daarna gaan ze naar kolenhandelaar Quivron, en op de Vischmarkt naar de viskraam van DeClercq, en vervolgens naar meneer Lambert, hun huisbaas, en naar fotohandel Gyselinck en paardenbeenhouwerij Vandecasteele, en dan lopen ze terug door de Doornijkstraat naar schoenmakerij Legon in de Slachthuisstraat, en ze eindigen bij melkkoopman Dupont in de Kanonstraat. Ze stelt hem aan de winkeliers voor, ze maken een vriendelijk praatje, ze vertelt hoe goed het gaat met hun fotostudio en hij betaalt hun schulden af en soms geeft hij zelfs twee of drie franken toe, ze zijn heel serieus tegen de winkeliers en toch heeft hij het gevoel dat ze de hele ochtend maar een kleine stap verwijderd zijn van kinderlijke uitbundigheid, alsof die uit een hinderlaag tevoorschijn zal springen en alle praatjes over het weer, de politieke toestand en zijn wonderbaarlijke terugkeer luid lachend weg zal blazen, maar ook als ze samen weer door de winkeldeur naar buiten lopen, zij zijn arm neemt en ze op weg gaan naar hun volgende schuldeiser weten ze zich in te houden, ze praten ongedwongen met elkaar over de onnozelste onderwerpen, ze lachen naar elkaar, ze lopen zwierig in de pas alsof ze samen over straat dansen, en ze heeft het koud, zegt ze, ze laat haar rechterhand in zijn jaszak glijden, hij stopt zijn linkerhand erbij en verstrengelt zijn vingers met de hare, het is ongepast, zeker op klaarlichte dag, maar het idee dat een voorbijganger alleen iets beter naar hen hoeft te kijken om hen te betrappen geeft hun onbetamelijkheid iets avontuurlijks.

En dan als ze nog maar enkele franken over hebben en ze voor het eerst volledig schuldenvrij zijn en ze zich licht en gelukkig voelen, zegt zij dat ze brood wil kopen, dat heeft ze al zo lang niet gegeten, ze wil witbrood met boter, en ook chocola, zegt ze verlegen, en het doet hem niets, luxe voedsel, maar hij vindt het fijn om haar een plezier te kunnen doen, en bij Dupont koopt ze boter, en bij bakkerij Marchal een half witbrood, en dan gaan ze terug naar de kruidenierszaak van mevrouw DeJager aan het begin van de Doornijkstraat, waar ze voor vierenhalve franken een reep Martougin Minerva-roommelkchocolade koopt, en als ze weer op straat staan fluistert ze hem in verrukte schaamte toe dat ze van dat bedrag met het hele gezin bijna twee dagen kunnen leven.

En hij neemt haar arm en ze lopen naar huis en daar, op de sofa voor het niemandsland, eten ze die dure chocolade op, en zij verbaast zich erover hoe zoet het is en romig, zijn ouders verkochten Kwatta-chocoladerepen in hun kruidenierszaak, ze zag ze altijd liggen maar mocht er nooit van proeven, zegt ze, en hij gelooft dat ze meer geniet van het idee van chocolade dan van de smaak op zich. En pas als hij de chocolade in zijn mond stopt, weet hij dat hij het al eerder heeft gegeten, aan het front, geroofd uit de ransel van een dode soldaat, want hij ziet onverwacht het bleke gezicht van een man in een Brits uniform voor zich, zo realistisch dat hij even vergeet dat hij naast haar zit, en hij weigert het tweede stuk dat ze hem aanbiedt, hij zegt dat zij alles mag hebben, en ze eet een deel ervan op en rookt dan genietend een sigaret.

En tussen de middag eten ze tot verrassing van de kinderen wit brood en boter in plaats van aardappels, en voordat ze het brood snijdt, tekent ze er met het mes een kruis op, zo gedachteloos als ze ook 's ochtends haar haar opsteekt, en voordat Gust en Roos teruggaan naar school geeft ze hun het laatste stuk chocolade, en ze kijkt vergenoegd toe terwijl ze het opeten. En ook 's middags doen ze de winkel niet open, het is verleidelijk eenvoudig om te spijbelen, en zonder er woorden aan vuil te maken gaan ze samen naar boven en naar bed, midden op de dag terwijl er nog geen tien meter lager keurige mensen op straat lopen en keurige winkels van alles en nog wat verkopen, en twee verdiepingen onder hen Felice de vaat doet voordat ze teruggaat naar haar werk, het is opwindend obsceen, en haar schaamte maakt het nog onbetamelijker, ze wil haar ondergoed alleen onder bescherming van de dekens uitdoen, en als hij de dekens over zijn hoofd trekt om toch naar haar te kijken, duwt ze ze naar beneden zodat het donker en benauwd wordt rondom haar naaktheid, maar de uitdrukking op haar gezicht kan ze niet verbergen, hij ziet haar genot en wellust, en ze is naakter dan haar onbedekte lichaam ooit kan zijn.

En ze vertelt over de boerenschuur bij de kazerne, dat was de enige keer dat het ook licht was, zegt ze, ze herinnert zich niet meer precies hoe de schuur eruitzag, maar hij ziet hem nog heel duidelijk voor zich, het dak dat steunend op palen als het loof in een bos boven hen hing, aan een zijde een slordig gestapeld, stenen muurtje, en terwijl hij bovenop haar lag keek hij aan de andere drie zijden uit over de glooiende, groene weiden, hij voelde haar blote lichaam onder haar jurk en hij zag dat golvende boerengroen, en in zijn hoofd sloten de twee een verbond met elkaar, dat grasgroen en haar naaktheid, alsof hij niet haar maar de heuvels bezat. Er was iets mis tussen ons, zegt hij, en zij denkt dat het huwelijksaanzoek dat zij hem had gedaan hem dwars moet hebben gezeten, maar dat vergeten ze, de schuur en de glooiende weiden, dat wordt hier, hun slaapkamer zwemmend in het effen daglicht dat via het trapgat omhoog komt dwarrelen langs de was aan de lijn en de watervlekken in de vloer en hun armzalige bed, krakend onder het gewicht van hun dromen. En ze vertellen elkaar opnieuw over de schuur, hoe ze uren hebben rondgelopen en naar elkaar hebben verlangd en dan nu eindelijk hebben ze een plek gevonden waar het kan, zondig weliswaar bij daglicht en tussen de schapenpoep, en in de verte horen ze een hond blaffen en een boer roepen, maar het maakt niet uit, en dan vertellen ze elkaar dat ze nooit meer zonder elkaar willen, ze zouden het ook niet kunnen, en dat is voortaan het verhaal van de schuur, want wie zegt, fluistert ze, dat het voor altijd moet zijn zoals het was als alleen zij tweeën ervan weten. En ze blijven in bed liggen totdat ze zich als de wiedeweerga moeten aankleden omdat Gust en Roos zo uit school thuiskomen, en ook dan doen ze de winkel niet open.

En 's avonds eten ze met de kinderen en ze weten van geluk niet waar ze moeten kijken, en hoewel ze angstvallig geen blik wisselen en elkaar niet aanraken, zelfs niet per ongeluk terwijl hij haar zijn bord aangeeft, hebben Gust en Roos natuurlijk in de gaten wat er aan de hand is, ze lijken wel gek met z'n tweeën, als de kinderen naar bed zijn, proberen ze samen in de studio aan de foto's te werken, maar alles wat ze doen of zeggen lijkt alleen naar dat ene te verwijzen, ze durven niet naar boven te gaan terwijl de kinderen misschien nog niet eens slapen en ze belanden samen op de sofa in de loopgraaf bij de soldaat die accordeon speelt en de soldaat die een brief aan zijn moeder schrijft, en hij mag haar daar niet uitkleden, alleen onder haar ondergoed betasten, maar op die manier lukt het ook. En achteraf zegt ze dat het zo niet door kan gaan, morgen doen we de winkel weer open, belooft hij, en ze somt op welke fatsoenlijke, doodgewone dingen ze morgen nog meer zullen doen, dat stelt haar gerust, alsof ze de herinnering aan dit hier op de sofa en dat vanmiddag in bed ermee kan uitwissen, en dan retoucheert ze nog een oude foto van een vermiste soldaat poserend in zijn uniform, hij betrapt haar op een melancholieke blik en ze zucht, het verleden haalt hen in, ze gaan stilletjes naar bed, met alleen een nachtzoen en keurig in nachthemd en nachtjapon.

Maar tegen de ochtend zijn ze vergeten dat hij ooit vermist was en zij zijn onbestorven weduwe, en ze vertellen elkaar nog eens over de mobilisatie, en waarom zouden ze treurig uit elkaar zijn gegaan als het ook anders kan, ze had zijn uniform schoongeborsteld en versteld en hij had haar leren fotograferen en toen trokken ze hun kleren uit en maakten ze deze herinnering waarop ze acht jaar lang zouden moeten teren. Lieve moeder Maria, fluistert ze als ze na afloop bezweet en afgemat naast elkaar liggen, en haar stem klinkt ontsteld alsof ze zichzelf in zijn armen is kwijtgeraakt, ze wil dat ze samen het Onzevader bidden, en dat doet hij voor haar, hoewel hij zich afvraagt of het niet godslasterlijk is om de heilige woorden naakt uit te spreken, met haar geur nog op zijn huid, en ze zegt dat ze straks gewoon in de winkel gaat werken, ze wil eventjes niet hieraan denken, goed, vraagt ze alsof ze zijn toestemming nodig heeft, goed, zegt hij.

En een hele dag houden ze het vol om als een fatsoenlijk getrouwd stel in de winkel te staan, zelfs 's avonds presteren ze het om samen in de studio te werken en elkaar niet aan te raken, maar ze liggen al vroeg in bed en dan gaat het weer helemaal mis, zo overtuigend dat ze hem tegen de ochtend bekent dat ze niet meer begrijpt waarom het verkeerd zou zijn, dat zal dan wel het zondigste van alles zijn, zegt ze met een zucht, en hij zegt dat ze minstens acht jaar geluk hebben verdiend na- dat ze acht jaar hebben geleden, dat neemt ze serieus in overweging en ze komt tot de conclusie dat niemand hun dit kan afnemen, alleen God natuurlijk, en wijzelf, zegt hij, en wijzelf, beaamt ze.

En weken van overmatig geluk volgen, alsof de hemel haar poorten voor hen heeft geopend, en misschien dat ze daarom haar schuldge- voelens durft te vergeten, of misschien is het andersom, verdwijnt eerst haar schuld en komt daarna het geluk, ze verlangen op de meest onge- paste momenten naar elkaar, ze vrijen op klaarlichte dag onder de tafel in de salon, op de vloer in de donkere kamer, zelfs haastig in de keuken tussen het rinkelen van het winkelbelletje door, en een ander mens zo te begeren, zo door een ander te worden begeerd, zo allesverterend dat niets er nog toedoet, alleen dat ene, is ongelooflijk en krankzinnig en fantastisch, maar het heeft ook iets onbetrouwbaars en onevenwichtigs, alsof ze op een ochtend wakker kunnen worden en al dit grandioze een hersenschim blijkt te zijn geweest. Hij is niet meer in staat om haar te zien zoals ze werkelijk is, of het kan ook zijn dat hij haar nu juist ein- delijk ziet zoals ze in het diepst van haar wezen is, omdat schoonheid herinneringen nodig heeft om tot bloei te komen, ze is adembenemend mooi, alles wat hem aan haar tegenstond, vertedert hem nu, haar die- pe, lijzige stem, haar fletsbruine ogen, haar bleke huid, haar mollige, alledaagse postuur, haar ergerlijke koppigheid, haar dromerige ver- strooidheid, haar volkse accent dat de kop opsteekt als ze emotioneel is, haar talloze onzekerheden. Hij had geen idee dat van iemand houden zo kon zijn, en hij weet zeker dat zij hetzelfde voor hem voelt en dat hun vorige liefde dus vele malen banaler moet zijn geweest, de vraag hoe dat mogelijk is durft hij niet te stellen, het antwoord moet iets met de oorlog te maken hebben, misschien is het geen liefde maar een vorm van bezetenheid, het overweldigende geluk uit zijn droom dat hij op haar heeft overgebracht.

Ze proberen hun verliefdheid verborgen te houden voor hun omgeving, hij kan zichzelf niet observeren, maar aan haar ziet hij hoe onmogelijk het is om hun geheim te bewaren, ze gaat met Felice naar soldenhuis Ypriana in de Langesteenstraat en ze komt enthousiast terug met zes verschillende stoffen, voor vier kostuums en twee pyjama's, terwijl Felice had aangeboden om twee kostuums voor hem te maken, en ze helpt Felice bij het naaien, maar haar energie is onuitputtelijk, en Felice wordt steeds stiller en ongelukkiger, en uiteindelijk moet ze Julienne wegsturen, kom maar terug als je van hem bent genezen, heeft ze volgens Julienne gezegd, als ze het hem vertelt liggen ze samen in bed en ze lacht er uitbundig om, ze zegt dat Felice degene is die moet genezen, van haar jaloezie, wel te verstaan. En ook als ze heel serieus een klant helpt, klinkt er een onweerstaanbare vreugde in haar stem door, haar bewegingen zijn ongeremd alsof ze ieder moment kan gaan dansen, en regelmatig laat ze iets uit haar handen vallen en lacht ze om haar eigen gestuntel, en lachen moet ze al helemaal niet, dan spettert haar geluk aanstekelijk in het rond, en ze vindt veel te veel grappig, ze lacht om onnozele opmerkingen van saaie klanten, omdat ze haar retoucheermesje zoekt terwijl het voor haar neus ligt, omdat hij zijn uniformjas scheef heeft dichtgeknoopt, omdat ze is vergeten dat de aardappels op het vuur staan en ze tot pap zijn gekookt, en klanten laten zich verrast ontregelen en zich door haar een portret aanpraten in de hoop dat ze van het poseren voor haar lens net zo gelukkig zullen worden als zij tweeën samen zijn.

Ze verkopen hun geluk voor zeven franken per stuk, en na een tijdje verhogen ze de prijs brutaal naar acht franken, en als niemand klaagt, zelfs naar negen en dan naar tien, en als ze na een aantal weken op zaterdagavond de kas opmaakt hebben ze zo veel geld, zoveel heeft ze in jaren niet bij elkaar gezien, zegt ze, dat ze op maandag samen naar juwelier Malfait gaan in de Onze Lieve Vrouwstraat, waar ze een geplatineerd nikkelen herenhorloge kopen voor 52 franken, een enorm bedrag voor een voorwerp dat hij nog nooit heeft gemist, maar zij staat erop, en vervolgens gaan ze naar In den gouden trommel om speelgoed voor de kinderen uit te zoeken, en ze laten zich verleiden tot het kopen van een toverlantaarn voor 13 franken, ze nemen er afbeeldingen van sprookjes bij voor Roos en van Robinson Crusoë voor Gust, en de kinderen vinden het zo leuk om naar de geprojecteerde plaatjes te kijken dat ze zelfs lucifers uit de keuken stelen en stiekem 's avonds in bed de toverlantaarn aansteken. En na die extravagante uitgaven durft ze ook geld aan luxe voor zichzelf te besteden, ze koopt rundvlees en witbrood en boter en kaas en zwijnenworst en bier en wijn en echte koffie en suiker en thee en chocolade, en toiletpapier zoals de kolonelsvrouw in het watercloset had dat zij moest schoonmaken maar niet mocht gebruiken, en ook geparfumeerde Palmolive-zeep voor deftige dames, zodat ze de eerstvolgende zaterdagnacht naar rozen ruikt als hij haar blote lijf kust, hij mist haar eigen zedeloze, zweterig zilte geur, maar hij zegt er niets van, ze voelt zich toch al schuldig over haar pas verworven weelde.

En als ze in slaap zijn gevallen, schrikt hij na een uur alweer wakker omdat ze met haar armen om zich heen maait en ze mompelt, ik kom eraan, laat me, hij heeft al weken geen nachtmerrie gehad, hij is geschokt dat zij er nu een heeft, en hij wekt haar en neemt haar in zijn armen, hij wiegt haar zacht zoals zij zo vaak voor hem heeft gedaan, en zonder dat hij ernaar vraagt vertelt ze hem haar droom, ze zegt dat ze hem bij haar weg kwamen halen en dat ze wist dat hij dit keer niet zou terugkomen, en hij hoort aan haar stem dat de schrik nog niet is verdwenen, hij weet veel te goed hoe ze zich voelt en machteloos probeert hij haar te sussen, hij belooft haar dat hij altijd bij haar zal blijven, en zij zegt dat hij dat niet weet, het kan weer oorlog worden, zegt ze, of er kan iets anders gebeuren waardoor je weg moet, en dat ze zich te midden van hun geluk nog steeds niet veilig durft te voelen, grijpt hem zo aan dat hij er tranen van in zijn ogen krijgt.

En langzaam wordt het lente, op zondagmiddag trekken ze hun nette kleren aan, en ze wandelen arm in arm over de Esplanade en via de laiterie en de vijver met de vlasmolen door het Volkspark, langs al die andere stellen die met hun kleren, hun kinderen en hun onbezorgde leven te koop lopen, en ze giechelt, kijk ons nou eens, zegt ze, en hij weet dat ze denkt aan wat ze nog geen halfuur geleden samen in bed hebben gedaan, en misschien gelooft ze dat mensen haar ondanks haar keurige kleren en manieren doorzien, want ze omklemt zijn arm stevig, en hoe vaker ze bekenden groet, hoe vaker ze een beleefd praatje met hen moet maken, hoe harder haar vingers in zijn arm knijpen, alsof hij haar enige houvast is in een vijandig gezinde wereld. En hij stelt voor om langs de Leye te lopen, en over de kades met bedrijven en aangemeerde schepen wandelen ze de stad uit, en uiteindelijk zijn ze helemaal alleen tussen de weilanden en de kale vlaslanden die nog moeten worden ingezaaid, en ze vergeten de blikken van anderen, onbeschaamd als een knecht en een boerenmeid gaan ze in het gras aan de waterkant liggen. Ze kijken naar de overdrijvende wolken, en zij ziet er kastelen en draken in, maar hem doen ze denken aan het werkeloze wachten in de eerste linie, waar ze het enige onderdeel van de gewone wereld vormden dat bij hen was gebleven, geen bomen, geen vogels, geen huizen, geen vrouwen, geen kinderen, niets was er te vinden uit hun vorige leven, dat ze geacht werden tot de dood te verdedigen, alleen die wolken die na enkele uren, en als het daarboven hard waaide, zelfs na enkele minuten al over hun oude huis zouden drijven, waar zij ze zou zien als ze toevallig net op dat moment uit het raam keek.

Het lijkt wel of we zweven, zegt ze dromerig nadat ze een tijdje naar de wolken hebben getuurd, en hij merkt het ook, het is alsof ze de rivier afdrijven, het gras golft en dobbert om hen heen, en onder hem opent zich een peilloze, duistere diepte die duizenden soldatenlichamen in zich bergt, alsof de aarde een toren is van levens die er hadden kunnen zijn, maar die ruw zijn afgebroken, en zonder logische verklaring bevindt hij zich als enige overlevende boven in de wankele spits. Hij legt zijn hoofd op haar buik en hij probeert de zielloze leegte onder hen te vergeten die hun leven samen groots en tegelijkertijd volstrekt onbenullig maakt, waar denk je aan, vraagt ze, en hij zegt dat hij niet kan bevatten dat hij zo veel geluk heeft gehad terwijl al die anderen nooit zijn teruggekomen, hij begrijpt het gewoon niet, zegt hij, en ze zwijgt, hij heft zijn hoofd op om naar haar te kunnen kijken, en ze glimlacht door haar tranen heen naar hem terwijl ze, zoals een huilend kind zou doen, met haar handen over haar natte wangen boent, en hij vertelt haar hoe onvoorstelbaar veel hij van haar houdt, en zij zegt dat ze nog veel meer van hem houdt, sjoeke noemt ze hem liefkozend, en ze begrijpt ook niet, zegt ze, waarom zij tweeën zijn uitverkoren, misschien valt er niets te begrijpen, zegt ze, dat denk ik wel eens.

En al wekenlang vrijen ze schaamteloos bij daglicht, en altijd houdt ze daarbij haar kleren aan of bedekt ze zich angstvallig met het beddengoed, 's nachts durft ze alles uit te trekken maar dan is het te donker om haar duidelijk te kunnen onderscheiden, en uitkleden bij het naar bed gaan doen ze nog steeds nadat zij eerst de petroleumlamp heeft uitgeblazen, en als ze 's ochtends opstaan is de zon al op, en vaak liggen ze dan naakt naast elkaar onder de dekens, en nog altijd wil ze dat hij haar zijn rug toekeert voordat ze uit bed stapt en haar nachtjapon aanschiet, haar lichaam in zijn intiemste facetten aan zijn handen en lippen blootgeven is blijkbaar van een andere orde dan zich door zijn ogen laten bekijken. En zo nu en dan probeert hij haar over te halen, hij vraagt haar 's avonds bij het uitkleden de lamp aan te laten en ze dooft het licht, en nadat ze op de sofa hebben gevrijd en ze zich bukt om haar onderbroek van de vloer te rapen, tilt hij plagerig haar jurk op om naar haar billen te kijken en ze geeft hem een trap, en 's ochtends draait hij zich niet op zijn zij, hij blijft naar haar liggen kijken, en ze zegt dat hij niet zo flauw moet doen, en dat het kinderachtig is en ook dom, want, zo zegt ze, hij zal spijt hebben als hij haar eenmaal bloot heeft gezien, ze is niet mooi alleen in zijn gedachten, ze heeft vet en donkere haren op verkeerde plaatsen, iedere maand bloedt ze smerig tussen haar benen, en haar loezen, zo noemt ze beschroomd in dialect haar borsten, waren ooit misschien best de moeite waard, maar nu hangen ze. En hij doet alsof hij beledigd is en zegt dat ze geen vertrouwen in zijn liefde heeft, hij houdt van haar, zegt hij, van alles wat bij haar hoort, dat denk je maar, zegt ze, en omdat hij zich nog steeds niet omdraait, trekt ze de bovenste deken van het bed en slaat die om zich heen, en met een triomfantelijk lachje staat ze op, en ze vist op haar hurken haar nachtjapon en ondergoed van de vloer, ga je de kolen doen, zegt ze.

En op zaterdagavond, als de kinderen in de tobbe zijn geweest en in hun nachthemd op de grond in de salon naar toverlantaarnplaatjes zitten te kijken en zij zich aan het wassen is, loopt hij doodgemoedereerd de keuken binnen, in het voorbijgaan ziet hij Gust en vervolgens ook Roos verrast naar hem kijken, ze vergeten hun toverlantaarn en wachten af wat er gaat gebeuren, en hij opent de deur, en daar staat ze, naakt in de tobbe midden in de keuken, nat haar, half ingezeept, en de absurditeit ervan dringt zich aan hem op, de tafel waaraan ze iedere dag eten, vier stoelen, het fornuis dat hij 's ochtends voor haar aansteekt, de gesloten, verkleurde gordijnen, de kast met borden en glazen, allemaal zo alledaags, en dan zij, onbetamelijk bloot en kwetsbaar, alsof de voorwerpen uit haar eigen keuken haar geweld aandoen alleen door er te zijn. En ze staart hem aan, met stomheid geslagen door zijn brutaliteit, hij sluit de deur achter zich en loopt op haar af, en ze verroert zich niet, water druppelt van haar lichaam in de tobbe, hij zegt niets, zij zegt niets, en haar blik wordt onzeker vragend, alsof ze bang is voor hem, en hij vertelt haar dat ze adembenemend mooi is, en dat is ze ook, maar ze heeft niet het lichaam dat hij zich herinnert, ze is gedrongen, molliger, haar borsten zijn ronder en groter, haar heupen breder, haar billen en dijen zwaarder, haar benen korter, misschien had hij een van de vrouwenlichamen voor ogen die hij uit de kunstboeken van het gesticht heeft nagetekend, het is alsof hij de afgelopen weken een ander heeft liefgehad en alsof hij die zeer begeerde geliefde nu met deze onbekende, naakte vrouw bedriegt. Als zij zijn teleurstelling maar niet opmerkt, hij herhaalt bezwerend dat ze mooi is en hij raakt met zijn vingertoppen haar natte huid aan, ze huivert, en hij neemt de zeep uit haar hand en begint haar in te zepen, zacht en aandachtig, en verlegen laat ze hem begaan, van haar armen naar haar borsten, haar buik, haar dijen, tussen haar benen, en halverwege die tocht durft ze zich voorzichtig aan zijn handen over te geven en dan vergeet ze zichzelf en hoe onbehoorlijk het is wat er gebeurt, haar blik wordt leeg en star alsof ze naar iets staart wat voor hem onzichtbaar blijft, en hij is overrompeld door haar vertrouwen, maar opwinding voelt hij niet, alleen een vertedering die zo groot is dat hij nauwelijks naar haar durft te kijken. En als het voorbij is, laat ze zich door hem afspoelen en afdrogen en daarna door hem aankleden alsof ze een kind is, hij trekt haar haar onderbroek met lange, versleten pijpen aan, knoopt haar keurslijfje dicht, maakt haar kousen aan de jarretels vast, en ze steekt gedwee haar armen in de lucht zodat hij haar jurk over haar hoofd kan trekken, en als haar gezicht met vochtige, verfomfaaide haren uit de kraag tevoorschijn komt, kust hij haar.

En het onbegrensde vertrouwen blijft tussen hen bestaan, ook later die avond als ze naar bed gaan kleedt ze zich bij lamplicht uit zodat hij haar kan zien, en ze kijkt toe terwijl hij zijn kleren uittrekt, ernstig en geconcentreerd zoals ze ook de mensen bestudeert op de negatieven die ze retoucheert, en hij vraagt het haar toch als ze naast elkaar in bed liggen en zij de lamp uitblaast, of ze zich voor de oorlog in elkaars bijzijn uitkleedden en wasten, en zij zegt dat daar geen sprake van was, zo'n huwelijk hadden we niet, zegt ze, hij vraagt wat voor huwelijk ze dan wel hadden, en ze denkt na over de juiste formulering en komt dan met tevreden en fatsoenlijk, daar moet hij om lachen en zij daarom ook, gedempt vanwege de kinderen die nog geen drie meter van hen vandaan liggen te slapen, ze zegt dat ze geen idee had dat het ook zo kon zijn, zo hartstochtelijk, dat is het woord dat ze gebruikt, en zo allesverslindend gelukkig, als ik dat had geweten, zegt ze, had ik dat jarenlange wachten nooit overleefd.

En ze wandelen in de regen door de stad, hij houdt de paraplu boven hun hoofd, vooral boven het hare, en er vallen steeds meer druppels en ze worden steeds dikker, ze spetteren in het water van de Leye, ze dansen in de plassen, roffelen op hun paraplu, en er is niemand op straat, het is zondag, iedereen is naar de mis of naar huis gevlucht, als enigen lopen ze over de kade, en het water gutst over de keien naar de rivier, de rechterzijde van zijn jas en zijn broekspijpen worden kletsnat, en de zomen van haar jurk en mantel zijn bruin van de modder en de paardenvijgen die op straat ronddrijven, we zijn net twee landlopers, zegt ze en ze lacht, want er is niemand die hen ziet. Het is alsof ze alleen zijn op de wereld, de stad is grijs en wezenloos als een rots in de schemering, en hij legt zijn arm om haar heen, trekt haar tegen zich aan onder de paraplu en zij laat haar hoofd tegen zijn schouder rusten, en ze stappen volleerd met vier benen handig om de plassen heen en soms baldadig er middenin omdat het toch niet meer uitmaakt, het water staat in zijn schoenen, en zij zegt dat ze net zo goed op kousenvoeten zou kunnen lopen, en hij ziet voor zich hoe ze haar jurk tot aan haar bleke dijen optilt en blootsvoets door de plassen dartelt.

En hij vertelt over de tuin van het gesticht, hoe hij van de regen hield omdat de planten frisgroen werden en het zo stil was op het geruis van de vallende druppels na, en dan vertelt hij haar over hun ontmoeting, over de kas, de tomaat die ze at, hoe zij de eerste was die hem werkelijk zag, het was alsof ze hem uit een diepe slaap wekte. En zij vertelt hem hoe gelukkig ze die dag was, zo onvoorstelbaar gelukkig dat ze nadat ze afscheid van hem had genomen in de gestichtstuin achter een heg gehurkt had zitten huilen, en 's avonds in haar haveloze hotelkamer haalde ze zijn kleren uit de koffer en ze hing ze uit, en staand naast zijn kostuum bekeek ze zichzelf voor het eerst in acht jaar aandachtig in een spiegel, ze zag zichzelf door zijn ogen en ze was onaantrekkelijk en allang niet meer jong, en toen was ze zo vreselijk bang geworden dat ze wel een uur op bed had liggen beven en bidden, en de volgende ochtend was ze bijna niet teruggegaan naar het gesticht, maar toen ze hem zag, vol verwachting en bang, net als zij, zegt ze, verdwenen haar twijfels.

En ze hebben de stad achter zich gelaten, het is gestopt met regenen, en uit de voorzichtig uitbottende bomen langs het zandpad vallen nog duizenden druppels op de grond, het ritselt en tikt en ruist alsof het bos een bewegend, ademend wezen is, en op de tegenovergelegen oever van de Leye, waar modderige door bomen omzoomde vlaslanden op het zaaien liggen te wachten, kruipt in de verte een trein over de spoorbrug, de stoom stijgt parmantig uit de schoorsteen recht omhoog alsof er net een granaat is ontploft, en langzaam drijft de vreemd gevormde wolk uiteen en lost in het niets op, en het is zo vredig om hen heen, zo groots en weids, alsof zij tweeën te nietig zijn om er iets toe te doen en toch hebben ze dit moment zelf geschapen door hier op dit ogenblik op deze plek te zijn.

En ze vertellen elkaar over hun eerste weken samen, hij over zijn slapeloosheid, zijn schaamte en zijn angst dat hij een teleurstelling voor haar was, en zij over haar schuldgevoelens omdat ze alles had gekregen waarnaar ze had verlangd en ze er niet gelukkig mee kon zijn, ook al was ze het soms even, het was nooit genoeg, zegt ze, en ze vertellen elkaar over die eerste nacht dat hij bij haar in bed sliep, over het oorlogsdecor dat ze samen schilderden, over de eerste keer dat ze vrijden, en uit haar mond in verhaalvorm, en zelfs door hem zelf verwoord, is het anders en toch aantoonbaar precies zoals het was, en voor het eerst heeft hij het wonderbaarlijke idee dat zijn nieuwe leven met haar naadloos aan zijn oude leven in het gesticht past, dat het werkelijk één man is die dat allemaal heeft meegemaakt, en een immens gevoel van lichtheid en vrijheid overweldigt hem, alsof hij op een kerktoren is geklommen en heel ver kan kijken, tot aan het niemandsland van Merckem, tot aan zijn geboorte in Meenen.

En langzaam lopen ze verder en hun kleren drogen in het waterige zonnetje, en de vlaslanden en de weilanden dampen alsof ze onder een donzen deken over zomerochtenden liggen te dromen, en allebei zijn ze onuitsprekelijk gelukkig, niets vragen ze, behalve hier te mogen zijn, samen, op een zondagochtend. En ze lopen door bijna tot aan Wevelghem, dan keren ze pas om, en hij zegt tegen haar dat hij vanwege zijn geheugenverlies als een jongen is die voor het eerst verliefd is en dat hij niet weet hoe zoiets gewoonlijk verloopt, kunnen we zoveel van elkaar blijven houden, vraagt hij, is dat mogelijk, en zij zegt vol overtuiging dat ze dat gelooft, dat ze het zelfs weet, geloof jij dat dan niet, vraagt ze en hij zegt dat hij het ook gelooft, als jij het zo zeker weet, zegt hij.

En ze poetst de meubels, koopt opnieuw dure chocoladekoekjes bij Marchal, omdat ze de vorige midden in de nacht samen hebben opgegeten, en ze zet echte koffie, want Camille, Hortense, Virgenie en Elodie, haar vriendinnen, komen op bezoek, en ze drukt hem op het hart dat hij in de studio moet blijven, ben je bang dat ik de meubels vies maak, vraagt hij plagerig, en zij zegt ernstig dat ze haar vriendinnen het geluk van hen tweeën niet wil inpeperen, maar na een kwartiertje komt ze hem toch halen, ze willen je graag zien, zegt ze, en ze instrueert hem fluisterend, niet naar me kijken alsof je niet van me af kunt blijven, niet te veel lachen en me zeker niet aanraken, ook niet stiekem, en hij loopt achter haar aan de trap op en zijn ogen worden als vanzelf naar haar wiegende heupen in haar zondagse jurk getrokken.

Maar in de salon zit hij netjes op de stoel die ze hem heeft gewezen en hij praat met haar vriendinnen over zijn voorzichtig terugkerende herinneringen en zijn verdwenen nachtmerries, over de portretten die hij in uniform van zich laat maken, en over het aanstaande huwelijk van Camille, hij zegt dat het goed is dat ze een nieuwe man heeft gevonden, hij weet zeker, zegt hij, dat haar eerste man het zou begrijpen. En hij kijkt helemaal niet naar Julienne en zij niet naar hem, en ze lachen alleen als haar vriendinnen dat zelf ook doen, ze zijn ineens een gewoon getrouwd stel, ze hoeven zich er nauwelijks voor in te spannen, het benauwt hem hoe eenvoudig het is, teruggaan naar de verliefdheid van een uur geleden lijkt uitgesloten, alsof er een deur achter hen in het slot is gevallen, hij wordt er somber van, en kennelijk kijkt ze zo nu en dan toch naar hem of ze hoort het aan zijn stem, want als haar vriendinnen even niet opletten, glimlacht ze bemoedigend naar hem, en nadat ze beneden in de winkel afscheid van hen heeft genomen en ze de salon weer binnenkomt, gaat ze op zijn schoot zitten, ze kust hem en streelt zacht door zijn haar en ze noemt hem een malle jongen.

En ze gaan naar boven, naar hun slaapkamer, maar net als ze elkaar stoeiend en strelend en fluisterend over de boerenschuur hebben uitgekleed, horen ze het winkelbelletje, en ze schiet haar jurk en kousen aan, hij helpt haar met de knoopjes, en haar keurslijf en onderbroek laat ze op bed liggen, op een holletje loopt ze de trap af. En terwijl hij zijn hemd over zijn hoofd trekt, hoort hij haar beneden met iemand praten, een vrouw en dan nog een vrouw, haar vriendinnen zijn teruggekomen, hij kleedt zich aan en rookt halverwege de trap zittend een sigaret, hij hoort de vrouwen opgewonden door elkaar praten, Juliennes stem klinkt erbovenuit, ze pleit verontwaardigd voor iets, en hij overweegt om naar beneden te gaan om haar te helpen, maar het zijn waarschijnlijk vrouwenzaken.

En later is ze alleen met Camille in de salon, hij loopt zachtjes de trap af en op de laatste trede blijft hij staan luisteren, Camille huilt, ze zegt dat Julienne en Amand zo gelukkig zijn, dat ziet ze aan alles, stel je voor dat Julienne het had opgegeven, hem dood had laten verklaren en was hertrouwd, dat zou verraad zijn geweest aan Amand, zo voelt Camille het, ze kan niet hertrouwen, zegt ze, haar man zou kunnen terugkomen en ze zou met hem net zo gelukkig kunnen zijn als Julienne met Amand, ze moet haar huwelijk afzeggen, ze kan niet anders. Maar dat verbiedt Julienne haar, Amand en ik zijn een slecht voorbeeld, zegt ze, als ze had geweten dat het acht jaar zou duren, dat wachten op hem, was ze er nooit aan begonnen, het was ondraaglijk en treurig, een zich eindeloos voortslepende pauze totdat haar echte leven verder zou gaan, en als ze ondanks alles ergens van genoot, voelde ze zich schuldig, en dan de angst dat hij nooit zou terugkomen, dat het allemaal voor niets was, en ook de angst dat haar grootste wens eindelijk in vervulling zou gaan, want het wachten kende ze inmiddels, die ellende was haar vertrouwd, en misschien zou zijn terugkeer een teleurstelling zijn, en wat had ik dan nog, zegt ze. Maar je hebt volgehouden en je bent ervoor beloond, zegt Camille snikkend, jullie zijn zo gelukkig, het doet gewoon pijn aan mijn ogen, zo gelukkig, en Julienne zegt dat het puur toeval is dat hij het heeft overleefd, dat hij zijn geheugen kwijt was, dat ze hem heeft gevonden, een speld in een hooiberg, daar moet Camille geen beslissing op baseren en zeker niet nu Julienne en Amand nog maar een paar maanden geleden opnieuw zijn begonnen, dit zijn hun wittebroodsweken, dan is ieder stel gelukkig, dat gaat weer over, zegt ze, en dan zegt ze het nog eens, het blijft niet zo, het gaat over.

En Camille belooft om er een aantal dagen over na te denken voordat ze een besluit neemt, en Julienne gaat met haar mee naar beneden, na een tijdje hoort hij het winkelbelletje en daarna haar voetstappen op de trap, en hij loopt haar tegemoet, in de gang voor de deur van het privaat passeren ze elkaar, en hij loopt snel verder, in de hoop dat ze de uitdrukking op zijn gezicht niet ziet, heb je geen zin meer, vraagt ze op gedempte toon, en hij zegt dat hij foto's moet afdrukken, en hij is al halverwege de trap en hij kijkt niet om maar hij weet dat ze teleurgesteld is, ze komt niet achter hem aan naar de studio, ze kookt het avondmaal, en waarschijnlijk heeft ze inmiddels de reden voor zijn koele gedrag afgeleid, want ook als ze die avond met z'n tweeën zijn, vraagt ze hem er niet naar, en hij durft er ook niet over te beginnen, haar voorspelling ligt roerloos en onuitgesproken tussen hen in te wachten totdat hij bewaarheid wordt. En hij probeert haar woorden uit zijn herinnering te bannen, maar dat maakt alleen dat hij er vaker aan denkt, als ze 's nachts naast hem ligt te dromen en ze zijn naam mompelt, als ze hem over tafel aankijkt met die lome, verleidelijke glimlach van haar, als ze zich voor hem uitkleedt, verlegen en uitdagend tegelijk, als ze vrijen en hij zoveel van haar houdt en denkt dat het de laatste keer kan zijn, en wat heb je verdomme aan geheugenverlies als je de dingen die je wilt vergeten feilloos onthoudt.

En ze wandelen samen langs de Leye, de zon schijnt, de bomen staan blijmoedig in broos voorjaarsblad en over de velden ligt een lichtgroen waas van het vlas dat net boven de grond is, en ze zijn al voorbij de spoorbrug en bijna in Bisseghem, hij stelt voor om door te lopen naar Meenen zodat ze hem hun oude huis kan laten zien en de Ieperstraat waarin ze woonden en de trap aan het water waar ze elkaar stiekem ontmoetten, ben je mal, zegt ze, Meenen is nog minstens twee uur lopen, en hij oppert dat ze in Bisseghem de trein kunnen nemen, en ze zwijgt, hij weet dat ze niet wil, maar hij kan haar niet altijd haar zin geven, hij zegt dat hij graag de plekken zou zien waar haar verhalen zich afspelen, en wellicht herinnert hij zich dan ook iets van hun vroegere leven, volgende week misschien, zegt ze, het is nu te laat op de dag.

En 's avonds in bed vraagt hij haar waarom ze niet met hem naar Meenen wil, hoe kom je daarbij, zegt ze, ik wil best, en als hij aandringt en zegt dat hij het alleen probeert te begrijpen, zegt ze dat er niet veel over is van hun oude huis, ze wil niet herinnerd worden aan die tijd van wanhoop en eenzaamheid, dat heeft ze allemaal achter zich gelaten, zegt ze. Ze is bang, merkt hij, alsof ze gelooft dat hij hun geluk doelbewust kapot tracht te maken, en hij streelt sussend over haar wang en zegt dat het goed is, als zij niet wil dan gaan ze natuurlijk niet, en ze herademt en ze vertelt nog eens hoe treurig het was, hoe vreselijk ze zich voelde toen ze voor de laatste keer de bouwval van hun huis zag, ze ging met hun armzalige bezittingen in een koffer gepakt en de kinderen aan de hand op weg naar een onbekend leven in een nieuwe stad, zonder hem, en de Ieperstraat was ooit een winkelstraat op stand, maar nu lag overal puin, in de muren van de huizen zaten gapende gaten, daken waren weggeslagen, het wegdek bestond uit kuilen en plassen, ze zouden naar Antwerpen verhuizen, en dat leek haar plotseling zo onvoorstelbaar ver weg, alsof ze zich er alleen radeloos en ellendig zou kunnen voelen, dat ze in een opwelling besloot om naar Kortrijk te gaan, van waaruit ze met de trein in een kwartiertje terug kon zijn in haar oude leven, maar ze was nooit meer teruggegaan, zegt ze.

En hij zegt dat hij het begrijpt, natuurlijk begrijpt hij het, hij zou ook voor geen goud het gesticht in Gent weer bezoeken, dat is anders, zegt ze, en ze benadrukt nog eens hoe droevig het zou zijn om de ruïne van hun oude huis te zien, en ze zegt dat het niet alleen afschuwelijk zou zijn voor haar, maar ook voor hem, hij heeft zich aan de hand van haar verhalen een voorstelling van hun leven gemaakt en die zou volledig teniet worden gedaan, alsof hun huis nogmaals in puin werd geschoten, zo zou het zijn, zegt ze. En hij zegt opnieuw dat hij het begrijpt en dat ze gelijk heeft, maar het is te veel, ze had het één keer kunnen zeggen, op zijn hoogst twee keer, dat was voldoende geweest, en heel voorzichtig knaagt de twijfel aan hem, na al die weken van liefhebben en overgave houdt ze nog steeds iets voor hem verborgen.

En ze neemt hem mee naar Felices appartement om daar zijn nieuwe kostuums te passen, en alle drie doen ze erg hun best, zij tweeën om hun verliefdheid weg te stoppen, en Felice om niet te merken hoeveel moeite hen dat kost, hij verkleedt zich in de keuken terwijl Julienne en Felice in de voorkamer wachten, en na even klopt zij op de deur, lukt het, vraagt ze, en ze komt binnen en ze helpt hem met de bretels en de knopen van het vest, en ze houdt hem op armslengte, kijkt naar hem en glimlacht, trots en verrast, en dan kust ze hem, en voordat ze de deur naar de voorkamer openen laten ze elkaar los, maar Felice weet natuurlijk wat ze daar in haar keuken hebben gedaan. En bij het passen van het volgende kostuum gaat Julienne direct met hem mee naar de keuken, en ze kleedt hem uit en weer aan, en juist dat ze hem alleen zo nuchter mag aanraken is opwindend, en ook bij het derde kostuum doen ze het zo, maar het is moeilijk om het bij onschuldige aanrakingen te houden, en als ze hem weer heeft aangekleed en naar de deur loopt, zegt hij dat hij nog even in de keuken blijft, en ze vraagt waarom, maar dan valt haar blik op zijn kruis en ze giechelt, en ze wachten samen, ze probeert een gespreksonderwerp te vinden dat zijn probleem het snelst zal oplossen, fotografie, nee, zegt hij, het weer, nee, zegt hij, en daar moet ze om lachen, geldzaken, de oorlog, nee, en uiteindelijk besluit ze dat ze hem maar het beste alleen kan laten, en hij hoort haar en Felice door de deur heen praten en hij stopt zijn vingers in zijn oren zodat haar stem hem niet kan tarten, en uiteindelijk waagt hij zich weer in de voorkamer.

En bij het vierde en laatste kostuum gaat hij alleen naar de keuken en blijft zij bij Felice, en als hij terugkomt bewonderen ze hem in zijn elegante, lichte zomerkostuum en Felice vertelt over haar reis met Sylvain naar Oostende, de kleren van de rijke buitenlandse badgasten daar, hun luxueuze kamer met warm en koud stromend water en elektrisch licht, en hij heeft het verhaal al eerder gehoord, en Julienne waarschijnlijk zelfs al vele malen, ze luisteren allebei beleefd, en Julienne zegt Felice hoe prachtig en perfect de vier kostuums en de twee pyjama's zijn geworden, en Felice glimlacht, hij heeft het idee dat ze meer verwacht, en hij biedt aan om niet alleen voor de stoffen te betalen, zoals zij met Julienne heeft afgesproken, maar ook voor de vele uren die ze erin heeft gestopt, en hij meende dat hij haar gedachten had geraden, maar ze is verontwaardigd over zijn voorstel, beledigd zelfs, alsof hij haar haar vriendschap met Julienne misgunt, en Julienne moet de onenigheid tussen hen tweeën sussen, en diplomatiek, alsof ze hen in stilte allebei terechtwijst, weet ze Felice toch een vorm van betaling op te dringen, volgende week zaterdag, zo laat ze Felice beloven, komt ze bij hen eten.

En 's ochtends nadat ze zich hebben gewassen, vraagt hij haar welk kostuum hij zal aantrekken, het grijze, zegt ze, en ze zit op het bed en kijkt naar hem terwijl hij in de broek stapt en het colbertje aantrekt, en haar blik heeft iets koels, iets bezitterigs, vind je het me niet staan, vraagt hij, en ze zegt dat ze wilde dat ze zo goed kon naaien als Felice, dan droeg hij iedere dag haar liefde, en hij lacht om haar, het zijn maar kleren, zegt hij, en hij noemt haar een romanticus, helemaal niet, zegt ze beledigd, alsof hij haar heeft beschuldigd van God weet wat, en hij zegt dat ze acht jaar lang op hem heeft gewacht, als dat geen romantiek is dan weet hij het ook niet meer, dat was absoluut geen romantiek zegt ze, een nuchtere overtuiging, dat was wat het was, want ze had achteraf gezien toch gelijk, of niet soms, romantiek, zegt ze, is voor onnozelaars die van alles verzinnen om de waarheid niet onder ogen te hoeven zien, en zij heeft al die jaren niets anders gedaan dan de werkelijkheid onder ogen zien, hoe ellendig die ook was, of wil hij soms beweren dat ze dat niet heeft gedaan.

En verrast door haar uitbarsting neemt hij zijn woorden terug, maar een paar nachten later vertelt ze hem in bed dat ze tijdens de oorlog vaak naar de statie ging en daar uren stond te kijken naar de Duitse hospitaaltreinen vol gewonden, mannen van allerlei nationaliteiten die net als hij gezond en welgemoed naar het front waren vertrokken, sommige zelfs van deze statie in precies zo'n trein als waarmee ze nu meer dood dan levend werden teruggebracht, de wagons waren gevuld met stapelbedden, en ze zag de gewonden aan zich voorbijglijden, raam na raam, duizenden mannen in smerige uniforms onder kraakheldere lakens, sommige met vermoeid gesloten ogen, andere zagen haar op het perron staan, ze keken naar haar en dachten waarschijnlijk aan hun eigen vrouw. En ze hoopte, zegt ze, dat ze hem tussen de gewonden zou herkennen, en een keer meende ze hem ook werkelijk te zien en rende ze vergeefs roepend en zwaaiend achter de trein aan, totdat ze van twee Duitse soldaten op haar kop kreeg en naar huis werd gestuurd, en ook daarna, vooral daarna want ze had hoop gekregen, bleef ze naar de statie komen, stiekem omdat het er wemelde van de Duitsers, maar die hadden het te druk om zich om een Belgische vrouw te bekommeren, en terwijl ze op het perron op hem wachtte, bedacht ze dat ze de leiding van het Duitse veldhospitaal zou smeken om hem te mogen bezoeken, ze zou zich vernederen en koppig volhouden en uiteindelijk zouden ze toegeven en ze zou trouw aan zijn bed zitten totdat hij weer gezond was, of beter nog, hij zou net niet helemaal genezen, anders moest hij naar een krijgsgevangenenkamp in Duitsland, misschien zou hij een kwaal kunnen simuleren zodat hij nog een tijdje in het veldhospitaal kon blijven en dan zouden ze midden in de nacht met de kinderen naar Nederland vluchten.

En omdat hij niet reageert, vraagt ze verlegen, bedenk jij nooit zulke dingen, en hij zegt dat hij vaak fantaseert, vooral over haar, en ze lacht gevleid, maar ik ben dan ook een romanticus, zegt hij, en in het donker kan hij haar gezichtsuitdrukking niet zien, en ze antwoordt niet, voor de veiligheid legt hij zijn armen om haar heen en hij kust haar, ben je boos, vraagt hij, boos, zegt ze verbaasd, waarom.

En ze telt aan de keukentafel de winst die ze de afgelopen week hebben gemaakt, het geld dat ze voor het huishouden nodig denkt te hebben legt ze in de lade van de keukenkast, en dan staat ze onwennig met de rest van de munten en briefjes in haar handen, hoeveel is het, vraagt hij, 82 franken, zegt ze, en ze lacht er ongelovig bij alsof ze het zojuist op straat heeft gevonden, ze loopt de trap op om het geld in het kistje onder hun bed op te bergen en ze blijft lang weg, hij gaat kijken waar ze blijft en hij vindt haar zittend op het bed, ze staart naar het geld dat ze om zich heen op de deken heeft verspreid, het is meer dan tweehonderd franken, misschien wel driehonderd. Hij dacht dat ze de winst van de afgelopen tijd kwistig had uitgegeven aan koffie en vlees en andere luxeartikelen, maar ze heeft stiekem gespaard, we zijn rijk, zegt hij verrast, en ze knikt, ze ziet eruit alsof ze ieder moment in tranen kan uitbarsten, en hij gaat naast haar zitten, het briefgeld knispert onder zijn gewicht, en hij neemt haar in zijn armen en fluistert dat het toch goed is al dat geld, ze hebben er eerlijk en hard voor gewerkt, hij wil het aan haar uitgeven, zegt hij, alles waarvan ze ooit heeft gedroomd gaat hij voor haar kopen, en ze zwijgt, hij zegt dat ze in ieder geval nieuwe jurken moet hebben nu hij van die mooie kostuums heeft, ze hoeven Felice er niet mee te belasten, ze kunnen makkelijk een kleermaker betalen, en zij protesteert, haar kleren zijn nog prima, ze houdt van haar oude jurken, zegt ze, en ze heeft juist gespaard voor slechte tijden, de Duitsers hebben dan wel de oorlog verloren, maar het is een chaos in hun land en ze zijn boos, straks komt er opnieuw oorlog en dan hebben we weer niets, en hij verzekert haar ervan dat het voorlopig vrede blijft, zolang er mannen zijn die in de loopgraven hebben gevochten, mannen die zich herinneren hoe gruwelijk en zinloos het was, begint geen weldenkend mens opnieuw aan een oorlog, zegt hij.

En die avond komt Felice bij hen eten, Julienne heeft boeuf bourguignon gemaakt met chocolademousse als toetje en omdat Felice van wijn houdt heeft ze twee flessen dure rode wijn gekocht, Gust en Roos hebben al in de keuken gegeten, en zij drieën eten aan de tafel in de salon, en eerst heeft hij het idee dat Felice er niet zo'n zin in heeft, maar in de loop van de avond wordt ze mede door de wijn steeds vrolijker, en zij en Julienne praten over mensen uit de buurt waarvan hij niet weet wie het zijn, over de klanten van het naaiatelier waar Felice vendeuse is, wat hem niet interesseert, en over Sylvain, verhalen die hij inmiddels wel zo ongeveer kent, maar het is Felices avond en hij heeft haar liever zo dan jaloers of beschaamd.

En ze vertelt dat ze van de week een Duitse vrouw in het naaiatelier hadden, dat moet je maar durven, zegt ze, eerst een land compleet naar zijn mallemoer helpen en honderdduizenden vrouwen weduwe maken en er dan doodleuk een reisje naartoe maken en een leuke jurk laten naaien, en ze zegt dat ze heeft geweigerd om de vrouw te helpen, en Julienne lacht aarzelend, alsof ze denkt dat het een grapje is, en ze werpt hem over tafel een blik van verstandhouding toe, en hij zegt tegen Felice dat de oorlog voorbij is en dat hij een Duitser die in hun studio kwam gewoon zou helpen, hij meende Julienne een plezier te doen, maar hij ziet dat ze zich opgelaten voelt, en haastig verandert ze van onderwerp. Ze heeft het met Felice over mode, en Felice zegt dat Julienne nu eindelijk eens nieuwe kleren moet hebben, niet voor Amand, niet voor haar kinderen, maar voor haarzelf, en Julienne protesteert zwakjes, en Felice wendt zich tot hem, ze vraagt hem wat hij ervan vindt, hij wil toch ook dat zijn vrouw er goed uitziet, zegt ze, en hij kan niet anders dan dat beamen, en Julienne zegt dat ze geen nieuwe jurken nodig heeft, ze niet wil, dat die modieuze gevallen haar niet staan, en Felice lacht om haar, kijk nou eens naar jezelf, zegt ze, je ziet eruit als een armoedzaaier, en bijna wordt Julienne boos, Felice weet het nog net te voorkomen door er een grapje van te maken, en ze lachen samen om Juliennes versleten, verkleurde, tientallen malen verstelde jurk, ze krijgen bijna de slappe lach, en hij lacht vaag met hen mee, en omdat Felice bereid is om haar te beledigen, omdat ze bij geen benadering zoveel van haar houdt als hij, daarom lukt het haar wel om haar te overtuigen, en hij heeft de pest in.

En een hele avond laat ze hem alleen in de studio om boven zijn hoofd in Felices keuken Parijse modetijdschriften en prenten te bekijken, en als ze vervolgens naast hem in bed ligt vertelt ze hem dat Felice zulke mooie ontwerpschetsen heeft gemaakt, en ze heeft jurken van Felice gepast en die stonden haar zo goed, dat vond Felice ook, zegt ze, en voor het eerst is ze enthousiast over iets wat niet van hen samen is, het doet pijn. En op zaterdagmiddag gaat ze met Felice naar soldenhuis Ypriana in de Langesteenstraat, ze blijft meer dan twee uur weg en ze komt opgewonden thuis met stoffen voor drie jurken, een dofzwarte met een goudachtig stiksel, een crèmekleurige met geborduurde bloemen in pasteltinten, en een glimmende grijsgroene die losjes en voornaam om haar lichaam valt als ze hem onder zijn argwanende blik om zich heen plooit alsof het al een jurk is, het zijn helemaal geen stoffen voor haar, ze horen bij een frivole, moderne, welgestelde vrouw, of bij een vrouw zoals Felice die zich rijk en mooi durft te bluffen, maar ze straalt en hij vertelt haar wat ze wil horen, hoe prachtig de jurken zullen worden en hoe trots hij zal zijn om naast haar op straat te mogen lopen.

En ze probeert haar tijd zo eerlijk mogelijk tussen hem en Felice te verdelen, de ene avond werkt ze met hem aan de foto's, de volgende helpt ze Felice bij het naaien, en het is lief van haar dat ze rekening houdt met zijn gevoelens, maar het zijn kleinzielige gevoelens die hij niet wil hebben, waarvan zij niet mag weten dat hij ze heeft, en hij vertelt haar dat ze best een paar avonden achter elkaar met Felice mag doorbrengen, vind je dat niet erg, vraagt ze, en hij verzekert haar ervan dat hij zich prima in zijn eentje vermaakt, en ze zwijgt, en die avond gaat ze niet naar Felice, ze blijft bij hem, en hij weet niet wat hij meer in zichzelf veracht, zijn onterechte jaloezie of zijn voldoening vanwege haar onterechte jaloezie.

En als ze de jurken voor de eerste keer moet passen, wil ze dat hij met haar meegaat, en eerst denkt hij dat ze hem een plezier probeert te doen, maar ze staat in Felices voorkamer, waar Felice de gordijnen voor de ramen naar de straat heeft dichtgetrokken en de tafel aan de kant heeft geschoven, als voor een bescheiden modeshow, en hij merkt dat ze nerveus is, alsof haar lichaam aan de eisen van de nieuwe jurken moet voldoen in plaats van andersom, ze praat te snel en ze lacht te veel en ze kleedt zich onder hun ogen onhandig uit alsof ze een meisje van vijftien is, en zijn hart krimpt van vertedering.

De eerste jurk die ze past is de glimmend grijsgroene, het is een jurk naar de laatste mode zoals Felice die ook draagt, een rechte hobbezak zonder taille, afgezien dan van een brede ceintuur die misplaatst achteloos op haar heupen hangt, en hij begrijpt niet waarom iemand een jurk zou willen ontwerpen die alles wegmoffelt wat een vrouwenlichaam aantrekkelijk maakt, een jurk die de verschillen tussen een vrouw en een man ontkent, alsof een vrouw eigenlijk een man behoort te zijn en zich zou moeten schamen dat ze verborgen in haar hobbezakjurk ook nog ergens borsten en een middel en heupen en billen heeft, en Felice weet zo'n modern geval elegant te dragen omdat ze slank en vooral zelf-verzekerd is, maar Julienne wordt er alleen dikkig en vormeloos van. En Felice klapt verheugd in haar handen en zegt, wat staat dat je prachtig Juul, maar Julienne kijkt in nerveuze afwachting naar hem, en ze is zo aandoenlijk trots op haar nieuwe uiterlijk en tegelijkertijd ook zo onze-ker, dat hij haar in alle eerlijkheid kan vertellen dat ze onweerstaanbaar is, echt, vraagt ze verbluft en hij knikt, en de zon breekt door op haar gezicht. En Felice zegt tegen haar, zie je, dat zei ik toch al, hij vindt alle kleren mooi, als jij ze maar aanhebt, en terwijl ze rond Julienne loopt om kritisch naar de jurk te kijken en dan voor haar neerknielt en de onder-ste zoom afspeldt, vertelt ze over de mannen die met hun vrouwen naar het naaiatelier van madame De Coninck-Van Wormhoudt komen, hoe weinig idee ze hebben van kleuren en vormen en schoonheid, echt, zegt ze, soms geloof ik dat ze blind zijn, en dom ook, ze hebben niet in de ga-ten hoe beledigend hun onverschilligheid voor hun vrouw is, alsof die vrouw een stoel is die ze uit praktische overwegingen hebben gekocht om op te zitten, niet om van te houden. En Julienne lacht opgelaten en werpt een blik in zijn richting, maar ze neemt het niet voor hem of voor al die andere mannen op, en hij zegt tegen Felice dat zij zich ook zelf bezondigt aan wat ze mannen kennelijk verwijt, onverschilligheid voor het onderscheid tussen de ene en de andere man, alsof we stoelen zijn, zegt hij, allemaal door dezelfde timmerman gemaakt, en dat kan Felice op haar beurt niet over haar kant laten gaan, en ze raken in een discus-sie over mannen en vrouwen verzeild, geen van beiden zijn ze bereid om een haarbreed toe te geven en ze dwalen steeds verder af, uiteinde-lijk krijgt hij, namens alle mannen, zelfs de schuld van de oorlog, als de wereld door vrouwen werd geregeerd was alles pais en vree, volgens Felice, en daar lacht hij om, en hij zegt dat er in een wereld vol vrouwen net zo hard zou worden gevochten alleen zou er nooit een einde aan ko-men, geen vergiffenis, geen genade, ze zouden doorgaan tot het bittere einde, zegt hij, en daar lacht Felice dan weer om. En allebei houden ze in de gaten wat Julienne van hun gedachtewisseling vindt, of ze bereid is een kant te kiezen en zo ja de kant van wie, en elk woord gaat over haar, ze strijden om haar, voor haar, en zonder dat ze het willen ook ten koste van haar, want ze weigert zich erin te mengen en wordt steeds ongeluk-kiger en beschaamder alsof het haar schuld is dat ze zich zo gedragen.

En als Felice haar vraagt om de grijsgroene jurk uit te trekken en de zwarte aan te doen, wil ze zich niet meer onder hun ogen uitkleden, alsof ze hen straft door hen de intimiteit van haar lichaam te onthouden, ze gaat naar de keuken, en Felice zegt lacherig dat ze zich toch niet voor haar beste vriendin en haar eigen man hoeft te generen, maar ze trekt de keukendeur achter zich dicht en plots hebben hij en Felice elkaar niets meer te zeggen, Felice loopt naar de deur en ze klopt erop, Juul, zegt ze, laat me je helpen, en Julienne zegt dat ze niet binnen mag komen, en Felice kijkt hem niet aan en gaat aan de tafel zitten. En hij maakt niet dezelfde fout, hij laat Julienne zich rustig in haar eentje in de keuken verkleden, en als ze slecht op haar gemak in de zwarte jurk met goud-kleurige stiksels de kamer weer binnenkomt, proberen Felice en hij haar allebei schuldbewust gerust te stellen, hij zegt dat ze er mooi uitziet, als een echte mevrouw, en Felice maakt haar talloze complimenten, ze is aantrekkelijk, zegt ze, verleidelijk en toch beschaafd, een vrouw van de wereld, als ze in die jurk op straat loopt, zullen talloze mannen over haar fantaseren, en Julienne krijgt een hoogrode kleur, en het kost hem moeite om Felice niet weer ter verantwoording te roepen, hij houdt zijn mond, en probeert Juliennes blik te vangen, maar ze ontwijkt zijn ogen angstvallig en ook Felice kijkt ze niet aan, en hij heeft medelijden met haar, hij zegt dat hij de negatieven nog moet afdrukken die zij gister-avond heeft geretoucheerd, en waarschijnlijk gelooft Felice dat ze heeft gewonnen, maar als hij naar de deur loopt krijgt hij eindelijk de blik van Julienne waarop hij hoopte.

En die avond komt ze laat thuis, de jurken zijn klaar, zegt ze met een zucht, en als ze samen naar boven gaan ziet hij dat ze ze heeft uitgehan-gen over de waslijn aan het voeteneinde van het bed, en hoewel ze zich gapend uitkleedt, ik ben moe, zegt ze verontschuldigend, wil ze toch met hem vrijen, hij neemt niet het initiatief, dat doet ze zelf, en hij heeft het vervelende gevoel dat ze meent dat ze iets goed heeft te maken. En ze staan om zeven uur op, ze wassen zich, en tot zijn verbazing trekt ze haar oude, blauwgrijze jurk aan, vind je je nieuwe jurken niet mooi, vraagt hij, en ze zegt dat ze juist heel mooi zijn, te mooi voor een door-deweekse dag, je hebt toch geen drie zondagse jurken nodig, zegt hij en hij blijft aandringen, ook als ze met allerlei uitvluchten komt, ze moet de jurken eerst wassen en strijken, zegt ze, ze heeft er geen nette, zijden kousen bij, ze zullen klanten verliezen doordat ze er zo modern uitziet, en hij lacht om haar, hoor je zelf wat je zegt, vraagt hij, en ze bloost en zwijgt.

En hij pakt de crèmekleurige, gebloemde jurk van de waslijn en geeft hem haar, en ze aarzelt, doe het voor mij, zegt hij, en ze staat daar maar, hij maakt de knoopjes van haar oude jurk los en ze laat zich door hem uitkleden, en dan trekt ze zelf de nieuwe jurk aan, en onwennig en verlegen strikt ze de ceintuur om haar middel, en in de wijdvallende, rijkversierde stof is ze hem plots vreemd, ze beweegt zich anders, behoedzaam en statig als een dame die audiëntie houdt, en ze kijkt zo ernstig. Hij put zich uit in complimenten en ze weet dat hij overdrijft, maar ze vindt het toch prettig, ze blijft vissen naar meer, en pas als hij zijn handen onder haar jurk over haar dijen heeft laten glijden en haar blote hals heeft gekust, voelt ze zich weer een beetje zichzelf, ze gaan naar beneden, naar de keuken, en tijdens het ontbijt kijkt Roos haar ogen uit, ze wil de stof alsmaar aanraken omdat hij zo glad en zacht is, als een konijn, zegt ze, en Gust lacht slecht op zijn gemak alsof voor het eerst tot hem doordringt dat zijn moeder een vrouw is. En ze doet haar schort voor om koffie te zetten en ze vergeet dat ze nieuwe kleren aanheeft, het vormelijke verdwijnt uit haar stem en bewegingen, en als de kinderen naar school zijn en ze samen aan de keukentafel een sigaret roken, in afwachting van het rinkelende winkelbelletje, vraagt hij hoe ze de jurk vindt zitten, alsof ik helemaal bloot ben, zegt ze met een gegeneerd lachje, en dat beeld krijgt hij niet meer uit zijn hoofd.

En hij helpt in zijn eentje de klanten in de winkel omdat zij, zo zegt ze, dringend de pannen moet schuren en de vloer moet vegen, na een uur gaat hij haar halen, haar mondelinge smoezen zijn op, ze gaat bij hem op schoot zitten en ze vrijt met hem, onbeschaamd bij daglicht in de keuken, dat durft ze wel, en als ze opstaat en haar kleren in orde brengt werpt ze een rusteloze blik in de richting van de deur, het zal toch eens moeten gebeuren, zegt hij, en ze zucht en loopt achter hem aan de trap af, naar de studio.

Het eerste kwartier zijn er geen klanten, en ze herademt, maar dan klinkt het belletje en ze veert overeind, hij ziet angst op haar gezicht, echte angst alsof ze gelooft dat ze gelyncht zal worden omdat ze zich een deftigheid heeft toegeëigend die haar niet past, en hij heeft spijt van zijn vasthoudendheid, ik ga wel, zegt hij, maar ze is al opgestaan en ze loopt met stijve passen de winkel in. En er gebeurt natuurlijk niets bijzonders, de vrouwelijke klanten die haar kennen complimenteren haar verrast met haar modieuze jurk, sommige zijn zelfs in stilte jaloers, en ook meneer Pintelon, de briefdrager, en meneer Quivron en zijn kleinzoon die cokes komen bezorgen bewonderen haar kleding, en niemand maakt haar belachelijk, het komt niet in hen op en waarom zou het ook,

en ze krijgt er steeds meer plezier in, ze begint al te stralen als ze het belletje hoort en aan het einde van de dag gelden de loftuitingen meer haar
sprankelende, zelfverzekerde verschijning dan haar jurk, ze kan er geen
genoeg van krijgen, alsof ze het telkens opnieuw moet horen om erin te
kunnen blijven geloven.

En aan het einde van de middag gaat ze naar Marchal voor chocoladekoekjes en naar de Epicerie Anversoise, hoewel ze daar gisteren ook
al is geweest, en ze komt uitgelaten terug met het verhaal dat twee jongens op straat haar vol respect met mevrouw aanspraken en haar bij het
dragen van de boodschappentassen wilden helpen omdat ze dachten
dat ze zo welgesteld was dat ze er een flinke fooi voor zouden krijgen,
en hij vraagt haar of ze hen de tassen heeft laten dragen, en ze kijkt hem
verbluft aan, alsof die mogelijkheid nog niet in haar was opgekomen,
natuurlijk niet, zegt ze.

En op zondagavond, terwijl zij de vaat doet en hij aan de keukentafel een
sigaret rookt en zij zich zo nu en dan naar hem toe buigt, met gespreide
armen zodat het water van haar natte handen niet op zijn kleren drupt,
en hij zijn sigaret tussen haar lippen duwt en zij met een scheve mond
een trekje neemt, op zondagavond, het kalme eindpunt van een drukke
week, als ze hun bestaan en elkaar liefhebben, is daar ineens Felice, ze
komt haar nieuwe jurk laten zien, zegt ze, hij is van een prachtig hemels-
blauwe stof, met rode en goudkleurige geborduurde versieringen en
een brede sjerp die schuin over haar borst is gedrapeerd, en ze draagt er
lange, zwarte handschoenen bij die tot aan haar oksels reiken en alleen
de rondingen van haar schouders vrijlaten, en haar hals en decolleté
worden bedekt door zwart kant met een sierlijk bloemmotief dat net
genoeg te raden overlaat, hij heeft haar nooit mooi gevonden, ook niet
verleidelijk, maar de jurk geeft haar een koninklijke allure, en Julienne
bewondert de stof, de kleur, de coupe, en misschien was het Felices
bedoeling om haar vriendin met haar verschijning te overschaduwen,
maar het komt niet in Julienne op om Felice haar grandeur te benijden,
hij heeft zelfs het idee dat ze blij is dat Felices jurk zoveel uitbundiger en
rijker en schitterender is dan de hare.

En Felice schuift een stoel naar achteren en gaat op Juliennes plek
aan tafel zitten, Julienne zegt er niets van en komt naast hem zitten, en
Felice vertelt dat ze vanavond met twee vriendinnen en hun mannen
naar een nieuwe uitgaansgelegenheid gaat, de dancing Palace aan de
Zweveghemsestraat, het schijnt er iedere zondag stampvol en gezellig te zijn, zegt ze, met een swingband die vlotte, Amerikaanse liedjes

speelt, en ze praat over muziek en dansen, en Julienne en hij verwachten dat ze ieder moment kan opstaan om aan haar uitgaansavond te beginnen, maar een halfuur later zit ze er nog steeds, en Julienne biedt haar een kop thee aan en die neemt ze aan, ze zegt niet dat ze weg moet, ze maakt ook geen haast met het drinken van de thee, en pas als ze vertelt dat ze vroeger vaak met Sylvain ging dansen en het sindsdien niet meer heeft gedaan, begrijpt hij dat ze tegen de avond opziet. Ze dansten tot de zon opkwam, zegt ze, hij was zo'n goede danser, het was alsof ze in zijn armen over de dansvloer zweefde, en samen liepen ze naar huis door de uitgestorven straten, ze werden nuchter door het frisse ochtendbriesje en de eerste zonnestralen, en kooplieden gingen naar de markt met karren vol handelswaar en Sylvain kocht bloemen voor haar, van elke kleur een, omdat ze, zo zei hij, de mooiste vrouw in de wijde omtrek was.

En onder tafel pakt Julienne heimelijk zijn hand, ze denken allebei aan de vaat en aan samen een sigaret roken en daarna misschien op de sofa in elkaars armen liggen, loom kussend en wat pratend, het is al halfnegen, zegt Julienne, moet je niet eens gaan, en Felice knikt maar ze blijft nog een kwartiertje hangen, dan staat ze op, ze wensen haar veel plezier en ze loopt langzaam de trap af, het duurt een tijdje voordat ze het winkelbelletje horen alsof ze voor de deur heeft staan aarzelen voordat ze de straat op stapte, en Julienne glimlacht naar hem, ze is eenzaam, zegt ze, alsof ze gelooft dat ze zich voor haar moet verontschuldigen.

En tegen halfelf is Felice alweer terug, en opnieuw zit ze bij hen aan de tafel, nu in de studio, en ze gaat niet weg, ze is uitbundig en opgewonden, maar het is alsof het niet helemaal echt is, alsof ze zich herinnert hoe ze zich na een avond dansen met Sylvain voelde en dat probeert na te bootsen, ze vertelt dat het stampvol en warm was in de Palace, misschien wel duizend mensen, veel drank, een band die alles speelde van operette tot swing, en een luidruchtiger, volkser publiek dan in de clubs waar ze vroeger met Sylvain heenging, zegt ze, maar heel gezellig en iedereen genoot alsof het hun eerste en hun laatste keer was, dat was fantastisch, en ze danste in het begin van de avond met de mannen van haar twee vriendinnen, die konden er helaas niet veel van, en een van hen zag een paar kennissen en stelde haar aan hen voor, en toen danste ze met hen, en die kenden weer andere mannen en zo stond ze halverwege de avond ineens tegenover een man die echt van dansen hield, en hij kon het ook goed, zegt ze, niet zo goed als Sylvain, maar het kwam allemaal terug, alles van vroeger, hoe heerlijk het was als ze hun bewegingen op elkaar afstemden, zonder woorden, zonder aanwijzingen, gewoon omdat ze elkaar aanvoelden, het was alsof hun lichamen versmolten, alsof dat dwingende ritme en de muziek het gevolg was van hun danspassen en niet de oorzaak.

En Julienne kijkt naar hem en ze zegt dat zij tweeën vroeger ook weleens gingen dansen, het was leuk, zegt ze, maar we konden het alleen niet zo goed, en Felice vertelt over de wals en de scottish, over de polka en de mazurka en vooral over de nieuwste rage uit Amerika, de charleston, en neuriënd danst ze door de studio, kom, zegt ze tegen Julienne, maar Julienne schudt verlegen haar hoofd, en Felice trekt haar uit haar stoel, ze leert haar de passen van de charleston, en ze schoppen hun schoenen uit en dansen samen op kousenvoeten langs het niemandsland en de sofa, tussen de tafel en het statief, en door de winkel, en Julienne lacht uitbundig om haar onhandige misstappen en ze krijgt een kleur van de inspanning, en hij kijkt gewillig toe, hij wacht op het moment waarop zij zal vragen of ze het hem ook zal leren, maar dat moment komt niet.

En de daaropvolgende zondagavonden verlopen net zo, Felice gaat dansen en als ze weer thuis is, komt ze bij hen in de studio zitten om erover te vertellen, en hij heeft het gevoel dat dit hier bij hen in de studio het hoogtepunt van haar avond is, alsof ze pas in haar plezier kan geloven als het een verhaal is geworden dat ook in Juliennes hoofd leeft, waar het wordt vergezeld door gedachten over zijn wonderbaarlijke terugkeer en hun jaloersmakend grote liefde, en hoewel hij zich soms aan haar overheersende aanwezigheid ergert en zij hem het gevoel probeert te geven dat hij het vijfde wiel aan de wagen is, heeft hij medelijden met haar, ze kan met Julienne rond de tafel dansen, met haar praten tot ze een ons weegt, desnoods op haar kop gaan staan, aan het einde van de avond ligt Julienne weer gewoon naast hem in bed.

En hij drukt de foto's af die zij die dag heeft gemaakt en geretoucheerd, zes weduwen en zes keer zijn eigen verschijning in dat eeuwige uniform, met die bevroren mysterieuze, heldhaftige blik in zijn ogen, zij zou ook zo komen, dat zei ze tenminste een uur geleden, en hij spoelt de laatste foto en loopt dan naar boven om te kijken waar ze blijft, ze is in de keuken, hij hoort haar met Felice praten, luid en druk en ze lachen, hij opent de deur, ze zit midden in de keuken op een stoel en Felice staat met een schaar achter haar en knipt lange lokken af, de linkerzijde van Juliennes haar is al zo kort dat het niet eens meer haar schouder raakt, wat doe je nou, zegt hij verschrikt, en ze lachen met z'n tweeën om zijn reactie, alsof ze erop zaten te wachten. En ze zegt dat zo'n stijve, ouderwetse knot niet staat bij een moderne jurk, en hij zegt dat hij het juist mooi vond, ze schudt kregelig haar hoofd, stilzitten, maant Felice, anders knip ik je oor eraf, dit is de vooruitgang, zegt Julienne tegen hem, en het is alsof hij Felice hoort praten, ongelukkig gaat hij aan de tafel zitten om toe te kijken terwijl haar donkerbruine krullen op de vloer dwarrelen en daar ineens niets meer met haar te maken lijken te hebben, alsof ze pas geplukte bloemen achteloos uit haar handen heeft laten vallen, en hij bukt zich en raapt de lokken op, hij kan zich niet voorstellen dat het zonlicht hiermee heeft gespeeld, dat hij ze heeft geliefkoosd en gekust, ze wijst zwijgend naar de vuilnisbak en hij gooit haar zachte, lieve, oude hoofd tussen de aardappelschillen.

En Felice heeft ook de andere kant geknipt, ze kamt een scherpe scheiding in haar haar, net iets rechts van het midden, en geeft haar zijn scheerspiegel uit de vensterbank en Julienne bekijkt haar gezicht, van voren, van opzij, en ze glimlacht naar zichzelf zoals ze nooit naar een ander zou durven lachen, en hij is blij dat ze van die springerige krullen heeft waardoor ze tenminste niet zoals Felice een strenge nonnenkap op haar hoofd lijkt te hebben, en haar blik kruist in de spiegel de zijne, vind je het lelijk, vraagt ze, en hij zegt dat ze op een jongen van vijftien lijkt, en ze proest, heel goed, zegt Felice, waarom zouden we ons niet als mannen mogen gedragen, doen jullie nu maar eens een tijdje een korset aan en jurken tot op je enkels, en Julienne kijkt hem onzeker aan, en hij zegt dat hij er wel aan went.

Maar ze is wezenlijk veranderd, haar gezicht is breder, haar blik vrijpostiger, haar lach uitdagender, en als ze 's ochtends nog even slaperig op de rand van hun bed blijft zitten is haar rug vreemd naakt alsof ze zichzelf moedwillig heeft verminkt, hij keek graag naar haar terwijl ze haar haar kamde en het gedachteloos opstak, de haarspelden tussen haar lippen geklemd, en als ze het 's avonds voor het slapengaan weer uit de knot bevrijdde en het in een trage, bruine golf over haar rug naar beneden zeeg, veranderde ze voor zijn ogen van een vrouw in een meisje, een beeld dat aan hem was voorbehouden, zoals haar naakte lichaam en de sigaretten die ze met hem rookt. Ze is zichzelf opnieuw aan het uitvinden, dat idee heeft hij, niet alleen haar kleren en haar haar, maar ook haar gedrag, mening, woordgebruik, en zelfs haar omgang met hem, ze spreekt hem vaker tegen, ze zegt soms dat ze geen zin heeft als hij met haar wil vrijen, en ze neemt ook zo nu en dan het initiatief als ze zelf graag wil, en ze durft het zowaar beschroomd bij de naam te noemen, zullen we wat vossen, stelt ze dan met een onweerstaanbaar verlegen lachje voor, en het onheilspellende gevoel bekruipt hem dat ze afscheid aan het nemen is van de vrouw die trouw acht jaar lang op hem heeft gewacht.

Wat is er toch met je, zegt ze als ze op een avond in stilte samen aan de foto's en de negatieven werken, en hij wendt verbazing voor, wat zou er met hem moeten zijn, is er iets mis, vraagt ze, en hij aarzelt, maar haar bezorgdheid geeft de doorslag, hij zegt dat hij gelooft dat hun geluk samen voor haar niet langer genoeg is, ze heeft hem uit het gesticht gered, hem over vroeger verteld en hem gemaakt tot wie hij is, en nu dat allemaal is volbracht, zegt hij, laat ze hem in de steek. En ze staat op en komt op zijn schoot zitten, lieve jongen, zegt ze verwonderd, wat beeld je je allemaal in, kijk me eens aan, en ze neemt zijn hoofd tussen haar handen en hij kijkt in haar vertrouwde ogen in haar nieuwe, jongensachtige gezicht, ze zegt dat het juist aan hem te danken is dat ze dit allemaal durft, de nieuwe kleren, het korte haar, zij heeft niet alleen hem gemaakt, hij heeft hetzelfde met haar gedaan, door tegen iedere verwachting in bij haar terug te komen, door van haar te houden, zo vol vertrouwen en overgave dat ze niet wist dat het mogelijk was, alles wat ik ben is voor jou, zegt ze, voor jou alleen.

7

En op zondagmiddag gaan ze samen wandelen, ze lopen door de Langesteenstraat en dan over de brede door bomen omzoomde lanen van de Esplanade, zij aan zijn arm, en ze bekijken de getrouwde stellen die ze passeren, ze vraagt hem of hij gelooft dat er mensen bij zijn die zo gelukkig zijn als zij tweeën, en hij geeft haar het antwoord dat ze wil horen, ze wijzen elkaar op jonge, verliefde paren, op oude, in voor- en tegenspoed vergroeide paren, en nee, zeggen ze tegen elkaar, geen van alle kunnen ze aan de liefde tussen hen tweeën tippen, maar hoe meer hij van het alledaagse, vanzelfsprekende geluk van die andere ziet, hoe groter zijn twijfel wordt, terwijl het haar juist gerust lijkt te stellen dat huwelijksgeluk zo eenvoudig en wijdverbreid is. Ze lopen terug, langs het denkmaal en onder de Groeninghepoort door met zijn kantelen, en dan langs de deftige gebouwen aan het Groeninghepark en de Groeninghelaan, als ze de Doornijkstraat kruisen kijkt hij haar vragend aan, maar ze wil nog niet terug naar huis, en ze gaan rechtdoor langs de statie, over de Casinoplaats met zijn sombere gevangenis en van daar naar het Paleis van Justitie en dan over de kades langs de Leye en de Kleine Leye met schepen, fabrieken en pakhuizen, die hier en daar zijn afgebroken of nog worden herbouwd wegens oorlogsschade. En ze zeggen geen van beiden veel, stilletjes stappen ze naast elkaar voort, het begint te motregenen en nog wil ze niet naar huis, hij stelt voor om de stad uit te gaan, maar ze is liever onder de mensen, al zijn dat niet de woorden die ze gebruikt, ze zegt dat haar schoenen niet geschikt zijn voor het modderige pad langs de Leye, en pas na meer dan twee uur gaan ze richting huis.

Ze trekt haar schoenen uit in de winkel, en hij begrijpt wat ze wil en doet ook de zijne uit, en ze sluipen de trap op langs de verdieping van Felice, en in hun slaapkamer, bij het trapgat waar het meeste licht op haar valt, kleedt ze zich uit, ze doet het voor hem, maar van hem hoeft het niet, en terwijl ze zwijgend en ernstig vrijen, zonder verhaal, zonder liefkozende woorden, merkt hij dat zij eigenlijk ook geen zin heeft, net als hij, maar ze kunnen er niet mee stoppen zonder elkaar te kwetsen, en dus maken ze de juiste bewegingen, proberen ze de juiste gedachten op te roepen, en na afloop voelt hij zich treurig, alsof ze hun liefde hebben besmeurd, en ook zij is stil.

En allebei grijpen ze vervolgens iedere gelegenheid aan om de herinnering aan dat samenzijn uit te wissen, zoals ze ook proberen te vergeten dat hij heeft verteld dat hij zich door haar in de steek gelaten voelt, als ze merkt dat hij naar haar verlangt heeft ze ineens ook zin, en hij doet galant hetzelfde voor haar, voorheen wilde hij haar omdat ze hem wilde, en andersom net zo, een wederzijdse aanstekelijke begeerte dreef hen in elkaars armen, nu is het een gunst die ze elkaar verlenen, en vaak vrijen ze daarom op zondagavond, nadat Felice hun over het dansen in de Palace is komen vertellen en jaloers en vergeefs Julienne van hem heeft geprobeerd los te weken, het staat hem tegen dat Julienne vervolgens zin heeft om met hem te vrijen, alsof ze door Felices afgunstige ogen naar zichzelf kijkt, en in ruil vrijen ze ook nadat hij over haar heeft gedroomd of 's ochtends vroeg bij het eerste licht of op zaterdagavond in de keuken als ze in de tobbe gaat, en dan doen ze het voor hem, maar soms vergist ze zich in zijn gevoelens, of is zijn begeerte alweer voorbij als hij haar naakt in zijn armen houdt, en dan stelt hij zich voor dat ze van zijn lust walgt en intussen aan chocoladekoekjes van Marchal of retoucheren denkt, het windt hem op dat ze zich voor hem opoffert, alsof haar vernedering hem liever is dan haar verlangen naar hem, en tot zijn schande geniet hij dan toch van haar lichaam.

En zo gebruiken ze het vrijen niet langer om elkaar te vertellen dat ze elkaar liefhebben, maar om elkaar gerust te stellen, te troosten, en doordat ze niet eerlijk kunnen zijn, voelen ze zich ook niet meer op hun gemak bij elkaar, hij verlangt naar de stiltes die ze in elkaars bijzijn durfden te laten vallen, terwijl ze samen in de studio werkten, in bed naast elkaar wakker lagen, terwijl zij het eten kookte en hij aan de keukentafel zat, een Bastos rookte en naar haar keek, en zo nu en dan zeiden ze iets onbenulligs tegen elkaar, gewoon omdat het hen te binnen schoot, het was zo vertrouwd en vanzelfsprekend dat hij op het moment zelf niet had beseft hoeveel hij ervan hield en dat het ooit anders tussen hen was geweest en ze het ook weer konden verliezen.

En hij is terug in het gesticht, dokter De Moor en de broeders houden vol dat hij haar en zijn leven met haar heeft verzonnen, hij is zich ervan bewust dat het maar een droom is en hij probeert niet te luisteren naar wat ze hem influisteren, zij is onderdeel van zijn krankzinnigheid, zeggen ze, zij is de reden dat ze hem levenslang in het gesticht zullen moeten houden, als hij zou toegeven dat ze een waandenkbeeld is zouden ze zijn vrijlating kunnen overwegen. Maar hij weet dat het allemaal leugens zijn, dokter De Moor en de broeders zijn juist de fantasie, zij daarentegen bestaat zo zeker als een en een twee is, want ze ligt naast hem en hij kent haar lichaam beter dan dat van hemzelf, en haar stemwendingen, haar lach in zijn vele variaties, en haar onmogelijke gedachten die in niets op de zijne lijken. Maar hij wordt wakker en hij ligt in zijn bed op de slaapzaal, de klokken voor de vroegmis beieren en de zon schijnt naar binnen en werpt de schaduwen van de als versieringen vermomde tralies op de dekens, en met een dreun dringt tot hem door dat ze al die tijd gelijk hebben gehad, hij heeft haar verzonnen, o mijn God, ze is hem nooit komen halen, er is niemand die naar hem zoekt, hij is volstrekt alleen, zo alleen als hij nog nooit is geweest, zonder hoop op verlossing, en het verlies van haar en alles waarvan hij hield is zo onmetelijk, onbeschrijfelijk groot en hij kan het aan niemand uitleggen, want treuren om het verlies van je eigen verzinsels is krankzinnig, dat mag niet uitkomen, dan laten ze hem echt nooit meer gaan.

En als ze hem wakker schudt, merkt hij dat hij huilt, de tranen stromen over zijn wangen, wat is er, vraagt ze geschokt, sjoeke, wat is er, en hij is zo gelukkig dat ze toch bij hem is, hij omhelst haar en hij zegt dat hij droomde dat ze niet bestond, dat hij haar had verzonnen, en hij voelt dat ze diep inademt alsof ze moeite doet om niet ook in huilen uit te barsten, hij houdt haar stevig vast zodat ze hem niet kan ontglippen, en ze fluistert dat het haar spijt, hij verdient een betere vrouw dan zij, zegt ze. En het nare gevoel overvalt hem dat hij nog steeds droomt, je gaat toch niet bij me weg, vraagt hij, en ze richt zich op en kust hem, ze zegt dat hij dat nooit meer mag vragen, niet eens mag denken, natuurlijk gaat ze niet bij hem weg, en alsof ze bang is dat haar woorden niet overtuigend genoeg zijn, trekt ze haar nachtjapon over haar hoofd en probeert ze hem met haar lichaam te overreden, en hij wil in haar verdrinken, zijn droom vergeten, ze vertelt hem fluisterend over het jarenlange wachten op hem en over haar geluk toen ze hem eindelijk vond, maar haar vertrouwde woorden zijn levenloos en het vrijen is vreemd afstandelijk alsof ze zich uit haar lichaam heeft teruggetrokken, ze is zo dichtbij, dichter kunnen twee mensen elkaar niet naderen, en toch is hij haar kwijt.

Klaarwakker ligt hij naast haar in bed en een kille paniek houdt hem in zijn greep, hij draait zich op zijn zij naar haar toe, zij slaapt ook niet, en hij vraagt haar wat er aan de hand is, zij begrijpt niet waarover hij het heeft, er is niets met me aan de hand, zegt ze, en hij zegt dat hij dat nu juist bedoelt, dat ze nooit helemaal eerlijk tegen hem is, en zij zegt dat ze altijd eerlijk tegen hem is, maar hij denkt voortdurend dat er meer is, dat overal wat achter schuilt, alsof hij nog steeds in het niemandsland is met links en rechts vijandelijke scherpschutters die hij moet zien te ontdekken voordat ze hem doden, en hij verheft in het donker zijn stem tegen haar en zegt dat het een rotstreek is om de oorlog erbij te halen, wil ze beweren dat hij gek is, en zij zegt dat hij zachtjes moet praten anders worden de kinderen wakker, en wat kan hem dat verdomme schelen, dan worden ze maar wakker, hij zegt dat ze niet tegen hem moet liegen, ze weet dondersgoed dat ze niet eerlijk tegen hem is, dat ze dingen voor hem achterhoudt, en zij zegt op dezelfde luide toon dat hij ziekelijk achterdochtig is, je vertrouwt me niet, zegt ze, dat is het probleem, wat ik ook doe, het is nooit goed, nooit genoeg. En ze hebben ruzie, voor de eerste keer, achteraf hebben ze er allebei spijt van, ze nemen geschrokken alles terug wat ze elkaar hebben verweten en ze vrijen nog eens, in stilte zodat de kinderen die natuurlijk wakker zijn geworden hen niet horen, en terwijl hij in haar is, denkt hij aan de gruwelijke, menselijke resten in het niemandsland, rottend en ziel loos en toch ooit ook mannen die dit deden met het lichaam van hun vrouw, en zij, waaraan zij denkt weet hij niet, niet aan hem in ieder geval, want bij het licht van de maan ziet hij dat ze haar ogen stijf dichtgeknepen houdt alsof ze in het water is gevallen en niet kan zwemmen.

En ze veegt de winkel en de studio, zorgvuldig maar afwezig, en hij kijkt aandachtig naar haar, hij probeert te achterhalen wat maakte dat hij zo krankzinnig veel van haar hield en waarom dat gevoel nu is verdwenen, en ze zegt kregelig, wat kijk je alsmaar naar me, hij schudt zijn hoofd en glimlacht naar haar, en terwijl hij dat doet welt er een verdrietige tederheid voor haar in hem op, en zij voelt zijn genegenheid feilloos aan, ze zendt hem een zachte blik toe alsof hij haar kind is. En rond het middaguur als het altijd rustig is in de winkel, gaan ze samen naar de donkere kamer, en omdat ze bang is dat ze het winkelbelletje niet zullen horen, laten ze de deur op een kier staan, de rode lamp steken ze niet aan, ze kunnen elkaar nauwelijks onderscheiden, en ze vrijen haastig in een anonieme intimiteit die op het moment zelf aanlokkelijk is maar hem achteraf dwarszit.

En 's nachts vraagt hij haar om de petroleumlamp aan te laten en helemaal bloot en onbedekt met hem te vrijen, ze zegt dat ze het dan niet kan, maar hij trekt de dekens van het bed en gooit ze op de vloer en trekt haar nachtjapon over haar hoofd, ze stribbelt niet tegen, hij ziet de ontsteltenis in haar ogen, en hij zegt dat ze zich volledig op elkaar gaan richten, ze moet hem aankijken, zwijgen en alleen aan hem denken, en dat probeert ze, al moet hij haar een aantal keer zacht op haar wang tikken omdat ze toch haar ogen heeft gesloten en dan kijkt ze hem met een schuwe blik aan alsof ze gelooft dat hij tot in het diepst van haar ziel kan zien, het idee dat ze zich vernederd voelt omdat haar lichaam verlangt naar een bevrediging die haar verstand beangstigt, windt hem op, maar het heeft niets met liefde te maken, hij haat zichzelf erom en haar ook, omdat ze het toelaat.

En de volgende nachten doen ze het weer op de beproefde manier, onder de dekens bij blauwig maanlicht of grijzig ochtendlicht en soms met een gefluisterd verhaal erbij, ze kunnen maar niet ophouden het telkens opnieuw te proberen, ze hopen dat deze ene keer alle teleurstellende voorgaande zal uitvlakken, dat het nu dan eindelijk zo zal zijn als in die eerste maanden toen ze zich moeiteloos in elkaar verloren en ze zo gelukkig waren dat ze het nauwelijks konden bevatten, en als ze zich uitkleden en weten dat het wederom zover is, nu moet het gebeuren, en hij ziet hoe ze zich inspant om er iets van te maken en hoe ontroerend en vreselijk dat is, wordt hij bang en zij daarom ook. Ze rekken het vrijen zodat ze nog even niet hoeven toe te geven dat het alweer niet was waarop ze hadden gehoopt, en uiteindelijk na de elfde of twaalfde keer zegt ze wanhopig dat ze niet meer kan, laten we er alsjeblieft een tijdje mee stoppen, zegt ze, het is een nederlaag, alsof ze zich neerleggen bij de conclusie dat hun geluk voorgoed voorbij is, maar hij is opgelucht en zij ook, ze liggen als twee kuise kinderen naakt naast elkaar in bed, en voor het eerst in dagen voelt hij weer iets voor haar wat niet op afschuw lijkt. En hij vraagt haar hoe ze dat voor de oorlog deden, zij zegt dat ze het toen gewoon niet deden, en dat was goed, zegt ze, het gaf niet, maar nu is alles anders, we houden te veel van elkaar, zegt ze, en het klinkt als een aanklacht, alsof ze samen ziek zijn, misschien moeten we proberen om met minder tevreden te zijn, zegt hij, wil je dat, vraagt zij, en hij vraagt, kun je dat, en ze kijken elkaar in de schemer van hun slaapkamer bedroefd aan, ik voel me zo schuldig, zegt ze, en dat is niet het woord dat hij zou kiezen om zijn gevoel te beschrijven, maar om haar te troosten zegt hij dat hij het herkent en ze zucht diep.

En hij droomt dat hij met haar vrijt en het is als nooit tevoren, hij voelt een uitzinnige vervoering, dit is waarnaar ze verlangden, waarnaar ze zo wanhopig zochten, hij wil haar erover vertellen, maar vreemd genoeg kan hij haar niet vinden, en dan dringt tot hem door dat zijn extase niets met haar te maken heeft, dat het een duister en verderfelijk overblijfsel van de oorlog is en dat hij het moet vernietigen, anders vernietigt het hem. En hij schrikt wakker, de angst houdt hem in een verstikkende omhelzing, hij kan nauwelijks ademhalen, zijn lichaam is verlamd en het klamme zweet drupt over zijn gezicht en zijn borst, en alles om hem heen is onherkenbaar veranderd, de uiterlijke verschijningsvorm is nog dezelfde maar het veilige gevoel dat erbij hoorde is verdwenen, alles is bezield door een donkere, kolkende angst, de slaapkamer, het huis, zijn hele leven, en vooral zij, zij is niet wie ze behoort te zijn, en hij is nog banger voor haar dan voor hemzelf, en toch ondanks die allesverterende angst herinnert hij zich hoe het was om euforisch te zijn, het hoort bij elkaar, de angst en de euforie, alsof ze elkaar versterken, en hij verlangt ernaar terug. Hij sluit zijn ogen en probeert zich voor de geest te halen waardoor dat grote geluk in zijn droom werd opgeroepen, en hij ziet een zwart-wit gevlekte kat voor zich, als hij zich op dat beeld concentreert wordt het kalm en stil in hem, en hij valt in slaap, en 's ochtends wordt hij wakker omdat zij uit bed stapt, heb je goed geslapen, vraagt ze, en hij vraagt of ze vroeger een kat hadden, een wit-zwarte, en ze schudt slaperig haar hoofd, een kat is voor sloddervossen met last van muizen, zegt ze.

En aan het begin van de middag sluiten ze de winkel, ze eten ijs bij Maison Clément in de Kortesteenstraat, hij vanille- en zij chocolade-ijs, en dan wandelen ze gearmd door de stad over de Groote Markt naar het Volkspark, en op de houten noodbrug over de Leye, waar ze blijven staan om over het water uit te kijken, stopt ze haar hand in zijn jaszak en hij pakt hem stiekem beet en niemand merkt dat ze de fatsoensregels schenden, maar ze weten van elkaar dat ze er eigenlijk geen behoefte aan hebben, ze doen het omdat ze nu eenmaal hebben bedacht dat het erbij hoort, het is een warme lentedag, hun handen worden zweterig en ze laten elkaar los. En op zondag bezoeken ze samen een buitenlucht-concert op de Esplanade, en na afloop zegt ze dat ze nog wat langs de Leye wil lopen, en ze gaan aan de oever in het gras liggen en ze kijken naar de wolken, net als die keer toen ze elkaar vertelden dat ze zo vreselijk veel van elkaar hielden, maar nu voelen ze niets, ze zijn gewoon een man en een vrouw die zich vervelen, en omdat hij, naast haar liggend op zijn rug, aan die vorige keer denkt, vloeien beide zondagmiddagen ongemerkt in elkaar over, en het heden wordt niet mooier, maar de herinnering banaler.

En als ze het de volgende zondag nog eens herhalen omdat het zulk prachtig weer is en zij romantisch aan de waterkant wil picknicken, vertellen ze elkaar over die eerste keer toen ze hier op deze plek naar de wolken keken, en hij zegt dat ze elkaar wonderbaarlijk goed begrepen en dat zij huilde, maar zij zegt dat hij dat heeft verzonnen, waarom zou ze in hemelsnaam huilen, en ze komen er niet uit, hij gaat twijfelen en zij ook, en dan weten ze het helemaal niet meer, want ook in andere aspecten blijken ze de eerste met de tweede keer te verwarren, het is alsof hun verleden voor hun ogen afbrokkelt en de liefde waarnaar ze zo wanhopig terugverlangen nooit heeft bestaan. Straks zijn ze een leven lang samen, misschien wel dertig of veertig jaar, en alles wat hij zich ervan zal herinneren zijn wat verhalen waarvan een deel is verzonnen, hij zal niet meer weten hoe jong ze was en hoe ze rook en hoe ze kon blozen om een onnozele zinspeling, hoe het was om idioot gelukkig met haar te zijn, wat heeft dat voor zin, hij had zich voorgesteld dat hij eens alles zou weten en ook zou blijven weten en dat hij daarom het leven zou begrijpen, hij dacht dat het geheugen van een normaal mens zo functioneerde, maar dit is het blijkbaar, dit rafelige, verkleurde kleed vol gaten. En zinloze tranen van teleurstelling wellen in zijn ogen op en druppen langs zijn wangen, en ze rolt in het gras tegen hem aan en ze fluistert, daar moet je toch niet verdrietig om zijn, lieve jongen, en alles wat hij kan denken is dat hij dit moment ook zal vergeten, en als hij dat aan haar vertelt wordt zij ook treurig, en ze lopen door de zonnige vlasvelden en langs het kabbelende riviertje bedrukt terug naar huis, ze wil hem liever geen arm geven, dat loopt zo lastig met al die kuilen en hobbels, zegt ze, en hij is bang dat hij zich dit nu juist wel tot in lengte van dagen zal herinneren, alleen omdat hij het wil vergeten.

En ze eten samen chocolade op de sofa voor het niemandsland, ze wandelen in de regen en vertellen elkaar over vroeger, ze zitten samen op de vloer in de donkere kamer en zij neemt twee sigaretten tussen haar lippen, steekt ze beide aan en geeft hem er een van, en ze schilderen samen een nieuwe achtergrond voor in de studio, hij met haar keukenschort voor en zij met haar jurk tot aan haar dijen opgetrokken en beiden op blote voeten, het is allemaal precies zoals voorheen en toch lijkt het er niet op, ze moeten het niet meer doen, ze maken alles stuk.

En op zondag zegt hij tegen haar dat hij een eindje gaat lopen en dat het een paar uur kan duren voordat hij terug is, zal ik meegaan, stelt ze voor, en dan moet hij wel toegeven dat hij even alleen wil zijn, en ze zegt niets, maar hij ziet dat ze zich afgewezen voelt, tot straks, zegt hij en het belletje rinkelt terwijl hij de deur achter zich sluit, en hij weet dat ze hem nakijkt, op de hoek met de Langesteenstraat gaat hij bijna terug omdat hij niet kan verdragen dat hij haar heeft gekwetst. En hij loopt over de Groote Markt en de noodbrug over de Leye naar het Volkspark, het is prachtig lenteweer, de zon schijnt en het water klotst tegen de kade en in de kiosk op de Groote Markt speelt een strijkorkestje, meisjes hebben bij het touwtjespringen hun jassen uitgedaan, jongens knikkeren fanatiek in de goot, maar al die alledaagse, onbevangen vreugde bereikt hem niet, de gedachte aan haar zit in de weg, en hij loopt door onbekende straten van haar vandaan, verder en verder totdat ze zal zijn verdwenen en hij met een heldere blik naar hun liefde kan kijken, maar dat moment ligt telkens om de volgende hoek en iedere straat is gelijk aan de vorige, het is alsof hij niet vooruitkomt, alsof hij haar nog steeds in de deuropening goedendag zegt, en van haar wegloopt, haar gewonde blik in zijn rug. En na een tijdje merkt hij dat de huizen van de stad hebben plaatsgemaakt voor glooiende vlasvelden, en hij gaat aan het water in het gras zitten, de stilte daalt in hem neer, hij ziet de wolken en het water en de vogels en de eerste bijen en hommels zoemen om zijn hoofd, na een tijdje merkt hij pas dat hij haar is vergeten, en met dat schuldige gevoel komt hij een uurtje later thuis, dat hij zonder haar gelukkiger is dan met haar, en zij is naar haar vriendinnen geweest, hij zit bij haar in de keuken terwijl ze het avondmaal kookt en ze vertelt over het huwelijk van Camille dat toch doorgaat, en met het mesje in haar ene hand en een aardappel in de andere zoent ze hem en dan nog eens, lachend omdat ze hem niet kan omhelzen, alleen met haar lippen kan beroeren, en hij weet dat dit het moment is om eindelijk weer eens onbekommerd gelukkig met haar te zijn, maar hij kent haar te goed, hij weet dat haar liefdesbevlieging met de jaloezie van haar vriendinnen te maken heeft.

En die avond zit Felice weer in een opvallende jurk bij hen in de studio aan tafel en vertelt over het dansen in de Palace, hoe fantastisch het was, en hij zegt dat hij moe is en naar bed gaat, en Julienne vat dat op als een teken dat ze Felice moet wegwerken, terwijl ze er net is, maar hij zegt, blijf jij gezellig nog even kletsen, liefje, en hij kust haar op haar wang, ze wenst hem verrast slaapwel, en niet lang daarna komt zij ook naar boven, nog geen halfuur later, hij slaapt nog niet, en terwijl ze naast hem onder de dekens kruipt zegt ze dat Felice een nieuwe danspartner heeft ontmoet, Gilbert Kieckens heet hij, hij is jong en lijkt op Sylvain, en hij schijnt geweldig te zijn, zegt ze, en de spottende toon waarop ze dat zegt, alsof ze wel beter weet dan in zulke mooie verhalen te geloven, maakt dat hij zijn armen troostend om haar heen slaat, ze legt haar hoofd op zijn borst en ze zwijgen en denken aan hun liefde, en ze zegt dat het goed is zo, vind je ook niet, vraagt ze, en hij zegt dat het heel goed is.

Maar de volgende zondagavond zegt ze tegen halfelf dat ze moe is en ze liggen al in bed als Felice van de Palace thuiskomt, ze horen het winkelbelletje rinkelen en voordat ze de trap op loopt is het een tijdje stil, waarschijnlijk staat ze verbaasd in de deuropening van de donkere, verlaten studio, en hij en Julienne verroeren zich niet en ze zeggen niets tegen elkaar. En ook de daaropvolgende zondagavonden zorgen ze dat ze naar bed zijn als Felice thuiskomt van het dansen, voor de veiligheid gaan ze al om tien uur naar boven, en allebei liggen ze wakker, ze wachten tot ze haar in het donker de trap op horen stommelen, soms neuriet ze en lacht ze hardop, en eenmaal in haar appartement horen ze haar soms zingen en zelfs dansen, alsof ze weet dat ze twee verdiepingen hoger met afgunst naar haar liggen te luisteren.

En hij zegt tegen haar dat hij wat wil wandelen, het gaat regenen, zegt ze, en hij weet niet waar ze dat vandaan haalt, want de zon schijnt en hij zegt dat hij een paraplu zal meenemen, die grote is kapot, zegt ze, en hij zegt dat hij dan de kleine neemt, maar zij beweert dat die voor dames is, en hij heeft er genoeg van dat ze voor de zoveelste keer deze week ruzie met hem zoekt, hij vraagt kortaf of ze mee wil, en dat is natuurlijk waar ze op zinspeelde, maar ze zegt dat ze zijn overhemden moet strijken en zijn boorden stijven, je kunt beter in je eentje gaan, zegt ze en hij zucht, ja, zegt ze wrevelig, wil je dan in een gekreukeld hemd rondlopen, en hij vraagt wat haar toch dwarszit. Nou moet het niet gekker worden, zegt ze, je praat nauwelijks met me, je doet afstandelijk tegen me alsof ik een vreemde ben, als ik niet de hele tijd op mijn woorden let zouden we ruzie krijgen, en dan durf jij te beweren dat mij iets dwarszit. En hij zwijgt verbijsterd over zoveel onrechtvaardigheid, zij is juist degene die al de hele week onbenaderbaar is, op een onuitstaanbaar vriendelijke, afwezige, bijna onverschillige manier, alsof ze hun liefde in stilte heeft afgeschreven, en verzoenend zegt hij dat het niet zijn bedoeling was om onaardig tegen haar te zijn, het spijt me, zegt hij, en ze zegt dat het niet geeft, dat hebben we allemaal wel eens, zegt ze, en het klinkt mild, maar hij heeft het gevoel dat het niet genoeg is, dat ze meer van hem verwacht, en hijzelf wil ook meer van haar en krijgt het niet.

Hij kust haar ten afscheid en belooft voor het einde van de middag weer thuis te zijn, en dan loopt hij met een gevoel van toenemende hopeloosheid de trap af, halverwege gaat hij bijna terug omdat hij zeker weet dat zij zich precies zo voelt, maar hij doet het niet, en tot zijn verrassing komt zij hem achterna, Amand, roept ze, hij draait zich om, en ze staat bovenaan de trap en hij weet, hij hoopt, hij wenst dat zij durft wat hij niet durfde en hij houdt van haar, maar ze zegt dat hij de paraplu is vergeten, en terwijl hij de trap op klimt en de paraplu van haar aanneemt ziet ze de ontgoocheling op zijn gezicht, ze strijkt zacht met haar hand over zijn arm en ze glimlacht naar hem, dag, zegt ze, dag, zegt hij en met haar blik in zijn rug daalt hij opnieuw de trap af.

En het is mooi weer, mild en zonnig met zo nu en dan een lauw, naar weiden geurend briesje, geen enkele wandelaar heeft een paraplu bij zich, en hij heeft de pest in, hij weet niet hoe andere mannen hun vrouw duidelijk maken wie er de baas is in huis, ze zijn op de verkeerde voet begonnen, dat is het probleem, en om zich een houding te geven gebruikt hij de paraplu als wandelstok, hij loopt naar het Volkspark en dan over de kaden langs de Leye, en als hij op de Dolfijnkaai is begint het warempel te regenen, hij lacht hardop en hij hoort hoe dat klinkt, alsof hij gek is, maar goed dat zij er niet bij is, zij zou zich voor hem schamen, denkt hij, en hij steekt haar paraplu op.

Het is al tegen vieren, hij zou naar huis moeten, maar hij slaat niet de Doornijkstraat in, hij loopt langs het Paleis van Justitie en de gevangenis naar het Statieplein, en hij slentert wat rond het bloemenperk en dan door de statie naar de sporen, hij doodt de tijd totdat hij de moed kan opbrengen om naar haar terug te gaan, en geleund tegen de muur steekt hij een sigaret op en hij wacht op het machtige schouwspel van een binnenrijdende trein, aan het zicht onttrokken door wolken stoom en gevuld met passagiers en hun dromen over de stad waarin hij iedere dag wakker wordt. En zijn blik blijft hangen bij een vrouw die op haar lijkt, ze draagt een ouderwets lange, wijde jas en een hoed met een dubbelgeklapte, brede rand, zoals zij ook net heeft gekocht, en ze beweegt zich net als zij met een behoedzame vastbeslotenheid die moet verhullen dat ze gewend is om haast te hebben en hard te werken, en waarvan ze zelf waarschijnlijk gelooft dat hij haar elegant doet lijken, en ze heeft hetzelfde gedrongen postuur. Ze merkt niet dat ze wordt bekeken, in weemoedige gedachten verdiept loopt ze heen en weer langs de rand van het perron, en hij kan niet aangeven waarom, maar ze geeft hem het gevoel dat hij naar een intieme handeling kijkt, iets wat ze nooit bewust met anderen zou delen, en als in de verte het hortende, sissende geluid van een locomotief te horen is, richt ze vol verwachting haar hoofd op, en dan dringt tot hem door dat zij het werkelijk is.

Hij blijft roerloos staan, zijn hart bonst zo hevig dat zij en het perron en de naderende trein voor zijn ogen op en neer dansen, zomaar op een zondagmiddag, waarop ze zijn overhemden ging strijken en zijn boorden stijven, zonder waarschuwing, zonder afscheid van hem te nemen stapt ze op een trein en gaat ze bij hem weg, het kan niet, het is idioot, maar hij ziet het zelf, zij is het en ze heeft hem er niets over verteld, en de kinderen dan, denkt hij, ze laat niet alleen hem maar ook Gust en Roos in de steek, wat bezielt haar, ze heeft acht jaar lang op hem gewacht en nu ze hem eindelijk heeft gevonden gaat ze ervandoor.

De trein rijdt met veel lawaai het station binnen, de stoom wolkt over het perron en even wordt zij aan het zicht onttrokken, de olieachtige, klamwarme geur van machines omgeeft hem, en hij weet zeker dat ze zal zijn verdwenen als hij straks weer om zich heen kan kijken, zodat hij zich zal moeten afvragen of ze een hallucinatie was, maar nee, hij ziet haar onmiddellijk, ze staat nog op exact dezelfde plek, en ze tuurt naar de uitstappende passagiers. Ze gaat niet van hem weg, ze haalt iemand van de trein, haar hele houding drukt hunkering uit, haar blik zoekt tussen de mensen die het perron vullen, ze wacht op hem, ze wacht op hem zoals ze gedurende die jaren van zijn vermissing honderden keren moet hebben gedaan, en hij probeert in te schatten of het haar ernst is of dat het een spel is, een verlengstuk van de verhalen die ze hem in bed over vroeger vertelt, als hij niet de man was op wie ze daar vergeefs staat te wachten zou hij geloven dat ze het meende, zo overtuigend is haar hoop en haar wanhoop.

En de trein vertrekt fluitend en blazend en het perron loopt langzaam leeg, ze zijn alleen, hij kijkt naar haar en zij weet het niet, ze loopt naar een bankje en net voordat ze gaat zitten kijkt ze toevallig zijn kant uit, ze staart naar hem en hij beantwoordt haar ongelovige blik, het is alsof al het geluid uit de wereld is gevloeid, het is doodstil en niets beweegt terwijl ze daar samen op het perron zijn, ze staat op en komt naar hem toe, steeds sneller loopt ze en dan zet ze het op een hollen, hij verroert zich niet, het valt hem op dat ze een blik om zich heen werpt om te controleren of er werkelijk niemand in de buurt is die hen kan betrappen, en dan weet hij zeker dat ze doet alsof. Hij laat zich door haar omhelzen en haar blijdschap is zo oprecht en groot, alsof hij werkelijk met de trein naar haar toe is gereisd vanuit die gruwelijke oorlog, op weg naar huis, naar haar terwijl ze elkaar acht jaar niet hebben gezien of gesproken, en volkomen onverwacht treft hij haar bij het uitstappen op het perron, alsof ze wist dat hij vandaag zou komen, en hij drukt haar stevig tegen zich aan, bang dat iemand haar weer van hem zal afnemen, en zij klemt zich met dezelfde angst aan hem vast, onder de brede rand van haar hoed kussen ze elkaar, heimelijk en innig, haar lichaam onder haar openhangende jas is intiem warm en hij merkt dat ze haar voet verzet zodat zijn rechterdij tussen haar benen belandt en ze duwt zich ertegenaan en ze zucht.

En hij laat haar los, haastig lopen ze het perron af, ze zeggen niets, ze vragen elkaar niets, ze lopen ook niet gearmd, ze raken elkaar niet aan totdat ze de winkeldeur achter zich hebben dichtgetrokken en ze de trap naar hun slaapkamer opklimmen, zij trekt intussen haar jas uit en hij doet hetzelfde, maar als hij op de een-na-laatste trede zijn handen over haar heupen laat glijden, draait ze zich naar hem om en vraagt zacht of hij nog even gaat kijken of de kinderen echt niet thuis zijn, gewoon voor de veiligheid, zegt ze als ze de onwil op zijn gezicht ziet. En hij loopt door het hele huis, de keuken, de salon, de winkel, de studio, en dan snel weer naar boven naar haar, hij merkt dat hij nerveus wordt terwijl hij de laatste trap opklimt, zij is op het bed gaan zitten, haar jas en hoed liggen naast haar, en als ze hem ziet staat ze op en keert hem met een gewoontegebaar haar rug toe, hij knoopt haar jurk los en zij schuift hem over haar heupen naar beneden en stapt eruit, en hij ziet dat ze een nieuw keurslijf draagt, met een elegante strik tussen haar borsten, en ook een nieuwe onderbroek met kant langs de pijpen, en hij trekt zijn colbertje uit, zijn vest, zijn bretels, zijn broek, zijn sokken, en zij helpt hem met zijn manchetknopen die ze in de oorlog samen met haar trouwring op het achterplaatsje heeft begraven zodat de Duitsers ze niet tot munitie zouden omsmelten. En ze kijkt naar hem en glimlacht verlegen alsof ze moed probeert te verzamelen, en hij denkt dat niet de ontnuchterende afstand van de statie naar huis hen de das omdoet, maar deze vertrouwde omgeving die herinnert aan vorige keren die ze maar beter kunnen vergeten, vertel nog eens over de statie, fluistert hij als ze uit haar nieuwe onderbroek is gestapt en ze samen naakt onder het laken zijn gekropen, en zij het over hun hoofd trekt en de buitenwereld er alleen nog doorheen schemert in de vorm van het donkere, schuine dak boven hen en het licht dat door het trapgat de kamer binnen gluurt.

En ze vertelt hoe ze op hem wachtte, iedere dag, dat ze haar best deed om te geloven dat hij niet al te zwaar gewond was en dat ze hem van de Duitsers zou mogen verzorgen, en toen, na de oorlog, wachtte ze nog steeds in de kapot gebombardeerde statie op de treinen, maar nu vol krijgsgevangenen, magere, vermoeide mannen die schichtig om zich heen keken, en ze stellen zich samen voor dat hij een van hen was, en dat zij vandaag zoals alle voorgaande dagen stond te wachten en hem verbijsterd herkende, en ze omhelsden elkaar op een leeg perron en kusten elkaar onder de bescherming van de brede rand van haar hoed en ze gingen snel naar huis, en zij trok haar kleren uit en hielp hem met zijn smerige, versleten uniform, en voor het eerst in jaren raken ze elkaar aan, begerig en onwennig, ze zijn opgewonden, hij maar zij zeker ook, en ze bevredigen de lusten van hun lichamen, maar het blijft vreemd onpersoonlijk, alsof het buiten hen om gaat en ze elkaar werkelijk na een scheiding van acht jaar nu net pas hebben teruggevonden, hij gelooft dat ze aan de krijgsgevangene denkt die ze van de trein ging halen, dat haar genot die onbekende man geldt die ze gedurende zijn vermissing van hem heeft gemaakt, en hij walgt van zijn eigen gulzige lichaam, hij is deze klomp vlees die moet eten en drinken en slapen en vechten en neuken om te overleven, en er is geen diepere zin, alleen een eindeloze reeks van zulke onbeschaamde, betekenisloze momenten.

En hij kleedt zich aan en helpt haar met de knoopjes van haar jurk en zij hem met het strikken van zijn das en ze ontwijkt zijn blik, ze zegt niets, en hij denkt dat ze zich net zo eenzaam voelt als hij, en ze gaat naar de keuken om het avondmaal te koken, hij zit op de drempel van de deur naar het achterplaatsje en kijkt naar de rondscharrelende konijnen, en hij stopt met denken aan haar, hij is het zo moe, dan maar geen liefde, een vrouw en kinderen en toch alleen, hoe is het mogelijk, en voor het eerst verlangt hij naar het leven zoals het aan het front was, ontdaan van al zijn opschik, simpel en gedachteloos en met maar één doel, overleven.

En hij drinkt het bloed dat uit de lichamen sijpelt die boven op hem zijn gestapeld, hij likt het gulzig naar binnen, het is smerig en honds en als hij dit overleeft, zal niemand ooit begrijpen dat hij zo diep heeft kunnen zakken, maar het laat hem koud en dat is nog wel het ergste, dat er in dit ontaarde lichaam nog steeds een menselijk verstand huist dat denkt en redeneert en oordeelt, dat constateert dat het niets voelt en hem influistert hoe verwerpelijk dat is. God, bidt hij, Here God, laat me alstublieft sterven, en er valt een doodse stilte over hem en over het kale, verschroeide, lijdende niemandsland, hij hoort alleen zijn eigen ademhaling en het bonzen van zijn hart, en hij sluit zijn ogen en wacht, hij zegt het Onzevader en een paar Weesgegroetjes en hij denkt aan haar en de kinderen, ze zijn heel ver weg, hij ziet ze alleen vaag voor zich en het is uit plichtsgevoel dat hij zijn laatste momenten aan hen besteedt, niet uit verlangen, en ze verdienen beter. En zijn hart blijft gewoon slaan, zijn verstand blijft denken, en als een van de gewonden die op hem ligt opzij rolt, wringt hij zich langs de resterende lichamen naar de verzengende hemel boven hem, de kruitdamp is bijna opgetrokken, en achter en naast hem ligt het bezaaid met soldaten uit zijn compagnie, het zijn er zoveel, de aarde zelf lijkt te kronkelen en zacht te kreunen van de pijn en de artillerie zwijgt, na het oorverdovende gedreun is de stilte benauwend, alsof de wereld buiten gehoorsafstand kwaadaardige plannen smeedt. En hij heft zijn hoofd op om te luisteren, er is zelfs geen zuchtje wind, geen krassende kraai, geen gewonde die om zijn moeder gilt, alles is dood, mensen, dieren, planten, uitgeroeid, alleen hem weigert God te laten sterven, en zijn wanhoop heeft in dit rijk der doden iedere betekenis verloren.

Hij sluit vermoeid zijn ogen, de zon brandt op zijn gezicht, hij verlangt niets meer, hij herinnert zich niets, er is geen verstrijkende tijd, geen verleden, hij is eigenlijk al dood, alleen zijn lijf weigert het koppig op te geven en dat verdomde lijf opent de ogen alsof het ochtend is en tijd om op te staan, en het ziet een poes, ze loopt voor het prikkeldraad langs waarin honderden malen kapotgeschoten lichamen hangen te wiegen, ze is zwart en ze heeft witte pootjes en een witte vlek op haar neus, en ze maakt een elegant sprongetje over een bebloed hoofd en dan over een been dat bij niemand meer lijkt te horen, en ze kijkt wat om zich heen alsof ze op een vredige, stadse zondagmiddag op straat loopt en overweegt om over te steken. En een groot, pijnlijk verlangen overweldigt hem, hij wil naar huis, o God, hij herinnert zich alles en hij wil zo graag naar huis, hij kan dit niet meer, wat hebben ze met hem gedaan, kijk nou, godverdomme wat hebben ze met hem gedaan, hij huilt en hij brult haar naam en hij timmert met zijn vuisten op de met bloed doordrenkte aarde, en als ze hem wakker schudt, is hij thuis in bed bij haar en in zijn borst heeft zich een enorme woede gebald die zich een weg naar buiten probeert te banen.

Ze omhelst hem, ze zegt sussend dat het voorbij is, en ze vraagt hem naar zijn droom, ze zegt dat hij haar erover moet vertellen, dan heeft het geen macht meer over je, zegt ze, maar het raast en kolkt in hem, hij is bang dat hij haar pijn zal doen, en hij maakt zich los uit haar troostende armen en stapt uit bed, hij staat te bibberen op zijn benen, zijn pyjama is doornat van het zweet en zijn mond is kurkdroog. Hij zegt schor dat hij even naar het privaat moet en ze vraagt gelukkig niet of ze hem zal brengen, ze laat hem in zijn eentje gaan, hij strompelt de trap af, hij plast, drinkt wat water en gaat dan in de donkere keuken aan de tafel zitten, zijn handen tot vuisten gebald, hij bijt in zijn knokkels totdat het bloedt en fluisterend vloekt hij op zichzelf en op de wereld, en nog zakt zijn woede niet. Ze komt niet kijken waar hij blijft, als hij een halfuur

later naast haar in bed stapt is ze nog wel wakker, ze heeft op hem gewacht, ze streelt voorzichtig over zijn rug en als hij haar niet wegduwt,
vraagt ze of het over is, en hij knikt zwijgend omdat hij bang is dat hij
moet huilen als hij zou praten, hij keert zich naar haar toe, ze legt haar
armen om hem heen en hij verbergt zijn gezicht tegen haar borst en zij
zucht bedroefd, hij voelt zich diep met haar verbonden, alsof ze een deel
van hem is, en zij voelt hetzelfde voor hem, dat weet hij zeker.

En de daaropvolgende nachten is hij bang om in slaap te vallen, en zij
blijft samen met hem wakker, ze maakt er geen woorden aan vuil en
wil ook niet dat hij haar er dankbaar voor is, hij heeft het idee dat ze
opgelucht is omdat dit tenminste een probleem is waarvan ze weet
wat ze ermee moet, ze liggen met open ogen naast elkaar in bed en in
de donkere uren voor zonsopgang vertelt ze hem over hun verboden
liefde, over het huwelijksaanzoek, de schuur en de mobilisatie, en over
hoe ze na de oorlog vier jaar lang naar hem zocht. Ze schreef brieven
aan het Ministerie van Landsverdediging en het Rode Kruis, tientallen
waren het er, zegt ze, ze vroeg om informatie over Belgische soldaten
in Duitse krijgsgevangenenkampen, wat gebeurde er met de gewonden
en zieken als een kamp werd ontruimd, gingen ze naar Duitse hospitalen, kon het zijn dat ontsnapte gevangenen op eigen houtje nog steeds
door Duitsland zwierven, waren er mannen die een valse naam hadden opgegeven, stonden er naamlozen op de kamplijsten en zo ja, waar
werden die naartoe gebracht, bestonden er foto's van hen, konden ze
haar die toesturen. Ze kreeg nooit antwoord maar ze had tenminste de
illusie dat ze iets deed, en iedere ochtend, zo vroeg dat geen klant haar
erbij kon betrappen, keek ze nauwgezet de kranten in de winkel door
op zoek naar advertenties van veteranen die op zoek waren naar hun
vrouw en kinderen, en op zondag, als andere mensen in de kerk zaten
of naar familie gingen, bezocht zij hospitalen en gestichten.
    Het was zo afschuwelijk, zegt ze, die arme mannen, de meeste had-
den beter dood kunnen zijn, in de steek gelaten door hun familie, en
kwalijk nemen kon je het die vrouwen, ouders en kinderen al helemaal
niet, zo erg waren die mannen eraan toe, zelf beseften ze dat vaak niet,
dat was nog wel het hartverscheurendste, dat ze een naar lysol en pus
stinkende ziekenzaal binnenliep en dat zo'n man die nauwelijks nog als
mens te herkennen was charmant tegen haar probeerde te zijn, en dan
deed ze alsof er niets aan de hand was en lachte en praatte ze wat met
hem, want ze was waarschijnlijk het enige bezoek dat hij in lange tijd
had gekregen, stel je voor dat hij Amand was geweest, dacht ze terwijl

ze aan zijn bed zat, lieve moeder Maria, en dan huilde ze op de gang waar hij haar niet kon horen, en nog dagenlang voelde ze zich vreselijk en dacht ze aan die arme man, en in het begin was ze zelfs nog wel eens de volgende zondag teruggegaan, maar dat wekte verwachtingen die ze niet kon waarmaken en dan voelde ze zich alleen nog schuldiger. Soms was ze zelfs stiekem blij dat ze Amand nog steeds niet had gevonden, dan wilde ze dat ze eindeloos zo kon blijven doorzoeken zonder ooit de hoop te verliezen en zonder hem te vinden, stel je voor dat hij er net zo erg aan toe was als enkele mannen die ze had bezocht, wat zou ze dan doen, daar dacht ze vaak aan, en ze nam zich voor om hem nooit onder geen enkele voorwaarde aan zijn lot over te laten, ze kon niet jarenlang naar hem zoeken en het opgeven als de uitkomst haar niet beviel, als ze geloofde dat ze het niet zou aankunnen, moest ze het nu opgeven, voordat ze hem had gevonden, voordat ze zekerheid had, dat deed ze soms een tijdje, maar ze kon zich er niet bij neerleggen, dat ging eenvoudig niet, ze begreep niet hoe andere vrouwen dat deden, ze vonden haar moedig omdat ze volhield, maar ze was niet moedig, alleen wanhopig, als ik echt dapper was geweest, had ik durven opgeven, zegt ze, maar ze is zo blij dat ze heeft doorgezet, ik wist dat je nog leefde, zegt ze, ik wist het gewoon, heb jij dat nooit, dat je iets op een rare manier heel, heel zeker weet, en dan is het altijd waar, dat is Onze Lieve Heer, zegt ze, die fluistert je wat in en het is heel dom om daar niet naar te luisteren.

En ze vraagt of hij voelde dat er iemand op hem wachtte, en hij zegt dat hij vaak het idee had dat hij niet alleen was, dat er iemand aan hem dacht en dat hij daarom ook instemde met het plaatsen van de advertentie, maar hij zegt het om haar een plezier te doen, het is een verleidelijk simpele opvatting van het leven, als je iets maar hard genoeg wilt gebeurt het vanzelf, ach zat de wereld maar echt zo in elkaar, lieve Julie, zo'n gruwelijke oorlog en al die jaren waarin ze eenzaam op hem wachtte en verminkte veteranen bezocht, en toch durft ze als een kind nog steeds in rechtvaardigheid te geloven.

Zullen we naar bed gaan, vraagt ze, terwijl ze zich achter haar retoucheertafeltje opricht en krampachtig haar pijnlijke nek en schouders heen en weer beweegt en dan met een zucht door haar ogen wrijft, maar hij is bang dat ze zo moe is dat ze vrijwel direct in slaap zal vallen, ga jij maar vast, zegt hij, ik kom zo, en ze weet dat hij hier nog uren zal blijven zitten, ze zegt dat ze bij hem blijft, en hij dringt er nog eens op aan dat ze naar boven moet gaan, je bent moe, zegt hij, ga nou maar slapen, en ze zegt dat als hij niet moe is, zij dat ook niet is. Ze loopt wat door de studio om haar benen te strekken en gaat dan weer aan het werk, hij ziet haar zo nu en dan knikkebollen boven het negatief dat ze aan het retoucheren is, maar ze weigert zonder hem naar bed te gaan, en als hij tegen twaalven naar haar kijkt, is ze echt in slaap gevallen, haar hoofd rust half op haar arm, half op het glas van het retoucheertafeltje.

Hij staat op en blaast de lamp uit waarmee het negatief wordt verlicht, hij doet het heel voorzichtig, maar ze wordt toch wakker, en nog steeds houdt ze vol dat ze niet naar bed wil, dat ze helemaal niet moe is, dat ze ook niet zonet in slaap is gevallen, en dus zegt hij ten einde raad dat hij zelf moe is en naar bed gaat, en ze gelooft hem niet, ze krijgen er bijna ruzie over, ga dan, zegt ze, als je zo moe bent, ga dan naar bed, en hij zegt dat hij alleen gaat als zij ook gaat, en geërgerd vraagt ze, wil je nou naar bed of niet, probeer het niet steeds op mij af te schuiven, als je straks een nachtmerrie krijgt is het zeker ook mijn schuld, en hij zwijgt, dat lijkt hem het verstandigste, het is alsof haar chagrijn langzaam de studio vult en hem neerdrukt, en stilletjes staat hij op en gaat naar boven, en na even komt zij ook, ze zeggen niets tegen elkaar terwijl ze zich uitkleden, en ze ligt nog maar nauwelijks in bed of ze slaapt al, ze snurkt zacht, op haar rug, haar mond een eindje open, en hij probeert in zijn eentje wakker te blijven, maar hij is net als zij uitgeput van al die doorwaakte nachten.

Als hij tegen de ochtend wakker wordt, herinnert hij zich niet wat hij heeft gedroomd, hij heeft zijn pyjama niet meer aan, die ligt aan het voeteneinde op de vloer, en hij vraagt haar of ze vannacht wakker is geworden van hem, ze zegt van niet, en terwijl hij zijn pyjama van de vloer pakt zegt ze dat het haar spijt, ik was zo moe gisteravond, zegt ze, en ze onderdrukt een geeuw, hij zegt dat het niet haar schuld is, het zijn toch niet jouw nachtmerries, zegt hij, en ze zwijgt, ze zegt helemaal niets meer terwijl ze zich aankleedt, ze vraagt zelfs niet of hij de kolen gaat doen.

En als ze samen aan de keukentafel een Bastos roken omdat het stil is in de winkel, wil ze weten of hij de uitnodiging voor Camilles huwelijk bij de post heeft gezien, wat moeten we daar nou mee, zegt ze, hij begrijpt het probleem niet en zij concludeert dat hij blijkbaar vindt dat ze erheen moeten, hij vraagt voorzichtig of zij dan niet wilde gaan, hebben jullie ruzie gehad, zegt hij, en zij zegt geërgerd dat hij ook helemaal niets snapt, natuurlijk heeft ze geen ruzie met Camille, ze is alleen bang dat zij haar nieuwe man het jawoord niet zal durven geven als ze Julienne en Amand gelukkig en verliefd samen ziet, dat het getwijfel dan opnieuw begint, is het niet beter om met een smoes af te zeggen, zegt ze, het klinkt nauwelijks als een vraag maar het is er blijkbaar wel een want ze kijkt hem afwachtend aan, en hij zegt dat ze zullen afzeggen als haar dat het beste lijkt, ze is jouw vriendin, zegt hij, en zij zegt dat ze juist twijfelt, dat ze wil weten wat hij ervan vindt, Camille zal beledigd zijn als je niet komt, zegt hij. En zij zegt dat ze Camille geen pijn wil doen, ze wil haar juist gelukkig maken, ga dan zonder mij, zegt hij, dat lijkt hem de enige oplossing, maar dat wil ze niet, ze is met hem getrouwd, er is niets erger dan in je eentje tussen mensen te moeten zitten die allemaal samen zijn, zegt ze, en hij vraagt ongeduldig of het haar nou om Camille te doen is of om haarzelf, vertel je me nu dat je vindt dat ik alleen aan mezelf denk, zegt ze verontwaardigd, en hij zegt gauw dat ze hem ver-keerd begrijpt en zij zegt dat ze hem helemaal niet verkeerd begrijpt, dat was toch wat hij zei, dat het haar om haarzelf te doen was, en dat terwijl hij gewoon naar dat huwelijk zou zijn gegaan, zonder zich ook maar een seconde om Camilles welzijn te bekommeren, en zij, egoïstisch als ze volgens hem is, breekt zich al dagen het hoofd over wat het beste voor haar vriendin zou zijn en hij is te belazerd om haar te helpen, wat is hij voor een waardeloze echtgenoot, ze staat er helemaal alleen voor, alle verantwoordelijkheid komt altijd op haar schouders neer, zegt ze.

En ze maakt zich steeds bozer, in een hoog tempo draait ze haar ver-wijten af, alsof ze een ruzie herhaalt waarvan ze het verloop kent omdat ze hem al tientallen keren met hem heeft gehad, haar woorden lijken niet hem te gelden maar de man die hij voor de oorlog was, de man die maar niet kon besluiten haar ten huwelijk te vragen, de man die zijn ouders maandenlang niet durfde op te biechten dat hij met hun meid ging trouwen, de man die geen risico's wilde lopen met hun fotostudio, de man die het nooit voor haar tegen zijn moeder opnam, en het is ver-domde onrechtvaardig om hem tekortkomingen aan te rekenen die hij zich niet eens herinnert. En hij zegt zo kalm mogelijk dat ze niet moet overdrijven, en zij zegt dat hij haar nondedju nooit serieus neemt, ze overdrijft absoluut niet, hij neemt nooit een beslissing voor hen tweeën, dat durft hij niet, hij laat haar gissen naar wat hij zou willen en dan moet zij het besluit nemen, en als het fout gaat is het dus haar schuld, haar verduivelde rotschuld, niet de zijne, zo gaat het altijd, en hij zegt dat dat helemaal niet waar is, o nee, vraagt zij, nou ga je gang, neem maar een beslissing, en hij zegt getergd dat hij die allang had genomen, ze luis-tert alleen nooit naar hem, zij gaat in haar eentje naar de trouwerij van Camille, punt uit. Maar zij zegt dat dat geen beslissing is, het is een slap compromis alleen bedoeld om een echt standpunt te vermijden, en hij kan er niet meer tegen, hij verheft zijn stem en slaat hard met zijn vuist op tafel, hij ziet haar schrikken en dat doet hem goed, hij zegt dat het godverdomme nu eens afgelopen moet zijn, ze vertikt het om hem voor vol aan te zien, dat is het probleem, niet dat gezeur over beslissingen die hij niet neemt, hij is voor haar nog steeds een gek uit het gesticht.

En dan wordt ze pas echt boos, ze schreeuwt in plat Vlaams tegen hem dat ze hem godmiljaar uit dat ellendige gesticht heeft gered, en dat gaat hij haar nou verwijten, dat hij in een gesticht heeft gezeten, dat is toch niet haar schuld, had ze hem daar dan moeten laten zitten, en hij zegt dat ze nou niet moet doen alsof ze uit liefde acht jaar op hem heeft gewacht, daar trappen anderen misschien in, maar hij weet wel beter, ze hield veel meer van haar status van keurig getrouwde middenstands- vrouw dan van hem, ze heeft hem niet gered, ze heeft zichzelf gered. Wat zeg je, gilt ze en ze loopt vuurrood aan, hoe durf je, en ze kan van woede geen andere woorden vinden en ze herhaalt nog eens, hoe durf je, en ze huilt zonder dat ze het zelf in de gaten heeft en hij haat haar met een hevigheid waar hij van schrikt, hij staat tegenover haar en hij is in staat om in dat lelijke, rode, van razernij vertrokken gezicht van haar te slaan, om erop te timmeren totdat ze haar kop houdt, hij draait zich om en stormt de keuken uit, de trap af, en ze gilt hem na dat hij vooral moet weglopen, daar ben je goed in, bangschijter, laat me maar weer in de steek, en hij smijt de winkeldeur met een klap achter zich dicht, hij hoort de ruit rinkelen, hij barst nog net niet.

En hij is zo verblind door zijn emoties dat hij niet weet wat hij doet, waar hij gaat, of hij in zichzelf praat of hardop, in gedachten staat hij nog steeds in de keuken tegen haar te schreeuwen, zij maakt hem de onrechtvaardigste verwijten en hij slaat haar, dat had hij moeten doen, een harde, goed gerichte tik zoals bij een ongehoorzame hond, hij slaat haar en ze huilt en smeekt hem om vergeving, en dan begint de ruzie van voren af aan, wat zei zij, wat zei hij, wat had hij moeten zeggen. En als hij tot zichzelf komt, is hij al een eind buiten de stad bij de Leye, hij gaat aan de waterkant zitten en hij stelt zich voor dat zij ook woedend is en zij kan niet weglopen, ze moet klanten helpen en beleefd blijven, en terwijl ze met hen praat, scheldt ze hem in gedachten uit, de rotzak, hij moet niet denken dat het haar ook maar iets kan schelen dat hij de deur uit is gestormd, laat hij maar fijn ophoepelen, maar als het straks donker wordt en hij nog steeds niet thuis is, zal ze zich zorgen beginnen te ma- ken en dan komt de spijt en de angst dat hij niet meer terug zal komen, zo stelt hij het zich voor en zijn woede zakt.

Hij staat op en loopt verder, met iedere pas is hij zich bewust van de groeiende afstand tussen hen tweeën, hij neemt afscheid van zijn leven met haar, van alles wat ze samen hebben gedaan, hij ziet de weidse, frisgroene vlasvelden, de effen grijze lucht, het kabbelende water en hij voelt zich wonderbaarlijk vrij zonder het keurslijf van haar liefde, hij kan doen wat hij wil en als hij haar daarmee pijn doet, des te beter, en als het haar koud laat, ook goed, hij denkt dat het zo moet voelen om een echte man te zijn, en hij besluit om door te lopen naar Meenen, naar het leven dat hij voor de oorlog heeft geleid, want hij neemt zijn eigen beslissingen, ook als die tegen haar uitdrukkelijke wensen ingaan. En hij loopt over het zandpad langs het water, en hij is een soldaat, hij heeft lange marsen gelopen in de stromende regen met een bepakking van tientallen kilo's, maar het is ver, hij heeft geen jas, geen hoed, hij draagt een dun burgerkostuum en nette schoenen, en zijn voeten doen pijn, hij gaat in het gras zitten en constateert dat hij blaren heeft, stukgelopen en bloedend, en als hij zijn voeten in het koele, zacht stromende water laat hangen, ziet hij plots voor zich hoe zij iedere ochtend bij het opstaan haar blote voeten op de koude vloer zet, voorzichtig zoals ze ook in de tobbe stapt, en het is alsof hij aan een verleden denkt, zo ver weg dat hij er nooit meer naar terug kan keren. Hij droogt zijn voeten met zijn zak-doek die naar thuis, naar hun bed ruikt, trekt zijn sokken en schoenen aan en ondanks de pijn loopt hij in een stevig tempo verder, hij passeert Wevelghem en een halfuurtje later doemen aan de horizon de eerste huizen van Meenen op en na nog een halfuurtje loopt hij over de kade langs de Leye de stad in.

Hij weet niet wat hij had verwacht, verwijzingen naar de emoties uit haar verhalen, een gevoel van verbondenheid met de straten, de stenen, de mensen, maar het is gewoon een stad zoals Kortrijk, en hij vindt de trap aan het water waar ze elkaar in het geheim ontmoetten, hij gaat op een van de onderste treden zitten zoals ze zo vaak samen moeten hebben gedaan, het is er vochtig en het ruikt naar rotting en hij herkent niets, he-lemaal niets. Als hij verder loopt vraagt hij de weg naar de Ieperstraat, en dan staat hij in de straat waarin hij met haar heeft gewoond, de straat die hij iedere dag moet hebben gezien, en zelfs die roept niet meer dan een onbestemd gevoel van herhaling op, alsof hij hier al eens eerder is geweest terwijl hij zich probeerde te herinneren dat dit zijn thuis was, en hij slaat linksaf, de richting waarin de huisnummers oplopen, hij komt langs winkels en cafés, een tram passeert hem en dan voorbij de markt worden de panden groter en deftiger, hier en daar is de oorlogsschade nog niet hersteld, een gescheurde muur, een ingestort dak, en hij wil het niet, maar hij denkt aan haar, ze moet doodsbang zijn geweest toen er zo dichtbij bommen vielen, ze was helemaal alleen, zonder man en met twee kleine kinderen, en hij begrijpt dat ze niet meer terug wil naar deze stad. Hij passeert een grauwe tabaksfabriek en een café en dan een kerk met een klein torentje, de zijstraat aan de rechterkant is volledig weggevaagd, op enkele plaatsen is het puin geruimd, maar het is zo troosteloos, alsof het gisteren nog oorlog was en er wanhopig huilende vrouwen en kinderen in de bouwvallen naar hun bezittingen zochten, en hij ziet dat hij bij nummer 65 is, nog maar elf huizen, en met het lood in de schoenen loopt hij verder.

De straat maakt een bocht naar rechts en dan kan hij tot aan de volgende kruising kijken, aan de overkant zijn een paar ernstig beschadigde gebouwen die worden opgeknapt, maar nummer 87 moet vlakbij aan zijn rechterhand zijn en daar valt de schade mee, hij denkt dat hun huis inmiddels moet zijn herbouwd en dat is een opluchting, hij telt de nummers en tot zijn verbijstering ziet hij zijn naam, 'Photographie A. Coppens' staat er in sierlijke letters op de winkelruit, het is een onbewoond pand, het huis er schuin tegenover is zo zwaar getroffen dat het is afgebroken en nummer 85 heeft ook veel schade, en verderop, in de buurt van de kruising, is een voltreffer geweest, daar zijn alle gebouwen gesloopt, maar hun winkel is ongeschonden. Hij tuurt naar binnen, er liggen geen plassen van lekkages op de vloer, alle muren staan overeind en zelfs de rekken voor de briefkaarten en de toonbank zijn er nog, er zit alleen een barst in de winkelruit, de oorlog heeft Julienne en de kinderen op wonderbaarlijke wijze ontzien, en hij begrijpt het niet, waarom zou ze over zoiets tegen hem hebben gelogen, en dat willekeurige, dat onverklaarbare beangstigt hem meer dan haar leugen zelf, het is alsof de winkelruit met zijn naam en de straat waarin hij met haar woonde en de stad waarin ze verliefd werden en trouwden en de oorlog en alles wat hij voor waar hield langzaam van hem vandaan drijven, en hem blijft niets over dan een duistere, steenharde bonk angst die hem opslokt, hij leunt tegen de deur van hun winkel en sluit zijn ogen en hij probeert gelijkmatig te ademen, in en uit, in en uit, rustig, in en weer uit, en hij vertelt zichzelf dat zij nog dezelfde vrouw is die hij zich vanmorgen heeft zien aankleden, dezelfde vrouw die afgelopen nacht naast hem heeft geslapen, ze maakt zich zorgen over hem omdat hij nog niet thuis is, hij heeft een leven met alles erop en eraan dat op hem ligt te wachten, hij vertelt het zichzelf tientallen malen in dezelfde bezwerende bewoordingen en dan bedaart hij een beetje.

Hij loopt wankel verder alsof hij ernstig ziek is geweest en hij kijkt niet om naar zijn oude bestaan dat als een gapend donker gat achter hem ligt te wachten, en als hij zijn stem weer onder controle heeft, vraagt hij de weg naar de statie, hij verlangt hevig naar huis, de keuken en de studio en naar hun bed, en hij stelt zich haar voor zoals ze gebogen over het retoucheertafeltje de levens van anderen restaureert, zoals ze in de keuken tijdens het afwassen afwezig door het raam de straat in kijkt en God weet waar aan denkt, en hij huilt bijna, zomaar midden op straat als een kind of een of andere idioot.

En het begint al donker te worden, hij koopt bij het loket een derdeklassekaartje naar Kortrijk en gaat op het perron op een bankje zitten wachten, hij staart voor zich uit naar de overzijde van het spoor, hij beseft eerst niet dat hij naar een kerkhof kijkt, het wordt door een bakstenen muur omzoomd, alleen enkele grafmonumenten steken erbovenuit, en hij denkt dat daar waarschijnlijk zijn ouders liggen begraven, de trein komt pas over een halfuur en hij zou binnen enkele minuten op het kerkhof kunnen zijn, maar hij is bang dat ze ook daarover heeft gelogen, hij wil alleen terug naar huis. En hij wacht op het bankje tot de trein komt, om nergens aan te hoeven denken telt hij tot duizend en hij merkt dat de getallen als vanzelf plaatsmaken voor een melodie, hij neuriet het liedje uit zijn dromen, telkens opnieuw, schijnt het roosje blij te trachten naar lustig vogelnippen, zoo wachten liefjes lippen naar mijnen warmen kus, en zijn hoofd wordt prettig leeg alsof alles buiten hem om gebeurt en de tijd kruipt ongemerkt verder.

Hij stapt in de trein en hij blijft op het balkon staan waar het rustig is, het is maar een reis van een kwartiertje dan is hij weer in de stad waarin hij met haar woont, en het is inmiddels echt donker geworden, als hij naar buiten kijkt, ziet hij alleen de angstig bleke weerspiegeling van zijn eigen gezicht. Hij hoopte dat hij uit de trein zou stappen, het perron zou zien waarop ze elkaar vorige week nog hebben omhelsd, en zijn leven zich veilig om hem heen zou sluiten, maar hij loopt door Kortrijk en hij heeft het gevoel dat hij een stad bezichtigt waarin een oppervlakkige kennis van hem woont, zijn benen dragen hem werktuigelijk naar huis, het Statieplein, de Halle, rechtsaf de Doornijkstraat in, de kruising met de Langesteenstraat over en dan is hij er. Hij durft niet naar binnen, er brandt geen licht in de winkel, ook boven niet, in de keuken, het is alsof hij hun leven samen heeft gedroomd, alsof het er nooit is geweest en hij is bang dat hij in haar plaats een vreemde vrouw zal aantreffen, hij zit een tijdje aan de overkant op de stoep naar het slapende huis te kijken, naar de tekst 'Photographie A. Coppens', de letters, de kleur, de verdeling in een halve cirkel, het lijkt griezelig veel op de tekst op de winkelruit in Meenen, alsof ze heeft geprobeerd hun oude leven te reproduceren.

Het gordijn achter het raam van Felices voorkamer op de eerste verdieping beweegt, hij staat op en steekt de straat over, hij opent de winkeldeur, het belletje verwelkomt hem, hij staat in de schemerige winkel en wacht, maar er gebeurt niets, zij komt niet de trap af gerend om hem opgelucht te omhelzen, en hij loopt naar achteren, op de tast vindt hij de klink van de deur naar de studio, daar brandt licht, maar er is niemand, hij loopt door naar de donkere kamer, hij klopt aan en zegt haar naam, Julie, en dan nog eens, Julie, geen reactie, hij opent de deur, op de tafel liggen wat plaathouders voor hem klaar met negatieven erin om te ontwikkelen en alles is keurig opgeruimd, het gevoel dat hij uit een leven is gestapt waarnaar hij nooit meer kan terugkeren wordt sterker, alsof hij zonder het zich te herinneren jarenlang is weggebleven. Hij loopt in het donker de trap op, naar de salon, de keuken, het ruikt er naar groentesoep en de vaat is gedaan en de tafel afgenomen, en hij klimt zachtjes de trap op naar de zolder, hun bed is leeg, netjes opgemaakt, de twee kussens argeloos naast elkaar, en dan opent hij de deur naar de kamer van de kinderen, en ze liggen te slapen alsof er niets aan de hand is, hij durft hen niet te wekken om te vragen waar hun moeder is gebleven, en hij loopt nog eens het hele huis door, ze moet in een opwelling zijn vertrokken, haar dagelijkse bezigheden hebben afgehandeld, de kinderen een geruststellende verklaring voor zijn afwezigheid hebben gegeven en de deur achter zich hebben dichtgetrokken, ze is hem gaan zoeken en hij gelooft dat ze nooit meer zal terugkeren, dat ze spoorloos en onverklaarbaar is verdwenen zoals hij destijds aan het front.

Hij zit aan de tafel in de studio op haar stoel en hij is zo moe en dat liedje is er weer over liefjes lippen en een warme kus, hij tuurt naar zijn spiegelbeeld in de zwarte ruit en dan meent hij op het achterplaatsje iets te zien bewegen, hij staat op en opent de buitendeur, en daar is ze in het donker, nog geen tien meter van hem vandaan, het licht uit de studio valt net tot aan haar voeten, ze zit op de stapel stenen bij de schutting, het grote, grijsbruine konijn, haar lieveling, houdt ze tegen haar borst geklemd, haar ogen zijn rood gehuild en ze staart met een lege blik voor zich uit, alsof ze de kracht om zich te verroeren niet kan opbrengen en zich hier voor de wereld heeft verscholen om te treuren en te treuren, en als ze geen tranen meer over heeft, te sterven. Pas als hij haar naam zegt, merkt ze dat ze niet alleen is en kijkt ze op, en heel even, in de fractie van een seconde voordat ze beseft dat ze heeft gekregen waar ze om heeft gebeden, herkent hij de blinde, verlammende angst in haar ogen, ze springt overeind, het konijn op haar schoot is ze vergeten, het kan zich nog net met een onelegante sprong in veiligheid brengen, en hij gelooft dat ze tegen hem tekeer zal gaan omdat hij haar zo verschrikkelijk ongerust heeft gemaakt, maar ze rent naar hem toe en omhelst hem, je bent teruggekomen, zegt ze, je bent gekomen en dat zegt ze nog een paar keer alsof ze het niet kan geloven.

Ze gaan naar binnen en zitten dicht tegen elkaar aan op de sofa voor het geschilderde niemandsland en ze vragen elkaar niets, niet waar hij al die tijd is geweest, niet waarom zij heeft gelogen over hun ongeschonden huis in Meenen, ze hebben het niet over hun ruzie, niet over de verwijten die ze elkaar hebben gemaakt, niet over dat hij voor altijd wilde gaan, dat zij hem heeft laten gaan, ze vrijen en het lijkt niet op voorgaande keren, het is alsof alle scheidslijnen zwelgend, zwetend, tastend, kreunend tussen hen wegvallen, ze verliezen zich in elkaar zonder bedenkingen, zonder schaamte, ze bezweren de angst die ze niet durven uit te spreken, ze verbannen hem naar de grenzen van hun bestaan, en achteraf, als ze halfnaakt de trap op zijn geslopen langs buren en kinderen en loom naast elkaar in bed liggen en ze elkaar hebben verteld hoe vreselijk veel ze van elkaar houden en hij heeft beloofd om nooit, nooit meer bij haar weg te gaan, beseft hij dat hij dit eerder heeft gevoeld, een angst die zo groot is dat hij niet te onderscheiden is van extase, en hij is ontzettend moe, hij valt in slaap, net terwijl zij tegen hem zegt dat ze klaarwakker is en hem verlegen vraagt of hij nog eens wil.

Hij moet twee of drie soldaten begraven en een afgerukte arm en een Duitser die ze Heinrich noemen, hij verlangt naar de verlossing door de dood, en toch als hij wordt beschoten, zoekt hij dekking, het gaat vanzelf zoals drinken als hij dorst heeft, hij ligt op zijn buik in de halfbevroren modder, de kou dringt door zijn kapotjas heen en de kogels suizen over zijn hoofd, hij hoort ze tegen de lege blikjes tingelen die in de prikkeldraadversperring hangen om voor de komst van vijandelijke patrouilles te waarschuwen, en hij dacht dat dit een droom was, maar dat getingel is het winkelbelletje, hij moet haar wekken.

En kogels slaan om hem heen in de grond, modder spettert in zijn gezicht en valt met doffe tikken op zijn helm, de kameraad naast hem wordt getroffen, hij hoort hem schreeuwen van schrik en pijn, verdomme, nu weten ze waarop ze moeten richten, en in een regen van kogels schuift hij op zijn buik van hem vandaan totdat hij zich in de beschutting van een ondiepe granaattrechter kan laten rollen. Er staat een laagje ijzig

water in en er liggen lichamen van soldaten die er tijdens eerdere vuur-
gevechten hebben geschuild, een Duitser zonder laarzen, jas en helm,
een Fransman met een gebroken been en een waarschijnlijk door een
Duitse patrouille doorgesneden keel, en een jonge Belgische soldaat, hij
kruipt naar de Belg toe, hij heeft een dikke kapotjas aan en hij doorzoekt
zijn zakken in de hoop iets eetbaars te vinden, en dan probeert hij hem
de jas uit te trekken, hij heeft zijn hand vast als de koude vingers tegen
de zijne bewegen, geschrokken laat hij hem los en buigt zich over hem
heen, hé, zegt hij terwijl hij hem een tik op zijn wang geeft, leef je nog,
de soldaat opent zijn ogen en kijkt hem aan met een blik die ver weg
op een denkbeeldige horizon lijkt te zijn gericht. Hij is jong, zeventien,
misschien achttien, en Amand knoopt voorzichtig zijn jas los om te zien
hoe hij eraan toe is, hij heeft een gapende buikwond die hij met zijn
hemd heeft geprobeerd te verbinden, Amand ruikt de rottende stank
van gasgangreen, de brancardiers hebben hem niet meegenomen omdat
ze wisten dat hij toch zou sterven, God mag weten hoelang hij hier al in
zijn eentje ligt.

Amand doet zijn ransel af en schuift hem onder het hoofd van de
jongen, hij gilt het uit van de pijn, schel en rauw als een gewonde hond,
en Amand legt zijn hand over zijn mond en blijft stil liggen luisteren
of het mitrailleurvuur zich op hen richt, maar er verandert niets, en hij
haakt de veldfles van zijn koppel en giet voorzichtig wat water tussen
de lippen van de jongen, hij slikt met moeite en zegt dan met verrassend
heldere stem, haar stem, dat hij op hem heeft gewacht, waar bleef je nou,
zegt hij, en Amand vertelt hem niet dat hij naar Meenen, naar hun oude
huis is geweest. Hij gaat op zijn zij naast hem liggen, en de jongen rilt
van de kou en de koorts, zijn tanden klapperen in ritmische golven op
elkaar, er wordt nog steeds geschoten, en een lichtkogel hangt boven
hen, de jongen licht bleekroze op, er kleeft geronnen bloed op zijn lin-
kerwang en hij heeft volle meisjeslippen en donkere, angstige ogen, en
hij kreunt voortdurend van de pijn, het klinkt alsof het geluid diep uit
hem opborrelt en hij zich er zelf niet van bewust is, alsof zijn lichaam
zich beklaagt en niet hijzelf, en dan hijgt hij van ellende en stopt hij plotseling met ademen, en even gelooft Amand dat hij genadig is gestorven,
maar zijn borstkas rijst toch weer. Hij fluistert schor iets over water en
vogels en Amand zet de veldfles nog eens aan zijn lippen en hij drinkt,
kom je me halen, vraagt hij terwijl hij Amand aankijkt en voor het eerst
ziet hij hem echt, en Amand zegt dat hij eerst wat moet uitrusten, ik heb
een eind gekropen, zegt de jongen, we moeten vlak bij de verbandpost
zijn, en Amand zwijgt, en de jongen zegt dat, mocht hij het niet halen,

hij wil dat Amand zijn moeder schrijft, en dat belooft Amand, en als het geen oorlog was zou hij uit medelijden tegen hem hebben gelogen en hem hebben verteld dat de verbandpost inderdaad om de hoek is en dat hij natuurlijk zal genezen, maar hij wil zich niet met de verlangens van deze jongen bezighouden, hij is bang voor zijn angst, zijn valse hoop, zijn blik die niet het kapotgeschoten niemandsland ziet, maar een plek waar groene weiden zijn en fluitende vogels en ongeschonden huizen en vrouwen die 's ochtends bij het opstaan voorzichtig hun blote voeten op de koude vloer zetten alsof ze in de tobbe stappen.

En de jongen tilt zijn arm op, het doet pijn, zijn adem stokt en een geluid dat het midden houdt tussen een kreet en een woord verlaat zijn lippen, zijn hand tast langs zijn jas, en Amand vraagt hem waarnaar hij zoekt, en hij antwoordt niet, Amand vraagt het nog eens, mama's brief, zegt hij na een tijdje alsof nu pas tot hem doordringt dat er iemand tegen hem praat. En Amand slaat de kapotjas van de jongen open en voelt in de binnenzak, hij vindt een beduimelde, bebloede enveloppe, de jongen wil dat Amand hem de brief voorleest en Amand weet dat hij dat niet moet doen, maar hij kan het ook niet weigeren, hij trekt het velletje uit de enveloppe en vouwt het open, het is een bladzijde uit een schrift, een schoolschrift waarschijnlijk, volgeschreven in een onwennig maar keurig handschrift, de datum boven de brief is van meer dan een halfjaar geleden, de jongen moet de woorden zo vaak hebben gelezen dat hij ze wel kan dromen.

Lieve Cyriel, zegt Amand, we kregen eindelijk je brief, viereenhalve maand heeft hij erover gedaan, papa en ik zijn heel blij dat het goed met je gaat en dat je zo dapper bent, we zijn trots dat je voor het vaderland vecht, doe maar goed je best, papa vertelt aan iedereen dat zijn zoon een held is, maar luister ook een beetje naar je moeder, wees verstandig en voorzichtig, mijn lieve jongen, ik heb warm ondergoed voor je gebreid en dat stuur ik je, dan heb je het misschien voordat het gaat vriezen, ik bid iedere dag voor je, eet je wel goed, ik hoop dat ze er rekening mee houden dat je geen vlees met vetrandjes lust, jullie krijgen vast beter te eten dan wij, maar we redden ons wel, je hoeft je geen zorgen over ons te maken, ik droomde laatst dat de oorlog eindelijk voorbij was en dat je thuiskwam.

En Amand kijkt naar het gezicht van de jongen, hij is rustig geworden, zijn ademhaling is regelmatig en hij kreunt niet meer, er speelt een hemelse glimlach rond zijn lippen alsof zijn moeder naast hem zit en zijn hand vasthoudt, en hoe Amand ook zijn best doet om de woorden uit de wereld van moeders en warm ondergoed uit te spreken zonder de betekenis ervan tot zich te laten doordringen, ze scheuren hem open, hij wacht al maanden vergeefs op een brief van haar, hij weet veel te goed hoe dat is, iemand thuis om aan te denken, die aan jou denkt, dat weekmakende gevoel, en hij wil het niet, maar de gedachte dringt zich aan hem op dat deze jongen, deze Cyriel die hij zo niet wil noemen omdat hij ten dode is opgeschreven, deze naamloze soldaat, zonder moeder, zonder thuis, deze soldaat die er niets toedoet, dat deze soldaat zo onschuldig is als Amand zelf ooit ook was toen hij voor het eerst een loopgraaf zag, hoe heeft deze jongen dat al die jaren volgehouden, dat geloof, dat kinderlijke vertrouwen in de mensheid, hij haat zichzelf niet om wat hij in naam van het vaderland heeft moeten doen, hij walgt niet van zijn eigen onverschilligheid, hij heeft geen vergeving van God of van wie dan ook nodig. En Amand kijkt in zijn bleke jongensgezicht, en in een opwelling legt hij zijn hand over zijn mond, hij bedekt de vredige glimlach, knijpt zijn neus dicht, en de huid van de jongen is intiem warm, klam van het koortszweet, zacht als van een meisje, bijna zonder baardgroei, en zijn bruine ogen ontwaken uit hun hemelse zwijm en kijken hem verrast aan, hij geloofde dat Amand was gekomen om hem van de dood te redden, hij stribbelt wat tegen, zijn handen grijpen Amands pols beet, hij probeert zich van hem af te draaien, maar hij heeft geen kracht, en alsmaar die blik van intense verwondering alsof hij niet begrijpt waarmee zijn redder in godsnaam bezig is, en dan loopt zijn gezicht leeg als een ballon, al het leven lekt eruit weg, de glimlach, de gedachten aan zijn moeder, de pijn, het wordt een onmenselijk ding, maar nog steeds die kinderlijke verbazing in zijn ogen.

En Amand sluit zijn oogleden en begint de jongen uit te kleden, zijn dikke kapotjas, zijn stevige, Duitse laarzen, zijn Franse uniformbroek, en daarna trekt hij zijn eigen jas, laarzen en broek uit en doet de kleren van de jongen aan, en de jongen is zo weerloos zonder uniform dat Amand hem zijn eigen kleren probeert aan te trekken, maar zijn slappe ledematen werken tegen en de kleren zijn stroef van de modder en het pus uit de buikwond, hij geeft het op, hij laat hem daar in de mist en de vrieskou achter, met zijn bleke, blote benen, zijn smalle jongensborst, zijn kapotgeschoten buik, en zijn witte gezicht met de gesloten oogleden en de hemelse glimlach rond zijn lippen, zo eenzaam en verloren ligt hij daar waar zijn moeders gedachten hem nooit zullen kunnen vinden.

En hij moet wakker worden, ze wilde nog eens, zei ze, hij is midden in een gesprek met haar in slaap gevallen, of misschien was het tijdens het vrijen, nee, nee dat niet, hij wil zijn ogen openen en haar zeggen dat het hem spijt en vragen waarom ze hem niet schreef, en kijk me niet zo verwonderd aan, wat zeg je, vraagt ze, en ze staan samen in het donker op de trap, hij in zijn onderbroek, zij in haar nachtjapon, en ze raapt zijn pyjama op, neemt hem mee naar boven en begint hem het jasje aan te trekken. En hij weet niet wie ze is, hij is zich ervan bewust dat hij haar goed kent, hij herinnert zich een huis met een barst in de ruit en dat ze tegen hem had gelogen en haar blote, begerige lichaam tegen het zijne, en dan dringt tot hem door dat hij niet weet wie hij zelf is, dat hij haar daarom niet herkent, zijn hoofd is volkomen leeg, hij weet niet eens zijn eigen naam. Hij voelt haar handen tegen zijn borst terwijl ze de knoopjes van zijn pyjamajas dichtmaakt, je had je alweer uitgekleed, zegt ze zacht, wat droom je dan toch, en ze laat hem in zijn pyjamabroek stappen, hij leunt werktuigelijk op haar schouders, zijn handen herinneren zich wie zij is, haar schouders, haar nek, haar krullerige, korte jongenshaar, haar zinnelijk warme huid, en dan keert ze plotseling in hem terug, Julie, mijn God, Julie hoe kan hij haar vergeten, maar hij voelt niets voor haar alsof hij nog steeds droomt en een onbekende vrouw haar gedaante heeft aangenomen, zij is het en toch ook niet. En hij vraagt haar om hem eens flink door elkaar te schudden en in zijn gezicht te slaan, wat wil je dat ik doe, zegt ze verbaasd, hij herhaalt zijn verzoek en ze pakt hem bij zijn armen beet en beweegt hem aarzelend heen en weer, harder, zegt hij, maar dat durft ze niet, hij grijpt haar bij haar schouders beet en doet het voor, en hij herinnert zich dat hij dat vanmorgen bij haar wilde doen, hoe woedend ze allebei waren, en dan is hij weer de man die hij behoort te zijn en zij de vrouw van wie hij houdt en is dit hun slaapkamer in hun huis en is dit moment onderdeel van hun leven samen, dit moment waarop zij hem wakker schudt terwijl hij al wakker is, ze lacht om wat hij haar laat doen en hij lacht van opluchting, ze heeft niet gemerkt dat hij haar voor de tweede keer vandaag had verlaten.

En als ze samen in bed zijn gestapt en ze zegt dat hij steenkoud is geworden daar in zijn onderbroek op de trap en hem in haar armen probeert te warmen en zijn voeten tussen haar kuiten klemt, verschijnt het gezicht van de jonge soldaat voor zijn geestesoog, die verwonderde blik en die kinderlijke woorden, mama's brief, en de jongen wil maar niet verdwijnen, en zij vraagt wat hij nou toch droomde, en hij wil het haar vertellen, hij zou het haar zo graag vertellen, hij verlangt vreselijk naar haar begrip, maar hij heeft het gevoel dat hij dit al eens eerder heeft meegemaakt, dat hij haar iets opbiechtte en zij er niets van begreep. En hij zegt dat hij zich zijn nachtmerrie niet herinnert, hij ging over het front, zegt hij, vochten jullie in je ondergoed, vraagt ze plagerig, maar het klinkt niet helemaal echt als een grapje, hij weet niet wat ze denkt, dat hij over soldatenhoeren droomt, over een andere vrouw, en hij zegt dat ze in de winter de kleren van de doden aantrokken om warm te blijven, en hij merkt dat haar lichaam verstrakt, werden ze naakt begraven, vraagt ze, en dat vindt ze erg, hij hoort het aan haar stem, en hij stelt haar gerust en zegt dat ze soms geen jas aanhadden of geen laarzen, maar naakt waren ze niet, zegt hij.

En ze zegt dat ze een verrassing voor hem heeft, ze doet geheimzinnig en troont hem mee naar beneden, naar buiten, en ze lacht om zijn verbazing, ze heeft bij Hoste in de Schaekenstraat een luxe, glimmende, nieuwe velo voor hem gekocht, zegt ze, een Vicer, hij kostte eigenlijk 495 franken, maar in de reclame was hij 350 franken en toen heeft ze weten af te dingen tot 300 franken, vertelt ze trots, maar 300 franken is nog steeds ontzettend veel geld, en wat moet hij met een fiets, hij kan er niet eens op rijden, en zij zegt dat hij er voor de oorlog ook een had, je kunt fietsen, stap maar op, zegt ze. Hij zou niet weten hoe, en ze legt uit dat hij zijn rechtervoet op de trapper moet zetten en dan al rijdend zijn been over het zadel moet zwaaien, het lijkt hem gevaarlijk, vragen om een valpartij, maar zij dringt aan, het is een kwestie van durven, zegt ze, en hij doet het uiteindelijk toch om van haar gezeur af te zijn en hij rijdt tot zijn verbazing gewoon weg, zijn lichaam herinnert zich hoe het moet, hij trapt, stuurt, remt, het gaat vanzelf, hij komt er zelf niet aan te pas, zijn lichaam kent het verleden dat hij is vergeten, het is beangstigend alsof hij over de rand van een diepe, donkere poel kijkt en er bijna voorover in tuimelt.

En terwijl hij de straat uit rijdt en vlak voor de Groote Markt omkeert en terugfietst, naar waar zij lachend op de stoep op hem staat te wachten, ziet hij ineens het verwonderde gezicht van de jonge, stervende soldaat voor zich, zo levendig dat hij zijn arm uitsteekt om de jongen weg te duwen, hij stopt langs de rand van het trottoir en staart naar zijn handen op het stuur, en hij vraagt zich af of ze weten hoe te doden zoals zijn benen weten hoe te fietsen. En later die middag stuurt ze hem op de fiets weg, ga maar een eindje rijden, zegt ze, en ze vraagt niet waar hij heen wil en wanneer hij weer terug zal zijn, het kost haar moeite, dat ziet hij, maar ze laat hem gaan, en dan dringt de betekenis van haar geschenk in zijn volle omvang tot hem door, het is een blijk van een groot en onbaatzuchtig vertrouwen.

Hij fietst de stad uit met de wind in zijn gezicht, langs voetgangers en karren en rijtuigen en andere fietsers, en hij heeft bewondering voor haar lef, de moed waarmee ze weigert aan haar angst toe te geven, hij weet niet of het verstandig van haar is, zijn benen trappen hem verder en verder van haar vandaan en hij is zich voortdurend bewust van haar bezorgdheid, hij weet weer precies hoe het was toen hij hier liep en naar Meenen ging omdat hij haar haatte, hij ziet weer de blinde paniek in haar ogen toen hij haar op het achterplaatsje bij de konijnen vond, hij wil deze verantwoordelijkheid niet die ze hem heeft gegeven, het is een valse vrijheid, hij is bang dat hij haar vertrouwen zal beschamen. En hij rijdt over de kades langs de Leye de stad weer in, en als hij zijn fiets onder de markies tegen de muur van de winkel zet, ziet hij haar vanachter de toonbank opgelucht opkijken, hij zwaait naar haar en loopt naar binnen, en hij vertelt haar wat een fijne fiets het is en waar hij is geweest en hoe anders de wereld er vanaf zadelhoogte uitziet, en ze luistert met een stralende glimlach alsof ze hem de stad en de Leye eigenhandig heeft geschonken, hij weet niet of ze bang is geweest, ze laat er niets van blijken.

Maar op zondagochtend neemt hij haar mee op de fiets, ze wil natuurlijk niet, hoe moet dat dan, zegt ze, er is geen plek voor twee, en hij laat zien dat ze op de stang mee kan, dat lijkt haar onfatsoenlijk, alsof ze en plein public bij hem op schoot zit, uiteindelijk haalt hij haar over en ze rijden lachend en slingerend door de Doornijkstraat, terwijl iedereen in de kerk zit en God looft en zij eigenlijk de was moet doen. Ze zit tussen zijn armen en zijn benen en haar jurk fladdert rond zijn knieën, en hij krijgt na enkele honderden meters de slag te pakken, hij trapt flink door over de Groote Markt en hij weet de tramrails over te steken zonder te vallen, en hij moet over haar hoofd kijken om te zien waar hij heen stuurt en haar haar waait in zijn mond, en zij kijkt lachend naar hem op, ze geniet, en dit is pas vrijheid, zij geen zorgen, hij geen zorgen.

Op de Leyestraat rent een hond blaffend achter hen aan, en hij draait de fiets met een scherpe bocht voor de brug langs, de Dolfijnkaai op, en de wind slaat onder haar jurk, een voorbijganger zou haar onderbroek en blote dijen kunnen zien, maar er is gelukkig niemand, alleen die blaffende hond, en ze houdt met haar hand tussen haar benen lacherig haar jurk in bedwang en ze zegt, zie je nou hoe onfatsoenlijk het is, en hij zegt dat alle leuke dingen onfatsoenlijk zijn, en daar lachen ze samen om, hun stemmen galmen over de lege kades en over het stille water, sssssst, niet zo hard, zegt ze geschrokken, en hij zegt dat zij harder lachte dan hij, en daar twisten ze over totdat ze buiten de stad zijn en niemand hen meer kan horen, alleen de koeien aan de overzijde van de Leye.

En hij trapt stevig door hoewel zijn benen moe zijn, en ze stuiven over het zandpad langs de waterkant en zij laat haar jurk los en die waait

onmiddellijk op alsof hij erop zat te wachten, ze wervelt in haar ondergoed tussen de bomen en de Leye door, en de wind streelt ontzettend
onfatsoenlijk langs haar blote dijen omhoog, de pijpen van haar onderbroek in, ze wordt er stil van, en hij lacht om haar, ze fietsen net onder
de spoorbrug door en zijn lach kaatst naar hen terug en lacht hen beiden
uit. En dan rijdt hij met zijn laatste krachten nog een paar minuten heel
hard, en hij geeft een baldadige schreeuw en zij schreeuwt nog luider, zo
luid dat de eenden uit het water opfladderen, en dan laat hij de fiets uitvieren en vallen ze vermoeid in het gras neer, hij en zij en de fiets, en ze
liggen in de zon en ze zegt dat het de eerste keer is dat ze op een fiets zit,
ze wist niet dat het zo leuk was. En hij vraagt of ze wil leren fietsen, eerst
zegt ze natuurlijk van niet, zo gaat het met alles bij haar, alsof een groot
deel van het plezier bestaat uit het zich door hem laten overreden, en
ze kibbelen er een loom kwartiertje over, ze zegt dat fietsen onbetamelijk is, niets voor nette vrouwen, en het is ongezond, dat heeft ze ergens
gehoord, dat vrouwen onvruchtbaar kunnen worden door de druk van
het zadel daar, hij weet wel wat ze bedoelt, zegt ze, en hij doet alsof hij
haar niet begrijpt, zodat ze gedwongen is om het op allerlei omslachtige
manieren te omschrijven en uiteindelijk met een rood hoofd naar haar
kruis te wijzen. En hij lacht om haar en veegt al haar argumenten van tafel, hij zegt dat ze gewoon bang is, en dan geeft ze toe dat ze het wel wil
proberen, hij zet de fiets overeind en houdt hem stevig voor haar vast
zodat ze erop kan klimmen, haar jurk zit haar in de weg, ze kijkt om zich
heen, er is geen mens te bekennen, ze trekt haar rok omhoog en knoopt
hem om haar middel, lach niet, zegt ze tegen hem, en dan krijgt ze zelf
bijna de slappe lach bij het idee dat ze hier in haar ondergoed en kousen
op een fiets zit, wat een mal gezicht moet dat zijn.

En hij duwt haar steeds harder rennend over het zandpad voort, en
soms laat hij even los, maar hij durft haar niet helemaal te laten gaan,
straks valt ze of rijdt ze het water in, hij draaft alsmaar achter haar aan en
grijpt de fiets vast als ze onderuit dreigt te gaan, totdat hij echt niet meer
kan en ze in haar eentje over het zandpad wegrijdt, ze roept naar hem
dat ze het kan, kijk dan, Amand. En hij ploft bezweet in het gras neer en
trekt zijn colbertje en vest uit en rolt de mouwen van zijn overhemd op,
en dan valt ze natuurlijk, hij ziet het gebeuren en hij wil al naar haar toe
rennen, maar ze staat alweer op en stapt op de fiets en rijdt verder, en
dan keert ze om, terug naar hem toe, en opnieuw van hem vandaan, en
ze valt, hard dit keer, en weer geeft ze geen kik en krabbelt ze overeind.
En hij kijkt toe terwijl ze in haar eentje koppig verder oefent, hij heeft
bewondering voor haar, ze wil het natuurlijk niet horen en hij zou het

haar ook nooit vertellen, maar hij ziet plots het in armoede opgegroeide meisje in haar dat gewend is om overal voor te moeten vechten, en hij ligt op zijn buik in het gras ontroerd naar haar te kijken, zijn hart loopt over van liefde en hij roept naar haar, Julie, kom even uitrusten, en zij zwaait naar hem en fietst verder.

En dan ziet hij een boer met paard-en-wagen aankomen, hij fluit hard op zijn vingers en roept een waarschuwing naar haar, maar ze hoort het niet, ze merkt de boer pas op als hij vlak bij haar is en ze schrikt zo dat ze haar fiets in de berm laat vallen en het bos in stormt. De boer rijdt verder langs Amand, hij groet hem en vraagt nieuwsgierig wat er met zijn vriend aan de hand is, daar moeten ze achteraf samen erg om lachen, zijn vriend, had die sufferd dan niet in de gaten dat ze een vrouw was, in haar ondergoed nota bene, zou hij nog nooit een halfblote vrouw hebben gezien. En ze zijn allebei uitgeput, ze zegt dat ze honger en dorst heeft als een paard, jij niet, vraagt ze, ja, hij ook en ze drinken water bij een pomp op een boerenerf, en voeren elkaar wilde aardbeien die ze aan de bosrand plukken, en ze zijn zo gelukkig, de angst is ver weg maar niet helemaal verdwenen, ze houden hem lachend en bluffend op een afstand, als twee kinderen in een lekke boot op volle zee.

En pas tegen de avond fietst hij hen naar huis, het is drukker geworden op straat en ze voelt zich bekeken, ze houdt haar blik strak voor zich uit gericht, zodat ze hopelijk niet worden aangesproken, en op de Groote Markt wil ze afstappen en ze lopen de Doornijkstraat in, hij met zijn fiets aan de hand, en ze zijn weer respectabele burgers geworden, ze maken een praatje met mevrouw DeJager die de stoep voor haar kruidenierswinkel veegt en met coiffeur Staels, en ze bewonderen allemaal de nieuwe fiets. En dan zijn ze thuis, ze sluit de winkeldeur zorgvuldig achter hen alsof ze bang is dat de buitenwereld hen zal proberen te volgen, en ze zegt dat ze het eten gaat maken en daarna moet ze de was nog doen, dat had eigenlijk vanmorgen al gemoeten. En als de kinderen naar bed zijn helpt hij haar met de was, hij schrobt en wringt en mangelt totdat de blaren in zijn handen staan, en Felice komt de huur voor de komende week brengen, ze zegt dat zij ook zo'n man wil die het huishouden voor haar doet, hoe heb je hem zover gekregen, Juul, en Julienne lacht en kijkt naar hem, een trotse blik vol liefde, en ze zegt dat ze gewoon de juiste man heeft uitgezocht, en het is alsof die middag vol zon en blote dijen en wilde aardbeien de keuken binnensijpelt, en ze merken niet eens dat Felice alweer naar beneden is gegaan.

Ze hangen de was op in de slaapkamer, want het gaat vannacht regenen, zegt ze stellig, en hij vraagt hoe ze dat weet, kijk maar naar de wolken, zegt ze, en hij noemt haar zijn boerinnetje, en daar lacht ze gewillig om, hoewel ze het eigenlijk niet zo leuk vindt, en ze vertelt dat ze houdt van het ophangen en opvouwen van de was, het is zo'n kalm karweitje waarbij haar gedachten ongestraft alle kanten uit kunnen dwalen. Toen hij werd vermist, waste ze nog steeds zijn kleren, zodat ze op bed kon zitten, zoals nu hier met hem, om gedachteloos zijn overhemden en broeken op te vouwen, en dan was het alsof het allemaal niet was gebeurd, alsof hij beneden in de studio bezig was en ieder moment de trap op kon komen om iets met haar te overleggen, en ze zijn zich er beiden van bewust hoe vreemd dit moment eigenlijk is, hoe onwaarschijnlijk dat hij hier werkelijk is bij haar, en heel voorzichtig gluurt de angst om de hoek, maar hij weigert er aandacht aan te besteden.

En ze liggen naast elkaar op bed en roken samen een Bastos, om de beurt een trek, en ze kust de blaren op zijn handen en hij streelt haar koele dijen, maar ze hebben geen zin om te vrijen, het is mooi zoals het is, zo mooi, en hij denkt dat hij dit moet onthouden, deze wonderschone dag, maar ook hoe eenvoudig geluk is, er is niets voor nodig, en hij zegt dat het altijd zo zou moeten zijn, en ze glimlacht dromerig en gaat dan overeind zitten en drukt de peuk uit op de muur boven het bed. Ga je mee, vraagt ze terwijl ze haar hand naar hem uitsteekt, hij loopt achter haar aan de trap af, ze hebben nog steeds honger van al dat fietsen, en zij eet een halve reep chocolade en hij een plak spek en wat koekjes, het laatste koekje deelt hij met haar, en ze zouden kunnen gaan slapen want het is al tegen tienen, maar ze rekken deze kostbare dag totdat hij nog net niet breekt.

En eindelijk krijgt hij de brief van haar waarop hij maanden heeft gewacht, hij haalt hem uit de binnenzak van zijn uniformjas, hij is verkreukeld en bebloed, en hij vouwt hem met trillende handen open en begint te lezen, ze schrijft dat ze warm ondergoed voor hem heeft gebreid en vraagt of ze de vetrandjes voor hem van het vlees snijden, en hij is zo teleurgesteld, alweer de brief van de moeder van die jonge, gewonde soldaat, waarom schrijft ze hem niet. Hij kijkt in zijn bleke jongensgezicht, in zijn verwonderde ogen en hij legt zijn hand over zijn mond en knijpt zijn neus dicht, hij voelt de warmte van zijn huid, de meisjesachtige zachtheid ervan, hij heeft er al velen zien sterven, zien lijden en vergeefs hopen, zijn hart is versteend, dat is wat de oorlog met mensen doet, de sidderende, kreunende, bloeddoordrenkte aarde heeft meer gevoelens dan hij, maar de onschuld van deze jongen is meer dan hij kan verdragen. Hij huilt als een kind om zijn dood, hij weet zelf niet waarom, hij heeft de hele oorlog geen traan gelaten, hoe gruwelijk het ook was, hij heeft niet gesnikt, niet geschreeuwd, gesmeekt, niet eens de aanvechting daartoe gehad, hij heeft onbewogen de dood in de ogen gezien, is nooit in paniek geraakt, hij heeft gedaan wat hij moest doen, en nu kan hij alleen maar snikken, onbedaarlijk met luide uithalen en een zwoegende borst, en hij brengt met moeite haar naam uit, Ju...Ju... lie, en hij stelt zich voor dat hij zijn hoofd in haar schoot verbergt, haar troostende hand in zijn nek, en haar stem, zacht, stil maar, sjoeke, ssst, stil maar, en ze is hem zo lief, en op de een of andere manier heeft dat iets met de kleur geel te maken.

En hij gaat naast de jongen in de modder liggen, hij keert zich op zijn zij naar hem toe en kijkt in zijn wijdopen, verraste ogen en het is Julienne, hij droomt niet, hij is wakker, hij ligt naast haar in bed en hij bedekt haar mond en neus en ze worstelt om lucht te krijgen, ze schopt met haar blote voeten tegen zijn schenen, ze trekt aan zijn haren, en hij weet dat hij haar aan het verstikken is, dat ze zal sterven, maar hij kan er niet mee stoppen, o God, laat het een droom zijn, maak me wakker, dit is niet echt. Julie, brult hij, Julie, en ze schudt aan zijn schouders en hij opent zijn ogen en hij kijkt in haar vertrouwde gezicht en ze leeft nog, maar hij weet niet of hij droomt, hij vraagt haar of hij haar heeft geprobeerd te doden, en ze zegt dat hij dat elke nacht doet en dat ze warm ondergoed voor hem heeft gebreid. Hij droomt nog steeds, en hij slaat wild om zich heen in de hoop dat hij haar raakt en ze hem wakker zal maken, en dan dringt tot hem door dat ze hem niet uit zijn nachtmerrie redt omdat ze dat niet kan, hij heeft haar verstikt, dit is het bewijs, ze is dood, en dat besef is zo afschuwelijk dat hij wakker schrikt.

Hij merkt direct dat het dit keer echt is, zijn verstand vult zich met een alledaags gevoel, de verwonderde, stervende jongen is er nog steeds, maar op een gepaste afstand, het is donker in de slaapkamer, met bonzend hart tast hij om zich heen op zoek naar haar, ze ligt roerloos op haar rug naast hem, en hij grijpt haar beet en schudt haar door elkaar, Julie, fluistert hij, en ze geeft geen antwoord, ze hangt slap in zijn armen, hij buigt zich over haar heen en voelt haar lauwe adem langs zijn wang strijken, ze ruikt zoetig naar chocolade en ze snurkt zacht, hij lacht opgelucht en drukt een kus op haar mond, in haar slaap beantwoordt ze zijn liefkozing halfhartig, en als hij haar loslaat smakt ze met haar lippen en zegt ze zijn naam en dan iets over ondergoed, maar ze wordt niet wakker. Hij stapt voorzichtig uit bed, de extra deken die ze in de winter gebruiken neemt hij mee naar beneden, en in de studio vindt hij op de tast de sofa en hij gaat liggen, al snel valt hij in slaap want hij herinnert zich niets meer van de nacht zonder haar als hij ontwaakt.

Het is licht en zij zit in haar nachtjapon naast hem en hij ziet de schrik op haar gezicht, ze moet wakker zijn geworden en hebben ontdekt dat hij weg was en ze heeft in groeiende paniek het huis doorzocht, hij probeert haar uit te leggen dat hij bang was dat hij haar iets zou aandoen omdat hij zo'n vreselijke nachtmerrie had, ze krijgt weer kleur op haar wangen en ze vraagt met nog wat onvaste stem wat hij dan droomde, hij zegt dat hij het zich niet herinnert, zij veronderstelt dat het over haar ging, en hij ontkent maar ze gelooft hem niet en ze vraagt nog eens wat hij droomde, en als hij volhoudt dat hij het niet weet, vraagt ze met een hoogrode kleur of hij een hekel aan haar had, een hekel aan jou, zegt hij verbaasd, wanneer. In je nachtmerrie, zegt ze, aan het front, en hij begrijpt niet waarover ze het nu ineens hebben, en hij verzekert haar dat hij van haar houdt en dat hij nooit maar dan ook nooit een hekel aan haar zou kunnen hebben en dat hij juist daarom hier beneden is gaan slapen, omdat haar pijn doen het ergste is wat hij zich kan indenken, en hij zegt dat het beter is als hij de komende nachten in de studio blijft. Maar zij zegt dat ze dat niet wil, ze wil dat hij naast haar in bed ligt, dat hij er is als ze in slaap valt en als ze weer wakker wordt, en dat ze over hem en zijn nachtmerries wil waken en dat het haar niets kan schelen dat hij haar pijn doet. En dan moet hij haar wel bekennen dat hij bang is dat hij haar zal doden, dat hij vannacht dacht dat hij dat al had gedaan, en ze hoort de angst in zijn stem, en ze zegt dat ze heus wel op tijd wakker wordt, heeft hij ooit gehoord van een man die zijn vrouw in zijn slaap had vermoord, dat kan toch helemaal niet, zegt ze, wat een zotteklap.

Ze pakt de deken en vouwt hem op, ga je je wassen en de kolen doen, zegt ze, en als een geoliede machine hernemen ze samen hun dagelijkse routine, het stelt hem gerust al die overbekende karweitjes, water voor haar halen, de asla legen, de kolenkit vullen, het fornuis aansteken, de gevulde melkfles van de stoep meenemen, het is een veilige wereld, het leven dat hij met haar deelt, maar daaronder schuilt een onbestemde dreiging, wat hij ook doet, denkt, zegt, het is er op de achtergrond altijd, alsof hij het in zijn ooghoek ontwaart en het zich alweer heeft verplaatst als hij zijn blik erop richt, en het vreemde is dat het op een bepaalde manier een opluchting is dat hij bang is, met zijn liefde voor haar bevond hij zich op onbekend terrein, zijn angst is hem vertrouwd.

En ze zitten schouder aan schouder op de drempel van de deur naar het achterplaatsje en ze roken samen een Bastos, hij tuurt in het donker naar de suffende konijnen in hun hok en naar de witte was van de achterburen die traag en spookachtig aan de lijn wappert, ze is bedrukt en stil, de hele avond al, ze zegt dat ze wilde dat ze niet dag in dag uit naar negatieven van vermiste of gesneuvelde soldaten hoefde te kijken. Wil je met het retoucheren van oude foto's stoppen, vraagt hij, en zij zegt dat dat niet kan, ze hebben het geld nodig, maar als hij met praktische argumenten komt waarom het natuurlijk wel zou kunnen, blijft ze koppig tegenstribbelen, alsof ze gelooft dat ze boete moet doen voor het geluk dat haar in de schoot is geworpen. En hij biedt aan om te leren retoucheren zodat hij haar het werk uit handen kan nemen, nee hoor, zegt ze, en hij kijkt niet naar haar maar hij hoort aan haar stem dat ze glimlacht, en hij pakt haar hand en zij legt haar hoofd op zijn schouder. En net als ze willen opstaan om naar binnen te gaan, staat Felice achter hen, ze is naar het huwelijk van Camille geweest en ze is aangeschoten, waar was je, vraagt ze Julienne, en Julienne ontwijkt haar blik en zegt vaag iets over dat ze zich niet lekker voelde, en Felice vertelt dat Camille bijna had geweigerd haar jawoord te geven omdat ze geloofde dat Julienne haar huwelijk veroordeelde, en Julienne zwijgt.

En ze zitten rond Juliennes keukentafel, en hoewel Felice meer dan genoeg heeft gedronken, nemen ze alle drie een glas rode wijn, en daarna nog een, en Felice vertelt over het overvloedige bruiloftsmaal in Hotel Royal, kreeftensalade en rosbief en kalfskarbonade en erwtjes en aardappelen en tarbot en ijs, en bier en wijn zoveel als je wilde, en dansen, zegt ze, ik heb met Camilles zwager gedanst en Virgenies broers, en ze bekent dat ze heeft gehuild toen Camille ja zei, ik en tientallen andere vrouwen, zegt ze, en Julienne vraagt of ze gelooft dat Camille gelukkig was, en ja, zegt Felice, toen de kogel eenmaal door de kerk was en ze niet meer terug kon, ja toen was ze vast gelukkig, en daar is Julienne blij om, alsof ze haar eigenhandig de ring om de vinger heeft geschoven.

En Felice zegt dromerig dat ze zelf ook wel overnieuw zou willen beginnen, nou wat let je, zegt Julienne terwijl ze een blik met hem wisselt, en Felice begint over Gilbert Kieckens, haar partner tijdens het dansen in de Palace, afgelopen zondagavond na elven, zegt ze, toen de band ermee op was gehouden, stond ze nog wat met hem op straat te praten, en toen in een donker hoekje kuste hij haar, ze zag het niet aankomen, ze werd er door overrompeld, en ze wilde het zelf ook wel, maar achteraf voelde ze zich er ellendig over, alsof ze Sylvain had bedrogen, en dat is natuurlijk onzin, dat weet ze zelf ook, Sylvain zou juist hebben gewild dat ze hertrouwde en opnieuw gelukkig werd, maar ik kan hem niet vergeten, zegt ze, en ze bekent beschaamd dat ze vaak tegen hem praat en hij tegen haar, en dat hij bij haar in bed ligt als ze inslaapt en als ze wakker wordt, dat ze eigenlijk nog steeds met hem getrouwd is, geloof je dat ik gek ben, vraagt ze Julienne. En Julienne is tot tranen toe geroerd, ze noemt haar Liesje, en ze zegt dat Amand tijdens zijn vermissing ook altijd bij haar was, maar sinds hij terug is vervaagt het verleden steeds meer, zegt ze, en zo zou het ook Felice vergaan als ze zou hertrouwen. En Felice gelooft er niets van, ze zou Sylvain alleen los kunnen laten als ze zoals Amand aan geheugenverlies leed, zegt ze, dan zou ze zonder schuldgevoelens overnieuw kunnen beginnen, maar alleen dan, en ze gaat nog een tijdje door over hoe heerlijk geheugenverlies haar lijkt, wat een groot geschenk het moet zijn om een nieuw en volledig ongeschonden leven van Onze Lieve Heer te krijgen, als een wedergeboorte, zegt ze.

En hij kan zich niet langer inhouden, geërgerd zegt hij dat ze geen idee heeft hoe het is om geen herinneringen te hebben, om jezelf te hebben verloren, zijn zogenaamd nieuwe leven is volstrekt niet ongeschonden en zeker niet onschuldig, hij wordt geplaagd door afschuwelijke nachtmerries. En Felice zegt achteloos dat iedereen weleens akelig droomt, en ze begint een nachtmerrie na te vertellen die ze geregeld heeft, een kinderachtige nachtmerrie over dat ze in een winkel is en ontdekt dat ze geen kleren aanheeft, en verontwaardigd onderbreekt hij haar, en hij vertelt over de halfverteerde lichamen die hij in zijn dromen moet begraven, over de afgerukte arm, en de volgevreten rat die vanonder de uniformjas tevoorschijn springt, en hij heeft het zo druk met het beschrijven van de onsmakelijke details, in de hoop dat Felice ervan zal walgen, dat hij niet op Julienne let, maar Felice heeft onmiddellijk in de gaten dat zij zich door hem verraden voelt, vertelt hij je zijn nachtmerries nooit, vraagt ze zacht. En dan kijkt hij ook naar Julienne, ze ziet er beschaamd uit, alsof Felice niet hem maar haar op een tekortkoming heeft betrapt, en ze zegt dat ze het soms over zijn nachtmerries hebben, niet vaak, maar dat hoeft ook niet, zegt ze snel, en Felice zegt, trek het je niet aan, Juul, zo zijn mannen nu eenmaal, ze belazeren je zelfs als ze van je houden.

En Julienne glimlacht en zegt dat Felice zich vergist, zo is Amand niet, hij is anders, zegt ze, hij mag haar zijn dromen vertellen, maar dat hoeft niet, ze zal het hem echt niet kwalijk nemen als hij niet iedere gedachte met haar deelt, dat heet liefde en het heeft niets met belazeren te maken, zegt ze, en ze brengt het zo kalm en vol vertrouwen dat Felice niet weet hoe ze erop moet reageren, ze lacht het weg. Maar later op de avond als het gesprek allang over iets anders gaat, over de moderne tijd en waar het in hemelsnaam heen moet met al die auto's en grammofoons en telefoons en radio's en God weet wat er nog meer komen gaat, merkt hij dat Felice heimelijk naar Julienne kijkt, ze vraagt zich waarschijnlijk af wat haar vriendin bezielt, of ze misschien toch blufte, of het de wijn was, en als Felice tegen twaalven afscheid van hen neemt, omhelst ze Julienne en zegt dat ze altijd op haar kan rekenen, wat er ook gebeurt, en Julienne weet verrast niet wat ze moet antwoorden.

En ze lopen geruisloos de trap op naar hun slaapkamer, ze gaat nog even bij de kinderen kijken, en dan ploft ze onelegant op bed neer en schopt haar schoenen uit, terwijl ze haar jurk opschort en de jarretels van haar kousen losmaakt, komt hij naast haar zitten en hij doet waartoe hij schuldbewust al uren geleden heeft besloten, hij vertelt haar zijn gruwelijkste nachtmerrie, de jonge, stervende soldaat en zijn onschuld, zijn eigen pijn, zijn woede en zijn jaloezie, en dat hij de jongen in zijn droom om volstrekt verkeerde redenen uit zijn lijden verlost en wat dat over hemzelf zegt, over de man met wie zij is getrouwd. En ze luistert aandachtig, ze vraagt niets, ze pakt alleen bemoedigend zijn hand, en als hij aan het einde van zijn verhaal is gekomen, neemt ze hem in haar armen en ze streelt hem moederlijk over zijn rug en door zijn haar, en ze drukt zijn gezicht tegen haar schouder alsof ze hem duidelijk wil maken dat ze het hem niet kwalijk zou nemen als hij in snikken zou uitbarsten, en ze zegt nog steeds niets en hij voelt zich begrepen, het is een wonderbaarlijk woordeloos en diep menselijk begrip dat ze hem schenkt, vergiffenis voor alles wat hij zichzelf niet kan vergeven. Ze weet exact hoe dit moet, dat idiote gevoel heeft hij, alsof ze het eerder heeft gedaan, niet een of twee keer, maar tientallen malen totdat ze het in de perfectie beheerste, en hoewel hij haar medeleven wantrouwt, wordt hij er toch door verleid, het idee dat hij niet langer alleen is, tranen prikken in zijn ogen, een dikke prop vult zijn keel, hij slikt en slikt nog eens en hij probeert niet te huilen, en zij geeft hem beleefd de tijd om bij te komen, en ook daarvan weet ze precies hoe het moet zonder zijn mannelijkheid te kwetsen, en dan laat ze hem voorzichtig los en kust ze hem. En ze kleedt zich verder uit, ze zegt nog steeds niets, en hij trekt ook zwijgend zijn kleren uit, en ze vrijen alsof ze geen van beiden weten wat ze anders moeten doen, zij is er met haar gedachten niet bij, en hij gelooft dat ze ondanks al haar begrip dan toch stiekem van hem walgt, hij slooft zich uit om haar te verlokken, hij kust haar borsten en streelt haar tussen haar benen en stelt zijn eigen genot hoffelijk uit.

En dan zegt ze zomaar, alsof ze al minutenlang een gesprek voeren, dat ze hem iets wil vertellen, nu komt het, denkt hij met bonzend hart, en hij zou het liefst zijn kleren bij elkaar graaien en het huis uit rennen, maar hij rolt van haar af en gaat naast haar liggen. En ze zegt dat hij op de dag van zijn mobilisatie met haar en Gust naar Nederland wilde vluchten en dat zij het hem uit zijn hoofd heeft gepraat, ze zouden alles moeten achterlaten, de fotostudio die ze met veel moeite tot een succes hadden gemaakt, hun familie en vrienden, hun hele leven, en ze zouden nooit meer terug kunnen keren want op desertie stond de doodstraf, zegt ze, en ze laat een stilte vallen in de verwachting dat hij zal reageren, maar hij zwijgt. En ze zegt verdedigend dat ze niet wist dat het oorlog zou worden, echt oorlog bedoelt ze, en zij was niet de enige, zegt ze, iedereen geloofde dat het bangmakerij was, België was neutraal, waarom zouden de Duitsers zo stom zijn om dat niet te respecteren, en als België toch in een oorlog verwikkeld raakte, waren de Duitsers waarschijnlijk voor Kerstmis verslagen, dat dacht iedereen, herhaalt ze, iedereen behalve hij, maar hij zag altijd overal moeilijkheden en bezwaren, en het was haar taak om die weg te wuiven, zo deden ze dat al vanaf de eerste dag dat ze samen waren, en dus wuifde ze ook de oorlog voor hem weg. We gingen uit elkaar alsof we elkaar over een maand weer zouden zien, zegt ze, en haar stem trilt en misschien vullen haar ogen zich met tranen, dat kan hij in het donker niet zien, en hij begrijpt dat ze acht jaar lang spijt heeft gehad van haar onnozelheid en dat ze heeft gefantaseerd over dat nieuwe leven in Nederland met hem en de kinderen, maar het is een schijnverantwoordelijkheid die ze zichzelf heeft toegedicht, alsof ze hem in het leven heeft geroepen om zich tenminste ergens schuldig over te kunnen voelen.

En ze fluistert zijn naam, sjoeke, noemt ze hem smekend, en hij geeft haar waarnaar ze verlangt, hij schenkt haar absolutie, zoals ze hem die ook voor de dood van de jonge soldaat uit zijn dromen heeft geschonken, maar er is iets mis, hij kan niet aangeven wat precies, het is de toon waarop ze haar bekentenis doet, het moment dat ze ervoor heeft uitgekozen, het gewicht dat ze eraan toekent, en de vergiffenis die ze van hem krijgt, lijkt ook niets te helpen. Een deken van angst vlijt zich over hem neer, hij wist het toen hij voor hun ongeschonden huis in Meenen stond, er is te veel wat ze hem niet vertelt, en naar de reden voor haar verzuim durft hij niet te vragen, hij weet ook niet zeker of zij de reden zelf wel kent, misschien is de waarheid zo ontstellend dat ze die niet onder ogen wil zien. En hij zegt dat hij moe is en gaat slapen, o ja natuurlijk, zegt ze overrompeld, en na even wenst ze hem pas welterusten en dan valt ze in slaap, of ze doet erg overtuigend alsof, daar verdenkt hij haar van.

En zijn gedachten komen maar niet tot rust, ze dansen in hetzelfde benauwende kringetje rond, hij nam afscheid van haar en Gust op het perron, dat herinnert hij zich, en hij verheugde zich op de oorlog, naar het front gaan was voor hem een avontuur en hij voelde zich daar tegenover haar zelfs nog schuldig over, en nu vertelt zij hem dat hij zo bang was dat hij met haar naar Nederland wilde vluchten. Het is niet dat er te veel vragen zijn, dat meent hij alleen omdat hij de situatie niet overziet, waarschijnlijk hebben al die vragen slechts één antwoord, en hij heeft het idee dat dat zo simpel is dat hij het eigenlijk al kent, zoals met een woord dat op het puntje van je tong ligt en je toch niet te binnen wil schieten. Hij ligt naast haar en zijn angst koloniseert de duisternis rondom hem, verstopt onder het bed, langs het schuine dak omhoog, ritselend tussen de was aan de lijn, rillend onder de dekens, en hij tast naar haar hand en fluistert, slaap je, en ze antwoordt onmiddellijk, haar stem is vast en helder alsof ze resoluut alle muizenissen heeft weggevaagd, ze legt haar arm om hem heen en haar hoofd op zijn borst, en ze vertelt over de dag dat hij haar leerde fietsen, over de smaak van wilde aardbeien en hoe ze om de boer lachten die meende dat zij een man was, en hij denkt dat zij het ook weet, hun leven is gebouwd op drijfzand, een kleine misstap en ze verdrinken samen.

8

's Ochtends vroeg om vijf uur wordt hij wakker en de plek in bed naast hem is leeg, verontrust gaat hij overeind zitten, maar hij ruikt de geur van gebakken koekjes en als hij ingespannen luistert hoort hij haar in de keuken neuriën, hij gaat weer liggen en valt in slaap, pas om halfacht ontwaakt hij opnieuw, dit keer omdat zij op de rand van het bed zit en zijn naam zegt, ze heeft haar keukenschort voor en ze ziet er verhit uit, met rode wangen en verwarde haren, en ze zegt dat hij moet opstaan, het is al laat, zegt ze, en hij zegt, wat was je vroeg op vanochtend, en ze lacht alsof hij haar op iets beschamends heeft betrapt, en ze zegt dat ze niet kon slapen. En de hele dag blijft ze zo onrustig, ze verschoont de bedden, doet de was, schuurt de pannen, veegt het hele huis, inclusief de trappen, dweilt de keukenvloer, zeemt de ramen, ook aan de binnen- zijde, en hij wordt nerveus van haar en zet een stoel voor de winkel op de stoep en leest daar *Het Kortrijksche volk*.

Tegen het einde van de middag komt ze bij hem zitten, de zon schijnt en ze dopt tuinbonen in haar schoot, en na een tijdje te hebben gezwe- gen, vraagt ze of ze vanavond met Felice naar de Palace zullen gaan, heb je daar zin in, en het is duidelijk dat ze eigenlijk al voor hen heeft beslist, misschien heeft ze het er zelfs al met Felice over gehad, hij zegt dat het hem leuk lijkt en vraagt haar of hij kan dansen, een beetje, zegt ze lacherig, en ze lopen naar het achterplaatsje en daar, tussen de was die aan de lijn hangt te wapperen, leert ze hem de passen van de charles- ton die ze zelf ook nog niet zo goed kent, en ze is opgetogen dat hij het er aardig vanaf brengt. Roos komt kijken wat ze aan het doen zijn, en hij danst ook met haar en het eindigt ermee dat hij haar optilt en haar walsend tussen de natte broeken en jurken en kousen rondzwaait en zij lachend gilt, en Julienne zegt dat ze niet zo veel lawaai moeten maken, en prompt begint de baby van de buren te huilen. En dan gaan ze eten en ze praten over de Palace, Roos en Julienne zijn opgewonden en Gust laat zich door hen aansteken, en Amand verheugt zich voorzichtig op het dansen, maar dit wat eraan voorafgaat staat hem tegen, hij ergert zich aan haar drukke gepraat en heen en weer geloop, dit en dan weer dat, het is alsof ze vanmorgen vroeg op een glijbaan is gestapt en nog steeds bezig is om naar beneden te roetsjen.

En hij gaat naar boven om zich te verkleden, zij roept hem na dat hij zijn lichte kostuum moet aantrekken met de donkere das, dat weet ik ook wel, zegt hij, zo zacht dat zij het niet hoort, en ze roept daarom nog eens, je zomerse pak aandoen Amand, ja, brult hij en ze zegt niets meer. Als hij in zijn ondergoed staat en in zijn broek stapt, komt zij ook naar boven om zich te verkleden, ze gaat op bed zitten en zucht en ze zegt dat ze nu al moe is, we hoeven niet te gaan, zegt hij, heb je geen zin, vraagt ze, terwijl ze languit gaat liggen en haar arm over haar ogen legt, en hij kijkt wel uit, hij wil niet meer met haar in dit soort discussies verzeild raken, hij zwijgt en gaat in zijn hemd en broek naast haar liggen, hij strijkt haar donkere krullen opzij en kust haar op haar oor, hij weet dat ze daar kippenvel van krijgt, ze wurmt zich giechelend onder zijn handen vandaan en gaat rechtop zitten, en zomaar ineens weet hij zeker dat hij dit al eerder heeft meegemaakt, exact hetzelfde, en het vreemde idee bekruipt hem dat zijn hele leven met haar een herhaling is.

En op straat neemt zij zijn arm, Felice loopt een beetje verloren naast hen, hij biedt haar zijn andere arm aan en die accepteert ze dankbaar, hij loopt tussen twee feestelijk geklede vrouwen in, hij leidt hen en zij dragen hem op handen, en ze proberen met z'n drieën zonder kleerscheuren bomen te passeren en voetgangers die hen tegemoet komen, het is alsof ze een haastig geïmproviseerde dans uitvoeren en ze worden nagekeken, een man zegt in het voorbijgaan tegen hem, kon u niet kiezen, en daar moeten ze om lachen, hij is jaloers op je, zegt Felice flirterig tegen hem, en hij weet dat ze aan vroeger denkt, toen ze aan Sylvains arm door nachtelijk Kortrijk zwierf en de belle van de stad was, en hij voelt zich onoverwinnelijk, met drie paar voeten is het alsof ze over de kasseien vliegen.

En het is zo druk in de Palace dat ze in een rij op straat moeten wachten om kaartjes te kopen, de jongemannen die achter hen staan maken flauwe grappen over meisjes, en de man en vrouw voor hen lijken te zijn vergeten dat ze niet alleen zijn, hij ziet de hand van de man onder de jas van de vrouw verdwijnen, en de vrouw giechelt en kronkelt onder zijn onbeschaamdheid, en Felice zegt verontschuldigend dat er van allerlei volk op de dansavonden afkomt, maar er zijn ook beschaafde mensen, zegt ze. En Julienne glimlacht vaag, zoals wij, zegt ze, en hij weet niet of ze het ironisch bedoelt, hij probeert haar blik te vangen, heb je genoeg geld, zegt ze zacht als ze hem eindelijk aankijkt, hij knikt, en blijkbaar ziet hij er angstig uit, want ze buigt zich naar hem toe en fluistert dat als hij het te druk vindt ze naar huis gaan, hij schudt zijn hoofd, en ze is flirterig dichtbij, haar ogen, haar lippen, haar lichaam, hij wendt zijn blik af. En als hij weer naar haar kijkt, heeft ze zich half omgedraaid zodat ze de jongemannen achter hen kan zien, hij trekt dwingend aan haar arm, maar ze lijkt niet te begrijpen dat ze beter geen aandacht aan hen kan besteden, en later nadat hij kaartjes voor hen heeft gekocht en ze bij de garderobe hun jassen en hoeden afgeven, maakt ze zelfs een praatje met een van de jongemannen die al die tijd naar haar heeft gekeken, en waarschijnlijk zonder dat ze het zelf merkt, spreekt ze ineens ontzettend plat, net als haar gesprekspartner, en dan trekt ze in alle onschuld haar jas uit en de man ziet haar modieuze, deftige jurk, hij grinnikt verrast, en zij zegt dat ze voor vanavond de eenvoudigste jurk uit haar klerenkast heeft uitgezocht, nog steeds in dat zangerige dialect van haar, maar nu doet ze het met opzet, dat weet hij zeker, en de man barst in lachen uit, en zij lacht met hem mee, en ze merkt zelf niet hoe opvallend het is, maar ze voelt zich thuis bij deze mensen, ze weet precies welke toon ze moet aanslaan, hoe ver ze kan gaan, ze is ontspannen, zelfverzekerd en aantrekkelijk, heel erg aantrekkelijk, en hij is zo verliefd op haar, en ach hij heeft ook medelijden met haar, vooral dat laatste, want ze heeft alles wat haar vertrouwd was achtergelaten om zijn vrouw te worden, en nu hoort ze bij niemand meer, niet bij deze arbeiders, dienstmeisjes en moeders van vijftien kinderen, niet bij de middenstanders in hun straat, en niet bij stijlvolle Felice, en zelfs niet echt overtuigend bij hem.

En hij loopt naast haar door de donkere, smalle gang naar de danszaal, hij legt zijn arm om haar middel, en ze kijkt naar hem op en ziet zijn ontroerde blik, wat is er, vraagt ze en hij lacht naar haar, wat, dringt ze aan, en hij zegt dat ze zo mooi is, en ze wil hem wel geloven maar ze durft niet helemaal, ze giechelt verlegen. En dan staan ze ineens in het licht, de warmte en het lawaai van de danszaal, het is er vreselijk vol, ze verstaan elkaar niet meer, ze lachen naar elkaar en hij pakt haar arm, en zij draait zich om naar Felice en gebaart dat ze gaan dansen, en Felice knikt instemmend, en dan wringen ze zich met z'n tweeën tussen de paren door de vloer op, ze laten zich in het gewoel opnemen, het is alsof alles om hen heen beweegt en draait en ze geven zich eraan over.

En ze lacht verrast naar hem, heb je stiekem danslessen genomen, vraagt ze, en hij wilde dat hij wist waarom hij beter is gaan dansen in tijden van dood en verderf, en zij denkt natuurlijk aan feestjes tijdens zijn verlof in God weet welk verdorven oord, met vrouwen van lichte zeden en wat maakt het uit, laten we dansen en drinken en vrijen, morgen is iedereen toch gesneuveld, en hij verplaatst zijn rechterhand naar haar onderrug en drukt haar dichter tegen zich aan, ze struikelen bijna, maar hun benen ontwarren zich met een verbazende behendigheid, en haar jurk zwiert rond zijn knieën en haar hand rust warm en klam in de zijne en hij voelt de bewegingen van haar lichaam tegen zijn heupen, het is zo onfatsoenlijk als fatsoenlijk maar zijn kan, en hij herinnert zich vaag dansen zoals vanavond, de duizelende intimiteit ervan, de vergetelheid, haar jurk die onder zijn handen zweterig aan haar rug plakte en haar kus die een bittere, metalige smaak in zijn mond achterliet.

En ze dansen een wals en nog een wals en een onestep en dan de charleston die hij nog maar een paar uur geleden van haar heeft geleerd, en haar wangen zijn hoogrood en haar ogen stralen van de levenslust en ze is godbetert nog steeds zo hartverscheurend weerloos, alsof ze alles wat ze zich in de loop van haar middenstandsjaren heeft aange- leerd roekeloos heeft afgelegd en hij haar naakt in zijn armen houdt, hij zou haar willekeurig wat kunnen vragen en het zou niet in haar opkomen om te liegen, maar hij vraagt haar niets. Ze dansen en met iedere pas zweven zijn bedenkingen verder weg, de leegte in zijn hoofd is weldadig, hij wordt zijn lichaam, dat verfoeide lichaam vol bloed en smerigheid en beperkingen, een bron van pijn en het zal hem overleven in zijn mensonterende walgelijkheid, en toch is het ook deze ritmische, gewichtsloze, kuise betovering, en hij weet zeker dat zij iets dergelijks voelt, want ze dansen totdat ze er bijna letterlijk samen bij neervallen, hij gebaart naar de kant en zij knikt buiten adem en bezweet en plots ontnuchterd.

En als ze zich tussen de dansende stellen een weg banen naar de tafeltjes, haar hand stevig in de zijne geklemd zodat ze elkaar niet kwijt- raken, merkt hij hoe zij zich ineens omdraait, en hij ziet nog net dat ze een man een trap tegen zijn scheen geeft, de man lacht en ook zij lijkt het een normale gang van zaken te vinden, en Amand vraagt haar wat er aan de hand was, hij kneep me in mijn kont, zegt ze, en ook die grofheid brengt ze heel vanzelfsprekend alsof ze het over een lichaamsdeel zoals haar arm of haar voet heeft. Hij kijkt rond op zoek naar de schoft die haar heeft durven aanranden, maar er zijn honderden mannen allemaal ongeveer eender gekleed, en zij zegt dat hij het zich niet moet aantrek- ken, en hij zegt verontwaardigd dat haar billen toch ook een beetje van hem zijn, en zij proest het uit en ze zegt dat ze niet weet wat ze verwer- pelijker vindt, een onbekende kerel die in haar knijpt alsof ze een stuk vlees is, of haar eigen man die zich haar gat toe-eigent.

En zo bereiken ze de rand van de dansvloer, en na even zoeken vinden ze Felice, ze zit in de hoek bij de bar aan een tafeltje met een man die ze aan hen voorstelt als Gilbert Kieckens, hij is alleen bepaald niet jong, zoals ze Julienne had verteld, een jaar of vijftig schat Amand hem, en Amand schuift de stoel naast Felice voor Julienne naar achteren en gaat zelf naast Gilbert zitten, en na even haalt hij bier voor hen vieren bij de bar en ze praten over Kortrijk en over huizen, want Gilbert is aannemer, en hoe langer het gesprek duurt hoe duidelijker wordt dat Felice niet meer dan een beleefde band met hem heeft, en als ze met z'n vieren de dansvloer op gaan, blijkt dat Gilbert een uitstekende danser is, dat is zo ongeveer het enige wat Felice niet aan hem heeft bedacht, want ze danst de sterren van de hemel met hem, hun bewegingen zijn soepel en perfect, maar het is niet meer dan dat, een kunstige bewegingsoefening, deze man heeft haar niet gekust en zal dat ook nooit doen.

En Julienne en Amand walsen loom alsof ze vrijen op een snikhete zomerdag, haar armen tegen de regels van de dans om zijn middel geslagen, zijn handen op haar rug, en zij kijkt intussen over zijn schouder naar Felice en Gilbert, en ze zegt dat nooit in haar was opgekomen dat Felice een man voor zichzelf had verzonnen, en dan dat zielige verhaal over haar schuldgevoelens tegenover Sylvain, zegt ze, had jij door dat ze dat uit haar duim had gezogen, en hij schudt zijn hoofd, en zij zegt dat ze er echt door ontroerd was, maar ik heb dan ook tot mijn vijftiende in de boeman geloofd, zegt ze, en ze lacht bitter om zichzelf.

En om elf uur, als de band ermee ophoudt en de laatste noot heeft geklonken en het is alsof de zaal ontgoocheld ontwaakt, mannen en vrouwen laten elkaar los, een laatste slok bier en iedereen begeeft zich tegelijkertijd naar de uitgang, trekt ze hem haastig met zich mee, ze dringt voor bij de garderobe, en pas als hij verderop in de menigte Felice en Gilbert ontdekt, en zij fluistert, niet kijken, begrijpt hij dat ze hen aan het ontlopen zijn. Buiten neemt ze zijn arm en haastig lopen ze de Zweveghemsestraat uit, ze werpt een blik over haar schouder, Felice staat nog voor de Palace op de stoep, en op een holletje slaan ze linksaf, de Wijngaardenstraat in, zou ze ons hebben gezien, zegt ze, en hij denkt van niet, hij zegt dat ze nog minstens een kwartier op hen zal staan te wachten, nee toch, zegt ze gegeneerd, en ze lacht.

En hij zit op de drempel van de studio en kijkt naar haar terwijl ze met lusteloze gebaren de was ophangt, haar huid, het wasgoed, het achterplaatsje, de huizen van de buren, de konijnen, alles heeft een donkergele, warme kleur en de avondlucht is een licht, sereen oranje, alsof in een oorlog een paar kilometer verderop de kanonnen onhoorbaar staan te bulderen, kom eens helpen, zegt ze, en hij staat op en ze trekken samen de lakens recht en hangen ze aan de lijn. En terwijl ze daarmee bezig zijn, loopt Felice met een volle wasmand het achterplaatsje op, Julienne bukt zich afwijzend om wasknijpers te pakken, maar Felice knoopt toch een gesprek met haar aan, over Juliennes jurk, hoe goed die haar staat, en draag toch niet steeds dat lelijke, oude keukenschort eroverheen, en als Julienne stug reageert, praat Felice over het dansen in de Palace, waar waren jullie nou, vraagt ze, en Julienne zegt dat ze om halfelf naar huis zijn gegaan omdat ze moe waren, we hebben nog naar je gezocht, zegt ze, maar we konden je niet vinden, en ze doet nauwelijks haar best om te verbergen dat ze liegt, alsof ze betrapt wil worden. En Felice zegt beledigd dat ze niet begrijpt waarom Julienne de laatste tijd zo raar tegen haar doet, je bent veranderd sinds hij terug is, zegt ze, niet ten goede, en Julienne pakt zwijgend een kussensloop uit de wasmand, ze bukt zich net iets te vlug en ze trekt net iets te ruw de kreukels uit de stof, het lijkt hem beter om zich uit de voeten te maken.

Hij zit in de studio aan de tafel, met zijn rug naar hen toe, en steekt een sigaret op, en de buitendeur staat open, hij hoort hoe ze hun stemmen tegen elkaar verheffen, ze verwijten elkaar leugenachtigheid en jaloezie, Felice omdat Julienne alles wil hebben wat zij ook heeft, mooie jurken, kort haar, dansen in de Palace, Julienne omdat Felice altijd in het middelpunt van de belangstelling wil staan en zelfs bereid is daarvoor flauwe verhaaltjes te verzinnen over een zogenaamde kus en schuldgevoelens tegenover Sylvain, ze gunt Julienne na al die jaren van ellende niet eens wat geluk, en erger nog, ze bespot de gevoelens van vrouwen zoals hun vriendin Camille die werkelijk opnieuw durven te beginnen met een andere man, dat vergt al genoeg moed zonder dat er jaloerse egoïsten zijn die je belachelijk maken, en bovenal, en dat vindt Julienne echt onvergeeflijk, bovenal besmeurt Felice met haar leugens de nagedachtenis van haar eigen man. En Felice zegt dat Julienne Sylvain erbuiten moet houden, zij heeft geen enkel recht van spreken, zij heeft haar man teruggevonden, ze weet niet hoe het is als al je dromen je zijn ontnomen, maar daar gaat het juist om, roept Julienne, om Sylvain, en als je dat niet begrijpt, ben je de herinneringen aan hem niet waard.

En Amand draait zich verontrust om op zijn stoel zodat hij hen kan zien, ze staan in het vredige licht van de ondergaande zon vijandig tegenover elkaar, de twee wasmanden als een strook niemandsland tussen hen in, Juliennes gezicht is rood van verontwaardiging, ze heeft de kussensloop nog in haar handen en ze wappert ermee op de maat van

haar woorden, alsof ze Felice ieder moment in haar gezicht kan meppen, en Felice doet onthutst een pas naar achteren, ze zegt dat Julienne
te koop loopt met haar geluk, ze drukt Felice met haar neus erop, jij kunt
alleen gelukkig zijn als iedereen om je heen ongelukkig is, zo egoïstisch
ben je, zegt ze, hoe denk je dat dat voor mij is, en Julienne zegt dat Felice
er niets van begrijpt, herinneringen zijn heilig, zegt ze, het is alles wat
je van Sylvain hebt, daar mag je niet over liegen, en ze is boos, oprecht
boos. En hij zou om haar moeten lachen, hoe ze zich opwindt over iets
waaraan ze zichzelf ook schuldig maakt, en niet eens tegenover de doden, maar tegenover de man die iedere nacht naast haar slaapt, die van
haar houdt, maar hij lacht niet, er gaat een onbestemde dreiging uit van
haar redeloosheid, alsof hij de schaduw ontwaart van de angsten die ze
voor hem verbergt.

En het is benauwend stil om hem heen, niets beweegt, alleen de poes
waarnaar hij kijkt, een zwarte poes met witte pootjes en een witte vlek
op haar neus, ze maakt een ochtendwandelingetje over dit verwoeste
stuk aarde dat niemand toebehoort, ooit was het een weiland met bloeiende klaprozen en boterbloemen en bomen die schaduw boden aan de
koeien, en het doet zo'n pijn, de gedachte aan zijn leven met haar, het
besef dat hij van iemand hield, dat er zoiets als een bloeiende weide of
geluk bestond en dat dat nog steeds ergens ter wereld te vinden moet
zijn, misschien niet eens zo ver hiervandaan. En hij ziet een vreemde,
bruingroene golf, geruisloos bibbert hij in de verte boven het prikkeldraad, door de kruitdamp kan hij niet zien waar het bruingroen eindigt
en de blauwe ochtendhemel begint, het is een voortwalsend dansend
bos, een krankzinnige luchtspiegeling, en gefascineerd richt hij zich
op om beter te kunnen kijken, hij gelooft dat het God is die eindelijk is
gekomen om hem te halen, dat Hij deze vormeloze en onbeduidende
gedaante heeft aangenomen waarin geen priester Hem zal herkennen,
en dan, alsof de contouren zich in zijn hoofd herordenen, beseft hij dat
het een compagnie soldaten is die op hem af komt. Daar is hij, de vijand
tegen wie hij al jaren vecht, die hem heeft beroofd van zijn land, zijn
huis, zijn vrouw, zijn kameraden heeft hij afgeslacht, hem in een beest
veranderd, en nu komt hij zijn laatste schuilplaats, zijn loopgraaf inne-
men, hij hoeft er niet eens moeite voor te doen, hij kan er op zijn gemak
heen wandelen.
   En hij kruipt op zijn buik tussen de lichamen van zijn kameraden
door, ze zijn niet allemaal dood, sommige zuchten en steunen en vragen om water als ze hem zien, maar hij is helemaal alleen en hij heeft

nog enkele minuten te leven, hij hoeft er niet over na te denken, het besluit verschijnt kant-en-klaar in zijn hoofd zonder dat er een logische overweging aan te pas is gekomen. Een van de twee mobiele machinegeweren van zijn compagnie is vlakbij, onverstoorbaar rustend op zijn statief, zijn lange, zwarte neus over de lichamen van de gesneuvelde schutters heen gericht, er is net een nieuwe magazijntrommel aangehangen, van de riem mist nog maar een tiental patronen, de koelslang zit in de condensor, het statief is zelfs op de juiste hoogte ingesteld, het is alsof het wapen daar speciaal voor hem is neergezet, hij hoeft er alleen achter te gaan liggen, de loop iets naar links te draaien en door het vizier te turen. En voor het eerst ziet hij de vijand in levenden lijve, hij hoorde hem altijd praten en lachen in zijn loopgraaf, zijn wachtpost in de stille nacht hoesten, hij zag de rook van zijn vuurtje waarop hij zijn theewater kookte, de zwerm vliegen boven zijn latrine, zijn dode lichaam in vele verschijningsvormen, hij kende het geluid van zijn kogels en granaten, de meedogenloze precisie van zijn scherpschutters, zijn overwinningsdrang, abstract als de duivel, zo was de vijand, en hij haatte hem niet, was niet bang voor hem, niet boos op hem, maar nu blijkt de vijand dit te zijn, deze mannen van vlees en bloed, mannen zoals hij, met gedachten en gevoelens en dromen, en de oorlog is ineens ondraaglijk persoonlijk geworden.

En hij duwt zijn duimen op de vuurknop, een minieme beweging en hij schiet, het klepperende geluid scheurt door de vredige ochtendstilte, alsof hij heeft gedurfd het uit te schreeuwen tijdens het bidden in de kerk, en hij wordt zo door elkaar gerammeld dat het niemandsland voor zijn ogen op en neer danst, het is wonderbaarlijk, wat er tweehonderd meter verderop gebeurt lijkt niets met de kogels te maken te hebben die het metalen gevaarte onder zijn handen uitbraakt, het is alsof zijn woede zich heeft gematerialiseerd en over de lijken en de gruwelen en het hete stof snelt om alles te vermorzelen wat hij op zijn pad tegenkomt, en het is van een grote, onweerstaanbare, onbegrijpelijke schoonheid, hij kan de schrik en de pijn en de doodsangst op hun gezichten duidelijk onderscheiden, ze duikelen door de lucht, zwaaien met hun armen en benen, vallen in onmogelijke houdingen neer, bruine stofwolken vergezellen hen op hun vlucht als feestelijke slingers, en hun kreten worden overstemd door het ratelende kabaal van zijn wraak, en er lijkt geen druppel bloed aan te pas te komen, het is proper en kuis, het magnifieke ballet van de dood, hij laat hen dansen op het ritme van zijn woede en hij neuriet er alsmaar hetzelfde melodietje bij, zoo schijnen liefjes lippen te smachten naar het spel, zoo schijnen liefjes lippen te smachten naar het spel. Hij is bedwelmd door de goddelijke macht van zijn handen, hij kan er niet mee stoppen, hij schiet op ze terwijl ze al op de grond liggen, terwijl ze op de vlucht slaan en aan hun noodlot proberen te ontkomen, het is eenvoudig, veel te eenvoudig, alsof hij achteloos luciferhoutjes van een tafel veegt, hij zou ermee door kunnen gaan totdat er geen levende ziel meer op de aarde was, en hij lacht, hij lacht uitbundig, want mijn God wat is hij gelukkig, hij voelt zich weer mens, geen radertje in een immense oorlogsmachine, zijn daad maakt het verschil, hij is onvervangbaar en hartstochtelijk een levend wezen.

En dan plots is het doodstil, zijn wapen heeft geen hulzen en kogels meer om uit te spuwen en het zwijgt, hij richt zich op in zijn volle majestueuze lengte en overziet het vernielde niemandsland, ze zijn allemaal dood, vriend en vijand, als enige heeft hij het overleefd, en hij brult het uit in al zijn onoverwinnelijkheid. En hij wordt wakker van zijn eigen kreet, het is stikdonker om hem heen alsof hij is opgesloten in zijn eigen hoofd en dat afschuwelijke geluksgevoel wil maar niet wijken, het is nergens mee te vergelijken, niet met zijn liefde voor haar, niet met dansen met haar, vrijen met haar, het is groots en schitterend, de reden van het bestaan, in vergelijking kan niets ooit nog iets voorstellen, en niemand kent dat gevoel, alleen hij, en hij huilt geluidloos en hij smeekt Onze Lieve Heer om hem zijn geheugen opnieuw af te nemen, geef me een simpel leven met haar, met alledaagse vreugden en ergernissen en laat me de oorlog vergeten, alstublieft Heer, laat me in slaap vallen en straks als ik wakker word, weet ik niet meer wat ik heb gedroomd, kunt u me dat schenken, alstublieft.

En hij valt in slaap, of misschien was hij nooit echt wakker, dat weet hij niet meer als zij hem 's ochtends wekt, hij opent zijn ogen en hij denkt wat was er ook alweer, iets vreselijks, en dan vult zijn hele wezen zich met afschuw en schaamte, en zij kust hem loom en vraagt of hij goed heeft geslapen, en hij zegt dat hij een nachtmerrie heeft gehad. Hij verlangt er zo naar om haar erover te vertellen en dat zij geruststellend zal zeggen dat het een onnozele droom was, dat het niets over zijn karakter zegt, alleen over de krankzinnigheid van de oorlog, en dat ze hem zal verzekeren dat ze van hem houdt en dat ook altijd zal blijven doen, en zij leest op zijn gezicht hoe afschuwelijk de nachtmerrie was, ze vraagt waarom hij haar niet wakker heeft gemaakt, en ze omhelst hem en fluistert dat hij haar moet vertellen wat hij droomde, hoe erg het ook is, ik zal het begrijpen. En hij wil haar vertrouwen, hij zegt dat hij als een van de weinigen een massale aanval in het niemandsland had overleefd, en hij ziet haarscherp, alsof hij daar werkelijk is, de stoffige, hete vlakte voor zich met het tapijt van menselijke lichamen en in de blauwige verte de soldaten die hun dood tegemoet lopen, en terwijl hij het zegt, weet hij heel zeker dat hij het haar al eens heeft verteld, hij heeft geen idee wanneer, maar het is gebeurd, hij herinnert zich haar reactie zelfs woordelijk, ze zei dat het zijn vaderlandse plicht als soldaat was om vijanden te doden, hoe meer hoe beter, en ze weigerde te begrijpen waarom hij zich er ellendig over voelde, ze wilde een held in hem zien, en dat maakte het nog vele malen ondraaglijker, en hij slikt zijn woorden in, hij zegt dat hij de rest van zijn nachtmerrie is vergeten, en ze gelooft hem niet, maar ze dringt niet aan.

En hij leegt de asla voor haar en hij haalt kolen en water voor haar en ze ontbijten samen met de kinderen, en al die tijd is er die walging alsof er een misselijkmakend gezwel in zijn borst groeit op de plek waar bij andere mensen hun hart klopt, en ze praat met Roos en zo nu en dan ziet hij haar blik afdwalen naar hem, alsof ze zich afvraagt waar hij aan denkt. En hij kan zich niet voorstellen dat ze het werkelijk weet, hij kan het haar nooit hebben verteld, hij heeft haar tussen de mobilisatie en haar bezoek aan het gesticht niet gesproken, en toch durft hij er een eed op te zweren dat hij het haar heeft bekend, ze wist dat hij had genoten van het doden van honderden soldaten, en ze heeft al die jaren op hem gewacht, ze heeft hem niet in het gesticht laten wegrotten en ze houdt zelfs van hem, ze is bijna net zo weerzinwekkend als hij, misschien nog wel weerzinwekkender, want hij is gedwongen om voort te leven in dit lichaam met dit verstand, zij niet, zij heeft willens en wetens voor een bestaan met hem gekozen.

En hij beantwoordt haar blik en probeert zich voor te stellen wat er in dat hoofd van haar omgaat, en ze wordt verlegen en slaat haar ogen neer, en hij ziet plotseling voor zich hoe de doodsangst haar zou bevangen als ze wist dat ze nog maar enkele minuten te leven had, het is een heel heldere, realistische gewaarwording, de paniek op haar gezicht, haar ogen star en haar wangen bleek, al geen mens meer, een gewillige prooi van de dood, een seconde duurt het, niet langer, maar hij kan niet tegenover haar aan tafel blijven zitten. Hij staat op, zijn hart bonkt en de keuken drijft schimmig om hem heen alsof hij aan het verdrinken is, en zij komt geschrokken naar hem toe en pakt zijn hand en ze vraagt wat er is, en hij kijkt in haar herfstbruine ogen en hij wil er niet weer aan denken, dat liedje neuriet in zijn hoofd, zoo wachten liefjes lippen naar mijnen warmen kus, en het is niet de keuken die zweeft, hijzelf hangt een eindje boven zijn eigen hoofd en hij voelt niets, geen walging, geen angst, en het is prettig alsof hij dronken is, en hij glimlacht geruststellend naar haar en zegt dat er niets aan de hand is.

En zij dringt niet aan, hij gaat weer zitten en zij ook, maar nadat Roos en Gust hen gedag hebben gezegd en naar school zijn gegaan, begint ze niet aan het afruimen van de tafel, ze blijft tegenover hem zitten en ze kijkt hem onderzoekend aan totdat hij wel moet praten. Er is niets, verzekert hij haar, en hij ziet zichzelf zitten in zijn grijze kostuum en hij is zo kalm, hij zou bijna zelf gaan geloven dat alles goed is, en ze noemt hem haar sjoeke, en er is wanhoop in haar stem en ze zegt dat hij haar kan vertrouwen, en hij zegt dat hij dat ook doet, natuurlijk doet hij dat, maar ze wil toch niet dat hij een probleem verzint alleen omdat zij meent dat er wat mis is met hem. En ze kijkt hem aan, verdrietig, en daar kan hij slecht tegen, en hij ontkent nog verschillende keren dat er iets aan de hand is, en hoe opgewekter hij doet hoe banger zij wordt, het probleem dat er niet is, dat zij niet kent, dat hij uit alle macht probeert te vergeten, groeit met ieder woord in omvang, en haar angst slaat op hem over, en daar is ook die afschuwelijke walging weer, en hij moet wel weglopen, de gang in, en net voordat hij de keukendeur achter zich sluit, ziet hij de blik in haar ogen, en dat beeld van haar stille paniek achtervolgt hem naar het achterplaatsje.

Hij loopt heen en weer van de schutting naar de muur en hij steekt een sigaret op, en met gesloten ogen en geheven hoofd telt hij zijn passen uit zodat hij niet tegen de schutting, het huis, het konijnenhok botst, en hij voelt een briesje langs zijn gezicht strijken en daar concentreert hij zich op en op de smaak van zijn Bastos, de oorlog is voorbij, en allemaal hebben ze vreselijke dingen gedaan, allemaal, het heeft niets te maken met het leven dat hij nu leidt. En als hij zijn ogen opent om zijn peuk weg te gooien, ziet hij haar achter het raam van de studio staan, ze kijkt roerloos naar hem alsof ze bang is dat hij ieder moment iets raars kan doen, en dan merkt ze dat hij haar heeft gezien en ze draait zich om en verdwijnt naar de winkel.

Hij gaat naar binnen, sluit de buitendeur en luistert of hij haar met een klant hoort praten, maar het is doodstil, hij loopt de winkel in, ze doet alsof ze druk bezig is met het ordenen van de kranten, en hij zegt dat ze zich geen zorgen moet maken, hij heeft gewoon een nachtmerrie gehad, die over het verstikken van de jonge soldaat en het was dit keer nog gruwelijker, dat is alles. En ze draait zich naar hem toe en ze wil hem geloven, hij glimlacht bemoedigend naar haar en dat is te veel van het goede, hij ziet haar gezicht verstrakken, en dan glimlacht ze ook en ze streelt met haar hand over zijn bovenarm, en ze doen allebei zo hun best, het is geforceerd en leugenachtig en ontroerend, en gedurende een fractie van een seconde weet hij zeker dat hij haar en haar veel te grote liefde te gronde zal richten, en hij doet onwillekeurig een stap naar achteren alsof hij haar daarmee tegen hemzelf kan beschermen.

En ze maakt koffie voor hem en 's middags thee, en omdat hij nog honger heeft smeert ze een boterham met appelstroop voor hem, en ze vraagt of hij zin heeft in spek en ze loopt naar beenhouwerij Remy in de Langesteenstraat om het voor hem te kopen, en als ze na het strijken zijn colbertje en broek opvouwt, streelt ze met harde hand de achtergebleven kreukels eruit en de vouwen erin, en die nacht wekt ze hem uit zijn nachtmerrie over het machinegeweer zodat het weerzinwekkende slot hem bespaard blijft, en hij verdenkt haar ervan dat ze met opzet wakker is gebleven, alleen om hem uit de oorlog te redden, want later die nacht wekt ze hem nog eens, weliswaar uit een onschuldige droom waarin hij vergeefs naar hun huis zocht, maar ze is blijkbaar nog steeds wakker en het is vier uur 's ochtends, kun je niet slapen, fluistert hij, en zij beweert van wel. En vervolgens probeert hij wakker te blijven zodat zij nog twee uurtjes kan slapen, maar hij is moe, ze wekt hem om iets voor zevenen als het tijd is om op te staan, en ze is vrolijk, maar in de loop van de dag wordt ze stiller, en tegen de tijd dat ze naar bed moeten ziet hij haar steels gapen, en die nacht valt hij weer in slaap omdat hij zich zo veilig voelt bij haar en weer wekt ze hem op tijd uit diezelfde vreselijke nachtmerrie, en hij zegt dat hij wakker zal blijven zodat zij kan slapen, maar ze houdt koppig vol dat ze sliep en alleen wakker werd omdat hij in zijn droom praatte.

En de daaropvolgende nachten gaat het precies hetzelfde, en ze is zo moe dat hij haar betrapt terwijl ze boven de geschilde aardappels aan de keukentafel in slaap is gevallen, en hij doet de deur zachtjes dicht om haar niet te storen, en als ze vervolgens een uur te laat eten, doet hij alsof hij niet weet waarom en laat haar een smoes vertellen, ze was 's middags vergeten naar de groenselier te gaan, zegt ze. En die avond tijdens het retoucheren slaapt ze alweer, en hij tilt haar voorzichtig op, ze wordt niet wakker, ze ligt slap en zwaar in zijn armen, en hij legt haar op de sofa neer en gaat verder met het afdrukken van de foto's, hij laat een tang op de vloer vallen en met ingehouden adem wacht hij af, maar ze wordt niet wakker, en tegen elven als ze gewoonlijk naar bed gaan, slaapt ze nog steeds, en hij haalt een deken en legt die over haar heen en dan blaast hij de lampen uit en gaat in zijn eentje naar boven.

Hij vertelt zichzelf dat hij een volwassen man is, natuurlijk is hij niet bang om alleen te moeten slapen, hij doet de lamp uit en daar ligt hij in het donker, het is benauwend stil zonder het vertrouwde geluid van haar ademhaling, als hij zich inspant kan hij het trapgat onderscheiden, maar het verplaatst zich langzaam alsof zijn bed uit de slaapkamer wegdrijft, en hij telt in gedachten de seconden af die hem van het ochtendlicht scheiden, hij stelt zich voor dat hij de trappen af sluipt naar haar toe, dat hij naast haar op de vloer gaat liggen en dat haar arm slap van de sofa hangt en dat hij haar hand met de trouwring vasthoudt, en ze lopen samen over een smalle weg, hij in zijn uniform en zij in een lichte zomerjurk, en ze weet het, hij heeft het haar verteld, en ze begreep er niets van, en nu voelt hij een nog grotere weerzin tegen zichzelf en tegen haar en tegen alles. Hij is samen met haar in haar wereld van glooiende, frisgroene weilanden, een riviertje, bomen langs de oevers, het groeit en bloeit en fluit en ritselt en hij verlangt naar het front, hij hoort hier niet langer thuis, en dat is een vreselijk besef, straks zit hij weer in een stinkende, modderige loopgraaf en heeft hij niets meer om naar uit te kijken, om van te dromen, en daarom, alleen daarom, wacht hij op haar brief, maandenlang, en maakt hij zichzelf wijs dat ze er spijt van heeft, dat ze hem zal schrijven om hem te vertellen dat ze het toch begrijpt, de extase en het doden, en dat ze hem vergeeft en dan zal zijn weerzin verdwijnen.

En er is iemand in de kamer, hij voelt het, een drukkende aanwezigheid alsof de ruimte plotseling is gekrompen, met een ruk zit hij overeind en hij grijpt in het wilde weg om zich heen, en ze slaakt een kreet, hij heeft iets van haar beet, haar schouder misschien, of haar elleboog, en hij vraagt voor de veiligheid of zij het is en ze giechelt en ze tast naar zijn gezicht en ze voelt zijn wang en dan zijn kin, en ze kust hem op zijn lippen, ze smaakt naar slaap, en ze zegt dat hij haar wakker had moeten maken, heb je een nachtmerrie gehad, wil ze weten, en hij zegt van niet, en terwijl ze zich in het donker uitkleedt, vraagt hij haar of ze elkaar tijdens de oorlog echt niet hebben ontmoet, en zij zegt dat dat immers niet kon, zij woonde in bezet gebied en hij was aan het front, en dan stapt ze naast hem in bed, en hij kruipt tegen haar aan en ze liggen samen de hele nacht wakker.

En aan het avondmaal hebben Julienne en Roos een discussie over Roos' verjaardag, Julienne zegt dat ze nog nooit in haar leven een verjaardag heeft gevierd, je bent toch geen heilige, zegt ze, maar Roos zegt dat de meisjes in haar klas cadeautjes krijgen als ze jarig zijn en dat er slingers worden opgehangen, en hij vraagt wat Roos zou willen hebben, en

Julienne schudt nadrukkelijk haar hoofd naar hem, maar het is al te laat, Roos begint op te sommen dat ze een zusje wil en een roze badkamer met een bad en ze wil vliegen als een vogel en trouwen met een vis, zo'n mooie met heel veel kleuren. En hij probeert haar wensen te vereenvoudigen zodat hij tenminste een ervan in vervulling kan laten gaan, en Julienne lacht om hem, en hij probeert Roos nieuwe toverlantaarnplaatjes aan te praten of een nieuwe jurk of een pop of kleurpotloden, maar ze houdt vast aan haar grootse, romantische wensen, hij herkent zichzelf in haar, en Julienne hoort de ontroering in zijn stem, ze kijkt hem aan met een vertederde blik die landt in zijn hart.

En terwijl Julienne de afwas doet en Gust op straat is gaan spelen, blijft Roos zeurderig in de keuken hangen, ze zegt dat ze niet snapt waarom Laurent wel mag vliegen en zij niet, Julienne zegt dat het nu lang genoeg heeft geduurd, en je mag niet liegen, dat weet je, en Roos zegt dat ze niet liegt, Laurent heeft over de stad gevlogen en hij zag zijn huis en de school en de kerk van boven, nou moet je ophouden, zegt Julienne kregelig, terwijl ze haar mouw tot boven haar elleboog opstroopt om het bestek uit het afwaswater te vissen. En hij neemt Roos op schoot en hoort haar uit in de verwachting dat ze Laurent aan de hand van haar sprookjesachtige toverlantaarnplaatjes heeft verzonnen, maar haar wens blijkt concreet te zijn, je kunt in het park met een luchtballon vliegen, zegt ze, en als hij vervolgens Julienne ernaar vraagt zegt zij achteloos dat het geen vliegen is, het kan 's zomers een paar zaterdagen in de weilanden net buiten de stad, de ballon zit vast aan een kabel en de vlucht duurt hoogstens tien minuten. En hij zegt dat ze dat dan met Roos voor haar verjaardag gaan doen, en Julienne zegt dat ze er niet aan moet denken, als Onze Lieve Heer wilde dat mensen zich van de aarde konden losmaken, had hij hun wel vleugels gegeven in plaats van benen, en hij vraagt Roos of ze alleen met hem in de ballon wil en dat vindt ze fantastisch, ze heeft het er voortdurend over, aan tafel, tegen haar vriendinnetjes, bij het slapengaan, ik ga vliegen, ik ga vliegen, totdat het eindelijk zaterdag is. En ze wil haar mooiste jurk aan, Julienne probeert het haar uit het hoofd te praten, ze zegt dat hij vies zal worden en zal scheuren, maar Roos houdt vol, het is voor haar verjaardag en, mama, straks is ze heel dicht bij God, en dus moet ze haar beste kleren aan, net als wanneer ze naar de kerk gaat, en hij lacht om haar redenering en trekt ook zijn zondagse pak aan.

Julienne ziet hem de keuken binnenkomen in zijn donkerblauwe kostuum en ze kijkt hem aan, liefdevol en een tikje spottend, en hij gaat achter haar staan, zijn handen op haar heupen, zijn gezicht in haar nek, en hij vraagt of ze echt niet mee wil, hij zal haar goed vasthouden, ze valt echt niet te pletter, en ze zegt alleen, zul je voorzichtig zijn, en als ze buiten zijn en hij Roos voor zich op de stang van de fiets tilt, drukt ze Roos op het hart dat ze goed op haar vader moet passen, en hij verbetert haar geërgerd en zegt dat hij goed op Roos zal passen, en Julienne zwijgt. En hij stapt op en ze rijden de straat uit, hij legt zijn linkerarm om Roos' middel en ze houdt zich stevig vast aan het stuur, hij merkt nauwelijks dat hij een passagier heeft, zo weinig weegt ze, ze rijden over de Groote Markt, rechtsaf de Onze Lieve Vrouwstraat in en dan hobbelend over de planken van de noodbrug tussen de Broeltorens, en Roos praat honderduit, over mama die bang is, hè papa, en dat zij tweeën dat niet zijn, en dat ze nu eigenlijk ook al een beetje vliegen, als een vis uit het water vanonder de brug omhoog zou kijken dan vond hij dat wij heel hoog in de lucht zijn, en dan heeft ze het over de luchtballon, of hij net zo veel lawaai maakt als een auto, en of de wolken niet in de weg zullen zitten als ze straks opstijgen.

En ze rijden een eindje langs de Leye en dan zien ze de ballon al in de verte, hij is rood met felgele strepen, en Roos wordt helemaal opgewonden, hij moet haar manen stil te blijven zitten, en hij fietst verder en de ballon verdwijnt achter de bomen, en Roos gelooft dat ze de verkeerde kant uitgaan, maar hij krijgt haar zover dat ze nog even geduld heeft, en ze rijden over de volgende brug en dan een stukje terug langs de nieuwe Leye over de pas aangelegde, op wat bomen na, kale Traveaux, en ze stappen af, hij zet zijn fiets tegen een boom en ze lopen samen het weiland in. Er staan honderden mensen omhoog te kijken naar de ballon die ver boven hen zweeft, en hij vreest dat die mensen allemaal voor hen aan de beurt zijn, dan heeft het geen zin om te blijven wachten, maar ze vinden de man die de kaartjes verkoopt en die vertelt hun dat de meeste mensen alleen komen kijken, dat zal ook wel aan de prijs van de kaartjes liggen, acht franken voor hem en vier voor Roos, maar het geeft niet, ze kunnen het betalen en Roos vindt het nu al prachtig.

Ze is het enige meisje dat omhoog zal gaan, er zijn veel vaders met zoontjes van haar leeftijd, en moeders en opa's en oma's zijn meegekomen om naar hen te kijken, en vooral de mannen zijn vertederd door dat kleine, dappere meisje dat een ballonvaart aandurft, verschillende vrouwen komen het haar afraden en zeggen dat het niks voor meisjes is, maar Roos trekt zich er niets van aan, ze geniet van alle aandacht en vertelt iedereen die maar wil luisteren dat dit haar verjaardagscadeau is, en dat ze dinsdag jarig is en dat ze dan al acht jaar wordt en dat ze later een prinses wil worden met haar eigen vliegmachine.

En ze zien hoe de volgende passagiers in de mand klimmen en hoe de drie kabels waarmee de ballon met de aarde verbonden is worden gevierd, de ballon stijgt langzaam als een rookpluim recht omhoog, en de passagiers turen gespannen over de rand naar beneden, en ineens is duidelijk hoe eng het is, alleen gescheiden van een metersdiepe afgrond door een gammele rieten mand, en Roos pakt zijn hand en hij buigt zich naar haar toe en fluistert of ze niet liever naar huis wil, ze schudt haar hoofd, hij zegt dat het niet erg is, hij is ook een beetje bang, ze zullen tegen de mensen om hen heen zeggen dat hij zich niet lekker voelt zodat ze haar niet zullen uitlachen, en dan gaan we gewoon weg, en mama hoeven we ook niet te vertellen dat we niet in de ballon zijn geweest, zullen we dat doen, en ze schudt nog eens heftig met haar hoofd, en hij glimlacht om haar, en na even kijkt ze naar hem op en vraagt bezorgd, papa, durf je niet in de lucht, en hij stelt haar gerust. En naarmate het moment dichterbij komt dat ze in de ballon mogen wordt ze stiller, en hij overweegt of hij de beslissing voor haar moet nemen, hij is haar vader, als hij haar niet tegen gevaren beschermt, wie dan, hij kijkt in haar strakke, bleke gezichtje, haar lippen halsstarrig op elkaar geklemd, precies haar moeder, ze zal gillen en schoppen als hij haar dwingt om zonder ballonvaart naar huis te gaan en ze zal het hem dagenlang niet vergeven.

En hij blijft stil naast haar staan en dan is de ballon weer aan de grond, hij tilt haar op en stapt over de rand van de mand en hij zet haar naast zich neer op de bodem en houdt haar stevig bij haar arm beet, ze gaan samen met drie jongens van rond de vijftien en een van tien en natuurlijk met de man die de ballon bedient, hoewel die verontrustend weinig lijkt te kunnen doen. En eerst is het alsof er niets gebeurt, alsof ze nog steeds wachten, en dan plotseling zijn ze schommelend los van de grond, en Roos slaakt een kreet, ze doet onwillekeurig een stap van de rand vandaan, en ze zweven zonder enig houvast boven de aarde, de toeschouwers die naar hen staan te zwaaien, worden kleiner en hun geroep bereikt hen niet meer, en de stad ontvouwt zich aan hen in een eindeloze golf van daken en stenen, en aan de andere kant van de ballon is de Leye die zich als een zilveren lint door een groen weidetapijt slingert, en er is zo duizelingwekkend veel ruimte om hen heen, zijn leven speelt zich op een piepklein stukje van de wereld af, daar ergens tussen die kerktoren en de spoorlijn, en daar is Julienne nu op dit moment, onder een van die vele niet van elkaar te onderscheiden grijze daken in de verte, en het is alsof hij daar zelf ook is en tegelijkertijd toch ook hier in deze wiebelige mand deinend op de wind, en hij heeft het idee dat hij zijn volledige leven overziet, hij kan niet aangeven waar het ooit is begonnen, wat er precies allemaal is gebeurd, maar hij voelt dat het ergens is en dat het allemaal in elkaar past, dat het klopt, en het is kalm en hemels hierboven.

En hij kijkt naar Roos die verwonderd naar de boomkruinen tuurt en naar de vogels die onder hen door vliegen, en ze wijst naar het groen van het Volkspark en ze vraagt of dat Duitsland is, en hij zegt dat de grens veel verder weg is en de andere kant uit, maar als ze goed kijkt, kan ze misschien wel Frankrijk zien, zegt hij, en hij denkt aan de oorlog en dat ze is geboren terwijl hij aan het front was, hij bracht leven voort en nam het tegelijkertijd ook, en allebei was het verduiveld eenvoudig, en waarom heeft hij dat niet eerder gezien, ze is jarig op 3 juli, en acht jaar wordt ze, dat kan niet, want dan zou ze begin oktober 1914 moeten zijn verwekt en hij werd gemobiliseerd op 1 augustus en hij kon niet met verlof naar huis. Verbijsterd kijkt hij naar het meisje dat zijn hand zo stevig vasthoudt dat zijn vingers er pijn van doen, en hij hoopt dat ze nog een tijdje in het niemandsland tussen hemel en aarde blijven zweven, zodat hij zijn leven op orde kan brengen voordat hij er opnieuw in moet afdalen, hij rekent het verschillende malen uit, maar er is geen twijfel mogelijk, er missen twee hele maanden, hij kan het niet geloven, hij wist dat ze tegen hem loog, dat ze zaken voor hem verzweeg, maar niet zoiets, ze houdt van hem, dat is het enige waarvan hij zeker is, waarom zou ze hem hebben bedrogen met een ander en vervolgens acht jaar op hem hebben gewacht, en niet alleen gewacht, ze heeft hemel en aarde bewogen om hem terug te vinden, ze houdt van hem, wat moest ze na pas twee maanden alleen te zijn geweest al met een andere vent. En hij klemt Roos tegen zich aan zodat ze niet valt terwijl ze landen, en hij voelt haar warme, tengere lichaampje en haar klamme handje, en ze is niet zijn dochter, iedere keer als Julienne naar haar kijkt, denkt ze aan die andere man, en ze zijn terug op aarde en het is alsof hij jaren weg is geweest, hij is in een leven terechtgekomen dat hij nauwelijks herkent.

Hij fietst met Roos door de stad en ze praat enthousiast over de ballonvaart en hij hoort niet wat ze zegt, in gedachten is hij al bij Julienne en hij confronteert haar met wat hij te weten is gekomen, ze probeert haar wangedrag goed te praten en hij wordt woedend, ze huilt en smeekt en hij is niet in staat haar te vergeven, ze blijft koppig ontkennen en ze krijgen een afschuwelijke ruzie, telkens begint hij opnieuw bij het moment waarop hij het haar vertelt en alles nog open ligt, en met iedere keer dat hij de trappers ronddraait komt dat onomkeerbare, reële moment dichterbij. En hij tilt Roos van de fiets en ze lopen samen naar binnen, ze is niet in de winkel, hij opent de deur naar de studio, ze ligt op de sofa in een diepe slaap, Roos stormt uitgelaten naar haar toe en wil haar over de ballonvaart vertellen, maar hij fluistert dat ze stil moet zijn en mama moet laten slapen, ga maar buiten spelen, zegt hij, en ze rent weg om haar avontuur met haar vriendinnetjes te delen.

En hij schuift een stoel naast de sofa en gaat zitten, hij is opgelucht dat dat vreselijke gesprek nog een tijdje wordt uitgesteld, en hij kijkt naar haar, haar schoenen heeft ze uitgetrokken en ze ligt languit op haar rug, haar benen in alle onschuld gespreid, haar jurk een eindje opgeschort zodat hij haar knieën ziet, haar rechterhand losjes op haar buik, haar linkerarm onder haar hoofd, hij snapt het niet, dit is zijn Julie, hij weet hoe ze lacht en praat en zwijgt, hoe ze zoent en zucht en danst, ze kan dit niet al die tijd voor hem verborgen hebben gehouden, en hoe langer hij daar zit en naar haar kijkt, hoe minder hij het begrijpt, daar binnenin haar moet een vrouw verscholen zitten die hij niet kent, een vrouw die volkomen anders denkt en voelt.

En de zon draait en het wordt langzaam schemeriger in de studio, en zonder haar onvoorwaardelijke liefde heeft hij geen idee wie hij is, wat hij hier doet, en dan opent ze haar ogen en ze glimlacht in slaapdronken genegenheid naar hem, hoe laat is het, vraagt ze terwijl ze rechtop gaat zitten en in een overbodig geworden gewoontegebaar haar hand door haar haar haalt, op zoek naar plukken die uit haar niet-bestaande knot zijn ontsnapt, halfzes, zegt hij, en dan vraagt ze hoe het was, en hij vertelt over de ballonvaart, en het is onmogelijk om haar te zeggen dat hij weet dat ze hem heeft bedrogen, met een paar woorden kan hij alles wat ze samen hebben kapotmaken en het zal nooit meer worden zoals het was. En hij durft niet, hij stelt het uit, zodat hij een laatste keer in harmonie met haar en de kinderen kan eten, vanavond, zegt hij tegen zichzelf, dan vertel ik het haar, en ze roken na de afwas samen op het achterplaatsje een sigaret, en hij kan het niet, ze is ongedwongen en lief en ze kijkt hem met die lome blik van haar aan, ze houdt van hem en dat kan zelfs zij niet spelen, vannacht in bed, als hij haar verleidelijk vertrouwde lichaam niet kan zien, neemt hij zich voor, dan zeg ik het haar, maar ze kust hem in het donker en ze vrijen een beetje, en hij denkt aan die andere man die haar heeft aangeraakt, en ze vraagt hem wat er is, en dit is het moment, maar hij laat het voorbijgaan.

En ze blijft wakker zodat hij kan slapen, en hij blijft wakker omdat hij niet kan slapen, en de hele nacht bedriegt ze hem met andere mannen, en de volgende ochtend, als ze is opgestaan en afwezig voor zich uit starend haar nachtjapon over haar hoofd heeft getrokken, ziet hij ineens een onbekende vrouw in haar, het is alsof hij haar al die tijd in liefhebbende gedachten heeft gehuld en ze zich daar nu als een natte jas van heeft ontdaan, zo moet hij haar hebben gezien in de eerste dagen nadat ze hem uit het gesticht had meegenomen, en vaag herinnert hij zich dat hij een hekel aan haar had, en hij kijkt naar haar en haar bleke, blote vrouwelijke rondingen, en ze bemerkt zijn aandacht en ze kijkt hem in zijn ogen zonder een spier te vertrekken, alsof ze in stilte een twistgesprek voeren, en hij weet dat het waar kan zijn, dat het wel waar moet zijn, zelfs zij kan geen twee maanden weg verklaren. En hij staat op en hij leegt de asla voor haar, haalt water en kolen voor haar, pakt de melkfles van de stoep, steekt het fornuis voor haar aan, en dat gaat hem feilloos af en toch voelt hij zich alsof hij in het holst van de nacht door het huis stommelt en in paniek om zich heen tast en niets herkent, geen muur, geen stoel, niet eens hemzelf, en hij wordt bang.

En ze ontbijten, ze loopt achter hem langs en streelt hem door zijn haar, en ze vraagt hem met haar liefste stem of hij nog koffie wil en ze noemt hem haar sjoeke, en hij hoort alleen hoe onecht het klinkt, hij moet doof en blind zijn geweest al die tijd, en hij gaat naar beneden, naar de winkel en zij blijft nog een tijdje boven om de keuken op te ruimen en het huis te vegen, en als zij ook naar de winkel komt gaat hij naar de studio, en als zij daar ook is zegt hij dat hij wat gaat wandelen, en hij haat de blik die ze hem toewerpt, achterdochtig en bedroefd, alsof hij degene is die alles stukmaakt, en hij loopt langs de Leye en over-weegt om te vluchten en gaat weer naar haar terug, en hij staat met haar in de winkel, hij trekt zijn uniform aan en kijkt peinzend en heldhaftig voor haar in de verte, en 's avonds werkt hij met haar aan de foto's, en hij praat met haar en lacht naar haar en raakt haar zelfs aan als het moet, maar het is beschamend onwaarachtig, en zij merkt dat natuurlijk on-middellijk. Hij ziet haar ermee worstelen, eerst probeert ze net als hij te doen alsof er niets aan de hand is, ze hoopt dat het vanzelf overgaat, en als dat niet het geval blijkt te zijn, vraagt ze hem een paar keer, op steeds dringender toon, of er iets mis is, en als hij ontkent, kruipt ze 's nachts in bed tegen hem aan en kust en streelt ze hem, maar hij kan het echt niet opbrengen, het is niet dat hij van haar walgt, haar lichaam doet hem niets, en dan weet zij het ook niet meer, hij betrapt haar soms op een steelse, angstige blik in zijn richting, en ze blijft een keer wel erg lang weg nadat ze heeft gezegd dat ze even naar de koer moet, en als ze terugkomt, verdenkt hij haar ervan dat ze heeft gehuild.

En hij heeft natuurlijk nachtmerries, over het verstikken van de jonge soldaat, over het machinegeweer en over haar, vooral over haar, zij dringt zich in iedere droom, soldaten hebben haar gezicht, de doden haar lichaam en hij drinkt haar bloed, maar zij wekt hem nog steeds trouw op tijd, dat is de enige intimiteit die er nog tussen hen bestaat, en nadat hij in zijn dromen uit lust of afgunst heeft gedood, neemt ze hem in haar armen en streelt ze hem sussend over zijn rug, en hij herinnert zich hoe veilig hij zich bij haar voelde, en de eenzaamheid is ondraaglijk, ze laat hem los en draait hem haar rug toe, en na even keert ze zich abrupt terug en ze zegt dat ze hem liefheeft en het klinkt als een verwijt, en hij zegt dat hij haar ook zeer liefheeft en zij zucht getergd, wat is er dan, fluistert ze, je moet het me vertellen. En hij zegt het haar bijna, hij heeft de zin al in zijn hoofd geformuleerd, maar hij is zo bang voor wat er zal volgen, en zij ligt roerloos naast hem, ze vraagt niet verder, en hij weet niet of hij háár hart hoort bonzen of dat het zijn eigen hart is, en de volgende avond in de studio stelt ze voor om zondag te gaan dansen, hij heeft geen zin om haar in zijn armen te moeten houden, maar hij heeft ook geen zin in een discussie.

En als hij zondag na het avondmaal naar beneden komt in zijn lichte zomerkostuum, zit zij met make-up en zijn scheerspiegel aan de keukentafel, en ze ziet hem kijken, ze zegt dat ze make-up van Felice heeft geleend, en hij dacht dat de vriendschap met Felice na die ruzie voorgoed voorbij zou zijn, nee hoor, zegt ze terwijl haar spiegelbeeld met bloedrode mond en oranje appelwangen naar hem glimlacht. En hij blijft in de deuropening naar haar staan kijken, ze tekent met kohl zwarte randen om haar ogen, en haar wenkbrauwen verandert ze met wat vaseline in twee strakke lijnen, en het valt hem op hoe zelfverzekerd ze het er vanaf brengt, alsof ze het iedere avond doet, en hij denkt dat ze stiekem met Felice moet hebben geoefend, en ze werpt hem via de spiegel een blik toe, en het zal wel door al die onechte toevoegingen komen dat het lijkt of ze met hem flirt, hij heeft geen idee wat ze denkt, ieder aanknopingspunt heeft ze weggeretoucheerd. En ze staat op om de scheerspiegel terug te zetten in de vensterbank, en ook de manier waarop ze loopt is veranderd, licht heupwiegend alsof ze de dansvloer op stapt en alvast in het ritme probeert te komen, en ze zegt tegen Gust dat hij moet zorgen dat hij en Roos uiterlijk om halfnegen in bed liggen, en het is haar eigen vertrouwde stem, maar hij komt uit een verwarrend onbekende, sensueel rode mond.

En ze lopen samen de trappen af en op straat geeft hij haar een arm, en hij ruikt een zoetige geur die hem aan kamperfoelie doet denken, ze heeft parfum opgedaan, niet dat van Felice, dat is zwaarder, ze moet het in de afgelopen dagen hebben gekocht terwijl ze hem had gezegd dat ze naar de kruidenier of de beenhouwer ging, en ze slaan de Wijngaardenstraat in en ze hebben het niet over de winkel of de kinderen, niet over zijn nachtmerries, niet over wat er mis is tussen hen beiden, er is alleen deze avond met een onbekende vrouw die de zijne is. En ze lopen samen met lichte, verende passen door de straten en het is merkwaardig stil in de stad, het avondlicht strijkt over het plaveisel en de daken, en ze zijn helemaal alleen, het is alsof het altijd zo zal blijven en altijd zo is geweest, alsof tijd een verzinsel is, en ze laat haar hand in zijn jaszak glijden en hij pakt haar kille vingers beet en warmt ze tussen de zijne, en ze lacht naar hem met de mond en ogen van een andere vrouw.

En dan zijn ze weer tussen de mensen, de walsmuziek stroomt hen tegemoet en ze geven hun jassen en hoeden af bij de garderobe, en ze lopen door de donkere, smalle gang naar de dansvloer, ze regelen hun passen alvast naar de maat van de muziek en ze wringen zich tussen het publiek door dat aan de rand van de zaal staat te praten en te drinken, en in het voorbijgaan zien ze Felice en Gilbert, maar hij pakt haar beet en ze dansen al. Dat is alles wat ze willen, ze storten zich in het ritme als zwemmers in de golven, en de wereld om hen heen dobbert weg en hij houdt haar vast en laat haar los en houdt haar weer vast, en deze overzichtelijke, voorspelbare, in tellen verdeelde eenvoud die maar voortduurt maakt hem onbeschrijfelijk gelukkig, hij zou het willen uitschreeuwen en het is alsof hij al die tijd slaapwandelend door het leven is gegaan, zo zou het altijd moeten zijn. En dan herkent hij geschrokken het gevoel, en hij ziet de dansers om hem heen heel indringend alsof ze net zo dicht bij hem zijn als Julienne, hun gezichtsuitdrukkingen, hun bewegingen, en hij ontwaart de dood in hun ogen, het klamme zweet breekt hem uit en hij probeert zich op haar te concentreren, op hun passen, en hij sluit zijn ogen en leidt haar blind tussen de mensen door, en zijn handen, instrumenten van de dood, houden haar stevig vast, en dit geluk is gevaarlijk maar hij kan er geen afstand van doen, hij zweeft rondwentelend in het duister, waar alleen de muziek is en haar zachte, bezwete, zoet naar bloemen geurende lichaam.

En hij hoort haar lachen en hij opent zijn ogen, ze zijn vlak bij het podium aangeland, naast een palm in een ton en de bladeren kriebelen in haar nek, en ze ziet vuurrood van de inspanning en haar borst zwoegt hijgend op en neer en zweet drupt langs haar hals haar jurk in, en haar donkere, zwart omrande ogen stralen. En ze dansen nog wat, maar alleen omdat ze nog niet naar de kant willen, ze hangt zwaar in zijn armen en over hem is ook een deken van vermoeidheid gevallen, ze moeten het wel opgeven, en ze ploffen naast elkaar neer op twee stoelen, en hij is zo moe dat hij geen enkele gedachte heeft, er is alleen dit moment waarop hij met zijn zakdoek zijn gezicht droogwrijft en hem daarna aan haar uitleent, en ze bet voorzichtig haar voorhoofd en haar wangen en haar hals, en ze controleert of haar make-up niet heeft afgegeven, hoe zie ik eruit, vraagt ze hem, en hij kijkt in haar verhitte gezicht en zegt dat ze mooi is, en blijkbaar is dat niet wat ze wilde horen, want ze verdwijnt een tijdje naar de toiletten.

En als ze terugkomt heeft ze haar make-up bijgewerkt, en hij haalt bier en ze drinken er zwijgend van, mannen en ook vrouwen die hen op zoek naar een vrije stoel passeren kijken naar haar, haar zwart omrande ogen, haar felrode mond, en ze beantwoordt hun blikken uitdagend, ze heeft haar verlegenheid weggeschminkt, en ze keert zich naar hem toe en vraagt hem met de zelfbewuste intonatie van een vrouw van de wereld om een sigaret. Hij denkt eerst dat hij haar verkeerd heeft verstaan en ze moet het nog eens herhalen, en hij haalt het pakje Bastos uit de zak van zijn colbertje en biedt haar een sigaret aan en hij strijkt een lucifer voor haar af, ze inhaleert diep en onderwijl kijkt ze hem in zijn ogen en blijkbaar weet hij zijn ongeloof niet goed te verbergen, want ze wendt snel haar blik af en richt hem op de dansers die voor hen langs glijden, en hij steekt ook een sigaret op in de hoop daarmee de aandacht van haar af te leiden. Dit was altijd van hem, niet voor vreemde ogen bedoeld, de gedachteloze manier waarop ze een trek neemt, de kleine wolkjes rook die ze uitpuft, haar elleboog die ze ter hoogte van haar middel ondersteunt, de sierlijke houding van haar hand met de werkeloos brandende sigaret erin, alsof ze voorzichtig voelt of het regent, ze gooit het allemaal te grabbel, en hij probeert niet te letten op de nieuwsgierige blikken van de mannen, de afkeurende blikken van de vrouwen, en al helemaal niet op de verleidelijk glimlachende, provocerende uitdrukking op haar gezicht. En een man blijft voor haar staan en vraagt haar met een lichte buiging ten dans, en zij kijkt aarzelend naar hem, haar man, en hij ziet dat ze zich gevleid voelt maar dat ze vooral is geschrokken van wat ze heeft uitgelokt, en hij schudt zijn hoofd, geen sprake van, en de man groet hem vriendelijk en loopt verder, en zij durft hem niet aan te kijken en hij denkt aan die onbekende man in oktober 1914, de vader van Roos.

Hij neemt haar mee naar buiten, weg van al die mensen, en ze slenteren door de stad, en ze is nog steeds baldadig, en nu er niemand meer is met wie ze hem kan verraden, vindt hij het juist aantrekkelijk, ze dansen over de schemerige Esplanade tussen de rijen bomen en de verlaten bankjes en ze neuriet er een Amerikaans swingliedje bij, en hij tilt haar boven zijn hoofd en zwaait haar rond en ze lachen, hun stemmen weerkaatsen tegen de gevel van de Onze-Lieve-Vrouw ter Engelenschool, en hij plukt een witte roos voor haar in het Volkspark, en zij vindt in de puinhopen van een gebombardeerd huis aan de Meensesteenweg bloeiende madeliefjes en steekt er een in een knoopsgat van zijn colbertje. En ze lopen verder, ze zijn hier nog niet eerder geweest, maar hij heeft het idee dat zij weet waar ze heengaan, ze houdt stil bij een bakstenen muur en ze wil dat hij eroverheen klimt, hij trekt zijn jasje uit en geeft het haar en hij hijst zich omhoog, en als hij bovenop de muur zit, kijkt hij aan de andere kant naar beneden en hij ziet in het bleke maanlicht een dodenstad liggen, een zee van grote en kleine grafstenen, kruizen, protserige monumenten, hier en daar een boom, wat bloeiende planten en dan alweer de volgende straat met nieuwe doden, en hij heeft plots het idee dat hij iedere ochtend in deze stille stad is ontwaakt en alleen heeft gedroomd dat hij met haar aan de andere kant van de muur in die rumoerig levende stad woonde. En hij wendt zich in verwarring tot haar, en ze steekt haar hand naar hem uit, help me eens omhoog, zegt ze, en hij bukt en grijpt haar beide warme handen, wacht even, zegt ze, en ze schort haar jurk op tot aan haar middel en hij trekt haar omhoog, en dan zit ze schrijlings tegenover hem op de muur, hij ziet haar jarretels en haar onderbroek, en de begraafplaats met zijn rotsachtige dodenformaties ligt roerloos op hen te wachten, ze springt naar beneden in het gras en slaat haastig een kruis, en nu zij daar is moet hij ook wel.

En hij staat naast haar en ze geeft hem een stevige arm alsof ze bang is dat hij in elkaar zal zakken, en ze lopen langzaam, bijna plechtig, langs de graven, en hij kan niet anders dan al die namen en data lezen en uitrekenen hoe jong ze waren toen ze tussen 1914 en 1918 stierven, Britse soldaten zijn het, zoveel dat de gegevens op een individuele grafsteen hun betekenis verliezen, allemaal mannen met ouders en misschien een vrouw en kinderen en ze liepen in de zon en kusten hun geliefden en ze hielden van pudding en hadden een hekel aan bloemkool en ze waren dapper en soms ook laf, en nu is dat hele leven samengevat tot deze zielloze tekens, en met iedere stap dringt hun dood-zijn dieper in hem door, en het wordt steeds ongeloofwaardiger en zo onverdiend dat hij niet ook onder zo'n kille steen ligt met zijn naam en zijn geboorte- en sterfdatum erop. En ze zegt dat ze jarenlang niet op een begraafplaats heeft durven komen, haar weduwevriendinnen bezochten er iedere maand wel een en legden dan bloemen op de graven van de ongeïdentificeerde doden, maar zij ging nooit mee, in plaats daarvan bezocht ze de levenden in hospitalen en gestichten, en hier loopt ze dan, met mijn man, zegt ze, en hij hoort een ongepaste triomf in haar stem alsof ze de dood heeft afgetroefd, en ze pakt zijn handen beet en trekt hem mee in een stille wals tussen de voeteneinden van de graven, en hij laat zich onwillig door haar verleiden, hij moet aan het moment denken waarop hij als enige overlevende bij dat machinegeweer stond te juichen, en plots houdt hij stil, en ze lacht beschaamd en zegt dat het maar een gekkigheidje was. Een gekkigheidje hier, tussen die mannen in hun duistere, kille kisten, hoe kan ze, en hij durft het ineens, hij vraagt haar hoe het mogelijk is dat Roos in juli 1915 is geboren, en ze snapt het niet, hoezo, zegt ze onnozel, wat is er zo bijzonder aan juli 1915, en hij informeert of ze niet kan rekenen, en ze zegt beledigd dat ze heel goed kan rekenen, ze maakt iedere dag nota bene de kas op, maar wat heeft dat hiermee te maken.

En dan begint het haar te dagen en ze lacht hard, en dat geluid heeft hier waarschijnlijk nog nooit geklonken, het zoekt als een vrolijk huppelend kind zijn weg tussen de sombere stenen, was dat het al die tijd, zegt ze, maar lieve jongen van me, waarom vraag je mij dat niet gewoon, waarom wacht je daar weken mee, en ze zegt dat hij op 10 oktober 1914 een paar uurtjes thuis is geweest omdat de Duitsers oprukten en het Belgische leger zich overhaast achter de IJzer moest terugtrekken, zijn onderdeel kwam zo ongeveer langs Meenen, hij hoefde maar een omweg van enkele tientallen kilometers te maken om haar en Gust te bezoeken. En hij protesteert en zegt dat ze hem heeft verteld dat hij tijdens de oorlog nooit thuis was geweest, en zij zegt dat het toen voor haar ook nog geen oorlog was, op 10 oktober was hij bij haar thuis en vier dagen later bezetten de Duitsers Meenen, en om hem van haar oprechtheid te overtuigen vertelt ze over die dag in oktober.

Hij stond ineens in de winkel voor haar, zegt ze, en ze herkende hem nauwelijks, hij zag eruit als een landloper in zijn vuile, stinkende, gescheurde uniform, blootshoofds, zonder zijn kepie, met een baard van weken, en ze nam hem mee naar boven en liet hem zijn uniform uittrekken, ze verstelde het en ze schrobde en boende de vlekken weg, maar niet al het vuil ging eruit, ze vermoedde dat het bloed was, en ze zette het uniform in de week, en ze vulde de tobbe voor hem met warm water, hij ging in bad en schoor zich en zij knipte zijn lange haren, en hij begon weer op haar Amand te lijken. Ze liet hem een burgerkostuum aantrekken en gaf hem te eten en ze vroeg hem naar de oorlog, maar hij wilde er niet veel over kwijt, en ze legde Gust in bed hoewel hij al een tijdje niet meer 's middags sliep en hij zeurde en huilde, ze moest hem een koekje beloven om hem stil te krijgen, en toen vrijden Amand en zij in de kamer ernaast en zij luisterde met één oor naar de geluiden die Gust maakte en in de verte bulderden de kanonnen. En daarna zat hij bij haar aan de keukentafel terwijl zij zijn uniform droog probeerde te krijgen, ze wrong het uit en streek het tientallen malen en hing het nog een tijdje buiten aan de lijn, en toen moest hij alweer weg, ze gaf hem schoon ondergoed mee en al het eten en geld dat ze kon missen en hij liep de straat uit, terug naar de oorlog, het waren de vreemdste uren die ze ooit had beleefd, en zo moet het voor hem ook zijn geweest, vermoedt ze, hij was thuis, maar toch ook niet, en de oorlog was voor haar ineens tastbaar geworden, als een regenbui die ze in de verte zag aankomen.

Geloof je me niet, vraagt ze, en hij wil haar heel graag geloven, dat ze een verhaal heeft dat al zijn zorgen met een machtige ademteug wegblaast, is zo'n opluchting dat hij niet over het waarheidsgehalte ervan kan nadenken, en ze noemt hem teder een sufferd, hoe kan hij nou denken dat zij hem ooit met een ander zou bedriegen, ze is hem zelfs trouw gebleven toen iedereen volhield dat hij dood was, en ze drukt hem nog eens op het hart dat hij voortaan niet zo lang met twijfels moet blijven rondlopen, en een ding moet hij in zijn oren knopen, ze houdt van hem, daar moet hij nooit aan twijfelen, en dat belooft hij haar, en ze omhelzen elkaar terwijl de Britse soldaten jaloers toekijken, ze kust hem en veegt lachend de lippenstift van zijn mond. En ze lopen verder, hand in hand als geliefden langs het strand, en er ligt ook een aantal ongeïdentificeerde doden, van sommige is helemaal niets bekend, niet eens de sterfdatum, en ze pakt een pot met overdadig bloeiende lavendel van het graf van een Britse officier en zet hem in het gras voor zo'n kaal kruis zonder naam, en ze bidden een Onzevader voor de onbekende soldaat, en ze denken allebei dat hij hier had kunnen liggen, en zij knielt neer en drukt een kus op het houten kruis, en het is donker maar hij meent de wulpse, rode afdruk van haar lippen te zien.

En dan lopen ze terug naar de muur en hij helpt haar eroverheen te klimmen, en ze zijn weer in de stad van de cafés en de cinema's en de trams en de aangeschoten jongemannen, en ze voelen zich opvallend levend en de toekomst strekt zich vol duizelingwekkende mogelijkheden voor hen uit, ze stellen zich voor dat ze wonen in de grote, deftige huizen die ze passeren, een slaapkamer met een groot zacht bed verzinnen ze voor hen tweeën, en een klerenkast en een badkamer met stromend, warm water en elektrisch licht in het hele huis en een fotostudio in de torenkamer en een donkere kamer in de kelder en lunchen in de serre en dineren op het terras en dansen op de muziek van een grammofoon, en een schommel en een zandbak voor de kinderen, en een dienstmeisje, zegt hij, om haar het omvangrijke huishouden uit handen te nemen, nee, zegt zij, geen dienstmeisje, nooit van haar leven wil ze een dienstmeisje, en haar stelligheid verstoort de idylle enigszins, een tuinman, oppert hij, een kokkin, nee, ze wil absoluut geen personeel.

En op de Groote Markt, als ze alweer bijna thuis zijn, zien ze tussen het majestueuze gebouw van de Banque de la Lys en apotheek Driane een huis te huur staan, het is een niet al te groot maar prachtig pand, beneden een winkelruimte en boven een voornaam woonhuis van twee verdiepingen, met grote, hoge ramen en een statig georneamenteerde daklijst en onder de ramen ook elegante versieringen, en ze turen bij het licht van de lantaarns door de winkelruiten naar binnen, de ruimte is meer dan twee keer zo groot als hun huidige winkel, en ze richten hem in gedachten samen in, rechts op de lange muur de toonbank en de kasten, in de etalage hun mooiste foto's, en boven een deftige salon en een keuken en een echte badkamer, en helemaal boven, onder de pilaren van de daklijst, twee slaapkamers voor de kinderen, en zij nemen zelf de slaapkamer aan de voorzijde. Stel je voor, je 's ochtends aankleden met uitzicht op het belfort en de toren van de Sint Maartenskerk, vrijen bij het klokgelui van het hele uur, en als je bij het openen van de winkel de stoep veegt, sta je op de plek waar we nu ook zijn, en iedere dag zie je dit, rechts het enorme bankgebouw, waarin hun huis wel zes keer past, en schuin daarnaast het mooiste stadhuis van de wereld, en links de Post met zijn tierelantijnen en zijn sierlijke toren, en schuin links het Magazijn der Beurs met al zijn klanten, en slechts vier huizen van het hunne vandaan de Cinema Royal, en daar weer vier huizen vandaan het gerenommeerde Hotel du Damier, met zijn buitenlandse gasten, Britten en Fransen en misschien ook Amerikanen en Duitsers, en allemaal willen ze vast foto's van zichzelf met hem in uniform laten maken en slagveldbriefkaarten kopen om naar hun familie thuis te sturen, zie je het voor je, fluistert ze.

En het is al laat, ver na middernacht, de stad is uitgestorven, ze horen alleen de haastige voetstappen van een man die de Graanmarkt oversteekt, en waarom niet, waarom zouden ze hier niet kunnen wonen, hij heeft de oorlog overleefd terwijl miljoenen anderen zijn gesneuveld en zij heeft hem tegen ieders verwachting in teruggevonden, waarom zou dat allemaal kunnen en dit niet, zegt hij, en ze lacht alsof hij een grapje maakt en ze pakt zijn hand en ze prenten zich het huis van hun dromen in en nemen het mee naar de plek waar hun alledaagse bestaan zich afspeelt. Zij opent de buitendeur en hij houdt het belletje tegen zodat het geklingel niemand wekt, en ze trekken in de winkel hun schoenen uit en zoeken op de tast hun weg op de steile, smalle trappen, en ze kleden zich in het donker uit en zoals iedere avond fluistert zij dat hij zijn horloge niet moet vergeten op te winden en ze bidden samen, en hij weet niet of zij dat ook doet maar hij denkt aan de gesneuvelde Britten in hun dodenstad op niet veel meer dan een schootsafstand hier vandaan.

En dan liggen ze naast elkaar in bed en ze zijn allebei nog steeds zo opgelucht en uitgelaten, van slapen kan geen sprake zijn, en ze vrijen, bloot van top tot teen, niet door de dekens toegedekt en luidruchtiger dan anders alsof ze zich onkwetsbaar wanen, en hij proeft haar lippenstift en rouge in zijn mond en haar lichaam is zacht en vrijpostig en zinnelijk en zweterig, en wat hij met haar doet is obsceen en daardoor des te opwindender, en hij wil het niet maar hij denkt aan de verwerpelijke extase en de dood.

En dan ligt hij plots naast haar en is het voorbij, hij moet in slaap zijn gevallen terwijl hij met haar vrijde, hoe beschamend en raar ook want hij is niet moe, maar zij heeft er niets van gemerkt, ze rolt naar hem toe en kust hem loom zoals ze altijd doet nadat hij haar heeft bevredigd, en hij proeft een metalige, bittere smaak in zijn mond die zich niet door haar muffig zoete lippenstift laat verjagen, en een gevoel van verwarring bekruipt hem, hij weet niet zeker wanneer hij nu precies in slaap is gevallen, was het misschien al tijdens het dansen of op het kerkhof of op de Groote Markt, zijn hele leven met haar schijnt hem ineens net zo onwaarschijnlijk toe als zijn dromen over de oorlog, en gedurende een paar seconden gelooft hij dat het allemaal niet waar is, dat hij nog steeds in het gesticht is en haar en dit huis en vrijen met haar heeft verzonnen. En hij sluit zijn ogen en probeert niets meer te denken, en zij fluistert zijn naam en dan teder, sjoeke, en ze laat hem beloven dat hij haar van nu af aan alles zal vragen en zeggen wat hem dwarszit, en hij belooft het haar plechtig en hij meent het, maar hij vertelt haar niet dat hij in slaap is gevallen tijdens het vrijen en ook zijn andere twijfels bespaart hij haar.

En ze wekt hem om zeven uur 's ochtends en als ze uit bed stapt, ziet hij dat ze nog steeds van haar tenen tot haar kruin naakt is, en het daglicht vult schemerig de slaapkamer en strijkt langs haar rug en borsten en billen terwijl ze zich bukt om haar ondergoed van de grond te rapen, en hij blijft naar haar liggen kijken en ze stapt in haar onderbroek en ze glimlacht naar hem, zinnelijk en peinzend, zoals alleen zij dat kan, alsof ze een geheim delen waarvan niemand zelfs maar het bestaan vermoedt, en ze horen in de verte de klokken van het belfort het hele uur slaan, en haar blik keert zich dromerig naar binnen en hij weet waaraan ze denkt, en hij zegt dat ze het huis op de Groote Markt gaan bezichtigen, wel-nee, zegt ze, en hij zegt dat ze vandaag nog een brief aan de verhuurder schrijven, wil je de badkamer niet zien, zegt hij, en de slaapkamers en de salon met uitzicht op de Markt, en ze zwijgt en zegt dan, ga je de kolen doen.

Maar 's middags vraagt ze hem om Franse sigaren bij Noppe te gaan kopen, opgerolde wafeltjes gevuld met chocolade waar zij sinds enkele weken dol op is, en hij fietst naar de Groote Markt en haalt de koekjes, en dan steekt hij schuin de markt over en staat hij opnieuw voor num-mer 52, bij daglicht is het nog indrukwekkender, de tierelantijnen die als gedrapeerde gordijnen van de vensterbanken naar beneden hangen, de twee zelfverzekerde pilaren die de raamkozijnen met de daklijst verbinden en daar bovenop een boog, en het puntdak dat als een grap-pig, klein hoedje op een te groot hoofd in het midden van het pand balanceert, en ze heeft gelijk, dit is een huis waarvan ze alleen kunnen dromen, maar hij haalt koppig een papiertje en een potlood uit zijn zak en schrijft het adres van de verhuurder over.

En 's avonds, als de kinderen in bed liggen en de warme zomerdag langzaam plaatsmaakt voor een lauwe zomernacht, zitten ze samen op het achterplaatsje en hebben ze het toch weer over dat huis, en ze bekent dat ze er dolgraag zou wonen, en hij zegt dat niets hen tegenhoudt, la-ten we verhuizen, zegt hij, en zij zegt dat ze het natuurlijk nooit kunnen betalen, zo'n deftig huis, misschien valt de huurprijs mee, zegt hij, we hebben spaargeld en als we op de Groote Markt zitten krijgen we veel meer klanten. En dat gelooft zij ook wel, maar het blijft een gok, en wat een afgang zou het zijn om zo ver boven je stand te gaan wonen en dan jammerlijk te falen en met de staart tussen de benen te moeten vertrek-ken, en hij zegt dat zij als enige zo denkt, in andere mensen komt zoiets niet op, en ze lacht vol spottende vertedering om hem en ze noemt hem liefje en zegt dat het andersom is, iedereen denkt zo, alleen hij niet, en daar kibbelen ze een tijdje over, maar ze worden het niet eens. En dan komt ze met een nieuw argument waarom ze niet kunnen verhuizen, ze zouden Felice op straat moeten zetten, en dat kan toch niet, zegt ze, en hij zegt dat het aan de andere kant ook idioot zou zijn om hier voor Felice te blijven wonen, en ze zwijgt, want blijkbaar is dat precies wat ze wel wil doen.

En het is inmiddels zo donker dat haar gezicht een vage vlek is gewor-den en haar lichaam gehuld in haar grijze jurk is helemaal verdwenen, hij steekt zijn hand uit en verbergt hem in haar onzichtbare schoot, en zij legt haar warme hand over zijn vingers en speelt er gedachteloos mee, en zo zitten ze samen in het duister, en hij denkt aan op wacht staan in de eerste linie, de laatste wacht van de nacht, de weidse sterrenhemel, en de hele wereld slaapt, alleen hij en de vijandelijke wachtpost in de loopgraaf aan de overzijde niet, en dan de zon in oranjerode pracht zien opgaan boven die godvergeten, kapotgeschoten, stinkende woestenij, en hij legt zijn hoofd in zijn nek en kijkt naar de hemel, het is nieuwe maan, tientallen sterren ziet hij en een wolk die in doodstille verwachting boven hen hangt, en hij verwondert zich over zijn leven, hoe onbelangrijk het is en vluchtig, en hoe het hem desondanks constant bezighoudt.

En als zij in de keuken is om het middagmaal te koken, pakt hij een vel briefpapier en een vulpen uit de winkel en gaat ermee aan de tafel in de studio zitten en hij begint aan een brief voor de verhuurder van Groote Markt 52, maar na een kwartiertje heeft hij een weduwe in de winkel die met hem op de foto wil en hij moet Julienne van boven roepen, ze loopt door de studio naar de camera die op het statief staat te wachten, en ze ziet het half volgeschreven papier op de tafel liggen, haar blik schiet over de regels en ze heft haar hoofd op en kijkt hem aan, hij weet niet of ze boos is, ze laat het in ieder geval niet blijken. Ze maakt de foto van de vrouw en hem in uniform en hij verkleedt zich, en hij hoort haar met de klant praten en dan ineens is ze bij hem in de donkere kamer, hij staat net in zijn onderbroek en hemd en ze begint zwijgend, met haar rug naar hem toegekeerd, zijn uniform op te vouwen en ze zegt, ik dacht dat we hadden besloten om niet naar dat huis te gaan kijken, en hij zegt dat zij dat had besloten. En ze draait zich om en kijkt hem aan, en hij gelooft dat ze een spottende opmerking zal maken over zijn fameuze, ergerlijke besluiteloosheid, en hij is haar net voor, hij zegt dat hij de man in huis is, aha, zegt zij, en dus, en hij zegt dat het bij haar altijd hetzelfde gaat wanneer ze iets graag wil, als puntje bij paaltje komt krabbelt ze terug, alsof ze het zichzelf niet durft te gunnen, en dus moet hij haar tegen zichzelf in bescherming nemen. En even ziet het ernaar uit dat ze boos zal worden, maar ze slikt grootmoedig haar verwijten in en ze glimlacht naar hem, eerst gaat het niet van harte, maar dan lacht ze voluit en ze schudt haar hoofd alsof ze haar ogen niet kan geloven.

En na het middageten werken ze aan de keukentafel samen aan de brief, zij vindt dat ze erin moeten vermelden dat hij een oorlogsveteraan is en dat hij zwaargewond is geweest, dat helpt, zegt ze alsof het vanzelf spreekt dat niemand hun vrijwillig een huis zal verhuren, en hij werpt tegen dat hij helemaal niet gewond is geweest, en zij zegt dat geheugen-verlies toch ook een soort verwonding is en dat het ontroerend is dat hij zich zo bescheiden opstelt, maar dat je soms voor je eigen belangen moet opkomen en een beetje moet durven opscheppen, anders kom je nergens, zegt ze. En hij weigert om in een brief aan een onbekende man, met wie weet hoeveel medailles en geamputeerde ledematen, mis-bruik te maken van zijn oorlogsverleden, hij vindt het beschamend en schijnheilig, zegt hij, en weer gelooft hij dat ze boos zal worden en weer gebeurt het niet. Ze schrijven de brief zonder een verwijzing naar de oorlog erin, en hij voelt zich voor het eerst in alle opzichten haar echt-genoot, gerespecteerd en wijs en vastbesloten, zoals hij zich voorstelt dat een echte man behoort te zijn, en ze laat hem de brief uit zijn naam schrijven en ondertekenen.

En Roos hangt verveeld in de keuken rond, ze vraagt of ze de brief mag posten, en hij zegt dat het een belangrijke brief is, hij kan hem be-ter zelf op de bus doen, zegt hij, maar ze blijft zeuren, ze zegt dat ze nu direct zal gaan en dat ze echt heel, heel goed zal opletten, en hij kijkt vragend naar Julienne, ze maakt een komisch afwerend handgebaar en zegt, beslis jij maar, liever, en hij vraagt zich ineens af of ze hem al de hele dag in de maling neemt, hij kijkt haar doordringend aan en ze glim-lacht naar hem, zich van geen kwaad bewust.

En die nacht droomt hij dat ze zich voor hem uitkleedt en ze is zo geel als boterbloemen, alles aan haar, haar gezicht, haar borsten, haar billen, haar dijen, haar vingers, haar tenen, haar lippen, zelfs haar haar, en ze is er erg trots op, ze zegt dat het een teken van moed en vaderlandsliefde is, en hij streelt haar borsten en ze geeft af, zijn handen kleuren geel en als hij haar zoent wordt zijn mond ook geel en ze smaakt metalig en bitter alsof hij haar bloed proeft, en ze probeert zijn gezicht schoon te vegen, maar daar wordt het alleen geler van en ze lacht om hem, en hij weet het, heel even weet hij het en het is zo verschrikkelijk dat hij er wakker van wordt, en dan weet hij het gelukkig niet meer.

En ze stuurt hem op zaterdagmiddag naar Staels om zich te laten sche-ren en knippen, en als hij terug is sluiten ze de winkel en gaan ze naar boven om zich te verkleden, het lijkt hem overdreven, maar zij staat erop, hij mag van haar niet zijn zomerse pak aan, ze wil dat hij zijn don-kerblauwe, zondagse kostuum aantrekt, en zelf past ze alle drie haar modieuze jurken en eigenlijk is ze over geen van alle tevreden, de een is te frivool, de ander te mooi, alsof ze heel armoedig maar één nette jurk heeft, zegt ze, en hij zegt dat het al kwart voor is, ze kunnen beter op tijd komen met de verkeerde jurk dan te laat in perfecte kleren, en zij zegt getergd, kies jij dan voor me, en hij neemt de zwarte jurk met de goudachtige stiksels, en natuurlijk wil zij die nu juist helemaal niet, dan nog beter de grijsgroene, zegt ze, en die trekt ze dan maar aan en ze zet een nieuwe hoed op terwijl hij ongeduldig onderaan de trap op haar staat te wachten.

En eindelijk komt ze naar beneden en het is al vijf voor heel, als ze langs hem loopt ruikt hij dat ze parfum op heeft gedaan, en hij opent de winkeldeur voor haar en ze gaan snel op weg naar de Groote Markt, maar Gust is op de hoek van de Langesteenstraat met vriendjes aan het knikkeren en ze blijft natuurlijk bij hem staan om te vertellen waar ze heen gaan en dat Roos bij Cecile aan het spelen is, en de minuten tikken weg en dan eindelijk lopen ze verder. Ze haasten zich door de Doornijkstraat naar de Groote Markt, hij heeft het warm in zijn zondagse pak, de zon schijnt en het is hoogzomer, en ze lopen zo hard dat zij ook een rood hoofd van de warmte heeft gekregen tegen de tijd dat ze de Cinema Royal passeren en zien dat er voor nummer 52 niemand op hen staat te wachten, pffff, zegt ze, terwijl ze tegen het raamkozijn van de winkelruit leunt, en ze vraagt om zijn zakdoek en veegt het zweet van haar gezicht, en vervolgens maakt hij zijn voorhoofd ook droog en zijn zakdoek ruikt zoetig naar haar parfum, en zij gebaart dat hij een pluk van zijn haar opzij moet strijken onder zijn hoed, en dat doet hij. En ze wachten op de verhuurder, hij is al tien minuten te laat, en ze zegt nerveus dat zij misschien ook te laat hadden moeten komen, nu lijken ze te gretig, en hij stelt voor om een keer rond de Markt te lopen, maar dat durft ze toch niet, en ze zien een man bij drogisterij La crocodile het plein oversteken in hun richting, daar komt hij aan, zegt ze, en ze drukt hem op het hart dat hoe groot en deftig en modern het huis ook is hij in geen geval zijn verbazing moet laten blijken, en hij lacht om haar, ik dacht dat je het huis niet wilde, zegt hij, en zij zegt dat dat er niets mee te maken heeft, die man hoeft toch niet te denken dat we armoedzaaiers zijn, zegt ze, en dan staat meneer Collet voor hen en hij geeft Amand een stevige hand, hij is jonger dan Amand had verwacht, ongeveer van zijn eigen leeftijd, Julienne krijgt geen hand van hem, hij knikt alleen vluchtig naar haar en opent dan de deur voor hen.

Ze stappen de kale winkelruimte binnen en kijken wat rond en zij zondigt al onmiddellijk tegen haar eigen instructies, ze vraagt meneer Collet of dit de schakelaar van het elektrische licht is, en als hij dat bevestigt draait ze de schakelaar om en het licht knipt geruisloos en ogenblikkelijk aan, en de hele ruimte baadt in het licht alsof de zon plotseling naar binnen schijnt, en ze lacht verrast en draait de schakelaar uit en dan weer aan en nog eens uit en weer aan, en meneer Collet staat glimlachend toe te kijken en wisselt een blik van verstandhouding met Amand, vrouwen, ach ja, en Amand wil haar niet verraden maar het gebeurt toch, en meneer Collet vertelt dat er overal in het huis elektrisch licht is, zelfs in de gangen en het privaat. En ze lopen door naar achteren, naar de volgende ruimte, die ideaal is om een studio van te maken, want er valt via twee grote ramen egaal licht uit de tuin in en er komt nooit zon, en achter het huis is geen plaatsje zoals bij hen thuis, maar een kleine, verzorgde tuin die aan de witte huizen van de Reynaertskoer grenst, en zij is helemaal weg van dat nette tuintje met bloemen en een gazon, ze probeert het te verbergen, maar haar gezicht straalt en ze opent de deur en stapt naar buiten.

En meneer Collet en Amand blijven samen binnen staan, en meneer Collet begint over café Prins Boudewijn en Amand snapt niet waarom, pas later in het gesprek blijkt dat het café voor de oorlog in dit pand zat en meneer Collet gaat ervanuit dat Amand dat weet, en als blijkt dat dat niet het geval is moet Amand toegeven dat ze voor de oorlog niet in Kortrijk woonden, en dat valt meneer Collet tegen, en nu komen ze op gevaarlijk terrein want meneer Collet vraagt verder en Amand moet vertellen dat ze in Meenen woonden en die stad kent meneer Collet ook, hij begint over de Duitse troepen die er waren gelegerd en de oorlogsschade in de binnenstad, en Amand probeert te verbergen dat hij over Meenen ook al niets weet, maar gelukkig vangt Julienne het gesprek op, ze komt snel naar binnen en ze vraagt of er zon in de tuin komt en wanneer precies. En ze lopen achter elkaar de trap op naar de salon, en het huis is slechts gedeeltelijk gemeubileerd, er staat een kast in de salon en er hangen gordijnen, maar ondanks die karige inrichting is duidelijk dat het een prachtige kamer is, licht en vriendelijk en ruim, met drie grote ramen en uitzicht op de Markt, het belfort en de toren van de Sint Maartenskerk, en terwijl meneer Collet eventjes niet op hen let pakt zij Amands hand en knijpt er zachtjes in, ze kijken elkaar aan, wat een huis, mensenkinderen wat een huis.

En zij vertelt meneer Collet trots dat Amand een oorlogsveteraan is en meneer Collet zegt dat hij in het zesde linie heeft gevochten, hij heeft Antwerpen verdedigd en Ramskapelle veroverd, en hij vraagt Amand in welk regiment hij zat en dat weet Amand niet, zij moet hem tot verbazing van meneer Collet te hulp schieten, ze zegt dat hij in het zevende heeft gevochten en dat hij zwaargewond is geraakt en daarom aan geheugenverlies lijdt, hij was in 1917 in Merckem, zegt ze, en meneer Collet doet zijn best om te verbergen hoe vreemd hij het vindt dat Amand zijn vrouw het woord over de oorlog laat doen, en hij zegt beleefd dat hij heeft gehoord dat het een hel was in Merckem, en hij gaat hen voor naar de gang. En Amand trekt achter meneer Collets rug een afkeurend gezicht naar haar, zij doet alsof ze dat niet merkt en knielt neer bij een radiator, ze roept meneer Collet terug om te vragen of het klopt dat dit bij de verwarming hoort, en dat bevestigt meneer Collet, in iedere ruimte in het huis is er een, zelfs in het privaat en de badkamer, zegt hij, en zij wil niet geloven dat zo'n radiator de hele ruimte kan verwarmen, hoe warm kan zo'n ding worden, wil ze weten, toch niet zo heet als een kolenkachel. En meneer Collet neemt hen mee naar de kelder waar de ketel staat, hij draait de gaskraan open en steekt de ketel aan, en dan gaan ze weer terug naar boven en binnen de kortste keren is het snikheet in de salon, zij legt haar hand op de radiator en ze brandt zich bijna, en meneer Collet begint plezier in haar verbazing en nieuwsgierigheid te krijgen, hij richt zich steeds meer tot haar in plaats van tot Amand, en Amand laat het zo, hoewel hij haar kwalijk neemt dat ze niet doorheeft dat ze hem zijn mannelijke waardigheid ontneemt.

En in de keuken is ze verrukt over het gasfornuis dat fris wit met zeegroen is alsof ze iedere dag slechts hoeft te spelen dat ze het eten kookt, en terwijl ze de vaat doet kan ze dromerig uit het raam staren naar de tuin en de witte huizen aan de Reynaertskoer, en moedertje Maria, er is ook warm en koud stromend water in de keuken, ze draait de kraan open, maar tot haar teleurstelling is het water koud, en meneer Collet haast zich om haar uit te leggen dat ze eerst de elektrische boiler in de badkamer aan moeten zetten. En ze gaan met z'n allen naar de badkamer, en die is nog veel mooier dan de keuken, de wastafel, het bad, de tegels, de koperen kranen, zij kan er niet over uit, en nu overdrijft ze echt schaamteloos, ze heeft gemerkt dat meneer Collet van haar is gecharmeerd, dat is duidelijk, en meneer Collet zet de schakelaar van de boiler om, en zij wil onmiddellijk de kraan van het bad opendraaien maar hij maant haar tot geduld, en daar staan ze met z'n drieën rond de badkuip te wachten, en Amand weet zeker dat meneer Collet zich voorstelt wat zij in deze ruimte zoal zou doen als ze hier woonde, en Amand probeert haar aandacht te trekken om haar duidelijk te maken hoe onfatsoenlijk het is om met een wildvreemde man in een badkamer te zijn, maar zij draait net de kraan open en er komt inderdaad kokendheet water uit, het is een technisch wonder, dat vindt zij, maar hij zelf ook, al dat gesjouw met kolen en teilen vol water iedere dag, en hier komt het gewoon uit de kraan.

En meneer Collet neemt hen trots mee naar de bovenste verdieping, en Amand laat haar voorgaan en ze kijkt hem in het voorbijgaan met een aarzelend lachje aan, alsof ze zich afvraagt of ze het wel goed doet, en hij ontwijkt haar blik en halverwege de trap draait ze zich nog eens naar hem om, en weer reageert hij niet. En meneer Collet laat hun de grote slaapkamer aan de voorzijde van het huis zien, er staan een klerenkast en twee tegen elkaar geschoven bedden in, en zij gaat niet naar binnen, ze blijft op de drempel wachten en waagt zich niet in de buurt van de bedden of van meneer Collet die haar bij het raam op het uitzicht wijst, en zij knikt terughoudend, ze zegt dat ze het een mooie kamer vindt, en zo gaat het ook bij de andere twee slaapkamers. En meneer Collet neemt hen teleurgesteld weer mee naar beneden, naar de salon, en zij geeft Amand een arm en ze blijft dicht bij hem, ze neemt wel deel aan het gesprek maar alsof ze intussen met haar gedachten ergens anders is, en terwijl meneer Collet over de winkeliers op de Groote Markt vertelt, knijpt ze Amand in zijn arm, en hij weet wat ze van hem wil, maar het is niet het juiste moment, en ze knijpt hem een minuut later nog eens, dit keer harder, hij kijkt haar aan en ze maakt een beweging met haar hoofd, toe nou maar.

En Amand vraagt meneer Collet op zakelijke toon hoeveel huur hij voor het huis wil hebben, en zij kijkt intussen uit het raam naar het belfort alsof ze niets met deze bespreking te maken heeft, en meneer Collet richt zich daarom tot Amand, vijftig franken in de week, zegt hij, en Amand heeft geen idee of dat veel of weinig is, maar hij ziet haar gezicht verstrakken, vijftig franken, herhaalt hij op neutrale toon om tijd te rekken en intussen kijkt hij onzeker naar haar, en zij heeft zich alweer van de schrik hersteld en vraagt, wat vind jij ervan, lieverd, alsof ze een jong, mondain stel zijn op zoek naar een buitenhuis, en hij zegt tegen meneer Collet dat ze erover moeten nadenken, en zij vult aan dat ze volgende week nog een ander pand gaan bekijken. En meneer Collet blijft beleefd tegen hen, hoewel hij natuurlijk in de gaten heeft dat ze de huur veel te hoog vinden, en zelfs als ze op weg zijn naar buiten en zij vraagt of ze nog even met z'n tweeën in het huis mogen rondkijken, blijft meneer Collet voorkomend en zegt hij dat hij over een kwartiertje terug is, hij vraagt of dat hun genoeg tijd geeft en dat beamen ze en ze bedanken hem.

En dan loopt meneer Collet de trap af en zijn ze alleen, en zij dempt haar stem en zegt dat vijftig franken twee keer zo veel is als de huur van het huis waarin ze nu wonen, en daarvan betaalt Felice ook nog eens zeven franken in de week, twee keer zo duur, herhaalt ze, en hij vraagt wat ze dan had verwacht van zo'n deftig huis met al die moderne snufjes, maar hij vond me aardig, zegt ze, alsof dat de huurprijs had moeten drukken. En het is nog steeds ontzettend warm in de salon omdat de verwarming aan is geweest, en hij zet de ramen wagenwijd open en de buitenlucht en de straatgeluiden stromen naar binnen, en ze gaan samen in de vensterbank zitten, tegenover elkaar met hun ruggen tegen het raamkozijn en hun benen in elkaar verstrengeld, ze kijken naar de mensen die beneden hen over de Markt slenteren, en het is niet moeilijk om je voor te stellen dat ze hier zouden wonen, ze hoeven alleen ja te zeggen tegen meneer Collet en het huis met zijn magnifieke uitzicht en de prachtige badkamer en alles wat de moderne tijd maar te bieden heeft is van hen, want ze kunnen de huur met enige moeite best betalen, vooral als ze meer klanten krijgen en vanwege de chique locatie van hun winkel een hogere prijs voor hun foto's kunnen vragen.

En hij zegt dat hij het voor haar wil doen, dit is het huis dat hij haar wil geven, en ze lopen samen nog eens door de lege kamers, de badkamer, de keuken, de slaapkamers, en ze gaan op de twee tegen elkaar geschoven bedden liggen, en zij is stil geworden, ze zegt niets meer, wil je het huis niet, vraagt hij, en ze bekent dat ze hier niet durft te gaan wonen, ze zijn zo verbazend gelukkig in hun armoedige huis aan de Doornijkstraat, tegen iedere logica en verwachting in, zegt ze, ze heeft het gevoel dat ze hun geluk van het noodlot hebben gestolen, dat ze er geen recht op hebben en het vroeg of laat weer zullen moeten inleveren, als ze zich niet verroeren worden ze misschien overgeslagen en mogen ze het nog een tijdje behouden. En hij lacht om haar en zegt dat ze bijgelovig is, en hij schuift op naar haar bed en neemt haar in zijn armen en praat op haar in, maar ze laat zich niet overreden en hoe langer ze het erover hebben hoe meer hij ook het gevoel krijgt dat ze hier niet thuishoren, het huis begint hem tegen te staan, die grote kamers met al die overbodige nieuwigheden, zij zou niet meer iedere ochtend bij het opstaan tegen hem zeggen, ga je de kolen doen, maar in de winter zou ze zeggen, steek je de ketel aan, en dan zou hij helemaal naar de kelder moeten in plaats van naar de keuken waar zij zich halfbloot staat te wassen, en ook dat halfbloot wassen zou natuurlijk zijn verplaatst naar de luxueuze badkamer, en de was zou ze voortaan in de bijkeuken drogen, hij zou nooit meer bij het ontwaken naar hun onbeschaamd naast elkaar hangende ondergoed aan het voeteneinde kunnen kijken, en ze zouden niet meer samen in hun oude, piepende bed slapen maar als een beschaafd echtpaar in twee verschillende bedden met een grote kier ertussen, en hij zou ook nooit meer in haar vuile water in de tobbe gaan maar in een brandschoon bad met koperen kranen, en ze zouden vast nooit meer gezellig samen aan de keukentafel zitten bij het warme fornuis maar in de deftige salon met centrale verwarming en uitzicht op het belfort. En ze hebben de beslissing eigenlijk al genomen als ze meneer Collet de trap op horen komen en snel van het bed stappen en hun kleren rechttrekken, en meneer Collet staat in de deuropening van de slaapkamer zo'n beetje te grijnzen alsof hij hen werkelijk in elkaars armen heeft betrapt, en terwijl ze met z'n drieën naar beneden lopen herhaalt Amand dat ze over het huren van het huis zullen nadenken en dat meneer Collet nog van hen hoort, hij koopt een paar dagen arme-luisgeluk, zolang ze meneer Collet niet hebben verteld dat ze het huis niet willen kunnen ze er nog over dromen.

En op straat geeft meneer Collet Amand een hand en nu Julienne ook, *au revoir*, mevrouw Coppens, zegt hij, en hij knikt nog eens naar hen bei-den en dan loopt hij weg, en Amand en Julienne staan voor het huis, en nu ze weten wat er zich achter de gevel verschuilt, ziet het er anders uit, alsof het al een beetje hun thuis is geworden, en ze lopen langzaam naar de Doornijkstraat, zwijgend, ieder verdiept in zijn eigen gedachten, het is druk op de Markt, kooplui prijzen met luide stem hun waren aan, en de tram rijdt piepend langs, en op de hoogte van Hotel du Damier roept een vrouw iets naar Julienne, eerst denkt hij dat hij het verkeerd verstaat, maar de vrouw roept het nog eens, harder dit keer, vuile mof-fenhoer, en het is onmiskenbaar voor Julienne bedoeld, de vrouw kijkt haar recht in het gezicht terwijl ze hen passeert, en iedereen om hen heen hoort het en gluurt nieuwsgierig naar hen. En Amand trekt zijn arm los uit de hare en doet een paar dreigende passen in de richting van de vrouw om Juliennes eer desnoods met geweld te verdedigen, maar Julienne houdt hem geschrokken tegen, ze grijpt zijn hand beet en niet doen, zegt ze, niet doen, en het is niet eens zo zeer dat vreemde, onver-wachte scheldwoord van die vrouw, het is de paniek in Juliennes ogen waardoor zijn wereld instort, hij wist het, hij wist dat ze tegen hem loog, hij wist het al die tijd.

En daar staan ze op de Groote Markt, voetgangers passeren hen aan weerskanten, de scheldende vrouw is doorgelopen en nergens te beken-nen, en hij wil Julienne niet meer zien, die smekende ogen, die pijnlijke ontreddering van haar die alweer bezig is om zich een weg naar zijn goedgelovige, verliefde hart te banen, hij keert haar zijn rug toe en loopt van haar weg, niet naar huis, de andere kant uit, terug langs nummer 52 en de Banque de la Lys, en even gelooft hij dat ze hem zonder slag of stoot zal laten gaan, maar dan komt ze natuurlijk toch op een holletje

achter hem aan en ze grijpt hem bij zijn arm beet, en hij keert zich vijandig naar haar toe en ze struikelt over haar woorden, zo snel wil ze alles
weer goed praten. Ze zegt dat ze nooit iets onbetamelijks heeft gedaan
met een andere man en zeker niet met een Duitser, dat zou nooit in haar
opkomen, zegt ze, en dat herhaalt ze een paar keer alsof daardoor het
waarheidsgehalte ervan stijgt, en hij zegt dat het hem helemaal niets
meer uitmaakt, al had ze het met een heel Duits garnizoen gedaan, dan
nog liet het hem koud, en zij staat bijna te huilen, ze is vergeten dat
voorbijgangers kunnen meeluisteren en geloven dat ze een vulgaire
volksvrouw met vulgaire, volkse problemen is, en ze zegt dat het niet is
wat hij denkt, en ze begint aan een uitleg, maar hij zegt dat hij het niet
wil horen, ieder woord van haar is weer een nieuwe leugen, hij is het zo
moe, zegt hij, en hij draait zich om en loopt verder. Tot zijn verbazing
probeert ze hem niet nog eens tegen te houden, hij werpt een korte blik
over zijn schouder, ze staat hem ontdaan na te kijken en hij kan haar
gedachten wel raden, ze gelooft dat ze hem nooit meer zal zien, dat dit
de laatste keer is, en ze neemt in stilte afscheid van hem, van de man die
ze tegen iedere verwachting en logica in uit de loopgraven had teruggekregen, een wonder dat ze nooit had verdiend.

En hij loopt van haar vandaan, de hoek om bij het stadhuis, de
Leyestraat uit, de brug over, langs de kaden van de Leye naar waar het
stadse gezag eindigt, de zomerse vlasvelden in, hij waadt door een zee
van blauw, de bloemen reiken tot aan zijn borst, en het ruikt er fris en
vochtig en de bijen zoemen en de krekels tjirpen en de vogels fluiten, en
hij loopt langs het water, hij zou kunnen gaan zwemmen en nooit meer
bovenkomen, en in de verte ziet hij een trein rijden, hij zou naar de statie van Wevelghem kunnen gaan en een kaartje naar het einde van de
wereld kopen, maar hij kan niet weg, hij wil niet weg, in de oorlog was
hij een soldaat, en nu is hij haar man, dat is wie hij is.

9

En het belletje kondigt onverminderd blijmoedig zijn thuiskomst aan en hij klimt de trap op, ze zitten aan tafel, hij hoort hun stemmen achter de gesloten keukendeur, Roos en Gust bekvechten over Roos' springtouw dat kwijt is, en zij laat hen zonder een woord begaan, en hij wil het niet, maar hij ziet voor zich hoe ze met een lege blik naar haar bord staart, haar gedachten bij het moment waarop die vrouw haar een moffenhoer noemde en waar zou hij nu zijn. En hij opent de deur, ze heft haar hoofd abrupt op en hij betrapt haar op een uitdrukking van immense opluchting, nog geen halve seconde, en dan heeft ze haar gezicht alweer in de plooi, God wat kent hij haar goed terwijl hij niets van haar weet, en hij haat het geborgen, vertrouwde gevoel dat hem overvalt alleen omdat zij bij hem is en die waakzame ogen van haar en die verlegen mond en die lijzige stem, en ze zegt, wil je wat eten, en haar stem stokt even in het woord eten, alsof ze moet huilen, en hij wendt zijn hoofd af, en zij zegt dat ze bonensoep heeft gemaakt. En hij gaat op zijn plaats aan tafel tegenover haar zitten en hij pakt een stuk brood en begint te eten en hij kijkt niet op, want daar zit zij, hij merkt nu pas dat hij vreselijke honger heeft, en ze schept ongevraagd nog een keer soep op zijn bord, en hij weet dat ze naar hem zit te kijken terwijl hij eet en dat ze wacht totdat Roos en Gust op straat gaan spelen en ze alleen zijn, en hij zet zich schrap, hij gaat er niet intrappen dit keer.

En Gust en Roos vragen of ze van tafel mogen en zij zegt dat ze kunnen gaan, maar wel om acht uur thuis, dat zegt ze iedere avond tegen hen, en daar gaan ze, ze rennen de trap af en ze vergeet hen na te roepen dat ze rustig moeten lopen, en het is stil in de keuken, hij heft zijn hoofd op en kijkt haar aan, er is nog smoelpap over van vanmiddag, zegt ze, hij knikt, en ze giet rodebessensap over het stuk pudding en schuift het bord naar hem toe. En terwijl hij eet zit zij tegenover hem, en net als hij denkt dat ze blijkbaar van plan is om te doen alsof er niets is gebeurd, zegt ze dat die vrouw op de Groote Markt vroeger bij hen in de straat woonde, in Meenen, voegt ze eraan toe als hij van zijn bord opkijkt, en hij zegt dat hij het er niet over wil hebben, helemaal niet, vraagt ze beduusd, en hij zegt dat het immers niet uitmaakt of ze hem vertelt hoe het zit, over een week, een maand, een jaar blijkt het allemaal toch weer niet waar te zijn. En zij zegt dat ze het hem heel graag wil vertellen, en hij zegt dat dat ook al een leugen is, want ze heeft bijna een jaar de tijd gehad om het hem te vertellen en ze heeft het verzuimd, en ze zwijgt, en hij zegt dat hij bereid was om alles van haar aan te nemen, om zich volledig aan haar over te geven, maar dat verlangen is verdwenen, je hebt alles kapotgemaakt met je leugens, zegt hij. En zij zegt dat ze nooit tegen hem heeft gelogen en ze meent het nog ook, en hij zegt dat verzwijgen ook liegen is, en dat is ze niet met hem eens, ze zegt dat hij niet als enige recht heeft op vergetelheid, en dan wordt hij boos, die domme jaloezie op zijn geheugenverlies, waar halen mensen dat toch vandaan, alsof de waarheid inwisselbaar is, een versie van je leven waarvoor je kunt kiezen als het je uitkomt, ze begrijpt er niets van, zegt hij, het tegenovergestelde van waarheid is niet onwaarheid maar onzekerheid, en als ze wist hoe vreselijk dat was, zou ze er niet van dromen.

En hij slaat de keukendeur met een klap achter zich dicht zodat ze niet op het idee zal komen om hem te volgen, en hij rookt een sigaret op het achterplaatsje en daarna drukt hij in de studio de portretten af die zij voor hem heeft klaargelegd, en ze komt bij hem zitten en begint aan het retoucheren van een nieuw negatief, en ze zeggen alleen zo nu en dan iets over de foto's tegen elkaar. En dan nadat Gust en Roos hun goedenacht zijn komen wensen en naar bed zijn gegaan, zegt ze dat ze hem alles wil vertellen, ze zal niets achterhouden, zegt ze, en hij telt in gedachten tot 25 terwijl hij het papier belicht en dan haalt hij het uit het frame en legt het in de ontwikkelaar, en hij zegt dat als ze om hem geeft, ik houd van je, verzekert ze hem snel en het klinkt als een uit het hoofd geleerd lesje, hij zegt dat als dat werkelijk zo is ze hem met rust moet laten. Maar zij zegt dat hij alleen echt rust kan hebben als hij alles weet, ik wil niet dat je slecht over mij denkt, zegt ze, alsjeblieft laat mij het je uitleggen, en hij zegt dat ze erover moet ophouden, ze wil het leven naar haar hand zetten, maar het is zoals het is, daar moet ze zich bij neerleggen. Nee, zegt ze, nee en hij ziet wanhoop op haar gezicht, en ze zegt dat hij in ieder geval van haar moet aannemen dat ze hem nooit met een Duitser of met welke man dan ook heeft bedrogen, en hij zegt dat hij dat nog wel durft te geloven, ik heb in de oorlog in een Duits veldhospitaal geholpen, zegt ze, daarom schold die vrouw me uit voor moffenhoer, ik heb gewonden verzorgd, dat is alles. Duitse soldaten, vraagt hij, en ze knikt, en ze ziet zijn vraag als een aanmoediging en wil opgelucht verder vertellen, maar hij staat op en loopt weg, en zij roept hem na dat ze haar mond zal houden, kom terug, sjoeke, kom nou, en hij gaat weer naast haar zitten en zij retoucheert negatieven en hij drukt foto's af, en wat hebben ze nu nog samen, hij kijkt steels naar haar terwijl hij een portret van hem met een oorlogsweduwe te drogen legt, haar hand met het retoucheerpotlood zweeft werkeloos boven het tafeltje en ze tuurt met een nietsziende blik naar het negatief, en als hij opnieuw naar haar kijkt, kijkt zij ook net naar hem, hun blikken kruisen elkaar en ze glimlacht aarzelend naar hem en hij wendt zijn hoofd af.

En het is halfelf, ze staat op en vraagt of hij mee naar bed gaat en hij zegt dat hij hier in de studio wil slapen, en daar doet hij haar verdriet mee, dat weet hij, maar ze protesteert niet, ze haalt een laken, een deken, een kussen en een pyjama voor hem van boven en legt ze op de sofa, en terwijl ze dat doet zweert ze dat ze echt nooit een Duitse soldaat op ongepaste wijze heeft aangeraakt, dat was niet aan de orde, zegt ze, ze hadden veel pijn en soms waakte ik bij hen als ze op sterven lagen, en hij zwijgt en ze wacht, in de hoop dat hij zich zal bedenken en toch met haar mee naar boven zal gaan, maar hij kan de gedachte niet uit zijn hoofd zetten dat hij de zoveelste stakker is die ze verpleegt. En ze komt achter hem staan en hij voelt hoe ze twijfelt, haar hand zweeft boven zijn nek en dan doet ze het toch, ze buigt zich naar hem toe en drukt een kus op zijn wang, slaapwel, fluistert ze, en hij wenst haar goedenacht en ze sluit de deur achter zich, hij voelt haar lippen nog steeds warm en vochtig op zijn huid, en hij boent haar nabijheid weg met zijn hand, en hij trekt de pyjama aan die ze voor hem heeft klaargelegd en gaat op de sofa liggen, tot zijn verrassing valt hij direct in slaap, hij droomt dat hij in de slaapzaal van het gesticht is en dat ze zich voor hem uitkleedt totdat ze volledig naakt is, en hij verlangt vreselijk naar haar, zo heftig dat hij er bang van wordt, en ze praat Duits tegen hem terwijl hij met haar vrijt.

En ze komt hem om zeven uur wekken en hij verdenkt haar ervan dat ze heeft gewacht met zich wassen totdat hij in de keuken is, en terwijl hij het fornuis aansteekt, probeert hij niet naar haar half ontblote borsten te kijken, en als hij zich wast heeft ze natuurlijk net de pan nodig die vlak naast hem staat en haar hand glijdt langs zijn buik en hij doet snel een pas naar achteren, en zij zegt excuseer alsof hij een vreemde is tegen wie ze op straat is opgebotst. En tijdens het ontbijt zijn ze vriendelijk tegen elkaar, zij tekent met het mes een kruis op het brood alvorens ze het snijdt en ze legt twee boterhammen op zijn bord, en ze schenkt koffie voor hem in en hij bedankt haar beleefd, en als de kinderen met Felice naar de mis zijn gegaan zijn ze samen thuis, hij helpt haar niet zoals anders met de was en 's nachts slaapt hij weer in de studio. En de volgende ochtend gaat hij na het ontbijt direct naar de winkel, zij komt een halfuur later, en ze vraagt of hij het alleen af kan, ze gaat naar beenhouwerij Remy en als ze terug is, verdwijnt ze zonder iets te zeggen naar de keuken. En tussen de middag eten ze biefstuk met frieten en 's avonds soep van kalfskop met gebakken brood, ze doet erg haar best, en het ergert hem dat ze zijn grieven zo weinig serieus neemt dat ze gelooft ze te kunnen ontkrachten met wat simpele huisvrouwentrucs.

En de volgende dag, nadat ze de halve ochtend in de keuken bezig is geweest om een vol-au-vent met kip en paddenstoelen en financière-saus te maken, vraagt hij haar of ze in haar dienstmeidentijd zo deftig heeft leren koken, en hij kijkt haar aan en haar ogen worden leeg en donker alsof ze haar woede nog net weet in te slikken en hem diep wegstopt waar ze hem niet per ongeluk kan uitbraken. En hij heeft spijt van zijn getreiter en zegt dat ze erg goed kan koken en de vol-au-vent is heerlijk, zegt hij, en zij zwijgt, ze richt pas weer het woord tot hem als er een klant bij is en het echt niet anders kan, en als ze naar bed gaan, ieder in hun eigen kamer, zelfs op verschillende verdiepingen, wenst ze hem op gereserveerde toon goedenacht.

En hij ligt alleen op de sofa in het duister, en zij ligt alleen in hun oude, piepende bed tien meter boven hem, en hij wil haar niet vergeven en zij wil niet meer door hem vergeven worden, en hij weet zeker dat hij een nachtmerrie zal krijgen, de tijd dijt uit tot een betekenisloze brij, minuten lijken uren, en gisteren vorig jaar, en gelijktijdig trekt de wereld zich in hem samen zodat er alleen plaats is voor zijn rondcirkelende gedachten, en hij is bang voor wat komen gaat, hij loopt heen en weer, heen en weer met zijn blote voeten op de koude vloer en hij zingt zacht en bezwerend over liefjes lippen en reinheidsvonken.

En ineens staat zij in haar nachtjapon in de deuropening, en hij weet niet zeker of ze er wel echt is, of hij niet toch ongemerkt in slaap is gevallen, en zij had er niet op gerekend dat hij wakker zou zijn, ze mompelt betrapt dat ze naar de koer moest, en hij is haar zo dankbaar dat ze hem van deze nacht komt verlossen, ze steekt haar hand naar hem uit, en hij weet dat hij het niet moet doen, maar hij loopt naar haar toe en hij pakt haar warme vingers beet en laat zich door haar meevoeren de trappen op naar hun slaapkamer, naar hun bed, waar hij veilig naast haar kan liggen. En ze neemt hem in haar armen en hij verafschuwt haar, maar hij begeert haar eveneens, haar leugenachtige lippen, haar ruwe, volkse handen die boches hebben verpleegd, haar hele verdoemde, weke, bleke lijf dat gedachten herbergt die hij nooit zal kennen, en zij verlangt zo mogelijk nog meer naar hem dan hij naar haar, en het is warm en ze kreunen en zuchten en daar is haar mond, haar borsten en daar haar dijen en haar handen zijn overal, en het is zowel weerzinwekkend intiem als merkwaardig onpersoonlijk, zoals een oorlog waarin onbekende soldaten elkaar verminken en verbinden.

En dan is het klaar en ze houdt hem vast en hij wilde dat hij het niet had gedaan, dat hij niet naast haar was gaan liggen, zelfs niet met haar mee naar boven was gegaan, en zijn nachtmerrie manmoedig onder ogen had gezien, ze is hem dankbaar, ze fluistert dat ze van hem houdt en hij hoort aan haar stem hoe ze weegt, aarzelt, en dan toch besluit dat ze hun samenzijn beter niet kan bederven met haar verhaal over het waarom en wat en hoe van het Duitse veldhospitaal. En hij draait zich op zijn zij, zijn rug naar haar toe, en zij schuift teleurgesteld terug naar haar helft van het bed en ze zucht en dan zegt ze dat ze wakker zal blijven, ga jij maar slapen, zegt ze, en hij voelt zich beschamend veilig bij haar, hij valt vrijwel direct in slaap en hij wordt pas wakker als zij hem om zeven uur wekt. En bij het aankleden en wassen merkt hij dat ze zorgt dat hij haar niet bloot ziet en hij voelt ook schaamte als hij aan de afgelopen nacht denkt, alsof ze de ene nachtmerrie met de andere hebben geprobeerd te smoren.

En de dag gaat voorbij en de zon gaat onder en hij is vastbesloten om niet opnieuw aan zijn angsten toe te geven, als ze vraagt of hij mee naar boven gaat zegt hij dat hij nog even wil doorwerken, ga jij maar slapen, zegt hij, en ze weet natuurlijk dat hij voorlopig niet naar bed zal komen, maar ze protesteert niet, ze laat hem beloven dat hij niet weer op de sofa zal slapen en dat hij haar wekt als hij naar bed gaat zodat ze over hem kan waken. En dan loopt ze de deur uit, hij luistert naar haar voetstappen op de trap die hij uit duizenden zou herkennen, naar het doorspoelen van het privaat, de krakende deur van de kamer van de kinderen wanneer ze nog even bij hen gaat kijken, en dan wordt het stil zoals het soms tijdens het wachtlopen stil kon zijn, een mistige, windstille nacht waarop het geschut aan beide kanten zweeg en het was alsof de aarde een groot, eenzaam, gewond dier was dat je kon horen ademen, en hij drukt de resterende foto's af, rookt een laatste sigaret en nog een en nog een en probeert niet aan haar te denken en het wordt twaalf uur, één uur, twee uur, halfdrie, en hij moet plassen. Hij loopt geruisloos de trap op en als hij de deur van het privaat opent, heeft hij het gevoel dat zij naar hem ligt te luisteren, hij blijft roerloos in de deuropening staan met de klink in zijn hand, er gebeurt niets, het is doodstil in huis, maar het gevoel dat hij niet alleen is blijft, en hij fluistert, Julie, en de vloer boven zijn hoofd kraakt, en hij zegt nog eens haar naam, nu wat luider, en plots dringt tot hem door dat zij niet degene is die hem bespiedt maar dat hij het zelf is, hij staat halverwege de trap en kijkt op zichzelf in de gang neer, hij ziet zijn lichaam van boven, zijn geheven hoofd, zijn schouders, zijn hand op de deurklink, het lichtschijnsel van de petroleumlamp dat over hem heen valt.

En het is verschrikkelijk, alles is leeg en wezenloos alsof de hele wereld van steen is, er is geen verleden, geen samenhang, geen betekenis onder het oppervlak van de dingen om hem heen, de gang en de deur, de vloer en de lamp, en de trap leidt niet naar haar veilige armen en haar fluisterende stem, en zijn hart bonkt in zijn borst en hij begint over zijn hele lichaam te trillen, en hij sluit zijn ogen, en als hij ze na enkele tellen weer opent zit hij tot zijn verbijstering op een bankje op het perron. Hij is helemaal alleen, hoog boven hem schemert de overkapping en het perron is donker en verlaten en de statieklok geeft tien over vier aan, meer dan een uur geleden zag hij zichzelf op de trap staan, een uur, en hij heeft geen idee wat hij in die tijd heeft gedaan, hoe hij hier terecht is gekomen, hij moet het huis uit zijn gelopen, door de stad hebben gedwaald, en hij probeert zich voor te stellen dat hij door de slapende Doornijkstraat liep, waar keek hij naar, wat dacht hij, was de wereld nog steeds zo wezenloos, was hij bang, maar hij herinnert zich niets, geen beeld, geen gedachte, geen gevoel, het is alsof het nooit is gebeurd. En een luid gesis doet hem opschrikken, stoom drijft over het perron naar hem toe, de wolken geven licht als grondmist bij opgaande zon en omhelzen hem klam, en een helderwit, hemels schijnsel zweeft rond zijn benen en over zijn hoofd en zakt dan overmand door de zwaarte van het aardse bestaan langzaam naar de grond, en de trein glijdt langs hem heen en de locomotief komt een eindje verderop tot stilstand. De rijtuigen zijn verlicht en leeg en de trein blijft roerloos staan wachten, het is een vreemd, onheilspellend gezicht, alsof de trein speciaal voor hem is gekomen en zal blijven staan totdat hij heeft besloten om in te stappen, en hij beseft waarom hij naar de statie moet zijn gekomen, hij wilde vluchten, bij haar weg, en geschrokken staat hij op en hij loopt met afgewend hoofd langs de trein, hij wil het niet, maar hij kijkt toch, ze lonken naar hem, de verlichte coupés met hun lege banken en hun onbekende, verre bestemmingen, een nieuw leven zonder leugens, zonder haar, en hij begint te rennen, het perron af, de deuren naar de statie door, over de gladde, galmende tegels, het Statieplein op.

En zittend op de stoep met zijn rug tegen het hekje rond het bloemenperk komt hij op adem, hij hoort de trein sissend en puffend vertrekken,
en langzaam krijgt de wereld van alledag weer vorm, hij ziet de statie en
het Hotel Royal, de bomen en de lantaarns en de schaduwen op straat,
en toch ook niet, hij kan alleen denken aan zijn geheugen dat hem op
ieder willekeurig moment kan bestelen, en terwijl hij naar huis loopt
gaat hij angstig de herinneringen bij langs die hij nooit wil vergeten,
haar leren fietsen aan de Leye, met haar dansen, met haar vrijen terwijl
ze over vroeger vertelt, haar inzepen in de tobbe. En hij opent de deur
en dempt nog net op tijd het belletje, en hij loopt de trap op waar hij
bijna twee uur geleden zichzelf zag staan, en kippenvel kruipt over zijn
rug alsof hij in het voorbijgaan door een kille hand wordt aangeraakt,
en misschien moet hij in de studio gaan slapen, niet bij haar. En terwijl
hij staat te twijfelen, hoort hij een trede kraken en hij kijkt op en zij komt
in haar nachtjapon de trap af, en ze ziet er vreemd vaal uit, alle kleur is
uit haar gezicht en haar handen en blote voeten verdwenen alsof ze tot
op het bot is verkleumd, waar was je, vraagt ze, en hij zegt dat hij in de
stad heeft gewandeld, midden in de nacht, zegt ze, en in die vaststelling
weet ze al haar verontwaardiging te leggen.

Hij loopt achter haar aan de twee trappen op naar hun slaapkamer
en ze steekt de petroleumlamp voor hem aan, en de dingen die uit het
donker oprijzen zijn geruststellend vertrouwd, de grauwe deken waar
ze altijd samen onder slapen, de lege nachtspiegel onder het bed, haar
kleren die ze netjes over de waslijn heeft gehangen, en op de een of
andere manier vormt de wereld die in stukken lag weer een naadloos
geheel, alsof zij het enige was dat eraan ontbrak. En hij stapt naast haar
in bed, en hij legt zijn armen niet om haar heen, verbergt zijn gezicht
niet in haar naar groene zeep en keuken ruikende haar, en zij duwt haar
billen niet tegen zijn buik, klemt zijn hand niet tussen haar dijen, hoewel dat is wat ze beiden het liefst zouden doen, ze draait hem haar rug
toe en hij doet hetzelfde bij haar, en hij probeert wakker te blijven, maar
hij is te moe, hij valt in slaap. Hij droomt dat hij in het gesticht is en dat
ze weigeren hem te laten gaan omdat hij zich haar niet herinnert, ze
vragen hem hoe ze eruitziet en hij beschrijft haar korte, krullende haar,
haar bleekbruine ogen, haar lijzige stem, haar lichaam tot in het kleinste,
beschamende detail, maar er klopt niets van, beweren ze, en ze komt de
kamer binnen en hij herkent haar niet, ze lijkt in niets op wie ze moet
zijn, en toch is ze het wel, ben je me vergeten, vraagt ze treurig, en dan
wordt hij wakker.

En hij staat vroeg op, voordat zij ontwaakt, hij neemt zijn kleren mee en sluipt de trappen af en hij haalt kolen en steekt het fornuis aan en dan wast hij zich, en de zon schijnt de keuken binnen en op straat spelen rennend en blaffend twee honden met elkaar, hij kijkt naar buiten, maar hun zomerse vreugde dringt niet tot hem door, en hij droogt zich met de handdoek af die naar Sunlight ruikt en vaag naar haar zweet, en hij trekt zijn overhemd aan en dan staat zij ineens achter hem, hij heeft haar niet horen aankomen, ze vraagt of hij wel heeft geslapen, je bent zo vroeg op, zegt ze, en hij zegt dat hij zich uitgerust voelt, dat is fijn, sjoeke, zegt ze, en dat sjoeke klinkt alsof ze zich vergist, en ook hij vergeet even dat ze in onmin leven, hij draait zich naar haar om en wil haar kussen en hij ziet de verheugde blik in haar ogen, en dan weet hij het weer en ze wenden allebei verlegen hun hoofd af, en hij vraagt of ze zich wil wassen, hij doet een pas opzij zodat ze bij het teiltje kan, en ze wast haar gezicht en voordat ze aan haar oksels toe is, zorgt hij dat hij uit de keuken weg is, hij haalt de fles melk van de stoep en staat er een tijdje mee in de winkel totdat hij zeker weet dat ze zich heeft aangekleed.

En ze ontbijten met de kinderen en daarna gaat hij naar de studio, zij komt ook nadat ze de afwas heeft gedaan, en ze praten met de klanten, niet met elkaar, er is een weduwe die met hem op de foto wil en hij trekt zijn uniform aan, en vlak voordat zij achter de camera de zwarte doek over haar hoofd trekt, kijkt ze hem aan, iedere keer gebeurt dat op precies hetzelfde moment, het hoort erbij zoals de klik van de ontspanner, en altijd voelt hij zich dan verloren omdat het is alsof ze hem niet echt ziet, alsof ze is vergeten dat hij is teruggekeerd uit de oorlog en een moment nodig heeft om zijn bestaan te bevatten alvorens ze de foto kan maken. En misschien heeft ze gelijk, is hij hier inderdaad niet werkelijk, zijn dit niet zijn handen, niet zijn benen, fotografeert ze het lichaam van een onbekende gestoken in een afgedankt uniform, en hij kijkt strak voor zich uit langs de camera, en vanuit zijn ooghoek ziet hij dat ze haar hoofd onder de zwarte doek verbergt en haar hand is een zelfstandig bewegend ding geworden, het tast langs de loopbodem op zoek naar de scherpstelschroef, en de verschrikking is alarmerend dichtbij, nog een verkeerde gedachte en hij en zij en de weduwe en alle voorwerpen om hen heen worden zo zielloos als de gekantelde beeltenis op het matglas voor haar ogen, en hij probeert met alle macht vast te houden aan de geruststellende alledaagsheid waarin zij weer onder de zwarte doek vandaan komt en haar hand weer bij haar arm blijkt te horen, waarin zij beweert dat de foto goed is gelukt en dan pas, op het moment dat de weduwe zich opgelucht ontspant, onverwacht de foto maakt. En terwijl ze de weduwe vertelt dat ze de afdruk morgenmiddag kan komen halen, blijft haar blik even onderzoekend bij hem hangen, en hij loopt snel de donkere kamer binnen en hij verkleedt zich gehaast, in de hoop dat hij klaar is voordat zij komt vragen wat er met hem aan de hand is, hij stopt zijn manchetknopen in zijn zak en strikt zijn veters niet, en dan loopt hij de winkel in en zegt zo nonchalant mogelijk tegen haar dat hij wat gaat wandelen, en zij zegt dat over een halfuurtje het eten klaar is.

En hij antwoordt niet, de winkeldeur valt achter hem dicht en hij slaat direct de hoek om, de Langesteenstraat in zodat zij hem niet vanaf de stoep voor de winkel kan nakijken, en voor soldenhuis Ypriana bukt hij zich om zijn veters te strikken en hij maakt zijn manchetknopen vast, en hij kijkt op zijn horloge en hij wacht, maar het gebeurt niet. En hij loopt langzaam verder terwijl hij angstig zijn gedachten in de gaten houdt, wat denkt hij en hoe laat is het, en nu is hij bij drukkerij Vermaut en nu bij de Ecole Laïque en nu bij hoedenmakerij Verjans, en het gebeurt nog steeds niet, hij is niet plotseling buiten de stad of thuis zonder dat hij zich herinnert hoe hij daar terecht is gekomen.

En tegen de tijd dat hij de Esplanade op loopt, herademt hij en de wereld is overweldigend licht en ruim alsof hij dagen in een isoleercel opgesloten is geweest, en hij gaat op een bankje zitten en kijkt naar de passerende mensen, en het is prettig dat ze hem geen van allen kennen en hij toch bij hen hoort, gewoon een stadsgenoot die op een bankje van de zomerse dag geniet. En na een uurtje of twee gaat hij terug naar haar en hij staat voor de winkel en hij ziet haar binnen met een klant praten, en ze kijkt hem aan en zelfs vanaf deze afstand is duidelijk dat ze blij is om hem te zien, hij zag er tegenop om terug te moeten naar de plek van zijn verschrikkingen, maar hij is thuis en als hem iets overkomt, overkomt het haar ook, en een groot gevoel van dankbaarheid overspoelt hem.

En hij stapt de winkel binnen en hij groet de klant, en zij heeft direct door dat er iets aan hem is veranderd, ze praat met de klant over de voortdurend stijgende prijzen, niet alleen van de spullen die zij verkoopt, maar van alles eigenlijk, en ze kijkt naar hem met een glimlach in haar ogen en hij kijkt naar haar en ze is zo mooi, en ze bukt zich om de fotoafdrukken uit de lade onder de toonbank te pakken en ze kijkt naar de klant en dan naar hem, en hun geluk groeit met iedere ademteug, en ze rekent af en ze kijkt naar hem en ze telt het wisselgeld en ze kijkt naar hem, en hun blikken verknopen zich met elkaar als voorzichtig liefkozende vingers, verlangend naar meer. Maar er komt een nieuwe klant binnen en daarna nog een, en hij begint te denken dat dat maar goed is, hij gaat naar boven en in het voorbijgaan fluistert ze dat ze ook zo komt, en hij zit aan de keukentafel bij het open raam en steekt een sigaret op en de rook waait in flarden naar buiten, hij hoort haar snelle voetstappen op de trap, ze opent de deur en ze is buiten adem, zo'n haast had ze om bij hem te zijn, maar in een oogopslag begrijpt ze dat ze te laat is.

En hij wendt zijn hoofd af en kijkt naar buiten om haar teleurstelling niet te hoeven zien, en ze staat naast hem, ze legt zacht haar hand in zijn nek, en hij wacht roerloos totdat ze hem weer weg zal halen, wil je niet meer met klanten op de foto, vraagt ze en hij zegt dat het hem niet uitmaakt, en zij vraagt of hij het erg vindt om een uniform te moeten dragen en hij schudt zijn hoofd en ze dringt aan, ze kan zich voorstellen dat het uniform en die weduwen met hun oorlogsverhalen herinneringen in hem oproepen, zegt ze, je hoeft niet te poseren, we kunnen wat anders bedenken om geld te verdienen, en hij houdt vol dat hij het met plezier doet, en dan wroet ze verder op zoek naar een reden voor zijn onbegrijpelijke gedrag, en wat ze ook bedenkt, te weinig slaap, nachtmerries, rancune tegenover haar, hij ontkent alles en hij zegt dat hij niet snapt waarom ze hem probeert aan te praten dat er wat mis is met hem.

En ze zucht en eindelijk trekt ze haar hand terug en ze vraagt of ze het middagmaal voor hem zal opwarmen, en hij zegt dat dat niet hoeft, je hebt niets gegeten, heb je geen honger, vraagt ze, en dan heeft hij er genoeg van, hij informeert hoe vaak hij zijn antwoorden moet herhalen voordat zij ze accepteert, drie keer, vijf keer, tien, en ze zwijgt, en hij zegt dat als ze al weet wat ze wil horen ze voortaan maar haar eigen vragen moet beantwoorden, en omdat ze maar lijdzaam blijft zwijgen zegt hij dat het haar schuld is als er iets mis zou zijn met hem, en ze kijkt hem onthutst aan, en hij haat zichzelf. Hoe denkt ze dat het is, zegt hij, om een vrouw te hebben die beweert dat ze acht jaar op haar man heeft gewacht terwijl ze in werkelijkheid nauwelijks aan hem heeft gedacht, anders was ze nooit Duitse soldaten gaan verplegen, en zij zegt, nee, o nee, zo was het niet, en hij vraagt haar of ze beseft dat de Duitsers die zij verzorgde en voerde en waste, dat die zielige, aardige Duitsers tegen hem en de mannen van andere Vlaamse vrouwen hadden gevochten en dat ze, doordat zij ze oplapte, dat vervolgens opnieuw gingen doen, en zij zegt dat het zo niet was, je ziet het helemaal verkeerd, zegt ze.

En het is druk op de Groote Markt, het ruikt er naar gebakken wafels en bier, en achter het grote raam van het Magazijn der Beurs is een man een etalagepop aan het uitkleden, en o God, het is weer gebeurd, en zij was erbij, ze heeft gezien dat hij zijn verstand verloor, hij moet onmiddellijk naar huis om haar een of andere zinnig klinkende verklaring te geven, of misschien moet hij juist niet teruggaan, nooit meer, dat is eenvoudiger, beter voor hem, voor haar, en minder pijnlijk op den duur, maar dan is hij haar kwijt, alles kwijt waarvan hij is gaan houden, en hij staat te twijfelen, gedachteloos kijkt hij naar de man met de etalagepop, en pas na een tijdje dringt tot hem door wat hij ziet, het is een vrouwelijke pop en ze is helemaal naakt, ze heeft borsten zonder tepels en haar billen bestaan uit één stuk en tussen haar benen is ze sekseloos, gegeneerd draait hij zich om en terwijl hij zijn horloge uit zijn zak pakt, merkt hij dat zijn rechterhand pijn doet, de knokkels zijn rood en ontveld.

En hij begint te rennen, de hoek om, de Doornijkstraat in, hij ontwijkt en passeert voetgangers die verstoord omkijken en sommige zeggen iets in de trant van, nou nou rustig aan, of, waar is de brand, maar hij rent verder, zo hard hij kan, op de hoek met de Langesteenstraat weet hij nog net een botsing met een fietser te voorkomen, en dan stormt hij de winkel binnen, de trappen op, drie treden tegelijk, en als hij de keukendeur opengooit zit zij daar, voorovergebogen aan de tafel, en ze heft bij zijn binnenkomst geschrokken haar hoofd op, haar jukbeen is dik en rood, haar oog zit dicht en haar lip is kapot en de witte zakdoek die ze in een prop tegen haar neus duwt zit vol felrode bloedvlekken. Hij staart haar aan en zij staart hem aan, ze huilt niet, en hij begint te praten, hij weet nauwelijks wat hij zegt, dat het hem spijt, dat hij niet begrijpt wat hem bezielde, dat hij het zichzelf nooit zal vergeven, en zij zwijgt en veegt met de zakdoek vergeefs over haar neus, het bloed blijft komen, en hij haalt water bij de kraan in de gang, en hij knielt voor haar neer en hij huilt terwijl hij haar gezicht schoonmaakt, het water kleurt roze en ze is niet bang voor hem, ze laat hem gewoon zijn gang gaan, en hij biedt snikkend nogmaals zijn excuses aan, en zij zegt dat het niet geeft, het geneest wel weer, zegt ze, onduidelijk articulerend door haar opgezwollen onderlip, en hij begrijpt niet hoe ze er zo kalm onder kan blijven.

Wat is er met mama, vraagt Roos, die in haar schooluniform in de deuropening staat, ze kijkt verschrikt naar de bloedvlekken en het roze water in het teiltje, en hij wil antwoorden dat papa en mama een beetje ruzie hebben gehad, maar Julienne valt hem in de rede, ze zegt dat het erger lijkt dan het is, mama heeft niet goed opgelet, zegt ze, ik ben gestruikeld en tegen de tafelrand gevallen, en hij merkt dat ze de smoes niet eens hoeft te bedenken, ze had hem al klaarliggen, alsof dat is waarover ze heeft nagedacht terwijl ze hier alleen in de keuken aan de tafel zat en haar bloedneus probeerde te stelpen, niet over hoe boos ze was, of hoe bang, maar wat ze anderen zou vertellen, en hij buigt beschaamd zijn hoofd zodat hij haar gehavende gezicht niet hoeft te zien. En ze horen beneden het winkelbelletje en dan Gust die fluitend de trap op rent, hij staat naast Roos op de drempel en hij staart geschokt naar zijn moeders verwondingen, en zij herhaalt het verhaal over het struikelen en de tafelrand en Gust weet niet wat hij ervan moet denken, de keukentafel, vraagt hij en zij knikt, hij wil weten waar ze dan over struikelde, wie zal het zeggen, zegt ze, ik struikelde gewoon, en Gust vindt het wel erg toevallig dat ze precies met haar gezicht op de tafelrand is gevallen, en zij zegt dat de wereld nu eenmaal van willekeur aan elkaar hangt, dat leer je nog wel als je ouder bent, zegt ze.

En hij voelt zich zo ellendig, en nadat Gust en Roos buiten zijn gaan spelen, zegt hij tegen haar dat hij niet wil dat zij de schuld op zich neemt, hij heeft niet beter verdiend dan dat iedereen weet wat een schoft hij is, en hij begint bijna weer te huilen en ze duwt zijn hoofd zacht in haar schoot en streelt hem door zijn haar, en ze zegt dat het niemand wat aangaat, het is iets van ons samen, zegt ze, en hij schaamt zich vreselijk, wat is hij voor een laffe vent, een vrouw zoals zij slaan, een vrouw die hem alles vergeeft, die acht jaar lang op hem heeft gewacht.

En de rest van de middag staat hij in zijn eentje in de winkel, en na het avondmaal vraagt ze of hij voor haar de wacht wil houden bij het privaat en als Felice eraan komt moet hij op de deur kloppen, zegt ze, en dat belooft hij, hij controleert voor haar of de gang veilig is en hij wacht voor de deur van het privaat tot ze klaar is, en zo doen ze het iedere keer als ze moet. En later op de avond, als haar oog nog dikker is geworden en ook blauw, vraagt ze of hij mee naar boven gaat, en hij weigert, hij zegt dat hij vannacht in de studio blijft, maar zij houdt voet bij stuk, ze wil dat hij bij haar komt slapen, en wat hij ook zegt, dat hij gevaarlijk is, dat hij haar pijn zal doen, dat hij straf verdient, geen vergiffenis, ze is niet te vermurwen, en hij geeft toe, zo slap is hij, hij durft haar te slaan maar niet tegen te spreken. En als ze naast elkaar in het donker wakker liggen, en zij zich op haar zij draait en haar hoofd op zijn borst vlijt en haar blote voeten tussen de zijne warmt, vraagt hij zich af of ze hoopt dat ze gelijk over kunnen steken, zij vergeeft hem het blauwe oog en de bloedneus, hij vergeeft haar haar leugens.

En hij droomt dat hij in het gesticht in bed ligt en dat zij hem verpleegt, ze verbindt zijn hoofd omdat zijn geheugen gewond is, zegt ze, en hij wil met haar vrijen maar tot zijn diepe schaamte is hij vergeten hoe het moet, en zij knoopt haar jurk los en biedt hem haar borsten aan, en als dat niet helpt, schort ze haar rok op tot haar middel en gaat ze bovenop hem zitten, en dit is geen liefde, ze wil hem vernederen, ze zegt dat het is zoals de varkens het doen, en hij kan zich niet verroeren, hij hapt vergeefs kreunend naar adem. En hij wordt wakker van het geluid van zijn eigen stem en zij ligt naast hem te slapen en het is ochtend, de zon schijnt naar binnen en beneden spelen de kinderen, ze hebben soldaatjes en een geweer en een zwarte hond en ze roepen naar hem, papa, papa, en hij draait zich loom om en legt zijn armen om haar heen, ze heeft borsten zonder tepels en billen zonder reet, en lang, blond haar en ijzig blauwe ogen en ze is zo geel als boterbloemen, overal, ook onder haar oksels en op de sekseloze plek tussen haar benen, en zelfs in zijn droom verbaast het hem dat ze er zo volkomen anders uitziet en hij haar toch zonder enige moeite herkent.

En ze wekt hem later dan anders, als ze al helemaal is aangekleed, ga je de kolen doen, zegt ze en hij kijkt in haar gewonde gezicht, het ziet er nog afschuwelijker uit dan gisteravond, onvrouwelijk en grotesk, alsof niet alleen haar gelaatstrekken onherkenbaar zijn veranderd maar ook haar persoonlijkheid, en hij schiet zijn kleren aan en loopt naar beneden, en hij steekt het fornuis aan en vult bij de kraan in de gang een pan met water en zet hem op het vuur en hij maalt de koffiebonen, en ze lacht en zegt dat haar gezicht kapot is, aan haar handen mankeert niets, laat mij dat maar doen, zegt ze, en hij gaat aan de keukentafel zitten en kijkt toe terwijl ze koffiezet. Ze lijkt te zijn vergeten hoe vreselijk ze eruitziet, maar hij en de kinderen kunnen er maar moeilijk aan wennen, ze weten niet waar ze moeten kijken, hun blik dwaalt ongewild naar de donkerblauwe bloeduitstorting waaronder haar oog verstopt zit, en als ze iets zegt moeten ze wel naar haar kapotte, dikke lip kijken, en haar doodnormale woorden zijn vreemd ongepast geworden, alsof ze een belangrijk deel van hun betekenis aan haar vrouwelijke charme ontleenden, en dan gaan Gust en Roos naar school en ze durven haar niet op haar wang te kussen, en ze lacht en zegt, toe maar, het doet geen pijn, en ze kussen haar onwennig op de verkeerde wang, en weg zijn ze.

En hij zit samen met haar aan de keukentafel, hij zwijgt bedrukt en ze pakt zijn hand en glimlacht naar hem en dat ziet er ontroerend afzichtelijk uit, hij vraagt haar of hij haar vroeger weleens sloeg, nooit, zegt ze, en ze vertelt dat ze tijdens het eerste jaar van hun huwelijk wachtte tot hij haar een klap zou verkopen, zo was ze het gewend, dat deden de mannen uit haar oude buurt met hun vrouw en kinderen, maar het gebeurde niet, zegt ze, hij dronk nooit te veel, werd nooit echt boos, verloor nooit zijn zelfbeheersing, en het klinkt alsof ze teleurgesteld was, dat ze het liever heeft zoals het nu is, maar dat kan ze niet menen, hij zegt dat het hem spijt, echt verschrikkelijk spijt, het is de oorlog, zegt ze, en daar houden ze het maar op.

Het winkelbelletje rinkelt, hij schuift haastig zijn stoel naar achteren en loopt naar de deur en hij belooft haar dat hij de hele dag de winkel zal doen, en daar is ze blij om, hij verkoopt, rekent af, maakt praatjes, en neemt foto's van hemzelf en de oorlogsweduwen, de lange slang met de knijpbal leidt hij over de grond en hij bedient de ontspanner met zijn voet. En als hij tussendoor even bij haar in de keuken is, heeft ze een boodschappenlijstje gemaakt en hij sluit de winkel een halfuurtje en gaat voor haar naar beenhouwerij Remy, bakkerij Marchal en de Epicerie Anversoise en hij vertelt iedereen dat ze ziek is, en mevrouw Remy en Marchal prijzen zijn zorgzaamheid en toewijding en ze wensen haar van harte beterschap, en mevrouw DeJager geeft hem zelfs gratis een blikje Valda-pastilles tegen de griep mee, en hij voelt zich zo ellendig onder hun vriendelijkheid dat hij bang is dat het weer gaat gebeuren, hij maakt zich beleefd af van het verplichte praatje over de zomergriep en het weer, hij zegt dat hij terug moet naar de zieke. En eenmaal buiten haast hij zich inderdaad naar haar toe, en hij vertelt haar over zijn leugens en de goede wensen en de Valda-pastilles, en zij lacht erom en stopt een pastille in haar mond, en daarna verdwijnt ze voor vijf minuten naar boven, naar hun slaapkamer, dat doet ze tussen de middag en de hele avond geregeld, hij weet niet waarom, totdat ze hem aan het einde van de avond, voordat ze naar bed gaan, gegeneerd vraagt of hij de nachtspiegel in het privaat wil legen, en niet kijken, zegt ze, en dat doet hij voor haar.

En hij is blij dat er weer een dag voorbij is en dan een nacht zonder dat het opnieuw is gebeurd, hij zorgt dat hij zoveel mogelijk uit haar buurt blijft, overdag is hij in de winkel terwijl zij zich in de keuken verschuilt, maar 's avonds komt ze bij hem in de studio zitten en retoucheert ze de negatieven van de dubbelportretten die hij van zichzelf heeft gemaakt, en het schijnsel van de lamp dat het negatief verlicht, snijdt haar verminkte gezicht in nachtmerrieachtige stukken, en de schemerige stilte benauwt hem, hij bidt dat het niet misgaat, hij concentreert zich op het afdrukken van de foto's en zijn horloge heeft hij voor zich op tafel gelegd zodat hij zeker weet dat er niet ongemerkt een gat in de tijd is gevallen, de minuten kruipen tergend langzaam voorbij, alsof alles met ingehouden adem wacht, net als hij, en hij met dat wachten juist zal uitlokken wat hij probeert te voorkomen.

En hij staat op en loopt de donkere kamer in waar zijn uniform hangt, en hij gespt de loopgraafschop los van de koppel en hij zet hem naast haar tegen de muur, wat doe je, vraagt ze verbaasd, en hij zegt dat hij wil dat ze zich kan verdedigen, nee, zegt ze, geen sprake van, en hij zegt dat ze moet oefenen, sta op. Nee, zegt ze, en hij zegt dat ze hem er een groot plezier mee zou doen, nee, zegt ze, en hij smeekt haar om de schop vast te pakken, en ze zegt nog eens nee, en hij is bang dat het hierdoor zal gebeuren, door die ergerlijke koppigheid van haar, je zou denken dat ze voortaan wel zou uitkijken met hem tegenspreken. En hij zegt dat hij niet meer bij haar kan slapen als ze weigert zich te leren verdedigen, en ze lacht, ze denkt dat hij een grapje maakt, hij duwt haar de schop in haar handen, en met tegenzin staat ze op van haar stoel, de steel heeft ze onwennig beet alsof ze de vloer gaat vegen, hij laat haar zien hoe ze de schop moet vasthouden, stevig met haar ene hand rond het handvat en de andere bij het blad, hoe ze hem boven haar hoofd moet heffen om te slaan. En ze volgt zijn aanwijzingen op als een kind dat straf heeft, en hij haalt hun kussens van boven en stapelt ze op de sofa, en hij zegt dat ze zich moet voorstellen dat dit een man is die haar pijn wil doen, en zij vindt het belachelijk, een volwassen vrouw die met zo'n stom ding op kussens staat te meppen, maar hij zegt dat ze later terug zal denken aan dit moment en hem dankbaar zal zijn. En hij telt tot drie en lacherig laat ze de schop in de kussens neerkomen, het lijkt nergens op, hij doet het voor, met kracht slaan moet ze alsof haar leven ervan afhangt, en hij geeft haar de schop terug en ze slaat nog eens en nog eens en hij moedigt haar aan, harder, harder, goed zo, harder, en ze vergeet hoe lachwekkend het is, ze timmert woest op de kussens in, haar gehavende gezicht loopt rood aan en ze maakt er kreunende geluiden bij alsof ze er al tijden van droomt om hem dood te mogen ranselen.

En dan komt ze tot zichzelf, ze laat de schop zakken en ze lacht beschaamd en onzeker naar hem, zo moet het, zegt hij en hij probeert een gevoel van beklemming van zich af te zetten. Ze gooit de schop vol weerzin van zich vandaan, hij landt met een klap tegen de muur, hij bukt zich en legt hem naast haar stoel neer, maar ze gaat zitten en schuift hem met haar voet een eindje weg en dan later nog een eindje, totdat hij bijna onder de kast is verdwenen. En als ze naar bed gaan, zet hij hem aan haar kant bij het bed tegen de muur, en ze zegt niets, maar als hij terugkomt nadat hij naar het privaat is geweest om haar nachtspiegel te legen, ziet hij dat ze de schop onder het bed heeft geschoven, ze kijken elkaar aan, anders struikel ik erover, zegt ze, en hij laat het zo.

Ze bidden ieder aan hun zijde en dan stappen ze in bed, ze blaast de lamp uit en in het maanlicht neemt haar gezicht weer zijn oude, ongeschonden vorm aan, hij steekt zijn hand uit en beroert voorzichtig haar gezwollen jukbeen, doet het pijn, fluistert hij, en ze schudt haar hoofd, maar als hij haar kwetsuur kust voelt hij haar huiveren en hij zegt geschrokken dat het hem spijt, en zij legt haar hand over zijn mond en laat hem beloven dat hij haar geen excuses meer zal maken, hij knikt en dan haalt ze haar hand weg. Nooit meer, vraagt hij, hoezo, zegt ze, wat ben je met me van plan, en ze kust hem speels op zijn mond en dat doet pijn aan haar lip, au, zegt ze, en ze lacht zacht, alsof ze haar eigen leed onmogelijk serieus kan nemen, en wat houdt hij van haar, misschien nog wel meer nu hij zichzelf zo haat, zij is zijn thuis, zijn leven, zijn gezond verstand, en dit moment waarop ze in lacherige onschuld in zijn armen ligt en geen idee heeft wat haar te wachten staat, dit moment zal hij vergeten, dit en het hele jaar samen met haar dat eraan vooraf is gegaan, zoals ook zijn vorige leven met haar spoorloos uit zijn geheugen is verdwenen, en het is alsof dit ogenblik van samenzijn hem nu al ontsnapt, alsof het belang ervan grotendeels uit herhalingen en gedachten achteraf bestaat die hem zullen worden ontzegd.

En hij doet de hele dag de winkel in zijn eentje, en buurtbewoners die sigaretten, zeep of kranten komen kopen, vragen naar haar gezondheid en hij zegt dat ze erg ziek is, hoge koorts, hoesten, misselijk, maar vervolgens willen ze natuurlijk weten wat de dokter heeft gezegd en het lijkt hem verstandig om haar ziekte wat minder zorgelijk te maken, want wat als ze dokter Vanhuffel spreken en hem naar haar toestand vragen, en de rest van de dag heeft ze gewoon een vervelend griepje. En halverwege de ochtend sluit hij de winkel een uurtje en hij koopt bij de viskraam van DeClerq mosselen voor het middagmaal en dan gaat hij op de Groote Markt naar Noppe om Franse sigaren voor haar te halen, hij verstopt ze onder de toonbank en 's avonds als de kinderen naar bed zijn en zij de vaat heeft gedaan geeft hij ze aan haar, en ze is verheugd en ook enigszins verlegen met zijn presentje, je hebt aan mij gedacht, zegt ze, en hij lacht want hij doet niet anders dan aan haar denken. Ze gaan samen aan de keukentafel zitten en zij staat erop dat hij ook een wafeltje neemt, anders voel ik me zo schuldig, zegt ze alsof hij de lekkernij met gestolen geld uit de armenkas heeft betaald, en ze eten samen van de

Franse sigaren, hij een en zij een, en zij nog een en met een zucht nog een, en dan schuift ze de koekjes vastberaden van zich vandaan.

En ze heeft haar mond vol als de keukendeur opengaat, Felice wil de huur voor de komende week op tafel leggen en zich daarna uit de voeten te maken, maar ze stokt midden in haar beweging als ze Juliennes blauwe oog en kapotte lip ziet, en Julienne is vergeten dat ze iets te verbergen heeft, ze probeert het chocoladewafeltje zo snel mogelijk door te slikken terwijl ze verontschuldigend naar Felice glimlacht, en ze ziet haar geschokte blik en zelfs dan dringt niet direct tot haar door dat ze deze confrontatie nu juist wilde vermijden. Wat is er met jou gebeurd, zegt Felice, en ze weet het antwoord al want ze kijkt naar hem, en Julienne zegt dat ze is gestruikeld en met haar gezicht op de tafelrand is gevallen, en Felice zwijgt en Julienne zegt dat ze niet oplette, dat het ontzettend stom was, dat het donker was in de keuken en dat ze met haar gedachten ergens anders was, ze blijft maar doorpraten alsof ze Felices achterdocht kan overstemmen, en hij geneert zich voor haar doorzichtige uitvlucht, maar hij kan haar niet afvallen. En ook Felice zegt niets, ze legt het geld op tafel en kijkt haar medelijdend aan en ze wil haar hand pakken, maar Julienne trekt hem terug en verbergt hem in haar schoot, en Felice zegt dat ze zich tegenover haar niet hoeft te schamen, dat ze nu ook helemaal geen verklaring hoeft te geven, we praten wel een andere keer, zegt ze met een vluchtige blik op hem. En hij staat daarom op en Julienne grijpt zijn pols beet, blijf zitten, zegt ze, als er iemand gaat is zij het, en ze kijkt Felice strak aan, en Felice zegt dat ze zal gaan als dat is wat Julienne wil, maar ze moet onthouden dat ze altijd bij Felice terecht kan voor hulp of een luisterend oor of een bed voor de nacht, want ze kan wel stug volhouden dat ze de ideale man heeft teruggevonden, maar jij en ik, Juul, wij weten dat dat niet waar is. En Julienne zegt verontwaardigd, je bent jaloers, dat is altijd al Felices probleem geweest, zegt ze, omdat ze zelf niet gelukkig is, gunt ze het Julienne ook niet, of misschien weet ze niet eens wat het is en gelooft ze daarom dat het niet bestaat, herkent ze het niet als ze het bij een ander ziet, want Julienne is zo gelukkig met hem, zo ontzettend gelukkig, het is echt een wonder, ze weet niet waarom het nu juist haar is overkomen, want ze heeft het niet verdiend, zoals zij van hem houdt heeft ze nog nooit van iemand gehouden en zal ze ook nooit meer doen, ze was tot alles bereid om hem terug te krijgen, alles, daarom heeft Onze Lieve Heer tijdens die eenzame nachten van zijn vermissing waarschijnlijk haar smeekbeden verhoord, en haar geluk, elke dag opnieuw, is haar dankbetuiging aan Hem, wat er ook gebeurt, ze mag hem nooit meer kwijtraken, dat zou verschrikkelijk zijn, want ze kan niet nog eens zonder hem, ze zal iedere beproeving verdragen om hem bij zich te houden, zegt ze.

En haar vurige liefdesverklaring is zo oprecht en tegelijkertijd zo onecht dat hij niet weet of hij zich ontroerd, gevleid of gekwetst moet voelen, hij blijft doodstil zitten en zij kijkt niet een keer naar hem, haar woorden zijn niet voor hem bedoeld, ze zijn voor die andere vrouw die misschien ooit ook zulke naïeve meisjesdromen koesterde, maar ze jaren geleden onder druk van de hardvochtige werkelijkheid heeft moeten opgeven, en ze staart naar Julienne alsof ze haar voor het eerst echt ziet en ze strekt haar armen naar haar uit en ze omhelst haar, en Julienne ondergaat het verrast. Felice drukt haar bont en blauwe gezicht tegen zich aan en streelt troostend door haar haar, ach Juul, zegt ze zacht, ach lieverd toch, en haar ogen en haar stem vullen zich met tranen, en haar ontroering is net als Juliennes liefdesverklaring vreemd overdreven, uit zijn verband gerukt, alsof ze samen een scène uit het leven van twee onbekenden opvoeren, en Julienne begint te snikken, ook al zo tomeloos, met schokkende schouders en een lelijk krampachtig vertrokken gezicht. En Felice fluistert dat het niet geeft, dat ze het begrijpt, dat ze niet bang hoeft te zijn, en Julienne duwt haar van zich weg en dan laat ze haar blik op hem vallen en ze beseft dat hij alles heeft gezien, ze wendt betrapt haar hoofd af en terwijl ze wegloopt bekruipt hem een gevoel van eenzaamheid en naderend onheil. Hij hoort haar haastige voetstappen op de trap en dan boven zijn hoofd in hun slaapkamer, hun bed kraakt, en Felice vertrekt zonder een woord of een blik aan hem vuil te maken, en hij zit in zijn eentje in de schemerige keuken, en hij durft niet naar haar toe te gaan, hij eet een Franse sigaar en hij wacht, maar het duurt lang, zo lang dat het op de nasleep van een ruzie begint te lijken.

En hij loopt zachtjes de trap op, het is donker, met moeite kan hij haar silhouet onderscheiden, ze ligt op haar rug op hun bed, hij gelooft niet dat ze huilt, ook niet dat ze slaapt, hij blijft aarzelend staan, en zij steekt haar hand naar hem uit en hij pakt hem beet, en ze trekt hem naar zich toe en dan schuift ze een eindje op, hij gaat naast haar liggen op het matras dat warm is van haar rug en haar billen, en haar nabijheid is zo vertrouwd en haar hand rust in de zijne alsof ze samen gaan dansen en alleen nog op de muziek wachten. Hij draait zich op zijn zij en legt zijn armen om haar heen, en ze fluistert dat ze ieder woord meende van wat ze zonet in de keuken zei, en hij zwijgt, hij wilde dat hij haar de wereld kon beloven, dat hij met een gerust hart kon zweren dat hij altijd van haar zal houden, dat hij bij haar zal blijven tot de dood hen scheidt, en ook daarna in de eeuwigheid, maar morgen kan hij haar en hun liefde zijn vergeten, kan het voorbij zijn omdat hij haar in zijn idiote verdwazing iets vreselijks aandoet.

En hij zwijgt en zij wacht, hij voelt haar hart bonzen en haar adem strijkt met korte, jachtige tussenpozen langs zijn hals en ze durft hem niet te vragen waarom hij haar liefdesverklaring niet beantwoordt, en zolang het nog kan, zolang ze samen zijn en zij niets vermoedt, moet hij haar gelukkig maken, en hij vraagt haar of ze hem over het Duitse veldhospitaal wil vertellen, nu, zegt ze verschrikt en ze gaat rechtop zitten, en hij zegt dat het niet hoeft, alleen als zij het wil, en hij legt zijn arm om haar heen en zorgt dat ze weer tegen hem aan komt liggen.

En ze zegt een tijdje niets en dan valt ze zomaar midden in het verhaal, alsof ze het al zo vaak aan zichzelf heeft verteld dat de samenhang is verdwenen, ze zegt dat ze over de markt liep, de Groote Markt in Meenen, en ze had een halve kilo aardappels bij zich die ze met moeite buiten de voedseldistributie om had weten te bemachtigen, Gust en Roos waren bij haar schoonouders en de winkel had ze tot het middaguur gesloten, en voor het veldhospitaal in het Sint Aloysius College lagen tientallen gewonde soldaten op straat, Duitse soldaten en het veldhospitaal was ook Duits. En ze had door kunnen lopen net als de andere voorbijgangers, die hun blik afwendden en zich langs hen haastten, maar, o excuseer, zegt ze, ze had eerst iets anders moeten vertellen, weet hij nog dat hij in oktober 1914 thuiskwam van het front, een paar uurtjes maar, en ze gaf hem te eten en waste de modder en de bloedvlekken uit zijn uniform, en ze gingen met elkaar naar bed, anders was Roosje er nu niet geweest, en hij vertelde haar zo goed als niets over het front, en ze moet bekennen dat ze hem er ook niet naar vroeg. Ze probeerde hem op te beuren en toen vertrok hij weer, en hij liet een onbestemde dreiging in het huis achter, ze luchtte de kamers, maar ze bleef de geur van modder en kruit en bloed ruiken, en ze geloofde dat het was omdat ze hem zomaar had laten gaan en niet had willen weten waarheen en waarom en hoe verschrikkelijk het was. En ze vertelde onschuldige verhaaltjes over een beertje en een vogeltje aan Gust en voerde opgewekte gesprekken met haar klanten, en de kranten schreven ontzettend positief over de vorderingen van het Belgische leger, en dat kon niet waar zijn, want vier dagen later trok een colonne Duitse soldaten langs hun huis, en daarna tijdens de bezetting schreven de kranten juist ontzettend negatief over de geallieerden, en dat kon ook niet waar zijn want de oorlog duurde maar voort. En dus restten haar alleen de roddels die in de buurt de ronde deden, niemand wist waar ze vandaan kwamen en ze waren vaak onzinnig, maar er was niets anders om in te geloven, het was alsof ze hem was kwijtgeraakt aan een grimmige, onbekende wereld die volledig losstond van de werkelijkheid waarin zij verkeerde. En in de winkel als er geen klanten waren, of 's nachts als ze niet kon slapen, probeerde ze aan hem te denken en hem moed in te spreken, maar ze kon zich geen realistische voorstelling van zijn leven aan het front maken, en langzaam vatte de gedachte bij haar post dat ze als zijn vrouw ernstig tekortschoot, en dat hij daarom niet uit de oorlog terug zou keren.

En toen liep ze daar dus op die ochtend in 1916 langs het Sint Aloysius College en lagen er bloedende en kreunende gewonden aan haar voeten, en de deur stond open, ze keek naar binnen en in de gang lag het ook helemaal vol, sommige hingen half zittend tegen de muur, andere lagen op de vloer of op een draagbaar op hun beurt te wachten, een verpleegster gaf hun wat te drinken en suste hen als ze pijn hadden, maar ze was in haar eentje en water en woorden waren niet voldoende, en ze kwam ook niet naar buiten. Het was alsof ze in het *Kriegslazarett* de gewonden op straat waren vergeten, en ze knielde bij de dichtstbijzijnde soldaat neer, hij keek haar aan en ze zag de paniek in zijn ogen en hij zei iets tegen haar, maar ze kende geen Duits, en ze praatte op geruststellende toon tegen hem in het Frans, maar dat verstond híj weer niet, en dus sprak ze gewoon Vlaams, ze zei van alles tegen hem, kalm en vriendelijk en vastberaden, de toon die ze ook tegen Gust gebruikte als hij vragen stelde waarop ze geen antwoord wist. En hij werd rustiger, de paniek in zijn ogen verdween, en ze ging naast hem op straat zitten en ze negeerde de afkeurende blikken van voorbijgangers en ze pakte zijn hand vast, en hij vertelde mompelend een koortsig verhaal waarin ze alleen het woord *Frau* herkende, en zijn uniform stond stijf van het vuil en ze rook geronnen bloed en ze dacht aan Amand. En ze zag de verpleegster in de gang rondgaan met water en ze riep naar haar in het Frans en ze wees naar de gewonden op straat, en de vrouw keek haar aan en schudde nadrukkelijk haar hoofd.

En toen drong tot haar door waarom deze mannen naar buiten waren verbannen, God mocht weten hoeveel moeite het hen had gekost om het *Kriegslazarett* te bereiken, als ze daar eenmaal waren, zouden ze beter worden, en nu waren ze dan eindelijk op die magische, hemelse plaats aangekomen en het bleek alleen te zijn om er te sterven. En ze maakte de soldaat met wat gebaren en woorden duidelijk dat ze even wegging en zo weer terug was, en ze liep naar binnen en ze vroeg in het Frans om water, en de verpleegster zei van alles terug in het Duits en Julienne verstond er niets van, maar ze begreep haar meewarige blik, en ze hield vol, *un peu d'eau*, en ze kreeg een volle fles mee en ze ging er buiten alle gewonden mee langs, en ze waren haar ontroerend dankbaar, niet omdat ze hun dorst leste maar omdat ze hen niet had opgegeven. En ze praatte met de mannen die nog aanspreekbaar waren, en sommige konden een beetje Frans en ze vertelden haar over thuis, dat dit voor hen het einde van de oorlog betekende, dat ze nu niet meer hoefden te vechten, ze konden naar hun ouders, hun vrouw en kinderen, en ze klampten zich aan haar aanwezigheid vast alsof zij de voorbode van de chirurg was die hen zou komen redden, ze waren haar soldaten geworden en ze bekommerde zich om hen zoals ze dat ook om haar kinderen zou doen als ze ziek waren, ze gaf hun te drinken, suste hen, leidde hen af van hun ondraaglijke pijn, pikte dekens voor hen van de doden die binnen lagen, en ze kon onmogelijk meer naar huis, ze bleef bij hen, de hele dag en een deel van de avond. En ze stierven een voor een, en je zou denken dat het vreselijk was, maar dat was het niet, ze berustten kalm in hun lot alsof ze al die tijd alleen voor haar hadden geveinsd dat ze in hun genezing en hereniging met hun familie hadden geloofd, en ze waren geen van allen bang of wanhopig, en ze wist dat het dankzij haar was.

En toen de laatste was gestorven en ze met haar halve kilo aardappels door het nachtelijke Meenen naar huis liep, stiekem want de avondklok was al uren geleden ingegaan, voelde ze zich deel van iets ontzagwekkends dat ook Amand omvatte, zoals ze bij de geboorte van haar eerste kind plotseling en onomkeerbaar moeder was geworden, zo hadden deze Duitse doden haar tot medeplichtige aan de oorlog gemaakt, alsof ze zij aan zij met Amand mocht strijden. En ze dacht er in de dagen daarna voortdurend aan, terwijl ze ansichtkaarten van prachtig Meenen aan Duitse soldaten verkocht en portretfoto's van hen in vol ornaat maakte, terwijl ze Roosje voerde en met Gust speelde, en alweer een of andere soep van het weinige eten kookte dat ze had weten te verzamelen, terwijl ze met haar schoonmoeder over bonnenboekjes mopperde en wat er nu weer door de Duitsers werd opgeëist, terwijl ze met klanten uit de buurt een praatje maakte over een vriendin van de buurvrouw van iemand die een straat verderop woonde, die vrouw had een brief van haar man aan het front gehad, de geallieerden waren aan de winnende hand, dat stond er in die brief, de bevrijding was een kwestie van weken, en ze was in staat om de Duitsers te verwensen en het nog te menen ook en tegelijkertijd aan de soldaten te denken die met hun hoofd in haar schoot waren gestorven.

En ze kon het niet laten, ze liep langs het Sint Aloysius College en de deur was dicht, ze duwde hem open en ging naar binnen, en op goed geluk koos ze de eerste ziekenzaal aan de rechterkant, het rook er naar lysol, groentesoep en doordringend naar rotting, en ze ging aan het bed van een soldaat zitten die er slecht aan toe was en hij was niet verrast dat er ineens een onbekende vrouw bij hem was, ze gaf hem water te drinken, schudde zijn kussen op, praatte tegen hem. En toen merkte een verpleegster haar aanwezigheid op en wilde haar eruit zetten omdat, zo zei ze in gebrekkig Frans, Vlamingen spionnen waren, en ze bood de verpleegster haar diensten aan en ze zei dat ze alles wilde doen, dat ze al eerder had geholpen, en toen begreep de verpleegster wie ze was, ze hadden onder elkaar blijkbaar over haar gepraat, zich over die Vlaamse vrouw verbaasd en zich afgevraagd wat haar bezielde.

En ze mocht blijven, ze zat bij de gewonden, steeds vaker en steeds langer, ze hield hen gezelschap, waakte 's nachts over hen als ze bang en eenzaam waren, ze voerde hun pap en soep, stak sigaretten voor hen aan en leerde en passant zelf ook roken, hielp hen in bad te tillen, maakte hun bed op, trok hen schone kleren aan als ze een ongelukje hadden gehad, leegde hun nachtspiegels, schoor hen, verwisselde verbanden of legde die bij grote drukte in het hospitaal helemaal zelf aan, masseerde hun bevroren voeten met warme olie, knipte met een grote schaar hun stijve, stinkende uniformen van hun gewonde lichamen, en een paar keer, toen er honderden gewonden in de gangen lagen te wachten, hielp ze zelfs om zij die eventueel waren te genezen van de hopeloze gevallen te scheiden, ze had inmiddels zo veel ervaring, in een meedogenloze oogopslag kon ze zien wie het niet zou halen, alsof ze Onze Lieve Heer zelf was. En ze raakte gewend aan de ellende en de pijn en de stank van pus die vermengd met waterstofhypochloriet uit de drainage van door gasgangreen geïnfecteerde wonden drupte, aan de verminkingen en amputaties, aan de angstig naar adem happende, blinde soldaten die gifgas hadden ingeademd en langzaam in hun eigen longvocht verdronken, en ze praatte met hen allemaal, al van het begin af aan toen ze nog geen woord Duits verstond, alleen als ze Frans spraken kon ze echt een gesprek met hen voeren, maar hoe vaker ze in het hospitaal kwam hoe beter ze Duits verstond, en na verloop van tijd sprak ze het zelfs heel behoorlijk.

En ze had zich voorgesteld dat ze de gewonden naar het leven in de loopgraven zou vragen en dat ze haar zo in Amands oorlog zouden inwijden, maar de commandant van het *Kriegslazarett* gaf haar te verstaan dat haar aanwezigheid alleen werd getolereerd onder de voorwaarde dat ze het nooit met patiënten over krijgsbewegingen of over het front zou hebben, en tot haar eigen verbazing had ze ook geen behoefte aan gesprekken over de oorlog, en de patiënten begonnen er zelf ook nooit over. Het *Kriegslazarett* was de enige plek in Meenen waar de oorlog geen rol speelde, het verband tussen de gruwelijkheden aan het front en de verwondingen van de mannen die ze verpleegde bleef abstract, als het hospitaal werd overspoeld door gewonden vond er ergens in de buurt een offensief plaats dat de Duitsers aan het verliezen waren, wat betekende dat de geallieerden aan de winnende hand waren en dat Amands thuiskomst met een beetje geluk een stukje dichterbij was gekomen, maar blij kon ze zich daar onmogelijk over maken terwijl ze in de gang tussen de kreunende, bloedende, stervende mannen neerknielde.

In het begin had ze gehoopt dat Amand met lichte verwondingen in het veldhospitaal zou worden binnengebracht, hoe verrast en verheugd zou hij zijn dat hij door zijn eigen vrouw werd verzorgd, maar hoewel de Duitsers zich volgens de regels ook om geallieerde gewonden moesten bekommeren, zag ze in die twee jaar dat ze in het hospitaal hielp nooit Belgische, Franse, Britse of Amerikaanse soldaten, van de verpleegsters begreep ze dat het al zo veel moeite kostte om de duizenden eigen gewonden van het slagveld te halen, te behandelen en te vervoeren, de gewonden van de tegenpartij waren pas als allerlaatste aan de beurt, ze stierven in de modder van het niemandsland of werden in de eerstehulppost opzijgelegd en leefden niet meer tegen de tijd dat de chirurg eindelijk aan hen toe was.

En ze had geloofd dat ze door de oorlog te leren kennen Amand zou redden, maar hoe meer gewonden ze bijstond, hoe beter ze wist wat kogels, uitputting en granaten met een mensenlichaam konden doen, hoe onmogelijker het haar leek dat hij behouden uit de hel van de loopgraven zou terugkeren, en soms zat ze bij een stervende die zo ver heen was dat hij meende dat zij zijn moeder of zijn geliefde was, en dan hoopte ze dat als Amand ergens in een veldhospitaal, God verhoede, van de pijn lag te creperen er een vrouw zoals zij aan zijn bed zou zitten om hem te troosten, en dat hij koortsig zou geloven dat zij die vrouw was en dat ze op die onstoffelijke manier tenminste een laatste keer samen konden zijn.

En 's nachts wekte ze zo veel soldaten uit hun nachtmerries, ze suste hun angsten en luisterde naar zo talloos veel nagevertelde nachtmerries dat ze zelf ook afschuwelijk over het front begon te dromen, ze doorwaakte de nacht liever, ze hield de zwaargewonden gezelschap tot de zon opkwam, de stervenden totdat de dood hen kwam halen, vooral de *Sterbezimmer* had een vreemde aantrekkingskracht op haar, het was er wonderlijk stil zoals ze zich het voorportaal van de hemel voorstelde, en als een patiënt stierf lag hij altijd op zijn rug en keek hij omhoog, nooit opzij naar haar, altijd omhoog, zoals je lopend ook in de richting kijkt waarin je gaat omdat je anders struikelt, het had iets verhevens na de pijn en wanhoop die eraan vooraf waren gegaan, en dan had ze het gevoel dat ze haar gewonde aan Onze Lieve Heer had overgedragen, en dat Hij had gezien dat ze haar best deed om barmhartig te zijn in tijden waarin dat een schaars goed was.

En ze werd steeds bedrevener in het kalmeren van de gewonden, ze masseerde hun angsten weg met haar woorden en liet hen over thuis en hun geliefde vertellen, en ze waren vaak verward en hallucineerden, en dan liet ze hen in de waan dat ze van haar hielden en zij van hen, en ze moet bekennen dat de grens tussen medelijden en liefde niet scherp te trekken was daar in het veldhospitaal, en ook in lichamelijk opzicht was de situatie er verwarrend. Voordat ze in het *Lazarett* hielp had ze nog nooit bij daglicht een naakte, volwassen man gezien, en ze stelde het wassen van haar eerste patiënt alsmaar uit, maar toen het eenmaal zover was schaamde zij noch de man zich, het was een vanzelfsprekende, onschuldige intimiteit, en daar bestond eigenlijk het hele leven in het veldhospitaal uit, uit lichamelijke handelingen die hand in hand gingen met afhankelijkheid en dankbaarheid van de kant van de patiënten en mededogen van haar kant, en soms leek dat mengsel verdacht veel op liefde. Niet dat ze ooit werkelijk verliefd werd op de mannen die ze verpleegde, maar zij wel op haar, en dat was lastig en ook vleiend, vooral omdat ze buiten de deuren van het Sint Aloysius College niet bepaald geliefd was, en ze raakte, meer dan ze wilde, gehecht aan haar rol van *Flämische Engel*, zoals de gewonden in het hospitaal haar noemden, ze was zelfs eens jaloers op de vrouw van een gewonde die ze wekenlang had bijgestaan en die haar in zijn koortsfantasieën voor zijn vrouw had gehouden, de vrouw had honderden kilometers per trein afgelegd en gevaren getrotseerd om haar man te bezoeken, en Julienne zag de twee samen en ze voelde zich aan de kant gezet, alsof de soldaten werkelijk van haar waren zolang ze in het *Lazarett* lagen. En zo gedroegen ze zich ook, als ze weken of maanden voor hen zorgde, kreeg ze allerlei lekkernijen van hen, zolang hun familie tenminste op het platteland woonde, want in Duitse steden was vanwege de blokkades door de geallieerden het voedselgebrek nog groter dan in België, ze weigerde hun presentjes nooit, trots kon ze zich niet veroorloven, ze kreeg worsten en ham en kaas en reuzel en boter en brood en bier en appels en peren, en ze verborg de etenswaren in een grote tas, een laken erbovenop gepropt. Van de militaire staf van het hospitaal had ze dispensatie voor de avondklok gekregen, maar ze durfde pas ver na middernacht naar huis te lopen, als niet alleen de straten uitgestorven waren maar ook haar buren allang in bed lagen, en dan, wanneer ze als een dief in de nacht met haar buit door de stad sloop, voelde ze zich een verrader in plaats van een engel, en ze kwam thuis in een stil, leeg huis.

Haar schoonouders pasten op Gust en Roosje terwijl zij in het veldhospitaal hielp, en ze was al snel door haar geloofwaardige smoezen heen, en een bekende bleek haar het Sint Aloysius College binnen te hebben zien gaan, en haar schoonouders die vanwege hun kruideniers-zaak zo ongeveer iedereen in Meenen kenden, hoorden dat ze Duitse gewonden hielp, ze probeerde hun uit te leggen wat haar bezielde, maar eigenlijk wist ze het zelf niet goed, ze voelde zich beter als ze in het veldhospitaal was geweest, zoals andere vrouwen kaarsjes brand-den voor hun man, zo zorgde zij voor Duitse soldaten, ieder bezoek aan het *Kriegslazarett* bracht Amands thuiskomst een stukje dichterbij. Maar haar schoonouders konden geen begrip opbrengen voor wat ze haar idiote bevlieging noemden, ze schaamden zich voor haar, ze zeiden dat zij nog eens hun dood zou worden, wat als de Britten of de Fransen kwamen, dan werden ze allemaal wegens landverraad gefusilleerd, niet alleen zijzelf maar ook haar kinderen en haar schoonouders, wat was zij voor een ontaarde moeder, het was zo vreselijk dat ze het niet eens aan Amand durfden te schrijven, hij waagde zijn leven voor het vaderland en wat deed zijn vrouw, zij verried hen. Haar schoonvader verbood haar uit naam van zijn zoon om nog langer naar het veldhospi-taal te gaan, en hij begreep duidelijk niets van de oorlog, want als je een kant koos zoals haar schoonouders, deed je eraan mee, zij bestreed niet de Duitsers maar de oorlog die Amand van haar af had genomen, dat mannenverslindende, nachtmerrieachtige monster was haar vijand, en ze bleef voor de Duitse gewonden zorgen, en haar schoonmoeder bleef op de kinderen passen, want ze wilde niet dat zij de dupe werden van hun moeders verdorven inslag, zei ze.

En iedere keer werd het onplezieriger en vernederender om de kinderen naar haar schoonouders te moeten brengen, en uiteindelijk weigerden ze op een ochtend haar de kinderen mee naar huis te geven, wat moesten zij met een moeder die moffen boven hen stelde, zeiden ze, die de nacht met hen doorbracht en als een hoer presentjes van hen aan-nam, maar ze konden vinden wat ze wilden, het waren haar kinderen en wat er ook gebeurde zij was hun moeder, en ze eiste dat ze hen mee zou krijgen. Haar schoonmoeder had Gust tegen haar opgezet en ze liet hem vertellen dat hij graag bij oma wilde blijven, en toen was ze zo verontwaardigd dat ze de kinderen oppakte, op iedere arm een, en zonder zich nog iets van haar schoonmoeders verwijten aan te trekken met hen de deur uit liep, en ze wist dat ze nooit meer terug zou kunnen keren.

Ze probeerde om niet langer naar het *Kriegslazarett* te gaan, om op de valreep een goede moeder te worden, maar na twee weken bezweek ze voor de verleiding, ze nam Gust en Roosje mee naar het veldhospitaal en ze legde hen te slapen in de linnenkamer, het was tegen de regels, maar zelfs de militaire staf zei er niets van en de verpleegsters sloofden zich vertederd uit voor die twee kleine mensjes, helemaal gaaf en vol onschuld, ze speelden met hen, vertelden hun verhaaltjes, knuffelden hen, gaven hun eten. En Gust en Roosje sliepen liever in het hospitaal dan thuis in hun eigen bed, en Gust leerde al snel Duits, ze drukte hem op het hart dat hij het alleen in het *Kriegslazarett* mocht spreken, maar hij was net vijf en hij merkte soms niet dat hij in Duitse woorden gebruikte, het duurde niet lang voordat hij huilend thuiskwam met het verhaal dat de moeder van een vriendje hem een draai om zijn oren had gegeven omdat hij haar voor een stuk brood had bedankt, en Julienne vroeg wat hij dan had gezegd, en hij bleek *danke schön* te hebben gezegd, en binnen een paar uur wist de hele buurt dat ze met de Duitsers heulde. Er werd achter haar rug geroddeld en kwaad gesproken en ze lieten haar winkel links liggen, ze zeiden haar zelfs geen goedendag meer als ze haar op straat tegenkwamen, en ze verboden hun kinderen om nog langer met Gust te spelen, om bij hen thuis te komen en smerig moffeneten van haar aan te nemen.

Ze was zich ervan bewust dat ze bezig was haar eigen leven en dat van haar kinderen te ruïneren, maar ze bleef naar het veldhospitaal gaan, zelfs steeds vaker, hoe meer moeite het haar kostte, hoe onmogelijker het was om het op te geven, en als ze tegen de ochtend eindelijk thuis was en uitgeput in bed lag en toch niet kon slapen, beloofde ze Onze Lieve Heer nog meer toewijding in ruil voor Amands behouden terugkeer. En ze was eenzaam en moe, en ze twijfelde steeds vaker aan wat ze deed, wat als ze ook in Zijn ogen een landverrader was in plaats van een *Flämische Engel* en Hij haar zou straffen in plaats van belonen, maar ze kon niet meer terug, ze moest de heilige opdracht die ze zichzelf had gesteld, volbrengen en de consequenties ervan ondergaan. In de laatste lente van de oorlog kreeg ze een brief van Amands sergeant waarin stond dat hij werd vermist, en ze was heel erg wanhopig, ze geloofde dat hij was gesneuveld, dat hij zelfs was gesneuveld dankzij haar, omdat zij haar taak volkomen verkeerd had ingeschat, en ze had vreselijke dromen waarin haar ervaringen in het *Kriegslazarett* haar achtervolgden en hij de pijnlijke dood stierf die zoveel van haar soldaten waren gestorven terwijl zij aan hun bed zat.

En het was tegen de voorwaarden die de commandant van het *Kriegslazarett* haar had gesteld, maar ze vroeg een officier die ze al wekenlang verzorgde of hij via het Duitse Rode Kruis aan namen van Belgische gesneuvelden kon komen die nog niet officieel bekend waren gemaakt, en hij deed zijn best voor haar, en Amands naam bleek niet op de lijst van het Rode Kruis voor te komen, en ze kreeg weer hoop. En anderhalve maand na het bericht van zijn vermissing kreeg ze een brief van Amand, dat was voor haar het gelukkigste moment van de oorlog, het moment waarop ze zijn handschrift op de enveloppe herkende, maar toen ze hem openscheurde bleek de brief voor zijn vermissing te zijn geschreven, en het zei dus niets, maar het was zo vreemd, het leek een teken van boven, en ze begon te geloven dat ze het toch goed had gedaan, dat hij nog in leven was en dat hij dat ook zou blijven zolang ze in haar zelfopoffering volhardde. En ze verdroeg de eenzaamheid thuis, geen volwassene meer om mee te praten, en in het hospitaal was ze de *Flämische Engel* en engelen kennen geen angst, geen verdriet, en ze suste en troostte en waakte en luisterde.

En toen duidelijk was dat de Duitsers de oorlog zouden verliezen, werd ze bang dat haar opdracht te zwaar zou blijken voor haar, wat zou er met haar en de kinderen gebeuren als de Duitsers zich uit Meenen terugtrokken, en ook, daar had ze nog niet eerder over getwijfeld, wat als Amand de oorlog had overleefd en niets meer met haar te maken wilde hebben omdat ze met de Duitsers had geheuld. En ze overwoog om naar Duitsland te vluchten, maar dat deed alleen een landverrader en dat was zij niet, en Gust en Roosje mochten niet de dupe worden van haar fouten, ze nam hen voor de laatste keer mee naar het *Lazarett*, ze zat bij hen in de linnenkamer en nam in stilte afscheid van hen, ze kuste hun slapende gezichtjes en vergoot bittere tranen, 's ochtends zou ze hen naar haar schoonouders brengen en hoe de oorlog ook voor haar zou aflopen zij zouden niet toestaan dat ze hen ooit nog zou bezoeken.

En ze zat daar te snikken en geloofde dat ze alles verkeerd had gedaan en toen begonnen de bommen te vallen, de stad dreunde en trilde, en op weg naar de schuilkelder onder het College zag ze de hemel vurig oplichten en ze was ervan overtuigd dat dit haar laatste nacht in vrijheid was, in de ochtend zouden de Britten de stad binnentrekken, ze had dapperder moeten zijn en de kinderen eerder naar haar schoonouders moeten brengen, nu was het te laat. Maar het werd stil en de zon kwam op, en Meenen was nog steeds in Duitse handen, ze rende met Gust aan haar hand en Roosje in haar armen door de lege straten, de meeste inwoners waren geëvacueerd, maar ze was eergisteren nog langs de kruidenierszaak gelopen en had gezien dat haar schoonouders als een van de weinigen waren achtergebleven, om hun winkel tegen plunderaars te beschermen.

En toen ze de bocht omkwam, zag ze al wat er was gebeurd, er was niets over van de kruidenierswinkel en de huizen eromheen, ze stond te trillen op haar benen, ze zakte op haar knieën op de kasseien en ze huilde, en Gust en Roosje deden van de weeromstuit luid snikkend met haar mee, het had niet veel gescheeld of ze had hier tussen het puin wanhopig naar haar kinderen moeten zoeken, en later drong pas in zijn volle omvang tot haar door hoe onvoorstelbaar veel geluk ze had gehad, want haar schoonouders waren allebei bij het bombardement omgekomen, Onze Lieve Heer was met haar, hij had haar kinderen gespaard.

En ze aarzelde niet meer, ze ging terug naar het veldhospitaal en ze bleef bij de soldaten die zo zwaargewond waren dat de Duitsers hen achterlieten toen ze overhaast vertrokken, negen waren het er, ze had hun bedden bij elkaar gezet in de ziekenzaal aan de achterzijde van het gebouw, het was er kaal en rommelig en er hing een onwezenlijke stilte, de gewonden waren bang en ze zeiden tegen haar dat ze weg moest gaan nu het nog kon, ze zouden toch binnen afzienbare tijd sterven, red jezelf, red je kinderen, maar ze bleef bij hen en ze zag in hun ogen dat ze haar dankbaar waren dat ze hen niet alleen liet, dat ze haar bewonderden om haar moed.

En toen de Britten dan eindelijk kwamen, was het zo'n chaos dat ze gewoon met Gust en Roosje naar buiten kon lopen, langs de Britse soldaten heen die Meenen kwamen bevrijden, dat ze twee kleine kinderen bij zich had was waarschijnlijk haar redding, ze zagen een moeder in haar, geen landverraadster, en ze liep met Gust en Roosje door de vertrouwde straten die waren veranderd in het troosteloze decor van een uitgewoede oorlog. Soldaten in onbekende uniformen zaten zich te vervelen op de klinkers, en ze lachten naar haar en ze keken naar haar benen en haar borsten en boden haar brood aan en Gust had honger, maar ze trok hem snel met zich mee, en ze liep in een spervuur van brutale blikken verder, en tegen de muur van de Sint Franciscuskerk stond een soldaat te pissen, ze liep schichtig met een boog om hem heen en hij schaamde zich, dat viel haar op, en toen werd de stad weer een beetje van haar ook al moest ze op de hoek met de Nieuwstraat over bergen puin heen klimmen en rook het zo erg naar brand dat ze nauwelijks adem kon halen. Er was zwaar gevochten in de Ieperstraat, maar hun huis stond nog overeind, en ze barricadeerde de deur en verschanste zich met het weinige eten dat ze hadden op de bovenverdieping, en 's avonds kwamen er soldaten die het huis doorzochten en vervolgens in beslag namen, maar ze behandelden haar en de kinderen vriendelijk, ze lieten haar in haar eigen bed slapen, klopten op de deur voordat ze de kamer binnenkwamen en spraken haar aan met *missus*.

En toen na een week moest ze de straat op om eten te bemachtigen, en ze zag een van haar nette, beleefde soldaten helpen bij het kaalscheren en brandmerken van een Vlaamse vrouw die ervan werd verdacht de Duitsers te hebben geholpen, en ze stond als versteend toe te kijken en de soldaat zag haar en zwaaide vrolijk naar haar, en zij zwaaide terug en ze liep snel verder. Ze was als de dood dat Gust een Duits woord zou gebruiken in het bijzijn van hun huisgenoten, hij vond de soldaten leuk en zij wilden met hem stoeien en hem goocheltrucs laten zien en hem leren kaarten, maar zij hield hem angstvallig bij hen vandaan, en lang-zaamaan keerden steeds meer inwoners terug naar huis en het leger trok verder naar de volgende bevrijde stad.

En toen de soldaten waren vertrokken was er niets meer in Meenen, geen eten, geen kolen, geen gezag, geen politie, geen mededogen, en er werd op straat gevochten door teruggekeerde veteranen maar ook door vrouwen en kinderen, de oorlog ijlde nog na in de hoofden van mensen, winkels en leegstaande huizen werden geplunderd, en zij sliep met een bijl onder haar bed, en soms liep ze tientallen kilometers naar dorpen buiten de frontlinie om aan eten voor Gust en Roosje te komen, en ze stal en ze vocht met andere vrouwen om haar eigen vege lijf te redden, want iedereen in de buurt wist dat ze met de Duitsers had geheuld. En dit was helemaal niet zoals ze zich de bevrijding had voorgesteld, ze was banger dan tijdens de oorlog, en haar enige opdracht was wachten, lijdzaam op zijn thuiskomst wachten, en hij kwam maar niet, iedere dag opnieuw, en ze kreeg de Spaanse griep, ze was onzettend ziek, ze dacht dat ze zou sterven en dat was ondraaglijk, net nu de oorlog voorbij was en hij zou terugkomen, ze mocht niet doodgaan, en de kinderen, Gust zorgde voor haar, hij was nog zo klein, zes was hij, wat moest er van hen worden als zij er niet meer was.

En terwijl ze tussen leven en dood zweefde, hoorde ze gestommel op de trap en Gust zijn paniekerige stemmetje, en ze probeerde rechtop in bed te gaan zitten en naar hem te roepen, maar dat lukte niet, en toen ging de deur open en stonden haar buren in haar slaapkamer, gewa-pend met een keukenmes en een schop en een schaar, en ze was niet in staat zich te verweren, ze lag daar maar en wachtte op wat komen ging, ze keken in stilte naar haar en toen keerden ze zich om, ze gingen weg zonder haar een haar te hebben gekrenkt, ze stalen zelfs geen eten, geen kleren, geen geld uit de winkel, en later repte niemand er met een woord over, het was alsof het niet was gebeurd, de wraakzucht, maar ook de genade niet. En ze werd beter, louter op wilskracht, misschien hadden ze dat niet verwacht, hadden ze gedacht toen ze daar in haar slaapkamer stonden dat ze de ochtend niet zou halen, want toen ze weer op haar benen kon staan en zich buiten waagde, merkte ze dat hun ver- achting was gegroeid, alsof ze zich door haar voor de gek gehouden voelden.

En haar positie werd nijpender naarmate er meer vluchtelingen, die de oorlog veilig ergens anders hadden uitgezeten, naar huis terugkeer- den, de mensen die zelf geen honger hadden geleden, geen man of zoon hadden verloren, nooit angstig in een schuilkelder hadden gezeten, wis- ten nu het beste hoe je je tijdens de bezetting had behoren te gedragen, ze hitsten elkaar tegen haar op, ze riepen smerige scheldwoorden naar haar op straat en bespuugden haar, en opgeschoten jongens probeerden haar brutaal te betasten, en als ze hen afweerde, zeiden ze tegen elkaar dat ze natuurlijk alleen met een mof wilde neuken.

En er kwamen geen klanten meer in haar winkel, maar ze deed hem uit principe toch iedere ochtend open, en koppig bleef ze de schunnige teksten die telkens opnieuw op de winkelruit werden geklad eraf poet- sen, en haar buren haalden eten bij het Amerikaanse Rode Kruis, maar zij durfde zich daar niet te vertonen. Ze konden alleen in leven blijven doordat Duitse soldaten die ze had verpleegd haar trouw pakjes met eten bleven sturen, en dat maakte de buurt nog razender, als de brief- drager bij haar deur stilhield werd hij uitgejouwd, en een keer kreeg hij zelfs een emmer water over zijn hoofd, maar hij bleef stoïcijns zijn werk doen, en ze was blij met de pakjes uit Duitsland, maar iedere keer dat ze de postbode zag, hoopte ze toch op een brief van hem, ze droomde dat hij terug zou komen bij haar, dat ze hem als een oorlogsheld zouden beschouwen en het getreiter zou ophouden, dat hij haar zou schrijven vanuit Frankrijk of Engeland of zelfs vanuit Amerika, en zij zou haar spullen pakken en met de kinderen naar hem toe reizen en ze zouden een nieuw leven beginnen. Maar hoe ze Onze Lieve Heer er ook om smeekte, er kwam geen brief van hem, en ook geen bericht van het Rode Kruis waarin haar werd medegedeeld dat zijn lichaam was gevonden, de onmogelijke keuze tussen hoop en vrees, die iedere dag, iedere nacht weer anders uitviel, verlamde haar, en de mannen van de buurvrouwen die haar treiterden keerden een voor een terug uit de oorlog, sommige gewond of hulpbehoevend, maar ze waren er tenminste, kennelijk hadden die vrouwen het gelijk aan hun kant terwijl zij alles verkeerd had gedaan. Ze moest lijdzaam haar lot ondergaan totdat op een dag Onze Lieve Heer zou vinden dat ze genoeg had geleden en haar vergiffenis zou schenken, en dan zou hij bij haar terugkomen, ze wist alleen niet wanneer die dag zou aanbreken, hoe langer ze had gewacht hoe dichterbij haar verlossing moest zijn, maar ook, hoe langer het duurde hoe onvergeeflijker haar zonde blijkbaar was geweest.

En op een ochtend hoorde ze een oorverdovend lawaai op straat en ze keek uit het raam en ze zag dat de hele buurt was uitgelopen en zich voor haar huis had verzameld, ze sloegen op potten en pannen en ketels en ze brulden verwensingen naar haar, en ze dacht dat ze vanzelf zouden weggaan als ze niet reageerde, maar ze hielden het drie dagen en nachten vol, er kwamen steeds meer mensen bij, ook uit andere wijken. En het was verschrikkelijk om hun haat te voelen, er geen moment aan te kunnen ontsnappen, overal in huis was de ketelmuziek te horen, hij drong door muren en ramen en vulde de kamers als water bij een overstroming, dag en nacht werd er tegen haar gebruld dat het haar verdiende loon was dat haar man was gesneuveld, dat haar dochtertje een moffenkind was en nooit geboren had mogen worden, dat hoeren zoals zij niet in een nette straat als deze mochten wonen. En de kinderen sliepen niet meer en zij deed zelf ook geen oog dicht, en Roosje huilde en vroeg haar waarom die mensen zo boos op hen waren, en toen op de ochtend van de vierde dag kon ze niet meer, ze pakte hun kleren en wat andere benodigdheden in een koffer en ze liepen naar beneden, in de winkel was het zo'n kabaal dat ze alleen tegen de kinderen kon schreeuwen, ze zei tegen hen dat ze dapper moesten zijn en onder geen beding mochten huilen. En ze pakte Gusts handje stevig vast en samen droegen ze de koffer, en ze nam Roosje op haar andere arm, en alle drie hielden ze hun adem in toen ze de deur van de winkel opende en naar buiten stapten.

Ze had er rekening mee gehouden dat ze zouden worden gelyncht en ze had zich voorgenomen om die laatste opdracht van Onze Lieve Heer manhaftig te ondergaan, maar het werd langzaamaan stil toen de voorste mensen haar zagen, en de stilte verplaatste zich naar achteren de hele menigte door. Zo oorverdovend als de ketelmuziek was geweest, zo overweldigend doodstil werd het nu, alsof ze op haar eigen begrafenis was, en ze begon aarzelend te lopen en de menigte week voor haar uiteen, en de angst benam haar bijna de adem toen ze de smalle corridor in stapte die ze voor haar vrijhielden, en achter haar sloot in zwijgende eendracht de menigte zich weer, en overal om haar heen waren vijandige gezichten en potten en pannen en handen en lichamen. Ze hield haar hoofd trots geheven en keek hen niet in de ogen, en ze kon niet anders dan gaan in de richting waarin de menigte zich voor haar opende, en nu ze deed wat ze al die tijd van haar hadden gewild, deden ze haar bijna plechtig uitgeleide, geen mannenhanden die haar probeerden vast te grijpen, niemand spuugde naar haar, geen beledigingen, de corridor was precies breed genoeg voor haar en haar kinderen, enkele centimeters scheidden haar van hun lichamen, ze voelde en hoorde hun ademhaling, ze rook hun zweet, ze liep in hun dreigende schaduw.

En toen plots werd het licht en waren ze niet meer om haar heen, en ze stond in een lege straat en ze liep in een kalm tempo verder, ze keek niet om, pas toen ze bij de ruïnes op de hoek met de Wahisstraat was, durfde ze een blik over haar schouder te werpen, en tot haar verbazing keken ze haar niet na, de menigte had haar de rug toegekeerd alsof de hele vertoning nooit om haar had gedraaid. En ze zette het op een lopen naar de statie en ze had niet verder gedacht dan dat ze het volksgericht moest zien te overleven, en ze stond bij het loket en had geen idee waar ze heen zou gaan, ze koos voor Kortrijk omdat ze het kaartje kon betalen.

En toen ze daar in die nieuwe stad, waar niemand haar kende, van haar laatste geld een huis had gehuurd, liet ze verhuizers haar spullen in Meenen ophalen en ze verwachtte dat ze onverrichter zake terug zouden keren omdat haar huis was geplunderd, maar tot haar verbazing hadden haar kwelgeesten haar bezittingen ongemoeid gelaten, alsof ze er niet aan moesten denken om in haar bed te moeten slapen of met haar bestek te moeten eten, omdat alles wat zij had aangeraakt, was besmet door haar verraad.

En in Kortrijk bouwde ze zo goed en zo kwaad als het ging een nieuw leven op, alles was anders en toch exact hetzelfde, ze gaf haar nieuwe adres aan het Rode Kruis door en het wachten ging gewoon verder, alleen met een andere postbode, en ze kon nu niet meer wachten op een brief persoonlijk van hem, die zou de postbode in Meenen retour afzender sturen. En verschillende keren nam ze zich voor om haar oude postbode te benaderen en hem te vragen brieven voor haar door te zenden naar Kortrijk, maar ze durfde niet, haar nieuwe abstracte, op niets gebaseerde hoop was hoopvoller en makkelijker vol te houden dan de reële hoop die ze in Meenen nog had gekoesterd, dat ze geen brief van hem kreeg, zei nu niets meer, en iedere dag die voorbijging zonder dat ze van de briefdrager de enveloppe met het gevreesde rode kruis in handen kreeg gedrukt, werd haar overtuiging groter en onwrikbaarder, hij was in leven, ze hadden elkaar alleen nog niet gevonden, maar ooit zou dat gebeuren als ze maar geduld had.

En soms stortte dat zorgvuldig gebouwde kaartenhuis van hoop in elkaar, en dan zakte de grond onder haar voeten vandaan en dat was verschrikkelijk, ze kan hem niet vertellen hoe verschrikkelijk dat was, tijdens slapeloze nachten raapte ze de stukken bij elkaar en bouwde ze haar leven opnieuw, woord voor woord op, totdat het ochtend was en ze ergens eten voor de kinderen vandaan moest zien te halen, en haar weinige klanten met een vriendelijk praatje moest helpen. En ze begrijpt niet, nu ze hem dit zo vertelt, hoe ze van daar hier terecht is gekomen, het leek een situatie in het leven geroepen om eindeloos te blijven voortbestaan, en toch op een dag ging ze met de trein naar Gent, zoals ze al zo vaak een gesticht of een ziekenhuis had bezocht, een ritueel bedoeld om haar hoop te voeden, en zomaar, volstrekt onverwacht stond ze oog in oog met hem, en met terugwerkende kracht werd al die hoop, die ze tegen beter weten in en met heel veel moeite had gekoesterd, zinvol en logisch en benijdenswaardig en groots en niet het einde van iets maar het begin van iets anders.

Het begin van dit, zegt ze, en ze ligt naast hem, haar hoofd op zijn borst, haar hand losjes op zijn buik, en na even fluistert ze in het donker tegen hem of het zo goed is, en hij is ontroerd door haar, en hij bedankt haar voor haar eerlijkheid en voor het feit dat ze hem zelfs beschamende gevoelens en fouten heeft opgebiecht die ze ongestraft voor zich had kunnen houden, en als ze niet reageert, voegt hij eraan toe dat hij haar gelooft, en ze zegt schuldbewust dat ze hem nu heus alles heeft verteld, en hij haast zich haar er nogmaals van te verzekeren dat hij haar gelooft, ja, vraagt ze aarzelend, en hij herhaalt het daarom nog eens met alle overtuigingskracht die hij in zich heeft, want hij zal dit toch vergeten, alles, haar woorden, haar fluisterende stem, haar warme lichaam, hij doet het voor haar, ze mag niet aan zijn vergiffenis twijfelen.

En ze probeert het niet te laten merken, maar haar bekentenis heeft haar veranderd, ze beweegt zich zelfverzekerder, als een vrouw die weet dat ze wordt begeerd, en ze is aanstekelijk opgewekt en aantrekkelijk ook, ondanks haar blauwe oog dat voorzichtig groen begint te verkleuren, en hij heeft spijt dat hij kostbare weken heeft verspild met boos op haar blijven, en soms, als ze het achteloos over de toekomst heeft, krimpt zijn hart van medelijden, ach ze denkt dat nu eindelijk alles goed is, en soms, als ze van tafel opstaat en haar jurk rechttrekt, ontroert de ijdele zorgvuldigheid van haar gewoontegebaar hem, ach ze meent dat ze alles in de hand heeft.

En haar leven speelt zich overdag nog steeds in de keuken af, en 's avonds, nadat hij de laatste klant heeft geholpen, in de studio, ze durft zich bij daglicht zelfs niet op het achterplaatsje te vertonen om de was op te hangen, bang als ze is dat hun naaste buren haar blauwe plekken zouden zien. En na middernacht neemt hij haar mee naar buiten en fietst hij met haar door de donkere stad, ze zitten samen op een bankje op de Esplanade en hij wil haar kussen, er is niemand in de buurt, en zelfs al was dat wel zo, het is zo donker dat hij zijn eigen handen nauwelijks kan onderscheiden, maar zij wil niet dat hij haar aanraakt hier, en hij maakt er een hele vertoning van, hij trekt haar mee achter een boom, en daar laat ze zich ook niet kussen, en ook niet achter het denkmaal of onder de bescherming van zijn jas, en ze moeten steeds harder lachen, hij om haar dwaze argumenten en zij om zijn vleiende vasthoudendheid, en eigenlijk is dit spelletje van hen heel veel onbetamelijker dan die ene kus die hij haar wilde geven.

En op weg naar huis laat hij haar de avond navertellen, in de hoop dat zij, straks als hij niets meer weet, zich dit samenzijn tot in detail zal herinneren, en ze kwijt zich verwonderd van haar taak, en dan als ze de deur van de winkel achter zich dicht hebben getrokken, mag hij haar eindelijk kussen en dan doet hij het natuurlijk niet, hoe zij er ook om smeekt, en ook dat laat hij haar aan hem vertellen, terwijl ze zich in de slaapkamer op zijn verzoek heeft uitgekleed en in het flakkerende licht van de petroleumlamp naakt voor hem staat. En hij kijkt naar haar mollige, bleke lichaam waarvan alleen hij de geheimen kent, en ze heeft het koud, haar armen zijn bedekt met kippenvel en ze is lelijk met dat blauwgroene oog van haar, maar dat maakt juist dat hij nog meer van haar houdt, totdat haar gezicht weer zijn normale kleur heeft aangenomen, moeten ze zich samen voor de wereld verstoppen en is ze van hem, ieder woord, ieder lachje, iedere blik, iedere ademteug. En ze maakt met opzet fouten in haar verhaal, en als hij protesteert zegt ze dat ze die pas zal corrigeren nadat hij haar heeft gekust, en hij laat haar daarom voor straf de avond van begin tot eind nog eens vertellen, en ze maakt opnieuw dezelfde fouten en laat zelfs een deel weg terwijl ze toch staat te bibberen van de kou, en hij lacht om haar koppigheid.

En dan kust hij haar eindelijk, en haar lippen zijn steenkoud en hij streelt het kippenvel op haar armen en haar dijen, en hij tilt haar naast zich in het warme bed, en terwijl hij dat doet, bevindt hij zich plots buiten zichzelf, als een perverse insluiper kijkt hij vanaf de bovenste trede van de trap naar de man in zijn ondergoed die zijn naakte vrouw in zijn armen houdt, en zijn hart begint te bonzen en hij laat haar op het bed zakken, ze trekt de deken over hen heen, tot over haar hoofd, en hij knijpt zijn ogen dicht en hij wacht en hij smeekt in stilte, niet nu. En hij vraagt haar om de avond nogmaals aan hem te vertellen, en zij zucht met gespeelde ergernis, voor de laatste keer, zegt hij, en ze vertelt het hem nog eens en nu zonder fouten en hiaten, en tot zijn opluchting zet het niet door, hij luistert naar haar fluisterende stem en hij glijdt ongemerkt weer in het mannenlichaam dat naast haar in bed ligt.

En hij neemt haar 's nachts mee naar de Sint Maartenskerk op de Groote Markt, maar ze weigert er naar binnen te gaan omdat ze al zo lang niet naar de mis en niet te biecht is geweest, zegt ze, en hij wil er geen spelletje van maken, want haar vrees is duidelijk oprecht, en van de weeromstuit durft ook hij de toorn van de Heer niet te trotseren door in zijn eentje de lege, donkere kerk binnen te lopen om een kaarsje voor zijn eigen verlossing te branden. En ze gaan naar huis en naar bed, en alweer is er een hele dag geen gat in zijn geheugen gevallen, en hij heeft ook geen last van nachtmerries, en hij durft voorzichtig, heel voorzichtig te geloven dat hij zich heeft vergist in het verloop van zijn ziekte, en iedere ochtend kijkt hij bij het eerste licht hoopvol naar de kleur van haar blauwe plekken, soms ligt ze nog te slapen en kan hij haar gezicht onbeschaamd bestuderen, soms betrapt ze hem en vraagt ze bezorgd of haar oog er nog vreselijker uitziet dan gisteren, en dan heeft hij de neiging om haar te vertellen dat die vuilgele kleur inderdaad lelijker is dan de blauwzwarte van vorige week en de roodpaarse van de week daarvoor, hij is bang dat als ze straks niet meer zijn gevangene is, hij zich niet meer zo met haar verbonden zal voelen, en zijn geheugen hem opnieuw in de steek zal laten.

Zelfs Felices inmenging in hun leven is hem eigenlijk al te veel, sinds haar ontroering om Juliennes vurige liefdesverklaring zit ze bijna iedere avond bij hen in de keuken, ze praat met Julienne en lacht met haar en ze helpt haar bij het verstellen en bij de vaat, ze is liever geworden, zachter, alsof ze Julienne niet langer als rivaal kan zien, alleen als een verliezer die haar medelijden verdient, en Julienne probeert haar gevoel van eigenwaarde te behouden door Felices hulp te weigeren, door bot tegen haar te zijn, door Felice te verzekeren dat ze zich geen betere man dan Amand kan wensen, maar tot Juliennes frustratie wordt Felices mededogen er alleen groter door. En midden in de nacht nadat ze zijn thuisgekomen uit de stad en zij zich over Felice heeft opgewonden zegt hij dat ze hem mag slaan, hard, zegt hij, zo hard dat hij er ook blauwe plekken aan overhoudt, en dan zal hij ze aan Felice tonen en zich over zijn vrouw beklagen, dat ze zich niet laat intomen, dat ze weigert naar hem te luisteren, en ze lacht luid, zo luid dat Gust en Roos er wakker van worden, en misschien Felice ook, en ze bedankt voor de eer.

En altijd blijft hij bij haar in de keuken als Felice er is, zodat Felice haar niet achter zijn rug tegen hem kan opzetten, en tot zijn verwondering moet hij constateren dat Felice niets tegen hem heeft, dat ze zelfs vriendelijker tegen hem is geworden, het is alsof haar medelijden een eigen leven is gaan leiden dat losstaat van Juliennes blauwe oog, en misschien was het haar zelfs nooit om die kwetsuren begonnen, is er iets anders in Julienne wat haar compassie heeft gewekt, en hij gelooft achterdochtig dat Julienne weet wat Felice bezielt en zich daarom nog meer door haar vernederd voelt. Ze probeert Felice te ontlopen, altijd net als Felice er is, bedenkt ze dat ze negatieven in de donkere kamer moet ontwikkelen, of ze is moe en gaat vroeg naar bed en dan na middernacht staat ze weer op om zich samen met hem buiten te wagen, ze sluipen hand in hand de trappen af langs Felices appartement, en soms, voor de deur naar Felices keuken, houdt ze stil en kust ze hem, alsof ze hoopt dat Felice hen zal betrappen en eindelijk zal moeten toegeven dat ze onvergelijkelijk, jaloersmakend gelukkig zijn.

En 's nachts zitten ze samen op het bankje op het verlaten perron, hij wil haar iets laten zien, zegt hij, ze wil weten wat, maar hij zegt dat ze het wel zal merken, en ze wachten, en na een kwartiertje vraagt ze nog eens wat hij haar nou wilde laten zien, toch niet dit, want de statie en de perrons kent ze beter dan haar lief is, zegt ze, en hij zegt dat ze geduld moet hebben. En na een halfuurtje vraagt hij of ze naar huis wil, was dit het, vraagt ze met een lachje in haar stem, en hij zegt van niet, het moet nog gebeuren, en zij zegt dat ze dan graag wil blijven, ze houdt van wachten, zegt ze, en ze leunt tegen hem aan, haar hoofd op zijn schouder, en na even ziet hij dat ze haar ogen heeft gesloten, slaap je, vraagt hij, hmmm, vraagt ze loom, en hij herhaalt zijn vraag niet. Ze zitten stil naast elkaar, en hij tuurt naar de rails die vlak na de overweg van de Doornijkstraat in het duister verdwijnen, hij kan nog net het licht van de lantaarns zien en de twee hekken die loodrecht de lucht in wijzen, en juist als hij begint te geloven dat er op dit tijdstip toch geen treinen rijden en die lege wagons die voor hem stopten een zinsbegoocheling waren, de verbeelding van zijn laffe, heimelijke wens tot vluchten, ziet hij in de verte de lichten van een locomotief naderen.

De trein rijdt puffend het station binnen en ze opent haar ogen, en hij wijst haar erop hoe vreemd dat is, zo midden in de nacht, alsof je wordt uitgenodigd om huis en haard te verlaten en naar het einde van de wereld te reizen, en ze kijkt naar de traag langsglijdende, verlichte coupés, en die dromerige blik van haar bant zijn schuldgevoel over zijn stille verlangen naar vluchten uit. En helemaal achterin, in de tweede klasse, zitten een goedgeklede man en een jongere vrouw met een lange, blonde vlecht, hij slaapt, onderuitgezakt met zijn hoofd opzij geknakt tegen het raam, maar zij is wakker en ze kijkt naar hen, die man en vrouw die midden in de nacht samen op een bankje op een perron zitten te wachten en niet instappen, en hij zegt tegen Julienne, wat zou ze over ons denken. En Julienne kijkt naar haar en dan legt ze haar hand op zijn wang en draait zijn hoofd naar haar toe en kust hem zacht op zijn mond, en nadat ze dat heeft gedaan blijft ze nog een tijdje in dezelfde houding zitten alsof ze zich afvraagt of ze het nog eens zal durven, en ze is zo dichtbij dat haar gezicht een vage, bleke vlek is. En dan dwaalt haar blik weer naar de vrouw in de trein en ze laat hem verrast los, en hij kijkt eveneens naar de vrouw, en tot hun verbazing is zij ook tegen haar man aan gaan zitten en heeft ze haar hoofd op zijn schouder gelegd, en ze kijkt naar hen. En Julienne gaat staan en terwijl ze haar blik op de vrouw gericht houdt, schort ze haar jurk een eindje op en laat ze zich wijdbeens op zijn schoot zakken, en ze zijn helemaal alleen in de stille, donkere statie, zij tweeën en die onbekende vrouw en haar slapende man, en ze kijken in nieuwsgierige afwachting naar haar, maar ze verroert zich niet, en dan zet de trein zich aarzelend in beweging, en de vrouw en haar man glijden in een wolk van stoom langs hen heen, en de vrouw richt zich op zodat ze hen zo lang mogelijk ziet.

En terwijl de trein uit het zicht verdwijnt, blijft Julienne op zijn schoot zitten, en ze zegt tegen hem, zal ik mijn haar weer laten groeien, en hij haalt zijn handen door haar krullen, alsjeblieft, zegt hij, en ze zegt dat Felice zal denken dat hij haar ertoe heeft gedwongen, en ze lacht, en dan zegt ze een tijdje niets, ze zweeft op de vleugels van haar gedachten van hem weg, en hij drukt zijn gezicht in haar warme hals en hij voelt het bonzen van haar bloed tegen zijn lippen. En ze zegt, zullen we gaan verhuizen, en hij vraagt, naar het einde van de wereld, want hij denkt dat ze een grapje maakt, en ze zegt verstoord, nee, naar de Groote Markt, en hij vraagt hoe ze daar nou ineens bij komt, zomaar, zegt ze, en ze staat op van zijn schoot en komt op een fatsoenlijke afstand naast hem zitten. En hij zegt dat ze natuurlijk zullen verhuizen als zij dat wil, en zij vraagt of hij ook wil, en hij zegt dat hij dat zeker wil, en hij probeert de gedachte te onderdrukken dat ze er straks in dat dure, grote huis waarschijnlijk helemaal alleen voor staat, met een man die haar niet herkent, die niet voor rede vatbaar is en terug moet naar het gesticht.

En nadat ze haar gezicht 's ochtends in zijn scheerspiegel heeft bekeken, durft ze ook vandaag weer niet in de winkel te helpen, ze kookt het eten, doet het huishouden en als hij halverwege de middag naar boven komt omdat er even geen klanten zijn, zit ze aan de keukentafel met papier en de Swan-vulpen die ze zich een paar maanden geleden uit de winkel heeft toegeëigend, en ze schrijft een brief aan meneer Collet. Dat verrast hem en zij vraagt gepikeerd of hij soms dacht dat het idee van die verhuizing een opwelling van haar was, en hij verzekert haar dat het niet in hem was opgekomen, en ze kijkt hem doordringend aan, ze vraagt of hij haar wispelturig vindt, en hij haast zich dat te ontkennen. En ze laat het rusten, met tegenzin, dat wel, ze zou liever hebben dat hij net zo uit zijn humeur zou raken als zij zodat ze de verwijten die ze zichzelf in stilte maakt tot hem kan richten, en hij staat achter haar en legt zijn handen op haar schouders en drukt een kus op haar kruin, en hij zegt dat ze over een paar dagen weer naar buiten kan, ze zwijgt, en hij schuift een stoel naast haar en komt bij haar zitten en ze schrijven samen de brief aan meneer Collet, en later, als hij voor haar naar de groenselkraam van Feys loopt, doet hij hem op de bus.

En de dag daarop schijnt de zon uitbundig en 's middags gaan Gust en Roos buiten spelen, ze horen hen de trap af rennen en dan hun vrolijke stemmen die van de straat door het geopende raam de keuken binnen warrelen, en ze kijkt treurig naar de strakblauwe hemel waarvan ze, boven de daken van de huizen, net een strook kan zien, en dan begint ze de tafel af te ruimen. En hij zegt dat ze vanmiddag best op het achterplaatsje kan gaan zitten of negatieven kan retoucheren, denk je, vraagt ze en haar gezicht klaart op, en voor de zekerheid kijkt ze nog eens in de scheerspiegel naar de vaalgele bloeduitstorting onder haar oog. En hij gaat naar beneden, en na een halfuurtje komt zij ook, ze gaat naar de studio om daar negatieven te retoucheren, en als hij een klant heeft die met hem op de foto wil, waarschuwt hij haar en ze verstopt zich in de donkere kamer, waar ze hem helpt bij het aantrekken van zijn uniform, ze fluisteren lacherig tegen elkaar, sssst, zegt ze, en ze legt haar hand over zijn mond, wat zal die weduwe denken als ze hem hoort, dat hij gek is en tegen zichzelf praat.

En in de loop van de dagen wordt ze steeds lakser bij het zich verstoppen in de donkere kamer, en zaterdagochtend is ze zelfs echt te laat, hij staat met een weduwe in de studio en ze zit nog aan de tafel, gebogen over een negatief, en ze richt zich op en kijkt de weduwe uitdagend recht in haar gezicht, en ze zegt dat ze zijn vrouw is en de weduwe valt de gelige vlek onder haar oog niet op, ze laat tenminste niets blijken. En Julienne staat op en neemt het gesprek en de fotosessie van hem over, ze is niet in staat haar blijdschap te verbergen en de woorden stromen uit haar, ze vertelt het verhaal dat ze iedereen die met hem poseert vertelt, over het schijnbaar zinloze wachten en de wonderbaarlijke dag waarop ze hem terugvond, en ze stapt luchtig over acht jaar ellende heen, ze zegt dat ze door de lange scheiding alleen maar meer van hem is gaan houden, en dat emotioneert de weduwe, en Julienne probeert haar te troosten, ze zegt dat er altijd hoop is, altijd, benadrukt ze, en ze wisselt een blik vol stralend geluk met hem en hij probeert haar glimlach volmondig te beantwoorden, maar het lukt hem niet.

En ze maakt de foto en praat nog even met de weduwe, en dan als de vrouw de winkeldeur achter zich dicht heeft getrokken zegt ze tegen hem, dat ging toch goed, en hij beaamt het, wat kijk je dan sip, vraagt ze, en hij zegt dat hij helemaal niet sip kijkt. En de volgende klant is een man van een jaar of dertig, hij zegt dat hij van een kennis heeft gehoord dat Amand tegen betaling in uniform met weduwen op de foto gaat en hij vraagt of hij een ongewoon verzoek mag doen, zou hij in Amands uniform voor een portret kunnen poseren, en Amand vindt de man aardig en bescheiden en neemt hem mee naar de studio waar zij zit te retoucheren, en ze ziet verbaasd dat hij de man naar de donkere kamer brengt en hem zijn uniform laat zien, en ze vraagt wat de bedoeling is. En de man schaamt zich nu hij zijn ongewone verzoek tegen een vrouw moet herhalen, ze wil weten waarom hij een foto van zichzelf in uniform wenst te laten maken, en hij zegt dat er ooit een foto van hem in vol ornaat is genomen op de dag van zijn mobilisatie, maar die is zijn vrouw kwijtgeraakt, en het was toch zo'n prachtige foto, hij wil haar er een plezier mee doen, en Julienne kan dat goed begrijpen, ze vertelt dat ze er ontzettende spijt van heeft gehad dat zij bij de mobilisatie geen foto van Amand in uniform had gemaakt. Maar als de man zich in de donkere kamer heeft verkleed en in het heldhaftige donkerblauw en rood van de oorlog naar buiten komt, staat op haar gezicht te lezen hoe moeilijk ze het vindt om een ander zijn uniform te zien dragen, en ze vermant zich, ze leggen zich er met z'n drieën op toe om de foto te reproduceren die de man zich herinnert. En als hij zich vervolgens weer in zijn burgerkleren heeft verkleed en zij weer zonder vervelende bijgedachten naar hem kan kijken, maakt ze een vriendelijk praatje met hem, en dan blijkt dat de foto die ze hebben geprobeerd terug te halen nooit heeft bestaan. En ze vraagt eerst nog medelevend of hij net als zij en Amand de oorlog niet serieus genoeg nam om een laatste foto van zichzelf te laten maken, en daar doet de man vreemd vaag over, en dan vraagt ze of hij misschien nooit een uniform heeft gedragen en hij zegt, o nee, nee, hij heeft zeer zeker in het leger gediend, en dan een aantal vragen later beweert hij dat hij is afgekeurd voor dienst terwijl hij juist zo graag aan het front had gevochten, maar hij durft hen niet aan te kijken terwijl hij dat zegt. En Amand heeft medelijden met hem, maar zij zegt kortaf dat ze hem niet kunnen helpen, het negatief van de foto zullen ze vernietigen, zegt ze, en ze haat de man, dat ziet Amand, ze haat hem hartgrondig alsof hij haar persoonlijk heeft beledigd met zijn weigering om voor zijn vaderland te vechten.

En de man durft niet voor zichzelf te pleiten, hij druipt af en al voordat de deur van de winkel achter hem is dichtgevallen, lucht zij haar verontwaardiging, ze noemt hem een lafaard, een landverrader, al die mensen zoals zij en Amand die onder de oorlog hebben geleden en nog steeds met de gevolgen ervan moeten zien te leven, en kijk eens daar komt zo'n kerel, en die meent dat hij zich zomaar ongestraft aan zijn plicht kan onttrekken, daar wil ze niets mee te maken hebben, zegt ze. En Amand neemt het voor hem op, hij zegt dat iedere soldaat aan het front weleens heeft gewenst dat hij durfde wat deze man heeft gedaan, en zij zegt dat dat het juist nog erger maakt, want die soldaten hielden ondanks hun wanhoop vol. En hij vindt haar hard en gevoelloos en kortzichtig, maar het lijkt hem verstandig om de onenigheid niet op de spits te drijven, en hij zegt dat hij haar standpunt begrijpt, en dat is dan ook weer niet goed, ze verwijt hem dat hij haar niet serieus neemt, vertel me maar wat je echt wilde zeggen, dringt ze aan, en hij zegt dat hij had verwacht dat zij, juist zij, begrip voor deze man zou kunnen opbrengen. En ze staart hem ongelovig aan en ze vraagt of ze nou goed begrijpt dat hij haar uitmaakt voor landverrader, als dat is hoe je over me denkt, zegt ze, dan kun je beter gaan, en hij wil helemaal niet bij haar weg en ook geen ruzie met haar, en hij zegt met tranen in zijn ogen dat iedereen in de oorlog dingen heeft gedaan die hij betreurt en dat het niets meer uitmaakt, het is voorbij, en hij houdt van haar, zegt hij.

En ze zwijgt en hij steekt smekend zijn hand naar haar uit, ze weert hem af en ze zegt, laat me maar even, en ze loopt haastig de trap op naar de keuken, en hij gaat aan de tafel in de studio zitten, hij weet niet waarom ze alsmaar in onenigheden en misverstanden verzeild raken, het is alsof ze met opzet hun eigen geluk saboteren en ze hebben nog maar zo weinig tijd samen, en hij overweegt om het haar te vertellen, maar het idee dat zij het zou weten en hij zich daarvan bewust zou zijn iedere keer dat ze naar hem keek, jaagt hem angst aan, het is alsof zijn gedachten zich in haar nestelen en hij door haar ogen zichzelf daar aan de tafel ziet zitten, en bijna gebeurt het weer. Hij buigt zijn hoofd en wacht roerloos tot het wezenloze gevoel wegtrekt, en dan staat hij op en loopt de trappen op naar haar, maar halverwege blijft hij aarzelend staan, en net als hij heeft besloten om terug te gaan naar de studio en te wachten, gaat de keukendeur open en hij klimt snel verder de trap op, en zij komt hem tegemoet en op de vijfde trede van boven omhelzen ze elkaar, en zij zegt dat hij gelijk heeft en hij zegt dat zij gelijk heeft, en ze beloven elkaar om geen ruzie meer te maken.

En zij gaat met hem mee naar beneden en ze wil de klanten in de winkel helpen, dan kan hij foto's afdrukken, zegt ze, en hij laat haar haar gang gaan, en mannen die sigaretten of een krant komen kopen, en vrouwen die Sunlight of cichoreikoffie willen hebben, allemaal zijn ze blij dat ze weer beter is, ze ziet er nog wel moe uit, zeggen ze, met die kringen onder haar ogen, maar dat is alles, niemand komt op het idee dat er wat anders met haar aan de hand was, en ze neuriet bij het groenten snijden, en terwijl boven de soep op het vuur staat, roken ze samen op het achterplaatsje een sigaret en ze leunt met gesloten ogen tegen de schutting, de zon schijnt in haar gezicht en ze glimlacht alsof ze een binnenpretje heeft.

En het belletje klingelt en meneer Pintelon komt de winkel binnen, en nog altijd als de briefdrager onverwacht voor haar staat, ziet Amand schrik in haar ogen, alsof ze zich heel even afvraagt of het wel klopt dat ze niets meer van de post en het Rode Kruis te vrezen heeft, en meneer Pintelon wenst hun vriendelijk een goedemorgen en legt een stapeltje brieven op de toonbank neer, en terwijl zij een praatje met meneer Pintelon maakt over het herstel van de bruggen over de Leye, en ze het erover eens zijn dat ze nog wel een tijdje opgescheept zitten met die lelijke, houten noodbruggen en dat het onbegrijpelijk is dat de herbouw nu al langer op zich laat wachten dan de hele oorlog heeft geduurd, bekijkt hij de post. Er is een brief van meneer Collet bij en hij houdt de enveloppe voor haar omhoog, en haar blik dwaalt vluchtig over de afzender en meneer Pintelon zegt dat hij weer verder moet, het belletje doet hem uitgeleide, en zij maakt de enveloppe open en hij leest over haar schouder mee, het huis op de Groote Markt is nog niet aan een ander verhuurd en meneer Collet nodigt hen uit om het woensdagmiddag nog eens te komen bekijken, en zij zegt met een lachje dat het pand ook veel te duur is, daarom is het nog niet verhuurd, we kunnen wel wat van de prijs af krijgen, zegt ze.

En nadat ze om acht uur de winkel hebben gesloten zetten ze de stoelen uit de studio op het achterplaatsje en ze zitten met z'n tweeën in de warme avondzon, hij trekt zijn colbertje uit en rolt zijn hemdsmouwen op en zij doet haar kousen en schoenen uit, en ze loopt op blote voeten naar binnen om het kasboek uit de winkel te halen, en ze zit naast hem in de zon en ze rekent hun gemiddelde inkomsten uit en trekt hun uitgaven ervanaf en ze goochelt wat met de hoogte van hun spaargeld, en dan schrijft ze een bedrag op en zet er een paar strepen onder, ze kijkt er heel ernstig bij en ze zegt niets. En hij vraagt hoe ze ervoor staan, goed, zegt ze, maar niet goed genoeg, en ze proberen samen te schatten hoeveel meer omzet ze kunnen halen uit een winkel op de Groote Markt, en dat moet behoorlijk wat zijn om ook nadat ze op hun spaargeld zijn ingeteerd de huur nog te kunnen betalen, en hij oppert dat het verstandig zou zijn om van de verhuizing af te zien. En ze weet dat hij gelijk heeft, maar ze heeft een week geloofd dat ze in een bad met warm, stromend water zou baden en 's avonds na sluitingstijd als een dame in haar tuin met een gazon en bloemen zou verpozen, ze kan het niet opbrengen om terug te moeten naar de tobbe in de keuken en het armoedige achterplaatsje en de waslijnen in de slaapkamer, en ze pleit vurig voor de verhuizing en hij kan haar niet teleurstellen, hij kan het gewoon niet, ach wat zal ze hem vervloeken als hij haar onder de ogen van haar deftige buren en meneer Collet te schande maakt en ze als een armoedzaaier haar spullen moet pakken.

En hij zit stil naast haar en de lucht boven de huizen kleurt oranje en de schaduw van de nacht schuift over zijn ontblote armen en haar blote voeten, en zij maakt zichzelf wijs dat het niet anders kan, ze moeten absoluut verhuizen, en gewoonlijk is ze zo praktisch en zuinig en verstandig ook, en zomaar ineens kan ze dat overboord zetten, en het ergert hem dat hij zich daar niet eens aan mag ergeren, want hij is hier bij haar en niet in het gesticht alleen omdat ze soms zulke ondoordachte beslissingen durft te nemen. En ze zegt dat er tientallen manieren zijn om meer geld te verdienen met fotograferen als ze maar creatief zijn, en hij zegt pesterig dat ze bijvoorbeeld een extra uniform kunnen aanschaffen zodat deserteurs een heldhaftige oorlogsfoto van zichzelf kunnen laten maken, en ze zwijgt en dan staat ze op en ze zegt, ruim jij de stoelen op, en ze gaat naar binnen, en hij neemt haar schoenen en de stoelen mee en sluit de buitendeur achter zich. En zij is boven, hij drukt nog wat foto's af en ze komt niet bij hem zitten om retoucheerwerk te doen, en hij denkt, hij hoopt dat als hij haar een tijdje alleen laat ze uit zichzelf op haar besluit zal terugkomen.

En tegen halftien gaat hij naar boven, ze zit aan de keukentafel met een velletje briefpapier voor zich en ze is bezig een tekst in het Frans te schrijven, en hij komt bij haar zitten en ze vertelt hem geestdriftig wat ze heeft bedacht, ze gaan naar de slagvelden hier in de buurt, zegt ze, en daar maken ze foto's voor nieuwe briefkaarten van hem in zijn uniform, en als ze daar dan toch zijn, hangen ze affiches op om buitenlandse weduwen op hun fotostudio te attenderen. En hij weet niet of dat nu zo veel nieuwe klanten zal trekken, maar zij zegt dat er duizenden en nog eens duizenden Britse, Franse en Amerikaanse vrouwen naar de slagvelden en begraafplaatsen rond Ieper komen, op zoek naar de oorlog die hen van hun man heeft beroofd, en zij kunnen die vrouwen geven waarnaar ze verlangen, en ze schetst het affiche dat ze in gedachten heeft, een tekst over zijn vermissing en zijn wonderbaarlijke terugkeer en een tekening van hem in zijn uniform.

En het is zo prettig om daar met haar te zitten aan de keukentafel, bij het schijnsel van de gaslamp terwijl het buiten donker wordt, en ze werken samen aan de tekening van hem in uniform alsof dat alles is wat er in de wereld telt, ze nemen een briefkaart van hem als voorbeeld, en hij tekent zijn gezicht en zijn handen na en zij het uniform en ze geven hem een heldhaftige houding, leunend op zijn geweer, en een peinzende blik vol heimwee in de verte, en ze zetten de lijnen aan met zwarte inkt en arceren de schaduwen en het is een mooie tekening, ze zijn er trots op. En dan bedenken ze samen een Franse tekst, zij wil dat de eerste zin van het affiche iets zegt over zijn wonderbaarlijke thuiskomst na een vermissing van zeven jaar, en hij protesteert, ze wist pas halverwege 1918 dat hij werd vermist en ze vond hem terug in de herfst van 1922, dat is vier jaar, maar zij zegt dat die zeven jaar weduwen meer zullen aanspreken, sprookjes en voortekenen zijn het enige houvast als je wanhopig bent, zegt ze, en dus wordt het een vermissing van zeven jaar. En vervolgens kibbelen ze nog een tijdje gemoedelijk over dat zij wil suggereren dat het laten maken van een foto met hem een spirituele openbaring en misschien zelfs een terugkeer van de geliefde vermiste kan bewerkstelligen, dat kan niet, vindt hij, het is pure oplichterij, en na wat geven en nemen aan beide zijden komen ze tot de definitieve tekst.

En u, beste lezer, kunt deze man die is opgestaan uit de dood in levenden lijve ontmoeten en voor slechts tien franken een foto van uzelf met hem laten nemen, die hij persoonlijk voor u zal signeren, zodat u voor altijd een memento van deze unieke ontmoeting in uw bezit hebt en wordt herinnerd aan de mirakels die deze wereld ook u te bieden kan hebben. En onderaan het affiche zetten ze hun adres in de Doornijkstraat en ook dat ze zich vanaf 1 november op de Groote Markt zullen vestigen, en eigenlijk zouden ze ook een Engelse versie moeten maken, maar hij kent geen Engels en zij alleen de woorden die ze heeft geleerd van de Britse soldaten die bij haar waren ingekwartierd. En hij oppert dat ze een Duitse versie van het affiche kunnen ontwerpen, hij kent geen Duits maar zij wel, en ze haast zich te benadrukken dat ze het niet zo goed spreekt en het helemaal niet kan schrijven, maar als hij aandringt blijkt dat allebei wel mee te vallen, en dan bekent ze dat ze bang is om voor landverrader te worden uitgemaakt, en ze kan die minachting, dat getreiter en die eenzaamheid niet nog eens verdragen, zegt ze, en hij ziet de angst in haar ogen.

En de volgende ochtend doet hij de winkel en gaat zij naar drukkerij Snoeck in de Rijsselstraat, en ze komt opgetogen terug, ze krijgen veertig affiches en vijftig kleinere uitdeelbiljetten voor vijfendertig franken, ze kostten veertig franken, maar ze heeft weten af te dingen, en vrijdag zijn ze al klaar. En 's avonds maken ze samen een lijst met plaatsen waar ze een affiche willen ophangen, en ook van de slagvelden waar ze een foto van hem in uniform zouden kunnen maken, en alleen de namen jagen hem al angst aan, Ieper, Poperinghe, Houthulst, Merckem, Diksmuide, Poelcappelle, Passchendaele, en hij vraagt haar of ze weet hoe het er daar nu uitziet, en zij zegt dat ze in 1919 de slagvelden voor het laatst heeft bezocht, nog meer dan er op deze lijst staan. Ze nam de kinderen en de fotoapparatuur mee en ze ontvluchtten voor een dag de stad waar ze werden gemeden als de pest, en als ze de laatste huizen van Meenen waren gepasseerd, nam opluchting bezit van hen alle drie, en ze zong en lachte met de kinderen, en ze moet hem tot haar schaamte bekennen dat ze verlangde naar die lugubere uitstapjes naar de velden des doods, de kinderen speelden er tussen de ruïnes, en zij stelde zich voor dat hij twee, drie jaar geleden ook op deze zelfde plaats was geweest en dat hij had gezien wat zij nu zag en aan haar had gedacht, hier op deze plek enkel van haar gescheiden door de tijd, en voor even waren ze weer een gezin en hoop vulde haar hart. En de Britse of Amerikaanse soldaten met wie ze vaak het laatste eind konden meerijden, hadden opmerkelijk veel begrip voor haar situatie, ze leerde de Engelse woorden voor vermist en weduwe en liefde zodat ze hun tenminste iets kon uitleggen, en ze reden kilometers voor haar om, hielpen haar de fotoapparatuur tillen, wachtten op haar om haar weer mee terug te nemen, en ze praatten tegen haar over hun vrouw en kinderen en ze verstond hen niet, maar ze herkende hun ontroering en hun heimwee, en wie had in godsnaam deze mannen en de Duitse gewonden die ze had verpleegd, aangezet om een oorlog tegen elkaar uit te vechten, een oorlog die niemand wilde, niemand begreep, en soms als ze op een slagveld rondliep waar gras en onkruid de verwoestingen al met de mantel der liefde begonnen te bedekken, huilde ze om de zinloosheid van al die jaren. En nu, zegt ze tegen hem, nu zal het er wel heel anders uitzien, misschien is het niemandsland door boeren ingezaaid en groeit er graan of grazen er koeien, en dat klinkt geruststellend en toch stemt het hen allebei treurig.

En op woensdagmiddag sluiten ze de winkel en lopen ze naar de Groote Markt, en meneer Collet staat hen al op te wachten, ze gaan met hem naar binnen en ze bekijken het grote herenhuis dat het hunne zal worden, en alleen al daarom is het veranderd, het is kleiner en minder deftig en niet zo verbazingwekkend modern. En zij wijst meneer Collet op de klemmende keukendeur en op een scheur in het plafond van de slaapkamer en de trapleuning zit los en een plank in de vloer van de salon is krom, en bij iedere ontdekking van een gebrek dingt ze af op de huurprijs, het huis is op z'n hoogst veertig franken in de week waard, zegt ze, zeker geen vijftig, en meneer Collet maakt er een spelletje van, hij lacht om haar en hij zegt dat ze het hem wel erg moeilijk maakt, doet ze dat thuis bij u ook, vraagt hij Amand, en Amand glimlacht vaag en zwijgt. En zij wijst hem op de kraan in de keuken die lekt, en meneer Collet noemt haar de chef en houdt met een spottende buiging de deur voor haar open, en zij laat het zich aanleunen en ze flirt met hem, maar ze houdt voet bij stuk, veertig franken en niet meer, en ook meneer Collet geeft niet toe, hij weigert haar serieus te nemen, en zo nu en dan wendt hij zich tot Amand met een blik van mannen onder elkaar, en Amand denkt er niet aan om daarop in te gaan, hij geneert zich voor haar maar dat gaat meneer Collet niets aan.

En zij zegt dat de winkelruimte op de begane grond leeg is, ze zullen hem helemaal zelf moeten inrichten, achtendertig franken in de week, zegt ze, en langzamerhand begint meneer Collet er genoeg van te krijgen, en haar glimlach wordt krampachtig en haar geflirt krijgt iets wanhopigs, maar ze geeft zich niet over, ze zakt zelfs naar vijfendertig franken. En meneer Collet negeert haar en zegt tegen Amand dat zijn vrouw laatst dacht dat Berlijn in Frankrijk lag, stel je voor dat vrouwen de oorlog voor ons hadden moeten winnen, zegt hij, dan spraken ze nu Duits in Parijs, en zij doet alsof het een onschuldige anekdote is en ze lacht, en Amand kan nauwelijks naar haar kijken, zo hopeloos en vernederend is het wat ze zichzelf voor die paar franken aandoet, en hij heeft zin om meneer Collet een klap in zijn arrogante smoel te verkopen. En meneer Collet zegt dat het huis wel zestig franken in de week waard is, dat iedereen met verstand van zaken dat kan zien, en dat hij het haar alleen uit vriendelijkheid voor vijftig franken heeft aangeboden omdat het hem leek dat ze niet meer kon betalen, en zij kan ternauwernood meer verbergen hoe beledigd ze zich voelt, en ze zegt met een ijzige glimlach dat het erg aardig van hem is om haar het huis tegen een gereduceerde prijs aan te bieden.

En Amand zegt tegen meneer Collet, veertig franken, achtenveertig franken, zegt meneer Collet, drieënveertig, zegt Amand en ze vinden elkaar bij vijfenveertig franken in de week, nog geen halve minuut heeft hun onderhandeling geduurd, en meneer Collet drukt hem opgelucht de hand en zegt dat hij het huurcontract zal opstellen dan kan Amand het volgende week tekenen, en Amand durft niet opzij te kijken naar haar, ze zegt niets, en ze lopen achter meneer Collet aan de trap af, en voor de winkel neemt hij afscheid van hen, hij geeft Amand nogmaals een hand en naar haar knikt hij kortaf. En ze lopen samen terug naar huis, ze zwijgt en hij geeft haar een arm en die accepteert ze gelaten, en als ze thuis zijn, zegt ze nog steeds niets, en het lijkt hem beter om ook maar zijn mond te houden, en de rest van de middag staat hij in zijn eentje in de winkel, hij ziet haar alleen als ze de straat op gaat om boodschappen te doen, en later aan tafel en 's avonds in de studio zegt ze nog steeds geen woord over het nieuwe huis of over meneer Collet.

En op vrijdag haalt ze de affiches op van de drukker, ze zijn mooi geworden, en 's middags gaat ze de stad in om ze op te hangen, pas uren later is ze weer thuis, net op tijd om aan het koken van het avondmaal te beginnen, en ze vertelt hem opgewonden over al de mensen die ze heeft gesproken en de complimenten die ze voor de affiches heeft gekregen, en ze heeft een tijd op het perron gestaan, zegt ze, daarom is ze ook zo laat, ze heeft hun reclamebiljet uitgedeeld onder passagiers die uit de trein stapten en die er buitenlands uitzagen, en ze heeft hun affiche ook op de muur van het kerkhof aan de Meensesteenweg gehangen, daar komen vast veel Britse weduwen, zegt ze. En hij kan niet geloven dat ze op die plek reclame voor hun foto's durft te maken, maar zij is ervan overtuigd dat de bezoekers van het kerkhof zullen begrijpen dat ze een gepaste dienst aanbieden, er zit toch ook een bloemist, zegt ze, die winkel is echt niet voor niets zo dicht bij het kerkhof, en hij zwijgt.

En na het eten, terwijl zij neuriënd de kleren voor de kinderen strijkt, zegt hij tegen haar dat hij een wandelingetje gaat maken, en ze zegt opgewekt, dag sjoeke, tot straks, en hij loopt door de stad waar kinderen aan het touwtjespringen en knikkeren zijn in afwachting van hun moeder die hen binnenroept. En ze heeft hun affiche bij het toegangshek van het kerkhof gehangen, aan de buitenzijde op de muur en ook aan de binnenzijde met uitzicht op de graven, en hij is hier om de ongepaste tekst en zijn beeltenis van de muur te scheuren, maar verderop ziet hij een vrouw bij een graf knielen, ze veegt de steen schoon met haar handen en ze praat er zacht bij alsof ze het tegen iemand heeft die vlak voor haar zit, en de vanzelfsprekendheid waarmee ze de onherroepelijke grens tussen leven en dood negeert ontroert hem, en hij doet het niet, hij laat het affiche hangen.

En de volgende dag al komt er een weduwe naar hun studio die in haar beste Frans met een zwaar Brits accent vertelt dat ze hun affiche op het kerkhof heeft zien hangen, het lichaam van haar man is nog steeds niet gevonden, zegt ze, ze had zich erbij neergelegd dat hij hier eenzaam in Vlaamse bodem rustte, maar misschien is er toch nog hoop op zijn terugkeer, net als bij Amand. En Julienne vertelt haar het verhaal van zijn wonderbaarlijke thuiskomst, want dat is waarom de weduwe naar hen toe is gekomen, en nadat hij met haar heeft geposeerd vraagt Julienne haar of ze de Franse tekst van het affiche voor hen in het Engels zou kunnen vertalen, dan krijgt ze de foto gratis, zegt ze, en de vrouw gaat aan de tafel in de studio zitten en schrijft in een sierlijk handschrift de Engelse woorden voor hen op. En Julienne maakt thee voor haar en blijft een tijdje met haar zitten praten, en automatisch vervalt ze in het soort gesprek dat ze tijdens zijn vermissing vaak moet hebben gevoerd, troostend en hoopvol en irrationeel, en hij werkt aan het andere einde van de tafel aan het afdrukken van foto's, maar ze praat over hem alsof hij net zo onwerkelijk is als die vermiste Britse echtgenoot. En hij is bang dat hij weer uit zijn eigen hoofd weg zal zweven, hij probeert niet naar haar te luisteren, en als dat niet lukt gaat hij naar het achterplaatsje om daar een Bastos te roken, en na een paar minuten opent ze de deur en ze leunt naar buiten en ze zegt dat de weduwe weg is, en als hij langs haar heen naar binnen loopt laat ze haar hand sussend over zijn rug glijden en hij vraagt zich heel even af of ze het weet, of hij zich dan toch heeft verraden.

En op donderdagavond pakken ze de spullen voor hun uitstapje naar Ieper in een koffer, de affiches en een pot lijm en punaises, de Rochester Premo View-camera en de Goerz-Dagor-12 inch-lens en het veldstatief en twee filmpakken voor twaalf opnamen elk, zodat ze niet met zware glasnegatieven hoeven te zeulen, en zijn uniformjas en kepie en koppel, want de rest van het uniform trekt hij morgenochtend aan, en zij smeert boterhammen en vult een fles met water. En dan gaan ze vroeg naar bed zodat ze morgenochtend de trein van kwart voor zes kunnen halen, en hij doet de hele nacht geen oog dicht omdat hij bang is voor wat er morgen misschien, waarschijnlijk, zeker met hem zal gebeuren wanneer hij zich op de slagvelden uit zijn nachtmerries waagt, en als de zon eindelijk opkomt, wordt hij bang dat er een gat in zijn geheugen zal vallen, niet doordat hij de oorlog zal herkennen in de slagvelden, maar doordat hij helemaal niet heeft geslapen. En bijna zegt hij tegen haar dat ze niet moeten gaan, maar als hij eenmaal is opgestaan voelt hij zich tot zijn verbazing uitgerust, en het is nog fris buiten en het ruikt vochtig naar dauw, het belooft een prachtig zonnige dag te worden en zijn angst verdwijnt, hij koopt derdeklassekaartjes voor hen bij het loket en ze wachten op de trein. Ze zitten op het bankje waarop ze die nacht ook zaten toen zij hem kuste voor de ogen van die vrouw, en dit keer gaan ze zelf op reis, hij ziet bij haar eenzelfde opwinding alsof ze hun eentonige leven voorgoed achter zich hebben gelaten en grootse avonturen tegemoet gaan.

En het is nog vroeg op de dag, er is veel plaats in het derdeklassetreinstel, ze gaan tegenover elkaar bij een raam zitten, de koffer aan zijn voeten, en de huizen van de stad glijden langs hen heen en ze rijden over de spoorbrug en het goudbruine water van de Leye is onder hen en dat was het, binnen een paar minuten hebben ze de wereld verlaten waarin zijn leven zich een jaar lang heeft afgespeeld. En het is groen en weids en vriendelijk aan de andere zijde van het raam, een land om in te verdwalen, zo ver is de horizon, en iedereen heeft er een vaste plek, huizen en koeien en mensen en bomen zoeken bescherming bij elkaar, en hij ziet het allemaal in een eindeloze opsomming aan zich voorbijtrekken. En de trein stopt in Meenen, ze schuift een eindje op zodat ze niet meer bij het raam zit, en als er nieuwe passagiers door de coupé lopen op zoek naar een zitplaats buigt ze haar hoofd en ze kijkt niet naar hen, pas als ze verderop zijn gaan zitten, werpt ze een vluchtige blik op hen en ze ontspant zich, ze vraagt hem om de koffer te openen en ze haalt het pakje brood eruit en ze eten allebei een boterham. En dan kijken ze naar buiten en zo nu en dan wijzen ze elkaar op een ree, een veulen dat in de wei ronddartelt, een sierlijke kerktoren in de verte, en ze moeten hun stem verheffen om zich verstaanbaar te maken boven het gerammel en gebonk en gesis van de locomotief uit die zich met moeite een weg door een onzichtbare barrière lijkt te boren.

En als de trein in Wervik stopt, stappen ze uit, en hij opent de koffer voor haar en ze neemt er een Frans en een Engels affiche uit en ze zegt, blijf jij even hier, en hij gaat naast de koffer op het bankje zitten en zij loopt de statie binnen en hij kijkt naar de reizigers op het perron, een kruier, een spoorwegbeambte, een man die uit het raam van de trein hangt om een laatste woord met zijn vrouw te wisselen en dan vertrekt de trein en het wordt stil op het perron. En daar komt zij aan en ze wenkt nadrukkelijk naar hem, en hij loopt met de koffer naar haar toe, ze mogen de affiches aan de buitenzijde van de statie ophangen naast een grote zeepreclame, hij helpt haar met het uitsmeren van de lijm, en dan wachten ze op de volgende trein, en hetzelfde doen ze in Houthem, Hollebeke en Zillebeke.

En het is warm en de lucht is strakblauw, en de verwoesting in de stadjes en dorpen langs de spoorlijn wordt geleidelijk groter, er wordt hard gewerkt, gebouwd en afgebroken en puingeruimd, en al die menselijke bedrijvigheid is van een futiele wanhoop alsof de oorlog een natuurkracht is die ieder moment opnieuw kan toeslaan, en hoe dichter ze Ieper naderen hoe voller de trein wordt, als ze op het perron in Zillebeke twee affiches hebben opgehangen en opnieuw instappen, kunnen ze niet meer bij elkaar zitten. En zij kijkt zo nu en dan over haar schouder naar hem, en hij glimlacht geruststellend naar haar terwijl de trein de stad binnenrijdt die alleen nog in de verbeelding van zijn in- woners bestaat, ze rijden langs stortplaatsen met bergen puin zo hoog als kerktorens, en karren met brokstukken rijden af en aan, en de trein is bijna bij de statie van Ieper en remt af en er valt een merkwaardige stilte in de coupé, plechtig en geschokt alsof iedereen zich op hetzelfde moment bewust is van zijn nietigheid, en hij durft niet uit het raam te kijken, hij tuurt naar zijn soldatenlaarzen en naar de koffer naast hem in het gangpad, en dan stopt de trein en zij wringt zich tegen de stroom in naar hem toe en ze vraagt hem fluisterend of het goed met hem gaat en hij knikt.

En dan staan ze op het perron, de statie bestaat uit een stel houten barakken en het is druk alsof ze in een grote stad als Gent zijn aangeko- men, en ze geeft hem een stevige arm en in zijn andere hand houdt hij de zware koffer en ze lopen in de richting van het statieplein, een jon- gen van een jaar of twaalf klampt hen aan en probeert hun in gebrekkig

Engels koperen uniformknopen te verkopen die hij op de slagvelden heeft gevonden, en een paar passen verder biedt een andere jongen hun een Duitse pinhelm aan, en weer een ander heeft granaatscherven en kogelhulzen voor hen, en ze weren hen af en vooral dat ze dat in het Vlaams doen helpt. En dan zijn ze op het statieplein, en links van hen is een barak waar in het Frans en Engels slagveldtours worden aangeboden, en recht voor hen uit is een barak waar een rit langs de ruïnes van Ieper kan worden geboekt, en er staan autobussen en omnibussen te wachten, en boven de daken van de barakken en de autobussen zijn in de verte de resten van de vernietigde stad te zien, en het is zo absurd dat hij het nauwelijks kan bevatten, hij staat stil midden op het plein. En zij verontschuldigt zich beschaamd, ze zegt dat het in 1919 niet zo was, ze wist niet dat het zo zou zijn, zegt ze, wil je naar huis, en hij kan alleen maar lachen en zij lacht verrast en slecht op haar gemak met hem mee, en ze zijn de enigen op het hele plein die zich vrolijk maken, al die andere mensen geloven blijkbaar dat dit circus iets met de oorlog te maken heeft.

En zij gaat in de statie en in de barakken waar de tours worden aangeboden vragen of ze een affiche mag ophangen, en hij wacht zittend op hun koffer op haar, het is warm in de zon en het plein wordt voornamelijk bevolkt door vrouwen, alsof de oorlog met een vertraging van enkele jaren nu door de andere helft van de bevolking wordt uitgevochten, tijdens slapeloze nachten en vergeefse reizen naar plekken als deze. En hij ziet haar tussen al die andere vrouwen lopen en hij wordt overweldigd door medelijden, en ze staat voor hem en hij vraagt of het hielp, haar bezoeken aan de slagvelden in 1919, en zij knikt vaag alsof ze liever niet toegeeft dat deze hele toeristische heisa destijds ook haar verlangen had kunnen stillen, en dan vertelt ze dat ze de affiches heeft opgehangen en dat ze voor acht franken per persoon met een autobus mee kunnen naar de slagvelden van Merckem en Houthulst en Diksmuide, er zijn nog twee plaatsen vrij, zegt ze, en ze kijkt hem aarzelend aan. En hij zegt dat ze dat dan maar moeten doen, en ze lopen samen naar de autobus waarop in bloedrode letters *Yprestours* is geschilderd en hij betaalt de gids die tegen de autobus geleund met de chauffeur staat te praten, ze hebben het over hysterisch huilende Françaises en dat ze dan toch liever van die ijzige, Britse vrouwen hebben, niet in hun bed alleen in hun bus, maar zo gauw ze merken dat hun nieuwe passagiers Vlaams verstaan houden ze hun mond.

De gids helpt Julienne galant op de treeplank en ze lopen door naar achteren in de bus waar nog twee plaatsen vrij zijn, de blikken van de vrouwen die ze passeren dwalen nieuwsgierig langs zijn colbertje, zijn uniformbroek, zijn soldatenlaarzen, bonjour, zeggen ze met een zwaar Brits accent, en bonjour groeten Amand en Julienne terug, en ze gaan zitten. En dat ze worden omringd door veertien Britse vrouwen geeft hun een ongekende vrijheid alsof ze thuis samen aan de keukentafel zitten, Julienne praat ongegeneerd over de reiskleding van de Britse vrouwen en hij wijst haar op de Michelingids over de Vlaamse slagvelden die de vrouw aan de overkant van het gangpad in haar schoot heeft liggen. En ook hun medepassagiers maken misbruik van de taalbarrière, ze kijken zo nu en dan naar hen en zeggen dan wat tegen elkaar, en Julienne voelt zich daar ongemakkelijk onder, ze vraagt hem de koffer open te maken en ze pakt een stapeltje Engelse reclamebiljetten eruit, en ze loopt door de bus naar voren en deelt de biljetten uit, maar dat heeft een averechts effect, nu kijken ze allemaal naar hem. En ze komt weer naast hem zitten en ze wendt afwerend haar hoofd af en kijkt naar buiten, en dan slingert de gids de motor aan en ze vertrekken, wil je dat ik bij het raam ga zitten, vraagt ze, hij schudt zijn hoofd, en onder dekking van haar jurk die over de bank uitwaaiert neemt ze zijn hand in de hare, en zo rijden ze samen de hel binnen.

De verwoesting is zo groot dat het niets menselijks meer heeft, het is alsof de overblijfselen niet van een stad zijn maar ze een op zichzelf staand, natuurlijk landschap vormen waar lijden en schoonheid en dood geen betekenis hebben omdat mensen er niets in te brengen hebben. De ruïnes en de straten vol kuilen omzoomd door afgebrokkelde muren, en de kale, pokdalige vlaktes ontdaan van het puin, en de trappen die vergeefs naar de hemel leiden, en de gevels doorzeefd met gaten waar de blauwe lucht doorheen tuimelt, zelfs de huizen die al zijn herbouwd, exact zoals ze waren, alsof het doden zijn, opgegraven zonder eerbied en weer tot leven gewekt, alles is van een nachtmerrieachtige, hardvochtige onverschilligheid, waartegen alleen de ruiten van de autobus en haar hand die de zijne omklemt hem beschermen. En er wonen mensen in deze verschrikking, ze hebben van puin noodwoningen gebouwd, en dat is een leven, zo treurig, hij wil er niet aan denken, hij luistert naar de stem van de gids die moeiteloos Engelse woorden weet te vinden voor het onbeschrijfelijke dat aan hen voorbijtrekt, en hij kijkt naar de Britse vrouwen die wat bladeren in hun Michelingids en ze wijzen elkaar op de uitwassen van de oorlog, en ze doen het met de juiste dosis eerbied, plechtig en ontroerd, alsof ze zich tegenover de doden moeten verantwoorden, en daarmee verheffen ze hun eigen morele gemoedstoestand tot het doel van hun reis, en ze geloven waarschijnlijk dat dit rijden in deze autobus en dit uit het raam turen en de tranen die ze met moeite wegslikken hen dichter bij hun verloren geliefden brengen, maar thuis in Engeland aan de eettafel of in bed waren ze dichter bij hen dan hier in deze hel, waar hun geliefden enkel als levende doden hebben geleefd.

En zonder het te merken knijpt hij al een hele tijd hard in haar hand, ze wiebelt met haar vingers en hij laat haar los, maar zij pakt zijn hand opnieuw vast en ze buigt zich naar hem toe en ze fluistert dat de ravage echt verschrikkelijk is, en hij hoort een vreemd soort opwinding in haar stem, alsof ze zich samen met hem in een loopgraaf waant en iedere seconde hun laatste kan zijn. En hij maakt zijn hand los uit de hare, en de autobus draait een groot plein op dat wordt omringd door de prachtigste ruïnes die een stad maar kan voortbrengen, er is treurnis en schoonheid en vergankelijkheid en het is nog precies zoals het tijdens de oorlog moet zijn geweest, alleen zijn er hier en daar zware, houten stutten tegen de overblijfselen van de kathedraal en de halle gezet, en tussen de rechtopstaande delen zijn kabels gespannen alsof de bouwvallen zo kostbaar zijn dat ze in de huidige staat bewaard moeten blijven.

En de autobus stopt en de Britse vrouwen staan op, en blijkbaar is het de bedoeling dat ze hier uitstappen en ze kijkt hem vragend aan, hij knikt aarzelend, en ze lopen achter de vrouwen aan naar buiten, en hij staat op het plein en om hem heen zijn de resten van de kathedraal en van het belfort, die als enorme, gevelde beesten op hun rug liggen met hun poten hulpeloos in de lucht, hun flanken aangevreten door ongedierte. En hij probeert alleen de perverse perfectie van die karkassen te zien en de oorzaak ervan te negeren, en ze lopen langzaam over het plein, en zij is fotograaf en hij ook, het is hier zo dramatisch mooi, ze moeten wel een foto nemen, hij trekt zijn uniformjas aan en zet het statief voor haar op, en dat bezig zijn helpt, de oorlog trekt zich terug in de uithoeken van zijn verstand.

En hij poseert met de ruïne van het belfort op de achtergrond, en daarna voor de enorme, gotische boog rond de ingang van de kathedraal waarvan de verfijnde versieringen door het omringende puin op kantwerk lijken, en zij durft natuurlijk niet, maar hij stapt over de lage omheining die rond de ruïnes is neergezet, en daarna tilt hij eerst haar eroverheen en dan het statief en de koffer, en niemand roept hen terug. Ze lopen een eindje de kathedraal in, boven hen is de blauwe lucht, en om hen heen afgebrokkelde muren en halve bogen en pilaren en een vermoeden van sierlijke kerkramen, en voor hen een berg puin waar ooit het koor en het doksaal waren, en door de enorme gaten in de muren zijn in de verte de ruïne van de halle te zien en die van een ommegang met tientallen bogen die de oorlog wonderbaarlijk genoeg hebben overleefd.

En ze blijft staan en ze begint fluisterend het Onzevader te bidden, en hij valt in en ze houden elkaars hand vast, en daar staan ze tussen de onweerlegbare bewijzen van het allerslechtste in de mens, en het is alsof Onze Lieve Heer heel dicht bij hen is, alsof hij vanuit de zonnige hemel bedroefd op hen neerziet, en ze fluistert een dankwoord tot Hem, voor zijn behouden terugkeer en hun geluk, en hij vraagt Hem in stilte of hij alstublieft zijn geheugen mag behouden, alstublieft, en amen fluisteren ze samen. En dan zet hij het statief midden in het verwoeste godshuis op en poseert hij voor nog drie foto's, en ze lopen terug naar de ingang en hij tilt haar weer over de omheining, en ze zijn zich er allebei van bewust dat ze spectaculaire foto's hebben gemaakt en dat dat verwerpelijk is, en ze kijken elkaar niet aan terwijl hij zijn uniformjas uittrekt en in de koffer opbergt, en ze lopen zwijgend terug naar het grote plein.

De Britse vrouwen zitten al in de autobus en de gids en de chauffeur staan ongeduldig op hen te wachten, en ze stappen in en de autobus rijdt verder, de stad uit, en de ruïnes maken plaats voor kale velden die na de stoffige, kapotgeschoten stad opvallend groen lijken, en hij is opgelucht, de algehele stemming in de autobus verbetert, de Britse vrouwen durven weer hardop met elkaar te praten, en zij vraagt om zijn zakdoek en boent met wat spuug het steenstof van zijn gezicht en hij doet hetzelfde bij haar, en ze kijken elkaar lacherig aan, ze voelen zich alsof ze op het nippertje aan iets vreselijks zijn ontsnapt. En het is benauwd warm in de bus, hij ziet zweetdruppeltjes op haar bovenlip en op haar voorhoofd, en ze doet haar hoed af en wappert zichzelf er koelte mee toe, hij zet het bovenraam een eindje open en de vrouw aan de overkant van het gangpad ziet het hem doen en zet het raampje aan haar kant ook open, en een vriendelijk briesje dat de geur van zomer en platteland met zich meevoert drijft de bus binnen.

En ze rijden door wat ooit een dorpje is geweest, maar hun ogen zijn gewend aan de verwoestingen in Ieper, dit valt nu reuze mee, de Britse vrouwen praten gewoon verder, en zij neemt een slok water uit de fles die ze hebben meegenomen en geeft hem daarna aan hem, en hij drinkt terwijl de verlaten, ingestorte huizen langs hem heen glijden, en dan maken de ruïnes plaats voor nishutten met halfronde daken van golfplaat die tot op de grond reiken, honderden zijn er langs de weg gebouwd, en er spelen kinderen op straat en een vrouw hangt de was op en een andere vrouw wiedt onkruid in een klein moestuintje, en de hutten zijn keurig onderhouden alsof de bewoners het na jaren van vergeefs verlangen en strijd hebben opgegeven om hun situatie als iets tijdelijks te zien.

En hij schaamt zich dat hij in een autobus langsrijdt met zijn fototoestel en zijn vrouw en zijn geluk dat hem in de schoot is geworpen, maar als hij dat aan haar bekent, zegt ze verontwaardigd dat hij zich niet moet verbeelden dat deze mensen hem dankbaar zouden zijn voor zijn nobele gevoelens, zijn medelijden is vernederend, zegt ze, de arrogantie van een man die zich boven hen en hun armoede verheven voelt. En hij zegt dat hij niet snapt dat ze weigert mee te leven met zulke onfortuinlijke mensen terwijl zij met z'n tweeën het zoveel beter hebben, en ze zegt op scherpe maar gedempte toon dat ze heeft geleden en gevochten om te komen waar ze nu is en dat ze daar trots op is en ze weet zeker, zegt ze, dat deze mensen hetzelfde zouden doen als ze de kans kregen, en ze weigert, zegt ze, ze weigert om zich te schamen voor haar leven, wil je dat ik me schaam voor jou en voor wat we samen hebben, vraagt ze, en nee, dat bedoelde hij natuurlijk niet, en hij neemt zijn woorden terug en zegt dat ze het niet zo persoonlijk moet opvatten, en ze zegt dat ze dat ook helemaal niet doet, het gaat haar om het principe, zegt ze. En hij zwijgt en buiten trekken de nishutten in een eentonige aaneenschakeling van uitzichtloosheid aan hem voorbij, en nu doet het hem nog meer pijn om deze armoede te moeten aanzien, en hij buigt zijn hoofd en kijkt naar zijn handen en hij merkt dat zij ondanks haar harde woorden hetzelfde doet, en hun blikken dwalen opzij en kruisen elkaar, en hij streelt met een vluchtig gebaar over haar wang en ze fluistert, niet doen, maar ze kan een glimlach niet onderdrukken, en zelfs als duidelijk is dat de Britse vrouw die achter hen zit heeft gezien wat hij deed, houdt hun verzoening stand. En achter het raam maakt het nishuttendorp plaats voor braakliggend boerenland, zonder vee, zonder bomen, zonder huizen, en een onbehaaglijk gevoel bekruipt hem, de Britse vrouwen hebben niet in de gaten waarnaar ze kijken, ze praten geanimeerd verder in hun vreemde taal, maar Julienne zit stil naast hem.

En na een aantal minuten stopt de autobus langs de kant van de weg en de Britse vrouwen stappen uit, en hij pakt de koffer en hij gaat staan en zijn hart bonst in zijn keel, hij loopt achter haar aan langs de lege banken naar de deur, en hij staat naast haar in het hoge gras, omringd door bloeiend onkruid, en recht voor hen uit is een onnatuurlijk steile, diepe kuil, en de bloemen golven onbezorgd mee met de onverwachte glooiing. En het is volstrekt anders dan in zijn nachtmerries en tegelijkertijd is het zo vertrouwd dat zijn leven met haar, zijn verblijf in het gesticht een droom lijken zonder enig besef van tijd, jaren zijn in een seconde voorbijgevlogen, en deze vlakte die net als hij de verschrikkingen heeft getracht te vergeten en te bedekken met nieuw leven is de enige realiteit.

En hij merkt dat zij bezorgd naar hem kijkt en hij vraagt of ze een eindje het veld in zullen lopen voor een foto, wil je dat, zegt ze, en hij zegt dat ze daarvoor zijn gekomen, en ze lopen samen over het paadje dat de Britse vrouwen en hun gids in zijn geslagen, het is afgezet met touwen en zo nu en dan is er een bordje op een paaltje getimmerd waarop in het Vlaams, Frans en Engels wordt gewaarschuwd voor onontplofte granaten en munitie, pas op, gevaarlijk, niet buiten de paden treden. En het pad is platgetrapt door duizenden bezoekers die hen zijn voorgegaan, en een groep Franse vrouwen komt hen tegemoet, en bonjour groeten ze, alsof ze een onschuldige zondagswandeling door het park aan het maken zijn, en hij en Julienne groeten beleefd terug. En hij probeert niet tot zich door te laten dringen waarom het land om hen heen golft in tegennatuurlijke glooiingen waarvan de randen zijn afgerond door zand en gras en bloeiend onkruid, alsof er honderden wezens toegedekt met dekens liggen te slapen, hij concentreert zich op het zetten van zijn ene voet voor de andere, en hij trekt zijn uniformjas aan en zet zijn kepie op en hij klapt het statief voor haar uit en schroeft de camera erop vast en zij zegt, ga je daar staan, nog een stap naar links, ja precies, kijk maar naar die heuvel daar, en ze wijst naar de horizon.

En hij ligt onder haar voeten, een vadem diep, omgeven door koele, zwarte aarde en plantenwortels en verroeste munitie en andere mannen die het net als hij niet hebben overleefd, en hij kan onder haar jurk kijken, hij ziet haar benen, haar witte kousen, haar bezwete, bleke dijen, haar jarretels, de wijde pijpen van haar onderbroek en haar hoofd verscholen onder de zwarte doek die haar tegen de opdringerige werkelijkheid moet beschermen, en ze maakt een prachtige foto van hem, hij ziet zijn gekantelde beeltenis geprojecteerd op het matglas, en hij staat daar op zijn kop en hij is ook in aanleg aanwezig op het negatief dat nog ontwikkeld moet worden, en hij ligt onder haar voeten en hij staat daar voor haar lens tussen het onkruid. Hij ziet het allemaal van een grote afstand alsof het niets met hem te maken heeft, en hij weet dat het niet waar kan zijn, dat hij geen foto is en geen dode, maar het verwarrende is dat de man in het uniform die met haar praat net zo onwerkelijk lijkt als de man onder de grond, en hij voelt niets, helemaal niets, en dat betekent waarschijnlijk dat hij inderdaad niet leeft en dat ze straks verder zal lopen met haar fototoestel en haar bleke benen en hem daar eenzaam in de aarde zal achterlaten, waar hij al jaren van haar ligt te dromen. Hij probeert zich te herinneren dat hij van haar houdt, en hij weet het nog, dansen met haar, fietsen, vrijen, wandelen langs de Leye, het is er allemaal, maar het zegt hem alleen niets, en dan wordt hij bang, want hij kan tegelijkertijd met haar praten, het statief inklappen, achter haar aan lopen en naar haar vertrouwde gestalte en gezicht kijken en toch ook onder de grond blijven liggen, en dit is erger dan de dood, zo eenzaam en hopeloos, wat als het voor altijd zo blijft.

En er is een houten laddertje neergezet tegen de wand van een overwoekerde loopgraaf, en hij daalt erin af en helpt haar naar beneden en ze maken een foto van hem en nog een, en hij laat haar voorgaan weer naar boven, hij duwt haar tegen haar billen voor zich uit omhoog zodat ze niet valt, en zij lacht en hij lacht en ze heeft niets in de gaten. En ze lopen verder over het platgetreden pad en hij controleert nogmaals of hij alles nog weet, en hij is niets vergeten, ook de afgelopen minuten niet, en hij begint te denken dat deze gemoedstoestand weliswaar raar en vervelend is, maar beter dan daadwerkelijk geheugenverlies, zolang hij het tenminste voor haar verborgen kan houden. En hij praat met haar over de foto's die ze hebben gemaakt, niet te veel, niet te opgewekt, niet te somber, precies goed, gelooft hij, zij is degene die opvallend stil is, en hij komt naast haar lopen, dat lukt net op het smalle pad, en hij neemt haar arm en ze zegt dat ze niet terug had moeten gaan naar hier, het is alsof het gras en de bloemen en de omheining langs het pad en het laddertje, alsof alles haar uitlacht, zegt ze. Wil je naar de autobus, vraagt hij, en ze zwijgt en daarom lopen ze verder, hij gaat haar voor op een glibberige loopplank over een oude, dichtgegroeide granaattrechter, en hij geeft haar een hand om haar er veilig overheen te helpen, en terwijl hij dat doet ziet hij vanuit zijn ooghoek een laagje rottend, zwartbruin water onderin het gat en een kluwen in zichzelf verward, roestig prikkeldraad.

En hij is op een straat geplaveid met klinkers, hij rent van haar vandaan en zij komt op een holletje achter hem aan en ze roept in paniek naar hem, Amand, wacht, wacht op mij, en hij blijft staan en terwijl ze hem nadert, probeert hij te bedenken hoe hij voor haar moet verbergen dat hij geen idee heeft wat er is gebeurd. En ze staat buiten adem voor hem en ze zegt dat ze samen zijn gekomen, als hij weg wil dan gaat ze met hem mee, en het is niet wat ze zegt, het is de doffe angst in haar ogen alsof er een oud gevoel in haar is ontwaakt waar ze al zo lang tegen heeft gevochten dat ze er alleen nog maar in kan berusten. En hij zegt dat hij zich heeft bedacht, hij wil nog even blijven, en hij legt zijn hand er geruststellend bij op haar rug, en haar opluchting is groot, maar het valt hem op dat haar reactie te vroeg komt, al bij het eerste woord dat hij uitspreekt, misschien zelfs al voordat hij iets heeft gezegd, en hij vraagt zich af wat er dan toch met hem gebeurt tijdens die momenten die hij zich achteraf niet kan herinneren.

En ze lopen samen over het pad het slagveld in naar de koffer die hij heeft achtergelaten, niet bij de loopplank waar het is begonnen, maar zomaar ergens midden op het pad, hij is opengevallen alsof hij hem hard heeft neergesmeten, en een paar meter verderop ligt zijn kepie, en ze heeft het over de foto's die ze nog kunnen maken, die ze wil maken, opgewekt en vastbesloten om te doen alsof er niets aan de hand is, en ze praat te veel en te snel en ze lacht te vaak en ze houdt zijn hand stevig vast, en als ze denkt dat hij het niet doorheeft kijkt ze naar hem met een schuwe blik. En hij was al bang, maar nu wordt hij nog banger, en hij probeert net zo opgeruimd te doen als zij, en ze lopen samen over het paadje dat hen met vaste hand langs gevaar en dood gidst, en ze maken foto's en ze praten over alles wat ze niet voelen en wat hen niets kan schelen.

En een kleine honderd meter van het pad vandaan staat een gestrande, verroeste tank, en hij poseert voor een foto en zij zegt dat de tank zo ver weg is dat ze hem op het matglas nauwelijks kan zien, en zij gaat op zijn plek staan en hij op de hare achter de camera, en ze heeft gelijk, op de foto kun je de tank bijna niet onderscheiden. En ze vertellen elkaar wat een prachtig, fotogeniek decor die tank zou zijn en hoe zonde het is dat ze de foto die ze in gedachten hebben niet kunnen maken, en ze menen er niets van, maar ze kunnen hun woorden niet terugnemen en omdat ze nou eenmaal zijn uitgesproken, leiden ze tot nieuwe, nog vrolijker, nog onwaarachtiger woorden. En hoewel ze vandaag al zo veel spectaculaire foto's hebben gemaakt, is het ineens van levensbelang dat ze deze ene foto zullen nemen, en hij schroeft de camera van het statief, klapt hem in en geeft hem aan haar, en dan stapt hij over de omheining en hij houdt het touw voor haar omhoog en zij kruipt eronderdoor, en ze staan naast elkaar te kijken naar de onschuldig met bloemen begroeide meters die hen van de tank scheiden, en hun angst voor een herhaling van wat hem daarnet is overkomen, maakt plaats voor een nieuwe angst voor het concrete, door iedereen erkende gevaar onder hun voeten.

En ze zegt niets, ze is ineens kalm geworden, en een wonderbaarlijk achteloze zekerheid maakt zich van hem meester, alsof hem niets meer kan overkomen omdat dit de laatste minuten van zijn leven zijn, en hij zegt haar dat hij voor zal gaan en dat ze op een afstand van enkele meters exact in zijn voetstappen moet volgen, en als er iets met hem mocht gebeuren, zegt hij, dan moet ze niet in paniek gaan rennen, ze moet voorzichtig dezelfde weg terugnemen die ze zijn gekomen. En zij pakt zijn hand beet en houdt met opzet juist zo min mogelijk afstand tot hem, en hij gaat op zijn hurken zitten en strijkt het opgeschoten gras en het onkruid opzij, en hij ziet zand, geen metaal, geen oneffenheden en hij zet twee passen vooruit, en hij gaat weer op zijn hurken zitten en doet opnieuw hetzelfde.

En ze vorderen tergend langzaam, en hij wordt nonchalanter, hij knielt niet meer neer, hij duwt de begroeiing opzij met zijn voet en als hij niets bijzonders kan ontdekken, doet hij een pas naar voren, en dat gaat sneller, de tank komt merkbaar dichterbij, ze kunnen de bouten in de verroeste platen zien zitten, het onkruid dat in het zwartgeblakerde binnenste groeit. En hij zet al bijna zijn voet in het zand als hij vlakbij een metalen bolling uit de grond ziet steken, en hij schrikt en zij grijpt hem stevig vast en hij weet nog net zijn evenwicht te behouden, hij knielt neer en legt voorzichtig het metalen ding bloot, het is een helm. En zij staat over hem heen gebogen en ziet het ook, en ze denken allebei aan wat er zich waarschijnlijk onder die helm bevindt en voor een deel pal onder hun voeten, en zij slaat haastig een kruis, en hij richt zich op en ze klemt haar armen om zijn middel en duwt haar gezicht tegen zijn rug, en zo staan ze daar met z'n tweeën in een zee van heimelijke verschrikkingen, maar er kan geen sprake zijn van nu nog omkeren. Hij maakt haar handen los en zet een pas en dan nog een en zij komt direct achter hem aan, en de helm is achter hen en de tank ligt nu vlak voor hen, het gevaarte steekt als de kop van een groot, stervend paard uit het zand, zijn gehavende neus in de lucht alsof hij het uitgilt van de pijn, een gebroken rupsband hangt slap als een tong uit zijn bek.

En hij draait zich om naar haar en zegt dat zij hier moet blijven staan zodat ze de foto kan nemen, en ze laat hem los en hij gaat in zijn eentje verder, en zonder haar is hij onbezonnen, hij stapt bijna op een granaat waarvan de kop onder de wortels van een plant zit verborgen, het is puur toeval dat hij zijn voet er net naast zet, hij staat te trillen op zijn benen, en zij ziet aan zijn gezicht wat er aan de hand is en ze wil natuurlijk naar hem toe komen, en hij roept in paniek naar haar dat ze moet blijven staan, en ze kijken elkaar aan over het onbegaanbare, lieflijk bloeiende onkruid heen, het is nog geen tien meter, maar ze hebben het gevoel dat ze elkaar nooit meer zullen kunnen bereiken.

En hij keert haar zijn rug toe en hij knielt neer, en hij legt de laatste drie meters heel voorzichtig af, zich voortdurend bewust van haar gespannen blik en van wat hij haar zou aandoen als hij nu een misstap maakt, en hij is bij de tank, hij draait zich om naar haar en hij roept of hij zo goed staat, ze knikt en zwaait en maakt de foto. En hij klimt op de rupsband en ze maakt nog een foto, en dan klautert hij overmoedig bovenop de tank en hij richt zich in zijn volle lengte op en neemt zijn kepie af en steekt hem triomfantelijk in de lucht, en zij lacht en terwijl ze de foto neemt, ziet hij beneden zich in de tank een ding liggen waarvan hij vermoedt dat het ooit het lichaam van een soldaat was, en hij wendt zijn blik af.

Ze moeten gek zijn, allebei, als hij hier zo'n vreemde aanval krijgt, zijn ze ten dode opgeschreven, hij maar ook zij, en hij roept naar haar, gelukt, en zij roept dat de foto mooi is geworden en dat hij terug moet komen, en hij klimt naar beneden, niet naar haar toe, maar de tank in, het is er schemerig en het ruikt er vochtig naar aarde en schimmel. Hij hoort haar zijn naam roepen, en hij loopt naar de soldaat toe en knielt bij hem neer, vastbesloten om zijn walging te negeren en net zo lang te zoeken totdat hij het immatriculatieplaatje heeft gevonden, maar er is geen soldaat, het zijn een paar takken, bladeren en een stuk metaal, en hij lacht hardop, en zij roept, Amand, wat doe je, kom nou hier.

En hij gaat naar buiten, en dan loopt hij voorzichtig naar haar terug over zijn eigen platgetrapte paadje, en ze pakt opgelucht zijn handen beet en ze kust hem, daar midden op het droevige veld tussen de gra-naattrechters en de bloemen, het is wat honderden soldaten zich op precies deze plek honderden malen moeten hebben gewenst, en hij heeft het verwarrende idee dat haar aanwezigheid hier en haar zoen wel een hallucinatie moeten zijn. En hij sluit zijn ogen en probeert de dagdroom en het aangename gevoel dat erbij hoort vast te houden en het lawaai van de artillerie en de stank van chloorkalk en rotting te ne-geren, en het lukt hem wonderwel, het is bijna alsof hij haar echt in zijn armen houdt.

Ga je mee, zegt ze, en hij opent zijn ogen en daar is ze nog steeds, hij probeert zijn verbazing voor haar te verbergen, en dan als hij begrijpt dat het precies andersom is, dat de dagdroom de realiteit is en hoe won-derbaarlijk dat is, kust hij haar nog eens en hij prent zich het moment heel bewust in, hij wijst zichzelf op haar warme, levende lichaam onder zijn handen, de vochtige zweetplekken in haar jurk, de rand van haar hoed die in de weg zit, haar krullen die tegen zijn wang kriebelen, haar natte lippen op de zijne gedrukt, en het gebeurt godzijdank niet nog eens, hij vergeet niets.

En ze beginnen aan de terugtocht en hij is banger dan op de heenweg, en zij daarom ook, hoe tastbaarder de veiligheid in de vorm van het naderende pad en hun koffer wordt hoe meer ze te verliezen lijken te hebben, en als hij uiteindelijk over het touw heen stapt en haar eroverheen tilt, trillen ze allebei over hun hele lichaam en ze kunnen niet stoppen met lachen en misschien huilen ze ook, dat zou kunnen, en ze zeggen van alles tegen elkaar maar ze weten niet wat, en hij zwaait haar rond alsof ze een klein meisje is en zij gilt het uit, en ze lachen en huilen nog steeds en ze zijn zo gelukkig, gelukkiger waren ze nog nooit.

En dan dringt tot hem door wat dit is, en hij laat haar los en hij gaat midden op het pad zitten, hij is plots doodmoe en zij kalmeert ook, ze schaamt zich en hij walgt van zichzelf en van haar en van wat ze hebben gedaan en van alles om hen heen, en hij zegt tegen haar dat hij naar huis wil, nu meteen, vraagt ze, en hij knikt en ze protesteert niet, ze pakken zwijgend hun spullen in de koffer en ze lopen terug naar de straat, maar de autobus staat niet op hen te wachten, hij is zonder hen vertrokken. Ze lachen overrompeld en hij zet de koffer neer en loopt een eindje over de weg tot voorbij de eerste bocht, maar de autobus is nergens te bekennen, en als hij weer terug is bij haar zegt ze dat ze er nondedju zestien franken voor hebben betaald, en wat moeten we nu, zegt ze, maar het klinkt niet wanhopig of verontwaardigd, hij heeft het idee dat ze op een bepaalde manier zelfs blij is met de afleiding.

En als ze hebben besloten om dan maar naar de tramhalte in Merckem te gaan lopen, en ze op goed geluk voor de tegenovergestelde richting hebben gekozen van waaruit ze met de autobus zijn gekomen, en zij blootshoofds, met haar hoed in haar hand voor hem uit loopt, en hij haar zeulend met de zware koffer probeert bij te houden, merkt hij dat hij net zo opgelucht is als zij, er is alleen ruimte voor de gedachte aan de tramhalte in Merckem en deze weg en zijn voeten en zijn schouder en arm, die steeds meer pijn beginnen te doen, en haar rug met de uitdijende zweetvlek in haar jurk vlak voor hem. En ze zingt, eerst neuriënd en dan hardop, en als mijn lief een pater was, en ik was een begijn, dan zou 'k erbij te biechten gaan, om bij mijn lief te zijn, en ze lopen in de maat van haar noten, en hij zet zijn hoed af en trekt zijn jasje uit en stopt ze samen met haar hoed in de koffer, en ze drinken wat water uit de fles die ze hebben meegenomen. En ze hebben het niet over hoe ver het nog is, dat ze misschien een boerenkar of een autobus zullen tegenkomen die hen kan meenemen, of ze wel de goede kant uitgaan, ze loopt naast hem, de koffer tussen hen in en hun beider handen om het handvat, en hun benen bewegen eensgezind, links, rechts, links, rechts, en ze zingt niet meer, ze maken alleen zo nu en dan een overbodige opmerking die hun lotsverbondenheid benadrukt, wat is het warm, mijn voeten doen pijn, het is als samen in bed liggen net voordat de dromen hen komen halen. En het zweet loopt hem tappelings over de rug en haar gezicht ziet vuurrood, en ze veegt met de mouw van haar jurk over haar voorhoofd, en als ze in de berm gaan zitten trekt ze met een van pijn vertrokken gezicht haar schoenen en kousen uit, de blaren op haar voeten bloeden, en hij masseert voorzichtig haar voetzolen, en ze gaat languit in het gras liggen en ze zucht en ze steunt wat, en dan vallen haar ogen dicht, en hij doet zijn soldatenlaarzen en sokken uit en komt naast haar liggen op de met bloed en dood doordrenkte aarde.

En hij weet dat het onverstandig is maar ook hij sluit zijn ogen, en zijn uniform is zwaar en warm, en zijn helm zakt steeds verder over zijn ogen totdat het stikdonker is om hem heen, en het zweet drupt langs zijn rug en prikt in zijn ogen, de dood neemt hem bij de hand, hij voelt haar ijzeren grip om zijn vingers knellen en hij is niet bang. Hij denkt aan de afgrond van haar grijze ogen vol zelfspot en verlangen, aan haar lange, blonde haar dat boven haar hoofd over het kussen uitwaaiert, al de doden die ze op haar geweten heeft en ze stapt er luchthartig overheen, en het is warm, zo warm, een vogel begrijpt ook de lucht niet waarin hij vliegt, zegt ze. En hij opent zijn ogen, de blauwe hemel hangt roerloos boven hem en een immense zoemende en tsjirpende en ruisende ruimte omgeeft hem, alsof alles, tot zelfs het zand en de stenen aan toe, tot leven is gekomen en dat aan de wereld moet verkondigen.

Hij gaat overeind zitten en tikt haar zacht op haar wang, Julie, fluistert hij, hmmm, vraagt ze, en ze opent haar ogen vanwege de felle zon tot spleetjes en ze tuurt loom naar hem, zullen we verdergaan, zegt hij, ze richt zich op en ze gaapt, lang en ongegeneerd alsof ze alleen is, en dan ziet ze hem kijken, ze lacht om zichzelf, excuseer, zegt ze. En hij buigt zich naar haar toe en wil haar kussen, ze geeft hem een speels zetje, en hij probeert haar opnieuw te kussen en weer duwt ze hem weg, ze lacht en hij lacht en ze ligt in zijn armen in het gras, ineens stil en afwezig, en hij weet zeker dat ze denkt aan hoe vreemd hij een paar uur geleden deed en waarom hij ineens van haar weg wilde, en even is hij bang dat ze erover zal beginnen en dat hij haar vragen niet zal kunnen beantwoorden, maar ze draait zich op haar zij en kust hem en dan nog eens en nog eens, en ze kietelt hem in zijn zij alsof ze kinderen zijn, en hij probeert onder haar handen uit te kronkelen, en hij kietelt haar op zijn beurt en daar kan ze helemaal niet tegen, ze krijgt de slappe lach.

En als ze daarvan is bijgekomen trekken ze hun bebloede kousen en schoenen aan en ze lopen verder, eerst strompelend maar dan zetten ze zich over hun pijn heen en ze trekken zich terug in de burcht van hun geplaagde lichaam, en ze zeggen niets meer tegen elkaar. En na een halfuurtje bereiken ze een kruising en ze hebben geen idee welke kant ze uit moeten, linksaf, zegt hij, rechtsaf, zegt zij, en ze ploft midden op straat neer en ze trekt haar schoenen uit, en ze gaat verder op blote voeten, rechtsaf kiezen ze, ze zijn te moe voor een discussie, en haar voeten worden zwart van het vuil, het wegdek is te heet, ze loopt in de berm, in het zachte gras en het zand. En eerst zegt ze dat het heerlijk is, zo zonder schoenen, maar dan zegt ze niet zoveel meer en loopt ze met opeengeklemde kaken naast hem, soms een beetje mank of op haar tenen, en ze trapt in een braamstekel, au, roept ze en ze hinkt en ze vloekt als een bootwerker, en terwijl hij de stekel uit haar voetzool trekt, horen ze in de verte het geratel van karrenwielen op de stenen, ze trekt haastig haar kousen en schoenen aan, en hij houdt de boerenkar aan en vraagt of de man naar Merckem gaat, nee, hij gaat naar Hoekske, maar daar is ook een tramhalte, zegt de man, ze mogen meerijden als ze willen.

En hij tilt haar op de kar, en terwijl de boer langzaam verder rijdt, zo langzaam dat ze bijna sneller hadden kunnen lopen, doezelen ze in het pas gemaaide gras waarmee de kar tot de nok toe is gevuld, en als ze om zich heen zouden kijken, zouden ze waarschijnlijk dezelfde door haat en geweld verminkte velden zien, maar ze liggen op hun rug naast elkaar, stervende bloemen en verdwaalde lieveheersbeestjes om hen heen, de blauwe lucht eindeloos en vriendelijk boven hen, het geklop van paardenhoeven op de stenen slaat de maat van hun bloed, en hun lichamen zijn zo uitgeput dat er geen verlangen is, en ook geen liefde of ergernis of verholen denkbeelden of achterdocht, of zelfs maar het besef dat er een mens met andere gevoelens en gedachten naast hen ligt, ze zijn zo vanzelfsprekend samen alsof ze een zijn geworden. En hoe ongewoon dat is beseffen ze pas als ze in Hoekske van de kar klimmen en ze het dode gras uit hun kleren kloppen en uit elkaars haren plukken en daarbij elkaars blik ongemakkelijk ontwijken, alsof ze daarnet een bekentenis hebben gedaan die ze het liefst zouden terugnemen, en als ze bij de halte op de tram wachten, fluistert ze dat er strootjes in haar jurk zitten en in haar onderbroek, en hij beaamt dat hij ook van alles voelt prikken in zijn kleren, en daar lachen ze samen om.

En in de tram zit ze tegenover hem, hij ziet bloedvlekken in haar kousen, en ze heeft haar hoed niet meer opgezet en ze heeft vuile handen en blozend rode wangen van een dag in de zon, maar ze is zo moe dat ze de schaamte voorbij is, ze dut in en hij moet ook moeite doen om zich niet door de tram in slaap te laten wiegen. Hij wekt haar als ze Ieper binnenrijden, en ze stappen uit en het is vreemd om weer terug te zijn op de plek waar ze vanmorgen waren, ze zijn bang geweest en hebben pijn geleden en de slagvelden zijn begroeid met bloemen en toch is Ieper niets veranderd, alsof de verwoesting zo onvoorstelbaar groot is dat de menselijke geest er geen grip op heeft.

En ze wachten op het perron en ze eten hun laatste brood en drinken de laatste slok water, en in de trein naar huis begint de alledaagse wereld in hun gedachten weer vorm te krijgen, Gust en Roos die de middag na schooltijd bij vriendjes en vriendinnetjes hebben doorgebracht, de winkel die morgen open moet, hun nieuwe huis, ze zeggen er zo nu en dan wat over tegen elkaar, maar hoe dichter ze Kortrijk naderen hoe bedrukter ze worden, ze verlangen naar onontplofte granaten onder hun voeten en zorgeloos en blootsvoets verdwalen. En hij betrapt haar verschillende keren op een achterdochtige blik in zijn richting, en als hij vraagt wat er is, buigt ze zich naar hem toe en plukt ze een grasspriet uit zijn haar, en ze houdt hem met een glimlach voor zijn neus, en hij trapt er bijna in, maar daarna kijkt ze nog steeds zo naar hem, en hij wendt zijn hoofd af.

En als ze thuis zijn, kookt ze op blote voeten het avondmaal en hij wil in de tussentijd de negatieven die ze vandaag hebben gemaakt ontwikkelen, maar zij heeft liever dat ze dat vanavond samen doen omdat hij alleen ervaring heeft met glasnegatieven en niet met rolfilm, zegt ze, maar als hij vraagt of het ontwikkelprocedé dan zo anders is, moet ze toegeven dat het precies hetzelfde is. Vertrouw je me niet, vraagt hij, en ze streelt hem door zijn haar en noemt hem lieverd en verzekert hem ervan dat ze hem haar leven zou toevertrouwen, en hij gaat naar beneden en rookt in zijn eentje een sigaret op het achterplaatsje.

En tijdens het eten vertelt ze Gust en Roos over Ieper en de slagvelden, en alle belangrijke zaken laat ze weg, de kathedraal en Onze Lieve Heer, zijn vreemde gedrag, de tank, de voettocht, Gust luistert met glanzende ogen, hij wilde dat hij mee had gemogen, een volgende keer, belooft ze, hoewel ze heel goed weet dat die er niet komt. En als de kinderen naar bed zijn, gaan ze in de tobbe, eerst zij en dan hij, en ze zet hun kleren in de week, alle sporen van oorlog en angst en twijfel wist ze vakkundig uit, en haar haar is nat en ze ruikt naar zeep en fatsoen als ze naast hem in de donkere kamer zit en ze samen de resultaten van hun reis ontwikkelen. De negatieven zijn prachtig scherp en perfect belicht, ze is een goede fotograaf met oog voor drama en compositie en er is iets ondefinieerbaars in haar foto's, iets droevigs en vol verlangen, en hij zegt haar dat haar talenten verspild zijn aan simpele portretten in een studio als de hunne, en ze lacht verlegen haar trots weg. En als hij de negatieven te drogen hangt, valt hem op dat er een foto bij is waarvan hij zich niet herinnert ervoor te hebben geposeerd, het is moeilijk te zien omdat alles wat wit is zwart is en andersom, maar hij staat blootshoofds voor een soort struik of een bramenstruweel, zijn hand steunend op een paal, en hij kijkt met een dreigende, onmenselijke blik recht in de camera.

En ze gaan vroeg naar bed, zij valt binnen een paar minuten in slaap en hij is ook doodmoe maar hij ligt toch wakker, en halverwege de nacht stapt hij geruisloos uit bed en sluipt de trappen af naar de studio. De negatieven zijn droog, hij neemt het vreemde, onbekende negatief van de lijn en doet het in een frame en hij draait de lamp laag en klemt een vel fotopapier op het negatief, en dan draait hij de lamp hoog en hij belicht drie minuten, en hij draait de lamp weer laag en laat het fotopapier in de ontwikkelaar glijden, de gevoelige kant naar boven zodat hij het beeld op magische wijze kan zien verschijnen. En na een paar seconden begint het papier voorzichtig grijs te kleuren, hij ziet het onkruid en de lucht en dan een vage gestalte in uniform, en de schaduwen worden donkerder en duidelijker, en dan na vijftien seconden vist hij de foto met een tang uit de ontwikkelaar en legt hem in het stopbad, en hij kan de lamp nog niet omhoog draaien.

Hij tuurt naar de foto, de man staat voor een warrige prikkeldraadversperring, en een paar meter van hem vandaan zit een zwarte raaf op een paal, maar als hij de foto eindelijk uit de fixeer kan halen en hem in het volle licht bekijkt, blijkt de raaf een stuk stof te zijn, een deel van een uniformjas dat in het prikkeldraad hangt te wapperen, en hij herkent zichzelf op de foto, hij staat stijfjes rechtop als tijdens een militaire parade en hij staart met een doodse blik in de camera. En de rillingen lopen hem over de rug, het is alsof hij in de bewegingsloze zwart-witogen zijn nachtmerries leest, de walging, de zelfhaat van een man die alleen nog plezier kan beleven aan het doden van zijn medemensen.

En als hij zich omdraait om de foto bij de kraan in de donkere kamer te spoelen, staat zij daar in haar nachtjapon, en ze schrikt van de uitdrukking op zijn gezicht, en hij probeert zijn eigen angst en die van haar weg te lachen en hij hoort zelf hoe onnatuurlijk het klinkt, zij loopt naar hem toe en pakt zijn hand beet om de foto te bekijken. Ze herkent de afgebeelde situatie onmiddellijk alsof ze al wist om welke foto het ging voordat ze keek, en omdat ze nog steeds zijn hand omklemt brengt ze haar ontsteltenis op hem over, haar vingers trillen en ze laat hem los, en ze zegt dat de foto onbruikbaar is. En hij vraagt haar met bonkend hart waarom, en ze zwijgt en aarzelt en zegt dan dat het geen foto is die mensen willen kopen, en hij vraagt haar opnieuw waarom, en zij zegt dat het een sombere foto is zonder hoop, en hij zegt dat hij dat niet met haar eens is, en daarom druk je hem midden in de nacht af, zegt ze, omdat hij je zo bevalt, en ze kijkt hem spottend aan. En hij vertelt het haar bijna, de woorden vormen zich al in zijn hoofd, en zij weet niet wat hij zal gaan zeggen maar wel dat ze het niet wil horen, en ze scheren langs een afgrond waarvan ze beiden het bestaan vermoeden en ze durven zelfs geen blik over de rand te werpen, ze richten hun ogen op de onbewolkte hemel erboven.

Hij verscheurt de foto en gooit de snippers in de prullenmand, en zij blaast de lamp uit en ze lopen de trappen op naar hun slaapkamer, en hoewel ze dat eerder op de avond al heeft gedaan bidt ze nog eens en ze doet het heel serieus, niet zo vluchtig als anders, en hij stapt in bed en luistert naar de aloude, versleten woorden. En na het amen komt ze naast hem liggen, ze houdt een kuise, veilige afstand in acht, en hij voelt zich zo vreselijk, en hoewel hij weet dat het er alleen erger van kan worden legt hij zijn armen om haar heen en zoent haar, en zij wil net zo min als hij, maar ze vrijen toch, en de soldaat op de foto kijkt met zijn doodse blik vanuit een hoek van de slaapkamer toe. En hij kan het niet, en ze fluistert dat het niet geeft en dat ze moe is en overal spierpijn heeft, en dan valt ze in zijn armen in slaap en blijkbaar slaapt hij vervolgens ook, want als hij zijn ogen opent is het ochtend en de kinderen zijn al naar school.

En ze zit tegenover hem aan de keukentafel terwijl hij ontbijt en daarna drukt hij de foto's van gisteren af, het negatief waarop hij voor de prikkeldraadversperring poseert kan hij niet terugvinden, zij moet het hebben vernietigd, de prullenmand in de studio is leeg en ook de verscheurde afdruk is er niet meer, en in zijn verbeelding neemt de ontbrekende herinnering een dreigende, groteske vorm aan, alsof ze hem heeft bekend dat hij haar vlak voor of vlak na het nemen van de foto iets onvergeeflijks heeft aangedaan en zij nu iedere keer als ze naar hem kijkt aan dat moment moet terugdenken.

En ze helpt een klant in de winkel en komt daarna de studio binnen en ze bekijkt de afdrukken die hij te drogen heeft gelegd, vooral de foto's die ze in Ieper heeft gemaakt zijn ongepast prachtig, alsof de oorlog iets is wat gevierd moet worden, en ze bekijkt ze aandachtig, maar ze zegt niets, en hij vraagt haar van welke foto's ze een briefkaart zou willen maken, en ze wijst er zonder aarzelen vijf aan, de mooiste vijf, daar heeft ze gelijk in, maar hij zegt dat hij niet gelooft dat weduwen ooit zo'n briefkaart zouden kopen, en zij zegt dat zij ze zou kopen, en hij vraagt haar of ze dat ook had gedaan toen hij nog werd vermist, en zij zegt dat zij ze nu niet meer zou kopen, maar toen zeer zeker wel. En het zit hem dwars dat ze de oorlog destijds naast haatte blijkbaar ook verheerlijkte, als een vrouw die met de moordenaar van haar geliefde naar bed wil, en hij draait haar zijn rug toe en giet de ontwikkelaar terug in een fles, heb ik iets verkeerds gezegd, vraagt ze, en hij zegt van niet, en ze wil wel verder vragen, maar ze durft niet. En hij probeert constant zijn eigen angst te negeren, maar dat is moeilijk als hij achter ieder gebaar, ieder woord, iedere blik van haar eenzelfde angst vermoedt, en hij ontloopt haar de rest van de dag, en zij doet ook niet haar best om hem op andere gedachten te brengen, alsof ze opgelucht is dat hij uit zichzelf tot de conclusie is gekomen die ze zelf niet durfde te trekken.

Ze laat hem van de mooiste negatieven in het zonlicht op het achterplaatsje tientallen afdrukken op blauwprintpapier maken, en vervolgens verandert hij het blauw met een kleurbad in zwart, en hij maakt ook briefkaarten in sepiatinten, hij is er de hele middag mee bezig, en zelf verdwijnt ze naar boven, en als hij haar roept omdat een Franse weduwe met hem op de foto wil, heeft hij het idee dat ze zijn aanwezigheid nauwelijks kan verdragen. Maar misschien vergist hij zich daarin, want nadat de weduwe is vertrokken draalt ze een tijdje bij hem in de zon op het achterplaatsje alsof ze moed verzamelt, en hij is bang dat ze alles voor hen beiden zal verpesten, en hij zit te wachten totdat de briefkaarten lang genoeg zijn belicht, zij komt naast hem staan en hij vraagt haar of ze morgenavond zullen gaan dansen, en ze herhaalt verrast, dansen, haar gezicht klaart op, en ze komt niet meer terug op wat ze hem wilde zeggen.

En zondagavond na het eten verkleden ze zich, en net als vorige keren knoopt zij zijn das en helpt ze hem met zijn manchetknopen en zijn boord, en hij knoopt haar jurk voor haar dicht, sta nou eens stil, zegt hij, maar ze is te ongeduldig alsof ze vreest dat haar deze vlucht uit de alledaagsheid op het laatste moment zal worden ontzegd omdat hij weer zo raar doet. En ze laat Gust beloven dat hij en Roos op tijd in bed zullen liggen, en ze gaan samen op de fiets naar de Palace, ze hebben haast, hun gedachten snellen voor hen uit naar de vergetelheid van de dansvloer, en als ze hem eindelijk aan zijn hand tussen de dansende paren meetrekt de zaal in is hij bang dat het zal tegenvallen omdat het een noodzaak is geworden en geen plezier.

Maar hij houdt haar vast en hun benen vinden moeiteloos de maat, en de muziek spoelt door zijn hoofd als een regenbui door een dor bos en daarna komt de zon tevoorschijn, en zij kijkt niet meer zo schichtig naar hem, ze geeft zich met het naïeve vertrouwen van een kind aan hem over en haar lichaam is warm en soepel, en hij is vergeten dat hij haar zal vergeten en het doet er ook niet toe, dit moment is al wat bestaat. En ze kunnen niet meer, de blaren op hun voeten zijn opengegaan en ze zitten moe en verhit langs de kant, en Felice danst met Gilbert, niet kijken, zegt Julienne, maar vervolgens kijkt ze zelf wel naar hen, en als Felice hen opmerkt staan ze snel op en dansen ze verder, zij op kousenvoeten en hij verbijt de pijn van zijn blaren en daar beleeft hij een vreemdsoortig plezier aan, en hij herkent in haar eenzelfde hang naar zelftuchtiging, ze putten hun arme lichamen uit tot ze bijna in elkaar zakken. En hij haalt bier en ze drinken hun glazen leeg alsof ze met water zijn gevuld, en hij haalt nog een keer bier en nog eens, en dan is het elf uur en houdt de band ermee op, en ze lopen tussen de andere bezoekers naar buiten, de zwoele, naar zomer en regen geurende nachtlucht stroomt hen tegemoet en ze trekt leunend op zijn schouder haar schoenen aan. En Felice is ook buiten, Julienne pakt ongeduldig de fiets, en hij stapt op en ze klimt tussen zijn benen op de stang, hij trapt hen snel de Wijngaardenstraat in en hij slaat af naar de Lekkerbeetstraat, zodat ze de Doornijkstraat ontwijken en elkaar niet zullen hoeven bekennen dat ze niet naar huis willen, en ze rijden met een noodgang de stad uit.

Het is donker op het zandpad langs de Leye, recht voor hen uit kunnen ze nog net de horizon onderscheiden onderlangs de blauwige nachtlucht, en links van hen weet hij het duistere water van de rivier, in de verte onderbroken door de pijlers van de spoorbrug, en rechts rijzen tientallen donkere gevaartes naast hen op die de vorm van huisjes lijken aan te nemen en die het geluid van de banden van hun fiets over het water kaatsen, en iedere keer als ze zo'n raar, raamloos huisje zijn gepasseerd, is het alsof ze in een diep gat vallen dat alle geluid opslokt, en dan zijn ze weer bij zo'n huisje en daar spat het geluid van hun fietsbanden opnieuw als een fontein over hen heen. Hij snapt niet waar die vreemde gebouwtjes ineens vandaan zijn gekomen, hier stonden nooit boerderijen of schuren, dat weet hij zeker, het is alsof hij met haar door een nachtmerrie rijdt waarin alles net niet helemaal klopt, en hij vraagt met zijn mond in haar verwaaide krullen wat dat voor huisjes zijn, en half en half verwacht hij dat zij niet zal begrijpen waarover hij het heeft, maar ze antwoordt heel gewoon dat het vlasschelven zijn, ruik je dat niet, zegt ze, het vlasroten is begonnen, en ja, als hij de fiets even laat uitvieren, valt het hem ook op, hun romantische Leye stinkt naar een open riool.

En hij maakt opnieuw vaart en rijdt met haar door het landschap dat zich voor zijn ogen weer in elkaar zet, links het water met de vlashekkens, rechts de kale, gemaaide vlasvelden, voor hen uit, na de bocht, de spoorbrug, en achter hun rug de stad en hun huis, en hij fietst de longen uit zijn lijf, ze vliegen over de hobbels en de kuilen in het zandpad en hij weet nog net de bocht te halen zonder op een vlasschelf te botsen, en vlak naast hen vliegen luidruchtig eenden uit het water op en zij schrikt en hij schrikt van haar schrik, en bijna rijdt hij hen beiden het rottende water van de Leye in, hij weet nog net op tijd zijn stuur om te gooien en zijn voeten aan de grond te zetten, en ze lachen samen ademloos.

Hij laat de fiets in het gras vallen en de maan komt achter een wolk vandaan, het zilverige licht speelt over het goudbruine water en over de glooiende, gemaaide velden en de wit oplichtende wolken boven de fabrieksschoorstenen in de verte, en vlak voor hen bij de spoorbrug drijven geen vlashekkens langs de oever, en zij gooit haar schoenen en kousen in het gras en ze begint de knopen van haar jurk los te maken en ze draait hem haar rug toe en zegt, help me eens, en hij lacht om haar en zegt dat ze gek is, maar hij knoopt wel haar jurk voor haar los en ze stroopt hem naar beneden over haar heupen en stapt eruit. En daar staat ze in haar ondergoed, en ze kijkt hem uitdagend aan en hij doet zijn colbertje uit en ze maakt met ongedurige vingers zijn das los en ze knoopt zijn overhemd open, en ze lachen allebei uitgelaten, en hij haalt zijn bretels van zijn schouders en laat zijn broek zakken, de nachtlucht is fris en strijkt langs zijn huid, en het idee dat zij ook door die vreemde, koele hand wordt gestreeld windt hem op.

En ze loopt naar de oever en hij zegt dat als ze zo in het water gaat ze straks bij het aankleden haar natte ondergoed zal moeten uittrekken, dat kun je beter nu doen, zegt hij, en ze lacht aarzelend alsof ze wel weet dat hij het serieus meent maar toch niet durft te geloven dat het geen grap is. En de grijzig verlichte velden strekken zich mateloos om hen heen uit en de donkerblauwe, fonkelende nachthemel kijkt op hen neer en de duistere, metershoge massa van de pijlers en de bogen van de spoorbrug is vlakbij, en het is doodstil op het zachte klotsen na van het water tegen de wal, en hij stroopt zijn onderbroek tot op zijn knieën naar beneden en laat hem in het gras vallen. En zij proest het uit en ze kijkt toe terwijl hij op haar af loopt, en haar blik zakt met heimelijke belangstelling naar zijn kruis, en dan betrapt ze zichzelf op haar vrijpostigheid en kijkt ze hem haastig in zijn gezicht, en hij staat naast haar op de kant en hij stapt in het goudgele water, zijn blaren prikken en hij voelt modder onder zijn voeten wolken en weke plantvormen omhelzen zijn kuiten, het water is ijzig koud en bij iedere beweging komt er een nieuwe hap stank omhoog, maar zij lacht zo hard om hem dat hij wel verder moet waden.

En hij zwemt, zijn armen en benen kennen de bewegingen alsof hij iedere dag heeft geoefend, en het stinkende water reikt tot aan zijn kin en hij roept naar haar dat ze ook moet komen, en ze keert hem haar rug toe en ze knoopt met nerveuze, vlugge vingers haar keurslijf los en dan stapt ze uit haar onderbroek. En hij ziet haar dat bij de tobbe zo vaak doen, ook altijd met haar rug in preutse vergeefsheid naar hem toegekeerd, maar haar bleke lichaam omgeven door de roerloze, nachtelijke velden is van een onwereldse schoonheid en kwetsbaarheid alsof het met maanlicht is getekend, en hij kijkt in stilte toe terwijl ze zich wel naar hem toe moet draaien en haar borsten aan hem onthult en de onkuise schaduw tussen haar benen. En ze waagt zich met een gilletje in het water en ze kan zwemmen, niet heel overtuigend maar ze blijft drijven, en het water verbergt haar lichaam zedig, ze is alleen haar hoofd en haar natte, donkere haren, en soms een hand of een voet of een glimp van een schouder of een vermoeden van haar borsten, en ze lachen en spetteren elkaar nat, en hij probeert haar aan te raken en zij probeert aan zijn grijpgrage handen te ontkomen.

En net als hij haar te pakken heeft, horen ze in de verte het gepuf van een locomotief en ze kijken gelijktijdig op, ze zien de felwitte koplampen naderen, de trein komt uit de richting van de statie en in minder dan een minuut zal hij hen over de spoorbrug passeren, en zij begint geschrokken terug te zwemmen naar de oever, maar aan de wal is haar naaktheid voor de passagiers in de trein juist nog zichtbaarder, en hij roept naar haar en wijst in de richting van de spoorbrug. En alsof hun leven ervan afhangt, zwemmen ze samen naar de bescherming van de pijlers en de bogen, en zij hapt naar adem en ze maait met haar armen en haar benen, het water spettert in fonteinen om haar heen, en ze moeten stroomafwaarts maar ze komt nauwelijks vooruit, hij legt zijn hand in haar nek en probeert met één arm te zwemmen en hij duwt haar voort. Hij gelooft dat ze het net gaan halen, en dan dendert de trein schuin boven hen langs en het licht van de koplampen schuift over hen heen en ze zien dat alle wagons leeg zijn, de machinist en de stoker zijn de enige inzittenden, en een oorverdovend schel gefluit verscheurt de nacht, en ze schrikken, hij voelt haar lichaam terugdeinzen alsof ze een klap krijgt, en ze roept over het lawaai heen dat de machinist hen heeft gezien en hij hoort de afschuw in haar stem.

En de laatste wagon is over de brug en de trein verdwijnt sissend en puffend uit het zicht en de rust daalt weer in de duisternis neer, en ze zwemt stilletjes naar de kant, en hij volgt haar en het enige wat hij kan doen om haar pijnlijke schaamte weg te nemen, is volhouden dat de machinist hen niet kan hebben gezien, en dat hij al helemaal niet kan hebben geweten dat een van de twee zwemmers een vrouw was, en al wist hij dat wel dan nog heeft hij alleen haar hoofd gezien. En hij herhaalt die bezwering in allerlei variaties terwijl hij haar met zijn overhemd afdroogt, en zij bibberend van de kou haar klamme lichaam in haar kleren probeert te wurmen, maar wat hij ook zegt, haar schaamte wordt er niet minder om, het idee dat die onbekende machinist heeft gegokt en gretig gehoopt dat ze bloot was en dat hij samen met de stoker om haar heeft gelachen en dat ze de hele nachtelijke rit aan haar lichaam zullen denken en dat zij in die haar vreemde vorm misschien voor de rest van zijn leven in zijn hoofd zal blijven rondhangen en hij haar op momenten van begeerte tevoorschijn zal halen, is ondraaglijk voor haar.

En hij fietst haar hard trappend terug naar de stad, hij heeft haar zijn jasje gegeven en ze zit dicht tegen hem aan, maar de nacht is fris en hun kleren zijn klam en koud, en bij thuiskomst steekt hij het fornuis aan en haalt hij emmers water bij de kraan in de gang, en ze zitten samen zwijgend te wachten tot het water kookt en ze krijgt alweer wat kleur op haar wangen, hij giet het kokende water voor haar bij het koude in de tobbe en helpt haar haar vochtige kleren uittrekken, en hij wast de stinkende Leye van haar lijf en uit haar haar. Hij doet zijn best om er een louter praktische aangelegenheid van te maken en geen bijgedachten te hebben, en hoewel hij weet dat ze nog steeds aan de machinist denkt, staan zijn aanrakingen haar niet tegen, en vervolgens doet zij hetzelfde bij hem, ze wast hem zoals ze dat bij een klein jongetje zou doen en hij weet niet waarom, maar hij is zo ontroerd dat hij bijna staat te huilen.

En ze omhelst hem, haar naakte lichaam tegen het zijne gedrukt, en na de onstuimige vergetelheid van de dansvloer en de roekeloosheid van het goudgele Leyewater is dit ineens van een grote oprechtheid en kuisheid, alsof ze elkaar eindelijk kunnen bekennen dat ze weten wat hen te wachten staat en dat ze zo bang zijn. En ze houden elkaar vast en hij sluit zijn ogen en hij overziet de toekomst en hij is niet in paniek, hij gelooft dat ze het samen aankunnen, wat er ook gebeurt, en er vallen, plop, plop, druppels van zijn lichaam in de tobbe en hij ruikt in haar natte haar nog steeds een zweem van rotting, en zij laat hem los en ze zegt lachend dat ze zich nu opnieuw moet afdrogen, zo blijf ik aan de gang. En ze maken er geen woorden aan vuil, op dat moment lijkt dat niet te hoeven, maar later als ze naast elkaar in bed liggen en ze geen van beiden kunnen slapen en zij weer over die machinist begint, alsof dat hun grootste zorg is, weet hij het niet zo zeker meer.

En op dinsdagmiddag heeft hij een afspraak met meneer Collet om het huurcontract voor hun nieuwe huis te tekenen, de brief waarin meneer Collet de datum en de tijd van de ontmoeting bevestigt is aan hem gericht, zonder ook maar een keer naar haar bestaan te verwijzen, en hij neemt aan dat hij alleen zal gaan, maar na het middageten verdwijnt ze naar boven en na een tijdje roept ze naar beneden of hij zich niet ook moet verkleden, dat lijkt hem niet, maar ze staat in haar ondergoed halverwege de trap en ze zegt dat hij zijn zondagse pak aan moet, en blijkbaar gaat zij ook mee naar meneer Collet. Hij verkleedt zich en zij kiest haar mooiste jurk uit en haar beste schoenen en haar duurste hoed, en ze dept wat parfum in haar hals, en ze tuurt aan de keukentafel geconcentreerd in zijn scheerspiegel en ze doet rode lippenstift op en rouge en ze omlijnt haar ogen met zwarte kohlranden en ze verandert haar wenkbrauwen in twee strenge lijnen alsof het tekenen van een huurcontract zoiets is als een avond dansen, en ze kijkt hem vol verwachting aan en hij zegt dat ze er mooi uitziet, hoewel hij betwijfelt of meneer Collet haar inspanningen zal waarderen of zelfs maar zal opmerken.

En ze lopen samen naar de Groote Markt en de deur van hun nieuwe huis staat uitnodigend wijd open, en als ze naar binnen gaan en rondkijken in de winkelruimte en dan de trap op lopen naar de salon, waar ze de voetstappen van meneer Collet op de planken vloer boven hun hoofd horen, heeft hij ineens het idee dat ze nog vaak met grote spijt op dit moment zullen terugkijken, en het gevoel is zo sterk dat hij stil blijft staan en zijn hand op haar arm legt. Ze kijkt hem verbaasd aan, en hij wil haar zeggen dat ze naar huis moeten gaan nu het nog kan, dat ze het huurcontract in geen geval moeten tekenen, Julie, zegt hij, en zij hoort hoe serieus zijn stem klinkt en ze ziet hoe ernstig hij kijkt, en hij gelooft dat ze weet wat hij wil gaan zeggen, dat het een twijfel is die haar ook al dagenlang plaagt. Ze schrikt en dan, zo snel dat hij zich afvraagt of hij zich haar schrik heeft ingebeeld, herneemt ze zich en ze strijkt met haar handen over zijn schouders en trekt zijn boord en zijn das recht, en ze zegt dat hij er knap uitziet en dat hij wel tien meneer Collets aankan, en ze lacht naar hem, openhartig en vol vertrouwen.

En ze lopen samen de trap op, meneer Collet komt hen tegemoet en hij geeft Amand een hand, haar negeert hij, ze krijgt niet eens een hoofd-knikje van hem, en ze laat de belediging gelaten passeren, ze gaat in een vensterbank zitten en kijkt naar buiten, en hij praat met meneer Collet over het huis, en meneer Collet haalt het contract uit zijn zak en legt het op tafel en hij maant Amand om het rustig en kritisch door te lezen en dan, als het hem bevalt, te ondertekenen. En Amand gaat zitten en be-gint te lezen, maar hij heeft geen idee wat er in zo'n contract behoort te staan, waar hij op moet letten, hij hoort haar opstaan uit de vensterbank en dan haar voetstappen op de planken en ze komt achter hem staan, een wolk zoete parfum daalt op hem neer terwijl ze zich over hem heen buigt, en hij bladert terug naar de eerste bladzijde en na een tijdje knikt ze en hij slaat de bladzijde om, en zo lezen ze samen het hele contract, en hij probeert meneer Collets schampere blik te negeren, hij kijkt vra-gend naar haar op en zij bladert terug naar bladzijde twee en wijst een clausule aan.

Hij snapt niet wat ze bedoelt, ze fluistert in zijn oor dat ze het huis alleen in de huidige staat aanvaarden als de aanwezige gebreken in het contract worden omschreven zodat de reparatie ervan niet voor hun rekening komt, is mevrouw tevreden, informeert meneer Collet, en Amand herhaalt letterlijk wat zij hem heeft ingefluisterd, en meneer Collet wil weten om welke gebreken het gaat, en zij fluistert in Amands oor dat de kraan in de keuken lekt, en dat zegt hij tegen meneer Collet, en zij fluistert dat de trapleuning loszit, en hij zegt het tegen meneer Collet, en zo gaat het met vijf of zes punten, het is een belachelijke ver-toning, vernederend voor hem en ook voor haar, maar meneer Collet vertrekt geen spier van zijn gezicht, hij doet alsof dit een normale gang van zaken is. En hij is vriendelijk en accepteert al haar aanmerkingen zolang hij ze maar niet uit haar eigen mond hoeft te vernemen, en hij gaat tegenover Amand aan tafel zitten en schrijft in een krullerig hand-schrift de aanvullingen op de laatste bladzijde erbij, en zij fluistert in Amands oor dat het contract over iets minder dan twee maanden, op 1 november, moet ingaan, en Amand herhaalt dat tegen meneer Collet en hoewel meneer Collet liever zou hebben dat ze het pand vanaf 1 okto-ber zouden huren protesteert hij niet, hij verandert de ingangsdatum en geeft het contract aan Amand.

En zij leest het nog een keer helemaal door en meneer Collet vraagt spottend, en wat vindt mevrouw ervan, en zij kijkt meneer Collet met een flauw glimlachje aan en ze knikt naar hem als een koningin naar een onderdaan, en meneer Collet geeft Amand de vulpen zodat hij zijn handtekening kan zetten, en nu ligt de beslissing dus bij hem. Hij kijkt over zijn schouder naar haar en haar hand glijdt over zijn rug naar beneden en vervolgens weer naar boven en rust dan in zijn nek en haar vingers spelen liefkozend met zijn haar, en meneer Collet ziet het en misschien veracht hij haar niet, is hij juist erg van haar gecharmeerd, en Amand schroeft de dop van de vulpen, hij schrijft zijn naam, en dit is nog roekelozer dan door een veld vol onontplofte munitie lopen of naakt zwemmen bij maanlicht, en God, als ze nou maar eens eerlijk tegen elkaar durfden te zijn.

En meneer Collet zet ook zijn naam onder het contract en ze geven elkaar over de tafel heen een hand, en meneer Collet zegt dat hij hen veel plezier wenst in hun nieuwe huis, en daarbij kijkt hij haar aan alsof hij hoopt dat ze zal antwoorden en hij haar stem tenminste even te horen zal krijgen, en zij knikt vriendelijk naar hem. En als ze naar beneden zijn gelopen en weer op straat zijn, geeft meneer Collet haar bij het afscheid ook een hand, en hij zegt tegen haar dat ze het huis van nu af aan als het hunne moeten beschouwen, ze mogen er vanzelfsprekend pas op 1 november intrekken, maar het is geen probleem als ze voor die tijd willen behangen of vertimmeren of wat dan ook, en zij zegt dat ze dat op prijs stellen, bonjour meneer Collet, zegt ze, en ze neemt Amands arm en samen lopen ze langs het belfort en de Post de Doornijkstraat in, en ze zijn allebei stil, en vlak voordat ze thuis zijn, vraagt hij haar of ze blij is met hun nieuwe huis, heel erg, zegt ze ernstig, jij ook, wil ze weten, en dat beaamt hij en hij probeert er geruststellend bij te glimlachen.

10

En 's avonds vieren ze dat ze gaan verhuizen, ze heeft biefstuk bij Remy gekocht en ze drinken rode wijn bij het eten en ze vertellen Gust en Roos over hun grote, deftige, nieuwe huis, Roos is door het dolle heen, ze fantaseert over een eigen kamer met een hemelbed en een meisje dat Lelie heet dat iedere dag haar bed voor haar zal opmaken, en ook Gust ziet ongehoorde mogelijkheden omdat hij de dochter van hun nieuwe buurman, apotheker Fred Driane, beter zal kunnen leren kennen. En als Gust en Roos nog een tijdje buiten zijn gaan spelen en zij hen op het hart heeft gedrukt dat ze niet helemaal naar de Groote Markt mogen om naar het nieuwe huis te gaan kijken, en ze lachend en gillend de trap af zijn gerend en zij met vertederde ergernis haar hoofd schudt, zegt hij tegen haar dat ze het ook zo snel mogelijk aan Felice moeten vertellen, en zij zegt dat ze dat weet, en het water kookt en ze begint aan de afwas.

Maar die avond komt Felice langs en Julienne zegt geen woord over hun nieuwe huis, en ook de dag daarna niet en de dag daarna, en hij wijst haar er ook niet meer op, want ze wordt er kribbig van en ze komt telkens met een nieuwe reden waarom het beter nog even kan wachten, en als hij uiteindelijk aanbiedt om in zijn eentje met Felice te gaan praten, zegt ze dat Felice het van haar persoonlijk moet horen, niet van hem, dat zou heel raar zijn, alsof ik me ervoor schaam, zegt ze. En die avond zit Felice weer met een kop thee bij hen in de keuken, en ze praten over mannen en daarna over Felices werk in het naaiatelier en Julienne zegt niet zoveel, hij kijkt haar doordringend aan en haalt zijn wenkbrauwen op, vertel het haar nou, en ze slaat haar blik neer, en er valt een stilte in het gesprek, hij ziet haar moed verzamelen, ze gaat het zeggen, eindelijk, maar net op dat moment vraagt Felice of ze al heeft gehoord dat mevrouw Roels van de Vlasmarkt weduwe is geworden, en ze hebben het over de ziekte die meneer Roels heeft geveld, kanker denkt Felice, zijn hart volgens Julienne, en het gesprek kabbelt voort en een halfuur later heeft ze het nog steeds niet gezegd. Hij ziet haar ermee worstelen, jurken die Felice mooi vindt, vindt zij juist lelijk, mensen die Felice aardig vindt, vindt zij juist vervelend, en van dansen heeft ze ook genoeg, het is alsof ze een onenigheid probeert uit te lokken zodat ze haar vriendin zonder wroeging op straat kan zetten, maar Felice laat haar provocaties goedmoedig passeren, ze lacht zo'n beetje om haar en uiteindelijk vraagt ze of er iets mis is, en ze kijkt daarbij naar hem, alsof ze zich afvraagt of hij zijn vrouw weer heeft geslagen, en dit is het moment, nu moet ze het zeggen, maar ze zegt kortaf dat er niets is, dat het juist heel goed met haar gaat, en daar laat ze het bij.

En Felice gaat naar het privaat, hij legt bemoedigend zijn arm om Julienne heen en fluistert, zal ik het haar vertellen, nee, zegt ze, nee, dat kan niet, en ze kijken elkaar in de ogen, hij streelt haar over haar wang en ze drukt een kus op zijn handpalm. En Felice staat in de deuropening, ze ziet hen daar innig samen zitten en ze is niet jaloers, op haar gezicht strijden ontroering en medelijden om voorrang, alsof ze naar twee vruchteloos verliefde kinderen kijkt die spelen dat ze getrouwd zijn, en hij voelt Julienne onder zijn handen verstijven, we gaan verhuizen, zegt ze plompverloren, en Felice lacht, waarnaartoe, zegt ze, naar de maan zeker. En Julienne herhaalt beledigd dat ze echt gaan verhuizen, en pas als ze over het deftige huis op de Groote Markt vertelt met al zijn moderne snufjes en zijn grote winkelruimte en zijn prachtige uitzicht, dringt tot Felice door dat het geen verzinsel is, en ze vraagt wanneer ze uit de Doornijkstraat weggaan, en over anderhalve maand is al snel, ze begrijpt dat Julienne dit al een tijdje moet hebben geweten, dat ze nog veel langer heeft geweten dat het tot de mogelijkheden behoorde en dat ze maanden naar het ideale huis moet hebben gezocht, allemaal zonder er tegen haar beste vriendin ook maar met een woord over te reppen, en dat terwijl ze elkaar de afgelopen weken bijna iedere avond hebben gesproken, het is onbegrijpelijk, echt onbegrijpelijk, en met tranen in haar stem zegt ze dat ze haar heel veel plezier wenst in haar fantastische, nieuwe huis, met haar ongetwijfeld ontzettend leuke, nieuwe buren.

En Julienne probeert haar uit te leggen dat ze het niet zo heeft bedoeld, dat ze het niet durfde te vertellen omdat ze haar geen pijn wilde doen, en nu heeft ze dus te lang gewacht, en Felice gelooft vernederd helemaal niet dat Julienne haar geen pijn wilde doen, jij kunt van niemand houden, zegt ze, alleen van jezelf, je zet het leven naar je hand en daar moet alles en iedereen voor wijken. En Julienne negeert de belediging en zegt dat het haar spijt, ze heeft het alsmaar niet verteld omdat ze wist dat Felice, Lies noemt ze haar smekend, Liesje, omdat ze wist dat ze boos zou worden, en Felice roept uit dat ze niet boos is, daarvoor is Juliennes gedrag te meelijwekkend, weet je wat het met jou is, zegt ze als ze al in de gang staat en zich nog één keer naar haar omdraait, jij voelt je boven iedereen verheven, maar geloof me, het is koud daarboven en lieverd, vroeg of laat val je en dan is er niemand om je overeind te helpen.

En ze ligt de hele nacht wakker gelooft hij, 's ochtends ziet ze er vermoeid en futloos uit, maar dat kan ook door de hitte komen, want het is ongewoon warm voor september. Hij werkt in de benauwde, schemerige studio aan het afdrukken van de foto's, en zij is de hele ochtend bezig in de winkel en 's middags zet ze een stoel op het achterplaatsje en ze zit in de schaduw te naaien, als hij steels naar haar kijkt, heeft ze haar naaiwerk in haar schoot laten zakken en ze staart voor zich uit, en een halfuur later kijkt hij opnieuw en ze zit nog steeds in dezelfde houding, alsof ze rechtop in slaap is gesukkeld. Hij loopt met een stoel naar buiten, en ze glimlacht naar hem, hij gaat naast haar zitten, ze zeggen niets, de warmte hangt zwaar en roerloos om hen heen, en het is ongekend stil, alsof de hele stad voor pampus ligt, en hij vult een emmer bij de kraan in de donkere kamer en ze trekken hun kousen en schoenen uit, hij zet zijn voeten in het koude water en zij zet de hare erbovenop en hun tenen spelen met elkaar. En er zijn bijna geen klanten voor de winkel, het is zelfs te warm om een krant te kopen, maar als het belletje dan toch rinkelt wurmt hij snel haar natte, blote voeten in haar schoenen en zij doet hetzelfde bij hem, en wie het eerst zijn schoenen aanheeft, moet de klant helpen, dat is meestal hij, en haar lach vergezelt hem op zijn weg door de bedompte studio naar de winkel, en eigenlijk is het erg gezellig zo met z'n tweeën op het achterplaatsje, in de broeierige hitte.

En Felice komt thuis van haar werk, ze opent het keukenraam en ziet hen daar samen zitten en ze zegt niets, ze komt ook niet naar buiten om hen gezelschap te houden, hoewel het binnen niet te harden is. En zo rond halfacht komen Roos en Gust vragen of ze nou nog niet gaan eten, en Julienne zegt dat het daar veel te warm voor is, maar Roos zegt dat je doodgaat als je niet eet, heus niet na een avond, zegt Julienne, maar Roos bedenkt, wat als het nou heel lang zulk warm weer blijft, dat kan toch en dan verhongeren we. En Gust weet te vertellen dat ze in de bijbel zelfs eten als ze midden in de woestijn zijn, en daar is het wel zestig graden, en ze staat met een gespeeld getergde zucht op en ze gaat naar binnen, en vanaf de trap roept ze dat het boven niet om uit te houden is, en daarna moppert ze over die woestijn in de bijbel, maar dat verstaan hij en de kinderen gelukkig niet goed meer, en hij lacht naar hen, rare mama.

En Gust gaat op straat knikkeren met zijn vriendjes die stuk voor stuk al klaar zijn met eten, en Amand speelt met Roos op het achterplaatsje, ze gooien elkaar met handenvol water uit de emmer nat en hij rent achter haar aan, hij zorgt dat hij haar net niet en dan net wel te pakken krijgt, en zij gilt en hij tilt haar met een zwaai op en roept dat hij haar zijn natte pak betaald zal zetten, en hij hangt haar op haar kop boven de emmer, haar lange vlechten slierten door het water, en hij eist dat ze hem om genade smeekt, maar dat weigert ze schaterend en gierend van het lachen, en wat houdt hij van haar en van zijn leven, en vlakbij staat een zwarte hond naar hen te kijken, hij ziet hem vanuit zijn ooghoek.

En plots zit zij een paar meter verderop tegen de schutting op de stenen en ze weet nog net haar tranen te bedwingen terwijl ze overeind krabbelt, en hij vervloekt zichzelf hartgrondig, hij vraagt of ze zich pijn heeft gedaan en ze kijkt zo angstig naar hem dat hij geen kus op haar geschaafde handpalm durft te geven en haar al helemaal niet in zijn armen durft te nemen om haar te troosten. Hij probeert haar van een afstandje te overtuigen dat het bij het spel hoorde en zij doet haar best om hem te geloven, maar als hij zegt dat het hun geheimpje is, niemand hoeft ervan te weten, vooral mama niet, en zij vraagt wat ze dan precies allemaal niet aan mama mag vertellen, en hij zich door zijn antwoord heen moet bluffen, heeft ze in de gaten dat hij niet weet wat er is gebeurd, ze staart hem met grote, bange ogen aan en ze vraagt waarom hij zo raar doet, en haar stem trilt vervaarlijk alsof ze ieder moment hard kan gaan huilen. En hij zegt zo kalm en geruststellend mogelijk dat hij niet raar doet, en als dat wel zo was dan is het nu over, dat belooft hij, en terwijl hij dat zegt, schuift zij met haar rug tegen de schutting gedrukt in de richting van de deur, en zo stil en schichtig als ze dat meent te moeten doen, het is afschuwelijk, werkelijk ondraaglijk. Hij doet een paar passen naar haar toe en knielt voor haar neer en breidt zijn armen uit, en hij noemt haar smekend Roosje en of ze alsjeblieft bij papa wil komen, alsjeblieft, er is niets mis, meisje van me, echt niet, kijk maar, ik lach en ik ben helemaal niet boos. En ze verzamelt moed en ze komt voorzichtig naar hem toe, en als ze nog maar een halve meter van hem vandaan is, durft ze niet meer, hij trekt haar naar zich toe en hij neemt haar in zijn armen en hij fluistert lieve woordjes in haar oor en excuses en beloftes, en hij houdt haar net zo lang vast totdat het trillen van dat kleine meisjeslichaam zal stoppen en ze zich ontspant en haar armen om zijn nek zal leggen, maar dat moment komt maar niet, hoe langer en steviger hij haar omhelst hoe verder ze zich van hem lijkt te verwijderen, alsof hij water in zijn handen meent te kunnen bewaren door zijn vuisten dicht te knijpen.

En ze horen Julienne van boven roepen dat het eten klaar is, en hij laat haar los en haar opluchting is pijnlijk groot, snel loopt ze naar de deur en dan begint ze te rennen, de studio door, de trappen op, hij hoort haar voetstappen op de treden roffelen en dan wordt het stil en is ze veilig bij haar moeder in de keuken, en hij laat zich op de grond zakken, daar zit hij met opgetrokken knieën en zijn hoofd in zijn armen totdat Julienne nog eens roept dat hij moet komen eten. En hij staat op en gaat naar boven, het is benauwd en vreselijk warm in de keuken, de ramen staan open en ook de deuren naar de gang en de salon, maar het helpt nauwelijks, en hij stapt over de drempel en hij ziet Roos schichtig naar hem omkijken, en het spijt hem maar hij moet wel naast haar gaan zitten, dat is zijn plek, tegenover Julienne, naast Roos. Zo onopvallend mogelijk schuift hij zijn stoel een eindje van haar vandaan, en zij houdt zich zo stijf als een plank zodat haar elleboog niet per ongeluk zijn arm kan raken of haar been zijn knie, en Julienne vraagt haar wat er met haar aan de hand is, word je ziek, en ze schudt met neergeslagen ogen bijna onmerkbaar haar hoofd, en Julienne dringt aan en ze kijkt haar moeder aan en hij denkt dat ze het gaat vertellen, en dat moet dan maar, eens zal iemand het toch hardop moeten uitspreken, maar ze zegt dat ze geen honger heeft. En Julienne slaakt een lacherige zucht, heb je ooit zo'n verschrikkelijk kind meegemaakt, al die tijd heeft ze in een smoorhete keuken voor haar staan koken en nu wil ze het niet hebben, en ze zegt dat ze aan tafel blijft zitten totdat ze haar bord leeg heeft gegeten, en Roos neemt met lange tanden een hap van haar soep, en Julienne pakt een stuk brood en geeft het haar, ze zegt dat ze van soep alleen niet kan leven, en Roos neemt het van haar aan en legt het naast haar bord op tafel.

En Gust is al klaar en vraagt of hij van tafel mag, hij wil verder knikkeren, en Julienne vraagt of hij het eten tenminste wel lekker vond, en Gust verzekert haar met een grijns in Roos' richting dat het heerlijk was en weg is hij, en Roos kijkt hem jaloers na, en Julienne zegt tegen haar dat ze moet dooreten dan kan ze ook naar buiten, en ze begint de tafel af te ruimen. En hij pakt achter haar rug Roos' bord en zet het haastig aan zijn mond en hij drinkt het leeg, de soep is lauw, bijna kouder dan de lucht die hij inademt, en hij zet het bord terug op tafel voor Roos neer, en hij hoopte op een glimlach of op z'n minst dat ze wat dichter bij hem, gewoon in het midden van haar stoel, zou durven te gaan zitten, maar ze kijkt achterdochtig naar hem alsof hij met iedere bede om haar vergiffenis alleen duidelijk maakt hoe onvergeeflijk zijn gedrag blijkbaar ook in zijn eigen ogen is.

En Julienne draait zich om en ziet dat Roos' bord ineens leeg is, ze kijkt naar Roos, die slaat haar ogen neer, en dan kijkt Julienne naar hem, maar ze zegt niets, ze pakt het bord van tafel en zegt dat Roos buiten kan gaan spelen, en als Roos de trap af is gerend, zegt ze tegen hem dat hij haar karakter verpest met zijn toegeeflijkheid, hoe moet het later met haar als haar vader er niet is om haar te redden, ze moet leren doorzetten, ook als het zo zwaar is dat ze het eigenlijk niet kan opbrengen, zegt ze. En hij zegt dat daar nog meer dan genoeg gelegenheid voor zal zijn, veel meer dan ons lief is, en zij zwijgt, ze ruimt de tafel af en hij haalt water voor haar en ze vraagt, ga eens kijken of Felice buiten is gaan zitten, en hij loopt de salon in en kijkt door het raam op het achterplaatsje, en inderdaad daar zit ze op een keukenstoel te lezen.

En ze besluiten om dan maar samen in de keuken te blijven, snikheet of niet, ze trekken hun schoenen en kousen uit en hij ook zijn overhemd en hij rolt zijn broek op tot boven zijn knieën, en zij knoopt haar jurk om haar middel en maakt de knoopjes tot in haar decolleté los. En zo half bloot en blozend van de hitte doet ze de vaat, en mensenkinderen wat is het warm, ze hopen op verkoelende regen, maar die komt niet, en zij zou negatieven moeten retoucheren, als Felice tenminste nou eens naar boven zou willen gaan, en ze zitten loom in de vensterbank te wachten op een van beiden, de regen of hun buurvrouw, met opgetrokken knie-en zitten ze daar, hun blote benen en voeten knus gerangschikt, een van hem, een van haar, een van hem en dan weer een van haar, en zij heeft geen puf om zich zorgen te maken, misschien is ze zelfs wel tevreden, en hij zou dat ook willen zijn, maar hij kan die angstige blik van Roos niet uit zijn hoofd zetten, haar onschuldige meisjesogen hebben in het duister van zijn hoofd gekeken, daar waar hij zelf niet kan gaan, en zo ziet dat er dus uit.

En als de kinderen naar bed moeten, gaat hij niet naar boven om hen zoals anders goedenacht te wensen, hij laat het aan Julienne over, en zij informeert niet naar de reden van zijn verzuim omdat Roos ongetwijfeld niet naar hem heeft gevraagd, en Felice gaat pas tegen tienen naar binnen en dan is het te laat om nog aan de negatieven te beginnen. En ze lopen zachtjes de trap op en met iedere trede wordt het warmer, en in hun slaapkamer is het echt niet om uit te houden, op de kamer van de kinderen is er tenminste nog een raam dat open kan, hier is niets wat enige verlichting kan brengen, ze overwegen om samen op de sofa in de studio te gaan slapen, maar terwijl ze op bed fluisterend zitten te overleggen, zijn ze al enigszins gewend geraakt aan de tropische temperatuur, en ze kleden zich tot op hun ondergoed uit en zo bidden ze ieder aan hun kant van het bed, en dan gooien ze de deken en het laken op de grond en ze liggen onbedekt naast elkaar. En na een paar minuten richt zij zich op en trekt haar hemdje over haar hoofd en hij kan in het donker vaag de omtrek van haar borsten onderscheiden, en haar lichaam is geen bron van opwinding alleen van nog meer warmte, en de geur van haar zweet vermengt zich zurig met de zijne.

En hij sluit zijn ogen, maar de slaap wil niet komen en ook zij slaapt niet gelooft hij, want als er plotsklaps een schreeuw klinkt, naargeestig en vreemd hoog en dichtbij, alsof er aan het voeteneind van hun bed een hond gilt van de pijn, zit ze onmiddellijk overeind, en nog een schreeuw en dan gehuil en mama, mama. En ze schiet haar hemdje aan en hij steekt de petroleumlamp aan, en hij loopt achter haar aan naar de slaapkamer van de kinderen, en Roos zit rechtop in bed te snikken en Gust zegt verontwaardigd dat hij zich halfdood is geschrokken, wat een gegil, en Julienne neemt haar in haar armen en wiegt haar sussend heen en weer en zegt dat het maar een nachtmerrie was, je ligt gewoon in je bed, het is voorbij. En Roos gluurt vanuit de schuilplaats van haar moeders omhelzing naar haar vader alsof ze zich afvraagt of ze misschien toch niet wakker is en de kwelgeest uit haar droom zich daar in de deuropening stilletjes staat te verkneukelen totdat hij haar met huid en haar kan verslinden. En Julienne vraagt waarover ze heeft gedroomd, en ze zwijgt en als Julienne haar vraag herhaalt en zegt dat het helpt om het te vertellen, dan heeft de droom geen macht meer over je, zegt ze met een klein stemmetje dat ze het is vergeten, en het lijkt hem beter om weg te gaan, hij zet de lamp op de grond en loopt in het donker terug naar hun slaapkamer.

En hij zit op het bed te wachten totdat Julienne ook komt, ze praat met Roos, met haar liefste mamastem en Roos antwoordt zacht, ze fluistert bijna, zo bang is ze dat hij haar zal kunnen verstaan, en in het donker wellen er tranen in zijn ogen op, arm, klein meisje, en dit zijn dus de laatste momenten dat hij, dat Julienne, dat ze met z'n allen de illusie kunnen koesteren dat ze een normaal, gelukkig gezin vormen met een toekomst zo voor de hand liggend dat ze er nooit een gedachte aan hoeven te wijden. En hij hoort haar opstaan en ze vraagt Roos of ze bij hen in bed wil slapen, alleen vannacht, en wat Roos zegt hoeft hij niet te verstaan om het te begrijpen, en hij wacht met bonzend hart en daar komt ze aan, het schijnsel van de petroleumlamp gaat haar voor, ze zet de lamp op de vloer naast hun bed en ze blaast hem uit en ze zegt niets. Hij moet haar ernaar vragen, en ze zegt dat Roos zich haar droom niet herinnerde, en ach, zijn kleine meisje durfde niet, dat is helemaal verschrikkelijk, en terwijl ze haar hemdje uittrekt en naast hem komt liggen, bekent hij haar wat er vanmiddag tussen hem en Roos is gebeurd en dat hij zich er niets van herinnert. En hij kan haar gezichtsuitdrukking niet onderscheiden maar haar schrik komt tot hem alsof het iets tastbaars is als een ademtocht, en hij is er ineens niet meer zo zeker van dat ze het al wist, en hij vertelt haar alles, de vreemde aanvallen waarvan hij zich achteraf niets herinnert, dat hij ze soms voelt aankomen en dat hij dan emotieloos is en van buitenaf naar zichzelf kijkt alsof hij een vreemde is, en dat die rare gewaarwordingen hem steeds vaker overkomen.

En ze zwijgt, ze zegt helemaal niets, Julie, fluistert hij en hij tast in het donker naar haar klamme hand met haar trouwring, en haar vingers bewegen zich niet, haar hand rust als een dood vogeltje in zijn hand, en hij zegt nog eens onzeker, Julie, en ze vraagt of hij op het slagveld bij Ieper zo'n aanval heeft gehad, en dat beaamt hij en hij vraagt haar of hij haar toen iets heeft aangedaan, en nee, nee, verzekert ze hem, hij was alleen een beetje in de war en hij wilde weg, en toen ze hem probeerde over te halen om te blijven deed hij onaardig en grof tegen haar, dat was alles, ze gelooft niet dat hij haar ooit pijn zou doen, zegt ze. En hij zegt dat hij haar heeft geslagen, dat was ook tijdens zo'n aanval, en dat verrast haar, en ze haast zich om te zeggen dat ze toen ruzie hadden, dus zo vreemd was het niet dat hij haar sloeg, en hij zegt wanhopig dat ze dat niet moet doen, wat, vraagt ze, en hij zegt dat ze niet moet volhouden dat er niets met hem aan de hand is, hij is zijn geheugen aan het verliezen en hij is bang, zo vreselijk bang, zegt hij.

En ze gaat overeind zitten en ze omhelst hem en hij snikt het uit, en hij zegt dat hij haar zal kwijtraken en alles wat ze het laatste jaar samen hebben meegemaakt, alles zal verdwijnen, het zal zijn alsof hij opnieuw vermist is geraakt alleen kan ze hem nu niet gaan zoeken, en ze kan niet op een brief van hem wachten en tegen beter weten in blijven hopen, want hij ligt nog gewoon naast haar in bed en zit tegenover haar aan de keukentafel, en ze kan met hem praten maar toch is hij er niet. En nu huilt zij ook, en niet dat hij haar graag verdrietig wilde maken, maar hij voelt haar naakte rug onder zijn handen schokken en haar tranen druppen over zijn borst naar zijn buik en een grote opluchting maakt zich van hem meester, alsof hem de dood was aangezegd en dat onverwacht een vergissing blijkt te zijn.

En hij gaat liggen met haar in zijn armen, en ze rilt ondanks de warmte en hij vist de deken van de vloer en trekt die over hen heen, en ze zeggen tegen elkaar dat als hij zich straks niets meer herinnert ze opnieuw zullen beginnen, ze gaan het gewoon allemaal nog eens beleven, de eerste verliefdheid, vrijen bij dag en bij nacht, wandelen langs de Leye, samen fietsen, dansen, zwemmen, verhalen vertellen tot de zon opkomt, wie krijgt er nou de kans om zijn leven over te doen, niemand, alleen zij tweeën, en het wordt nog beter dan de eerste keer, want zij zal weten wat te vermijden en waar op aan te sturen, en ze beloven elkaar dat ze niet wanhopig zullen zijn en ook niet bang of eenzaam, en als ze dat toch zijn, ze het elkaar zullen vertellen zodat ze het tenminste samen kunnen zijn.

En tegen de ochtend vallen ze in slaap, het begint dan al voorzichtig licht te worden en grijzig drijft met de eerste zonnestralen ook de warmte hun kamer binnen, Gust komt hen tegen zevenen wekken, de deken die hen bedekte is aan haar kant van het bed op de grond gegleden en Gust draait snel zijn hoofd af als hij haar blote rug en dijen ziet, en ze is nauwelijks wakker, ze merkt het niet, pas als hij alweer weg is, rekt ze zich uit en ze gaapt, heb je geslapen, vraagt ze, en dat beaamt hij, alleen was het toen al tegen vijven, jaaaaaaaa, zegt ze terwijl ze nog eens onbevallig met wijdopen mond gaapt, en ze staan op en hij doet de kolen, en hij scheert zich terwijl zij zich wast en dan kleden ze zich aan, en al die alledaagse handelingen hebben een wonderbaarlijk lichtvoetige betekenis gekregen, alsof hij er vanuit de toekomst met een hart vol heimwee op terugkijkt. En dat onterecht blijmoedige gevoel blijft de hele dag bij hem en ook zij is niet somber, ze zegt niet veel, ze werkt aan de negatieven, maar niet erg efficiënt, een beetje dromerig, alsof ze in beslag wordt genomen door gedachten aan een onbereikbare geliefde, en zo nu en dan kijkt ze naar hem, misschien om zich ervan te vergewissen dat hij niet weer zo'n rare aanval heeft, maar het maakt een liefdevolle indruk op hem, alsof ze net als hij aan hun lotsverbondenheid van vannacht denkt.

En 's avonds benauwt het huis hen zo dat ze naar de Groote Markt lopen, en voor het eerst openen ze de deur van het grote, deftige huis dat nu werkelijk van hen is, en het is alsof ze een nieuw leven betreden, alsof ze al hun zorgen in die oude van hitte en watervlekken en waslijnen vergeven kamers hebben achtergelaten en hen een blik in hun toekomst wordt vergund, en ze hebben het over tafels en stoelen en bedden en kleden en behang en ze meten de winkelruimte op, en hij ontwerpt een toonbank en etalagekasten die hij zelf zal timmeren, en het is allemaal zo praktisch en nuchter dat het wel waar moet zijn, ze gaan hier wonen, hij en zij en de kinderen. En ze zitten samen op de vloer in de salon en alles is nog mogelijk, van een tafel bij het raam tot een kleed bij de deur, van kibbelen in de moderne keuken tot nachtelijk geluk in de slaapkamer in de schaduw van het belfort, en zij zegt dat ze zich dit moment altijd zal blijven herinneren en dat ze als het zover is hem erover zal vertellen, en dat is een vreemd idee dat ze hier niet alleen nu op dit ogenblik zijn maar ook in haar verhaal, en hoe zou het er dan uitzien, het is jammer dat de zon nog net niet ondergaat en dat het zo heet is dat de mussen van het dak vallen zodat je niets aan die moderne verwarming hebt.

En ze gaat languit liggen alsof ze aan de Leye zijn met haar hoofd in zijn schoot, en ze legt haar hand in zijn nek en trekt hem zachtjes voorover en ze kust hem, en hij heeft het idee dat ze met haar verhaal bezig is, dat ze niet de juiste woorden bij haar daden zoekt maar de juiste daden bij de romantische beschrijvingen die ze aan het bedenken is. En hij maakt zich los uit haar omhelzing en loopt naar het raam en hij staat met zijn rug naar haar toegekeerd naar buiten te kijken, inktzwarte wolken hebben zich boven de stad samengepakt, de torens van het belfort en de Sint Maartenskerk, in hun nietige door mensen gecreëerde hoogmoed, richten zich vergeefs tot Onze Lieve Heer, en de eerste druppels raken de grond, en zij komt naast hem staan en binnen enkele seconden veranderen voor hun ogen die aarzelende druppels in een waterval die in razernij over de straatstenen en de verhitte huizen en de torens en de bomen en de dorstige plassen wordt uitgestort, en regenvlagen dringen hun mooie, nieuwe huis binnen en ze sluiten lacherig de ramen, en zij herinnert zich dat de deur naar de tuin ook openstaat, en hij rent naar beneden.

En ze zijn in een smalle straat bij een lange, witte muur, en zij heeft hem stevig bij zijn pols beet en ze sjort aan hem, en ze zijn allebei doornat, hun kleren kleven aan hun lichaam en hij herkent haar bijna niet, haar krullen zijn pikzwart en plakken plat tegen haar hoofd, en haar gezicht is bleek en vertrokken in een grimas van ergernis en wanhoop, en de straat stroomt onder hun voeten weg en de regen geselt hen ongenadig, ze schreeuwt tegen hem waar hij in hemelsnaam heen wil met dit noodweer, wacht tenminste tot het droog is, zegt ze. En hij legt zijn hand over haar hand waarmee ze zich aan hem vastklampt, en hij zegt, Julie, en ze heft haar gezicht naar hem op en ze ziet het, ik ben er weer, zegt hij, en hij probeert geruststellend naar haar te glimlachen terwijl het water zijn mond in loopt. En alles aan haar verandert, haar gezicht, haar ogen, haar houding, het is alsof er een licht diep binnen in haar wordt ontstoken, en het is wonderbaarlijk dat hij degene is die met een paar simpele woorden zoiets kan veroorzaken, en ze ontspant zich en laat zijn pols los.

Een felle flits verlicht de huizen en de hemel, en hoog boven hun hoofd rommelt het onheilspellend, en ze beginnen te rennen en voordat de volgende bliksem hen weet te vinden hebben ze het portaal van de Sint Maartenskerk bereikt, de bogen vouwen zich gracieus als een mantel om hen heen en ze wil eigenlijk niet naar binnen, maar de dreun van de donder is vlakbij, en ze slaat haastig een kruis terwijl hij de deur openduwt. En ze staan op de wit-zwarte tegelvloer van de kathedraal, het water loopt in straaltjes uit hun kleren en vormt een plas rond hun voeten, en ze leunt met haar rug tegen een pilaar en ze houdt haar hoofd gebogen, ze kijkt niet naar de krullerige overdaad voor haar, niet naar de sierlijk gebogen hemel boven haar die in tegenstelling tot die van Onze Lieve Heer ondersteuning nodig heeft van rijen pilaren, versierd met hangende apostelbeelden.

En er is niemand in de kerk, ze zijn helemaal alleen, hoog boven hen in de wolken spelen bliksem en donder krijgertje, en hij heeft het koud, hij vraagt haar wat er is gebeurd, je ging naar beneden om de tuindeur te sluiten, zegt ze, en je kwam niet terug, en terwijl ze praat, heft ze haar hoofd niet op, alsof ze bang is dat God haar zal herkennen als die vrouw die al jaren weigert Zijn Huis te bezoeken en Hij haar in het gezicht zal slaan. En ze zegt dat ze uit het raam keek en hem in de stromende regen over de Markt zag lopen, en ze opende het raam en riep naar hem, en hij reageerde niet en toen begreep ze wat er aan de hand was, hij liep ook anders, zegt ze, vermoeid en toch zelfverzekerd als een soldaat na een lange mars, en ze begon te rennen, de trap af, de regen in, en toen ze hem had ingehaald, probeerde ze hem zo ver te krijgen dat hij met haar mee naar binnen ging, maar met hem praten was onmogelijk, hij had het over een brief en over keien of breien of zoiets en dat hij terug moest, en als ze dan vroeg waarheen gaf hij geen antwoord, tenminste niet iets waaruit zij wijs kon worden, en hij liep maar door en ze was niet sterk genoeg om hem tegen te houden, zegt ze. En hij zegt dat het hem spijt want ze ziet er aangeslagen uit, en ze schudt haar hoofd en voor het eerst werpt ze een blik de kerk in, aarzelend alsof haar verlangen haar weerzin maar net overstijgt, en ze kijkt naar de strak opgestelde rijen stoelen en naar het grote kruis dat boven het koorhek aan het plafond hangt, ze zegt dat het onweer nu wel voorbij zal zijn.

En ze gaan naar buiten, het regent nog steeds, maar veel minder hard, en ze steken de Groote Markt over, ze twijfelen of ze naar hun oude of hun nieuwe huis zullen gaan, en hij oppert dat ze een warm bad kan nemen in de badkamer met het stromende water en de koperen kranen en dat hij intussen thuis droge kleren voor haar zal halen, en dat wil ze natuurlijk niet, ze is bang dat meneer Collet zal komen en haar daar in Eva's kostuum, zo noemt ze het, zal aantreffen, en dus gaan ze naar huis. En terwijl ze de trap naar hun slaapkamer op lopen, blijft ze staan en ze draait zich verlegen lachend naar hem om en ze zegt dat ze alsmaar aan dat warme bad moet denken, ga dan je kleren halen, zegt hij, en ze gaat naar boven en ze komt terug met haar grijsgroene jurk en zijn grijze kostuum en ze vouwt ze op en doet ze samen met een handdoek en een stuk Palmolive-zeep in een koffer, en hij neemt een paraplu mee.

En ze lopen terug door de Doornijkstraat en gelukkig is er niemand te bekennen, want ze zien er waarschijnlijk vreemd uit, als zwervers die een koffer hebben gestolen, en ze gaan ook nog eens inbreken in hun eigen huis, ze staan voor de deur en zij zegt nerveus dat ze dit niet moeten doen, en hij pakt haar hand beet en trekt haar mee naar binnen, en ze durven het elektrische licht niet aan te steken, ze lopen in het donker naar boven over de trap die hun voeten inmiddels herkennen, en hij opent de deur van de badkamer en zij zet de lichtschakelaar om, en daar is het smetteloos witte bad met zijn glimmende kranen. En ze staat stil op de drempel, ze gaat niet naar binnen, ze zegt dat ze dit niet kan, en het klinkt benauwd alsof ze zich gedwongen ziet om zich voor een zaal vol deftige mensen uit te kleden, en hij zet de schakelaar van de boiler om, en het is hun bad, hun elektriciteit, hun warme water, hij trekt haar over de drempel en sluit de deur achter haar en hij begint de knoopjes van haar natte jurk los te maken, en ze zegt dat hij bij de deur de wacht moet houden, anders durft ze niet, en als meneer Collet komt, zegt ze. Dan sla ik hem neer, verzekert hij haar, en ze lacht weifelend, maar ze stapt uit haar schoenen en ze trekt haar jurk over haar hoofd en in haar ondergoed loopt ze naar het bad en ze draait de kranen open, het water kolkt stomend het bad in en ze zit op de rand te wachten tot het is volgelopen, haar hand speelt dromerig met het water en dan draait ze zich plots naar hem om alsof haar te binnen schiet dat hij bij haar is, en ze kijkt hem zo lang en zo ernstig aan dat hij zich ongemakkelijk begint te voelen, en ze zegt dat het ergste van zo'n aanval is dat hij zo raar uit zijn ogen kijkt, ze weet niet hoe ze het moet beschrijven, zegt ze, weerzin, haat, angst, of juist het ontbreken van ieder gevoel, als een beest dat halfdood is geslagen en het heeft opgegeven, en ze kijkt hem nog steeds doordringend aan, en over haar gezicht trekt de schaduw van wat ze in hem heeft gezien toen ze daar samen in de stromende regen op straat stonden, en het is verschrikkelijk, hoe kan hij ook die man zijn, die man die haar afschuw inboezemt, met wie ze straks nog steeds getrouwd is.

En ze trekt haar ondergoed uit en ze stapt in het bad en ze zijgt in het water, ze zucht van verrukking, wat is het heerlijk warm en breed en diep, en hij zit op de tegelvloer met zijn rug tegen de deur zodat meneer Collet eerst over hem heen zal moeten stappen om haar te bereiken, en hij zegt tegen haar dat ze hem terug moet brengen naar het gesticht als hij zijn geheugen voorgoed kwijt is. En ze laat zich met opgetrokken knieën zover zakken dat haar hoofd onder water verdwijnt, en na even komt ze weer boven en ze wrijft het natte haar uit haar gezicht en ze zegt dat ze bij hem blijft, wat er ook gebeurt, ze heeft zo lang naar hem gezocht, zegt ze, ze laat hem niet meer gaan, en als hij over dat gesticht begint iedere keer dat ze hem over zo'n aanval vertelt, kan ze niet meer eerlijk tegen hem zijn, en dat vindt ze vreselijk, zegt ze, dan weet ze niet of ze het wel aankan, want dan is ze helemaal alleen met haar zorgen en ze hadden nu juist afgesproken dat ze het samen zouden doen. En hij belooft haar snel om nooit meer het woord gesticht in de mond te nemen, maar het doet zo'n pijn om haar pijn te moeten doen en er niets tegen te kunnen beginnen, en zij zeept zich in en ze vraagt of hij haar rug voor zijn rekening wil nemen, en hij knielt bij haar neer en streelt het geurige schuim van haar nek over haar schouders via haar ruggengraat naar haar billen, en hij neemt in gedachten afscheid van haar vertrouwde lichaam.

En ze vertelt over hun ontmoeting, die eerste dag in het gesticht, over de omhelzing in de dwangbuis en de tomaat in de kas en dat ze achteraf gehurkt achter een heg van geluk zat te huilen en dat ze op haar hotelkamer ineens bang werd dat het niet zo zou worden als ze zich al die jaren had voorgesteld, en ze vraagt hem of het zo goed is, of dit het verhaal is dat ze hem straks zal vertellen, en hij vertelt diezelfde dag op zijn beurt aan haar, wat een wonderbaarlijk en vreemd gevoel het was om na jaren van eenzaamheid ineens bij iemand te horen, hoe hij haar moed bewonderde toen ze tegen de wens van overste Segers en dokter De Moor in durfde te gaan en volhield dat ze hem mee naar huis zou nemen. En ze stellen uit die twee herinneringen de ideale herinnering samen, en die vertelt ze hem terwijl ze languit in het gerieflijke bad ligt, haar hoofd achterover op de rand en haar ogen gesloten, en de nieuwe herinnering aan haar rozige lichaam met haar vertekende borsten en navel en de duistere driehoek tussen haar benen, net zichtbaar onder het wateroppervlak, is vanaf nu voor hem verbonden met de herinnering aan haar toen nog onbekende, keurig geklede lichaam in de tomatenkas, voor zolang het duurt tenminste, want straks zal hij alleen nog weten wat zij hem vertelt.

En terwijl hij zich uitkleedt en haar plaats in het bad inneemt en zij droge kleren aantrekt en met haar rug tegen de deur op de vloer gaat zitten, vertellen ze elkaar over de reis van het gesticht naar huis en hun angsten van die eerste weken samen, en ook uit die twee visies componeren ze de beste herinnering. Dat hij haar tijdens het slaapwandelen probeerde te verstikken en dat zij hem halfnaakt onderaan de trap aantrof en hem zijn nachthemd moest zien aan te trekken, laten ze weg, ze gaan direct door naar hun laatste bezoek aan het gesticht, toen hij geloofde dat ze hem daar zou achterlaten, maar dat totaal niet in haar opkwam, en vanaf dat moment werd het beter, zeggen ze tegen elkaar terwijl ze de deur van hun nieuwe huis achter zich dichttrekken.

En het is donker maar het is gestopt met regenen, en ze lopen door de Doornijkstraat terug naar huis en ze vertellen elkaar over de nacht dat hij wegliep en hoe zij in paniek naar hem zocht, en hoe ze elkaar daarna aan de keukentafel bekenden dat ze teleurgesteld waren en zich schaamden voor hun ondankbaarheid voor wat hen in de schoot was geworpen, en die bekentenis was het begin van hun geluk, besluiten ze. En als ze thuiskomen gaan ze naar bed en ze vertelt alles waarover ze overeenstemming hebben bereikt nog eens aan hem en hij corrigeert haar hier en daar, en dan vertelt ze dat deel van het verhaal opnieuw, en het moment waarop hij zichzelf in de stromende regen op straat terugvond en zij wanhopig aan zijn arm stond te sjorren is ver weg, alsof ze met hun zorgvuldig samengestelde verleden het leven te slim af kunnen zijn, en wat er ook gebeurt, niets zal hun deren zolang zij maar de juiste woorden uit haar hoofd leert.

En ze slapen allebei als een blok die nacht, alleen rond drie uur zijn ze even wakker omdat het alweer onweert, en zij gaat naar beneden naar het privaat en als ze terugkomt, vraagt ze of ze dat weglopen van hem en haar wanhopige zoeken niet beter uit haar verhaal kunnen weglaten, en hij begrijpt dat ze bang is om de man die hij straks zal zijn op een idee te brengen, hij wil tijdens zo'n aanval toch al voortdurend bij haar weg, maar het lijkt hem geloofwaardig om het juist daarom wel te vertellen, ze moeten voorkomen dat hij achterdochtig zal worden, zegt hij.

En de volgende ochtend bij het opstaan en de hele middag en avond terwijl ze samen aan de foto's werken, en de dagen daarna in de tijd die ze met z'n tweeën doorbrengen, gaan ze op die manier hun hele leven bij langs, ze inventariseren, ze geven en nemen, ze voegen samen en ze schrappen alsof ze Onze Lieve Heer zelf zijn en hun lot in eigen hand hebben, en zij wil niet dat hij zal weten dat zij de meid van zijn ouders was en ook de episode met het Duitse veldhospitaal wil ze liever niet vertellen, en dat gunt hij haar, en in ruil vraagt hij haar om hem niet over zijn nachtmerries en hun ruzies te vertellen en dat hij haar heeft geslagen en Roos bang heeft gemaakt, ze moet de wanhoop van deze laatste weken en de ellende die nog gaat komen maar helemaal weglaten, zegt hij, en daar is ze het mee eens, maar het is wel belangrijk dat het een geloofwaardig verhaal wordt waar hij geen gaten in zal kunnen prikken.

Ze besluiten dat ze hem zal vertellen dat ze voor de oorlog in Meenen woonden en dat ze begin 1919 naar Kortrijk is verhuisd omdat er in Meenen niets meer was, geen eten, geen kolen, geen klanten voor de winkel, en omdat ze elkaar niet langer kunnen hebben ontmoet als meid en zoon van haar mevrouw, bedenken ze een nieuw begin van hun leven samen, ze zijn er een hele dag en een halve nacht mee bezig, zij heeft onmogelijke wensen, ze wil geen dienstmeisje zijn, niet in een fabriek werken, en ze komt op een gegeven moment zelfs met het idee dat ze een gezelschapsdame van een barones kan zijn of een gouvernante van een stel rijke kinderen, en hij moet het haar uit haar hoofd praten, want ze hoeft maar een keer plat te praten als ze boos is, of zich te verspreken en het privaat de koer te noemen en ze valt door de mand, zegt hij. En dat vindt ze niet leuk om te horen, ze krijgen er bijna ruzie over en hij wijst haar erop dat ze zijn stelling aan het bewijzen is, want ze windt zich op en onmiddellijk vervalt ze in haar volkse accent, en nu merkt ze het zelf ook en ze lacht, bedroefd en een beetje wrang, alsof ze zichzelf een hopeloos schepsel vindt, en hij heeft medelijden met haar, hij biedt haar een winkel aan, en haar gezicht klaart op, ze wil een fourrurezaak, maar ze heeft niet eens een bontjas, en dan wil ze een hoedenzaak. Maar de keuze ligt natuurlijk voor de hand, een fotowinkel, een fotograaf kon ze destijds niet zijn, daar was ze te jong voor en bovendien een vrouw, ze besluiten dat ze in een winkel fotospullen verkocht en die winkel was tegenover de kruidenierszaak van zijn ouders, zo leerden ze elkaar kennen, maar zijn ouders wilden een meisje uit een familie met meer geld, daarom moesten ze hun liefde geheimhouden, zij bezocht hem zelfs stiekem in de kazerne toen hij in dienst zat, en daar vroeg hij haar ten huwelijk, en ook daarna konden ze hun verloving aan niemand onthullen, pas op de dag dat hij 21 werd en geen toestemming van zijn ouders meer nodig had, trouwden ze.

En dat is goed, ze vinden het allebei een romantisch en geloofwaardig verhaal, en het is ver na middernacht, ze fluisteren in het duister van hun slaapkamer tegen elkaar en ze zijn eindelijk klaar, ze hebben hun hele verleden doorgenomen en herzien en goedgekeurd, en ze kussen elkaar welterusten, ze zijn moe, en hij slaapt al bijna als ze plots rechtop gaat zitten en zegt dat hij iets voor haar moet doen, en hij zegt dat hij alles voor haar wil doen als het tenminste in zijn macht ligt. En ze steekt de petroleumlamp aan en ze loopt in haar nachtjapon de trap af, en hij hoort haar in de salon een kast openen en dan komt ze weer naar boven, ze heeft papier en een vulpen meegenomen en ze geeft ze aan hem, en ze zegt dat ze wil dat hij opschrijft dat hij het ermee eens is dat ze de waarheid voor hem zal achterhouden, en dat hij opsomt wat ze precies in overleg aan hun verleden hebben veranderd, en dat hij het document dateert en ondertekent. En hij is er stil van, hij zit daar met het papier op schoot en de vulpen in zijn hand en hun saamhorigheid van de afgelopen dagen vervliegt voor zijn ogen, en zij haast zich om het uit te leggen en ze heeft natuurlijk gelijk, het is onrechtvaardig om haar straks in haar eentje te laten opdraaien voor wat ze samen hebben uitgedacht, en God mag weten hoe de man die hij wordt, zal reageren als hij haar op een leugen betrapt, en hij wil haar boven alles beschermen, maar hij kan het gevoel niet van zich af zetten dat ze hem aan zijn lot overlaat, en dat zij al die dagen wist wat nu pas tot hem doordringt, dat haar belang niet noodzakelijk zijn belang is, en wat zijn belang precies inhoudt, is bovendien volstrekt onduidelijk aangezien hij straks niet meer is wie hij was.

En het enige wat hij kan doen om de eenzaamheid die op de loer ligt te verdrijven, is onvoorwaardelijk haar kant kiezen, ze verdient alle toewijding die hij maar te bieden heeft, was het niet om het gelukkige jaar dat hij met haar heeft doorgebracht dan wel om wat haar nog met hem te wachten staat. En hij schrijft een uitgebreide brief aan zichzelf en hij dateert en ondertekent hem, en zij staat ermee in haar handen en ze kijkt zoekend de slaapkamer rond, ze moet hem opbergen op een plaats waar de man die hij wordt hem nooit zal vinden, en hij denkt met haar mee om zijn toekomstige ik om de tuin te leiden, onder het matras, in de bijbel in de keuken, in de staande klok, uiteindelijk besluiten ze dat de enige plek waar hij nooit zal kijken tussen haar ondergoed is, en ze verbergt de brief in de kartonnen doos die nog steeds als haar klerenkast dienstdoet, en dan komt ze weer naast hem liggen en ze blaast de lamp uit.

En de volgende ochtend is ze al wakker als hij zijn ogen opent, ze ligt naar hem te kijken en hij vraagt of ze wel heeft geslapen, we moeten het de kinderen vertellen, zegt ze, en daar is hij het mee eens, en hij zegt dat zij dat maar moet doen, want Roos wil nog steeds niets met hem te maken hebben, en ze wassen zich en kleden zich aan en zij gaat naar boven om Roos en Gust te wekken, en daar in hun slaapkamer praat ze blijkbaar met hen, want ze blijft lang weg. Hij had zich voorgesteld dat ze het tijdens het ontbijt zou doen terwijl hij erbij was, en hij voelt zich afgewezen, alsof ze al die onbekende indringer in hem ziet die hij straks zal worden, de man voor wie ze haar kinderen moet waarschuwen, en eindelijk komt ze naar beneden en hij kijkt haar vragend aan en ze knikt sussend naar hem, alsof ze is vergeten dat ze een volwassene voor zich heeft, en ze zegt dat het goed ging, zijn ze niet bang voor me, vraagt hij, en ze zegt dat ze heeft uitgelegd dat hij soms in de war is en dat ze daar niet van moeten schrikken.

Maar ze heeft hun nog veel meer verteld, want als Gust en Roos naar beneden komen om te ontbijten, gaat Gust naast hem zitten en niet Roos, en hij vraagt Roos of ze hem niet kan vergeven nu ze begrijpt wat er met hem aan de hand is, en ze zit keurig rechtop op haar stoel en ze zegt met heldere stem, natuurlijk vergeef ik u, papa, en ze werpt een snelle, zijdelingse blik op haar moeder alsof ze om haar goedkeuring vraagt. En als zij en Gust naar school gaan, geeft Gust hem met neergeslagen ogen een hand, en Roos kust hem op zijn wang, en ze doet zo vreselijk haar best om haar afkeer voor hem te verbergen dat hij zin heeft om zijn gezicht in haar zachte meisjeshaar te vlijen en hard te huilen. En Roos en Gust lopen de trap af, pas een verdieping lager beginnen ze te rennen, en ze lachen en roepen, en hij vraagt haar wat ze hun over hem heeft verteld, ze zegt dat ze heeft uitgelegd hoe zo'n aanval van hem eruitziet, hoe hij zich gedraagt, wat hij zegt, wat hij wil, en hoe ze er het beste op kunnen reageren.

En hij wist niet dat hij een ding was waarvoor zij in gedachten een gebruiksaanwijzing had opgesteld, en hij zegt tegen haar dat ze het zo alleen erger maakt, en dat begrijpt ze niet, ze zegt dat ze haar best doet om het voor hem en voor de kinderen, voor hen allemaal zo goed mogelijk te laten verlopen, en hij zegt, hoe denk je dat het is om in je eigen huis als een vreemde te worden behandeld, verdomme, kijk naar me, ik ben er nog, ik zit hier voor je op een stoel, ik heb gevoelens en gedachten en herinneringen, ik ben je man. En ze kijkt naar hem en er zwemmen dikke, trage tranen in haar ogen, en hij heeft helemaal geen zin om zich met haar verdriet bezig te moeten houden, hij zegt dat ze niet meer van hem houdt, dat ze bang voor hem is, en dat ontkent ze heftig, en het is niet eerlijk wat hij doet, dat weet hij ook wel, maar hij kan er niet mee stoppen alsof hij zijn eigen pijn op haar kan overdragen en er dan voorgoed vanaf zal zijn, en hij zegt dat zij die ander hem alles laat afnemen, nu al, en dat hij niet snapt waarom ze wil dat hij bij haar blijft als ze zo tegen hem doet. En nu huilt ze echt, met een trillende kleine-meisjeslip en een zwoegende borst, en ze zegt dat ze het ook niet weet, wat moet ik dan, zegt ze, en dat klinkt zo oprecht wanhopig dat hij vergeet waar de ruzie ook alweer om begonnen was, en hij trekt haar bij zich op schoot en ze omhelst hem en ze zoent hem, een lange, natte, zoute zoen, en ze laten de winkel nog even dicht, en ze gaan naar boven, terug naar bed, en ze vrijen, en ze zeggen tegen elkaar dat dit hun laatste ruzie was.

En hij gaat naar Delanglez op de Vlaanderenkaai om hout te bestellen voor de toonbank en de etalagekasten in hun nieuwe huis, ze laat hem zonder bezwaar in zijn eentje gaan, ze vraagt niet hoelang hij denkt weg te blijven, ze drukt hem niet op het hart dat hij voorzichtig moet zijn, hij kan haar zelfs niet op een argwanende blik betrappen. En de volgende dag nadat het hout is bezorgd, stuurt ze hem naar hun nieuwe huis om de toonbank te maken, ze zegt dat ze hem wel komt halen als er een weduwe is die met hem op de foto wil, en met die nuchtere woorden laat ze hem gaan, blijkbaar heeft ze een groot vertrouwen in hem, maar hij is bang, er kan van alles gebeuren als hij alleen is, hij heeft een hamer en een zaag en een boor en zware, houten planken, en op straat lopen vrouwen en kleine kinderen, hij begrijpt niet dat zij zich geen zorgen maakt. Hij barricadeert de deur zodat hij niet zomaar naar buiten kan, en het gereedschap dat hij niet direct nodig heeft, bergt hij op in de kast onder de trap, en de zon schijnt naar binnen en op de markt prijzen kooplui op luide toon hun waar aan en in een van de huizen aan het Reynaertskoer zingt een vrouw een liedje, niet bijzonder zuiver maar toch.

En tegen twaalven loopt hij terug naar huis, hij komt de keuken binnen en ze schept net het eten op en ze legt vluchtig haar arm om zijn middel en noemt hem sjoeke, en alsof ze vrijen en haar opwinding zonder voorbehoud de zijne wordt, zo vloeit haar grenzeloze vertrouwen nu in hem, en hij begrijpt niet waarom hij niet eerder in haar optimisme durfde te geloven. Als zij niet lijdt onder zijn aanvallen hoeft hij dat ook niet, zij is degene die ermee moet leven, die de herinnering eraan nog jaren met zich mee zal dragen, het is iets van haar alleen, en kijk hoe ze met Roos over hun nieuwe huis praat en intussen haar schort afdoet, en ze gaat aan tafel zitten en ze merkt dat hij naar haar kijkt en ze glimlacht naar hem, en dan vraagt ze hem naar zijn vorderingen met de toonbank, en die andere vraag komt niet over haar lippen, hij weet niet of hij niet in haar opkomt, dat kan haast niet, misschien probeert ze het antwoord af te leiden uit hoe hard hij met zijn timmerwerk is opgeschoten.

En de kinderen gaan terug naar school en ze zitten samen aan de keukentafel en ze zegt er nog steeds geen woord over, en uiteindelijk zegt hij het dan maar zelf, hij heeft geen aanval gehad vanochtend, en ze knikt alsof ze dat wel wist, en ze staat op en begint de tafel af te ruimen en ze praat over het geld dat ze de afgelopen week hebben verdiend, die reclamebiljetten waren een goed idee, en hij laat zich wiegen door het voortkabbelende gesprek, het vertrouwde gevoel thuis te zijn, en de gedachte aan de eindigheid van alles, de vluchtigheid ervan, benauwt hem niet, iedere ademtocht is kostbaar, iedere minuut met haar, iedere minuut denkend aan haar.

En ze kust hem als hij teruggaat naar hun nieuwe huis, en op straat kijkt hij omhoog en hij ziet haar vanachter het keukenraam naar hem zwaaien, hij kan haar gezicht niet onderscheiden, maar alsof ze voor hem staat, vult hij haar beeld aan met de haar zo typerende, verstrooide glimlach die minutenlang, te lang, rond haar mond blijft hangen, totdat ze zich ervan bewust is en dan ineens, floep, is hij verdwenen. En terwijl hij meet en zaagt en timmert denkt hij aan al die kleinigheden die ze hem nooit zal kunnen vertellen, hoe teder haar stem klinkt als ze hem sjoeke noemt, hoe een ontwapenende gloed van haar wangen in haar hals en decolleté zijgt als ze verlegen is, en wat een hekel ze daaraan heeft waardoor haar verlegenheid alleen nog maar groter wordt, hoe ze gedachteloos met haar trouwring speelt als ze voor zich uit zit te dromen, hoe ze zich met kinderlijke onschuld onder zijn ogen kan uitkleden. En het idiote is dat hij niet wil, zich ook niet kan voorstellen, dat al die blijken van liefde straks een andere man zullen gelden, en tegelijkertijd is het ook onverteerbaar om te bedenken dat ze niet van die ander zal kunnen houden, hij zal haar stap voor stap op hemzelf moeten veroveren, maar wat als zijn liefde voor haar mede het gevolg is van die vier eenzame jaren in het gesticht, wat als zij zoveel van hem houdt omdat ze vijf jaar lang wanhopig naar hem heeft gezocht, kennelijk hielden ze die eerste keer, voor de oorlog, ook niet uitzonderlijk veel van elkaar, wat als de derde keer zoals de eerste wordt, en hij denkt aan haar en vraagt zich af of zij ook weleens twijfelt.

En ze eten kippensoep en brood, en als de kinderen in bed liggen en zij de vaat heeft gedaan, vraagt ze of hij van plan is om vanavond aan de toonbank verder te werken, en hij is moe maar omdat zij graag met hem mee wil geeft hij toe, en ze lopen samen naar de Groote Markt, en ze helpt hem, ze meet, houdt planken vast, geeft spijkers aan, en hij is blij dat ze hem gezelschap houdt. Ze werken door totdat de toonbank klaar is, hij moet alleen de laden nog maken, en ze liggen in hun nieuwe slaapkamer samen op een van de smalle bedden, en ze zegt dat ze zich niet kan voorstellen dat ze hier straks iedere ochtend wakker zal worden, jij wel, vraagt ze, en hij denkt dat hij dat waarschijnlijk niet meer mee zal maken, maar hij zegt dat hij zich erop verheugt.

En ze verzinnen samen een zomerochtend hier, de zon die opkomt, het klokgelui van het belfort, haar kleren in een echte klerenkast, hij hoeft niet de kolen te doen, geen asla te legen, ze wassen zich in de badkamer met de koperen kranen, en zij zegt dat ze op de rand van het bad naar hem wil zitten kijken terwijl hij zich scheert, en hij zegt dat hij dan ook bij haar wil blijven als ze zich wast. En ze onderhandelen en schikken alsof het om een dag gaat die werkelijk plaats zal vinden, en hij wordt er weemoedig van, ze legt haar armen om hem heen en zegt dat ze toch helemaal niet weten wanneer hij zijn geheugen definitief kwijt zal zijn, misschien duurt het nog wel twee jaar, zegt ze, misschien gaat het niet door. En ze lijkt daar zelf in elk geval in te geloven, ze gaan weer naar beneden en ze onderwerpt de keuken aan een uitgebreide inspectie, ze neuriet er een Amerikaans swingliedje bij en nu hij niet meer timmert en zaagt heeft hij het koud gekregen, en hij loopt de trap af om zijn colbertje te halen, hij raapt het van de vloer en er valt een briefje uit de binnenzak, in haar handschrift staat erop geschreven: ik ben Amand Coppens, ik ben getrouwd met Julienne, ik houd heel veel van haar, mijn kinderen heten Roos en Gust, ik woon op de Doornijkstraat 37 in Kortrijk, het is het jaar 1923.

Hij staat er onthutst mee in zijn handen, hij weet niet hoelang hij het al bij zich draagt, het ziet er nieuw uit, niet gescheurd, niet gevouwen, de inkt niet doorgelopen, ga je mee naar huis, zegt ze vanaf de drempel, en dan ziet ze wat hij heeft gevonden en ze kijken elkaar aan, zij heeft net zo weinig vertrouwen in de toekomst als hij, misschien nog wel minder als ze zo'n briefje voor hem meent te moeten schrijven. En hij vraagt haar of hij tijdens zo'n aanval dan helemaal niets meer weet, ze schudt haar hoofd en ze zegt dat hij niet weet wie zij is, niet wie hij zelf is, niet dat ze van elkaar houden, niet waar hij is, niet welk jaar het is, niets, zegt ze, en ze weet in dat ene woord zoveel hopeloosheid te leggen dat al het andere wat ze er nog over zouden kunnen zeggen overbodig of onoprecht wordt, en hij gelooft dat ze zal gaan huilen, maar dat gebeurt niet.

Ze doen de lichten uit en ze sluiten de deur naar de tuin en de ramen van de salon, en dan trekken ze de buitendeur achter zich dicht en ze lopen langzaam door de donkere straten naar huis, en hij wilde dat ze zou huilen, dan kon hij haar tenminste troosten, haar leed hangt verstikkend en ongrijpbaar tussen hen in, en o had ze hem maar nooit in het gesticht gevonden, was hij maar gesneuveld zoals al die honderdduizenden andere mannen, dan was ze haar verdriet allang vergeten en met een ander getrouwd, dat denkt hij. En die nacht terwijl ze slaapt, overweegt hij om zich stilletjes aan te kleden en weg te gaan en niet meer terug te komen, hij probeert zich voor te stellen hoe ze zich zal voelen als ze morgenochtend ontdekt wat hij heeft gedaan, en nee dat kan niet, daar maakt hij het alleen erger mee, maar hij slaapt niet, hij ligt naast haar in alle onschuld dromende lichaam, en hij dommelt wat, en telkens keert die gedachte aan haar in het geniep verlaten terug.

En 's ochtends bij het opstaan heeft hij schuldbewust het gevoel dat hij iets goed te maken heeft met haar, ze heeft geen idee aan wat een vreselijke dag ze op het nippertje is ontsnapt, ze wast zich, kleedt zich aan, zet koffie en ze is opgewekt, maar ze zit tegenover hem aan tafel en hij praat met Gust over zijn timmerwerk in het nieuwe huis en ze zegt niets meer, in gedachten verzonken zweeft ze van hem en haar gezin vandaan, haar gezicht en blik uitdrukkingsloos alsof het leven uit haar sijpelt. En hij leunt over zijn bord naar haar toe en streelt over haar wang, en ze schrikt op, ze lacht verontschuldigend naar hem en ze zegt dat ze slecht heeft geslapen, en ze staat op om nog eens koffie in te schenken en dan mengt ze zich in het gesprek.

En als de kinderen naar school zijn gegaan, blijft hij bij haar in de keuken zitten en hij zegt dat ze foto's kunnen maken van hen samen, daarmee kan ze aan die ander bewijzen dat ze van elkaar houden, en dat vindt ze zo'n goed idee dat ze de vaat laat staan, ze gaan naar de studio en ze poseren samen op de sofa, hij met zijn arm om haar heen, terwijl zij net buiten beeld met de knijpbal de ontspanner bedient. En dan gaat ze bij hem op schoot zitten, haar benen aan een zijde alsof ze op de stang van zijn fiets met hem meerijdt, en ze kijken elkaar in de ogen en zij knipt af, en wat dan, een kus, zegt zij, en hij legt zijn hand in haar nek en zij buigt zich naar hem toe en ze lachen gegeneerd naar elkaar, het is alsof ze het en plein public moeten doen, en hij drukt zijn lippen op de hare, maar ze durft de foto niet te maken, stel je voor dat het er heel raar uitziet, zegt ze. En hij pakt de knijpbal uit haar hand en ze kussen nog eens, bedeesd en met open ogen, zij kijkt naar zijn wangen en hij naar haar oor, hij knipt af, ze hoort de sluiter klikken en ze richt zich direct op, en ze weten allebei dat je de camera kunt bedriegen, maar je moet er wel in geloven, anders lukt het niet, en hij klemt de knijpbal waarmee de sluiter wordt bediend tussen haar heup en zijn buik, en ze kussen opnieuw en er gebeurt niets, en ze lachen, en ze proberen het nog eens.

En omdat de foto weer niet wordt genomen worden ze onbezonnener, de camera en de tijden die nog gaan komen, schorten hun oordeel over hun onkuise gedrag op, en ze kussen elkaar en hij drukt haar tegen zich aan en klik, dat was het, het is simpel, ze doen het nog eens en nog eens, en ze krijgen er plezier in, hij staat op en verplaatst de camera naar de zijkant van de sofa, en zij gaat schrijlings met opgetrokken jurk op zijn schoot zitten, en deze foto's leveren een wel erg overtuigend bewijs.

En ze nemen de camera mee naar boven en ze poseren samen zittend op één stoel bij de keukentafel, en zij wil in haar mooiste jurk op de foto, de zwarte met het goudstiksel, en ze vindt dat hij zijn zondagse kostuum moet aantrekken, en ze gaan in die kleren op bed liggen en ze nemen een foto, en omdat er weinig licht is in de slaapkamer moeten ze elkaar wel een minuut roerloos omhelzen, en voor de zekerheid maken ze de foto een tweede keer met een zelfs nog langere belichtingstijd, en in hun versteende omhelzing probeert hij niet te denken aan de man zonder gevoel, de man die weigert in hun liefde te geloven.

En zij stelt voor om met de camera naar buiten te gaan, en ze sluiten de winkel en lopen naar de Esplanade, zij met zijn fiets en hij met het statief en de camera, en ze fotografeert hen samen op een stil plekje onder de bomen, zij zit op de stang en hij staat naast de fiets, en daarna brengen ze de fiets terug naar huis en gaan ze naar de Leye, en ze vereeuwigt hen tweeën zittend op de oever, en liggend op hun rug in het gras, en in elkaars armen in de zon, en kussend in de schaduw van een boom, en terwijl hij haar optilt in een weide vol paardenbloemen, en terwijl ze dansen over de zandweg langs het water.

En de foto's zijn steeds minder bedoeld om die ander te overtuigen en steeds meer voor haarzelf, alsof ze niet alleen het beeld kunnen stilzetten maar ook de tijd, en thuis ontwikkelt hij de negatieven, en na het eten werkt zij de hele avond aan het retoucheren van hun geluk, ze zit in opperste concentratie over haar retoucheertafeltje gebogen en alles wordt precies zoals zij het hebben wil, een zwerm vogels in de lucht, geen grassprietjes die in de weg zitten, zijn hand net iets steviger op haar rug, haar ogen net iets verder dicht terwijl ze hem kust, geen scherpe schaduw op zijn voorhoofd, de boom waartegen ze leunen iets lichter van kleur, de wolken juist iets donkerder. En ze vergeet alles om haar heen, hij kan urenlang naar haar kijken zonder dat ze het merkt, ze ziet er zo vredig uit, alsof ze eindelijk alles heeft wat ze maar kan begeren en er geen enkele twijfel bestaat over de houdbaarheid ervan, en hij wilde dat ze zo konden blijven zitten, samen in de studio, tot het einde der tijden.

En tegen elven richt ze zich op en ze rekt zich uit en ze zegt dat ze klaar is, ze zouden naar bed moeten gaan, maar ze zijn nieuwsgierig naar de foto's en ze drukken ze samen af, en het zijn prachtige foto's, idyllisch, romantisch, helemaal niet zoals hun leven op het moment is, en ook niet zoals het ooit is geweest. Als hij haar was, zou hij het zich liever herinneren zoals het werkelijk was, en hij staat op het punt om voor te stellen om morgen waarheidsgetrouwere foto's te nemen, maar ze bekijkt de foto's die zij aan zij op de tafel liggen te drogen en hij ziet tranen in haar ogen, eentje rolt er traag langs haar neus en ze veegt hem verstoord met haar mouw weg. En dat is hun huwelijk zoals hij het zich straks zal menen te moeten herinneren, ze zal hem erover vertellen en hem keer op keer de foto's laten zien, o die mensen met een perfect geheugen, hij snapt niet waarom ze het niet naar behoren gebruiken. En hij prent zich dit tafereeltje in, zij ontroerd kijkend naar de foto's, haar jurk gekreukt van het langdurige zitten, op kousenvoeten, want haar schoenen trekt ze het liefst uit tijdens het retoucheren, en zij tweeën eenentwintigmaal in zwart-wit op de tafel uitgespreid.

En ze blazen de lampen uit en ze gaan naar boven, naar bed, en ze kussen elkaar goedenacht en zij zijgt met een zucht in het kussen neer en ze zegt dat ze doodmoe is, en zo naast haar liggen in het donker en naar haar ademhaling luisteren en weten dat ze tot de ochtend bij hem blijft en dat ze over zijn dromen waakt, is hem duizendmaal liever dan met haar in zijn armen door een weide vol bloemen waden. En hij vraagt haar hoe dat straks moet als hij zijn geheugen kwijt is, wil ze dat hij dan weer beneden op de sofa slaapt, en ze zegt aarzelend dat het ervan afhangt, maar hij hoort aan haar stem dat het antwoord eigenlijk ja is, en hij zegt dat hij heel graag wil dat ze hem 's nachts gewoon bij zich in bed neemt, als haar dat tenminste verantwoord lijkt. En hij weet wat hij van haar vraagt, ze moet het niet doen als ze bang is voor die ander, ze moet vooral zichzelf gelukkig maken, dat is wat hij het liefste wil, maar als het enigszins mogelijk is, dan wil hij dit van haar, met haar slapen, ze hoeft hem niet aan te raken als ze van hem gruwt, ze hoeft alleen naast hem te liggen, hem door de nacht heen te helpen.

En ze belooft dat ze het zal proberen, en ze kussen elkaar nog eens welterusten en zij valt bijna onmiddellijk in slaap, ze snurkt licht, als een dromend schoothondje, en hij draait zich op zijn zij, met zijn rug naar haar toe en hij valt ook in slaap, maar midden in de nacht schrikt hij wakker, het is stikdonker en ze maait met haar armen om zich heen, hij krijgt een klap van haar hand in zijn gezicht en op zijn borst, en ze zegt dat het niet nodig is want het regent, nee, niet doen, zegt ze op luide toon, en ze grijpt hem bij zijn schouder beet, zo hard dat het pijn doet. En hij weet niet of het zo'n vreselijke droom is dat hij haar wakker moet maken, hij legt sussend zijn armen om haar heen en kust haar op haar wang, en hij fluistert dat alles goed is, dat hij nog steeds bij haar is, en ze wordt kalmer, hij voelt hoe haar lichaam zich ontspant, ze mompelt iets over ondergoed en dan begint ze aan het Onzevader, ze zegt het van begin tot eind helemaal correct op, alleen het amen vergeet ze.

En de kinderen gaan met Felice naar de mis en hij blijft bij haar, ze strijkt zijn overhemden en daarna haar jurken, hij zit aan de keuken-tafel en kijkt toe terwijl ze het strijkijzer op het fornuis verwarmt, ze spuugt erop, het sist, te heet, en ze wacht tot het een paar graden is afgekoeld, en haar blik dwaalt naar hem, heb je niks te doen, vraagt ze, moet je niet verder met de nieuwe toonbank, en hij zegt dat hij naar haar zit te kijken, en ze glimlacht toegeeflijk zoals ze ook zou doen als hij alleen een beetje verkouden was en desondanks de hele dag in bed wilde blijven. En ze houdt de onderzijde van het strijkijzer gevaarlijk dicht bij haar wang alsof ze van plan is om zichzelf te brandmerken, en de temperatuur is goed, ze strijkt de jurk terwijl het tweede strijk-ijzer op het fornuis staat warm te worden, en dan verwisselt ze de strijkijzers en begint het allemaal weer opnieuw, spugen, strijken, ver-warmen, verwisselen, spugen, wachten, spugen, het fascineert hem hoe ze zoiets vulgairs met zo veel argeloosheid weet te doen dat het bijna elegant wordt.

En hij pakt een sigaret uit het pakje Bastos dat voor hem op tafel ligt en hij staat op en loopt naar het fornuis, hij neemt de kachelring van het grootste kookgat en buigt zich voorover om zijn sigaret aan te steken, en zij doet behulpzaam een stap opzij, in de verte speelt iemand piano, hij herkent de melodie, maar als hij ernaar probeert te luisteren is het geluid verdwenen, en een gevoel van geel drijft zijn bewustzijn binnen, niet dat hij het ziet, maar hij weet dat het er is, alsof de muziek een kleur heeft gekregen die alleen hij kan horen, en een ongekende helderheid neemt bezit van zijn gedachten, dat heeft te maken met dat geel, het is een vreemd licht gevoel dat lijkt op eenzaamheid en wanhoop en dat net niet helemaal is, alsof er een prettige herinnering aan iets van lang geleden doorheen schijnt, en het gele gevoel bezwangert het heden met haar en zijn schamele verleden en de oorlog, ongemerkt breidt het zich uit naar alle uithoeken van zijn verstand, het is aangenaam ontspannend als in slaap vallen, en zijn hoofd loopt leeg, emoties, gedachten, herinne-ringen, alles wat hij was, waarvan hij hield, wat hij wist, ontsnapt hem, en plotseling bevindt hij zich in een diep, duister onmenselijk niets, er is geen ontkomen aan, want hij is het zelf.

En hij grijpt haar hand waarmee ze de jurk op de strijkplank recht-trekt, hij zegt dat het staat te gebeuren, wat, vraagt ze en ze kijkt hem aan en ze ziet zijn schrik, ze zet het strijkijzer op het fornuis en ze vraagt wat ze moet doen, haar stem is krachteloos alsof ze halverwege de re-gel van een lied merkt dat ze te vroeg heeft ingeademd, en hij weet het ook niet, hij gaat zitten, met zijn ellebogen op tafel en zijn hoofd in zijn handen, en hij controleert of hij weet hoe hij heet, wie zij is, en hij weet alles nog, het zegt hem alleen niets. En ze loopt naar hem toe, ze wil naast hem gaan zitten, maar op het laatste moment doet ze dat toch niet, ze gaat naar de deur, die sluit ze, en dan loopt ze naar de kast en ze trekt alle laden open, ze rommelt door de inhoud, en ze knielt neer en kijkt onrustig over haar schouder, gaat het, vraagt ze, en als hij niet direct antwoordt, op luide toon, Amand, gaat het. En hij stelt haar ge-rust en ze zoekt met haastige handen verder, maar ze let nauwelijks op wat ze doet, tot drie keer toe moet ze door de inhoud van de laden gaan voordat ze de sleutel vindt, ze staat snel op en draait de deur op slot, de sleutel stopt ze in de zak van haar schort en eindelijk gaat ze naast hem aan tafel zitten, ze aarzelt of ze haar arm om zijn schouders zal leggen, en ze durft niet, hij ziet hoe ze haar handen in haar schoot verbergt en met een schichtige blik opzijkijkt naar hem.

En ze wachten samen, ze vraagt niet hoe hij weet dat het staat te ge-beuren, hij vertelt haar niet over het duister in zijn hoofd, hij sluit zijn ogen en telt tot duizend en geluidloos zingt hij over het roosje en liefjes lippen, en voorzichtig sijpelt het geel weer zijn bewustzijn binnen, een lichte, immens wuivende ruimte voelt hij om zich heen, alsof hij zou kunnen brullen en uren rennen zonder ooit een ander mens te bereiken. En ze zegt zacht zijn naam en ze legt haar handen aan weerskanten op zijn wangen en draait zijn hoofd naar haar toe, kijk me eens aan, zegt ze, en hij opent zijn ogen, is het over, vraagt ze, en hij weet het niet, het duister is verdwenen, maar alles is onbezield en doods, ook zij, en ze doet zo haar best. En ze staat op om dan toch maar verder te strijken, ze neemt een strijkijzer van het fornuis, het is veel te heet geworden en ze wacht, haar elleboog in haar zij, het strijkijzer van haar vandaan gericht en ze kijkt hem aan, ernstig en doordringend, en na een paar minu-ten spuugt ze een kleine, ronde, sissende, doorzichtige klodder op het zwarte metaal.

En ze zit tegenover hem aan de tafel, de krant ligt voor hem en ze heeft brood voor hem gesmeerd waarvan hij geen hap heeft genomen, en hij zwijgt maar ze ziet het direct, een glimlach verbreidt zich van haar mond naar haar ogen totdat haar hele gezicht uit opluchting lijkt te bestaan, ze zegt dat hij meer dan twee uur weg is geweest, ik dacht dat je niet meer terug zou komen, zegt ze, en ondanks haar blijdschap die groot en waarachtig is, klinkt er iets onwennigs door in de manier waarop ze tegen hem praat, haar stem is net iets te hoog en ze durft geen al te lange stiltes te laten vallen, en van de weeromstuit weet hij ook niet meer hoe hij zich als haar geliefde moet gedragen, het is alsof ze hem heeft bedrogen, alsof ze maar niet kan stoppen aan die ander te denken. En ze merkt het zelf ook, ze komt bij hem op schoot zitten en hij legt zijn armen om haar heen, en ze weten geen van beiden wat ze moeten zeggen en niets zeggen kan ook niet, hij voelt hoe ze bevend inademt alsof ze moet huilen, sssst, fluistert hij en hij drukt haar tegen zich aan. En ze zegt dat het zo verschrikkelijk is dat hij haar niet meer herkent als hij zo'n aanval heeft, ze heeft twee uur lang geprobeerd aan hem te bewijzen dat ze zijn vrouw was, dat ze van elkaar hielden, dat hij samen met haar en hun kinderen hier woonde, dat het niet 1917 was, en je geloofde me niet, zegt ze, wat ik ook vertelde, je geloofde me niet, zelfs de krant met de datum van gisteren erop hielp niet, en de romantische foto's die hun liefde uitbeelden, hadden ook geen effect, zegt ze, hij weigerde aan te nemen dat ze echt waren, hij geloofde dat ze hem probeerde te bedonderen.

En schuldbewust vraagt hij of hij haar pijn heeft gedaan, of hij heeft geprobeerd bij haar weg te gaan, en ze zegt van niet, ze heeft hem aan de praat gehouden, zegt ze, en hem bovendien niet verteld waar hij was, en hij was verward en onvriendelijk tegen haar en achterdochtig, het was zeer onplezierig om al die tijd bij hem te moeten blijven, maar omdat ze ook de man van wie ze hield in hem herkende, zijn uiterlijk, zijn stem, zijn gebaren, had ze tegelijkertijd medelijden met hem, hij was zo verloren, zo eenzaam, zegt ze. En dat doet hem pijn alsof ze het over een bekende heeft van wie hij houdt, en hij vraagt haar of ze gelooft dat ze die ander zou kunnen liefhebben en hij wil dat haar antwoord ja zal zijn en hoopt dat het nee is, en ze zegt dat ze het niet weet, en dan nadat ze erover na heeft gedacht, zegt ze dat ze het waarschijnlijk wel zou kunnen, en hij, vraagt hij, gaat hij ook op den duur van jou houden, nee, zegt ze, en daar twijfelt ze geen moment over. En hij voelt zich vreemd genoeg beledigd, hij vraagt haar hoe ze dat zo zeker weet en daar doet ze vaag over, ze komt telkens met een andere verklaring, het is haar intuïtie, zijn achterdocht, de oorlog, en uiteindelijk zegt ze dat ze het er met die ander over heeft gehad, maar als hij haar vraagt zijn woorden dan eens te herhalen, komt ze niet verder dan dat hij haar niet herkende, en dat zij daarom nooit zijn vrouw kon zijn, zei hij, en dat hij bij haar weg wilde. En hij zegt dat ze toch hadden afgesproken om elkaar opnieuw te leren kennen en dan zou de liefde vanzelf komen, zo hadden ze het bedacht, en ja, dat weet zij ook wel, maar, en dan beweert ze dat zij bij nader inzien toch niet van die ander zou kunnen houden, dat is de reden waarom hij haar ook nooit zal kunnen liefhebben, zegt ze, en hij moet zich beheersen om haar niet bij haar schouders beet te pakken en flink door elkaar te rammelen, verdomme, verdomme, waarom moet ze het nog erger maken dan het al is, en hij zegt met verstikte stem dat ze eerlijk tegen elkaar zouden zijn, en zij zegt dat ze dat ook is, ze belooft het, ze zweert het, zegt ze, en ze haalt nog net niet de bijbel uit de keukenkast tevoorschijn.

En hij geeft het op, en dat zit haar dwars, tijdens het retoucheren, tijdens het doen van de vaat, zelfs als ze al in bed liggen, probeert ze hem nog te overtuigen, en hij zegt dat hij haar gelooft, en dat gelooft ze natuurlijk niet, en hij zegt dat ze hem dan maar iedere minuut van die twee verdwenen uren moet navertellen, en dat kan ze niet, ze haalt verschillende gesprekken door elkaar, ze laat grote gaten vallen, ze vat een halfuur samen in een zin, ze vergeet dingen waarop ze later moet terugkomen, ze weet niet of zij nou iets heeft gezegd of dat hij het was, en of ze wilde dat ze het had gezegd of dat ze het ook echt heeft gedaan, en ze doet echt haar best, dat merkt hij, maar hij houdt het gevoel dat ze iets voor hem verzwijgt, en dat verzwijgt hij op zijn beurt voor haar.

En ze gaan slapen, ieder op zijn eigen helft van het bed, sjoeke, zegt ze na een tijdje, en hij bromt wat, ben je nog boos, vraagt ze, en hij zegt dat hij nooit boos is geweest, en ze keert zich naar hem toe en vlijt zich tegen zijn rug, en zelfs in de tederheid waarmee ze haar arm om hem heen legt, ontdekt hij een zekere onoprechtheid, alsof ze zich onophoudelijk bewust is van die ander die in hem schuilt. En dan vallen ze in slaap, eerst zij en dan hij, en hij droomt dat ze van een andere man houdt en dat ze het koppig blijft ontkennen, je vergist je, zegt ze, dat is geen ander, dat ben je zelf, maar hij heeft de man in eigen persoon gezien, hij is lang en blond met blauwe ogen en hij spreekt Duits.

En hij zou foto's moeten afdrukken, of naar het nieuwe huis moeten gaan om de toonbank af te maken, maar hij zit bij haar in de keuken aan de tafel, ze doet de vaat en ze schiet ook niet op, hij schuift zijn stoel naar achteren zodat hij zijn benen kan strekken en ze keert zich geschrokken naar hem toe, hij verzekert haar vlug dat er niets aan de hand is, en ze weet niet of ze hem wel kan geloven, terwijl ze de vaat afdroogt werpt ze zo nu en dan een heimelijke blik op hem, en hij herkent zijn eigen wantrouwen in haar, de angst voor de macht die ze door hun liefde over elkaar hebben, en zij moet zich net zo eenzaam voelen als hij en radeloos, en ze kunnen het elkaar niet vertellen.

En hij staat op en zegt dat hij naar de studio gaat, en zij zegt dat ze ook zo komt, en haar blik vergezelt hem tot in de gang en hij sluit de keukendeur achter zich om aan haar te ontkomen, maar als hij halverwege de trap is, hoort hij haar de deur alweer openen, en hij giet de chemicaliën in de bakken en begint aan het afdrukken van de foto's. En na even voegt zij zich bij hem, ze zit achter haar retoucheertafeltje met haar mesje en haar potloden en haar vergrootglas en ze werkt aan de negatieven, en soms is ze in de winkel om een klant te helpen en haar tijdelijke afwezigheid lucht niet op, het is alsof hij haar onrust door de muur heen kan voelen, en dan is ze weer terug en zit ze over een negatief gebogen, en ze doet vreselijk haar best om niet naar hem te kijken en hem niets te vragen, en die krampachtige houding van haar, die opgelegde zelfbeheersing werkt op zijn zenuwen, alsof hij haar zo slecht zou kennen dat hij niet doorheeft dat haar kalmte geveinsd is. En hij zegt tegen haar dat ze hem best in de gaten mag houden en iedere tien minuten mag vragen hoe hij zich voelt, hmmm, vraagt ze verstrooid, dat wil je toch, zegt hij, en ze richt haar hoofd op, eindelijk, en ze kijkt hem aan, hij heeft haar gekwetst, maar ze telt haar pijn in stilte bij de rest van haar leed op, en nu ergert hij zich nog meer aan haar. En hij staat op en zij kijkt onmiddellijk op van haar negatief, zeg het maar, zegt hij, wat ga je doen, vraagt ze op onschuldige toon, en hij zegt dat hij een sigaret gaat roken op het achterplaatsje, mag dat of wil je mee, zegt hij, en ze buigt zich zwijgend over haar retoucheertafeltje, en dat hij zo onterecht kwaad op haar is, maakt zijn woede alleen groter.

Hij sluit de buitendeur achter zich en hij ijsbeert van het konijnenhok naar de schutting en van de schutting naar het konijnenhok, en de deur gaat open en gedurende een paar seconden geloven ze allebei dat hij haar zal vastgrijpen en haar met haar hoofd tegen de muur zal beuken, hij ziet de angst in haar ogen maar ze geeft er niet aan toe, met vaste stem zegt ze dat er een Franse weduwe is die met hem op de foto wil, en die professionele distantie van haar alsof ze nog steeds verpleegster in het *Kriegslazarett* is en hij haar zoveelste lastige patiënt, hij kan haar wel wurgen.

En ze houdt dwingend de deur voor hem open en hij loopt langs haar heen naar binnen, in de donkere kamer verkleedt hij zich in zijn uniform, en hij poseert voor haar camera terwijl zij de Franse weduwe vertelt over het jarenlange wachten op hem en haar grote, romantische lijden en zijn wonderbaarlijke terugkeer, en haar eigen verhaal grijpt haar aan, de laatste zin over hoe onvoorstelbaar veel geluk ze hebben gehad, spreekt ze maar half uit en ze trekt snel de zwarte doek over haar hoofd. En hij wil het niet, maar haar ontroering zwelt in zijn borst en grijpt hem bij de keel en tranen zwemmen in zijn ogen, en hij weet dat zij hem ondersteboven geprojecteerd op het matglas ziet, hij slikt krampachtig en ze wacht, ze is al klaar met scherpstellen en het diafragma en de sluitertijd bepalen, maar ze doet alsof ze nog bezig is en ze zegt niets, of misschien huilt ze ook stilletjes onder haar zwarte doek. Hij kijkt in de lens en via zijn beeltenis op het matglas ook in haar ogen, en er beweegt iets onder de doek, ze buigt zich voorover, en hij verbeeldt zich dat hij haar hoort snikken, maar even later komt ze onder de doek vandaan en hij kan geen spoor van verdriet op haar gezicht ontdekken, ze vraagt heel beheerst, klaar, en ze maakt de foto, en ze praat met de weduwe over de oorlog en ze heeft zichzelf volledig onder controle, ze toont precies voldoende medeleven en ze is oprecht, maar niet zo oprecht dat ze de gevoelens die ze zo goed zegt te begrijpen per ongeluk op zichzelf zou kunnen betrekken.

En de weduwe gaat weg, het winkelbelletje zwaait haar monter uit, en hij laat zich op zijn stoel bij de tafel zakken, en zij komt de studio binnen en ze ziet hem daar in zijn uniform zitten en haar gezicht vertrekt zich in een krampachtige grimas en ze begint te snikken alsof ze het al die tijd maar ternauwernood heeft weten binnen te houden, en hij staat op en zij snelt hem tegemoet, ze stoot zich aan de hoek van de tafel en uit haar welt een dierlijk geluid op dat het midden houdt tussen pijn en diepe wanhoop, hij neemt haar in zijn armen en probeert haar te troosten, maar hij is de oorzaak van haar verdriet, ze moet straks zonder hem verder, met een gat in haar hoofd en in haar hart waar niets in past, en lieve, lieve Julie, niet huilen.

En hij is in een trein, hij voelt de wielen bonken onder zijn voeten en wolken stoom trekken aan de ramen voorbij, en hij draagt zijn uniform, het hangt zwaar om hem heen alsof hij in zijn eentje de oorlog met zich mee torst tussen al die burgers met hun onschuldige burgergedachten, en hij loopt achter haar aan door het gangpad, haar lange, blonde haar danst over haar rug, hij kijkt er betoverd naar en hij neemt het stiekem in zijn hand en speelt ermee als met grassprietjes in een weide, en zij merkt er niets van, het is onderdeel van haar, en toch is het levenloos, alsof ieder mens, waar hij ook gaat, de dood met zich meedraagt, zoals Christus zijn kruis. En er is in het hele treinstel niet één plaats vrij, maar twee mannen staan voor hen op en bieden hun een plek aan, ze zien het als hun vaderlandse plicht, vanwege zijn uniform en vooral vanwege haar gele gezicht en haar felgele handen en de goudgele krans van haar die haar hoofd als een aureool omgeeft, en ze neemt het aanbod vriendelijk glimlachend aan, ze vindt het niet gênant dat ze overal waar ze samen gaan bekijks hebben, ze draagt het geel als een soldaat zijn onderscheidingen.

En ze gaan tegenover elkaar zitten en ze kijkt naar buiten en hij naar haar, ze strijkt haar lange haar uit haar gezicht en het valt slordig aan de verkeerde kant van de scheiding en dan na enkele minuten zakt het terug en vlijt het zich weer over haar voorhoofd en als het haar hindert, strijkt ze het opnieuw naar achteren, en hij kent dat gebaar van haar zo goed, zo goed, het is alsof ze hem ermee uit een diep gat tevoorschijn trekt, alsof hij droomde en zij hem wakker schudt, en ze is onvoorstelbaar en pijnlijk echt en ze bestaat uit een brok heimwee, hij voelt haar meer dan hij haar ziet, als een woord dat hem maar niet te binnen wil schieten en waarvan het wezen en de vorm zich aan hem mededelen, maar de rest ontglipt hem, en ze streelt hem over zijn wang en ze fluistert, sjoeke, en hij opent zijn ogen, we zijn in slaap gevallen, zegt ze, en ze liggen samen op de sofa, zijn arm is gevoelloos en zijn kepie is op de vloer gevallen, en ze gaat zitten en snuit luidruchtig haar neus en dan geeft ze hem zijn natte zakdoek terug, en hij heeft heimwee naar die onbekende, blonde vrouw.

En Felice komt de huur voor deze week betalen, leg het maar op tafel neer, zegt Julienne zonder van de vaat op te kijken, en hij steekt zijn hand uit en Felice geeft het aan hem en ze vraagt hoe het met het nieuwe huis gaat, moeten ze nog behangen, schilderen, verbouwen, en Julienne zwijgt en daarom vertelt hij over de toonbank en de etalagekasten, en jij Juul, vraagt Felice op vertrouwelijke toon, moet je nieuwe gordijnen naaien. En met tegenzin laat Julienne zich ontdooien, ze praten over gordijnen en meubels en over de voor- en nadelen van elektrisch licht, hoe koud en meedogenloos het is en veilig, en Felice gaat aan de tafel zitten en ze vertelt dat ze een nieuwe huurwoning aan het zoeken is, het is alsof ze Julienne wil tonen hoe een goede vriendin zoiets aanpakt, want ze heeft nog niets gevonden, alleen een huis in de Budastraat op het oog, ze gaat het volgende week bezichtigen, zegt ze. En Julienne ondergaat haar terechtwijzing in stilte, ze komt naast haar aan tafel zitten, maar haar gedachten zijn niet bij het gesprek, ze kijkt voortdurend nerveus naar hem, en Felice heeft zich voorgenomen om hun ruzie bij te leggen, zolang Julienne afwezig en stug reageert gaat ze niet weg. En Juliennes handen liggen geen seconde stil op tafel, ze draait zenuwachtig aan haar trouwring, haar vingers strijken over de nerven in het hout, ze friemelt aan haar gezicht, aan haar haar, ze gaat verzitten en ze zucht en ze kijkt alweer naar hem, en er is geen enkele reden waarom het juist nu zou gebeuren terwijl Felice erbij is, maar haar angst fluistert in zijn hoofd, kolkt in zijn bloed.

En hij staat op en zij kijkt verschrikt op, en hij zegt dat hij foto's gaat afdrukken, ik kom ook zo, zegt ze alsof de woorden een gebed vormen waarmee ze het gevaar kan bezweren, en hij zit op de drempel naar het achterplaatsje en rookt een sigaret, de zon is net achter de horizon verdwenen en de bol van de maan hangt groot en geel in de aarzelend blauwe nachthemel, en hij probeert niet aan haar te denken, boven zijn hoofd in de keuken met haar onrustige handen en haar stille paniek. En na een kwartiertje hoort hij haar haastige voetstappen op de trap en ze staat achter hem, Amand, vraagt ze, en de twijfel in haar stem doet zijn hart ineenkrimpen, hij draait zich om en glimlacht naar haar, en ze herademt.

Ze retoucheert de negatieven die hij vanmiddag heeft ontwikkeld terwijl hij negatieven afdrukt die zij vanmorgen heeft geretoucheerd, zoals ze het afgelopen jaar honderden malen samen hebben gedaan, maar hij ziet dat haar gewoonlijk zo vaste hand trilt, ze zegt er niets over tegen hem, ze gaat verzitten, haalt diep adem en buigt zich opnieuw over het negatief, en kon hij haar maar helpen, sussen. En hij zegt tegen haar dat hij zich goed voelt, ja, vraagt ze, en hij knikt nadrukkelijk, heel goed, zegt hij, maar ze blijft stil, en zo eenzaam is ze, en hij oppert dat ze Felice moet vertellen wat er met hem aan de hand is, dat ze hem waarschijnlijk gaat verliezen, dan heeft ze straks een vriendin bij wie ze haar hart kan uitstorten, zegt hij, nee, zegt ze met een kort, spottend lachje, nee.

En in bed vrijt hij met haar om haar eenzaamheid te verdrijven, maar in iedere beweging van haar, iedere streling, iedere kus voelt hij haar terughoudendheid, haar angst, als het nu gebeurt zit ze met een naakte, opgewonden vreemdeling, en ze besmet hem met haar vrees, zo lukt het niet, hij sluit zijn ogen en denkt aan dansen met haar zwierende benen tussen de zijne, aan 's nachts zwemmen en haar schaamte voor de machinist, en de blonde vrouw dringt in zijn hoofd binnen, ze is met hem in de badkamer van hun nieuwe huis en hij droogt haar blanke huid vol sproeten af met een grote, witte handdoek en ze betast zichzelf tussen haar benen. En een bijna onhoorbaar gezoem omgeeft hem, alsof er een zwerm kleine muggen om zijn hoofd heen hangt, en als hij zich beweegt, verplaatst het geluid zich met hem mee, hij trekt zich haastig uit haar terug en hij zit rechtop tussen haar blote benen, en ze begrijpt het meteen alsof ze al die tijd alleen hieraan heeft gedacht. Ze zegt dat hij onmiddellijk uit bed moet stappen, en kleed je aan, zegt ze, en zelf schiet ze haar onderbroek aan en ze ontsteekt de petroleumlamp, en hij pakt zijn crèmekleurige zomerkostuum van de waslijn en zij haar grijze jurk, en midden in de nacht kleden ze zich aan, en ze houdt hem angstvallig in de gaten, en hij gaat op het bed zitten, Amand, ben je er nog, vraagt ze terwijl hij zich vooroverbuigt om zijn veters te strikken, en hij zegt dat hij er inderdaad nog is. En het gezoem in zijn hoofd is sterker geworden, hij vraagt haar of zij het ook hoort, of het misschien het ruisen van de lamp is, maar zij zegt dat ze niets hoort, en ze gaan naar beneden en ze zitten samen in de keuken van hun slapende huis, het is stil op straat, het naargeestige gegak van een troep ganzen drijft over hen heen en in de verte slaat de klok van het belfort twee keer.

En ze staart hem aan, ze heeft zich met hem opgesloten in deze kleine ruimte en hij heeft medelijden met haar, als hij durfde en zij wilde, zou hij haar in zijn armen nemen, en het irritante gezoem wordt gesuis en verdwijnt dan, zal ik koffiezetten, vraagt ze, en het is zijn taak maar zij haalt het water bij de kraan in de gang, ze draait de deur achter zich op slot en ze is snel weer terug. En het water kookt en ze drinken samen koffie, en hij zegt dat het nu niet meer gaat gebeuren, maar zij weet het niet zo zeker, laten we nog even wachten, zegt ze, en af en toe vallen haar ogen dicht en knikt haar hoofd voorover op haar borst en dan ontwaakt ze met een schok, en hij zegt dat ze beter naar bed kunnen gaan, maar zij wil hier blijven. En uiteindelijk valt ze met haar hoofd op tafel in slaap, en hij staat voorzichtig op, gaat op de stoel naast de hare zitten en neemt haar in zijn armen, en in haar slaap is ze vergeten dat hij de bron van al haar zorgen is, ze vlijt zich als een kind tegen hem aan, en hij sluit zijn ogen en als hij ze weer opent is ze met haar hoofd in zijn schoot gezakt, en hij ziet hen vanaf de drempel daar samen aan de tafel.

Hij staat in de deuropening en hij zit tegelijkertijd op een stoel met haar in zijn armen, en het afschuwelijke is dat hij niet weet welke van de twee mannen echt is en welke een illusie, en dus ook niet welke hij moet trachten te negeren, het is alsof hij alleen nog een abstract denkbeeld is en hij zijn fysieke verschijning, zijn menszijn, voorgoed heeft afgelegd, en onduidelijk is ook wiens denkbeeld hij dan is, want er moet toch ergens een verstand zijn dat hem produceert, en nog nooit is hij zo alleen geweest en zo bang, en hij wekt haar.

En het is het einde van de middag, want de zon schijnt door het keukenraam naar binnen en zij zit tegenover hem aan tafel en ze zegt, maar als dat allemaal waar is, hoe kan het dan dat je hier bij mij bent, en hij hoort aan haar stem dat ze het tegen die ander heeft, de intieme klank ontbreekt die vertelt over samen slapen en onder zijn ogen uitkleden en iedere dag voor haar de kolen doen. En hij beantwoordt haar vraag niet, hij zwijgt, in de hoop dat ze nog een tijdje zal geloven dat hij niet terug is, zodat hij kan achterhalen wat ze de vorige keer voor hem verborgen heeft gehouden, en ze begint over het geel, hij kijkt verrast op, en ze denkt dat ze hem moet overtuigen, ze zegt dat ze er al eerder van anderen over heeft gehoord, hun huid werd knalgeel, zegt ze, het was gevaarlijk, en sommigen werden er ziek van, en dan zwijgt ze, hij moet wel iets zeggen, hij vraagt haar of het geel te genezen was, en blijkbaar verraadt zijn manier van praten hem onmiddellijk, ze staart hem ongelovig aan, ben je me nou aan het belazeren, zegt ze, en hij ontkent, hij houdt vol dat hij pas een paar seconden geleden is ontwaakt.

En ze staat op, ze haalt de deur van het slot en hij ziet haar schouders schokken alsof ze snikt, en ze loopt de gang in en smijt de deur achter zich dicht, zo hard dat er een stuk pleister uit de muur op de grond valt, en hij zit stil aan de keukentafel, hij hoort haar voetstappen op de trap, ze gaat naar boven, naar hun slaapkamer, en hij kijkt op zijn horloge, het is kwart over vier, hij is meer dan twaalf uur weggeweest, maar hij is terug, hij heeft nog even respijt. En als het winkelbelletje rinkelt, gaat hij naar beneden om de klant te helpen, en zij gaat er kennelijk vanuit dat hij de winkel doet, want ze komt niet kijken, ze heeft besloten dat hij naar de maan kan lopen, dan krijgt hij maar een aanval onder de ogen van hun buurtgenoten, dan vlucht hij maar bij haar weg, haar zal het een rotzorg wezen. En hij zoekt de sleutel van de deur tussen de studio en de winkel, maar vindt hem niet, en hij gaat aan de tafel zitten werken, hij concentreert zich op het tellen van de seconden voor de belichting en het turen naar het beeld dat in de ontwikkelaar op het papier verschijnt, en hij ziet haar de hele middag niet, hij maakt zelf een foto van hem en een weduwe die helemaal vanuit Amerika hiernaartoe is gekomen om de laatste rustplaats van haar man te zoeken, en uiteindelijk om halfzeven komt Roos hem halen voor het avondmaal.

Ze zitten tegenover elkaar aan tafel en ze kijkt hem niet aan, het enige wat ze tegen hem zegt is, geef je bord eens aan, en als de kinderen buiten zijn gaan spelen, en hij zonder dat ze ernaar hoeft te vragen water voor de vaat heeft gehaald en zij met haar rug naar hem toegekeerd staat te wachten totdat het kookt, zegt hij tegen haar dat het hem spijt, dat had ik niet moeten doen, zegt hij, en ze zwijgt, en hij zegt dat hij snapt dat ze boos op hem is, en ze zegt dat ze niet boos is, maar op zo'n onvriendelijke toon dat de woorden hun eigen ontkenning vormen.

En nadat de kinderen zijn gaan slapen, komt ze bij hem in de studio zitten, en ze werken in een afstandelijke stilte aan de foto's, alsof ze beiden op een eerste stap van de ander wachten, en tegen elven staat ze op en zonder te vragen of hij meekomt, gaat ze naar boven, naar bed, en hij blaast de lampen uit en loopt met haar mee. En ze liggen in het donker naast elkaar, hij buigt zich naar haar toe en hij wenst haar welterusten en geeft haar een kus, en tot zijn verrassing beantwoordt ze die, alsof haar lippen zich vergissen en haar verstand te laat bedenkt dat ze hem aan het doodzwijgen was, en hij legt zijn armen om haar heen en probeert haar te geven wat hem de vorige nacht niet is gelukt, en al te veel moeite kost hem dat niet, want haar lichaam komt in opstand tegen haar onwillige verstand, hij gelooft dat het haarzelf ook verbaast, alsof haar lijf de opluchting van zijn behouden terugkeer uitschreeuwt terwijl ze zo haar best heeft gedaan om die niet in haar hoofd te verwoorden. En ze vergeten zichzelf in elkaar, en ze vervangen hun angst voor het dramatisch aanstormende einde door dit kortstondige einde in lichamelijk genot, en achteraf moet hij zowat huilen, hij begrijpt niet waarom hij dit allemaal kwijt moet raken, waaraan hij dat heeft verdiend, en hij wil niet dat zij het merkt, hij slikt in het donker zijn tranen weg.

En hij droomt over een grote, zwarte hond, het dier volgt hem overal waar hij gaat, het is altijd schuin achter hem zodat er in zijn ooghoek constant een dreigende, donkere vlek hangt, maar als hij over zijn schouder kijkt is het beest verdwenen, en hij denkt dat hij over de hond heen kijkt omdat het dier plat is, en dan dringt tot hem door dat hij het zelf is, het is zijn eigen schaduw, die ander die in hem schuilt en hem in een onbewaakt ogenblik zal bespringen. En hij wordt wakker, zij ligt tegen hem aan, en als hij zich op zijn rug draait, beweegt ze en ze mompelt in haar droom, hele zinnen pruttelen uit haar alsof ze een samenhangend verhaal probeert te vertellen, zonder punten, zonder intonatie, zonder conclusie en nauwelijks verstaanbaar, een nachtelijke klaagzang, een gebed lijkt het, ze heeft het over het aangezicht des Heren en barmhartigheid en het afhouwen van haar rechterhand, en dan verstaat hij duidelijk dat ze 'keet' zegt en 'zwarte hond', en ze steunt alsof ze moet huilen en hij wekt haar.

Ze is onmiddellijk wakker alsof ze zich er zelfs in haar slaap van bewust is dat ze waakzaam moet zijn, wat is er, vraagt ze geschrokken terwijl ze al overeind zit, en hij zegt dat ze een nachtmerrie had, en ze laat zich terugzakken in de kussens, hij vraagt haar of ze zich herinnert wat ze droomde en ze zegt van niet, maar als ze haar ogen sluit en wegdommelt komen de beelden terug, en ze zegt dat ze hem kwijt was en dat ze hun nieuwe huis doorzocht, maar telkens als ze een kamer had gehad, bleek er weer een andere achter te liggen, het huis dijde uit en uit, en in haar droom dacht ze dat het een rijzend brood was, zegt ze. En hij vraagt haar of er een zwarte hond in haar droom voorkwam, en nee, daar herinnert ze zich niets van, zegt ze, en ze zinkt alweer weg in de armen van de slaap, en de zwarte hond zit aan hun voeteneinde, hij voelt zijn aanwezigheid en als hij zich inspant kan hij zijn silhouet zien, zijn rechtopstaande oren, zijn kop, zijn harige rug, en hij hoort hem ademen. En tegen de ochtend sukkelt hij half in slaap en hij wil zich omdraaien maar dat gaat niet, en hij weet dat het komt doordat de hond op zijn benen ligt, de warmte van zijn zwarte lijf omhult hem als een deken, en hij richt zich op om het beest van het bed te sturen, maar er is geen hond, alleen dekens en haar blote been dat ze dwingend om hem heen heeft geslagen, en hij gaat weer liggen, en nu de hond weg is voelt hij zich alleen, alsof het dier zonder dat hij het zich bewust was altijd bij hem is geweest en nu ineens terug is gekeerd naar huis.

En terwijl hij zich scheert vraagt hij haar naar de twaalf uur die hij gisteren heeft gemist, en ze zegt dat ze met die ander heeft gepraat, dat ze samen hebben gegeten en dat er niets bijzonders is gebeurd, en hij vraagt voorzichtig hoe het zit met dat geel, o, zegt ze, dat ging over de oorlog, en haar achteloosheid is niet geveinsd, maar net iets te uitgesproken, zoals ze hem soms ook zoent om hem zijn mond te laten houden. En ze is zich aan het wassen, ze haalt net een natte waslap over haar gezicht als ze beweert dat een mensenhuid geel wordt van explosieven, daar heeft hij nog nooit van gehoord, maar zij houdt vol dat de Duitse soldaten in het *Kriegslazarett* het haar hebben verteld, vrouwen die in fabrieken werkten waar granaten werden gemaakt, waren knalgeel, zegt ze, *Kanarienvögel* noemden haar gewonden hen, en dat geel kon je er niet afwassen, het moest slijten, maar als hij van haar wil weten hoe dat dan kon, waar kwam dat geel in die fabrieken vandaan, moet ze hem het antwoord schuldig blijven. En hij zegt dat hij honderden granaten heeft zien ontploffen en geen ervan was vanbinnen of vanbuiten ook maar een beetje geel, en ze ontwijkt zijn blik, ze pakt de handdoek en droogt haar gezicht af, en met dof bedekte mond en veilig verscholen ogen zegt ze dat ze alleen maar herhaalt wat die Duitse soldaten haar hebben verteld, ze is geen explosieven-expert, misschien hadden ze het verzonnen, zegt ze. En ze legt de handdoek weg en glimlacht naar hem, enigszins verlegen omdat ze wel weet dat hij haar niet gelooft, en ze is er handig in geworden, dat moet hij haar nageven, als hij zou kunnen bewijzen dat ze liegt, kan ze haar Duitse gewonden de schuld geven en gaat ze zelf vrijuit, en ze brengt het ook met zo'n ontwapenende onschuld, bedeesd en bescheiden en halfbloot.

En plots doorziet hij haar, hoe ze zichzelf al haar hele leven verzint, verliefd dienstmeisje, nette middenstandsvrouw, wachtende heldin, *Flämische Engel*, de weduwe die een wonder overkwam, het besef treft hem alsof hij een deur opent en een koude windvlaag hem in het gezicht slaat, en hij kijkt naar haar en hij weet niet wat het betekent, of ze altijd liegt, of ze zelf niet weet dat ze liegt, of haar leugens zo dicht langs de waarheid schuren dat niemand het een van het ander kan onderscheiden, of hij en hun gelukkige huwelijk ook tot haar leugens behoren, of hij van haar leugens houdt, meer dan van haarzelf, en dan is het moment van inzicht voorbij, of van verstandsverbijstering, want hij kijkt naar haar en hij ziet Julie, de vrouw van wie hij houdt, die onvoorwaardelijk van hem houdt.

En ze lopen samen naar de Groote Markt, het is donker in de stad, de lantaarns branden en hun gelige licht kruipt over de natte straatstenen, en de plassen langs de stoeprand lijken licht te geven, en aan de overkant loopt een hond met hen mee, als ze stilstaan voor De groote Magazijnen van het Louvre wacht het beest op hen, en zij bekijkt de bontmantels in de etalage, Persiano en bever, zegt ze, en otter, en ze weet er opmerkelijk veel van voor een vrouw die volhoudt dat ze geen bont kan betalen en het ook te deftig vindt om te dragen. En hij vraagt of haar die zwarte hond is opgevallen, en ze kijkt verrast in de richting die hij aanduidt, die is van Loreyn van nummer 42, zegt ze, wat is daarmee, en hij zegt dat hij het zich gewoon afvroeg, en ze zwijgt en ze kan dat op een speciale, zogenaamd bescheiden, onbescheiden manier die alleen zij beheerst. En ze draait de deur van hun nieuwe huis achter hen op slot, hij maakt de laden van de toonbank af en begint daarna aan de etalagekasten, en als zij voor de maten van de gordijnen naar de slaapkamers moet vraagt ze of hij met haar meegaat, hij gelooft dat ze wil dat hij haar helpt, maar staand op een stoel meet ze zelf de ramen, hij had niet naar die hond moeten vragen, nu durft ze hem zelfs niet meer heel even alleen te laten.

En hij werkt de dagen daarna aan de etalagekasten, nooit overdag, altijd 's avonds zodat ze met hem mee kan, en ze stuurt Roos weer naar de winkels, zelf gaat ze niet meer, en als ze toch moet, zoals bij het uitzoeken van de gordijnstoffen, dan neemt ze hem mee, en iedere dag verwachten ze dat het opnieuw zal gebeuren. Met angst en beven beginnen ze aan een nieuwe ochtend, opstaan, de kolen doen, wassen, aankleden, in de studio werken, bij haar in de keuken aan tafel zitten, en de keuze die ze op een dag tientallen malen moeten maken lijkt van steeds groter belang te worden, met haar meegaan als het belletje rinkelt en riskeren dat er een klant bij is als hij een aanval krijgt, of riskeren dat hij alleen is als het gebeurt, en meestal neemt ze hem mee, maar naarmate de dagen verstrijken en ze allebei nerveuzer worden, sluit ze hem vaker in de keuken op als ze naar beneden moet, en uiteindelijk zelfs als ze een paar minuten naar het privaat gaat, en 's nacht draait ze alle buitendeuren op slot, en ze beklaagt zich er nooit over, maar hij gelooft dat ze nauwelijks slaapt, of in ieder geval heel licht, want soms zit ze overeind in bed als hij zich alleen al omdraait.

En nadat de etalagekasten af zijn, begint hij aan nieuwe bedden voor de kinderen, hij versiert de hoofdeinden met houtsnijwerk, en dat geconcentreerde handwerk kalmeert hem, en zij naait intussen de gordijnen, en soms zitten ze zo met z'n tweeën in een van de slaapkamers hoog boven de Markt, terwijl de vochtige avondlucht door het raam naar binnen zweeft en het belfort de ongedeerde kwartieren telt die ze samen hebben doorgebracht, en dan vergeten ze dat iedere minuut hun laatste kan zijn en is het bijna zo vredig als vroeger. En hij vraagt haar of hij ook een nieuw bed voor hen zal maken, breed en stevig en gedecoreerd, en ze zwijgt, en hij zegt, wil je geen nieuw bed, en ze zegt diplomatiek dat het natuurlijk erg mooi zou zijn, maar ze wil liever met hem in hun oude bed blijven slapen, en het is verroest en doorgezakt, en ze zal er straks met een onbekende, andere man in moeten liggen en misschien zelfs alleen, zoals in die acht eenzame jaren waarover ze hun klanten iedere dag vertelt, en haar herinneringen aan wat er in dat oude, piepende bed tussen hen is gebeurd, zullen vervagen, totdat alleen nog het gekreun van de springveren overblijft als ze zich omdraait, maar hij dringt niet aan.

En nog steeds is het niet gebeurd, het zou hen gerust moeten stellen, ze zouden weer hoop moeten krijgen, voorzichtig moeten durven geloven dat ze toch nog jaren samen hebben, maar het benauwt hen, het is alsof het noodlot een lange aanloop neemt, niet voor nog een aanval van een paar uur, een dag, een halve week, maar voor de definitieve sprong in het duister, en hoe langer het duurt hoe waarschijnlijker het lijkt dat het nu vandaag dan eindelijk zover is. En was hij alleen dan zou hij zichzelf misschien voor de gek kunnen houden, maar hij hoeft haar maar te zien opschrikken bij een onverwachte beweging van hem, haar in de ogen te kijken en haar angst te herkennen, haar wantrouwen te proeven, en hij weet weer wat hen te wachten staat, en haar vergaat het precies zo, in zijn vrees, zijn paniek, zijn wanhoop ziet zij ook de hare. En ze zijn gedwongen om voortdurend samen te zijn, en het tegenstrijdige is dat ze bang zijn om elkaars gezelschap voorgoed te moeten ontberen, dat het daar allemaal om is begonnen, en dat juist dat samenzijn hen steeds meer begint tegen te staan, hij ergert zich aan haar en zij aan hem, maar ruziemaken mogen ze niet, dat zou een aanval kunnen uitlokken, en ze slikken hun verwijten in, en eerlijk zijn ze ook niet meer tegen elkaar, ze zeggen elke dag dat ze hoop hebben, dat het niet zal gebeuren, dat het goed gaat.

En hij is naar het privaat geweest, en zelfs dan wacht ze op de gang tot hij klaar is, hij opent de deur en ze staat met haar rug tegen de muur geleund, haar hoofd gebogen, haar handen gevouwen en ze bidt, hij wil de deur zachtjes weer sluiten om nog even op de pot te gaan zitten en genadig alleen te zijn, maar ze heeft hem opgemerkt, alsof hij haar op een onzedelijke handeling heeft betrapt heft ze abrupt haar hoofd op en haar armen vallen machteloos langs haar zij, hij zegt dat ze zich niets van hem moet aantrekken, het kan geen kwaad om Gods hulp in te roepen, zegt hij, misschien mag ik bij je blijven van Hem, en ze zwijgt, ze glimlacht vaag, zoals ze ook doet wanneer een klant een opmerking maakt waaruit zo veel onbegrip blijkt dat ze er de zin niet van inziet om er tegenin te gaan.

En hij loopt over een smalle weg, samen met de blonde vrouw, hij in zijn uniform en zij in een lichte zomerjurk die om haar lange, blote benen zwiert, haar voeten in de sandalen en haar enkels zijn zachtgeel, en rond haar kuiten, net onder haar knieën, zit een heldergele streep die hij zo nu en dan ziet als de wind haar rok optilt, en ze weet het, hij heeft haar verteld over de honderden soldaten die hij met het machinegeweer heeft neergemaaid en hoe hij daarbij in een uitzinnige vervoering raakte alsof hij een goddelijke daad verrichtte, en hoe weerzinwekkend hij dat achteraf vindt. En ze begreep er niets van, ze zei dat het zijn vaderlandse plicht als soldaat was om vijanden te doden, hoe meer hoe beter, en ze weigerde te begrijpen waarom hij zich er zo schuldig over voelde, ze wilde een held in hem zien, en nu voelt hij een nog grotere weerzin tegen zichzelf en tegen haar en tegen alles om hem heen. En in het gras langs de weg loopt een grote, zwarte hond met hen mee, hij komt naar hen toe gerend en zij haalt hem aan met haar gele handen, en zo is het dus in haar wereld van glooiende, frisgroene weilanden, een riviertje, bomen langs de oevers, en nergens dood en verderf, alles groeit en bloeit en fluit en ritselt en leeft onbekommerd verder, en hij verlangt naar het front, hij hoort hier niet langer thuis, en dat is een vreselijk besef. En de hond wringt zich tussen hen in en duwt zijn natte neus tegen zijn handpalm, en hij wordt wakker, het is donker in de slaapkamer en zij slaapt, ze snurkt zacht, en hij probeert zijn droom te vergeten, hij denkt aan haar liefde, hun nieuwe huis, en hij telt tot duizend, maar de droom blijft als een kleverig spinnenweb in zijn hoofd hangen.

En 's ochtends bij het opstaan is de blonde vrouw er nog steeds, de hele dag blijft ze bij hem met haar mooie lichaam en haar gele gezicht, als hij met Julienne praat, als hij foto's afdrukt, als hij met een weduwe poseert, en na het avondmaal zit hij bij Julienne in de keuken en ze droogt de vaat af en ze vraagt hoe hij zich voelt, goed, zegt hij, en ze zet de borden in de kast en ze loopt achter hem langs en streelt hem door zijn haar, je bent zo stil, zegt ze, en hij zegt dat hij moe is, en ze weet dat ze niet verder moet vragen, zoals hij weet dat zij hem niet gelooft.

En ze lopen door de donkere Doornijkstraat naar hun nieuwe huis, gearmd als een bezadigd echtpaar op zondagmiddag, en zij laat haar hand onder zijn openvallende jas in zijn broekzak glijden, lauwwarm rust hij tegen de binnenzijde van zijn been en bij iedere pas voelt hij haar vingers bewegen, maar het windt hem niet op, hij is zich bewust van de beklemmende aanwezigheid van de blonde vrouw, het is alsof ze loom en zwaar op zijn hart is gaan zitten en daarmee alle gevoelens voor Julienne uit hem heeft geperst, alleen zijn schuldgevoel is gebleven. Wat is hij voor een man, als hij de blonde vrouw heeft verzonnen dan houdt hij blijkbaar niet meer voldoende van Julienne, dan verlangt hij heimelijk naar een nieuw leven met een ander, en heeft hij haar niet verzonnen, is ze een vrouw uit zijn verleden, dan kan hij niet anders dan geloven dat hij haar tijdens de oorlog heeft ontmoet, Julienne was onbereikbaar in bezet gebied, hun brieven deden er maanden over, en zijn verloven bracht hij ergens in het vrije achterland door, met haar, die blonde vrouw, zonder aan Julienne te denken die trouw op hem wachtte, die hemel en aarde bewoog om hem ongeschonden uit de oorlog terug te krijgen. Hij kan kiezen, óf een lafaard die zo bang is voor haar grenzeloze toewijding dat hij ervan droomt om haar te bedriegen, óf een schoft die haar werkelijk heeft belazerd, ach lieve Julie, arme, lieve Julie, en voor het eerst verlangt hij naar de tijd dat hij voorgoed zijn geheugen zal hebben verloren.

En op woensdagochtend gaat hij met haar mee naar Lapeire op de Broelkaai om te informeren naar de bouwkosten van een donkere kamer in hun nieuwe huis, en ze zou hem het woord moeten laten doen, maar ze vertrouwt hem niets meer toe, terwijl ze met meneer Lapeire praat over het doortrekken van de elektrische leidingen en de riolering kijkt ze voortdurend wantrouwend opzij naar hem, en meneer Lapeire vond het al vreemd dat een vrouw het woord deed over een verbouwing, hij volgt verbaasd haar nerveuze blikken en hij biedt Amand een stoel aan, en als Amand die afslaat zegt meneer Lapeire haastig toe dat hij morgen op de Groote Markt de situatie zal komen bekijken, voorlopig schat hij de kosten op driehonderd franken, zegt hij, en hij werkt hen de deur uit, alsof hij bang is dat Amand op de vloer van zijn werkplaats in elkaar zal zakken.

En op straat ruziën ze gedempt over het bezoek, hij zegt dat het haar schuld is dat het zo vreemd verliep, ze moet hem niet alsmaar in de gaten houden, en zij zegt dat hij niet zo onrustig moet doen en van die rare gezichten moet trekken, en dat verzint ze ter plekke, gelooft hij, maar zij houdt vol dat dat is wat hij doet, alsof je pijn hebt, zegt ze. En de volgende dag durft ze hem niet mee te nemen naar de afspraak met meneer Lapeire, maar ze durft hem ook niet zo lang alleen thuis te laten, hij weet haar met moeite te overreden, en voordat ze weggaat haalt ze de bestekla leeg en na wat aarzelen ook de servieskast en ze dooft de kolen in het fornuis, en dan kust ze hem en net voordat ze de deur achter zich op slot draait, ze is al in de gang, komt ze terug de keuken in en kust ze hem nog eens, innig, alsof ze voorgoed afscheid van hem neemt.

En dan is hij alleen, en daar geniet hij van maar het is ook beangstigend, hij leest *Het Kortrijksche volk*, roken kan hij niet want ze heeft hem zijn lucifers afgenomen, en de krant heeft hij na een halfuurtje uit en verveeld begint hij aan de bijbel, en het duurt lang, ze had beloofd dat ze hoogstens drie kwartier weg zou zijn, maar na een uur is ze nog niet terug. Hij ijsbeert tussen de deur en de lege servieskast en hij begint zich zorgen te maken over haar, en over hemzelf, wat als ze niet terugkomt, als ze naar de statie is gegaan en op de eerste de beste trein is gestapt, wat als ze een ongeluk heeft gehad, wat als die meneer Lapeire haar heeft verleid, en vijf kwartier, zes, als ze niet terugkomt moet hij de keukendeur forceren, maar nu nog niet, nog even geduld, hij geeft haar twee uur, twee uur, niet langer, zeker niet langer, wat mankeert haar om hem zo in de steek te laten, niet boos worden, niet bang zijn, dan gebeurt het juist.

Zeven kwartier, en eindelijk, eindelijk hoort hij het winkelbelletje en dan haar rennende voetstappen op de trap, Amand, gilt ze al terwijl ze nog beneden is, Amand, en hij roept haar naam en dat alles goed is, en haar voetstappen vertragen en ze staat stil, het duurt een tijdje voordat hij haar in de gang bij de keuken hoort, ze is verschrikkelijk buiten adem, en als ze de deur opent ziet hij dat haar gezicht vuurrood en bezweet is, en ze vallen elkaar in de armen en hij neemt haar op schoot en ze wil hem vertellen waarom het zo lang duurde, maar ze moet alsmaar naar adem happen, rustig, zegt hij, kalm liefje, en hij streelt haar over haar rug totdat ze weer kan praten. En ze zegt dat meneer Lapeire meer dan een uur te laat was, en ze overwoog om terug te gaan naar huis of naar de Broelkaai te lopen om hem te halen, maar net toen ze na lang twijfelen verontwaardigd buiten stond, zag ze hem aankomen, en hij hield haar alsmaar aan de praat, ook dat nog, wat een vervelende man, zegt ze uit de grond van haar hart.

En ze begint haastig aan het koken van het middagmaal, en na de eerste opluchting wordt ze steeds stiller en wreveliger, alsof ze zich voor gek voelt gezet door hem, al die zorgen, meneer Lapeire afgebekt, rennend naar huis, allemaal voor niets, en ze maakt geërgerde opmerkingen, hij zit in de weg, hij mag zijn lucifers niet van beneden halen, hij mag ook niet naar het privaat want dan moet zij mee en branden de aardappels aan, en hij slikt al haar onredelijkheden zonder commentaar, maar dat lijkt haar irritatie alleen aan te wakkeren, en ze begint op ruzieachtige toon aan een zin en halverwege bedenkt ze dat ze hem niet boos mag maken, en ze zwijgt, en die wanhopige, getergde stilte van haar is zo mogelijk nog moeilijker te verdragen dan haar onrechtvaardige woorden.

En de kinderen komen thuis, ze hebben algauw door dat hun moeder een pesthumeur heeft en stilletjes eten ze hun bord leeg, en als ze weer naar school zijn gegaan doet ze de vaat, en er wordt op de deur geklopt, het is Felice met de huur, ze vertelt dat ze morgen het contract voor haar nieuwe huis in de Budastraat tekent, en per 1 november gaat ze verhuizen, zegt ze, en ze vertelt over het huis, het is groter dan de twee kamers die ze hier huurt en het heeft een balkon aan de achterzijde, en ze verwacht dat Julienne naar details zal vragen, of op zijn minst belangstelling zal tonen, maar Julienne kan het niet opbrengen. En Felice vraagt of ze morgen meegaat om het huis te bekijken, en Amand natuurlijk ook, zegt ze, dat zou ze erg leuk en gezellig vinden, en Julienne zegt dat ze helaas de winkel niet alleen kan laten, maar Felice zegt dat ze de afspraak om het contract te tekenen 's avonds heeft, en nee, zegt Julienne, na sluitingstijd heeft ze het veel te druk met de negatieven, ze komt wel een keer als Felice het huis heeft ingericht. En Felice is beledigd, ze zegt dat ze zich afvraagt of ze nog wel vriendinnen zijn, en de ergernis die Julienne al urenlang probeert binnen te houden richt zich nu op Felice, maar ook van haar krijgt ze niet de ruzie waarnaar ze verlangt, en ze is gedwongen om nog onredelijker te worden, en ook dat helpt niet, en dan krijgt ze een hekel aan zichzelf en houdt ze met een stuurs gezicht haar mond. En na een korte stilte staat Felice op en zegt dat ze het haar niet kwalijk neemt, ik begrijp het, zegt ze, je staat onder druk, je maakt je zorgen of je er wel goed aan hebt gedaan om tegen Gods wensen in te gaan, en Julienne heft haar hoofd op, waar heb je het over, vraagt ze scherp, en ze kijken elkaar aan en Felice glimlacht vol medeleven naar haar, en Julienne wendt haar hoofd af, ze zegt dat het haar spijt dat ze zo onaardig is, en aan haar stem hoort hij dat ze moeite doet om niet in tranen uit te barsten.

En ze liggen samen wakker, ze draait zich voortdurend om en ze zucht, en rond twee uur is ze eindelijk stil en hij valt ook in slaap, maar in het donker wordt hij wakker van een schrapend geluid, het is schuin onder hem en hij gaat overeind zitten en tast naast zich in bed, hij voelt het kussen en de opengeslagen dekens, ze ligt er niet, en vaag ziet hij de schim van haar witte nachtjapon, ze knielt naast het bed op de vloer en hij vraagt haar wat ze aan het doen is, en ze antwoordt niet, Julie, zegt hij, en nog eens, Julie. En er is alleen duisternis en stilte rondom hem, hij droomt, en hij gaat weer liggen en sluit zijn ogen, hij hoort haar om hem heen in de kamer rondscharrelen, ze weet in het donker feilloos haar weg te vinden en ze mompelt dat ze zijn sokken moet stoppen, en dan dringt tot hem door dat híj niet droomt, maar zij, en dat ze in haar slaap de koffer aan het inpakken is. Ze heeft hem onder het bed vandaan getrokken en hij staat geopend op de vloer, het deksel rust tegen de bedrand, en ze verzamelt uit de kartonnen dozen die ze als kast gebruiken kleren die ze netjes in de koffer stapelt, zijn kostuums en zijn overhemden en zijn wollen kousen, en daarna legt ze haar eigen ondergoed erbovenop en ze zegt iets over koeien, nee die loeien niet, zegt ze, en dan gaat ze op het voeteneinde zitten en ze slaat haar handen voor haar gezicht, en ze zegt dat ze niet weet wat ze moet doen, en dan begint ze weer over loeien, ik ben zo bang, zegt ze, zo bang, en haar stem klinkt intens wanhopig en ze begint te snikken.

En hij kruipt over het bed naar haar toe en neemt haar in zijn armen, en hij zegt dat ze niet moet huilen, o stil liefste, en ze wordt wakker, en ze begrijpt niet wat er aan de hand is, waarom ze midden in de nacht samen op bed zitten, en hij zegt dat ze in haar slaap de koffer heeft ingepakt, en dat weigert ze te geloven, ze heeft nog nooit geslaapwandeld, zegt ze, en ze steekt de petroleumlamp aan en ze ziet de volle koffer staan en ze schaamt zich, ze wil weten wat ze precies heeft gedaan en gezegd, en hij vertelt dat ze zei dat ze niet wist wat ze moest doen en dat ze bang was, en dat grijpt haar aan, haar ogen vullen zich opnieuw met tranen. En ze pakken samen de koffer uit en ze gaan terug naar bed, maar ze slapen geen van beiden, en hij denkt dat het beter is als het nu eindelijk eens afgelopen zou zijn, ze worden gek van het wachten, en het ergste is dat ze dankbaar moeten zijn voor iedere minuut die ze nog samen mogen doorbrengen, en het zijn zulke alledaagse minuten, waarin ze zich ergeren of ze zijn bang of zij heeft een nachtmerrie, en dankbaar zijn ze ook al niet.

En hij tuurt naar het voeteneinde en stelt zich voor dat daar die zwarte hond naar hem zit te kijken, en naast het bed staat hij zelf, en die blonde vrouw is er ook, en het geel zit in de hoek onder de waslijn op hem te wachten, en hij mengt het allemaal door elkaar tot een verwarrend geheel, en terwijl dat in zijn hoofd rondkolkt, bidt hij tot God, verlos me, laat me gaan, laat me dan nu maar gaan. En hij voelt hoe hij wegglijdt in iets dieps en zwarts en eenzaams, en hij is bang, vreselijk bang, op het laatste moment durft hij niet, hij ligt daar trillend, met een bonkend hart en het klamme zweet breekt hem uit en hij wil niet weg, alles wat hij wil is bij haar blijven, en hij keert zich naar haar toe en drukt zich tegen haar rug, zijn gezicht in haar naar groene zeep ruikende haar, zijn lippen op de warme ladder van haar nekwervels. En ze draait zich om en legt haar armen om hem heen, en ze mompelt iets over op tijd opstaan en ze dommelt weer verder, en zijn hart bedaart en rust daalt in hem neer, en hij is zich bewust van haar levende lijf en van haar regelmatige adem en van het zachte bed onder hem en van de duistere, uitgestrekte wereld rondom hem, het is alsof hij in zichzelf oplost en hij vloeit uit zichzelf heen, en als een kabbelende rivier verspreidt hij zich over zijn omgeving, en hij is haar die hij in zijn armen houdt en hij is de trap en de muren en het huis en de stille stad en de donkere Leye en de zon die straks opkomt, en de minuten die hem nog resten, strekken zich in een eindeloze weidsheid voor hem uit, en hij slaapt.

En ze kleedt zich voor hem uit, ze zijn samen in een kleine, bedompte kamer met drie bedden langs de muren, en boven de kachel hangen vrouwenondergoed en kousen en handdoeken te drogen, en buiten op straat is het lawaaiig, de gordijnen kunnen maar half dicht, een streep daglicht valt precies tussen haar borsten, over haar buik naar haar kruis, alsof ze door een vurig zwaard in tweeën wordt gedeeld, en hij kan zijn ogen niet van haar lichaam afhouden, haar voeten, kuiten, handen, onderarmen en gezicht zijn felgeel, en hier en daar zijn ook felgele banden op haar getekend, net onder haar knieën, rond haar polsen, dwars over haar buik, tussen haar navel en haar schaamhaar, en het haar direct rond haar gezicht is oranjegeel en omringt haar als een gouden stralenkrans, maar vanaf haar nek vervaagt het geel langzaam naar haar borsten en haar buik alsof ze zich 's ochtends slordig spetterend met geel heeft gewassen.

En ze laat hem naar haar kijken en haar vreemde boterbloemenhuid bevoelen, en ze lacht als zijn handen ook geel worden, en zijn kussen zijn geel, zijn strelingen, zijn begeerte tussen haar geel bevlekte lakens, en ze smaakt metalig naar bloed en oorlog, en dat geeft hem het veilige gevoel dat hij bij haar nog steeds soldaat kan zijn, en hij stort zich hongerig in haar en opwinding en vergetelheid mengen zich tot een onweerstaanbaar geheel, hij voelt haar warme lichaam tegen het zijne, en hij ruikt haar zweet en haar adem, en aan het front is hij een gevoelloze dode, maar blijkbaar zat het leven alleen onbereikbaar diep in hem opgesloten want het kolkt nu in hem rond en het baant zich een weg naar buiten. En zelfs in zijn droom is hij zich ervan bewust dat hij dit niet wil dromen, en hij probeert zich uit het kleine, bedompte kamertje met de geel bevlekte lakens weg te denken, maar de blonde vrouw houdt hem in een stevige omhelzing, en zij is de dood, daar is hij plotseling zeker van, ze kondigt zich verleidelijk zingend en fluitend aan en dan boort ze zich in je en vernietigt alles wat ze tegenkomt, hardvochtig in haar naïviteit zoals een kind dat oorlogje speelt, en ze is er trots op, dat is nog wel het ergste, en hij worstelt met haar maar zij is al in hem gedrongen, hij voelt hoe ze hitsig als een varken in de modder in hem rondwoelt en ze kreunt en fluistert in zijn hoofd.

En hij schrikt wakker, ze ligt tegen hem aan, haar ene been half over hem heen geslagen, haar dij raakt op een haar na zijn opwinding voor die andere vrouw, en hij probeert zijn lichaam beschaamd tot de orde te roepen, hij denkt aan bijtende fotochemicaliën en aan het middagmaal in het gesticht, en als dat niet helpt, aan eindeloze nachten in de isoleercel, en hij schuift voorzichtig op naar de rand van het bed waar zijn lichaam haar onwetendheid niet kan bespotten, en hoe kan hij van haar verwachten dat ze zijn angsten en ellende deelt, dat ze bij hem blijft zelfs als hij straks niet meer weet wie zij is, terwijl hij haar in haar eigen bed bedriegt. En hij denkt aan haar lichaam, hoe ze zich iedere avond uitkleedt, hoe ze in zijn bijzijn in de tobbe gaat, maar het doet hem niets, en wat hij ook probeert, hij kan niet naar haar verlangen, en zijn schuldgevoel breidt zich gestaag uit, ook als hij er niet aan denkt omdat hij even indommelt is het er nog steeds in een uithoek van zijn verstand, gelig en metalig en veroordelend.

En blijkbaar valt hij toch in slaap, want zij wekt hem en even is hij ervan overtuigd dat ze aan hem kan zien dat hij haar heeft bedrogen omdat zijn gele lippen en handen hem verraden, en dan dringt tot hem door dat ze van niets weet en hij is niet opgelucht maar teleurgesteld, en terwijl hij de kolen doet en zij zich daarna onder zijn beschaamde ogen wast, biecht hij het bijna aan haar op, hij weet de woorden nog net op tijd in te slikken. Over een paar dagen, weken, maanden misschien is zijn bedrog uit zijn geheugen gewist, en zij zou het nooit meer vergeten, tot aan haar dood zou het haar achtervolgen, en hij maakt zichzelf wijs dat zijn zwijgen een daad van liefde is, niet een nieuw verraad uit lafheid.

En op zondagochtend komt Felice de kinderen halen voor de hoogmis, hij zit aan de keukentafel te roken en Julienne maakt zich druk om een vlek in Roos' nette jurk, ze hurkt voor haar neer en boent met een nat doekje over de stof en Roos zegt dat ze niet zo hard aan haar moet trekken, sta stil, zegt Julienne geërgerd, en Felice wacht in de deuropening, en nadat Julienne zich heeft opgericht en Roos verontwaardigd heeft geconstateerd dat haar hele jurk nat is geworden, vraagt Felice Julienne of ze niet met hen mee wil. Naar de mis, zegt Julienne verrast, en Felice zegt dat ze gelooft dat het goed voor haar zou zijn, en als ze van de week nu eens ging biechten dan kan ze daarna ook ter communie gaan, en Julienne zegt bits dat ze daar geen enkele behoefte aan heeft, en Felice kan zich niet voorstellen dat ze de waarheid spreekt, ze zegt dat ze zeker weet dat het Julienne zou opluchten, en als Julienne eerlijk tegen zichzelf zou durven te zijn dan zou ze er net zo over denken, want Juul zoals jij je de laatste tijd voelt, zegt ze, dat houdt geen mens vol. En Julienne zegt dat Felice zich met haar eigen leven bezig moet houden in plaats van nonsens over dat van Julienne te verkondigen, ze zien elkaar bijna nooit en toch weet Felice precies hoe het met Julienne gaat, wat zou Felice ervan vinden als Julienne haar zou voorschrijven hoe zij zich voelde, dat ze eenzaam is, dat ze de schijn ophoudt en intussen vreselijk ongelukkig is maar dat niet onder ogen durft te zien. En Felice lacht en ze zegt, het is alsof ik je over jezelf hoor praten, Juul, en Julienne kijkt haar aan, en even gelooft hij dat ze Felice een klap in haar gezicht zal verkopen, maar ze zegt ijzig kalm dat Felice zich moet haasten, anders zijn jullie te laat voor de mis, en ze bukt zich en kust Gust en Roos op hun wang, tot straks, zegt ze, en zuinig zijn op je zondagse kleren, niet in het teruggaan met vriendjes op straat spelen.

En Felice is al op de gang als ze zich naar haar omdraait en zegt dat Julienne moeilijk van haar kan verwachten dat ze werkeloos toeziet terwijl haar beste vriendin bezig is zichzelf kapot te maken, en als het nou niet anders kon, dan zou ze zich er nog bij neer kunnen leggen, maar Julienne wil zichzelf pijn doen, ze wil lijden, en het is niet aan jou om dat te beslissen, Juul, het is aan God, Hij geeft en neemt, Hij oordeelt en straft, en als je je aan Hem zou durven overgeven... En Julienne smijt halverwege Felices preek de deur dicht, hij slaat met een klap tegen de post, en het wordt doodstil op de gang, alsof Felice en de kinderen angstig de trap af zijn geslopen, en ze ziet zijn onthutste blik en pakt het natte doekje en begint met bruuske gebaren de tafel schoon te vegen, ze zegt dat het godgeklaagd is dat Felice gelooft dat Julienne haar ongeluk over zichzelf heeft afgeroepen, en niet uit onnozelheid, maar omdat ze graag wil lijden, nota bene, omdat ik het zelf zou willen, wat is dat voor achterlijke beschuldiging, zegt ze, en ze vloekt binnensmonds en kwakt het doekje op tafel neer, en ze zegt of het nu echt te veel is gevraagd om haar eens met rust te laten, hoe kan ik, zegt ze, hoe kan ik nou, en haar zin eindigt in een snik die in haar keel blijft steken, en ze slaat haar hand voor haar mond en blijft een tijdje roerloos zo staan alsof ze zich voor haar eigen verdriet probeert te verstoppen. En hij neemt troostend haar andere hand vast die op tafel rust, maar zij duwt hem weg en schudt met opeengeklemde lippen haar hoofd naar hem, en dan na even pakt ze het doekje weer op, ze knijpt het uit boven het afwasteiltje en ze veegt nog eens vruchteloos over de tafel, en ze zeggen geen van beiden iets, ze heft haar hoofd op en kijkt hem aan en ze glimlacht naar hem alsof ze zich realiseert dat ze hem bezorgd heeft gemaakt en hem gerust wil stellen.

En 's avonds als de kinderen naar bed gaan vraagt ze hem of hij hun goedenacht gaat wensen, en hij zegt dat het hem beter lijkt als zij dat doet omdat Roos nachtmerries van hem krijgt, en ze is moe van een lange dag gekweld door zelfbeheersing, ze zegt dat hij veel te toegeeflijk is tegen Roos, ben je bang voor haar, vraagt ze, en ze kijkt hem strak aan, en hij leest in haar ogen hoe iedere vezel van haar lichaam snakt naar onbetamelijke woede, zoals ze vroeger op de meest ongelegen ogenblikken naar vrijen met hem kon verlangen. En hij zegt dat hij Roos tegen hemzelf in bescherming neemt, en als Julienne een goede moeder was zou zij hetzelfde doen, zegt hij, en ze hapt meteen gretig zoals hij wist dat ze zou doen, ze begint over de oorlog en dat ze de kinderen in haar eentje moest zien te onderhouden omdat hij hen in de steek had gelaten, en net als hij verdraait ze met opzet de waarheid.

En zelfs terwijl hij tegen haar staat te schreeuwen, is daar nog steeds die blonde vrouw in zijn hoofd, zijn woorden zijn geel van de schuld, en hij haalt Felice erbij en hij beweert dat zij helemaal gelijk heeft, Julienne wil inderdaad lijden, zij heeft zich haar ellende zelf op de hals gehaald, en hij weet dat zij weet dat hij haar jent, dat hij er niets van meent, maar dat doet er niet meer toe, ze schreeuwt tegen hem dat hij haar leven heeft geruïneerd, ze haat hem, ze wilde dat hij de deur uitliep en nooit meer terugkwam, daar droomt ze iedere nacht van, zegt ze. En hij probeert haar woorden door het pantser van geel in hem te laten dringen, daar waar ze hem het meest kwetsen, en hij denkt aan haar leugens, haar weigering om hem voor vol aan te zien, ze heeft hem alleen uit het gesticht thuisgebracht om hem te overheersen en te kleineren, en zij schreeuwt tegen hem dat hij een laffe schijtbroek is, geen wonder dat hij de oorlog heeft overleefd als hij zich vier jaar lang bibberend in een loopgraaf heeft verscholen.

En hij is er bijna, hij voelt de woede onbeheerst in hem opborrelen en hij grijpt haar bij haar schouders beet en schudt haar hardhandig door elkaar, en hij ziet de angst in haar ogen, maar ze zwicht niet, ze worstelt met hem en ze vallen samen tegen de tafel en dan op de grond. En bijna, bijna, nog even, en ze trapt tegen zijn scheenbeen en hij voelt haar tanden in zijn schouder verzinken, en hij ruikt plots de geur van jute en vochtige, zwarte aarde, zo echt en doordringend en vertrouwd dat zijn woede er week van wordt, en zijn greep op haar verslapt. Is het zover, vraagt ze, en ze richt zich op en haar stem klinkt verbijsterend kalm, en mijn God, ze is met hetzelfde bezig als hij, zo graag wil ze van hem af, en zijn ogen lopen vol tranen, en hij haat haar, hij walgt van haar, hij duwt haar hard van zich af en ze kwakt achterover tegen de tafelpoot.

En hij is in een stikdonkere, kleine, raamloze ruimte, hij zit op de vloer met zijn rug tegen de muur, en hij is zijn geheugen niet kwijt, het is mislukt, de gele vrouw is er nog steeds en zijn verraad en het gekmakende, gezamenlijke wachten op wat maar niet komen wil, en hij kruipt langs de muren terwijl hij om zich heen tast. Er staat niets in de ruimte, geen stoel, geen tafel, geen bed, en hij vindt de deur, hij richt zich half op, zoekend naar de klink, de deur zit op slot, en dan dringt tot hem door, hij is in een isoleercel, eindelijk heeft ze hem dan toch naar het gesticht teruggebracht, en een gevoel van intense eenzaamheid overweldigt hem, alsof de hele wereld hem in de steek heeft gelaten. En hij denkt zittend op de vloer van zijn cel aan wat hij had, bij haar aan de keukentafel een Bastos roken terwijl zij het eten kookt, naast haar liggen in bed en haar geruststellende ademhaling horen, haar nachtzoen, haar glimlach, haar springerige krullen, haar bleke dijen in de tobbe, haar kinderlijke concentratie bij het retoucheren, en hij huilt, hij hoopt dat ze zo verstandig is om hem niet te komen opzoeken, hij wil zijn herinneringen aan haar, niet haar beleefdheid alsof ze vreemden voor elkaar zijn, niet haar beschaamde ongemak, niet haar neerbuigend vriendelijke verpleegstersstem, en het is goed, hij neemt haar niets kwalijk, ze heeft haar best gedaan, veel te veel en veel te lang, het is goed.

En hij hoort in de verte een kerkklok vijf keer slaan, het is niet de kleine klok van de gestichtskapel, hij zou het geluid van het Kortrijkse belfort uit duizenden herkennen, en zijn hart begint opgewonden te bonzen en hij zou niet gelukkig moeten zijn met haar ongeluk waaraan ze ondanks alles zo koppig vast blijft houden, en hij weet niet in welke ruimte ze hem heeft opgesloten, het moet de donkere kamer zijn, maar dan zonder de tafel en de stoelen en de lampen en de chemicaliën en de fotospullen. Hij gaat staan en voelt of hij de planken aan de muur kan vinden, en die zijn inderdaad op de plek waar hij ze verwacht, en de wereld om hem heen krijgt weer vorm, door de kier onder de deur valt geen licht en het is doodstil in huis en op straat, het is vijf uur 's ochtends, zou ze hem hier hebben achtergelaten en alleen in hun bed zijn gaan slapen alsof hij weer wordt vermist, zou ze wakker liggen, zou ze zo nu en dan naar hem komen kijken.

Hij klopt zacht op de deur en zegt haar naam, en als hij geen reactie krijgt bonst hij hard en hij roept om haar, maar er gebeurt niets, een duistere, benauwende stilte omgeeft hem, en het laatste beeld dat hij van haar heeft dringt zich aan hem op, hoe ze hard met haar hoofd tegen de tafelpoot sloeg en God weet wat die ander haar daarna nog heeft aangedaan, en hij weet plots zeker dat ze er niet meer is, hij heeft haar gedood, iemand anders heeft hem in de donkere kamer opgesloten, zij zou dat nooit doen, hem midden in de nacht moederziel alleen laten in een ruimte zonder licht en matras. En hij roept in paniek dat hij eruit wil, dat hij haar wil zien, en hij bonkt en trapt en ramt tegen de deur, en als hij even stil is, hoort hij in de studio een stoel verschuiven, en voetstappen, en licht schijnt door de kier onder de deur en iemand blijft aarzelend vlak bij hem staan, en hij zegt hoopvol met zijn vriendelijkste stem, Julie, ben je daar, ik ben weer terug.

En de sleutel knarst in het slot en zij staat in de deuropening met de petroleumlamp in haar ene hand en de loopgraafschop in de andere, en ze ziet er anders uit, alsof hij maanden is weggeweest en haar leven van kolen en foto's en aardappels zonder hem is verdergegaan, en het duurt even voordat hij begrijpt dat hij de hoop in haar mist, altijd was er tegen beter weten in, ergens diep in haar verstopt, nog een restje hoop, dat heeft haar nu verlaten, haar schouders zijn gezakt, haar rug is licht gebogen en haar ogen zijn dof, ze is in een nacht jaren ouder geworden. En in haar stem strijden teleurstelling en opluchting om voorrang, en schuld omdat ze niet zo blij is met zijn terugkeer als ze zou moeten zijn, en ze vraagt mat, weet je wie ik ben, en hij zegt dat ze zijn vrouw Julie is, en ze glimlacht zonder overtuiging naar hem, en ze gaan samen aan de tafel in de studio zitten waaraan ze blijkbaar de nacht heeft doorgebracht, en het valt hem op dat ze de loopgraafschop tegen haar stoel zet, alsof ze verwacht hem plotseling nodig te zullen hebben.

En hij vraagt haar wat er is gebeurd, ze zegt dat hij ongeveer negen uur weg is geweest, en hij was erg onhandelbaar vandaar dat ze hem met geweld heeft moeten opsluiten, heb ik je pijn gedaan, vraagt hij bezorgd, en ze zegt van niet, maar hij zou zelf wel een paar blauwe plekken en een buil op zijn hoofd kunnen hebben, zegt ze, en hij verzekert haar ervan dat dat niet geeft, en hij vraagt haar hoe ze hem in haar eentje in de donkere kamer heeft gekregen en die ook nog eens eerst heeft ontruimd, en ze geeft geen antwoord, ze staart met een lege blik voor zich uit.

Heb je niet geslapen, vraagt hij, en ze schudt langzaam haar hoofd, en hij zegt dat ze dan nog maar een uurtje naar bed moeten gaan, en ze zegt dat het daar alleen slechter van wordt, ze kan beter opblijven en vanavond vroeg gaan slapen, en ze zitten zwijgend bij elkaar, en nog steeds ziet ze er zo moedeloos uit alsof ze het liefst stil in een hoekje zou willen huilen, en hij pakt haar hand en trekt haar overeind en ze gaan samen op de sofa zitten en hij neemt haar in zijn armen, hij had verwacht dat ze hem niet zou willen aanraken, maar ze geeft zich zonder voorbehoud aan zijn omhelzing over, alsof de wanhoop iedere weerstand in haar heeft gebroken. En ze heeft het koud, hij warmt haar handen in de zijne, en ze doezelen samen wat, het is wonderlijk stil in de studio, alsof ze met z'n tweeën van de wereld zijn gevallen, en de tijd bestaat niet meer, het is een wezenloze herinnering zonder duidelijke contouren zoals de gedachte aan een zonnige dag na weken van regen.

En rond zes uur ontwaakt de wereld om hen heen, de eerste treinen, ratelende rijtuigen, een passerende auto, roepende venters, de baby op nummer 35 die huilt, en in de verte beieren de klokken van de Sint Maartenskerk, en ze opent haar ogen en ze zegt, zullen we naar de vroegmis gaan, en dat verbaast hem, maar hij protesteert niet. Ze staan op van de sofa en zij trekt zijn colbertje en zijn das recht en ze probeert met vergeefse handgebaren de kreukels uit haar jurk te strijken en ze haalt een kam door haar haar, en dan schieten ze hun jas aan en zetten hun hoed op.

En het is nog donker op straat, maar het begint al druk te worden, en ze haasten zich naar de Groote Markt, begeleid door het gebeier van de klokken, als ze op de hoogte zijn van Aux deux Renards wordt het stil, en vlug lopen ze de Doornijkstraat uit, ze heeft zo'n haast dat ze zijn arm loslaat en voor hem uit loopt, en ze slaan langs het Magazijn der Beurs rechtsaf de Groote Markt op, en ze zien dat de deuren van de Sint Maartenskerk al dicht zijn. En zij zegt dat ze ook door de Lange- en de Kortesteenstraat hadden moeten lopen, en hij spreekt haar niet tegen hoewel hij niet gelooft dat die route korter zou zijn geweest, ze rent zo ongeveer, langs de nog gesloten A la Bobine en In den armen Duivel, hij kan haar alleen met moeite bijhouden, en voor de deur van de kerk blijft ze staan en ze draait zich naar hem om alsof ze in haar eentje niet verder durft.

En hij duwt de zware, houten kerkdeur open en zet zijn hoed af, en ze gaan samen zachtjes naar binnen, zij half verscholen achter hem in de hoop dat kapelaan Annaert haar niet zal herkennen, maar de mis is al begonnen en de kapelaan staat aan de voet van het altaar met zijn rug naar hen toegekeerd te bidden, en ze dopen vluchtig hun vingers in het wijwaterbakje bij de deur en slaan een kruis. Enkele kerkgangers kijken verstoord naar hen om, en ze nemen de eerste de beste plaatsen in de achterste rij direct naast het gangpad, ze knielen nog even snel op een been in de richting van het tabernakel, en dan staan ze veilig voor hun stoelen en onderscheiden ze zich niet meer van de andere gelovigen.

En ze beginnen net met z'n allen aan het Confiteor, hij knielt op de stoel voor hem neer en zegt de overbekende woorden mee, zijn lippen vormen als vanzelf de Latijnse formuleringen, en hij wordt overmand door een gevoel van vertrouwdheid dat de tijd die hij zich herinnert overstijgt, alsof er voor het eerst sinds zijn geheugenverlies een heel mensenleven in hem schuilt, en met tranen in zijn ogen slaat hij zich bij het Mea culpa eenmaal op de borst, en zij doet naast hem hetzelfde, en bij haar ziet hij ook tranen, ze biggelen langs haar neus naar haar kin, terwijl ze verbloemd in het geheimzinnige Latijn schuld bekent aan zonden waarvan alleen zij en God weten. En dan bidt de kapelaan om vergeving voor hen allen en vragen ze in koor of God zich over hen wil ontfermen, en hij werpt een blik op haar en ze huilt nog steeds in stilte, en terwijl de kapelaan het collectagebed bidt, drukt hij haar zijn zakdoek in de hand, ze kneedt hem krampachtig tot een bol, maar ze droogt er haar tranen niet mee, alsof ze niet beseft dat ze huilt. Ze schrikt pas op uit haar zwijgende gebed als alle kerkgangers uit hun geknielde houding opstaan en met een luid geschraap over de tegelvloer iedereen tegelijk zijn bidstoel omdraait en gaat zitten, zij is de laatste, nog net voordat de kapelaan aan zijn lezing uit Job begint.

En hij kan zijn aandacht niet bij de Bijbelse woorden houden, hij denkt aan haar wanhoop, haar zonden kent hij slechts voor een deel, maar de zijne alleen zijn al zo talrijk en onnoemelijk groot dat God ze hem niet kon vergeven, slechts genadig kon doen vergeten, met de levens die hij op zijn geweten heeft zou je deze kerk kunnen vullen, en de schuld voor haar door hem geruïneerde leven komt daar nog eens bij, de straf die hem wacht, het verlies van alles waar hij om geeft, van zijn hele zelf, heeft hij meer dan verdiend, maar zijn straf is noodzakelijk ook de hare, en dat kan niet, dat is als het pijnigen van een lam dat al op sterven na is doodgebloed.

En terwijl ze allemaal weer gaan staan en de kapelaan het Credo uitspreekt, vraagt Amand God in stilte om genade voor haar, als zij ernaar verlangt dat ik snel mijn geheugen verlies, laat het dan nu gebeuren, als zij wil dat het nog lang duurt, laat me dan bij haar blijven, neem haar wanhoop van haar, laat haar gelukkig zijn, dat is alles wat ik van U vraag, ik ben bereid tot ieder offer, vertelt U mij wat U van mij wilt en ik zal het volbrengen. En net als hij de woorden van dit gebed in zijn hoofd heeft geformuleerd, gaat de kerkmeester met de collectestok rond, er zijn maar iets van honderd kerkgangers en de kerkmeester is algauw achter in de kerk bij hen aangeland, en Amand pakt vijf briefjes van twintig franken uit zijn portemonnee en stopt ze in het zwartfluwelen zakje dat aan het uiteinde van de stok voor zijn neus bengelt. En zij ziet het hem doen en kijkt hem beduusd aan, maar ze durft pas te protesteren als de kerkmeester buiten gehoorsafstand is, ben je gek geworden, fluistert ze terwijl de kapelaan het brood en de wijn zegent, honderd franken, dat is meer dan twee weken huur voor ons nieuwe huis, en hij zegt dat ze hier toch zijn om boete te doen, en zij zegt dat zijn geld naar de kerk gaat, niet naar God. En hij zwijgt, en het zit haar erg dwars, want als ze naast elkaar op de stoelen knielen voor het Te igitur fluistert ze wat God immers met geld moet, Hij hoeft er niet van te eten of Zijn kinderen mee te kleden, je hebt het salaris van kapelaan Annaert betaald, dat is wat je hebt gedaan, zegt ze. Maar het lijkt hem dat het God niet uitmaakt wat er met het geld gebeurt, het gaat erom dat hij zichzelf iets onthoudt wat hij werkelijk nodig heeft, en hij zegt tegen haar dat hij het geld ook in de Leye had kunnen gooien, en zij lacht en in haar verbijstering vergeet ze dat zacht te doen, het geluid zwiert tussen de gelovigen door naar voren, naar het altaar waar kapelaan Annaert in stilte en met voor zijn borst gevouwen handen tot God bidt, en de echo van haar lach slaat zijn vleugels uit en zeilt als een spottende engel over de kapelaan en de misdienaar langs de gebrandschilderde ramen naar de hemel. En de kapelaan werpt een verstoorde blik de kerk in, en zij buigt gegeneerd haar hoofd en durft ook niet meer op te kijken, en terwijl er een tiental gelovigen ter communie gaat buigt ze zich nog iets dieper voorover, haar ogen gericht op de zwart-witte tegelvloer aan haar voeten, alsof ze er niet aan herinnerd wil worden hoe onwaardig zijzelf de hostie is, na jaren niet naar de kerk te zijn geweest en te hebben gebiecht.

Pas nadat de bel voor het einde van de mis heeft geklonken en de kapelaan en de misdienaar naar de sacristie zijn gegaan, richt ze haar hoofd voorzichtig op en kijkt ze rond, de gelovigen lopen langs hen heen naar de buitendeur en hij wil zich in de stroom voegen, maar zij trekt aan zijn mouw en hij blijft met haar staan wachten totdat de kerk leeg is, op hen en vijf anderen na, en hij begrijpt niet waarom ze niet naar huis wil, blijkbaar heeft ze besloten dat ze kapelaan Annaert moet spreken. En ze lopen enkele rijen naar voren en knielen daar op twee stoelen en ze wachten, pas als de kapelaan in zijn dagelijkse, zwarte soutane verschijnt en naar de biechtstoel loopt, snapt Amand wat ze heeft besloten te doen, en de kapelaan ziet haar en knikt vriendelijk naar haar, hij weet zijn verrassing goed te verbergen en er is ook geen triomf op zijn gezicht te ontdekken, en hij komt ook niet naar haar toe om met haar te praten, want de kans is groot dat hij iets zou zeggen waaraan zij zich ergert en dan ziet ze waarschijnlijk alsnog van de biecht af, hij stapt het middelste hokje van de biechtstoel binnen en sluit het deurtje en het purperen gordijn, en in een van de hokjes aan weerskanten gaat een vrouw naar binnen.

En Julienne en Amand wachten, na korte tijd komt de vrouw aan de rechterzijde alweer naar buiten, en eigenlijk zou Julienne of Amand nu aan de beurt zijn, maar zij laat een ander voorgaan, en dat herhaalt zich als de vrouw aan de linkerzijde klaar is met biechten, en Amand ziet haar steeds zenuwachtiger worden, ze zucht en verplaatst haar gewicht van haar ene knie naar haar andere en hij pakt haar hand, die is steenkoud en ze trilt over haar hele lichaam, en hij geeft haar een geruststellend kneepje, en ze glimlacht met moeite naar hem.

En de enige twee mensen die ze nog voor konden laten gaan, zijn in de biechtstoel en hij ziet haar omkijken naar de deur van de kerk alsof ze het liefst de straat op zou rennen, en dan komt de man aan de rechterzijde de biechtstoel uit, en zij zegt tegen Amand, het is jouw beurt, en hij is bang dat ze stiekem naar huis zal vluchten terwijl hij biecht, hij zegt dat zij eerst moet, anders durft ze straks niet meer. Ze gaat aarzelend staan en hij knikt naar haar, en ze loopt naar het biechthokje, ze stapt naar binnen, en net voordat ze het gordijn dichttrekt, kijkt ze hem aan, zo bang en hulpeloos dat hij zijn hart in zijn maag voelt zakken, en het duurt lang voordat de man aan de linkerzijde klaar is met biechten, onder het gordijn door ziet hij haar schoenen en haar onderbenen terwijl ze ongedurig geknield wacht, hij denkt dat ze naar buiten zal komen en zal zeggen dat ze het niet kan, dat ze niet wil, maar ze blijft gedwee waar ze is. En uiteindelijk kan hij in het linkerhokje naar binnen en hij sluit het gordijn, het ruikt er muf naar ongewassen kleren en boenwas, en hij knielt neer en probeert op te vangen wat zij en kapelaan Annaert tegen elkaar fluisteren, hij kan er niets van verstaan, en na nog niet eens twee minuten hoort hij het gordijn openschuiven en haar voetstappen op de tegels en vervolgens komt ook kapelaan Annaert de biechtstoel uit, en zij zegt dat ze naar huis moet om de kinderen te wekken anders komen ze te laat op school, en hij hoort aan haar stem dat ze huilt.

Hij opent het gordijn en stapt naar buiten, en ze huilt inderdaad en kapelaan Annaert durft zijn hand niet op haar schouder te leggen, maar zijn medeleven staat op zijn gezicht te lezen, en hij zegt aangedaan dat ze zo niet verder kan, ze hoeft echt niet bang te zijn, God zal haar nood begrijpen en haar in Zijn goedheid haar zonden vergeven, hoe groot ze ook zijn, en bedenk hoe opgelucht u dan zult zijn, mevrouw Coppens, een nieuw leven zal voor u beginnen, en hij maakt een uitnodigend gebaar in de richting van de biechtstoel. En zij ziet Amand staan, ik kan het niet, zegt ze tegen hem op een toon waarin de vertrouwelijkheid van thuis doorklinkt, en de kapelaan biedt aan om pastoor Sansen te halen, zodat ze haar zonden aan een onbekende kan vertellen, misschien maakt dat het makkelijker, maar ze gaat op een stoel zitten en zegt tegen

Amand dat hij moet gaan biechten, als jij het wel kan, dan moet je het doen, zegt ze, en hij wil eigenlijk ook niet, maar hij vermoedt dat dit het offer is dat God van hem vraagt in ruil voor haar geluk.

En hij gaat terug het biechthokje in, wacht je op me, vraagt hij vlak voordat hij het gordijn dichttrekt, en dat belooft ze, en kapelaan Annaert zegt tegen haar dat zij straks nog kan biechten als ze dan wel wil, of morgen of volgende week, als ze zich bedenkt zal hij haar biecht horen, desnoods midden in de nacht, en zij geeft geen antwoord, Amand hoort het tenminste niet. Hij knielt neer en het schuifje gaat open en hij ziet door het gaas vaag de omtrek van het hoofd van de kapelaan, ze slaan beiden een kruis en de kapelaan nodigt hem fluisterend uit om oprecht zijn zonden te erkennen en Gods barmhartigheid te ondervinden, en Amand vraagt hem om zijn zegen en zegt dat hij zijn schuld belijdt voor de almachtige God en voor de kapelaan, en dat zijn laatste biecht ongeveer een jaar geleden is geweest. Een jaar is lang, zegt de kapelaan, bent u ook voor Pasen niet ter biecht geweest, en dat beaamt Amand en hij vertelt dat hij in de drie jaar daarvoor in het Guislaingesticht in Gent iedere maand heeft gebiecht, en dat hij het afgelopen jaar elke dag met het eten en voor het slapengaan heeft gebeden en ook de onthoudingsdagen in acht heeft genomen, en dat stelt de kapelaan enigszins gerust, hij zegt dat Amand zijn zonden van een heel jaar maar wat algemener dan gewoonlijk moet formuleren.

En alles wat hij de voorbije maanden heeft gedaan valt in het niet bij de honderden soldaten die hij heeft gedood, het geluk dat hij daarbij voelde, de jonge Vlaamse soldaat die hij heeft vermoord, het bedrog met de blonde vrouw tijdens zijn verlof, hij weet zeker dat dat is wat God van hem wil horen, maar zij is vlakbij, hij hoeft het gordijn maar een eindje opzij te schuiven en hij ziet haar zitten, en het voelt als een enorm verraad om zijn geheimen in het oor van de kapelaan te fluisteren met wie zij al jaren ruzie heeft, de kapelaan die van haar verlangde dat zij haar zoektocht naar haar vermiste man opgaf, de kapelaan die haar uit de kerk heeft gedreven en haar ongelukkig heeft gemaakt, en die man zou straks meer van hem en haar eigen huwelijk weten dan zijzelf. En terwijl hij biecht dat hij verschillende keren de naam des Heren heeft misbruikt, en dat hij een jaar niet naar de mis is geweest en dat hij heeft gelogen, en al het andere weglaat, is hij zich ervan bewust dat hij zijn eigen vrouw boven God heeft verkozen, en dat dat een nieuwe zonde is die hij nog eens bij zijn andere doodzonden moet optellen, en als hij tenminste eerlijk over het afgelopen jaar was, maar dat is hij ook niet, want dan zou hij kapelaan Annaert moeten vertellen dat hij Julienne, die zo veel van hem houdt dat ze de kerk heeft afgezworen om hem terug te krijgen, dat hij haar heeft geslagen en gisteravond nog met haar heeft gevochten, en dat hij onkuise dromen over een andere vrouw heeft. En voor de onbelangrijke zonden die hij heeft opgesomd en waarover hij zich nog nooit druk heeft gemaakt, vraagt hij de heilige absolutie, en kapelaan Annaert raadt hem aan om voortaan iedere zondag naar de mis te komen en regelmatig te biechten, en legt hem als boete het bidden van vijf Onzevaders en Weesgegroetjes op, en Amand zegt de akte van berouw en de kapelaan ontslaat hem van zijn zonden in naam van de Vader, de Zoon en de Heilige Geest.

En dan na het amen schuift Amand het gordijn open, en daar zit zij in dezelfde moedeloos devote houding waarin hij haar voor zijn biecht heeft achtergelaten, en hij is blij dat hij haar niet heeft verraden, ze zegt niets terwijl hij op de stoel naast haar neerknielt, en voor de veiligheid bidt hij een paar extra Onzevaders en Weesgegroetjes, en hij hoort kapelaan Annaert intussen op gedempte toon tegen haar praten, maar als hij klaar is en zijn ogen opent is de kapelaan verdwenen. En zij vraagt hoeveel hij er had gekregen, en hij zegt dat hij vijf van allebei moest zeggen, en hij ziet aan haar gezicht dat ze daaruit afleidt dat hij niets bijzonders heeft gebiecht, en als ze snel naar huis lopen omdat het al over halfacht is, vraagt ze langs haar neus weg of hij heeft gebiecht dat hij haar heeft geslagen, en hij zegt van niet omdat de klappen van die ander kwamen en hij zich er niets van herinnert, ja, zegt ze, daar heb je gelijk in, en hij hoort afgunst in haar stem alsof ze ook wel zo'n tweelingzus zou willen die ze alle schuld in de schoenen kon schuiven.

En de kinderen zijn allang opgestaan, Gust wil weten waar ze zijn geweest en zij zegt dat ze een afspraak in hun nieuwe huis hadden, en ze stuurt hen snel naar school, voordat ze te laat komen, en nadat ze weg zijn gegaan, is het stil in de keuken, hij doet de kolen en eet een paar boterhammen, maar zij neemt alleen koffie, en ze zwijgen allebei terneergeslagen. En als het winkelbelletje rinkelt, gaan ze samen naar beneden om de klant te helpen, en daarna ruimt hij de donkere kamer opnieuw in, de spullen staan in de studio op hem te wachten, keurig opgestapeld, en hij vraagt haar opnieuw hoe ze dat in haar eentje voor elkaar heeft gekregen terwijl ze hem ook nog eens in bedwang moest houden, en weer geeft ze afwezig geen antwoord.

De hele dag is ze somber, alleen tijdens het middag- en het avondmaal doet ze haar best om vrolijk tegen de kinderen te zijn, maar tijdens de afwas rookt hij bij haar in de keuken een sigaret en ze zegt geen woord, het is alsof ze niet eens merkt dat hij er is, en er wordt op de deur geklopt en Felice komt binnen, en terwijl ze Julienne goedenavond wenst, kijkt ze achterdochtig naar hem, en ze wil van Julienne weten hoe het gaat. En tot zijn verbazing is Julienne toeschietelijk tegen haar, ze zegt dat alles in orde is, en Felice komt bij haar staan en helpt bij het drogen van de vaat, ze praten op vertrouwelijke toon met elkaar alsof ze plots weer hartsvriendinnen zijn, en Felice vraagt hoelang het heeft geduurd, en Julienne zegt dat het rond halfzes vanochtend voorbij was, en ze werpt een snelle blik op hem in de hoop dat hij niet luistert, maar ze ziet onmiddellijk dat hij het heeft gehoord en ook heeft begrepen wat het betekent, en ze draait zich om zodat hij tegen haar stuurse rug aan-kijkt. Ik durf je gewoon niet meer met hem alleen te laten, zegt Felice, en ze zegt dat ze heeft nagedacht en tot de conclusie is gekomen dat de bes-te oplossing is voor iedereen, ook voor hem, zegt ze zonder naar hem te kijken, dat Julienne hem terugbrengt naar het gesticht, want eigenlijk is hij de verantwoordelijkheid van de doktoren, niet die van Julienne, en Felice zal natuurlijk met haar meegaan naar Gent en haar steunen en helpen waar ze maar kan, want ze begrijpt dat het moeilijk voor haar is, maar Juul, je moet aan de kinderen denken, stel je voor dat hij hen iets aandoet. En Julienne zegt dat Felice het goed bedoelt, alleen begrijpt ze er duidelijk helemaal niets van, en Felice zegt dat ze het juist heel goed begrijpt, Julienne wil hem niet in de steek laten, en dat pleit voor haar, zegt ze, maar in het gesticht kunnen ze hem beter verzorgen dan zij dat kan, want zij heeft ook nog een winkel en twee kinderen, en ze houdt van hem, en vooral dat laatste maakt het heel veel moeilijker, geloof me Juul, je moet hem bij je uit de buurt houden anders wordt hij je dood, en ze werpt een blik op hem alsof ze nu pas beseft dat hij vlakbij zit en alles heeft gehoord.

En hij zegt tegen Felice dat ze gelijk heeft, en dat hij er ook al bij Julienne op heeft aangedrongen om hem in het gesticht te laten op-nemen, en Felice is onthutst door zijn onverwachte steun en ook door zijn redelijkheid die alles weerspreekt waarvoor ze net heeft gepleit, en samen proberen ze Julienne te overtuigen, maar zij weet koppig in haar eentje stand te houden, hoe minder argumenten ze heeft om hen te overtuigen hoe zekerder ze van haar zaak lijkt, en wonder boven wonder blijft ze kalm. En uiteindelijk zegt ze tegen Felice dat zoiets als vannacht niet weer zal gebeuren, en Felice zegt dat ze dat niet kan weten, het is juist heel waarschijnlijk dat hij de volgende keer nog ge-welddadiger is, en Julienne zegt dat dat niet waar is, het was onze eigen schuld, zegt ze, en daar begrijpt Felice niets van, en Julienne heeft geen zin om het haar uit te leggen, maar Felice houdt aan en uiteindelijk moet Julienne bekennen dat ze met opzet een ruzie hebben uitgelokt in de hoop dat hij definitief die ander zou worden, en Felice is verbijsterd, ze zegt dat Julienne en hij elkaar verdienen, je bent net zo gek als hij, zegt ze, en Julienne zegt niets, ze schaamt zich, en Felice loopt de gang in en sluit de deur met een klap achter zich.

En ze zit tegenover hem aan tafel en ze ziet er bleek en vermoeid uit, alsof ze op haar laatste benen loopt, en ze vraagt hem om een sigaret, hij geeft haar er een en strijkt een lucifer voor haar af en ze neemt een flinke trek, en hij zegt dat het echt het beste is voor hen beiden als hij teruggaat naar het gesticht. Hou op, zegt ze, en hij zegt dat hij op deze manier haar leven kapotmaakt en dat is het laatste wat hij wil, hou je mond, zegt ze, en hij zegt dat ze erover na moet denken zodat ze aan het idee went en hij weet zeker dat, ga dan, schreeuwt ze, ga dan als je zo graag weg wilt, laat me godverdomme maar in de steek na alles wat ik voor je heb gedaan, en ze wijst in de richting van de gang.

En hij staat aarzelend op en loopt naar de deur, ga maar, schreeuwt ze, toe dan, en hij loopt de gang in, de trappen af, en ze houdt hem niet tegen, hij staat in de winkel, door de ramen valt het licht van de straatlantaarns, en het regent, druppels kruipen traag langs het glas naar beneden, het is koud en nat buiten, maar het huis houdt hem in een warme, veilige omhelzing, er is het bed dat hij met haar deelt, de keukentafel, de tafel in de studio, de drempel van de deur naar het achterplaatsje, het uitzicht vanuit het keukenraam op de huizen en de weidse lucht boven de stad, het gelui van het belfort, het getik van de regen op het dak als hij wakker ligt, het huis fluistert hem toe wat hij en zij elkaar niet meer kunnen zeggen. En hij draait zich om en loopt naar de studio, in de donkere kamer steekt hij de rode lamp aan en hij giet de chemicaliën in de bakken, en na even hoort hij haar voetstappen op de trap, ze loopt zoekend door de winkel en dan naar de studio, ze klopt zacht op de deur van de donkere kamer, ben je hier, sjoeke, vraagt ze, en hij zegt dat ze nog net binnen kan komen als ze snel is, en ze sluit de deur achter zich.

En in de rode schemer komt ze naast hem zitten, en ze zwijgen terwijl hij het eerste negatief in de ontwikkelaar laat glijden, en ze zegt dat het haar spijt, en hij denkt dat ze het heeft over daarnet in de keuken, maar haar excuus geldt de nacht die hij hier opgesloten heeft doorgebracht, ze zegt dat ze met hun ruzie zo'n lawaai maakten dat Felice kwam kijken, en zij schrok vreselijk van hem en ze overtuigde Julienne ervan dat ze hem moest opsluiten, ik kon je in mijn eentje niet aan, zegt ze, en ze buigt schuldbewust haar hoofd alsof ze haar taak als zijn vrouw ernstig heeft verzaakt, en hij probeert haar gerust te stellen. En het is niet alleen zijn eenzame nacht in de donkere kamer die haar dwarszit, ook dat Felice hem heeft gezien terwijl hij op zijn slechtst was, zo noemt ze het, ze schaamt zich alsof zij het zelf was die zich voor de ogen van de buurvrouw heeft misdragen, en in het gedempte, rode licht komt ze bij hem op schoot zitten en hij legt troostend zijn armen om haar heen, en ze vraagt of het biechten hem heeft geholpen, hij zegt dat hij zijn grootste zonden heeft achtergehouden, en daar schrikt ze van, heb je gelogen, vraagt ze, en hij zegt dat hij heeft gebiecht dat hij heeft gelogen en daar heeft hij dus absolutie voor gekregen. En ze zwijgt ontgoocheld alsof ze meende dat er tenminste een kleine kans was dat hij met vijf Onzevaders en Weesgegroetjes hun beider noodlot had weten af te wenden, en net als hij wil zeggen dat hij het heeft gedaan omdat hij haar niet wilde verraden, drukt ze haar mond tegen zijn oor en ze fluistert, ik belijd voor de almachtige God en voor jou dat ik heb gezondigd, de laatste keer dat ik heb gebiecht was drie jaar geleden.

En in de rode nacht die aarzelt tussen zonsondergang en het einde der tijden bekent ze dat ze tegen hem heeft gelogen toen ze hem vertelde dat ze hem uit onnozelheid de oorlog in had gestuurd, want het was niet op de dag van zijn mobilisatie dat hij met haar en Gust naar Nederland wilde vluchten, het was op 10 oktober 1914, terwijl de Belgische troepen zich achter de IJzer terugtrokken en het in een groot deel van het land al meer dan twee maanden oorlog was. Hij kwam een paar uur naar huis en eerst was ze erg blij om hem te zien, ze zette zijn vuile, stinkende uniform in de week, en hij ging in de tobbe en schoor zich, die vooroorlogse huiselijkheid was wat ze hem te bieden had en ze nam aan dat hij daarvoor veertig kilometer was omgelopen, om weer even haar man te kunnen zijn en geen soldaat, maar hoe langer hij bij haar was hoe meer ze het gevoel kreeg dat het niet voldeed en dat hij zich daar schuldig over voelde, net als zij, alleen konden ze er geen van beiden iets aan veranderen, er hing een ondoordringbare eenzaamheid om hem heen waarop alles wat ze zei afketste, alsof hij in zijn ransel de oorlog had meegebracht die nu als een borstwering tussen hen in lag.

En het leek haar vreselijk dat hij straks zou vertrekken en dat ze hem dit als herinnering naar het front zou meegeven, en dat ze het zelf ook voor wie weet hoelang met deze middag als laatste beeld van hem zou moeten doen, en ze gaf hem gebakken ei met spek te eten en bier te drinken, en ook dat hielp niet. En hoewel ze geen stel waren dat zich gewoonlijk midden op de dag aan zoiets bezondigde, kon ze niets anders bedenken dan maar met hem naar bed te gaan, en dat ze zich bewust was van de banaliteit ervan, dat het was wat alle soldaten op verlof nu eenmaal met hun vrouw deden, maakte het er niet aanlokkelijker op. Maar direct bij de eerste aanraking merkte ze dat hij veranderde, hij opende zich voor haar, en het vrijen was als nooit tevoren, niet op een prettige manier, het had iets obsessiefs, alsof hij zichzelf in haar probeerde te verdrinken, alsof hij zich haar lichaam toe-eigende en het gebruikte waarvoor het niet bedoeld was, en ze onderging het in eenzaamheid, en toen hij klaar was begon hij te huilen, hij snikte het uit met zijn hoofd tussen haar borsten verborgen. En ze wilde al niet met hem vrijen op deze hen vreemde manier, maar met zijn emotionele uitbarsting die volstrekt niet bij hem paste, wist ze zich helemaal geen raad, ze legde haar hand op zijn haar en wachtte totdat het voorbij zou zijn, en hij begon te praten, hij vertelde over de verschrikkingen van het front, hoe onvoorstelbaar gruwelijk en angstig het was om soldaat te moeten zijn, en zij wilde de oorlog graag blijven zien als een abstract, heldhaftig gebeuren, en ook de toon waarop hij haar erover vertelde, als een jengelend, om zijn moeders aandacht smekend kind, maakte dat ze een steeds grotere aversie tegen hem kreeg.

En toen hij zei dat er Belgische soldaten waren die de Nederlandse grens over vluchtten, begreep ze dat het niet zomaar een opmerking was maar een suggestie, hij kon niet eens de moed opbrengen om haar te laten weten dat hij ervan droomde om te deserteren en met haar en Gust in Nederland te gaan wonen, hij insinueerde het alleen, in de hoop dat zij zoals gewoonlijk het besluit voor hen beiden zou nemen zodat hem geen enkele schuld zou treffen. Andere vrouwen hadden mannen op wie ze trots konden zijn, de mannen van verschillende vrouwen in de buurt waren als helden voor het vaderland gesneuveld, en ze had gehoord dat de Duitsers Belgische vrouwen verkrachtten en hun baby's met de hoofden tegen de muur doodsloegen, tegen die barbaarsheid streden de dappere mannen van die vrouwen, en wat deed haar eigen man, hij huilde en wilde deserteren alsof het om een kinderspel ging waarin hij geen zin meer had.

En ze stond op uit bed en kleedde zich aan, en ze deed alsof ze niet had begrepen waarop hij doelde, en toen hij later in de keuken terugkwam op de soldaten die een nieuw leven in Nederland begonnen, weer zo weifelend alsof hij een bevel van haar verwachtte, zei ze dat die mannen laffe verraders waren die met de Duitsers heulden, en hij zweeg. En ze droogde zijn uniform door het tientallen malen te strijken, en ze stopte eten en geld in zijn ransel, maar ze kon het niet opbrengen om hem moed in te spreken, moed die hij zoals andere mannen in zichzelf had moeten vinden, en hij voelde haar afkeuring en hij zei niet veel meer tegen haar en zij niet tegen hem, en in de loop van de middag werd hun samenzijn steeds ongemakkelijker. En zijn ondergoed was onherstelbaar vuil en versleten, ze liet hem haar eigen ondergoed aantrekken en gaf hem ook schoon ondergoed van haar mee, en op het moment zelf meende ze dat ze als een goede huisvrouw voor haar man zorgde, en hij protesteerde ook niet, maar toen hij was vertrokken, een paar uur vroeger dan noodzakelijk, en zonder haar bij het afscheid te omhelzen of te kussen, en ze 's avonds alleen in het bed lag waarin hij als een kind op haar borst had uitgehuild, drong tot haar door dat ze hem had willen vernederen door hem in vrouwenondergoed te hullen.

En dat beeld van hem achtervolgde haar in de jaren daarna iedere nacht, dat hij zou sneuvelen en zijn kameraden lacherig de roze strikken aan zijn onderbroek zouden ontdekken, en erger nog dat hij zich er voortdurend van bewust was dat hij laf en belachelijk was, dat zijn eigen vrouw hem met haar ondergoed had ontmand, en dat hij daardoor meende zich roekeloos te moeten bewijzen en zou sneuvelen. En ook het besluit dat ze voor hem had genomen, zo achteloos dat het niet eens een besluit leek, drukte steeds zwaarder op haar geweten naarmate de oorlog langer duurde en heviger werd, ze had hem uit schaamte teruggestuurd naar waar hij het zo afschuwelijk vond dat hij er alleen veilig thuis in haar armen om had kunnen huilen, en ze had niet eens de moeite genomen om zijn verlangens serieus te nemen, en dat het tussen hen al zo ging sinds ze waren getrouwd was geen excuus, het maakte haar zelfs dubbel zo schuldig. Ze wist dat hij naar haar zou luisteren, dat hij zijn getwijfel zou vervangen door haar vastbeslotenheid, ze had misbruik gemaakt van de macht die ze over hem had, al die andere vrouwen hadden een man die hen sloeg en uitschold, die hun mening negeerde, en zij had de liefste man van heel Vlaanderen en hij moest aan het front vechten, niet voor zijn vaderland, maar omdat zijn vrouw zich voor hem schaamde en haar eigen gevoelens belangrijker vond dan zijn geluk en zelfs dan zijn leven, want begin 1918 kreeg ze te horen dat hij werd vermist, en haar schuld zwol op tot ondraaglijke proporties. Ze kon aan niets anders meer denken, en het was dan ook niet uit liefde of bovenmenselijke trouw, biecht ze hem op, dat ze al die jaren op hem bleef wachten, het was de enige mogelijkheid, zonder hoop op verlossing was ze gek geworden, en dat haar schuld haar liefde ver overtrof, terwijl andere onbestorven weduwen zich aan haar spiegelden omdat ze haar romantische standvastigheid bewonderden, was een nieuwe bron van zelfverwijt, zegt ze.

En het zou allemaal verleden tijd moeten zijn, want vervolgens vond ze hem terug en nam ze hem mee naar huis en ging ze wel degelijk zo veel van hem houden dat ze niet meer zonder hem kon, en toch durft ze haar dwaling niet bij kapelaan Annaert te biechten, en de manier waarop ze haar eigen man er pas na een jaar van innig samenzijn over vertelt, en haar nachtmerries, het suggereert allemaal dat ze zich nog steeds schuldig voelt, en hij snapt het niet, haar schuld was om te beginnen al twijfelachtig, zij was het niet die hem naar het front stuurde, het waren koning Albert en keizer Wilhelm, en deserteren was zeker niet de oplossing geweest, ze heeft het zichzelf allemaal aangepraat. En hij probeert haar gerust te stellen, hij zegt dat het immers voorbij is, ze heeft acht jaar op hem gewacht, haar schuld is ruimschoots ingelost, nee, nee, zegt ze, het is allesbehalve voorbij, waarom moet ze hem anders opnieuw kwijtraken, ze wordt gestraft voor haar hoogmoed, en ze vraagt hem om haar absolutie te verlenen, en het lijkt hem godslastering om te doen alsof hij een priester is en hij kent de woorden ook niet exact, maar hij strekt in de rode schemering zijn rechterhand boven haar hoofd uit en slaat een kruis en hij zegt dat hij haar in naam van de Vader en de Zoon en de Heilige Geest vrijspreekt van haar zonden.

En dan buigt hij zich naar haar toe en fluistert zijn eigen biecht in haar oor, hij vertelt haar dat hij gelooft dat hij haar in de oorlog met een andere vrouw heeft bedrogen, een blonde vrouw bij wie hij zijn verloven doorbracht, en zij herkent onmiddellijk de pijn van de schuld in hem, en ze slaat haar armen om hem heen en ze fluistert dat ze hem vergeeft, alle soldaten hadden liefjes, zegt ze, het geeft niet, echt sjoeke, ik ben er niet verdrietig om, en hij heeft zelfs het idee dat zijn schuld de hare verlicht, alsof ze blij is dat ze hem door hem naar het front te sturen niet alleen ellende heeft aangedaan, maar dat hij er ook weleens gelukkig was. En ze zouden nu allebei opgelucht moeten zijn door de hun geschonken vergiffenis, maar zoals hij de ernst van haar biecht niet kan invoelen, zo stapt zij veel te luchtig over de zijne heen, er is geen vrouw die dat zou doen bij de man van wie ze houdt, en toch heeft hij niet het idee dat ze het voorwendt, het doet er eenvoudig niet toe dat hij van een ander heeft gehouden, alsof zij meer weet dan hij, alsof ze weet dat zijn dromen niet waar kunnen zijn.

En ze ontwikkelen samen de overgebleven negatieven en zetten ze te drogen, en dan gaan ze naar bed, het is pas halftien, maar ze zijn doodmoe en ze vallen allebei als een blok in slaap, hij droomt dat hij in de kerk van het gesticht is en dat hij bij haar te biecht moet en hij durft niet, hij liegt tegen haar en zij praat Duits tegen hem, maar hij verstaat zonder moeite wat ze zegt, ze zegt dat ze de paarden hebben moeten afstaan, ook de sneeuwwitte schimmel, zegt ze. En hij wordt wakker omdat zij hem uit bed probeert te duwen, wat is er, vraagt hij, en als ze niet antwoordt, ook niet als hij haar naam zegt, begrijpt hij dat ze weer een nachtmerrie heeft, hij pakt haar beet en schuift haar voorzichtig terug naar haar helft van het bed, en ze kruipt angstig in elkaar, met slaapblinde ogen staart ze hem aan, en ze zegt iets onverstaanbaars over de dood en ze heeft het over iemand die Louis heet of misschien is het een Latijns woord, want daarna blijkt ze in verhaspeld Latijn het Confiteor op te zeggen.

En hij doet de kolen voor haar terwijl zij zich wast, en ze zijn zo vanzelf-sprekend samen, nog slaperig en in zichzelf gekeerd, alsof ze delen van hetzelfde tweekoppige, tweeslachtige wezen zijn, zij doet werktuigelijk een stap naar voren zodat hij achter haar langs kan, haar hand rust even op zijn rug als ze naast hem moet zijn, en tegelijkertijd is hij zich be-wust van de blonde vrouw die vlakbij is, opdringerig zoals uit jaloezie, hij heeft de indruk dat het gisteren was dat hij met haar ook deze dans der gewoonte uitvoerde, dat hij in haar bed ontwaakte, en hij ziet haar heel duidelijk voor zich, hoe ze haar lange haar uit haar gezicht strijkt, hoe ze haar wenkbrauwen fronst als ze aandachtig naar hem luistert, de manier waarop ze met haar wijsvinger over haar lippen wrijft terwijl ze nadenkt. En het onheilspellende gevoel van een snel naderend einde vergezelt haar, alsof ze is gekomen om hem aan zijn ondergang te laten wennen, om hem stukje bij beetje uit zijn huidige leven weg te lokken totdat er niets van hem rest en hij voorgoed die ander is geworden, en hij is niet bang en ook niet eenzaam zolang zij aan de overzijde op hem wacht, want hij heeft het vreemde idee dat hij naar haar toe zal gaan, en dat hij Julienne nog niet met haar heeft bedrogen maar dat zij in de toe-komst de geliefde van die ander zal worden.

En in de loop van de dag neemt dat idee de vorm van een onverklaar-bare zekerheid aan, en hij beleeft zijn huidige bestaan met Julienne als een reiziger die al met zijn gedachten op het perron is, wachtend op de trein die hem naar onbekende, verre oorden zal brengen. En hij pro-beert afscheid van haar te nemen, hij zit bij haar in de keuken en kijkt toe terwijl ze stil de vaat doet, terwijl ze terneergeslagen het eten kookt, en hij trekt haar een laatste keer bij zich op schoot en hij kust haar, en ze vraagt wat er vandaag toch met hem is, en hij zegt dat hij gelooft dat het snel gaat gebeuren, nu, zegt ze, en hij schudt zijn hoofd, nee, niet nu, binnenkort. En ze is er net zo kalm en berustend onder als hij, ze stapt van zijn schoot en ze haalt de aardappels van het vuur en besluit om ze te bakken in plaats van te koken, en hij weet dat ze dat doet omdat hij dat lekker vindt.

En na het middagmaal, terwijl ze de vaat wast, vraagt ze hem of hij vanmiddag iets bijzonders wil doen, en hij zegt dat hij het liefst alles precies zo wil als op een willekeurige andere dag, bij haar in de keuken zitten, samen op het achterplaatsje een sigaret roken, samen aan de foto's werken, samen om elf uur gaan slapen, en ze glimlacht ontroerd en gevleid. En dan vraagt hij haar of zij nog iets bijzonders van hem wil, en ze denkt na met een nat bord en de theedoek in haar handen, en uiteindelijk zegt ze verlegen dat ze graag wil dat hij de rest van de dag zijn uniform draagt, en hij gaat naar beneden en verkleedt zich in de donkere kamer en hij gaat terug naar boven, naar haar toe. En hij opent de keukendeur en hoewel ze hem al honderden malen in zijn uniform heeft gezien, zit ze aan de tafel op hem te wachten, en als hij binnenkomt kijkt ze naar hem met een blik vol ongelovige ontroering die niet voor hem is bedoeld, en ze staat op alsof ze hem wil begroeten, en hij neemt haar in zijn armen, hij houdt haar een tijdje vast en hij zwijgt om haar illusie niet te verstoren.

En dan rinkelt het winkelbelletje, ze laten elkaar los en ze veegt de tranen van haar wangen en ze lacht gegeneerd naar hem, en hij loopt achter haar aan de trappen af, hun klant is een vrouw die in gebrekkig Frans, doorspekt met Duits, vertelt dat ze voor een foto met de wonderbaarlijk teruggekeerde soldaat komt, en Julienne gaat onwennig in het Duits over, ze voelt zich er slecht op haar gemak bij, alsof de Duitse woorden die van haar lippen struikelen haar als landverraadster zullen ontmaskeren. En tot zijn verbazing verstaat hij wat zij en de vrouw tegen elkaar zeggen, en als Julienne niet op het Duitse woord voor weduwe kan komen, weet hij zonder aarzelen dat het *Witwe* moet zijn, en hij blijkt vloeiend en accentloos Duits te spreken, de weduwe complimenteert hem er verheugd mee en ze vraagt waar hij dat zo goed heeft geleerd, heeft hij familie in Duitsland, heeft hij er gewoond. En hij heeft geen idee waarom hij de taal van de vijand spreekt, het valt hem op dat het Julienne niet lijkt te verbazen, maar ze houdt hem wel angstvallig in de gaten alsof ze gelooft dat hij ieder moment een aanval kan krijgen, en ze staan samen met de Duitse weduwe over haar vermiste man te praten en waar hij heeft gevochten als mevrouw Raets uit de Kortesteenstraat de winkel binnenkomt, en hij ziet Julienne schrikken, ze houdt midden in een Duitse zin abrupt haar mond. En hij neemt de weduwe mee naar de studio en sluit de deur achter hen zodat mevrouw Raets hen niet kan horen, en Julienne blijft in de winkel om mevrouw Raets te helpen, ze komt niet naar de studio, ook niet als mevrouw Raets allang weg moet zijn gegaan, en hij maakt zelf de foto van hem en de weduwe.

En als hij vervolgens weer met Julienne alleen is, zegt zij dat mevrouw Raets een hele preek tegen haar heeft afgestoken over die arrogante boches die zich nog geen vijf jaar na de gruwelijkste oorlog aller tijden alweer in een Vlaamse stad durven te vertonen, en Julienne weet niet of het als waarschuwing voor haar was bedoeld omdat mevrouw Raets haar en Amand Duits had horen praten, of dat het alleen een uiting van frustratie tegen de Duitsers was, en mevrouw Raets is bevriend met mevrouw Marchal van de bakkerij en met de vrouw van de koster, dus als zij weet dat wij Duits spreken weet de halve stad het, zegt ze, en hij zegt dat ze dan zullen vertellen dat ze voor de oorlog veel Duitse klanten hadden en dat ze daarom de taal hebben geleerd. En dat stelt haar enigszins gerust, en ze werken samen in de studio aan de foto's en regelmatig betrapt hij haar op een onderzoekende blik in zijn richting, en ook hij wacht op wat komen gaat, maar het gebeurt niet, het wordt avond en ze eten met de kinderen, en terwijl Gust en Roos kibbelen over wie in het nieuwe huis de grootste kamer heeft gekregen, rust Juliennes blik een tijdje dromerig op hem en zijn uniform, en nog steeds voelt hij de nabijheid van de blonde vrouw, in zijn gedachten is ze net zo reëel als Julienne die tegenover hem aan tafel zit. En na de afwas roken ze een sigaret op het achterplaatsje, het is donker en windstil als op een zomeravond, en hij neemt een trek en geeft dan de sigaret aan haar, en terwijl ze de rook in een warrelende sliert van zich wegblaast pakt ze zacht zijn hand, en ze zwijgen allebei, en hij gelooft dat ze zich dit kalme moment inprent als hun laatste avond samen.

En ze gaan naar binnen en zij retoucheert negatieven en hij drukt ze af, zoals altijd, en nog steeds is hij niet door die ander opgeslokt en hij begint te twijfelen aan zijn voorgevoel en ook zij lijkt er niet meer in te geloven, ze houdt hem niet langer in de gaten, ze kijkt alleen van tijd tot tijd met een liefdevolle in zichzelf gekeerde blik naar hem en zijn uniform, zoals naar een foto van lang geleden die haar herinneringen niet kan verstoren, ze alleen kan bevredigen. En tegen tienen valt ze zelfs boven haar retoucheerwerk in slaap, en als ze wakker wordt lopen ze naar boven, ze gaan na elkaar, eerst zij dan hij, naar het privaat, en ze kleedt zich aan haar zijde van het bed uit, en hij stapt uit zijn uniform en hangt het over de waslijn aan het voeteneinde, naast haar jurk, en in hun nachtkleding knielen ze en ze bidden gelijktijdig. En als ze in bed liggen, net voordat ze de lamp uitblaast, vraagt ze of hij zijn horloge heeft opgewonden, en zoals iedere avond zegt hij dat hij dat inderdaad heeft gedaan, en ze kussen elkaar in het donker welterusten en hij draait zich op zijn rug, zij vlijt zich tegen hem aan, haar hoofd op zijn borst, en hij met zijn arm om haar schouders heen geslagen, en zij met haar arm losjes over zijn buik. En het is zo banaal en tegelijkertijd zo benijdens- waardig als je erover nadenkt, het lijkt onmogelijk dat het zou kunnen ophouden te bestaan, dat dit werkelijk de laatste keer zou zijn, en hij hoort aan haar diepe, gelijkmatige ademhaling dat ze in slaap is geval- len, en in zijn eentje geniet hij nog een tijdje van hun samenzijn.

En het is mistig en koud en hij doorzoekt de zakken van de uniformen op zoek naar immatriculatieplaatjes, een dikke rat springt tevoorschijn, en een kameraad doet geschrokken een pas naar achteren en Amand zegt lachend tegen hem, de begrafenisondernemer, en het valt hem in zijn droom op dat hij Duits praat, en zijn kameraden antwoorden in het Duits en ze dragen allemaal Duitse uniformen. Ze begraven ook de lichamen van de Britten die ze vinden, en ze bidden in het Duits voor hen, want de dood kent geen grenzen, en de enige Duitse dode die ze vinden is gestorven met zijn vuist in zijn mond geklemd omdat hij het niet wilde uitschreeuwen van de pijn, ze noemen hem Heinrich en ze bidden voor hem, en ze beloven hem dat zijn moeder te horen zal krij- gen dat hij een heldendood is gestorven, en nog steeds allemaal in het Duits, en ook in zijn droom vraagt hij zich af hoe dat mogelijk is.
En dan hebben de Britten hen ontdekt, hij laat zich in de modder vallen terwijl de kogels om hem heen in de grond slaan, en zelfs zijn gedachten zijn in het Duits, hij zoekt beschutting in een granaattrech- ter, en daar vindt hij een jonge Belgische soldaat, zwaargewond, bijna dood, en hij geeft hem water te drinken uit zijn veldfles en de jongen zegt tegen hem dat hij op hem heeft gewacht, waar bleef je nou, zegt hij. En het is voor het eerst in jaren dat Amand Vlaams hoort spreken, zan- gerig en zacht en pijnlijk vertrouwd, en wat de jongen tegen hem zegt en wat Amand hem in het Vlaams antwoordt en de brief van de moeder van de jongen die Amand hem voorleest, alles krijgt door de taal waarin hij zelfs niet meer droomt een ongekend emotionele betekenis, via zijn oren snellen de woorden naar zijn hart waar ze zich met hun weerha- ken van heimwee en verlangen in zijn vlees drijven en ze wekken hem uit zijn staat van zieloze gevoelloosheid, waarin hij tegen mannen heeft gevochten die hij niet kende of haatte, waarin hij in de modder heeft ge-

slapen en niet wist wat angst was, en met de dood leefde zoals met het veranderlijke weer. En in een opwelling legt hij zijn hand over de mond van de jongen, hij bedekt de vredige glimlach, de zachte, Vlaamse tong, knijpt zijn neus dicht, en de huid van de jongen is intiem warm, klam van het koortszweet, teer als van een meisje, bijna zonder baardgroei, en zijn bruine ogen ontwaken uit hun hemelse zwijm en kijken hem verrast aan, en Amand schrikt wakker.

Het is donker om hem heen, en in zijn hoofd is het vreemd stil en ruim, alsof hij op de top van een berg staat en het leven samen met de wolken onder hem door het dal drijft, en hij weet dat dit het langver-wachte moment is, en het besef dat hij helemaal alleen is, dat niemand weet wat hem overkomt, dat er niet eens een woord voor bestaat, dat zelfs God hem niet kan redden, overweldigt hem, en hij tast angstig om zich heen en hij voelt haar arm en hij pakt haar hand beet, en hij fluistert haar naam, Julie, en dan harder, Julie, en hij schudt aan haar schouders, maar ze slaapt vast, ze wordt niet wakker.

11

Hij is in een donkere cel, er is geen raam, wel een bed, en ze hebben hem zijn uniform afgepakt, hij heeft een dunne broek aan en een soort over-hemd, een pyjama lijkt het, hij voelt om zich heen, de metalen spijlen van een ledikant, een schuine, houten wand met lijnen eraan bevestigd, hij volgt er een met zijn hand en daar hangt zijn uniform, hij herkent de stugge, zware stof, de grote knopen, alleen de lange, warme kapotjas ontbreekt die hij nu juist met moeite van die dode, Vlaamse jongen had weten te bemachtigen. En hij knoopt zijn pyjamajasje open en stapt uit zijn broek, maar het klopt niet, naast de broek en het hemd hangt een Belgische uniformjas, die had hij met opzet niet van die Vlaamse soldaat gepakt, want op de epauletten staat het regimentsnummer, en hij ont-dekt aan de waslijn ook een koppel en die kan hij ook niet dragen want daar staat het stamnummer van die Vlaamse soldaat op. Ze hebben zijn uniform verwisseld, ze moeten hebben ontdekt dat hij is gedeserteerd, daarom zit hij in een cel, en met zijn hand tastend langs de waslijn gaat hij op zoek naar de deur, en hij struikelt over een paar schoenen, hij valt voorover tegen de spijlen van het bed, en terwijl hij overeind krabbelt voelt hij onder zijn hand de dekens bewegen, er ligt iemand in het bed.

Hij deinst achteruit en een vrouwenstem vraagt, ben jij dat, Amand, en hij houdt zich doodstil, Amand, zegt ze nogmaals, en hij hoort dat ze bang is, en ze stapt uit het bed en steekt een petroleumlamp aan, en in het flakkerende licht ziet hij dat hij in een armoedige slaapkamer is, en hij staat daar in zijn onderbroek en die onbekende vrouw is in haar nachtjapon, ze heeft krullend, jongensachtig haar dat bijna tot haar schouders reikt, maar het is zonder twijfel een vrouw. Hij draait haar beschaamd zijn rug toe en hij moet zich bukken om zijn pyjama van de grond te rapen, wat het nog vernederender maakt, en hij schiet haastig de broek aan, en hoewel hij haar blote hals kan zien, en haar borsten in haar flodderige nachtjapon zich eenvoudig laten raden, lijkt die vrouw zich nergens voor te schamen, ze vraagt nogmaals naar Amand, en mis-schien is het geen naam, denkt ze dat hij haar geliefde is, en hij houdt zijn mond. Hij weet niet of hij zichzelf zou verraden als hij Vlaams of juist Duits tegen haar zou spreken, en dan blijkt dat ze weet wie hij is, ze noemt hem bij zijn naam, Louis, zegt ze, en hij heeft geen idee wie zij is, en ook dat schijnt ze te weten, want ze komt omzichtig naar hem toe alsof ze gelooft dat ze hem anders aan het schrikken maakt en ze zegt dat zij Julienne is. En hij besluit dat hij dan maar Vlaams met haar moet spreken want ze verwacht blijkbaar dat hij haar verstaat, en hij zegt dat hij niet die Amand van haar is en ook niet Louis, nee, vraagt ze, wie ben je dan, en ze zegt het op de toon waarop vrouwen tegen kleine kinderen praten, en hij zwijgt beledigd. En ze zegt dat het midden in de nacht is, zullen we weer gaan slapen, zegt ze, en ze moet gek zijn, ze gaat er blijkbaar vanuit dat hij zonder blikken of blozen bij haar in bed zal stappen, en hij zegt dat hij onder geen beding vannacht bij haar blijft, want hij is getrouwd, en zij zegt dat ze zich daarvan bewust is, ik ben je vrouw, zegt ze, en hij lacht verbijsterd om haar. Hij snapt niet hoe hij hier verzeild is geraakt met dat krankzinnige wijf in haar nachtjapon, en zij zegt dat ze weet dat hij haar niet gelooft, dat hij meent dat hij met een Duitse vrouw is getrouwd die Käthe heet en dat hij met haar een dochtertje en een zoontje heeft, maar hij is in de war, zegt ze, want hij is haar Amand en hij woont al meer dan een jaar hier bij haar, hij lijdt alleen soms aan geheugenverlies en dan is hij haar vergeten en is hij ervan overtuigd dat hij Louis heet.

En het lijkt hem beter om haar niet tegen te spreken zodat ze niet in de verleiding komt om nog meer nonsens uit te kramen, het is hem niet duidelijk of ze bewust tegen hem liegt of dat ze zelf gelooft in wat ze beweert, hij vermoedt het eerste, hij herinnert zich vaag dat hij, doordat hij het uniform van die Vlaamse soldaat droeg, achter de geallieerde linies wist te komen, en daar moet zij hem hebben gevonden en mee naar huis hebben genomen. En op zoek naar een herkenbaar houvast luistert hij naar de geluiden buiten en het valt hem op hoe stil het is, geen afweergeschut, geen tanks, geen soldaten, alleen het zachte getik van regen op het dak vlak boven zijn hoofd, en een gevoel van beklemming bekruipt hem, hij vraagt haar waar hij is, en ze zegt dat ze thuis zijn, maar hij wil weten waar dat huis van haar staat en dat vertikt ze hem te zeggen, ze draait eromheen, vriendelijk en met een onschuldige blik in haar ogen, zoals alleen vrouwen dat kunnen, alsof haar leugens voor zijn eigen bestwil zijn, en hij eist dat ze hem nu vertelt waar hij is, anders zal hij haar wegens hoogverraad aangeven omdat ze hem heeft weerhouden om naar zijn bataljon terug te keren. En ze is niet onder de indruk van zijn dreigement, ze zegt dat de oorlog al vijf jaar voorbij is en dat de geallieerden hebben gewonnen, het is 17 oktober 1923, zegt ze, en hij weet niet waarom ze hem van alles op de mouw probeert te spelden, ze moet geloven dat hij ontzettend dom is, want als de oorlog al vijf jaar voorbij is, waarom hangt er dan een uniform aan de waslijn, en waarom zou ze hem niet willen vertellen waar hij is als zij gewoon een burger in vredestijd is.

En hij besluit dat het verstandig is om haar niet op de tegenstrijdigheden in haar verhaal te wijzen, hij zegt dat hij honger heeft, en daar trapt ze in, ze geeft hem een crèmekleurig herenkostuum, hij trekt het over zijn pyjama heen aan en het zit hem als gegoten, en hij merkt dat ze stiekem naar hem kijkt alsof ze hem in die Amand van haar meent te kunnen veranderen alleen door er heftig naar te verlangen, en haar liefdevolle blik dringt door zijn huid en brengt diep binnen in hem iets duisters in beweging, zoals hem aan het front weleens in het holst van de nacht overkomt wanneer er geen gevaar voorhanden is dat hem van zijn gedachten kan afleiden. En hij draait haar gauw zijn rug toe en probeert haar blik te vergeten, en zij heeft intussen een groenige jurk aangetrokken waarin ze een dame lijkt, en ze neemt hem mee naar een keuken die al net zo eenvoudig is ingericht als de slaapkamer, en hij begint te vermoeden dat ze geld nodig heeft en hem daarom hier vasthoudt, in de hoop dat iemand hem zal willen vrijkopen.

En ze bakt eieren met spek voor hem en ze zet koffie voor hen beiden, en als ze het bord en de kopjes op tafel neerzet, zegt ze dat hij op haar stoel zit en dat zijn plaats tegenover haar is, en het heeft duidelijk geen zin om haar uit te leggen dat hij geen eigen plaats kan hebben in een keuken waar hij nooit eerder is geweest, hij wisselt gehoorzaam van stoel en voordat ze tegenover hem komt zitten, legt ze de krant waarop ze de eierschillen en het koffiedik heeft verzameld voor hem neer, ze zegt dat het de krant van gisteren is en ze wijst hem op de datum, 16 oktober 1923, en hij zwijgt. Ze zegt dat ze begrijpt dat het moeilijk te aanvaarden is dat er vijf jaar zijn verstreken omdat hij ze zich niet herinnert, maar je moet me proberen te vertrouwen, zegt ze, en hij hoort een vleugje wanhoop in haar stem dat niet te spelen is, en hij heeft medelijden met haar, misschien liegt ze niet, gelooft ze echt dat het 1923 is en dat hij haar man is, en ze komt bij hem aan de tafel zitten en ze begint te vertellen, eerst terughoudend alsof ze er helemaal geen zin in heeft, maar dan laat ze zich door haar eigen woorden meeslepen en hij luistert verbluft naar haar.

Ze zegt dat hij in december 1917 bij Merckem in het achterland rondzwierf, hij werd door Vlaamse soldaten gevonden, en omdat hij verward was en niet wist wie hij was, kwam hij via een veldhospitaal uiteindelijk in een hospitaal in Frankrijk terecht en na de oorlog in het

Guislaingesticht in Gent, waar zij hem na vier jaar terugvond, zegt ze, en dan begint ze aan een emotioneel verhaal over hoe ze jaren op hem heeft gewacht en naar hem heeft gezocht en hoe gelukkig ze het afgelopen jaar samen zijn geweest, en hij probeert niet al te goed naar haar te luisteren en haar ook niet in de ogen te kijken, want ze komt met details die ze nooit kan hebben verzonnen en ze is ontroerd en in haar stem klinkt niet te stillen heimwee door, het is duidelijk dat ze ieder woord meent.

En twijfel sijpelt zijn gedachten binnen, hij wil niet denken, niet voelen, als een plant, een machine, als de dood, maar in een keuken aan een tafel zitten tegenover een vrouw met tranen in haar ogen die je geluk probeert aan te praten, is vele malen moeilijker dan overleven aan het front, en hoe hij ook zijn best doet om de betekenis van haar woorden niet tot zich door te laten dringen, een golf van walging spoelt over hem heen en bittere zelfhaat, en het is alsof zich een duistere put vol angst in hem opent, en hij duwt zijn nagels zo hard in het weke vlees van zijn pols dat de pijn al het andere verdringt, en zelfs nadat hij zijn vingers heeft ontspannen, houdt de weldadige pijn nog even aan. En hij ziet dat zijn pols bloedt, hij trekt de manchet van zijn overhemd eroverheen, en hij zegt tegen haar dat ze moet ophouden met het vertellen van sentimentele verzinsels, hij is geen klein kind dat ze met sprookjes in slaap kan sussen. En ze staat op en ze pakt uit de kast een stapeltje foto's en ze geeft ze hem, in zwart-wit zit ze bij hem op schoot en ze kussen elkaar, en ze liggen in elkaars armen in het bed in de slaapkamer die hij herkent, en hij kust haar in de schaduw van een boom en hij draagt haar door een bloeiende zomerweide, in scène gezette, romantische tafereeltjes, maar het geluk dat op hun gezichten staat te lezen, is ondraaglijk echt, en hij schuift de foto's van zich vandaan over de tafel, hij weet zeker dat hij niet haar man is, hij kan het alleen niet bewijzen want hij heeft bij zijn desertie alles wat naar zijn identiteit verwees vernietigd.

Hij vertelt haar dat hij Louis Blauwaert heet, en zij zegt dat hij de vorige keer dat hij zijn geheugen kwijt was, zei dat hij Louis Blauw heette, en hij zegt geërgerd dat hij echt zijn eigen naam wel weet, maar terwijl hij het zegt, merkt hij dat hij twijfelt, er was iets met een boerderij, herinnert hij zich, hij pootte en rooide aardappels, maar zij zegt dat het geen boerderij was, hij werkte in het gesticht in de tuin, zegt ze, en hij weet zeker dat ze liegt, want hij ontmoette Käthe op die boerderij en ze spraken Duits samen, hij trouwde met haar hoewel haar ouders tegen hun huwelijk waren, en zij zegt dat het zijn ouders waren die niet wilden, en het was in Meenen, niet in Duitsland, zegt ze, en je trouwde met mij.

Maar hij ziet haar heel duidelijk voor zich, haar kalme, grijze ogen, haar lange, blonde haar, het ironische lachje waarmee ze hem kon aankijken, en ze heette Käthe, hij herhaalt haar naam een aantal keer, Käthe, Käthe, en hoe vaker hij hem uitspreekt hoe vreemder hij klinkt, heette ze niet Julie, nee dat is de vrouw die tegenover hem zit, en haar kent hij niet. Hij trouwde met haar en toen werd het oorlog, en hij moest kiezen tussen het land van zijn ouders en zijn broers en dat van zijn vrouw en kinderen, zegt hij, en hij kijkt haar aan en hij herkent de verdrietige, peinzende blik in haar ogen, hij heeft haar eerder gezien, lang geleden, misschien was zij daar ook op die boerderij in Duitsland, en hij vertelt haar dat hij voor zijn nieuwe thuisland koos om zijn vrouw en kinderen te redden, anders zou hij als verrader naar België worden uitgezet en zou hun boerderij worden geplunderd en vernield en zijn gezin bedreigd, en dus keerde hij als vijand terug naar zijn geboortegrond, en die grond keerde zich in de vorm van modder en stof tegen hem, er wilde geen plant meer in groeien, geen beest op leven. Met zijn verraad vernietigde hij het land van zijn jeugd en zijn gelukkige herinneringen en in de loop van de oorlog ook zijn onbezorgde huwelijk, en hij dacht vaak aan zijn broers en zijn oude vrienden die misschien in de loopgraven aan de overzijde van het niemandsland lagen, en iedere kogel die hij afvuurde kon een van hen treffen, de oorlog woedde niet alleen buiten hem, vooral ook in hem, zegt hij tegen haar. En zij knikt ontdaan met op elkaar geklemde lippen, en ze zegt dat hij ervan droomde om te deserteren, je wilde naar Nederland vluchten, zegt ze, en zijn eigen verhaal komt hem ineens vreemd voor, alsof het niet over hem gaat, misschien heeft hij het ergens gehoord of gelezen, en zo heeft zij vast ook die ontroerende details over hun huwelijk bedacht, hij merkt hoe makkelijk het hem zou afgaan, hij zou nog uren kunnen praten zonder ooit iets te zeggen waarvan hij gelooft dat het waar is, en als hij daaraan denkt krijgt hij een vreemd zwevend gevoel alsof hij op een schommel zit en de aarde onder zich door ziet glijden, en hij verbiedt zichzelf om twijfel te voelen.

En hij schuift zijn stoel naar achteren en hij staat op en bedankt haar voor de eieren met spek en de koffie en de gastvrijheid en hij loopt naar de deur, en zij springt overeind en ze is hem net voor, ze grist de sleutel van het haakje naast de deur en draait hem in het slot om, en hij grijpt haar pols beet en probeert haar de sleutel te ontfutselen. En ze worstelen verbeten met elkaar alsof er jaren vol opgekropte ergernissen aan vooraf zijn gegaan, en hij duwt haar ruw tegen de muur en ze is vlak bij hem, hij kijkt in haar angstig opengesperde ogen en hij ruikt haar zoetig zweterige lichaamsgeur, en er is nog iets anders aan haar, iets vreemds dat hem benauwt, en heel even verslapt zijn greep en zij maakt daar onmiddellijk misbruik van, ze rukt haar arm los en laat de sleutel in haar decolleté vallen. Ze gelooft blijkbaar dat hij daar niet zal durven zoeken en hij lacht om haar onnozelheid, een man die met de doden heeft geleefd, die mensenbloed heeft gedronken, en met zijn ene hand om haar hals geklemd, steekt hij zijn andere onbeschaamd in haar keurslijf, tussen haar borsten, en haar huid is zo zacht en warm en levend en het is maar een seconde, hij weet ineens zeker dat hij haar eerder zo heeft aangeraakt, en ze blijft dezelfde vrouw die zonet tegenover hem aan de tafel zat, en tegelijkertijd is ze hem zo vreselijk vertrouwd dat ze onderdeel van hem lijkt uit te maken, zoals zijn dromen of zijn beeld in de spiegel, en een zware, donkere massa welt op in zijn gedachten en hij stikt er bijna in van angst.

Hij laat haar los en leunt voorover met zijn handen op zijn knieën en hij probeert kalm adem te halen, wat is er, vraagt ze bezorgd, en ze wil haar arm om zijn schouders leggen alsof ze alweer is vergeten dat hij haar heeft aangerand, hij weert haar af, en zij zegt dat hij beter kan gaan zitten, en hij doet wat ze hem vraagt. Hij wil haar niet zien, maar hij kijkt toch op en hij ziet in haar ogen dat ze gelooft dat hij in haar Amand zal veranderen en die blik van haar, zo vol onschuld en hoop, en daar diep in hem is die Vlaamse soldaat met zijn bruine ogen en zijn intense verwondering terwijl hij hem smoorde en dat kinderlijke gezicht dat onder zijn handen leegliep als een ballon. En zij knielt voor hem neer, met haar handen vrijpostig op zijn knieën, en ze vraagt of hij haar kan vertellen wat er mis is, dan heeft het geen macht meer over je, zegt ze, en hij probeert niet naar haar te luisteren, hij neuriet geluidloos zoo schijnen liefjes lippen te smachten naar het spel, waarmee zijn moeder hem vroeger in slaap wiegde, en na dat tien keer te hebben gedaan wordt hij rustiger, maar hij heft zijn hoofd niet op, pas als zij weer veilig aan de andere kant van de tafel op haar eigen stoel is gaan zitten, durft hij op te kijken.

Hij moet hier weg, terug naar het front waar hij geen mens hoeft te zijn, en het is nog steeds donker buiten maar niet meer zo stil, hij hoort het geratel van wagenwielen over stenen, een trein die in de verte puffend langsrijdt, pratende mensen op straat, klokgelui, hij is in een stad, en boven zijn hoofd hoort hij voetstappen op de vloer en dan op de trap, er zijn nog meer mensen in het huis, hij is niet alleen met haar. En er wordt aan de klink van de deur gerammeld en zij staat haastig op en zegt luid, wacht, ik kom eraan, ze werpt een blik op hem en hij doet alsof hij dat niet ziet, en ze vist de sleutel uit haar decolleté en opent de deur en er staan twee kinderen op de drempel, een jongen en een meisje, en zij trekt hen snel naar binnen en draait de deur achter hen op slot. En de kinderen kijken angstig naar hem en het meisje vraagt Julienne of hij er weer is, en Julienne zegt dat hij heel rustig is, ga maar op mijn plek zitten, zegt ze, en de kinderen komen tegenover hem zitten, ze zegt tegen hem dat dit Roos en Gust zijn, je bent hun vader, zegt ze.

En ze dekt de tafel voor het ontbijt en met het mes tekent ze een kruis op het brood voordat ze het snijdt, dat deed zijn moeder ook altijd, of misschien was zij het, deze Julienne die gelooft dat hij haar man is, en ze moet echt gek zijn, waarom houdt ze vol dat ze met hem getrouwd is terwijl haar eigen kinderen eronder lijden, ze zijn doodsbang voor hem, vooral het meisje, Roos, ze durft zich nauwelijks te bewegen. En terwijl Julienne koffiezet en hen haar rug toekeert, fluistert hij tegen de kinderen dat ze hem moeten helpen vluchten als ze willen dat hij weggaat, kunnen jullie je moeder afleiden, vraagt hij, maar dan draait Julienne zich om en komt bij hen aan tafel zitten. Ze ziet dat Roos een benauwde blik in zijn richting werpt en ze vraagt of alles goed is, hij wil bij u weg, zegt Roos, en Julienne zwijgt, en Roos vraagt met neergeslagen ogen waarom ze hem niet terug kunnen brengen naar het gesticht, en Julienne zegt dat trouwen net is als kinderen krijgen, het is voor het leven, zegt ze, hij is geen hond die je weg kunt doen als hij je niet bevalt, en ze is zo ontwapenend eerlijk dat hij bijna wilde dat hij echt haar man was.

En de kinderen eten hun brood en kussen hun moeder gedag en zij opent de keukendeur voor hen en ze gaan naar school, en dan haalt ze water op de gang en staand bij het fornuis wacht ze totdat het kookt, en zo nu en dan kijkt ze achterom naar hem, wil je een sigaret, vraagt ze, en als hij knikt pakt ze een aangebroken pakje Bastos uit een laatje en ze geeft het hem en strijkt een lucifer voor hem af, en hij inhaleert en met de smaak van de rook drijft er een vanzelfsprekende rust zijn gedachten binnen, alsof de wereld zich in dit ene moment samentrekt en alles wat eraan vooraf is gegaan en wat nog komen zal zich voor even schuilhoudt als een glorende dag in de ochtendmist. En misschien heeft zij hetzelfde gevoel want ze kijkt stil naar hem en ze steekt haar hand naar hem uit en hij begrijpt dat ze zijn sigaret voor een trekje wil lenen, en in dat gewoontegebaar en de wat lome, peinzende glimlach die erbij om haar lippen speelt, ligt een intimiteit verborgen die niet hem geldt, en plotseling verlangt hij heftig naar thuis en hij weet dat dat niet kan, niet mag, daaraan gaat hij kapot, en in paniek metselt hij zijn gevoelens in, zoo schijnen liefjes lippen te smachten naar het spel, schijnt het roosje blij te trachten naar lustig vogelnippen, een, twee, drie, vier, vijf keer neuriet hij het in gedachten, en hij weet met moeite de walging en de zelfhaat eronder te houden.

En hij geeft haar zijn sigaret niet zodat ze haar glimlach inslikt en hem ontnuchterd de rug toekeert, hij zou haar kunnen overmeesteren, met gemak, hij is veel sterker dan zij, maar als hij zich voorstelt dat hij haar opnieuw zou moeten aanraken, welt er paniek in hem op. En hij vraagt of hij gebruik zou mogen maken van het privaat, en zij haalt de keukendeur van het slot en ze loopt met hem mee, hij had gehoopt dat het privaat buiten was, maar ze wijst hem een verdieping lager op een deur, en ze blijft op de gang staan wachten terwijl hij zijn behoefte doet, ze voert door de deur heen zelfs een gesprek met hem alsof ze bang is dat hij ongemerkt door de riolering zal wegglippen, en aan het front leegt hij zijn blaas dagelijks in het bijzijn van tientallen anderen, dood en levend, maar zoals zij naar hem kijkt als hij rookt, eet, zich aankleedt, zo begerig kijkt ze nu ook naar hem in zijn gedachten, en hij weet dat ze naar zijn geklater staat te luisteren, alleen van hem gescheiden door de dunne, houten deur. En hij sluit zijn ogen en denkt haar weg, hij is in een loopgraaf, en hij ruikt de stank van latrines en de dood, en tussen al die smerigheid deponeert hij zijn eigen menselijke zwakheden, en ze zegt dat ze samen een fotostudio hebben, ze vraagt of hij nog weet hoe hij foto's moet afdrukken, en hij trekt door en opent de deur, en hij zegt, nee, hij heeft geen verstand van foto's.

En ze neemt hem mee naar de begane grond, waar aan de straatkant een winkel blijkt te zijn en aan de achterzijde een studio met een buitendeur die op een achterplaatsje uitkomt, en dat biedt mogelijkheden, hij luistert gedwee naar haar langdradige uitleg over fotograferen en hij wacht af, en na een tijdje klingelt er in de winkel een belletje en hij staat werktuigelijk op en ze lacht, ze legt haar hand op zijn rug en ze zegt, zie je wel, je bent er nog, en haar intonatie is speels en teder alsof ze elkaar zo-even hebben gekust, en hij moet zich inhouden om haar niet door elkaar te rammelen totdat al die idiote waandenkbeelden uit haar hoofd zijn gevallen. Hij gaat weer zitten en zij verdwijnt naar de winkel, de tussendeur draait ze achter zich op slot, en hij loopt snel naar de buitendeur, die is natuurlijk ook afgesloten, en hij zet zijn schouder ertegenaan, er zit geen beweging in en de ruit inslaan durft hij niet, dan is ze binnen een paar seconden bij hem en moet hij alsnog met haar worstelen.

En hij begint haastig de studio te doorzoeken in de hoop de sleutel te vinden, en tot zijn verbazing zijn de meeste laden gevuld met glasnegatieven en foto's van hemzelf met honderden verschillende vrouwen, hij in een uniform zoals Vlaamse soldaten dat in de eerste jaren van de oorlog droegen, de vrouwen vaak in rouwkleding en achter hen een romantisch, geschilderd decor van het front, en nu begrijpt hij hoe zij aan die foto's van hem en haar in een bloeiende weide komt en kussend onder een boom, en als hij de sleutel in het slot hoort knarsen, schuift hij gauw de lade dicht en gaat weer zitten, en hij kijkt met andere ogen naar haar, ze is niet gek, ze is een oplichtster.

En de kinderen komen thuis voor het middagmaal, Roos wisselt net als vanmorgen van plaats met haar moeder zodat ze niet naast hem aan tafel hoeft te zitten, en ze bidden en daarna eten ze en de kinderen gaan terug naar school en zij doet de vaat, en met het roerloze geduld van een sluipschutter wacht hij zijn kans af. En er wordt op de keukendeur geklopt, en haastig zegt ze, een momentje, ze haalt de deur van het slot, en een vrouw met een elegant figuur maar afzichtelijk kaarsrecht geknipt jongenshaar staat op de drempel, is het weer mis, vraagt ze, en Julienne dempt haar stem alsof hij haar dan niet zou kunnen verstaan, ik geloof dat hij niet meer terugkomt, zegt ze, en ze huilt bijna, ook dat nog. En de vrouw met het rechte kapsel komt snel binnen en Julienne draait de deur achter haar op slot, en ze gaan bij hem aan de tafel zitten, Julienne naast hem en die vrouw tegenover haar, en Julienne zegt tegen hem dat dit hun buurvrouw is, Felice van Gucht.

En de twee vrouwen voeren een gesprek over hem terwijl hij er pal naast zit, en hoe langer hij naar hen luistert hoe meer hij zich als een van de doden begint te voelen met wie ze in de loopgraven samenleefden, ze stalen hun kleren en maakten grapjes over hen en gebruikten hen als herkenningspunt of kapstok, en maar heel sporadisch dachten ze aan hen als aan een mens. En Felice zegt dat ze het heel erg voor Julienne vindt, maar nu zul je de werkelijkheid wel onder ogen moeten zien, zegt ze, en Julienne zegt geërgerd dat ze dat al doet, iedere dag, ieder uur, en Felice zegt dat ze beiden weten dat ze dat juist niet doet, al van het begin af aan niet, en ze begrijpt het, ze begrijpt het beter dan ze zou willen, en soms is ze zelfs jaloers op haar geweest, op dat vermogen om te geloven, te geloven tegen de klippen op, tegen al het beter weten in, maar nu is het onmogelijk geworden, zegt ze, zo kan het echt niet langer, Juul, en Julienne ziet eruit alsof ze ieder moment hartverscheurend in tranen kan uitbarsten.

En plompverloren vraagt hij Felice of zij gelooft dat hij Juliennes man is, en dat helpt, Julienne vergeet haar wanhoop, Felice haar emotionele pleidooi, en Julienne zegt gauw, ik heb je nog niets te drinken aangeboden, Lies, wil je thee, en Felice bedankt en zegt dat ze zo naar haar werk moet, en hij vraagt het Felice nog eens, gelooft u dat ik haar man ben, en Felice aarzelt en wisselt een blik met Julienne. En Julienne zegt dat hij volhoudt dat hij een of andere Louis is, en Felice zwijgt en blijft Julienne aankijken alsof ze hoopt op iets wat niet komt, en hij herhaalt ongeduldig zijn vraag, en Felice wendt zich tot hem, ze durft hem niet in de ogen te zien, ze praat tegen zijn rechteroor, en ze zegt dat hij natuurlijk Juliennes man is, en hij hoort aan haar stem dat ze liegt en dat ze zich ervoor schaamt, en Julienne lacht, een kort nerveus lachje.

En ze zijn weer samen in de studio en ze werkt aan het verfraaien van negatieven, zo nu en dan kijkt ze naar hem, en ze vraagt of hij niet in de praktijk wil brengen wat ze hem vanmorgen over het afdrukken van foto's heeft verteld, en hij zegt dat fotograferen een nutteloze bezigheid is, in scène gezette zwart-witafbeeldingen hebben niets met de werkelijkheid te maken, vooral niet als zij ze ook nog eens vervalst, en ze zwijgt. En hij probeert te bedenken waar ze de sleutel van de buitendeur kan hebben gelaten, alle laden en kasten heeft hij vanochtend al doorzocht, en de donkere kamer tot in de kleinste hoeken en gaten ook, waar zou hij een sleutel opbergen als hij haar was, en dan weet hij het, in haar opklapbare retoucheertafeltje, dat moet het zijn. En hij wacht vol ongeduld op het gerinkel van het winkelbelletje, het duurt lang, een kwartier, twintig minuten, en dan staat ze op en ze zegt dat ze zo terug is, ze moet zeker naar het privaat, en hij knikt geruststellend naar haar, en direct als ze de deur achter zich op slot heeft gedraaid, springt hij overeind en hij bekijkt haar retoucheertafeltje van alle kanten, hij vindt niets, maar in het bakje dat ernaast staat, tussen de penselen en mesjes en tubes, verdomd daar ligt een sleutel, gewoon open en bloot.

En snel loopt hij naar de buitendeur en hij steekt de sleutel in het slot, hij draait hem om en hij staat buiten, in blinde haast rent hij naar het uiteinde van het achterplaatsje en hijst zich op de schutting en hij springt aan de andere zijde weer naar beneden, en zo klimt hij in verschillende naast elkaar gelegen tuinen, en algauw heeft hij in gaten dat hij is ingesloten, overal om hem heen zijn achtergevels van minstens drie verdiepingen hoog, en nergens is een steegje of een achterom te bekennen waardoor hij de straat kan bereiken. Hij gaat rechtop staan op een schutting terwijl hij zich vasthoudt aan de overhangende tak van een boom, en hij kijkt om zich heen, vier tuinen verderop is een vrouw de was aan het ophangen, en hij werkt zich via twee schuttingen en een heg en een schuurtje naar haar toe, en ze schrikt als hij ineens naar beneden springt en voor haar staat, en hij biedt zijn excuses aan en hij hangt een verhaal op over dat hij op het achterplaatsje was en dat de kinderen hem hebben buitengesloten en hem niet meer binnen willen laten. En de vrouw herkent hem, u bent meneer Coppens van de fotostudio, zegt ze en dat beaamt hij, ze vraagt naar Julienne en hij zegt dat het goed met haar gaat, en de vrouw zegt dat ze ook ontzettend veel geluk heeft gehad, en hij knikt vaag, want hij had niet de indruk dat Julienne nu zo gelukkig was, en hij loopt met haar mee naar binnen en hij merkt dat ze naar hem kijkt, heimelijk alsof er op een onfatsoenlijke plaats een scheur in zijn kostuum zit, maar als hij eindelijk op straat staat en zijn kleren inspecteert, kan hij niets ontdekken, alleen een vlek in zijn broek van al dat klimmen.

En hij is vrij, op goed geluk slaat hij linksaf, en een vreemd onheilspellend gevoel bekruipt hem, het heeft te maken met de mensen op straat, de talloze winkels, de zon die vanachter een wolk tevoorschijn komt, de oorlog is voorbij, hij ziet het ineens alsof hij een oude bekende ontmoet en er maar niet op kon komen wie het was. De oorlog is voorbij, al jaren, zijn kameraden zijn terug bij hun vrouw en kinderen, de doden begraven, er is niemand over die begrijpt wat hem heeft bezield, en alles wat hij en zijn kameraden hebben overleefd, de wreedheid, de angst, de moed, het verraad, de lafheid, de wanhoop, het heeft alleen hiertoe geleid, tot deze winkelstraat, deze onverschillige mensen. En een gevoel van immense eenzaamheid overvalt hem, vermengd met een even immense heimwee naar een plek en een tijd waarnaar niemand ooit kan verlangen, alleen hij, en hij laat het gebeuren, hij weet dat hij het niet moet doen maar het idee dat hij eraan kapot zal gaan trekt hem er juist in aan, en hij walgt van zichzelf, het is alsof zijn hoofd zich binnenstebuiten keert en hemzelf uitkotst, hij zou zich het liefst in een hoekje verschuilen en daar stilletjes sterven, maar zelfs dat is nog te goed voor hem, hij moet ademhalen en zijn hart blijft pompen en zijn benen dragen hem over de straatstenen, en de doodse, zinloze leegte van het niemandsland is om hem heen, het land waar een ellendeling zoals hij thuishoort.

En hij voelt een hand die hem hard bij zijn arm beetgrijpt, en hij schrikt, zij staat voor hem, buiten adem en lijkbleek, ze noemt hem sjoeke en haar stem bibbert, en hij ziet de blinde paniek in haar ogen en hij weet dat ze tot alles bereid is om maar uit deze ondraaglijke gemoedstoestand te geraken, hij ziet haar zoals zij zichzelf alleen uit nachtmerries kent en het is alsof hij naar zichzelf kijkt, hij vermoedt in haar eenzelfde duistere massa die haar op ieder onbewaakt moment bij de keel kan grijpen. En ze smeekt hem om met haar mee terug naar huis te gaan, en hij wil niets liever, hij laat zich gewillig door haar mee-voeren, en dan blijkt dat hij bijna een rondje had gelopen, nog een paar meter en hij was bij de etalage van de fotostudio geweest, toen ze ont-dekte dat hij weg was, moet ze de straat op zijn gestormd en hem bijna onmiddellijk hebben gezien.

En het gerinkel van het winkelbelletje verwelkomt hen en heel even heeft hij het verwarrende idee dat hij werkelijk thuis is, en ze zitten tegenover elkaar aan de keukentafel en ze vraagt hem of hij het dan zo vreselijk vindt hier bij haar, en hij hoort de smeekbede in haar stem, en hij zegt dat hij terug wilde naar het front, maar de oorlog is voorbij, zegt hij, en ze zwijgt en ze kijkt naar haar handen die kramp-achtig in elkaar verstrengeld op tafel rusten, en ze zegt dat de oorlog alleen voorbij is voor mensen die hem niet echt hebben meegemaakt, en terwijl ze het zegt heft ze haar hoofd op en ze kijkt hem aan, en ze weet hoe ellendig hij zich voelt, dat is duidelijk, en hij is haar dank-baar, maar ze jaagt hem ook angst aan, als hij haar in de ogen kijkt is het alsof hij zich over de rand van de put in zijn hoofd buigt en in de duistere diepte tuurt.

En ze vraagt hem of hij haar een maand kan geven, als hij er daarna nog niet van overtuigd is dat hij haar man is, zal ze hem laten gaan, zegt ze, en hij zegt, een week, en ze onderhandelen over zijn leven alsof hij een kreupel paard is dat naar de beenhouwer moet, en zo komen ze tot twee weken, en ze zegt dat ze hem graag wil vertrouwen, en ze vraagt hem of hij haar zijn erewoord kan geven dat hij niet nog eens zal pro-beren te vluchten. En dat geeft hij haar, ook al kan hij onmogelijk nog in zoiets onnozels als eer geloven, maar zij neemt het heel serieus, ze vist de sleutel uit haar decolleté en haalt de keukendeur van het slot en dan bergt ze de sleutel onder zijn ogen in een laatje van de kast, en haar volstrekt onterechte, naïeve vertrouwen maakt dat hij zich toch aan zijn woord gebonden voelt.

En hij heeft medelijden met haar, er is een steekje los aan haar, dat kan niet anders, welke vrouw herkent haar eigen man nu niet, de man met wie ze jarenlang dag en nacht samen is geweest, ze moet ieder detail van hem kennen, hoe hij praat, lacht, eet, loopt, al zijn gezichts-uitdrukkingen, zijn stemwendingen, zijn lichaam, geen enkele man lijkt zoveel op een ander dat zijn eigen vrouw hen zou verwarren, zelfs niet als hij de helft van een tweeling zou zijn, en het verontrust hem niet dat ze gek is, hij voelt zich op zijn gemak bij haar alsof zijn eigen gemoedstoestand minder zorgelijk wordt omdat zij er minstens even slecht aan toe is.

En hij gaat weer met haar mee naar de studio en ze doet ook daar de deuren niet op slot, en hij vreest dat ze hem nog meer foto's zal laten zien en sentimentele verhalen zal vertellen in de hoop dat hij gelooft dat hij met haar is getrouwd, maar ze gaat zwijgend verder met retoucheren, en het belletje rinkelt, ze loopt naar de winkel om de klant te helpen en tot zijn verbazing laat ze hem alleen. Hij legt zijn hand op de klink van de buitendeur en die is open, hij gaat op de drempel zitten en kijkt naar de overdrijvende wolken en naar de oranjegele herfstbladeren die over de stenen dwarrelen, en hij hoort haar achter zich, Amand, vraagt ze, en haar stem is onweerstaanbaar vervuld van alledaagse intimiteit, en heel even denkt hij dat hij thuis is, en zijn omgeving verandert van betekenis alsof een doodgewaande geliefde voor zijn ogen verrijst, en er is hoop en geluk en vanzelfsprekend vertrouwen.

Amand, zegt ze, en hij is niet thuis, een modderstroom vol haat en walging spoelt over hem heen, en hij springt overeind en loopt met grote passen het achterplaatsje op en zij komt achter hem aan, hij keert zich om en wil haar een draai om haar oren geven, maar ze vraagt hem wat er is en ze weet zo veel oprechte verbazing en bezorgdheid in haar woorden te leggen, hij beheerst zich nog net, en hij zegt dat ze dat niet meer moet doen. En ze laat het hem uitspellen, ze zegt niet te begrijpen waarover hij het heeft, en als ze het uiteindelijk snapt, zegt ze dat ze het onbewust deed, zo klinkt mijn stem kennelijk soms, zegt ze, en ze zegt dat het haar spijt, en hoe langer ze het erover hebben hoe minder hij gelooft dat het geen opzet van haar was, ze wilde dat hij op die drempel ging zitten, ze wilde geloven dat hij haar Amand was, hem met die klank in haar stem oproepen, en wat het echt onvergeeflijk maakt is dat ze weet hoe vreselijk het is om door de duisternis in jezelf te worden opgeslokt.

En hij overweegt om bij haar weg te gaan, er in ieder geval mee te dreigen totdat ze smekend op haar knieën voor hem ligt, maar hij is bijna net zo bang voor haar angst als voor die van hemzelf, en hij laat zich op een stoel zakken en zij komt naast hem zitten en ze zegt dat hij haar erop moet wijzen als haar stem te lief klinkt, zo formuleert ze het, hoewel hij dat woord niet in zijn omschrijving heeft gebruikt, en ze vraagt hem of er nog andere dingen zijn die ze niet mag doen, en hij zegt dat hij niet wil dat ze hem aanraakt en dat ze hem Amand noemt en ook niet dat ze over het verleden praat, en ze zwijgt.

En hij volgt haar de trap op naar boven, en dan zijn ze samen in haar slaapkamer met dat ene bed, en daar voelen ze zich allebei opgelaten over, hij zegt dat hij op de grond zal slapen, maar zij zegt, nee, ze wil dat hij bij haar in bed slaapt, dat heeft ze hem beloofd, zegt ze, hij heeft het haar een aantal dagen geleden nadrukkelijk gevraagd en ze weigert haar belofte te breken. En dat is echt idioot, want ze heeft die belofte niet aan hem gedaan, en hij probeert haar ervan te overtuigen dat als zij de enige is die zich de toezegging herinnert ze er niet langer aan gebonden is, en daar maakt ze zich boos over, ze zegt dat als iedereen zo dacht het ook geen zin zou hebben om op je sterfbed mensen een belofte te laten doen, en dat is inderdaad zinloos, zegt hij, en zij is oprecht geschokt door wat ze zijn bitterheid noemt. En o als ze eens wist wie ze voor zich had, wat hij allemaal heeft gedaan, ze is als die jonge, Vlaamse soldaat, onaangeroerd door de wereld die om haar heen woedt, en een belachelijk idee dringt zich aan hem op, wat als zij zijn tweede kans is, wat als hij op de proef wordt gesteld, misschien dat hij haar gelukkig kan maken en dat de doden hem dan eindelijk met rust laten, en hij weet dat het een waandenkbeeld is, maar hij krijgt het niet meer uit zijn hoofd.

En hij stemt erin toe om vannacht bij haar in bed te slapen, als ze tenminste belooft op haar helft te blijven, en hij dacht dat ze blij zou zijn, dat is ze niet, ze gaat naar beneden om zich in haar nachtjapon te verkleden en hij trekt intussen het kostuum van haar man uit, de pyjama heeft hij er al onder aan. En nadat ze weer naar boven is gekomen, bidt ze geknield op de vloer en ze vraagt of hij niet wil bidden, en hij zegt dat God hem lang geleden heeft verlaten, en ze zwijgt, en als hij in bed stapt voelt hij haar tegenzin, alsof ze wordt gedwongen om tussen de ratten te slapen, ze ligt verstijfd en koud en ademloos naast hem. En hij richt zich op en zegt dat hij op de grond gaat liggen, en zij zegt dat daar geen sprake van kan zijn, ze wil dat hij bij haar in bed blijft, en ze blaast de lamp uit, het is stikdonker, en in zijn gedachten neemt haar weerzin groteske, fysieke vormen aan, niet te onderscheiden van zijn zelfwalging die hem van binnenuit als een worm aanvreet, en hij houdt zich doodstil.

De tijd lijkt niet te verstrijken, maar op een gegeven moment draait zij zich om en ze is in slaap gevallen, haar lichaam is lauwwarm en ontspannen en haar onderarm beroert licht zijn rug, en de weerzin verlaat hem, hij schuift een eindje op zodat hij haar aanraking niet meer voelt,

en hij is blij dat ze naast hem ligt, het vredige geluid van haar ademhaling herinnert hem aan thuis. Zo heeft hij duizenden nachten met
Käthe geslapen, mooie, bewonderenswaardige Käthe, en hij probeert
zich haar voor de geest te halen, haar licht spottende, grijze ogen, haar
lange, blonde haar, haar net iets te grote neus waaraan ze zelf een hekel had, haar slanke, sproetige lichaam in een zomerjurk, maar ze blijft
vreemd abstract, hij herinnert zich de woorden waarmee hij haar aan
zijn kameraden omschreef, lege begrippen zonder verlangens, zonder
liefde, zonder beeltenis, zoals ook God en medeleven en de dood voor
hem hun betekenis hebben verloren. En dat kan niet, hij kan niet het bed
delen met een onbekende vrouw en zijn eigen vrouw zijn vergeten, dat
zou een onvergeeflijk verraad zijn, en hij denkt uit alle macht aan haar,
hoe ze rook, hoe haar stem klonk, hoe ze lachte, hoe het voelde als hij
haar aanraakte.

En ze ligt in het gras naast hem en de zon schijnt en het water kabbelt
langs hen, en hij draait zich op zijn zij en kijkt naar haar, ze merkt niet
dat ze wordt gadegeslagen, haar jurk is achteloos een eindje opgeschort
en hij ziet haar witte kousen, en haar handen rusten naast haar heupen
in het gras en plukken loom aan de sprietjes, en haar donkere krullen
springen jongensachtig rond haar hoofd en ze opent haar ogen en kijkt
hem met een wat verlegen, scheve grimas tegen de zon in aan, en haar
bruine ogen hebben in het felle licht de kleur van gesmolten boter gekregen, en hij herinnert zich haar tot in de kleinste, onbetamelijkste details,
en hij is zo blij, nu kan hij zonder schuldgevoelens naast die vreemde
vrouw slapen.

En hij ligt op zijn buik in het gras, zijn jasje en vest heeft hij uitgetrokken en zijn mouwen opgerold, en hij kijkt ontroerd toe terwijl ze
zichzelf leert fietsen, haar jurk heeft ze onbeschaamd om haar middel
geknoopt en hij en de vogels en de koeien zien haar bleke dijen en haar
vuurrode wangen, en ze zwaait naar hem en ze roept, kijk dan, Amand,
ik kan het, en ze valt hard, maar het komt niet in haar op dat ze zou
kunnen opgeven, ze krabbelt overeind en stapt opnieuw op de fiets.
En hij fluit waarschuwend op zijn vingers en hij roept naar haar, want
er komt een boer met paard-en-wagen aan, het helpt niet, ze ziet de
boer niet op tijd en ze laat geschrokken de fiets vallen en stormt het bos
in, en in het voorbijgaan vraagt de boer hem verbaasd wat er met zijn
vriend aan de hand is, en daar lachen ze samen achteraf vreselijk om,
een boer die niet weet hoe een halfnaakte vrouw eruitziet, en ze drinken water bij de pomp op een erf en ze plukken wilde aardbeien aan de
bosrand, en hij is zo gelukkig, zo vreselijk gelukkig, zo eenvoudig is het

blijkbaar, hij hoeft zich haar alleen te herinneren en alles is opgelost, hij moet onmiddellijk naar haar toe, weg bij die gekke vrouw die hem in haar waandenkbeelden gevangenhoudt. En hij stapt uit bed en hij is in een onbekend huis met elektrisch licht en koperen kranen en boven in de slaapkamer hangt aan een waslijn een uniform dat op een stervende, Vlaamse soldaat lijkt, en hij weet niet waar ze is, hij had haar zonet nog, maar hij is haar kwijtgeraakt.

En hij wordt wakker omdat iemand hem hard heen en weer schudt, hij staat aan het voeteneind van het bed in zijn pyjama en hij huilt, en dat moet hij niet doen, hij probeert ermee op te houden voordat hij zo van zichzelf walgt dat het niemandsland zich op hem stort, en zij leidt hem terug naar het bed waarin hij samen met haar sliep, en ze komt op een fatsoenlijke afstand naast hem liggen, ze raakt hem niet aan, en hij wilde dat ze hem in haar armen zou nemen, zoals een kameraad in een ijskoud mangat, en dat hij zich dan eindelijk Käthe zou kunnen herinneren. Ze begint fluisterend te vertellen over hun leven samen, hij is blij dat het niet stil is om hem heen en hij luistert naar het geluid van haar stem, zo min mogelijk naar de inhoud van haar woorden, ze heeft het over hoe ze elkaar hebben ontmoet, zijn ouders hadden een kruidenierswinkel in Meenen en zij werkte in de studio ertegenover bij een fotograaf, een aardige man van in de zestig, zegt ze, en van hem leerde ze fotograferen en ontwikkelen en afdrukken, alle kneepjes van het vak, en omdat hij al oud was deed ze de fotowinkel en de studio eigenlijk in haar eentje, en later bleek dat erg handig te zijn, want ze werd verliefd op de overbuurjongen, en dat was jij, zegt ze, en hij hoort in het donker de tederheid in haar stem alsof ze weer terug is in die fotostudio waar ze maar uit het raam hoefde te kijken om haar grote liefde op de stoep van de kruidenierswinkel aan de overkant te zien zitten. En in zijn diensttijd vroeg hij haar eindelijk ten huwelijk, en ze begonnen samen een fotostudio, zegt ze, zij leerde hem alles wat ze wist van fotografie en ze waren gelukkig, en dan komt ze met een sloot romantische verhalen die hij in gedachten probeert te vervangen door overeenkomstige belevenissen met Käthe, maar hij weet niet of hij ze verzint en ze raken steeds meer doordrongen van wat zij hem influistert totdat hij niet meer weet of zij het heeft gezegd of dat hij het zich herinnert, en hij weet zelfs niet hoe de vrouwelijke hoofdpersoon van de gebeurtenissen eruitziet, blond, slank en mooi, of mollig, donker en onbeduidend, en dan vertelt ze tot zijn verbijstering zijn droom van zonet, hij klopt tot in detail, het leren fietsen met opgeknoopte jurk, hij die op zijn buik in het gras ligt, de boer met paard-en-wagen, het lachen omdat die sukkel geen man van een halfblote vrouw kan onderscheiden, het drinken bij de pomp, de wilde aardbeien en het intense geluk. En hij zegt het haar niet, hij ligt in stille verwarring naast haar in bed en hij luistert aandachtiger naar haar verhalen, ze vertelt over urenlang samen dansen en over 's nachts zwemmen in de Leye, en al voordat zij het zegt, weet hij dat ze beiden naakt waren en er was iets met een trein, en dat blijkt te kloppen, en het is zo raar dat hij begint te geloven dat hij nog steeds droomt.

Hij vraagt haar of ze de lamp kan aansteken en dat doet ze, en in het flakkerende licht ligt er een vreemde naast hem en zij is blijkbaar zijn vrouw, het is alsof hij niet meer bestaat, alles waaruit hij met moeite zijn leven had opgebouwd, is vervlogen en hij heeft niets, geen zekerheid, geen hoop, geen valse herinnering die hij ervoor in de plaats kan stellen, en angst grijpt hem bij de keel. En zij heeft onmiddellijk in de gaten dat er iets mis is, ze stopt met vertellen en aarzelend legt ze haar hand op zijn schouder en hij schuift een eindje naar haar toe en ze neemt hem in haar armen en ze noemt hem sjoeke en ze fluistert dat het niet geeft, we hebben alle tijd, zegt ze, en misschien herinnert hij zich haar toch, want kalmte neemt bezit van hem en zo met zijn hoofd tegen haar borst valt hij als een klein kind in slaap, en hij droomt over zijn moeder die op haar blijkt te lijken, die haar is, en die over roosje en liefjes lippen zingt.

En 's ochtends wordt hij wakker van haar stem, zo vol alledaagse genegenheid en vertrouwdheid, en hij denkt dat hij thuis is bij Käthe en dat hij toch gelijk had en hij opent opgelucht zijn ogen en zij zit geknield aan zijn bed, Amand, vraagt ze hoopvol, en vrijwel gelijktijdig komen ze beiden tot hun zinnen, en de toon van haar stem verandert subtiel en ze vraagt of hij met pap of brood wil ontbijten, ik kan ook weer een ei voor je bakken, biedt ze aan, en hij zegt dat hij graag pap heeft, en hij volgt haar met zijn ogen terwijl ze om het bed heen naar de trap loopt, ga je je aankleden, zegt ze, en hij probeert zich voor te stellen dat hij met haar is getrouwd, dat hij om haar geeft, zelfs van haar houdt. En hij zit tegenover haar aan de keukentafel, het is al laat en de kinderen zijn naar school, zegt ze, en hij kijkt naar haar en hij vertelt zichzelf dat hij haar mooi vindt, dat is ze niet, volgens geen enkele maatstaf, ze heeft alleen iets ongrijpbaars wat hij gisteren voor krankzinnigheid aanzag, iets wat haar ondanks haar doorsnee uiterlijk aantrekkelijk maakt, zo'n vrouw over wie je vergeefs je hoofd kunt breken en daarbij je hart, als je daar tenminste gevoelig voor bent.

En hij eet zijn havermoutpap en zij is wat weemoedig alsof eindelijk tot haar is doorgedrongen dat hij nooit in haar Amand zal veranderen, en hij gaat met haar mee naar de studio, hij laat zich door haar zeggen wat hij met zijn dag behoort te doen, hij drukt onwennig foto's af die allemaal mislukken, en zij geeft hem aanwijzingen die nauwelijks effect sorteren en ze verliest niet een keer haar geduld, hoewel hij dat wel verdient. Haar humeur is opgeklaard en hij weet dat hij haar hoop geeft door gedwee naar haar te luisteren, hij vermijdt alleen situaties waarvan hij vermoedt dat ze haar te veel aan Amand herinneren, zodat ze niet weer die pijnlijk tedere toon in haar stem krijgt, hij laat zich niet door haar verleiden om samen een sigaret te roken, hij gaat niet op de drempel naar het achterplaatsje zitten, hij gaat niet in op haar verzoek om voor haar camera te poseren in het uniform dat ze daar speciaal voor schijnt te hebben aangeschaft, hij is voortdurend op zijn hoede, en toch ontwikkelen ze ongemerkt een zekere verstandhouding. En om halfelf gaan ze naar boven naar haar slaapkamer, en het is al vanzelfsprekend geworden dat hij naast haar in bed ligt, zij blaast de lamp uit en ze zegt dat hij niet bang hoeft te zijn voor nachtmerries, als ze merkt dat hij onrustig droomt zal ze hem wekken, wil je dat ik wakker blijf, biedt ze aan, en hij verheugde zich nu juist op een paar uur zonder haar, en hij zegt dat ze voor hem de nacht niet hoeft te doorwaken, en ze wenst hem welterusten en draait hem haar rug toe.

En het is minder donker dan gisternacht, het schijnsel van de maan zweeft door het trapgat omhoog en omgeeft het bed als een zachtblauw waas, en hij probeert zich voor de geest te halen dat hij hier ontelbare malen heeft gelegen en naar het maanlicht en de balken in het dak heeft getuurd totdat de slaap kwam, en de herinnering aan smoezelige, ruwe dekens en haar blote lichaam overvalt hem, de sensatie is zo echt dat hij haar huid onder zijn vingers voelt en de bittere, ijzerachtige smaak van het geel in zijn mond proeft, en hij had haar in gedachten zo begeerd, maar nu het zover is voelt hij alleen teleurstelling en eenzaamheid, en hij weet dat zij hetzelfde voelt. Hij herinnert zich het kleine, armzalige kamertje, de gordijnen die niet helemaal dicht konden, het rumoer op straat, en vooral haar lichaam dat hij ooit had bezeten maar dat hem in zijn afwezigheid was afgenomen, alsof het niet genoeg was om zijn geest te vernielen, had de oorlog ook haar lichaam verwoest door het met gele vlekken en strepen te brandmerken, en ze was er trots op. Ze liet hem haar met opzet 's ochtends naar de fabriekspoort brengen, en daar voegde ze zich in een rij van tientallen felgele vrouwen, en ze zongen samen en ze lachten en ze praatten over hun mannen aan het front, en hij had gedacht dat hij de vele gedaanten van de dood zo langzamerhand wel kende, maar deze verbijsterde hem, zo onwetend, zo gezellig, zo oneindig wreed. En terug in de loopgraven dacht hij bij iedere soldaat die hij zag sterven aan deze vrouwen die hem lachend en zingend bij de laatste reis uitzwaaiden, trots dat de granaten die zij vervaardigden zo goed dienstdeden voor het vaderland, en in haar blote, kanariegele lichaam zag hij toen ook de dood, alsof de honderden soldaten die hij in extase had gedood zich in haar verborgen en hem met hun geel verachtten, met haar vrijen was een vorm van zelfkastijding, hij walgde bijna net zo veel van haar als van hemzelf, en dat zij ook niet wilde maakte het alleen nog noodzakelijker.

En o God wat is hij een schoft, hij probeert haar naakte, gele lichaam te vervangen door het onbekende, onschuldige lichaam van de vrouw die naast hem slaapt, hij wilde dat hij haar man was, dat hij kon geloven dat hij van haar hield, en hij zet zijn nagels door de stof van zijn pyjamabroek in zijn dij en de pijn vermengt zich met zijn zelfhaat en kolkt door zijn hoofd. En hij houdt het niet uit in het warme bed bij haar, hij gaat rechtop zitten en zet zijn voeten op de vloer, en onmiddellijk vraagt ze, kun je niet slapen, en hij zegt dat hij naar het privaat moet, en ze steekt de lamp voor hem aan en geeft hem die mee, voorzichtig op de trap, fluistert ze, en haar bezorgdheid is oprecht, alsof er geen wereld bestaat waarin je ieder moment door een granaat kan worden getroffen, waarin je ervan droomt om veilig thuis van de trap te mogen vallen. En het licht wankelt om hem heen, hij vergezelt zichzelf plat en donker aan zijn voeten en op de muur en hij buigt soepel met de hoeken mee, en samen wringen ze zich door de springerige gang, en op het privaat zet hij de lamp voor zich op de grond, het is er prettig koel en overzichtelijk klein als in een vooruitgeschoven luisterpost, en blijkbaar gaat de tijd sneller dan zijn gedachten want ze klopt plots op de deur en vraagt, Louis, en hij opent de deur voor haar en ze wil eerst niet kijken, maar dan merkt ze dat hij gelukkig zijn broek aanheeft, kom je, zegt ze.

En hij zegt haar dat hij haar man niet is, ik heb het geprobeerd te geloven, zegt hij, maar het kan niet waar zijn, en terwijl hij haar vertelt wat hij zich over Käthe en de fabriek en het geel herinnert, loopt zij het privaat binnen, ze staat tegenover hem, hun blote voeten raken elkaar bijna, en de schaduwen geworpen door de lamp op de vloer vertekenen haar gezicht boosaardig, alsof ze is verminkt. En ze zegt dat hij haar een paar dagen geleden heeft verteld dat Käthe in de oorlog zijn minnares was, de vrouw met wie hij zijn verloven doorbracht, zegt ze, en ze lijkt het hem niet kwalijk te nemen dat hij haar heeft bedrogen en tot overmaat van ramp zich ook nog eens die ander herinnert en haar, zijn eigen vrouw, is vergeten.

En hij gelooft haar niet, hij zegt dat Käthe Duits is, hij kon haar onmogelijk in Duitsland opzoeken als hij, zoals haar Amand, aan de geallieerde kant vocht, Belgische soldaten brachten hun verloven in onbezet Vlaanderen door, en alle Duitsers die daar voor de oorlog woonden, hadden zich na de inval uit de voeten gemaakt, maar zij zegt dat hij heeft verzonnen dat ze Duits was, haar naam was waarschijnlijk gewoon Keet, of ze was Engels en heette Kate. En het lijkt hem raar dat hij zoiets zou hebben bedacht, waarom zou hij dat doen, omdat ik je heb verteld dat ik in de oorlog, zegt ze, en ze stopt plots midden in haar zin. En hij vraagt haar wat ze wilde zeggen, en ze doet alsof ze hem niet hoort, ze bukt en pakt de lamp van de vloer en het privaat lijkt ineens groter te worden en haar gezicht ongeschonden en bijna mooi, ga je mee naar bed, zegt ze.

En uit zichzelf wordt hij om halfzeven wakker, net voordat zij opstaat, alsof zijn lichaam zich het ritme van zijn dagen met haar herinnert, en zij vraagt hem of hij kolen voor het fornuis van beneden kan halen en ze loopt met hem mee om hem het kolenhok aan de straatzijde onder het huis te wijzen, en dan laat ze hem alleen, met opzet heeft hij het idee, want ze had best even kunnen wachten terwijl hij de kolenkit volschepte. Het is mistig, in de verte lost de straat op in de wolken en voetstappen en hoefgetrappel en stemmen klinken gedempt alsof hij zijn hoofd onder de dekens heeft verstopt, en hij blijft een tijdje naar het stadse gewemel staan kijken, vijf jaar geleden is het blijkbaar, een kind van vijf is een kleuter, klein en onwetend, vijf jaar getrouwd en niemand die je bewondert om je uithoudingsvermogen, vijf jaar nog maar, en de oorlog is ondenkbaar, alsof hij aan de andere kant van de aarde heeft plaatsgevonden, niemand heeft het erover, niemand rouwt om de doden, een collectief geheugenverlies, een oorlog tegen de oorlog.
En hij loopt met de kolenkit de trappen op naar de keuken en ze is vergeten dat hij niet haar Amand is, ze zit aan de tafel voor de scheerspiegel haar haar te kammen en ze kijkt niet op als hij binnenkomt, hij veegt de asla schoon en vult het fornuis met kolen en ontsteekt ze, en zij zegt tegen hem dat ze binnenkort Quivron weer eens moeten laten komen, en hij weet niet wie Quivron is, maar hij voelt zich geborgen in haar leven, dagen gevuld met huiselijke bezigheden, zonder in het oog springende liefde, zonder gevaar, zonder einde.
En ze zet de scheerspiegel terug in de vensterbank en ze ziet hem geknield bij het fornuis zitten, en haar blik verandert, er sluipt iets afstandelijks in alsof ze zich herinnert dat ze op haar hoede moet zijn, en

ze vertelt hem dat hij nu water moet halen bij de kraan naast het privaat, en ze geeft hem een grote pan mee, en hij doet wat ze zegt en dan wachten ze samen zwijgend totdat het water kookt, en ze laat hem een teiltje voor driekwart met koud water vullen en daarna giet hij er op haar aanwijzing tot aan de rand kokend water bij, en hij begrijpt dat ze zich wil wassen en hij wacht op de gang totdat ze klaar is, en vervolgens doet zij hetzelfde voor hem. En ze zet koffie en ze ontbijten met de kinderen, en zelfs die lijken enigszins aan de situatie te zijn gewend, Roos wil nog steeds niet naast hem zitten, maar ze durft hem zo nu en dan wel aan te kijken, en later, nadat de kinderen naar school zijn vertrokken, wachten ze opnieuw zwijgend samen tot het water kookt, nu voor de vaat, en het beeld van Käthe zittend in het gras met een opengeslagen boek in haar schoot, haar hoofd aandachtig over de bladzijden gebogen, springt zijn gedachten binnen, ongenood, en alsof Julienne aanvoelt dat hij aan die andere vrouw denkt, begint ze te vertellen, over romantische wandelingen langs de Leye, samen aan het water liggen, in de zon picknicken, en terwijl haar gedachten bij het riviertje vertoeven doen haar handen de vaat, en ze vertelt nog eens over het nachtelijke naaktzwemmen, en het valt hem op dat ze het in dezelfde bewoordingen doet als de vorige keer, en later op de dag vertelt ze hem opnieuw hoe hij haar leerde fietsen en ze komt met details die hij nog niet eerder heeft gehoord, maar de rest is bijna woordelijk hetzelfde, het is alsof ze de verhalen heeft ingestudeerd.

En ook haar leven bestaat uit herhalingen van gisteren, eergisteren, van voorgaande verstreken weken, en hij schikt zich naar haar verwachtingen en intussen telt hij de dagen af, om zeven uur staat hij samen met haar op, hij haalt kolen en water voor haar, hij ontbijt met haar en de kinderen, ontwikkelt negatieven, drukt foto's af, en hij wordt er steeds beter in, ze prijst hem en ze zegt hoopvol, je herinnert het je nog, en hij laat haar in de waan, en de dag eindigt in het avondmaal. En dan na de vaat gaan ze weer naar de studio of naar wat zij koppig hun nieuwe huis noemt, hoewel hij er nooit zal wonen, de eerste keer vraagt ze op straat of ze hem een arm mag geven, dat hoort zo omdat ze zijn vrouw is, zegt ze, en ze lopen onwennig dicht naast elkaar, zijn passen zijn te groot voor haar en haar wapperende jurk en jas zitten hem in de weg, en zij lacht en hij regelt beleefd zijn stappen naar de hare, zij zegt dat het als dansen is, en dat kan hij, maar niet met haar.

En ze is trots op haar nieuwe huis, ze laat hem alle kamers zien, zelfs de badkamer en het privaat, het is een groot, deftig pand dat ver boven haar stand is, vol overbodige, moderne snufjes die hem niets zeggen, maar hij laat het haar niet blijken, hij is vriendelijk en beleefd, en zij teleurgesteld, en in de slaapkamer benadrukt ze dat hij de bedden van de kinderen zelf heeft gemaakt, ook het houtsnijwerk, Gust en Roos zijn er erg blij mee, zegt ze, en hij bekijkt de bedden kritisch, dat heeft die man van haar goed gedaan, maar hij zegt tegen haar dat hij het zelf goed heeft gedaan, en ze glimlacht. Het is een onschuldig spel, hij doet alsof hij hier met haar gaat wonen, dat ze in haar keuken samen slaperig zullen ontbijten en dat hij in de salon met haar kinderen zal spelen en dat hij zich iedere zaterdagavond in haar bad met de koperen kranen zal wassen, en zij weet heel goed dat hij het veinst, maar ze is desondanks gelukkig, zo lang heeft ze zich blijkbaar al niet zo gevoeld, en hij denkt dat hij medelijden met haar heeft totdat hij merkt dat hij jaloers op haar is.

En rond tienen lopen ze naar huis terug, en ze heeft hem geleerd dat hij het winkelbelletje met zijn hand moet dempen, omdat anders de kinderen wakker worden, zij kan er zelf alleen bij als ze op haar tenen gaat staan. En dan gaan ze naar bed, zij verkleedt zich in de keuken, ze bidt terwijl hij al in bed ligt en dan blaast ze de lamp uit, en ze wensen elkaar vriendelijk welterusten, en dan als zij slaapt is hij eindelijk alleen met zijn gedachten en hij probeert niet aan Käthe en de dood te denken, niet aan zijn schuld en zelfhaat.

En zo is er weer een eendere dag verstreken, en begint hij aan een eendere nacht, vroeger zou hij voor de dodelijke eentonigheid ervan zijn gevlucht, maar nu vindt hij het een geruststellend idee dat haar leven zo simpel is dat het met gemak catastrofes zoals een oorlog kan doorstaan, en haar aanwezigheid dreigt al net zo verraderlijk vertrouwd te worden als de tijd die hij met haar doorbrengt, hij betrapt zichzelf erop dat hij uitkijkt naar het gebaar waarmee ze haar rok rechttrekt voordat ze gaat zitten, het ontroert hem alsof hij er tijdens eenzame nachten in de eerste linie vaak aan heeft gedacht en het voor hem het symbool van thuis is geworden.

En op zaterdag, nadat hij als laatste van het gezin in de tobbe is geweest en in zijn pyjama naar boven loopt, ligt zij al in bed, ze slaapt niet, ze ligt op haar zij, haar gezicht in de richting van de trap gekeerd en ze heeft de lamp laten branden totdat hij kwam, en dat raakt hem, het idee dat ze op hem heeft gewacht, alsof hij in haar verlangen kan wonen zoals aan het front in zijn herinneringen aan thuis. En hij stapt naast haar in bed, en ze verdelen de dekens, hij gunt haar net een groter stuk dan hijzelf krijgt, en zij weet het en laat het zich vanzelfsprekend aanleunen alsof ze al jaren zo samen slapen, en ze vraagt hem of hij zijn horloge heeft opgewonden, en nee, dat heeft hij niet, en hij doet het nu, en dan blaast ze de lamp uit en ze wensen elkaar welterusten en ze zegt net als voorgaande nachten dat ze over hem en zijn dromen zal waken, en hij zegt dat ze gewoon moet gaan slapen, en dat belooft ze, maar als je onrustig bent word ik wakker, zegt ze, en dan wek ik je, het is bedoeld om hem gerust te stellen.

Hij sluit zijn ogen en probeert te vergeten dat zij met haar gretige gedachten en vergeefse vertrouwen naast hem ligt, hij wacht tot ze in slaap valt, en soms denkt hij aan haar ademhaling te horen dat ze is ingedommeld en dan blijkt het een paar minuten later toch niet zo te zijn, en als hij nou zelf in slaap viel dan zou hij haar alsnog kwijt zijn, en ook dat wil niet lukken. Hij dut wat in nadat de klokken in de verte twee uur hebben geslagen en Käthe is bij hem, haar bleke lichaam met honderden sproeten, ze heeft ze overal, ook op plekken die ze nooit aan het zonlicht heeft blootgesteld, zelfs vanbinnen, zegt ze, in haar hart, haar hersenen, haar dromen, en hij herinnert zich dat hij niet aan haar wil denken, maar ze laat zich niet verdrijven, haar blote huid streelt langs de zijne en ze ligt onder hem, warm en onthutsend echt, het is de eerste keer voor haar en hij is teder en heel voorzichtig gelooft hij, maar zij is geschokt alsof hij haar heeft aangerand. En de nachten erop wil ze dat hij als vanouds in de schuur slaapt, en als hij protest aantekent en zegt dat hij juist erg lief voor haar is geweest, zegt ze met een uitdrukking van walging op haar gezicht dat het was zoals de varkens het met elkaar doen, en hij vindt het pijnlijk dat hij haar van haar kinderlijk romantische droom heeft beroofd. En daarna leest ze steeds minder, totdat ze er helemaal mee stopt, hij mist het misschien nog wel meer dan zijzelf, zoals ze op zomeravonden en zondagmiddagen aan het water kon zitten met een boek in haar schoot, zo in het verhaal verdiept dat hij naast haar kon gaan zitten, haar zelfs zacht over haar hoofd kon strelen, zonder dat ze het merkte, een wereld binnen de wereld, een fantastisch eiland in een onafzienbare zee van alledaagsheid, onbereikbaar voor hem, en dat had hij gewild toen hij naar haar verlangde, dat eiland bezitten, en daarmee had hij het vernietigd, en zij op haar beurt had... En hij wordt wakker omdat zij uit bed stapt, zonder de lamp aan te steken weet ze feilloos haar weg naar beneden te vinden, hij luistert naar het geluid van haar blote voeten op de trap en twee verdiepingen lager hoort hij de deur van het privaat piepend opengaan, en als ze weer in het donker terugkomt, zonder zich een keer te stoten, en naast hem in bed stapt doet hij alsof hij slaapt. Ze keert zich op haar zij met haar rug naar hem toe, en nog steeds valt ze niet in slaap, ze zucht en draait en trekt aan de dekens en soms raakt ze hem bij het alweer gaan verliggen per ongeluk aan, het benauwt hem, alsof ze door de hele nacht ongewild samen wakker te blijven rusteloze gedachten uitwisselen zoals in een intiem gesprek vol wederzijdse bekentenissen.

En iets na vijven staat ze zachtjes op, ze neemt haar kleren van de lijn en verdwijnt ermee in haar armen naar beneden, en ze is nog geen kwartiertje weg en hij slaapt, hij droomt over varkens, zij voert ze een prut van aardappelschillen en iets roods dat op bloed lijkt, dat bloed is, hij ruikt de weeïge, metalige geur en hij wordt misselijk van haar blote, besproete lichaam onder haar zomerjurk, de sproeten zijn bloedspatten. En zij zegt dat hij niets van de oorlog begrijpt, en hij lacht spottend om haar, hij leeft nota bene al jaren aan het front met de oorlog, en zij zegt een vogel begrijpt ook de lucht niet waarin hij vliegt, en varkens zijn ze, dat is wat ze hem wil bewijzen, en het is zijn laatste herinnering aan haar, die schuur, de groen golvende weilanden waarin ze lijkt op te lossen zoals de lichamen van de doden in de aarde, en haar weerzin.

En ze zitten samen in de ochtendzon op het achterplaatsje, gele herfstbladeren dalen plechtig uit de hemel neer en de schaduw van de was die aan de lijn wappert, danst grillig over de schutting, en het is warm, zij trekt haar schoenen en kousen uit, en terwijl ze met gesloten ogen achterover leunt, plukken haar tenen aan de grassprietjes tussen de stenen, en hij kijkt gedachteloos naar haar friemelende, bleke voeten en haar kuiten begroeid met korte, zwarte haartjes. En loom, zonder haar ogen te openen, vraagt ze of hij heeft gedroomd vannacht, ze noemt hem sjoeke, en op die afwezige toon kon ook Käthe zijn naam zeggen, nadat ze uren had zitten lezen, exact hetzelfde, en heel even weet hij het zeker, zij is Julienne, zij is Käthe, en hij is haar man, en daar zit ze, onderuitgezakt op haar stoel, met haar gestrekte benen en haar bezige, blote voeten, en hij heeft het idee dat hij haar al heel lang en veel te goed kent, hij ziet niet haarzelf, hij ziet alles wat zich in de loop van de tijd in zijn gedachten over haar heeft opgehoopt, haar afdruk in hem. En ze opent haar ogen en merkt dat hij naar haar kijkt en ze glimlacht naar hem, hij wendt snel zijn hoofd af, maar hij voelt dat ze naar hem blijft kijken, en die blik in haar ogen, dat verlangen dat hij nooit zal kunnen vervullen, dat misplaatste vertrouwen, en alles wat hij doet of juist niet doet, ziet ze als een reden voor nog meer hoop, een bevestiging van haar gelijk, de drassige loopgraven van de vrede.

En het benauwt hem zo dat hij opstaat en naar het privaat gaat en hij komt niet meer terug, hij zit aan de keukentafel en rookt een sigaret, zo zat hij vaak tegen de avond aan het water met Issie, zijn hond, ze was groot en zwart en speels en ze eiste niets van hem, behalve bij hem te mogen zijn, en misschien was hij met haar het gelukkigst, alleen wist hij het toen niet, hij zag haar nauwelijks omdat ze er altijd was, en in de loopgraven droomde hij over haar en bij het ontwaken voelde hij nog steeds haar kop in zijn schoot, haar stevige, warme rug onder zijn handen, en de zekerheid dat ze het hoe dan ook voor hem zou opnemen, en dan was hij de rest van de dag zo bang als een groentje voor de oorlog om hem heen, omdat hij weer even mens was geworden.

En zij komt de keuken binnen op blote voeten, ze vraagt of hij water voor haar wil halen en ze wast haar voeten in het teiltje waarin ze ook de vaat doet, en hij geeft haar de handdoek aan die net buiten haar bereik hangt, en terwijl ze haar schoenen aantrekt, vraagt ze of hij het teiltje voor haar wil legen, hij schuift het raam open en op een haar na mist het kletterende water het paard van de schillenboer dat op de stoep staat te suffen, en hij probeert Käthe te negeren die zich aan hem opdringt, ze zit op haar grijswitte schimmel, haar benen aan weerskanten van de brede paardenrug, alsof ze een kerel is.

En op haar verzoek veegt hij de winkel en zij zeemt de etalageruit, en op een holletje komt ze naar binnen, het regent, roept ze, en hij loopt snel achter haar aan door de studio naar het achterplaatsje, maar het is al te laat, de regen stort zich op hen neer, en ze trekken samen de was van de lijn en met hun armen vol doornat wasgoed, hun haar tegen hun hoofd geplakt en hun kleren versmolten met hun lijven, botsen ze bij de deur bijna tegen elkaar op en zij lacht en hij lacht, en dan in plaats van gauw naar binnen te gaan krijgt ze de slappe lach, ze buigt zich gierend voorover met haar gezicht in het wasgoed en de regen klettert op haar rug en haar hoofd, moedertje Maria, brengt ze uit, wat is dit zinloos. En hij staat onhandig grijnzend toe te kijken, en hij zou bij haar weg moeten gaan, het wasgoed in de plassen laten vallen, de studio door, de winkeldeur met het rinkelende belletje uit en het op een lopen zetten, voordat ze hem met haar leven en haar verlangen en de wereld in haar hoofd voorgoed aan zich bindt, maar hij kan het niet, hij staat daar en laat zich voor haar tot op zijn ondergoed natregenen.

En over het geruis van de regen heen verheft hij zijn stem en hij zegt haar dat hij honderd, misschien wel tweehonderd soldaten heeft vermoord, en ze heft haar nog lacherige gezicht uit het wasgoed op en kijkt hem aan en ze is op slag ernstig, en ze zegt niets, ze vraagt niets, ze laat hem vertellen hoe eenvoudig het was om de complete riem van een machinegeweer op hen leeg te schieten, hoe hij wraak nam voor het beest waarin de oorlog hem had veranderd, wraak op onschuldige mannen die zoals hij naar het front waren gestuurd en nu hun land vertegenwoordigden, melkboeren, groenseliers, apothekers, onderwijzers, en hij zag hun paniek en ze knakten als luciferhoutjes onder zijn kogels, en hij genoot, nog nooit had hij zulke intense gevoelens gehad als op dat moment, het was alsof hun levens in hem vloeiden en zijn extase voedden, en achteraf, zegt hij, en zijn stem stokt en misschien huilt hij, maar de regen wist discreet alle sporen uit.

En ze legt haar handen op zijn schouders en als ze merkt dat hij niet terugschrikt, neemt ze hem in haar armen, en het wasgoed dat tussen hun lichamen zit geklemd, valt in de plassen, en ze zegt dat hij zich niet schuldig moet voelen, dat ene moment zegt niets over hem, het zegt iets over de oorlog, dat is alles, iedereen maakt fouten, zegt ze, alleen hebben die soms grote gevolgen, en ze zegt nog veel meer terwijl de regen hun lichamen geselt en om hen heen een spetterende rondedans over de stenen uitvoert. En hij luistert naar de bezwerende klank van haar stem, ze probeert met haar bede zijn schuld uit te drijven en ze meent ieder woord, en hij had gehoopt dat ze zoals Käthe er niets van zou begrijpen, dat ze zo van hem zou walgen dat ze hem op straat zou zetten. Maar het is erger, nog veel erger dan bij Käthe, zij weet hoe ze zijn wonden moet ontsmetten en verbinden omdat ze zelf is verwond, met de woorden die ze in zijn oor fluistert, sust ze zichzelf iedere nacht in slaap, en hij moet weg bij haar, onmiddellijk, voordat hij gaat geloven in wat ze hem voorhoudt, voordat hij zich laat verleiden door het idee dat ze zijn schuld en tegelijkertijd de hare steen voor steen zouden kunnen afbreken en dat daarachter een golvend, groen veld met uitzicht op de hemel blijkt te liggen.

En hij maakt zich los uit haar omhelzing en hij is al halverwege de studio als zij hem terugroept, ze noemt hem sjoeke en ze zegt dat ze een handdoek en droge kleren voor hem van boven zal halen, en hij is niet bestand tegen de liefdevolle, gehuwde toon in haar stem, haar jurk plakt zwaar aan haar benen en hij wringt hem voor haar uit boven de spoelbak in de donkere kamer, en ze lachen beschaamd en samenzweerderig naar elkaar, alsof nu pas tot hen doordringt dat hij zijn ziel aan haar heeft blootgegeven. En zij gaat naar boven en hij wacht in de studio op haar, de deur naar de winkel staat wagenwijd open en hij kan de buitendeur zien en de regendruppels die als dikke kindertranen langs de ruit naar beneden biggelen en daarachter de grijze straat en de troosteloze hemel die lucht geeft aan zijn verdriet, het is nog geen twintig stappen, maar hij gaat niet.

En ze rapen samen het modderige wasgoed van de stenen en zij verzamelt binnen hun natte kleren die ze hebben uitgetrokken en hij helpt haar bij de was, hij schrobt en hij wringt, het is zwaar werk, mannenwerk, zegt hij tegen haar, en zij zegt dat vrouw zijn sowieso mannenwerk is, en ze lacht erbij en ze kijkt hem aan, een tikje aarzelend en zich tegelijkertijd bewust van haar blozende wangen en haar nog natte, donkere krullen en haar glanzende ogen. En 's avonds na het eten neemt ze hem mee naar het huis op de Groote Markt, en terwijl zij op de bovenverdieping bezig is, slentert hij wat rond en rookt op het grasveld onder de overdrijvende nachtwolken een sigaret, hij probeert zich haar niet voor te stellen in haar eentje in die grote, kale salon onder het elektrische licht, zichtbaar voor iedere nieuwsgierige voorbijganger die omhoogkijkt, en nu stelt hij zich haar toch voor, haar wat gedrongen silhouet in die rechte jurk die haar dikker doet lijken, haar kortgeknipte hoofd dat ze kordaat rechtop houdt alsof ze in gedachten altijd strijd moet leveren.

En hij opent de buitendeur en loopt een eindje de Markt op en hij legt zijn hoofd in zijn nek en kijkt naar de drie verlichte ramen op de eerste verdieping, en door het middelste raam ziet hij haar, ze veegt de vloer met gebogen hoofd en rug, en ze beseft het niet, maar ze wordt ingesloten door het gebouw van de apotheek en het enorme boven haar uittorenende bankgebouw, en buiten de ramen, waar hij is, loert de duisternis op haar en haar droeve eenzaamheid zweeft door de ruiten naar hem toe, en hij staat naar haar te kijken en hij denkt dat haar schuld met hem te maken moet hebben, dat kan niet anders, hij zou haar kunnen vergeven als hij wist wat ze had misdaan en dan zou ze hem vrijlaten. En alsof ze zijn blik voelt kijkt ze op en ze ziet hem in de lichtkring van de lantaarn voor het huis staan, en ze aarzelt, maar ze kan het niet laten, ze opent het raam en leunt naar buiten, wat doe je, roept ze, en hij geeft geen antwoord, hij loopt naar binnen, de trap op, en zij heeft intussen het raam gesloten en de bezem weer gepakt, hij gaat in de vensterbank zitten en volgt haar bewegingen met zijn ogen, en hij zegt dat hij op weg was naar huis. Ik ga zo met je mee, zegt ze, en hij zegt dat hij het niet over haar huis had maar over het zijne, en ze stopt met vegen en ze vraagt waar dat dan is, en daar heeft hij geen antwoord op, hij weet het niet, en een benauwd gevoel vult zijn borst, alsof hij voorgoed in haar fantasie zit opgesloten, afgesneden van de wereld waar de jaren van zijn echte leven ongemerkt voorbijglijden.

En hij beseft dat Käthe al meer dan vijf jaar alleen is, en dat ze waarschijnlijk gelooft dat hij is gesneuveld, en dat ze daar veel verdriet om moet hebben gehad, en dat wat hij zich over hen samen herinnert voor haar zo lang geleden is dat ze het misschien is vergeten, en een verlammend hopeloze eenzaamheid zakt in hem neer, hij moet moeite doen om niet in tranen uit te barsten. En zij laat haar bezem op de grond vallen en loopt naar hem toe en ze staat weifelend voor hem, en hij wilde dat hij haar niet had verboden om hem aan te raken, want ze durft niet, en Käthe is zo ver weg dat hij zich haar nauwelijks voor de geest kan halen, en ze zegt op meelevende toon dat hij gelukkiger zou zijn, veel gelukkiger, als hij dat waandenkbeeld van een vorig leven met een andere vrouw uit zijn hoofd zou kunnen zetten. En hij vraagt hoe zij het zou vinden als haar Amand haar zou vergeten omdat hij haar tot verzinsel had verklaard, en ze lacht, en hij beseft dat hij haar in haar ogen precies dat aandoet wat hij zojuist heeft beschreven, en haar verdriet vermengt zich in zijn gedachten met dat van Käthe.

En terwijl hij naast haar door de donkere stad loopt, en ze hem niet om zijn arm vraagt, probeert hij zich de boerderij te herinneren waar hij met Käthe woont, maar telkens als hij gelooft dat het hem bijna is gelukt, blijkt het een schuur te zijn, niet eens een schuur, alleen een dak op palen en aan een zijde een slordig gestapeld muurtje van veldkeien, en hij kan het gebouwtje niet van buitenaf zien, alleen de binnenkant met een fraai, houten dak ondersteund door ruwe, dikke balken, er liggen strobalen en een kapot wagenwiel en het ruikt er naar schapenpoep. En hij krijgt die schuur niet meer uit zijn hoofd, ze zijn in de keuken en ze vraagt of hij honger heeft, en ze smeert voor hen beiden een boterham met leverworst en ze zitten tegenover elkaar aan de tafel, en al die tijd schemert die schuur overal doorheen, hij weet het houten dak boven zijn hoofd, het stro en het zand onder zijn voeten, en Käthe is ook ergens, alhoewel hij haar niet ziet. Hoe kan hij zich een schuur tot in detail herinneren en niet het huis waarin hij jaren heeft gewoond, en hij laat de twijfel niet toe, hij laat haar praten, ze is weer eens over het verleden begonnen, zelfs als ze een hap van haar brood neemt, spuugt ze nog woorden uit, en hij kan de zompig natgekauwde massa over haar tong zien rollen totdat die in haar slokdarm verdwijnt, en hij walgt van haar, het idee dat hij haar man zou zijn, dat hij die mond zou kussen.

Ze heeft het over zijn huwelijksaanzoek aan haar, en ze zegt dat ze het met elkaar deden in een schuur, en hij kijkt gealarmeerd op van zijn bord, en zij meent zich te moeten verdedigen, ze zegt dat ze toch zouden gaan trouwen, dus zij dacht dat het geen kwaad kon en achteraf, zegt ze, had ze daar veel spijt van gehad. En hij luistert nauwelijks, het dak van de schuur hangt niet meer boven zijn hoofd, het stro is weg en ook de geur van schapenpoep is verdwenen, en hij weet dat hij het niet moet vragen, dat hij het er alleen erger mee zal maken, en zij zegt dat ze bang was dat ze zwanger was en dat hij haar niet meer zou willen, en hij vraagt haar of ze de schuur voor hem kan beschrijven, en hij ziet nog net hoe er een zweem van een glimlach over haar gezicht trekt voordat ze zichzelf weer onder controle heeft. En ze zegt dat het geen echte schuur was, meer een dak op palen en aan een zijde een slordig gestapeld muurtje van veldkeien, en ze vertelt over het fraaie, houten dak met de ruwe, dikke balken, en zelfs over de strobalen, het kapotte wagenwiel en de geur van schapenpoep, en dat niet alleen, ze doet het in dezelfde bewoordingen waarmee hij de situatie een halfuurtje geleden ook aan zichzelf heeft beschreven, en daar houdt hij zich aan vast. Hij zegt dat zij nooit in die schuur is geweest, dat kan niet, want hij was daar met Käthe, en zij zegt dat zij zijn Käthe is, ze weet niet waarom hij haar in gedachten een andere naam heeft gegeven, maar hij is daar alleen met haar geweest, niet met een andere vrouw, en hij zegt dat hij haar over de schuur moet hebben verteld, dat ze daarom precies de woorden ge-bruikt die hij zelf ook heeft bedacht, en ze glimlacht toegeeflijk alsof ze hem niet serieus kan nemen, en ze geeft geen haarbreed toe, en hij blijft ook bij zijn standpunt, en ze praten allebei steeds harder totdat ze tegen elkaar schreeuwen, en hij moet zich beheersen om haar niet beet te pakken en te dwingen om haar ongelijk toe te geven. En uiteindelijk vraagt ze hem naar de achternaam van Käthe en waar ze precies woont, ze weet dat hij daar geen antwoord op heeft, en hij ziet de triomf in haar ogen en o, hij haat haar, hij weet zeker dat het haar bedoeling is om hem pijn te doen, zoals hij ook zeker weet dat ze er voldoening in schept om zichzelf te kwellen, ze is zoals hij, mensen zoals zij tweeën zouden niet samen moeten zijn.

En ze voelen zich al zo op hun gemak bij elkaar dat ze zich in elkaars bijzijn uitkleden, haastig en met hun ruggen naar elkaar toegekeerd, en zij bidt, geknield aan haar zijde van het bed, en ze zegt tegen hem dat God hem misschien van zijn schuld kan verlossen, en hij stapt in bed en vraagt haar of Hij dat dan bij haar heeft gedaan, en ze zwijgt, ze komt naast hem liggen en ze blaast de lamp uit en in het donker zegt ze dat God haar goedgezind is en dat ziet ze als een teken van vergiffenis, zegt ze. En hij weet dat ze het over deze twee weken samen heeft, en hij draait zich op zijn zij, met zijn rug naar haar toe, en het krakende bed en de muur met de vochtplekken en de geur van groene zeep en drogende was, het is allemaal stuitend vertrouwd, en hij sluit zijn ogen en hij probeert in het Duits te dromen over Issie, over Käthe, over haar grijswitte schimmel, Hoffmann, zo heette die, naar haar lievelingsschrijver, dat schiet hem zomaar te binnen, en dat stelt hem gerust.

Hij ligt in het hoge gras achter een struik en hij gluurt naar de overkant van het riviertje, daar zit ze, verdiept in het boek in haar schoot, en ze merkt niet dat ze wordt bespied, hij ligt naar haar te kijken terwijl zij aan mannen van woorden op papier denkt totdat de zon ondergaat. En ook de volgende avonden gaat hij naar dezelfde plek en zij ook, het gekabbel van het water, het geruis van de wind in het gras en de bomen, het gesjirp van krekels, vogels die in de verte fluiten, een loeiende koe, en hij is zelf doodstil, zo stil dat hij haar iedere bladzijde hoort omslaan en haar soms zelfs hoort zuchten, en het is niet verkeerd, hij ligt daar gewoon en zij is tien meter van hem vandaan en ze zijn gescheiden door het water, maar iedere avond wordt het gevoel sterker dat hij haar aanrandt, als hij haar ongewenst kuste zou ze tenminste nog kunnen tegenstribbelen, tegen zijn gretige ogen en opdringerige gedachten kan ze niets beginnen, ze is van hem zolang ze niet weet dat hij er is.

En dan heeft ze het boek uit, ze slaat het met een klap dicht en ze roept naar hem, zal ik het je voorlezen, en hij gaat overrompeld rechtop zitten, zijn hoofd steekt net boven het bloeiende gras uit, en ze lacht om zijn verbazing en ze roept dat ze hem hier iedere avond stiekem heeft begluurd en dat hij niets in de gaten had, en dat het haar spijt, maar het was zo schattig zoals hij daar lag te dromen, zo lief en onweerstaanbaar dat ze wel iedere avond terug moest komen. En hij roept over het water terug dat hij haar juist al die tijd heeft begluurd en hoe onfatsoenlijk dat van hem is, en ze komen er niet uit, wie nu wie heeft bespioneerd, en met opzet kibbelen ze nog een tijdje door, en hij roept dat hij naar haar toe komt dan kunnen ze makkelijker praten en kan ze hem voorlezen, en zij gebiedt hem te blijven waar hij is, en hij gehoorzaamt verrast.

En ze zitten weer aan weerskanten van het water en ze begint op de eerste bladzijde te lezen, en later heeft ze hem vaker *Het duivelselixer* van Hoffmann voorgelezen, terwijl ze samen in bed lagen, maar het was nooit zoals die eerste keer, haar stem die over het water naar hem toe zweeft en zich vermengt met de geluiden van de krekels, de vogels en de wind, en de helft verstaat hij niet, om het verhaal te kunnen volgen, moet hij er hele stukken bij verzinnen, en zij is net zo ongrijpbaar als de tekst. En avondenlang zitten ze daar ieder op hun eigen oever van de rivier, en ze praten niet, zij leest hem alleen voor, hij kent de wendingen

434

van haar stem, de manier waarop die aan het einde van een zin daalt, hoe die klinkt als ze ontroerd is, en ook wat haar ontroert, en wat ze grappig vindt of interessant.

En aan het front dacht hij bij het wachtlopen vaak aan die rivier als hij aan de overzijde van het niemandsland de vijand wist die naar hem gluurde, en 's nachts in het mangat, dat ze bij wijze van slaapkamer in de wand van de loopgraaf hadden uitgegraven, hoorde hij haar stem weer op de wind naar hem toe zweven, en toen ze *Het duivelselixer* uithad, wilde ze in een nieuw boek beginnen, maar hij liep een paar honderd meter om over de brug en ging naar haar toe, en van dichtbij was ze mooier en verlegener en verwarrend reëel. En later, wanneer hij aan die eerste avonden bij de rivier terugdacht, was het alsof hij haar met een ander had bedrogen, in zijn herinnering waren de vrouw van voor en na het oversteken van de brug nooit tot één versmolten, en dat is het, denkt hij verheugd in zijn droom, hij heeft het opgelost, en hij wordt wakker, en de gelukkige zekerheid dat de ene vrouw Käthe is en de ander Julienne moet zijn, blijft nog even bij hem.

En ze draait zich slaapdronken naar hem toe, ze vlijt zich tegen hem aan met haar hoofd op zijn borst en zijn arm over zijn buik en haar knie onfatsoenlijk tussen zijn benen gedrukt, en ze ruikt naar zweet en muf zoetig naar begeerte en ongewassen kleren, wat alle herinneringen aan Käthe in hem uitwist, en hij duwt haar voorzichtig van zich af en hij keert haar zijn rug toe, ze mompelt wat, *Scheune* verstaat hij, en dan zegt ze iets wat klinkt als, *ich werde es dir vorlesen*, en dat moet hij zich inbeelden, het is natuurlijk geen Duits, het is plat Vlaams, en hij draait zich op zijn rug en ligt roerloos naast haar te luisteren. Ze slikt en ze zucht en ze zwijgt, en Käthe trekt zich uit hem terug alsof ze zich betrapt voelt, en hij valt niet meer in slaap, als zij rond zeven uur opstaat, doet hij snel zijn ogen dicht en ze wekt hem niet, hij hoort hoe ze haar nachtjapon uittrekt en haar jurk aandoet en ze gaat naar beneden.

En als ze in de keuken is stapt hij uit bed en schiet zijn kleren aan en hij haalt kolen voor haar en water, en hij rookt op de gang een sigaret terwijl zij zich wast en ze is vrolijk. Hij hoort haar neuriën, dat deed Käthe altijd terwijl ze nadacht, ijsberen en neuriën, het ergerde hem soms mateloos en dan viel hij tegen haar uit, maar ze was zich van geen kwaad bewust, haar lichaam handelde onafhankelijk van haar geest zoals 's nachts in bed als ze droomde. En hij luistert naar haar verstrooide, valse geneurie achter de gesloten deur en hij doet zijn ogen dicht, en Käthe, daar is ze, ze loopt zacht zingend rond hun bed en nog eens en nog eens, en het is het bed waar hij net uit is gestapt in de slaapkamer met het schuine dak en de vochtplekken in de vloer.

En ze opent de deur en ze zegt dat hij zich kan wassen, hij loopt langs haar heen de keuken binnen en hij vraagt haar met opzet in het Duits of ze wil dat hij haar wekt als ze een nachtmerrie heeft, en hij ziet dat ze hem begrijpt en dat ze wil antwoorden, nog net op tijd slikt ze de woorden in die haar op de lippen branden, hmmm, vraagt ze afwezig, en hij herhaalt de Duitse zin, en ze schudt haar hoofd, spreek je geen Duits, vraagt hij, en ze beweert van niet, alleen Vlaams en Frans, zegt ze. En ze merkt dat hij haar niet gelooft en ze krabbelt terug, ze maakt ervan dat ze het een beetje verstaat omdat het op Vlaams lijkt, maar hij moet het nooit spreken, drukt ze hem op het hart, het is de taal van de bezetter en dus gevaarlijk, en hij sluit de keukendeur en zij wacht op de gang terwijl hij zich met het water wast waarin haar zeepresten en haren ronddrijven. En wat als zij Käthe is, wat als hij Käthe heeft bedacht om te ontkomen aan haar en haar overtuiging dat ze hem van zijn schuld kan genezen, wat als dit zijn leven is, dit leven hier met haar, niet voor nog een week maar tot aan zijn dood, en een verstikkend gevoel grijpt hem bij de keel, een immens, onstilbaar verlangen naar een plek waar hij thuis zou kunnen horen, en de oorlog is voorbij en Käthe bestaat niet, waar kan hij dan nog heen.

En zij klopt zacht op de deur, ben je klaar, vraagt ze, en hij trekt zijn hemd aan en laat haar binnen, en een blik is voor haar voldoende om te weten hoe hij eraan toe is, ze noemt hem sjoeke en ze vraagt of ze eieren voor hem zal bakken, en hij zegt dat hij liever pap heeft, en hij scheert zich en zij zet het water voor de koffie op, en Issie dan en Hoffmann en de explosievenfabriek en haar kanariegele huid en de varkens, waarom zou hij dat allemaal verzonnen hebben. En tijdens het ontbijt zit hij op zijn plaats tegenover haar en zo nu en dan kijkt ze naar hem, en ze glimlacht naar hem en ze vraagt of hij slecht heeft geslapen, en hij heeft geen zin om te praten, hij schudt zijn hoofd, en ze laat hem met rust, de kinderen gaan naar school en zij doet de vaat, en ze zegt dat ze zo graag weer eens met hem naar de Leye zou gaan, en hij weet dat ze het verzint omdat ze gelooft dat het hem goed zal doen, en als de genadeslag dan toch moet komen dan maar zo snel mogelijk.

Nadat ze de vaat heeft afgedroogd, trekken ze hun jassen aan en zetten hun hoeden op en ze hangt een briefje op de buitendeur dat de winkel vandaag pas om halfelf open is, en ze lopen als vreemden een eindje van elkaar vandaan over de stoep, en hij weet niet of hij de straat herkent omdat hij er verschillende keren doorheen is gekomen of omdat hij hem al honderden of zelfs duizenden keren heeft gezien, zo vaak dat hij hem niet echt meer zag, maar met de Leye is het anders, hij zou de rivier waaraan Käthe zat te lezen uit alle rivieren van de wereld herkennen, de traag meanderende stroom, het gammele bruggetje, het hoge gras, de heuvels in de verte. En zijn hart bonst achter zijn ribben terwijl ze over de kades de stad uit lopen, en de huizen maken plaats voor stoppelig gemaaide vlasvelden en bomen aan de horizon, en hij vraagt haar of dit de plek is waar ze 's nachts gingen zwemmen, en nee, zegt ze, dat is bij de spoorbrug, en verderop in de bocht bij het bos zaten ze vaak samen aan de oever, en dan weet hij het eigenlijk al want er zijn in de verste verte geen heuvels te bekennen, het is hier zo plat als een dubbeltje, en de rivier is veel te breed.

En hij voelt zich vrij en zelfverzekerd, hij geeft haar een arm en die accepteert ze verrast, en het maakt hem gelukkig dat hij haar zo eenvoudig een plezier kan doen, en terwijl hij haar hand op zijn arm voelt rusten denkt hij aan Käthe, haar stem die over het water naar hem toe zweeft, de zon op haar blonde haar, de manier waarop ze zijn naam zegt als ze met hem alleen is. En ze gaan aan het water zitten, in het vochtige gras, en ze wijst hem op de wolk die boven hen hangt, ze ziet er een galopperend paard in, zegt ze, en jij, vraagt ze, en hij laat zich gewillig verleiden en zegt dat het een liggende vrouw is met haar ene been opgetrokken, en daar in die grijze wolk verderop ziet zij een boze man, en hij een hijgende hond, en ze zitten naast elkaar met hun hoofd in de nek en hij wordt duizelig van al die wollige gevaartes die overdrijven, maar hij staat pas op als zij er ook genoeg van heeft, en op het zitvlak van haar jas en ook van de zijne, zegt ze, zit een natte plek van het vochtige gras, en ze trekt zich er opmerkelijk weinig van aan, alsof ze er trots op is dat iedereen aan hen kan zien dat ze romantisch samen in het gras hebben gezeten.

En ook als ze thuis zijn geeft hij haar alles wat ze maar wil, het is zo eenvoudig nu Käthe op hem wacht, hij laat haar zelfs vertellen over de maanden nadat ze hem net had teruggevonden en ze opnieuw verliefd werden, en de lichamelijke aspecten van hun liefde durft ze alleen te suggereren, en hij plaagt haar en beweert dat hij zich iets over een tobbe herinnert, en ze kleurt vuurrood, en het zit hem dwars dat hij blijkbaar goed heeft gegokt, misschien was het geen gok, en terwijl zij boven het avondmaal kookt, probeert hij beneden in de studio aan Käthe uit te leggen hoe het mogelijk is dat hij haar met een andere vrouw heeft bedrogen en zich er niets van herinnert, en het is zo ongeloofwaardig dat hij het zelf ook niet kan geloven.

En na het eten doet ze de vaat en hij houdt het niet uit bij haar in de keuken, hij zit op de drempel van de deur naar het achterplaatsje en hij kijkt naar de lichte nachtwolken en rookt een Bastos, en pas als ze haar hand zacht op zijn schouder legt en om een trek van zijn sigaret vraagt en hem sjoeke noemt met die liefdevolle toon in haar stem, dringt tot hem door dat hij dit heeft uitgelokt omdat hij ernaar verlangde. En ze komt naast hem op de drempel zitten en hij schaamt zich, haar schouder drukt lauwwarm tegen zijn schouder en haar rooksierten vermengen zich met zijn rookslierten en dwarrelen in een hemelse liefkozing over het achterplaatsje omhoog, en zij kijkt opzij naar hem terwijl ze hem de sigaret teruggeeft en ze glimlacht, dromerig en met een aarzelend geluk, en hij wil opstaan, weg van de intimiteit met haar, maar hij blijft zitten, hij laat zich in haar geluk wikkelen als een verkleumd kind in een deken. En hij herinnert zich hoe Käthe hem op de dag dat hij naar het front vertrok in haar armen hield en ze huilde niet, en toen hij een halfjaar later met verlof weer bij haar was, vertelde ze dat het leger alle paarden had gevorderd, ook Hoffmann, zei ze, en ze huilde onbedaarlijk, minutenlang. En haar vingers strijken zacht langs zijn hand als ze de sigaret weer van hem aanpakt, en ze neemt een trek, over een week kan hij eindelijk terug naar Käthe, en een week is zo voorbij, zeven keer naast haar in slaap vallen, naast haar wakker worden, met haar ontbijten, met haar roken, zeven keer bij haar aan de keukentafel zitten terwijl zij het eten kookt, zeven avonden zo met haar samen zijn in de studio.

En de rest van de avond is hij uit zijn humeur, als ze naar boven gaan en zich met de ruggen naar elkaar toegekeerd aan weerskanten van het bed uitkleden en zij net als voorgaande keren vraagt of hij zijn horloge heeft opgewonden, valt hij tegen haar uit, óf hij is haar man en dan is het dus zijn horloge en heeft zij er niets over te zeggen, óf hij is niet haar man en dan is het niet zijn horloge en heeft zij het van die Amand van haar geërfd, hier, zegt hij, en hij smijt het op de dekens aan haar kant van het bed. En zij windt het op en geeft het hem terug, en o die gewonde blik in haar ogen, alsof hij haar heeft geslagen, en hij zegt tegen haar dat hij zich herinnert dat hij ook voor de oorlog al bij Käthe was, we woonden op een boerderij in Duitsland, zegt hij, en hij merkt dat hij hoopte dat ze een geloofwaardig weerwoord zou hebben, maar ze zwijgt en stapt in bed en hij ligt naast haar en ze draait de lamp uit, slaapwel, zegt ze, en hij wenst haar ook welterusten.

En na enkele minuten zweeft haar stem in het duister naar hem toe, ze vertelt over de mobilisatie, over hun afscheid op het perron tussen de andere mannen die hun vrouwen omhelsden, maar zij vonden het gênant om dat in het openbaar te doen, en ze liet hem gaan zonder echt afscheid van hem te nemen en daar had ze later enorme spijt van, zegt ze. En hij vraagt of ze huilde, en nee, zegt ze, daar op het perron met hem en al die andere soldaten erbij had ze niet gehuild, maar ze had ook geen idee wat hen te wachten stond, en ze vertelt hoe ze tegen de stroom in, plots zo alleen, van de statie naar huis liep, en de rest van de dag moest ze heldhaftige portretfoto's maken van soldaten die volhielden dat het geen oorlog werd maar haar desondanks hun testament toevertrouwden. En hij had haar de ochtend voor zijn vertrek in een halfuurtje leren fotograferen, ze had geen idee waar ze mee bezig was, en ze doorwaakte vele nachten met chemicaliën en negatieven en verprutste honderden vellen fotopapier, pas na maanden vond ze het zelfvertrouwen vereist voor het draaiende houden van een fotostudio, maar toen was de stad allang bezet en had ze andere zorgen, zegt ze. En ze wensen elkaar nogmaals goedenacht, en ze is moe, binnen enkele minuten slaapt ze, en vlak voordat ook hij in slaap valt schrikt hij wakker van de zekerheid dat ze een droom zullen delen, en hij weet dat het onzinnig is maar hij kan het niet uit zijn gedachten zetten, en uit angst voor een intimiteit die vele malen groter zou zijn dan wanneer hij met haar zou vrijen, ligt hij wakker naast haar.

En hij is op een verlaten station, het is midden in de nacht en ze zitten samen op een bankje, ze wachten ergens op, waarop weet hij niet, en de felle koplampen van een locomotief komen door de duisternis aangegleden, de trein stopt uitnodigend voor hen, en hier wachtten ze op. De trein is helemaal leeg op een man en een vrouw na, en Julienne kust hem zacht op zijn mond en tot hun verbazing doet de vrouw in de trein precies hetzelfde bij haar man, ze neemt zijn hoofd tussen haar handen en kust hem, en die vrouw is Käthe ziet hij, en hij is niet de man die bij haar is, hij hoort bij Julienne, en zij schort haar jurk op en komt wijdbeens op zijn schoot zitten, en ze kijkt uitdagend over haar schouder naar het paar in de trein, en in de verlichte coupé zet Käthe haar hoed af, trekt haar jas uit, en hij ziet aan haar achteloos gehaaste gebaren dat ze van plan is om zich helemaal uit te kleden. En hij duwt Julienne van zijn schoot en hij loopt op een holletje naar de trein, maar die begint net te rijden en hij rent er over het perron achteraan en roept haar naam, Julie, Julie, en alleen al die naam, hij jaagt kippenvel over zijn armen en hartkloppingen door zijn aderen, en er is iets mis, hij wil er niet over nadenken, een week is een eeuwigheid, maar er is iets mis. En hij probeert de reling van het balkonnetje vast te grijpen, zijn vingers raken het koele metaal, het gaat hem lukken, en ze kijkt hem aan door het vuile raam en de lauwe, vettige stoomwolk omgeeft hen alsof ze samen in een kamer zijn, en ze vouwt haar armen achter zich op haar rug als een gewond vogeltje zijn geknakte vleugels, en ze maakt de knoopjes van haar jurk los, hij roept naar haar en ze glimlacht naar hem en het metaal van de reling glipt door zijn handen en hij schrikt met een klap wakker, en heel even weet hij niet waar hij is.

Hij probeert de sterrenhemel te ontdekken en het geluid van het afweergeschut in de verte, en dan, als hij begrijpt dat hij naast haar in bed ligt, blijft alleen het gevoel dat er iets mis is, het heeft te maken met de mobilisatie, ze heeft tegen hem gelogen, dat is het, en hij weet niet waarom hij dat zo erg vindt, want ze liegt constant tegen hem, deze twee weken die hij haar heeft beloofd zijn van begin tot eind een leugen, en hij zegt hardop in het donker haar naam, Julienne, en als ze niet wakker wordt, zegt hij het nog eens luider. En ze schiet overeind, wat, wat is er, vraagt ze met bevende stem en ze staat al naast het bed en steekt de lamp aan, en hij zegt dat ze hem een paar dagen geleden heeft verteld dat zij voor hun huwelijk in een fotozaak werkte en dat ze van de aardige, oudere eigenaar leerde fotograferen en ontwikkelen en afdrukken en dat ze daarom na hun trouwen een fotostudio begonnen en dat zij degene was die hem de kneepjes van het vak bijbracht. En hij leest het besef op haar gezicht dat ze zich heeft vergist, en ze zegt snel dat ze niet bedoelde dat hij haar voor zijn mobilisatie leerde fotograferen, ze had het alleen al een hele tijd niet gedaan, zegt ze, hij deed de technische kant van de studio, ze was het verleerd, en hij zwijgt, en ze praat verder, nog meer smoezen, nog ongeloofwaardiger, en haar wanhoop doet hem pijn, en hij vraagt haar om de lamp uit te doen en weer te gaan slapen.

En ze zit op de rand van het bed, met gebogen hoofd, en ze neemt een besluit, ze staat op en knielt neer bij een van de kartonnen dozen die ze als klerenkast gebruikt en ze trekt een vel papier onder een stapel kleren vandaan en geeft het hem, je hebt het zelf geschreven, zegt ze, en ze wijst hem op de naam en handtekening van Amand onder het document. En hij leest de tekst, het is een brief gericht aan zijn toekomstige zelf, een absurde brief waaruit blijkt dat hij met haar tegen hemzelf zou hebben samengespannen, ze heeft hem de afgelopen week allerlei leugens over het verleden verteld, maar alleen omdat hij haar dat zelf had gevraagd, er was geen fotozaak voordat ze trouwden, ze was de dienstmeid van zijn ouders, ze heeft in de oorlog haar land verraden door in een Duits veldhospitaal te helpen, en ze moest voor de veiligheid van haar en de kinderen na de oorlog uit Meenen naar Kortrijk vluchten, hij is verbijsterd, en ze stapt weer naast hem in bed en vraagt of ze de lamp uit zal blazen, ze denkt blijkbaar dat nu alles goed is.

En hij staat op en begint zich aan te kleden, en ze vraagt bezorgd wat hij gaat doen, het is midden in de nacht, zegt ze, en hij geeft geen antwoord, ze schuift op naar zijn helft van het bed en pakt smekend zijn polsen beet, en ze zegt dat hij heeft beloofd dat hij nog een week bij haar zou blijven, en ze doet een beroep op zijn eer, en hij gaat op het voeteneinde zitten om zijn schoenen aan te doen, ze klemt haar armen om zijn middel en drukt zich tegen zijn rug en hij rukt zich boos los, hij haalt uit om haar een klap in haar gezicht te geven, ze bukt nog net op tijd. En hij loopt de slaapkamer uit, met twee treden tegelijk de donkere trap af, en hij is al op straat, in de buurt van de statie, als tot hem doordringt waarom hij zo kwaad is, niet op haar maar op hemzelf omdat hij geschokt is door haar verraad, alsof hij echt met haar is getrouwd, alsof hij echt van haar houdt, hij wist van het begin af aan dat ze loog, dat ze gek was, hij wist het allemaal, maar desondanks, en met open ogen, hoe naïef kun je zijn, of erger nog, hoe wanhopig.

En daar staat hij in het donker in een stad die hij nauwelijks kent, en hij kan alleen denken aan haar, dat ze hem zal komen zoeken, en hij loopt langzaam verder, en de statie is uitgestorven zoals in zijn droom en hij gaat op het bankje zitten, hij wacht op een trein of op haar, wat het eerste komt, en hij stelt zich voor dat ze haar kleren in alle haast over haar nachtjapon heeft aangeschoten en de trappen af is gerend, en ze vergeet het winkelbelletje te dempen en met het gerinkel in haar oren staat ze op de stoep te twijfelen of ze rechtsaf zal gaan naar haar nieuwe huis op de Groote Markt en naar de Leye, of linksaf naar het spoor en de statie, en blijkbaar kiest ze voor het eerste want ze komt maar niet. Hij tuurt naar waar de rails in de nacht oplossen, en in de verte ziet hij drie lichtjes, ze flikkeren en dansen en bijna ongemerkt worden ze groter, en zijn hart begint te bonzen en hij staat op en loopt naar de rand van het perron, en hij kijkt achterom naar de deuren van de statie, ze blijven dicht en hij hoort geen voetstappen naderen. En de lichten zijn nu zo dichtbij dat de locomotief een bol, grijnzend gezicht heeft gekregen, met twee koplampen als mond en de derde lamp is zijn oog, vlak onder de elegante hoed van rook, en het gestamp van de reusachtige machine trilt door het perron en de naar olie ruikende stoom golft als een lauwe plens water over hem heen en de trein lijkt nauwelijks af te remmen.

En hij was in gedachten al vertrokken, al ver weg van hier, waar alles zich aan hem vastklampt en hem met nieuwe schuldgevoelens doordrenkt alleen omdat hij naar huis wil, maar de locomotief stopt niet voor hem, het is een goederentrein, de wagons denderen met veel kabaal langs en hij doet haastig een paar passen naar achteren, en hij is niet opgelucht, nee hij is niet opgelucht, dat zou idioot zijn. Hij gaat weer op het bankje zitten en hij wacht op de volgende trein, bij voorkeur een in de richting van Gent en Brussel, dan kan hij vanaf daar door naar Duitsland, en hij heeft alleen wat kleingeld, hij zou dat geliefde horloge van haar kunnen verkopen, het lijkt van platina, maar misschien is het net zo nep als zij, en zijn zilveren manchetknopen, die kan hij ook verkopen. En hij voelt zich beter nu hij zo onafhankelijk en vastbesloten is, en hij staat op en loopt de statie binnen, naast het loket hangt een plakkaat met de tijden van vertrekkende treinen, om elf minuten over vier gaat er een trein naar Gent en de statieklok wijst pas tien over een aan, maar aan het front heeft hij dagen en nachten achtereen gewacht, eindelijk iets waarin hij ervaring heeft.

En hij loopt terug naar het bankje en gaat weer zitten, en hij denkt aan Käthe en aan Issie en aan Hoffmann en aan het riviertje met het hoge gras en de heuvels in de verte, en hij slaapt, hij zit in een treincoupé en hij reist door onbekende landschappen, een eindeloze woestijn trekt aan de ramen voorbij en een woeste zee en een donker bos, en de trein stopt en hij herkent de naam van het station, het is de naam van het dorp waar hij met Käthe woont, en hij denkt in zijn droom dat hij die naam goed moet onthouden, en hij spelt hem een paar keer en prent hem zich in. En hij stapt uit de trein en grote blijdschap bespringt hem, hij is thuis, hij herinnert zich alles, het perron, de statie, de klok, en zij zit hem op hun bankje op te wachten, en hij loopt naar haar toe en ze omhelst hem.

En hij wordt wakker omdat iemand een hand op zijn schouder legt, en hij kijkt in haar gezicht en hij beseft dat hij over haar heeft gedroomd en het was de naam van dit station die hij zich heeft ingeprent, de zwarte blokletters op het bord aan de overzijde van het spoor waarnaar hij een hele tijd heeft gestaard zonder ze echt te lezen. En net als in zijn droom is alles om hem heen door herkenning gekleurd, de statie en de donkere stad die hem omgeeft en vooral zij, haar bruine ogen die haar opluchting voor hem proberen te verbergen, haar bleke wangen waarop voorzichtig weer wat kleur verschijnt, de witte zoom van haar nachtjapon die onder haar jurk uit gluurt, haar benen die bloot zijn omdat ze in haar haast is vergeten kousen aan te trekken. En ze komt naast hem zitten op het bankje en het duurt een tijdje voordat ze het hem durft te vragen, ga je mee naar huis, zegt ze, en hij staat op en hij voelt haar vreugde, hij welt in hem op alsof ze hem omhelst en haar emoties hem in de taal van haar lichaam bereiken, en zij gaat ook gauw staan en ze lopen samen door het statiegebouw, hun stappen weergalmen tegen de muren, alsof ze zichzelf begroetend tegemoet snellen, ze zijn de enige mensen in de hele stad die wakker zijn, de maan hangt geelrond en groot boven hun hoofd, en in het geometrisch aangelegde bloemenperk in het midden van het Statieplein dartelen konijnen.

En hij dempt het winkelbelletje voor haar, hij loopt achter haar aan de trap op en ze gaat naar het privaat, ze moet nodig, ze doet het bijna in haar broek, vertrouwt ze hem volstrekt overbodig toe, en hij gaat daarna ook maar, en als hij boven komt heeft ze zich al uitgekleed en ligt ze in bed, en hij trekt zijn kleren uit en zijn pyjama aan terwijl zij zich kuis van hem af heeft gekeerd. En hij stapt in bed, op zijn rug ligt hij naast haar, en hij heeft het verraderlijke gevoel dat hij thuis is, alsof hij dagenlang in een trein van statie naar statie is gereisd om zijn einddoel te bereiken, en ze richt zich op en ze buigt zich naar hem toe en hij weet wat ze gaat doen, hij ondergaat haar kus roerloos, haar lippen raken zijn wang licht, en ze streelt hem door zijn haar en ze kust hem een tweede maal en ze fluistert welterusten, en hij wenst haar ook een goedenacht.

En hij slaapt en hij heeft exact dezelfde droom nog eens, over de treinreis en de statie en de plaatsnaam die hij moet onthouden en de blijdschap omdat hij eindelijk thuis is, en hij wordt wakker als zij opstaat, en hij weet zeker dat hij dit keer over het Duitse station heeft gedroomd bij het dorp waar hij met Käthe woont. En hij haalt kolen en water voor haar en hij probeert zich de plaatsnaam te herinneren, een lange naam, met een B, een F, een H, in ieder geval een letter aan het begin van het alfabet, nee een W, iets met een rivier, een berg, een brug, een kerk, en hij ontbijt met haar en de kinderen, en als hij er niet meer aan denkt, schiet de naam hem misschien te binnen. En hij pakt een vel briefpapier en een vulpen uit de winkel en gaat tegenover haar aan de tafel in de studio zitten, en terwijl hij schrijft ziet hij haar met verholen nieuwsgierigheid naar hem gluren, en ze kan het niet goed lezen, ze staat op en loopt achter hem langs en houdt heel toevallig op zijn hoogte stil, en hij weet nu vanwege haar tijd in het veldhospitaal dat ze werkelijk Duits spreekt, maar hij doet geen moeite om zijn brief voor haar te verbergen. Hij schrijft verder en zij staat achter hem en leest zijn liefhebbende woorden aan Käthe en dan als ze wegloopt vraagt ze achteloos of hij Käthes adres weet, en hij zwijgt en ze gaat weer tegenover hem zitten, en hij hoopt bij iedere zin die hij aan Käthe richt dat de naam van het dorp hem te binnen zal schieten, en hij ondertekent met *dein dich liebender Mann, Louis*, en nog steeds weet hij het niet, hij vouwt de brief in vieren en stopt hem in de binnenzak van zijn colbertje en zij kijkt hem aan en ze zegt niets, vraagt niets, hij ziet alleen een vluchtig glimlachje rond haar mond dat ze snel onderdrukt.

En hij is op het achterplaatsje, hij leunt verveeld tegen de schutting en hij kijkt naar de wolken en naar de takken van de kastanje die bijna kaal zijn, en hij werpt een blik door het raam in de studio, waar zij de kopie van een foto van een vermiste soldaat zit te retoucheren en hij betrapt haar terwijl ze net naar buiten kijkt, naar hem, en het is alsof de boom en de wolken en het raam er niet zijn, hij ziet alleen haar donkere ogen die hem verlangend opslokken, en een gevoel van verbondenheid doorstroomt hem, liefdevol, groots, bevrijdend, en even is hij geen man met een lichaam en rationele gedachten, hij is alleen dat gevoel, en *tunsing*, dat woord welt in hem op, *tunsing*, en hij weet niet wat het betekent. En ze slaat haar ogen neer, en hij denkt, het is de naam van het dorp, maar nee, daar is het te kort voor, en hij loopt naar binnen en hij pakt de vulpen die op de tafel ligt en schrijft het woord op een kladpapier waarop zij belichtingstijden heeft genoteerd, en hij voelt haar blik achterdochtig op hem rusten, en het is niet goed, hij heeft het woord op de een of andere manier verkeerd gespeld, en hij staart naar de letters, en natuurlijk, het is een Duits woord, en hij schrijft het opnieuw, *Tönsing*.

En hij kent het woord heel goed, er gaat rust vanuit en grote vertrouwdheid, alsof hij een bocht om loopt en in de verte zijn huis ziet liggen, en dan met een schok dringt tot hem door dat het Käthes meisjesnaam is, Käthe Tönsing zo heette ze voordat ze met hem trouwde, het heeft iets betoverends alsof hij die twee woorden in slapeloze, hopeloos verliefde nachten eindeloos tegen hemzelf heeft herhaald, totdat ze iedere betekenis hadden verloren. En hij kijkt op en blijkbaar staat de vreugde op zijn gezicht te lezen want hij ziet de weerspiegeling ervan in negatief op het hare, een weifelende schrik, en hij glimlacht naar haar, en ze wendt haar blik af, en hij vouwt het papier op en stopt het bij de brief in zijn binnenzak, en hij zit tegenover haar en zij houdt hem onopvallend in de gaten, alsof ze vreest dat hij haar ieder moment kan ontglippen. En nadat ze een klant in de winkel heeft geholpen, en ze weer achter haar retoucheertafeltje is gaan zitten, vraagt ze hem of hij een papier met belichtingstijden heeft gezien, het lag hier op tafel, zegt ze, en ze weet natuurlijk dondersgoed dat hij het in zijn binnenzak heeft gedaan, en hij zegt dat hij niet weet waar het is gebleven, en zij zegt dat ze het echt nodig heeft, en hij houdt vol dat hij geen idee heeft waar het is, en zij zegt dat ze het niet hoeft te lezen, ze heeft alleen de belichtingstijd nodig die op de derde regel staat, zegt ze, en hij laat zich door haar overtroeven.

Hij haalt het papier uit zijn binnenzak en hij leest de belichtingstijd op de derde regel voor, acht seconden, en zij zegt, dat kan er niet staan, en hij leest ook de tijden op de eerste en tweede regel voor, en zij begrijpt er niets van, laat me eens kijken, zegt ze, en ze steekt haar hand naar het papier uit, en hij leest haar alle tijden voor, van de eerste tot en met de laatste regel, en ze schudt haar hoofd en ze beweert dat hij haar handschrift niet kan lezen, haar twee lijkt op een vijf, zegt ze, en haar drie op een acht, en weer wil ze het papier uit zijn handen trekken. En hij kijkt haar recht in haar ogen, wil je zien wat ik heb opgeschreven, vraagt hij, en nu is het haar beurt om te doen alsof ze niet begrijpt waarover hij het heeft, en hij zegt dat ze het papier mag bekijken als ze toegeeft dat ze dolgraag wil weten welk woord hij heeft genoteerd, en ze houdt koppig vol dat ze niets snapt van wat hij zegt, en hij vouwt het papier op en stopt het terug in zijn binnenzak, en hij zit tegenover haar, ze had allang aan het koken van het avondmaal moeten beginnen, maar ze durft hem niet alleen te laten met zijn geheimzinnige woord zolang ze niet weet wat het is, en hij heeft in stilte plezier om haar.

Ze zit met haar penseel over het negatief gebogen en al die steelse blikken en die doorzichtige vragen van haar, en al die ontwijkende antwoorden van hem, en ze houdt maar vol en hij daarom ook, en pas als Gust en Roos komen informeren of ze nu nog niet gaan eten en hij merkt dat ze zich tegenover hen schaamt, dringt tot hem door wat dit is, en zij staat op om naar de keuken te gaan en de ontnuchtering hangt zwaar tussen hen in alsof ze in elkaars armen lagen en iemand onverwacht het licht aan heeft gestoken. En hij haalt het papier uit zijn zak en geeft het haar, en ze neemt het aan zonder commentaar en zonder hem aan te kijken, en haar ogen dwalen haastig over de regels totdat ze zijn woord heeft gevonden, en ze geeft hem het papier terug, ze zegt dat er enveloppen in de winkel liggen, en hij zegt dat hij het adres nog steeds niet weet, nee, vraagt ze verrast, en hij ziet de opluchting op haar gezicht, en ze zegt hoffelijk dat het hem vast nog wel te binnen schiet, en ze vraagt niet wat Tönsing dan wel betekent, ze gaat naar boven om het eten te koken en de hele avond hebben ze het niet over het woord of over brieven en enveloppen, maar hij merkt dat ze op haar hoede is, ze is vriendelijk en beleefd tegen hem en niet helemaal eerlijk, en hij mist haar.

En hij droomt dat hij op het station afscheid van haar neemt, ze heeft haar nachtjapon aan en ze loopt op blote voeten, en ze wenst hem welterusten en ze omhelst hem en zoent hem vol en lang op zijn mond, en hij houdt haar vast, hij wordt omarmd door haar slaperige warmte en als hij over haar schouder kijkt, ziet hij de armzalige, houten treden die versleten tot in de bocht afdalen, en het is alsof hij via die trap in haar bleke, weke vlees verzinkt en zijn verlangen groeit, en de conducteur fluit hard en zwaait met zijn spiegelei naar de machinist en de trein vertrekt, en dan als de wagons zijn weggereden, ziet hij aan de overkant van het spoor de naam van het station in grote, zwarte blokletters staan, en hij spelt het woord en prent het zich in, hoewel hij weet dat het zinloos is omdat het weer het verkeerde station is, en zij vraagt hem of hij de derde regel wil voorlezen en daar staat datzelfde woord, en hij zegt het nog eens en nog eens.

En zij heeft hem bij zijn schouders beet en ze schudt aan hem, en hij wordt wakker met haar geur in zijn neus en dat woord op zijn lippen, en ze moet hem nu niet aanraken, hij duwt haar van zich weg en stapt haastig uit bed en hij mompelt iets over het privaat en ze steekt de lamp voor hem aan, en hij zorgt dat hun handen elkaar niet raken als ze hem de lamp aangeeft en op de armzalige, versleten trap probeert hij niet aan dat verzinken in haar lichaam te denken. En hij is in de winkel en vindt een enveloppe, en hij zet in de studio de lamp op tafel, met trillende hand schrijft hij op de enveloppe, *Frau* Käthe Blauwaert-Tönsing, en terwijl zijn pen het papier al raakt om de F van Felderhoferbrücke te schrijven weet hij ineens zeker dat het de naam van het dichtstbijzijnde station is en niet van het dorp waar hij samen met haar woont, dat is Werschberg schiet hem zomaar te binnen, en hij schrijft met grote, krullende letters Werschberg op de enveloppe en dan op de laatste regel Duitsland met een streep eronder. En hij laat de enveloppe op de tafel liggen en hij loopt de trap op en gaat naar het privaat, maar het lukt niet, zijn lichaam is nog steeds met die trap in haar weke vlees bezig, en hij beklimt de kale treden naar haar slaapkamer en zij is alweer in slaap gesukkeld, ze wordt half wakker als hij naast haar in bed stapt en haar zijn deel van de dekens probeert te ontfutselen, en ze mompelt een protest waarin hij alleen het woord Tönsing herkent.

En hij ligt stil naast haar, en zijn lichaam kalmeert, maar zijn geest wil niet, de hele nacht dansen variaties op de namen Felderhoferbrücke en Werschberg door zijn hoofd, en pas tegen de ochtend als zij wakker is geworden en loom nog wat naast hem blijft liggen, valt hij in slaap en hij heeft een warrige droom over een brug die eigenlijk een berg is en een trein die traptreden af rijdt, en hij wordt wakker van een hinnikend paard op straat. En hij kleedt zich aan, hij gaat niet naar de keuken, hij loopt door naar de studio, en hij is ervan overtuigd dat zij de enveloppe heeft weggegooid, maar hij ligt nog op tafel, op exact dezelfde plek waar hij hem vannacht heeft achtergelaten, alleen heeft ze er twee postzegels van twintig centiemen opgeplakt, en hij stopt de brief in de enveloppe en doet hem in zijn binnenzak en dan loopt hij de trap op naar de keuken waar zij de vaat aan het doen is. En hij gaat op zijn plek aan de tafel zitten, zij snijdt brood voor hem en schenkt koffie in en zelf neemt ze ook een half kopje en ze komt tegenover hem zitten, ze vraagt of hij nadat zij hem wakker had gemaakt weer in slaap is gevallen, en hij zegt dat hij pas sliep toen zij al zo ongeveer opstond, en ze praten over de geretoucheerde negatieven die hij vandaag moet afdrukken, ze geeft hem aanwijzingen over de belichtingstijden en over een sjabloon dat hij tijdens het belichten voorzichtig heen en weer moet bewegen, ze zal het hem straks laten zien, zegt ze. En geen van beiden zeggen ze een woord over de enveloppe met het Duitse adres, en zij steelt een hap van zijn boterham met worst en ze zwijgen samen, een wat gespannen stilte, alsof ze ergens op wachten en hij merkt dat ze stiekem naar hem kijkt terwijl hij zijn koffie drinkt, en als hij vervolgens ook naar haar kijkt, staat ze onrustig op en ze wast zijn bord en bestek af en hij neemt de laatste slok koffie en geeft haar zijn lege kopje aan, en nadat ze de vaat heeft gedroogd en in de kast heeft opgeborgen, zit ze weer tegenover hem aan de tafel, ongedurig en ze vermijdt zijn blik, en hij durft haar niet te vragen wat er aan de hand is.

Het winkelbelletje rinkelt en ze gaat naar beneden, en als ze weer boven is, zegt ze dat ze naar de markt gaat om vis en groenten te kopen, let jij op de winkel, zegt ze, en net voordat ze de deur uit loopt, blijkt waarop ze al die tijd zo onrustig heeft gebroed, zal ik die brief voor je op de bus doen, vraagt ze, ik kom toch langs de Post, en hij moet haar dat natuurlijk niet laten doen, maar hij haalt de enveloppe uit zijn binnenzak en geeft hem aan haar, en zij neemt hem aan. En nu hij de woorden waarmee hij gisteren en vannacht alsmaar bezig is geweest in haar handen ziet, ineens losgezongen van hemzelf, herkent hij ze niet meer, Werschberg en zelfs Tönsing is verkeerd, en zij stopt de enveloppe in haar boodschappentas en ze zegt dat ze over een uurtje weer terug is, en hij houdt haar niet tegen. Hij laat haar met de brief vertrekken en hij is opgelucht dat zij voor hem zal beslissen of zijn bericht aan Käthe wordt verstuurd of dat ze de brief straks op straat stiekem weggooit, het is een prettig ongedwongen idee dat het geen zin heeft om dagenlang op Käthes antwoord te wachten, en hij hoeft ook niet verdrietig of beledigd te zijn als hij nooit een reactie krijgt, hij kan zich zelfs niet in zijn hoofd halen dat ze niet terugschrijft omdat hij haar heeft verzonnen, het niet beantwoorden van de brief kan alleen op

Juliennes geweten drukken en op dat van Käthe, niet op dat van hem.

En hij zit aan de keukentafel en steekt een sigaret op en zijn gedachten zweven met haar mee door de Doornijkstraat en voor het als een kathedraal versierde gebouw van de Post staat ze stil, en ze aarzelt, en hij ziet hoe ze de brief verscheurt en de snippers dwarrelen in de wind over de stoep en de straat. En dan nog eens, ze staat stil voor de Post en ze aarzelt, en ze stelt de beslissing uit, ze gaat eerst naar de markt en ze koopt vis en groenten, en dan staat ze weer op dezelfde plek voor het gebouw met de boogramen en de slanke, hoge toren, en ze doet het, ze laat de brief door de gleuf naar binnen glijden. En zo herhaalt hij dat tientallen malen, verscheuren, nee posten, verscheuren, toch posten, en als ze terug is en de volle boodschappentas op de keukentafel neerzet is het alsof hij er werkelijk bij is geweest, hij weet zeker dat ze de brief heeft vernietigd, hij leest het in haar ogen die ze afwendt als hij haar aankijkt, en ze begint er ook nog eens uit zichzelf over, ze zegt dat ze de brief heeft gepost en dat ze hoopt dat hij snel antwoord krijgt, en ach wat een beroerde leugen, hij schaamt zich er in haar plaats voor, alsof hij haar ertoe heeft gedwongen.

En na het middagmaal werken ze samen in de studio aan de foto's en de met zo veel moeite achterhaalde woorden spoken nog steeds door zijn hoofd, Werschberg, Felderhoferbrücke, Tönsing, Käthe, en hoe langer hij erover nadenkt hoe meer hij ervan overtuigd raakt dat ze niet kloppen, en 's nachts ligt hij wakker naast haar slapende, ademende, dromende lichaam en hij probeert wanhopig te bedenken hoe zijn vrouw heet, als het niet Käthe is wat dan, hij stelt zich situaties voor waarin hij haar naam gebruikt, hij roept haar, hij liefkoost haar, hij schrijft haar aan het front een brief, zij haalt hem bij zijn verlof van de trein en hij loopt haar over het perron tegemoet en hij neemt haar in zijn armen en hij fluistert het woord dat alleen bij haar hoort, en telkens als hij het meent te weten, het dringt zich vanuit zijn verstand door zijn keel naar zijn tong en hij zegt het bijna, hij voelt de vanzelfsprekende liefde die erbij hoort, het vertrouwde gevoel van thuis zijn, en dan op het allerlaatste moment schrikt ze terug en blijkt het woord dat hij wil zeggen Julie te zijn.

En nadat de klok van het belfort in de verte vier uur heeft geslagen, dommelt hij in en als hij wakker wordt omdat zij uit bed stapt en het matras opgelucht omhoog veert, ligt er een steen op zijn hart alsof er een vriend is overleden, en hij haalt kolen voor haar en water bij de kraan, en hij vertelt zichzelf dat het niet waar is, natuurlijk bestaat Käthe wel, en hij wilde dat hij zelf de brief had gepost zodat hij tenminste zeker wist dat zijn woorden nu in een treinwagon oostwaarts reisden, zodat haar stilte straks iets zou betekenen. Maar tijdens het ontbijt zit hij tegenover haar en ze slurpt van de hete koffie en ze praat met volle mond over de verhuizing, en als ze de suikerpot van de bovenste plank pakt, ziet hij onder haar oksels twee donkere zweetplekken, en het is allemaal zo banaal, zijn gedachten aan Käthe hebben net zo veel waarheidszin als de geretoucheerde foto's die ze aan hun klanten verkopen, en hij is blij dat hij haar de brief heeft laten posten zodat hij kan geloven dat een uitblijvend antwoord het logische gevolg is van een brief die nooit is verzonden.

En de kinderen gaan naar school en zij doet de vaat, en het winkelbelletje rinkelt, met een zucht knoopt ze haar schort los en als ze langs hem loopt, rust haar hand even met zelfbewuste tederheid op zijn rug, en terwijl zij beneden de klant helpt, doorzoekt hij haastig haar boodschappentas die in de hoek bij de aardappels staat, en hij gelooft haar te hebben betrapt, maar de papiertjes die hij onderin de tas vindt zijn geen snippers, het zijn lijstjes voor de kruidenier en de groenselier en een lege wikkel van een Martougin-chocoladereep. En hij zit weer aan de tafel als ze binnenkomt, en ze droogt de vaat en strijkt zijn overhemden en schilt de aardappels en veegt de vloer, ga eens opzij, zegt ze, en ze bukt zich om onder de tafel te vegen en haar blote arm onder haar opgerolde mouw raakt achteloos zijn dij, en weer heeft hij het idee, net als bij die hand op zijn rug, dat ze zich hem toe-eigent, dat ze alle obstakels uit de weg heeft geruimd en hem nu als een spartelende vis aan de haak binnenhaalt, en hij staat op en loopt weg, we gaan zo eten, roept ze hem beduusd na, en hij is al halverwege de trap en hij antwoordt niet.

En hij werkt aan de foto's van vermiste of gesneuvelde soldaten, en het is eenzaam zo zonder haar, maar hij gaat niet terug naar de keuken, en de kinderen komen thuis en zij roept niet van boven dat het eten klaar is, ze stuurt ook Gust niet, ze komt zelf naar de studio, ze staat in de deuropening en ze doet met afwezig achter zich friemelende handen haar schort af, kom je eten, vraagt ze, en ze loopt met het schort in haar hand naar hem toe en ze bekijkt de foto's die hij te drogen heeft gelegd en ze zegt dat ze goed zijn geworden, maar ze raakt hem niet meer aan, hij voelt de onoverbrugbare afstand tussen hun lichamen alsof, zoals 's nachts in bed, een prop dekens en dromen hen scheiden.

En Felice komt thuis uit haar werk, ze ziet hen samen aan de tafel in de studio zitten, Julienne toegewijd met haar negatieven achter haar retoucheertafeltje en hij tevreden met zijn foto's en zijn chemicaliën, en ze begint aan een klaagzang over haar baan en haar leven en dan moeten ze volgende week ook nog eens verhuizen, zegt ze, alsof ze hoopt dat Julienne de hele operatie zal afblazen. En Julienne biedt aan om de kosten voor de verhuizers te delen, ze gaat zo meteen naar Degezelle hier schuin tegenover op nummer 36 om de verhuizing te regelen, en Felice zegt dat Degezelle veel te duur is, Juliennes spullen hoeven maar driehonderd meter naar de Groote Markt en die van Felice hoeven nauwelijks verder, hoeveel zal het zijn, een halve kilometer, naar de Budastraat, het is belachelijk om dat met de autocamion van Degezelle te laten doen, Felice wilde Baeyens van hierachter vragen met zijn paard-en-wagen. En Julienne zegt dat als ze de kosten door tweeën delen de autocamion waarschijnlijk goedkoper is dan de paard-en-wagen, en Felice gelooft er niets van, en Julienne biedt aan om tweederde van het bedrag voor haar rekening te nemen, en dat wil Felice absoluut niet, ze kan het best betalen, daar gaat het niet om.

En zo kibbelen ze wel een kwartier door, over geld en toch niet want ze geven niets om geld en ze zijn ook geen armoedzaaiers, en hoe weinig spullen ze hebben en toch niet want het is meer dan je denkt en ze zijn toch geen armoedzaaiers, en zo'n autocamion is alleen dikdoenerij voor deftige madammekes en toch niet want wat als het regent, en die autocamion heeft ook luchtbanden en een vering en dus beschadigen je spullen niet met al dat gehobbel over de straatstenen wel driehonderd meter lang, en het is helemaal geen driehonderd meter, minstens vijfhonderd, en heb je al die kuilen in de weg gezien. En hij houdt zich er wijselijk buiten, hij verdenkt Julienne ervan dat ze het chic vindt om met een autocamion op haar nieuwe adres te arriveren, om hem voor de winkel op de Groote Markt te laten parkeren zodat haar nieuwe buren en passerende potentiële klanten zullen geloven dat ze kostbare meubels heeft die alleen door heuse verhuizers mogen worden getild, en hij staat op en opent de deur naar het achterplaatsje, hij hoort hoe het gesprek achter zijn rug even stokt en hij weet dat ze hem nakijkt. En hij rookt een Bastos, met zijn rug tegen de schutting geleund, net buiten haar zicht en heel even verlost van haar bezitterige blik, en na een tijdje opent ze de deur en haar ogen dwalen zoekend over het achterplaatsje, o ben je daar, zegt ze volstrekt overbodig, en hij haat zijn eigen onzekerheid en angsten, maar van de hare houdt hij, en hij weet dat het haar met de zijne net zo vergaat.

En ze gaat met Felice naar Degezelle om de verhuizing te regelen, en daarna verdwijnt ze naar boven om het avondmaal te koken, en na het eten gaan ze in de tobbe, de kinderen en vervolgens zij en dan hij, in de keuken met de beslagen ramen en in het water dat inmiddels lauw en vuil is geworden, en zijn kleren van de afgelopen week legt hij in de wasmand bovenop de hare, in de gauwigheid ziet hij haar witte onderbroek en keurslijfje, en haar kousen, en hij loopt naar beneden naar de studio, waar zij in een schone jurk een negatief zit te retoucheren, haar haar is nat en krult vreemd zwart over haar voorhoofd en ze ruikt naar Palmolive-zeep, en hij drukt wat foto's voor haar af, het is een stille avond die loom de nacht tegemoet kruipt.

En ze gaan om elf uur naar bed, ze kleden zich uit bij het licht van de petroleumlamp, en gewoonlijk maakt ze zich daar haastig en zwijgend vanaf, als iets obsceens dat ze zo snel mogelijk achter de rug wil hebben, maar nu praat ze met hem over de verhuizers, over dat ze heeft afgedongen tot veertig franken, en dat het dus maar twintig franken kost omdat Felice de helft betaalt, en Felice wilde het niet toegeven, maar ze was blij met de prijs, die afzetter van een Baeyens met zijn paard-en-wagen wilde vast meer rekenen, zegt ze. En hij hoort aan de pauzes in haar zinnen en de doffe toon van sommige woorden dat ze haar jurk over haar hoofd trekt en vervolgens bukt ze zich om haar jarretels los te maken en doet ze haar keurslijfje uit, en de betekenis van haar woorden ontgaat hem, hij ziet alleen het beeld voor zich dat de bijbehorende geluiden schetsen, en het duurt ook zo lang, veel langer dan normaal voordat ze haar nachtjapon aanheeft en hem vraagt, ben je klaar, en hij is vergeten dat hij zelf ondertussen ook geacht werd iets te doen, en hij moet haar bekennen dat het nog even duurt, hij stapt haastig uit zijn kleren en schiet zijn pyjama aan. En zij zwijgt en als hij een blik over zijn schouder werpt, zit ze op de rand van het bed met gebogen hoofd naar haar blote voeten te staren, maar hij verdenkt haar ervan dat ze hetzelfde met zijn geritsel en bewegingen heeft gedaan als hij met de hare, en dat maakt het gênant om naast haar in bed te moeten stappen, en ze wenst hem goedenacht en hij haar en ze blaast de lamp uit.

Hij ligt doodstil naast haar te wachten totdat ze slaapt en niet meer aan hem denkt, en ze draait zich op haar zij van hem af en haar ademhaling wordt diep en regelmatig en ze slaapt, hij ontspant zich, en nu zij hem met rust laat durft hij aan Käthe en de brief te denken, hij ziet voor zich hoe verrast en geschokt ze is als ze zijn handschrift op de enveloppe herkent, en ze moet met knikkende knieën even in het hoge gras langs het erf gaan zitten, en daar verliest hij zich in, in dat beeld van haar tussen de bloemen en er blijkt ook een riviertje te stromen en ze schort haar jurk op tot over haar dijen en laat haar blote voeten in het verkoelende water hangen.

451

En ze slaapt helemaal niet, ze fluistert plots tegen hem dat ze nog zo ontzettend veel moeten doen voor de verhuizing, en hij veegt Käthe en haar blote voeten betrapt uit zijn gedachten, en ze begint aan een hele opsomming, kasten die uit elkaar moeten, spullen die in dozen moeten worden gepakt, en ze wil de winkel niet te lang sluiten, zegt ze, dus ze heeft zijn hulp wel nodig, en hij belooft haar te zullen bijstaan, en dan valt ze stil. En hij weet wat ze wil vragen, ze durft alleen niet, en hoe langer haar stilte aanhoudt hoe meer medelijden hij met haar krijgt, en hij geeft haar het antwoord op de vraag die ze niet heeft gesteld, hij zegt dat hij zich aan de afspraak met haar wil houden, twee weken hadden ze besloten, dus hij gaat woensdag weg, zegt hij, de dag van de verhuizing. En ze protesteert niet, ze vraagt of hij 's ochtends of 's avonds gaat, en hij wilde eigenlijk zo vroeg mogelijk, maar hij gunt haar nog die ene dag, 's avonds, zegt hij, en daar is ze blij om, en ze praat over de verhuizing, hoe druk het wordt en hectisch ook, en ze wil graag in alle rust afscheid van hem nemen, zegt ze, zodat ze later iets heeft om aan terug te denken, en dat begrijpt hij en hij geeft haar daarom die eerste nacht samen in haar nieuwe huis, hij zal donderdagochtend vroeg vertrekken, zegt hij.

En net als zo-even terwijl ze zich uitkleedde, ziet hij nu in het donker voor zich hoe ze glimlacht, zo in zichzelf gekeerd en dromerig als ze alleen doet wanneer ze gelooft dat er niemand in de buurt is, en ze zwijgt een tijdje en dan begint ze over het afscheid, ze heeft het over welke trein, hoe laat, en waarheen, en wat hij wil meenemen op zijn reis en dat ze hem zal komen uitzwaaien, en ze zegt geen woord over haar verdriet. En hij ziet ineens ontzettend op tegen die donderdagochtend, alsof hij zijn hele leven in haar armen achterlaat, en hij denkt aan het nieuwe huis en de dozen die moeten worden uitgepakt en de kasten die in elkaar moeten worden gezet, de studio die moet worden ingericht, en hij biedt aan om pas na het weekeinde weg te gaan, zodat hij kan helpen om het huis op orde te brengen, en hij hoort aan haar stem hoe gelukkig hij haar heeft gemaakt hoewel ze alleen nuchter zegt dat ze een extra paar handen inderdaad goed kan gebruiken. En ze liggen zwijgend naast elkaar, zich koesterend in de wetenschap van die paar dagen uitstel, en dan heb je misschien ook antwoord op je brief gehad, zegt ze, en ineens heeft hij het gevoel dat hij in een val is gelopen die ze bewust voor hem heeft gezet, en hij zegt dat hij haar graag wil helpen maar ze moet niet tegen hem liegen, en ze begrijpt natuurlijk niet waarover hij het heeft, en hij zegt dat ze zijn brief heeft verscheurd, laten ze nu niet doen alsof ze dat niet allebei weten. En zij gaat van verontwaardiging overeind zitten in bed en ze ontkent, heftig en meerdere malen, zoiets zou ze nooit doen, zegt ze, een ander zijn geluk ontnemen, zij die zo goed weet hoe het is om te moeten missen waarnaar je verlangt, om alleen op een droom te moeten leven, dat zou ze nooit doen, herhaalt ze, ze zweert het zelfs, en ze weet natuurlijk dat hij er nooit achter zal komen wat er met de brief is gebeurd, hij heeft alleen haar woord dat geen snars waard is, en hij zegt dat hij woensdagochtend vertrekt. Nee, zegt ze, alsjeblieft, doe nou niet zo tegen me, en haar wanhoop is tenminste oprecht, en ze zegt dat ze het toch eens waren, hij zou maandag pas weggaan, en als hij haar niet vertrouwt laat hij dan een nieuwe brief schrijven en die zelf posten, en hij houdt voet bij stuk, het is en het blijft woensdag, twee weken zoals ze hadden afgesproken.

En ze laat zich achterover in haar kussen zakken en met een diepe, bevende zucht zegt ze dat ze soms gelooft dat hij zijn best doet om haar zoveel mogelijk te kwellen, en waaraan ze dat heeft verdiend begrijpt ze niet, haar enige fout is dat ze van hem houdt, zegt ze, en dat zal ze ook altijd blijven doen. En zelf gelooft ze in haar dramatische woorden, hij hoort aan haar onvaste stem dat ze bijna huilt, en ze stopt met praten, en hij ergert zich aan haar, ze draait haar gezicht naar het kussen en hij hoort haar gesmoord een paar keer diep zuchten en dan staat ze op en loopt ze de kamer uit, de trap af, hij denkt dat ze naar het privaat gaat, maar ze blijft wel erg lang weg en ze heeft ook de lamp niet meegenomen. En hij gaat haar zoeken, hij loopt zachtjes in het donker de trap af en er valt licht door de kier onder de keukendeur en hij blijft staan aarzelen, het is doodstil daarbinnen, hij legt zijn hand op de klink en duwt de deur open, en zij zit aan de tafel met haar gezicht in haar handen te snikken, ze heft verrast haar hoofd op en ze probeert haar tranen te drogen met de mouw van haar nachtjapon, en het is zo'n kinderlijk ongekunsteld gebaar. En hij begrijpt dat ze voor hem naar de keuken is gegaan om daar te huilen, omdat ze weet dat heftige emoties hem verwarren, en hij kan ook wel huilen, om haar, en hij zegt met verstikte stem dat hij tot de maandag na de verhuizing zal blijven, en ze reageert niet, en hij herhaalt het, ja, zegt ze, ik heb het gehoord, en hij kan het ook niet meer opbrengen om gelukkig te zijn met het uitstel.

En hij staat tegelijkertijd met haar op, veel te vroeg, om halfzes, en het is zondag, hij haalt kolen voor haar, het is nog nacht op straat, de huizen staan met gesloten ogen in het lantaarnlicht te soezen en er is geen mens te zien, en hij ontbijt met haar in de keuken bij gaslicht en dan vraagt ze hem om in de salon de glazenkast en de tafel uit elkaar te halen, en als ze de kinderen om acht uur heeft gewekt demonteert hij ook de kleren-kast op hun kamer en legt hun kleren in kartonnen dozen, en ze komt naar zijn vorderingen kijken, en ze helpt hem de planken de trap af til-len, ze zetten ze in de gang tegen de muur. En ze is rusteloos alsof ieder moment de verhuizers op de stoep kunnen staan, en hij zegt dat ze nog drie dagen hebben tot woensdag, en zo veel spullen zijn er niet, zegt hij, maar het lijkt niet tot haar door te dringen alsof ze bang is dat hij zich opnieuw zal bedenken en op stel en sprong zal vertrekken, pas als hij ook de keukenkast uit elkaar heeft gehaald en het servies in kranten gewikkeld in dozen staat opgestapeld, en het huis er niet meer als een huis uitziet maar als een oord waar je op doorreis zo snel mogelijk weer weg wilt, kalmeert ze.

En ze zitten koffie te drinken als Felice de kinderen voor de hoogmis komt halen, zij verbaast zich over de wanordelijke staat van Juliennes appartement, ben je nu al begonnen met inpakken, vraagt ze, denk je dat dat nodig is, en Julienne zegt dat ze doordeweeks een winkel draai-ende moet houden en het huishouden gaat ook altijd door, en Felice denkt aan haar eigen spullen en begint zich zorgen te maken, nadat ze terug is van de mis horen ze haar heen en weer lopen en met dozen schuiven, en Julienne wisselt een geamuseerde blik met hem.

En ze werken aan de foto's die klanten morgen zullen komen halen, ze pakken samen de extra voorraden van de winkel in dozen, roken samen een sigaret aan de tafel in de studio, en dan zit hij bij haar in de keuken terwijl zij het avondmaal kookt, en ze komt op haar plek tegen-over hem zitten terwijl ze wacht totdat de groentesoep kookt, en ze zegt, volgende week om deze tijd zijn we in ons nieuwe huis, en het vervolg van de zin verzwijgt ze, dat het hun laatste avond samen zou zijn, maar hij weet zeker dat zij daar ook aan denkt, en dat naderende moment in de keuken van haar nieuwe huis werpt zijn lange schaduw terug over dit moment in de keuken van haar oude huis, de weemoed hangt stil tussen hen in en verlicht de afgelopen anderhalve week met een warm, toegeeflijk schijnsel.

En ze staat op om in de soep te roeren, en ze staart naar buiten, de donkere oktoberavond in, en na het eten strijkt ze zijn overhemden en boorden en ondergoed, alsof ze zich in gedachten al met het inpakken van zijn koffer bezighoudt, en hij zit nog steeds bij haar in de keuken, en na zijn kleren is haar eigen ondergoed aan de beurt, en hoewel zij zich er niet voor lijkt te schamen, kijkt hij niet naar haar onderbroeken en keurslijfjes en hemden, en als zijn blik er per ongeluk op valt, probeert hij zich niet te realiseren welke gaten voor haar armen of benen zijn, en welk deel haar borsten moet omvatten of haar middel. En na het strijken vouwt ze de was op en bergt hem in een verhuisdoos, zijn kleren knus onder de hare, en ze sluit de doos en hij tilt hem voor haar op een stapel in de gang en dan gaan ze naar boven, naar bed.

En de dag begint zoals al die andere van de afgelopen anderhalve week, kolen halen, de asla legen, water halen, zich wassen, met z'n allen ontbijten, en het staat hem allemaal tegen, alsof die onbeduidende handelingen zich aaneenrijgen tot een zware, onverbreekbare keten waarmee hij aan haar vast is gekluisterd, en de kinderen gaan naar school en kussen haar ten afscheid op haar wang en ze stormen de trap af en zij roept hen zoals altijd na, niet rennen in huis, en ze zijn al beneden. En zij doet de afwas, en hij haalt de post van beneden, geen brief uit Duitsland, en hij zit verveeld bij haar in de keuken, ze wil dat hij zo met haar meegaat naar het nieuwe huis om te zien hoe de schilders zijn naam op de ruit zetten, en het is niet zijn naam, maar afgezien daarvan heeft hij er geen zin in, hij blijft liever hier om op de winkel te passen, zegt hij, en ze is teleurgesteld, ze dringt aan, en hij geeft toe om van haar gezeur af te zijn.

En ze lopen samen door de Doornijkstraat naar de Groote Markt, en de schilders zijn inderdaad bezig, ze hebben de letters van 'Photographie A. Coppens' uit papier gesneden en op de ruit geplakt en de P staat in rode verf al bijna helemaal op het glas, en tot zijn verrassing is ze ontroerd, alsof iemand slingers heeft opgehangen om hen te verwelkomen, ze weet precies hoe ze het hebben wil, de halve cirkel met de tekst moet groter, zegt ze, zodat de letters verder uit elkaar komen te staan, en de letters moeten sierlijker, en het rood is te licht. En de twee schilders vinden het ongemakkelijk om door een vrouw te krijgen voorgeschreven wat te doen, maar zij is de klant, en de oudste van de twee probeert haar ervan te overtuigen dat hun ontwerp een verbetering is ten opzichte van haar wensen, iedere zin begint hij met mevrouw Coppens, alsof hij haar aan haar ondergeschikte rol wil herinneren, en hij komt met termen waarvan hij hoopt dat zij ze niet kent, hij heeft het over de gulden snede en de diameter en de omtrek van de cirkel, maar zij is niet onder de indruk en vraagt hem om potlood en papier en ze tekent hoe ze het voor zich ziet, ze kopieert exact de tekst op de etalageruit van haar winkel in de Doornijkstraat, alsof die letters het leven vertegenwoordigen dat ze met moeite op de wereld heeft veroverd, en als straks het resultaat afwijkt van hoe zij het wil hebben, betaalt ze niet, zegt ze.

En de schilders gaan met stille tegenzin aan het werk terwijl zij naar binnen loopt, hij helpt haar bij het opmeten van de kamers en het opstellen van een schetsmatige plattegrond, en zo komen ze weer terug in de winkel waar de schilders, door glas van hen gescheiden, hun werk doen, en ze grijnzen en praten spottend met elkaar en als ze haar zien vallen ze plots stil, en zij doet alsof ze het niet heeft gemerkt, ze keert hen haar rug toe en houdt zich met de plattegrond bezig, maar ze is er niet met haar gedachten bij, voor een deel staat ze daar buiten op het trapje met een kwast in haar hand en kijkt ze honend naar zichzelf, en hij moet haar tot drie keer toe de maat van de zijmuur doorgeven voordat die tot haar doordringt. En hij legt het meetlint op de toonbank en loopt met grote passen naar de deur, wat ga je doen, vraagt ze geschrokken, en hij geeft geen antwoord en hij is buiten, bij die twee onbeschofte kerels, en hij wist niet dat hij kwaad was, echt kwaad, hij verheft zijn stem tegen hen en zegt dat je een vrouw zo niet behandelt, dat doet alleen uitschot, zegt hij, en de mannen staan daar overrompeld met hun kwasten in de hand en ze zijn laf, ze doen alsof ze niet begrijpen waarover hij het heeft, natuurlijk gedragen ze zich respectvol tegen zijn vrouw, het zou nooit in hen opkomen om haar uit te lachen, zeggen ze. En nu veracht hij hen helemaal, hij zou hen van hun trapje willen slaan en aan hun haren over de Markt sleuren, en hij zegt dat als ze iemand belachelijk willen maken ze hem tot hun doelwit moeten nemen, hij kan zich tenminste met goed fatsoen verdedigen, ga uw gang, heren, zegt hij, en hij wacht, en ze zwijgen met onderdanig neergeslagen ogen als twee verdachten in het strafbankje.

En hij keert hen vol weerzin de rug toe en loopt naar binnen, en hoewel de situatie om haar draaide was hij haar helemaal vergeten, ze staat op de plek waar hij haar heeft achtergelaten, het verwonderde geluk staat op haar gezicht geschreven en in het voorbijgaan grijpt ze zijn hand en ze lacht naar hem, zo lief en volgzaam als een kind dat snoep beloofd heeft gekregen, en hij ergert zich nog meer aan haar dan aan die schilders, hij trekt zijn hand ruw uit de hare en pakt het meetlint van de toonbank en hij legt het langs de muur bij de trap en hij geeft de maat aan haar door, maar zij luistert niet, ze heeft het over hoe benauwd die schilders keken, ze deden het in hun broek voor je, zegt ze, en ze lacht nog eens en haar leedvermaak staat hem enorm tegen, hij vraagt of ze nou nog verder wil met die plattegrond, anders gaat hij terug naar huis. Naar huis, vraagt ze, en pas als hij de schrik op haar gezicht ziet, beseft hij dat hij haar huis het zijne heeft genoemd, en hij loopt zonder een woord langs haar heen naar buiten en zij komt haastig achter hem aan en ze zegt dat ze toch hadden afgesproken dat hij pas volgende week maandag, en dan ziet ze de geamuseerde blikken van de schilders en ze slikt haar laatste woorden en haar zorgen in, en hij gunt de schilders de lol ook niet, hij houdt zijn passen in zodat zij hem inhaalt en hij geeft haar zijn arm. En lang nadat ze uit het zicht van de schilders zijn verdwenen spelen ze nog het ideale echtpaar, pas op de hoogte van Aux deux Renards laten ze elkaar los en ze zwijgen, en ze zijn bijna bij haar huis als ze vraagt, je gaat toch pas volgende week weg, en dat beaamt hij wrevelig.

En ze halen samen alle laden in de studio leeg, honderden glasnegatieven met portretten, al die moedige soldaten en treurende weduwen en hoopvolle gezinnen, en ze pakken ze zorgvuldig in kisten, die gevuld zo zwaar zijn dat hij ze met moeite tegen de muur opgestapeld krijgt, en misschien was het inderdaad een goed idee van haar om professionele verhuizers in te huren en een autocamion met luchtbanden, ze breken alleen bij het inpakken al zes negatieven.

En er wordt op de openstaande deur van de studio geklopt en meneer Pintelon, de briefdrager, stapt over de drempel, en zij is ineens nerveus, meneer Pintelon legt een stapeltje brieven op de hoek van de tafel en hij maakt een praatje met haar over het herfstweer en over de baby van mevrouw Koeckx van de overkant die te vroeg geboren is, en haar blik dwaalt onrustig naar de brieven die binnen handbereik liggen, maar ze durft ze niet te bekijken zolang meneer Pintelon er is. En blijkbaar heeft ze zijn brief aan Käthe dan toch op de bus gedaan, en zijn hart begint te bonzen en hij reikt over de tafel naar het stapeltje brieven en zij ziet het hem doen, en terwijl ze verder praat tegen meneer Pintelon pakt ze achteloos de brieven en ze houdt ze zonder ernaar te kijken in haar hand. Pas als meneer Pintelon weg is bladert ze haastig door de enveloppen, en ze stopt even bij een afwijkende brief met een handschrift dat ze niet herkent, en hij ziet haar handen trillen terwijl ze de enveloppe omdraait op zoek naar de afzender, en dan gaat ze verder naar de volgende enveloppe en bij de laatste brief legt ze het stapeltje op tafel neer, en ze slaat haar ogen op en ze kijkt hem aan, en haar schrik is nog niet helemaal verdwenen, alsof ze aan de rand van een afgrond stond en dacht dat ze zou springen.

Wil je de post zelf bekijken, vraagt ze, en hij steekt zijn hand naar haar uit en ze legt het stapeltje erin, alleen facturen en een brief uit Parijs voor Felice, zegt ze, en hij bladert vluchtig door de enveloppen, en hoewel hij weet dat er geen brief van Käthe bij is, behoort het moment dat hij haar handschrift op een enveloppe zou herkennen plots tot de concrete mogelijkheden, en hij legt de brieven terug op tafel en zijn hart blijft jachtig bonzen en hij gaat naar het achterplaatsje, waar hij vlak bij de schutting blijft zodat hij buiten haar gezichtsveld is en daar ijsbeert hij, twee sigaretten lang. En dit was nog maar één keer de post, vanavond weer, en morgenochtend en morgenmiddag, drie keer per dag, hij wilde dat ze zijn brief had verscheurd, dat hij dat op zijn minst nog steeds kon geloven, en voor het eerst stelt hij zich voor wat Käthe hem zou schrijven nadat ze hem vijf jaar lang als vermist heeft beschouwd, een vreemde moet hij voor haar geworden, en stille wanhoop daalt in hem neer.

En 's avonds wacht hij bij haar in de keuken op de post, tegen halfnegen horen ze beneden het belletje rinkelen, ze bergt net de schone borden in de kast en ze draait zich naar hem om en ze vraagt, wil jij gaan kijken, of zal ik het doen, en hij staat op en loopt met trillende knieën de trap af. Het is schemerig in de winkel, en bij het licht van de straatlantaarn ziet hij het onschuldig witte stapeltje op de toonbank liggen, hij moet even blijven staan, en hij weet niet wat hij hoopt, dat de brief erbij is of juist niet, en hij neemt de post in zijn hand en loopt ermee naar het raam zodat het licht erop valt, en hij kijkt het stapeltje door, een catalogus voor fotografieartikelen van Rochester, een paar facturen, een brief voor Julienne van een vrouw die hij niet kent, en meer is er niet, en hij merkt dat hij blij is, de avond strekt zich vrij en vol geluk voor hem uit. En hij loopt met twee treden tegelijk de trap op, en als hij de keuken binnenkomt wordt hij door haar blik besprongen, en ze ziet zijn vrolijkheid en ze denkt het antwoord op haar onuitgesproken vraag te weten en haar ademhaling gaat sneller, ze schuift haar stoel bij de tafel naar achteren en laat zich er langzaam in zakken, wat schrijft ze, vraagt ze, en hij zegt dat er geen brief uit Duitsland bij is en ze neemt verrast het stapeltje van hem aan, en ze kijkt hem een tijdje aan, alsof ze hem probeert te doorgronden, en dan bladert ze vluchtig door de enveloppen.

En ze gaan samen naar beneden en ze hebben het over de verhuizing, de volgorde waarin ze morgen de spullen het beste kunnen inpakken, de winkel en de studio pas 's avonds zodat ze overdag nog klanten kunnen helpen, en zij retoucheert de resterende negatieven en hij drukt ze voor haar af, en pas na middernacht gaan ze naar bed. Zij blaast de lampen uit en ze lopen zachtjes de trap op, en zij gaat eerst naar het privaat en dan hij, en hij loopt zo langzaam mogelijk de trap op in de hoop dat ze al in bed zal liggen als hij de slaapkamer binnenkomt, maar ze is zich nog aan het uitkleden en hij verdenkt haar ervan dat ze er met opzet langer over heeft gedaan dan gewoonlijk, hij loopt met afgewend hoofd langs haar naar zijn kant van het bed, hij kijkt niet, maar in het voorbijgaan heeft hij een indruk van bleke blootheid, het zweeft zijn ooghoek binnen als een lichtgevend toverlantaarnplaatje.

En hij kleedt zich snel uit en schiet zijn pyjama aan en ze liggen naast elkaar in bed en zij vraagt of hij zijn horloge heeft opgewonden, en ja dat heeft hij, zegt hij, hoewel hij het is vergeten, en ze blaast de lamp uit en ze wensen elkaar goedenacht, morgen een zware dag, zegt ze, en dan draait ze zich op haar zij, haar rug naar hem toe. En na een tijdje zegt ze dat ze blij is dat hij er is om haar te helpen met in- en weer uitpakken, en hij zegt dat het een kleine moeite is, en zij zegt dat hij ook had kunnen vasthouden aan zijn besluit om overmorgen te vertrekken, en hij moet nog eens zeggen dat het niets voorstelt, en zo gaan ze een tijdje door, zij geeft hem een compliment en hij weert het af, en hij heeft het gevoel dat ze naar een excuus zoekt om zich naar hem toe te keren en haar armen dankbaar om hem heen te leggen en hem te kussen, en hij houdt zich beleefd van den domme en uiteindelijk zwijgt ze.

En midden in de nacht schrikt hij wakker uit een droomloos diepe slaap, zij zit rechtop in bed naast hem en ze vraagt of hij de kolen gaat doen, en hij heeft geen idee hoe laat het is, het is aardedonker, en hij vraagt of ze zo vroeg al moeten opstaan, en zij gaat op de rand van het bed zitten en ze zegt, de post is gekomen, en hij denkt dat hij haar verkeerd heeft verstaan en hij vraagt haar wat ze zegt, en ze begint over een brief die ze weigert te lezen, nee, zegt ze luid alsof er iemand voor haar staat die haar de tekst wil opdringen, er is geen brief, geen brief voor mij. En hij leunt naar haar toe en pakt haar zacht bij haar schouders beet en probeert haar zover te krijgen dat ze weer in bed komt liggen, en ze werkt tegen, ze worstelen geluidloos in het donker, en hij weet niet of ze wakker is of nog steeds slaapt, ze schopt hem en port hard met haar elleboog in zijn maag, en hij zou haar los moeten laten, maar haar ongestraft pijn doen blijkt ineens waarnaar hij al bijna twee weken verlangt. Hij trekt haar aan haar krullerige jongenshaar achterover in het kussen, omklemt haar ruw en haar hijgende ademhaling is lauw nabij en ze zegt, *nein, nein, das ist nicht möglich, es gibt keinen Brief,* en hij geeft haar een veel te harde draai om haar oren en geschrokken is ze wakker, ze grijpt naar haar wang, en hij begrijpt niet wat hem bezielde. Hij laat haar beschaamd los en hij zegt dat ze hem in haar droom aanviel, en nu schaamt zij zich ook, en dat ze hem haar excuses aanbiedt, maakt het alleen nog erger, en ze zegt dat het een oude nachtmerrie was die ze allang niet meer heeft gehad, de briefdrager die haar de gevreesde brief van het Rode Kruis kwam brengen waarin stond dat zijn lichaam was gevonden, en hij laat niet blijken dat hij gelooft dat ze liegt.

En hij ligt wakker totdat de klok van het belfort zes uur slaat en zij opstaat, en hij kleedt zich ook aan, en op haar verzoek begint hij aan het inpakken van de spullen in de salon, het is allemaal oud, stuk of versleten en ongeschikt voor een vrouw die in zo'n deftig, modern huis gaat wonen, en de eerste keer dat hij een kapot voorwerp tegenkomt, een petroleumlamp, loopt hij ermee naar de keuken waar zij het bestek aan het inpakken is, en hij vraagt haar of hij de lamp zal weggooien, nee waarom, zegt ze verontwaardigd, dat zou zonde zijn, ze kan hem altijd nog laten maken. En hij gaat terug naar de salon, en als hij drie paar versleten damesschoenen vindt en soepborden met barsten erin en fotolijstjes waarvan delen missen en speelgoed waarvoor Gust en Roos inmiddels te oud zijn, stopt hij het allemaal zonder commentaar in een doos, en tegen halfacht haalt hij kolen en water voor haar, en terwijl ze wachten totdat het water kookt rinkelt beneden het winkelbelletje en zij schrikt op uit haar gedachten en ze kijkt hem aan, ga jij de post halen, vraagt ze, en hij begrijpt niet waarom ze nerveus is als ze zich zelfs in haar dromen herinnert dat ze zijn brief aan Käthe heeft verscheurd, en hij zegt dat ze het ook zelf mag doen.

En ze staat verrast op en loopt de trap af, en ze blijft lang weg, en hoewel hij gelooft dat er geen antwoord van Käthe kan zijn gekomen, wordt hij zenuwachtig, en hij verbiedt zichzelf om te twijfelen, het water kookt en hij giet het bij het koude water in het teiltje en hij wast zich voor deze keer als eerste. En zij komt de keuken binnen en hij draait haar snel zijn blote rug toe en zij draait tegelijkertijd haar hoofd af, maar hij ziet nog net haar blik langs zijn borst schampen, zoals ze soms ook in het voorbijgaan haar hand liefkozend op zijn rug legt, en hij schaamt zich alsof hij haar reactie bewust heeft uitgelokt. En ze zegt niets over de post en hij vraagt haar ook niets, ze ontbijten met de kinderen, en ze opent de winkel niet om acht uur, ze wil eerst naar hun nieuwe huis, zegt ze, om te zien wat de schilders van zijn naam op de etalageruit hebben gemaakt, en hij biedt aan om thuis te blijven zodat hij verder kan met inpakken, maar ze wil graag zijn mening horen over het werk van de schilders, zegt ze.

En hij loopt met haar mee naar de Groote Markt, en uit de verte is ze tevreden met zijn naam op de ruit, de letters zijn duidelijk te zien, de kleur rood is mooi, maar als ze er vlak voor staat vindt ze dat de tekst niet goed is verdeeld, de ruimte tussen Photographie en zijn naam is te klein, zegt ze, en hij verwacht dat ze vervolgens naar de schilders zullen moeten om te klagen, maar ze laat het rusten. En ze zouden snel naar huis moeten om de winkel te openen en in te pakken, maar ze zitten samen in de vensterbank van de salon en ze kijken uit over de drukke Markt beneden hen en de dag komt tot stilstand, ze zegt met een zucht dat ze hier uren zou kunnen blijven, en ze kijken naar de wolken die als boomkruinen vol in blad boven de stad wiegen, en ze zegt, zullen we naar de Leye gaan, en hij lacht en zij vervolgens ook.

En er valt een machteloze, treurige stilte tussen hen, en ze vraagt hem hoe zijn kinderen heten, twee heeft hij er toch met Käthe, zegt ze, en hij zou namen voor hen kunnen verzinnen maar hij geeft toe dat hij ze zich niet herinnert, ook niet hoe ze eruitzien, vraagt ze, en hij schudt zijn hoofd, en hij zou niet kunnen zeggen of het uit medeleven met haar verlangen is of dat hij het zelf is die ernaar verlangt, maar hij vertelt haar dat hij niets zeker weet, de naam van het Duitse dorp waar hij woont niet, Käthes naam niet, zelfs haar karakter en uiterlijk niet, en nu hij er- over nadenkt, ook zijn eigen naam niet. En misschien deed hij het toch voor haar, want haar dankbare glimlach zakt door zijn dichtgeknepen keel in zijn borst naar zijn buik en blijft daar rondzwieren, en ze zegt niets, ze gaat staan en op weg naar haar jas die ze over de deurklink heeft gehangen, legt ze haar hand in zijn nek en haar vingers kriebelen even door zijn haar en hij denkt te voelen dat ze zich vooroverbuigt en een kus op zijn kruin drukt, maar als hij vervolgens achteromkijkt is ze al meters van hem vandaan en trekt ze haar jas aan.

En pas tegen middernacht is alles ingepakt, ze zijn allebei moe en ze lopen door het kale huis gevuld met verhuisdozen naar boven, voor de laatste keer slapen ze samen in de armoedige kamer onder het schuine dak, en ze is weemoedig terwijl ze zich uitkleedt, ze zegt dat ze wilde dat het regende zodat ze zich nog eens door het tikken van de druppels op het dak in slaap zou kunnen laten wiegen, en ze stapt naast hem in bed, en ze wensen elkaar goedenacht en draaien elkaar de rug toe en ze verdelen de dekens eerlijk over hen tweeën.

En ze zegt dat ze zich nog goed herinnert dat ze hier voor het eerst was, hoe armoedig ze het huis vond, want in Meenen woonden ze mooi- er, maar het is vreemd zoals je aan stenen en hout en wat glas, want dat is het toch, een huis, gehecht kunt raken, zegt ze, alsof het een mens is, en ze wil hier helemaal niet weg, als ze de verhuizing kon terugdraaien, deed ze het, dan liet ze alles bij het oude, ook de dingen die haar ie- dere dag ergeren, want ook van die ergernis houdt ze, en weet je, zegt ze, ik heb echt... En hij slaapt, en hij is met haar in een onbekend huis, een varkensstal met wenteltrappen, en hij noemt haar Julie en zij hem sjoeke, en ze draagt oude, versleten kleren en door de gaten kan hij haar bleke huid zien, en daarin zitten ook gaten en hij kijkt in haar binnenste, en daar leeft het duister dat over haar regeert, het spreekt Duits en het luistert naar de naam Käthe, en het heeft geen vorm, het is een gevoel, ongrijpbaar en abstract, maar als hij het niet kan omschrijven, moet hij bij haar weg.

Hij hangt uit het raampje en zwaait naar haar, en de conducteur steekt zijn spiegelei al in de lucht en fluit schril naar de machinist, en nog weet hij het niet, en ze roept iets naar hem wat hij niet verstaat, en de trein begint langzaam te rijden en zij rent er over het perron achteraan en ze verliest haar ondergoed, het warrelt als stuifsneeuw over de stenen en dan wordt het door de wielen van de wagons verslonden, en ineens weet hij het, hij ziet het heel duidelijk voor zich, een eenzame schuur op het boerenland en je kijkt er uit over de wellustig glooiende, groene velden, en hij heeft zich tussen haar bleke, blote benen gestort en ze doen het als varkens, ze wil niet en hij zeker niet, maar hij kan er niet mee ophouden, hoe meer pijn hij haar doet hoe vernederender het voor hem is, hoe groter zijn walging hoe onmenselijker hij bewijst te zijn, en nog weigert ze hem te zien zoals hij is, en hij schreeuwt naar haar, maar het is te laat, de trein heeft het station al verlaten.

En met een schok wordt hij wakker en hij rolt bijna op de grond omdat zij dwars in bed ligt met haar hoofd op zijn kussen en haar armen wijd en haar benen bloot, onbedekt door dekens of nachtjapon, en hij laat zich haastig uit bed glijden, en trillend over heel zijn lijf zit hij naast haar op de vloer en hij bestudeert haar gezicht en haar naakte benen, maar hij kan niets ontdekken waaruit blijkt dat hij haar kwaad zou hebben gedaan, ze slaapt vredig verder, en zelf heeft hij ook keurig zijn pyjama nog aan, en hij dekt haar benen voorzichtig toe met de dekens.

En hij wordt 's ochtends wakker omdat zij opstaat, ze halen samen het bed af waarin ze hun laatste nacht hier hebben doorgebracht, en hij zet het op zijn kant tegen het schuine dak, de spiraal is doorgezakt en een van de poten is scheef, en zij zegt dat het al oud was toen ze het bij hun huwelijk kochten, het is langer bij haar geweest dan hij, zegt ze met een lachje, en hij doet voor de laatste keer de kolen en ze wassen zich na elkaar, en ze ontbijten met de kinderen tussen de verhuisdozen, en ze stuurt hen naar school en drukt hen op het hart dat ze tussen de middag niet moeten vergeten om naar het nieuwe huis te komen, hier is straks niemand meer, zegt ze. En Gust en Roos zijn opgewonden en ook treurig, en Roos vraagt zich af wie er nu in hun huis gaat wonen, of ze van de zonnevlekken en schaduwen op de vloer zullen houden, van de merels die in de boom van de buren nestelen, van de krakende trede in de bocht van de trap, en Gust zegt dat ze de trede zullen repareren en dat hun poes de merels zal grijpen, en hij lacht om haar verontwaardiging, en zo gaan ze naar school, ze roepen nog harder tegen elkaar dan anders en hun stemmen galmen in de kale winkelruimte achtervolgd door het gerinkel van het belletje.

En o, zegt ze, we zijn het belletje vergeten, en hij loopt naar beneden en schroeft het van de deurpost en bergt het in de doos met fotocamera's, en dan zijn de mannen van Degezelle er al, ze hebben de autocamion op de stoep voor het huis geparkeerd, tussen de boom en de lantaarnpaal, en ze komen vrolijk en luidruchtig binnen alsof verhuizen alleen een kwestie van ergens heen gaan is, niet van achterlaten. En zij komt haastig de trap af en ze loopt met de mannen door het huis, en ze zouden graag eerst de grote spullen, zoals tafels, stoelen en bedden in de wagen laden, maar Julienne en Felice willen dat hun huisraad gescheiden de autocamion ingaat, zodat er geen verwarring kan ontstaan bij het uitladen, en Julienne wil dat haar inboedel als laatste wordt ingeladen, zodat hij er als eerste weer uit kan, en Felice wil juist het omgekeerde, en geen van beiden zijn ze van plan om toe te geven. En de verhuizers besluiten om eerst Felices spullen in te laden en dan die van Julienne, en hij helpt hen met het tillen van de grotere meubels, en intussen kibbelen Felice en Julienne verder, Felice eist dat Julienne haar keukentafel laat demonteren omdat de poten anders Felices dozen met servies kunnen beschadigen, en Julienne weigert omdat een van de tafelpoten bij de vorige verhuizing is gebroken en niet los kan worden gehaald zonder opnieuw kapot te gaan. En voordat hij en de verhuizers de tafel de keuken uittillen, knielt hij neer en hij verwijdert drie poten, de vierde laat hij zitten, de verhuizers grijnzen en Felice en Julienne worden stil, zo overtuigend dat de verhuizers na verloop van tijd het gesteggel van de *wefkes* beginnen te missen, zoals ze dat noemen, en als een van de mannen naar het privaat is geweest, wijst hij Julienne en Felice erop dat daar nog een hele stapel catalogi ligt, van wie van hen tweeën is die, wil hij weten, en had hij niet achter in de camion gemoeten, want dan moeten ze de wagen weer helemaal leegruimen.

En hij en zijn kameraden lachen luid, en ze vertellen elkaar hoe belangrijk het is om je met je eigen papier te kunnen afwegen, en Julienne en Felice zwijgen, en de mannen gaan maar door over die catalogi in steeds onbetamelijker bewoordingen, en Julienne en Felice schamen zich en daardoor voelt hij zich er ook in toenemende mate ongemakkelijk onder. En Julienne loopt naar buiten en opent daar een doos die nog op straat staat, en ze haalt er onder de ogen van voorbijgangers een roze toiletrol uit en gooit die met een boogje naar de verhuizer met de grootste mond, daar vegen we ons gat mee af, zegt ze, van die catalogi word je zo zwart als een negerin, en vooral die laatste toevoeging spreekt tot de verbeelding, de man staat bedremmeld met de roze rol in zijn handen, en zijn kameraden lachen ongenadig om hem, en hij brengt de rol terug naar haar, maar zij zegt dat hij hem mag houden, aangezien hij zo'n ongekende interesse heeft in wat je er allemaal mee kunt doen, en de man kleurt en daar heeft zij plezier om.

En de verhuizers gaan weer aan het werk, en zij zet voor de laatste keer koffie in de lege keuken met uitzicht op de straat en de huizen aan de overzijde, en uit een doos die nog naar beneden moet, haalt ze kopjes en zelfs een suikerpot en ze zitten met z'n allen op de vloer en ze drinken koffie, en de verhuizers spreken haar vol respect aan met mevrouw Coppens en ze beschouwen haar als de baas van het geheel, dat Felice ergens koekjes vandaan weet te toveren en die aan iedereen uitdeelt, heeft geen effect. En de mannen bedanken Julienne voor de koffie en gaan naar beneden om de laatste spullen in de camion te laden, en ze staan met zijn drieën in de winkel werkeloos toe te kijken, Felice en Julienne kibbelen over wie van hen met de camion mee zal rijden, hij zegt dat hij dat kleine eindje naar de Groote Markt wel zal lopen zodat zij tweeën in de cabine kunnen zitten, en ze accepteren zijn galante aanbod vanzelfsprekend, alsof dat het doel was van hun discussie, en meneer Pintelon baant zich een weg langs de verhuizers en de dozen, hij ziet er nerveus uit, Julienne schrikt en ze snelt hem tegemoet in de hoop hem bij Felice vandaan te kunnen houden, dat lukt slechts gedeeltelijk, twee meters scheiden haar van Felice als ze tegenover hem staat.

Voor de laatste keer hier in de Doornijkstraat, zegt ze met een lichte trilling in haar stem, en haar blik schiet naar de post in zijn hand, en Louis ziet het ook, een enveloppe met verschillende postzegels en stempels erop. En meneer Pintelon reageert niet op haar voorzet tot een praatje, hij zegt op afstandelijke toon dat hij een brief voor haar heeft die vanaf dit adres naar Duitsland is verstuurd en die door de Duitse ontvanger is geweigerd, er is te weinig porto op geplakt, dus hij moet haar helaas vragen om de strafporto te betalen, zegt hij, dertig centiemen is het. En Louis voelt hoe het zwijgen van Felice ineens van aard verandert, en een van de verhuizers die vlak bij meneer Pintelon twee dozen optilt, heeft ook begrepen wat er aan de hand is, hij brengt de dozen naar buiten en praat zacht met zijn kameraden en ze kijken allemaal naar Julienne, en in een ijzige stilte probeert zij zich te herinneren waar ze het geldkistje heeft gelaten.

En dat was het dus al die tijd, ze had te weinig postzegels op zijn brief geplakt, ze wist dat hij terug zou kunnen worden gestuurd, en ze keert zich naar hem toe en ze vraagt of hij wat wisselgeld uit de winkel bij zich heeft, en hij voelt de muntjes in zijn broekzak tussen zijn vingers doorrollen, maar hij zegt dat hij geen cent bezit, en hij kijkt onbewogen toe terwijl ze gedwongen is om de meters naar de autocamion af te leggen, met de priemende blik van Felice in haar rug, langs meneer Pintelon en de aanstootgevende brief, naar de verhuizers die zijn gestopt met inladen. En ze verbergt haar schaamte achter schaamteloosheid, ze richt het woord tot de man die ze met de roze toiletrol op zijn nummer heeft gezet, en ze zegt dat ze een doos zoekt met het opschrift, 'Coppens slaapkamer bed', *jawohl Frau* Coppens, zegt hij terwijl hij in de wagen klimt, en de andere mannen grijnzen geluidloos, en zij doet alsof ze dat niet merkt, ze staat schijnbaar onbevreesd tussen hen in, een kop kleiner dan hen is ze, haar rug recht, haar hoofd geheven, haar trots is haar enige wapen.

En het duurt lang voordat ze uit haar vernederende wachten wordt verlost, de doos blijkt halverwege de laadruimte achter een stel kastplanken te staan, onder drie andere dozen, en de man tilt hem voor haar uit de autocamion, op straat, zodat ze tussen de passerende voorbijgangers op haar knieën moet om het beddengoed uit te pakken, en de mannen kijken met spottende gretigheid toe terwijl ze in de lakens wroet waartussen ze gewoonlijk in haar nachthemd ligt. En hij zou willen genieten van haar vernedering, maar het is alsof hij daar zelf op zijn hurken op de straatstenen zit met de blikken van die kerels op zich gericht, het is alsof hij zichzelf pijnigt door te weigeren om haar met het kleingeld dat hij op zak heeft te verlossen, en hij dwingt zichzelf om naar haar te blijven kijken, hij zegt niets, doet niets.

En ze vindt het geldkistje onderin de doos, onder dekking van de lakens opent ze het en haalt er blind wat muntjes uit en snel sluit ze het weer, en ze pakt de verhuisdoos in en ze richt zich op, zet hem maar weer in de camion, zegt ze tegen de man, en er is geen aarzeling, geen schaamte in haar stem te horen, en de man gehoorzaamt, en ze loopt terug naar meneer Pintelon en geeft hem dertig centiemen, niet meer dan dat, een fooi zou een smeekbede om begrip zijn, en meneer Pintelon drukt haar in ruil de post in de hand en wenst haar beleefd een voorspoedige verhuizing toe en maakt zich uit de voeten.

En zij draait zich om en haar blik ontmoet net iets te lang de zijne, alsof ze ervan uitgaat dat ze in hem tenminste een medestander heeft, en hij is blij dat hij geen vinger heeft uitgestoken om haar te helpen, ze loopt haastig met de post in haar hand de trap op, weg van de veroordelende ogen van Felice en de verhuizers, en hij volgt haar naar de keuken, en daar staan ze tussen de afbladderende muren, op de kale, versleten vloerplanken, de restanten van haar oude leven, en hij steekt dwingend zijn hand naar haar uit, en ze geeft hem de brief met Käthes naam en adres erop en ze zegt dat ze dacht dat er veertig centiemen op een brief naar Duitsland moesten, dat was tenminste zo vlak na de oorlog, toen ze in haar zoektocht naar hem nog weleens brieven naar Duitsland verstuurde, zegt ze. En hij reageert niet, hij kijkt naar de enveloppe, naast de twee postzegels van twintig centiemen die er volgens haar op moesten, hebben de Belgische posterijen een strafportzegel van dertig centiemen geplakt, en in Duitsland zijn er twee stempels op de enveloppe gezet, een met de tekst, Cöln porto 28.10.23, en een tweede met, *Annahme wegen Nachgebühr verweigert! Zurück*, en hij kan het niet geloven, dit kan Käthe niet hebben gedaan, voor dertig centiemen heeft ze hem niet verloochend, dat is onmogelijk. En zij ziet hoe gekwetst hij is, en ze zegt dat zij tijdens zijn vermissing nooit een brief van hem zou hebben geweigerd, al had het haar een miljoen franken gekost, al had ze er alles voor moeten verkopen wat ze bezat, zijn brief had ze willen lezen, zegt ze, en hij kijkt op en ziet nog net de schaduw van triomf over haar gezicht glijden.

En hij draait zich om en loopt naar de deur, waar ga je heen, vraagt ze, en hij hoort aan haar stem dat ze het antwoord al weet, naar de statie, zegt hij, en ze is in twee stappen bij hem en grijpt zijn arm beet en ze smeekt hem om te blijven, in ieder geval tot morgenochtend, zegt ze, en hij rukt zich los en hij moet zich inhouden om haar niet te slaan, hard en meedogenloos als een hond, totdat ze jankend aan zijn voeten ligt. En hij zegt dat ze hem heeft belazerd, dit, zegt hij, en hij zwaait met de brief, is waar zij op hoopte toen ze te weinig porto op de enveloppe plakte, en maar ontkennen dat ze zijn brief had verscheurd en zweren dat ze de waarheid sprak, en ja, letterlijk genomen klopte dat, een schijnheilige intrigante is ze. En zij wringt zich langs hem heen en ze staat voor hem met haar rug tegen de deur gedrukt, en ze ontkent natuurlijk, ze zegt dat ze immers niet kon weten dat Käthe niet bereid zou zijn om dertig centiemen voor hem te betalen, welke vrouw doet dat nou niet voor haar man, dertig centiemen, dat heb je zelfs voor een kat of een kanarie over, echt, het ligt niet aan mij, zegt ze, en ze kijkt er ontzettend onschuldig bij.

En hij begint tot zijn eigen ergernis te twijfelen, en zij maakt daar direct gebruik van, als hij nog een dag blijft, eentje maar, zegt ze, dan kunnen ze een reispas voor hem regelen, zonder dat komt hij de grens niet over, en ze kunnen uitzoeken welke trein hij moet hebben, en ze hebben tijd om afscheid van elkaar te nemen, morgen, zegt ze, morgen, wat is nou een dag meer of minder. En hij staat daar met die brief met de beledigende stempel erop in zijn handen, en hij ziet dat hij een boodschap over het hoofd heeft gezien, dwars over de enveloppe, door het adres en Käthes naam heen heeft iemand met grote letters en in blauw potlood een geheimzinnige tekst geschreven, hij kan niet ontcijferen wat er staat, het eindigt op een aantal letters o, alsof Käthe zijn brief in handen gedrukt heeft gekregen en het alleen kon uitgillen van schrik en verdriet.

Goed, vraagt ze, en hij staart naar het blauwe woord, het moet Duits zijn, Bigoooooooo, staat er, of Elgoooooooo, ga je morgen pas weg, vraagt ze, en hij stemt toe, hij kan niet naar Käthe zolang hij niet begrijpt wat ze hem heeft geprobeerd duidelijk te maken. En zij doet opgelucht een stap opzij en ze opent de deur, en hij loopt achter haar aan de gang in, en op de trap naar hun verdieping, waar zij niets te zoeken heeft, tenzij ze hen stond af te luisteren, komen ze Felice tegen, Julienne wil haar passeren, maar Felice verspert haar de weg en ze zegt op beschuldigende toon tegen Julienne, hij is een boche. En Julienne ontkent, ze zegt dat zijzelf immers een Vlaming is en ze is met een man getrouwd die vloeiend Vlaams spreekt, hoe zou hij in hemelsnaam een Duitser kunnen zijn, en Felice wendt zich tot hem, ze kijkt hem strak in de ogen en ze vraagt hem, ben je een boche, en hij zegt dat hij zich herinnert dat zijn kameraden Duits spraken en Duitse uniformen droegen, en hij ziet de ontzetting op Juliennes gezicht, en dat doet hem goed.

En alle drie moeten ze zich tegen de muur drukken omdat verhuizers met dozen erlangs moeten, en ze zijn nog maar nauwelijks gepasseerd, of Felice zegt al dat ze medelijden met Julienne heeft gehad en dacht dat ze haar begreep, maar nu is ze echt te ver gegaan, veel te ver, met iemand die liever haar land dan haar eigen domme, bange fantasieën verraadt, wil ze niets te maken hebben, zegt ze. En Juliennes blik dwaalt nerveus naar de verhuizers en ze wacht tot ze om de bocht zijn verdwenen, en ze dempt haar stem en zegt dat Felice toch weet hoe onbetrouwbaar Amands herinneringen zijn, maar dan komt er alweer een verhuizer, dit keer met lege handen van beneden, en vervolgens met dozen van boven, en Felice maakt haar op luide toon verwijten, en in stijgende paniek negeert Julienne steeds vaker de passerende verhuizers, ze zegt dat ze hem in een krankzinnigengesticht heeft teruggevonden, hij wist niet eens wie hij was, hoe kan Felice zijn herinneringen serieus nemen, er zelfs meer vertrouwen in hebben dan in het woord van haar beste vriendin, hij heeft het allemaal verzonnen, zegt ze.

En Felice lacht om haar, híj heeft alles verzonnen, toe nou Juul, zegt ze, ben je nu echt gek of doe je maar alsof, en dan verliest Julienne haar zelfbeheersing, en ze staan halverwege de trap tegen elkaar te schreeu-wen over verraad en vriendschap en over het nederig aanvaarden van het lot dat God je heeft toebedeeld en dat Julienne zo egoïstisch is dat ze iedereen in haar leugens meesleept en dat ze alle mensen met wie ze omgaat in de juiste vorm kneedt alsof ze voor haar lens poseren, en dat Felice zo egoïstisch is dat ze meer om haar kleren geeft dan om het wel-zijn van haar vriendin en dat ze jaloers is op Julienne, en nee, Julienne is juist jaloers op haar, en als Julienne die landverrader nu niet onmid-dellijk de deur uitzet dan hoeft Felice haar nooit meer te zien, wisselt ze nooit meer een woord met haar, niet eens een onschuldige groet. En Julienne zegt dat hij haar man is, en ook al was hij een landverrader, wat hij niet is, dan nog zou ze hem trouw blijven, dat is het huwelijk, zegt ze, en Felice is beledigd door de hooghartigheid waarmee Julienne haar de les meent te kunnen lezen terwijl haar eigen leven nota bene een regelrechte bespotting is van de huwelijkse trouw, een aanfluiting, een farce, en ze zegt dat ze hoopt dat de wraak van de Heer ongenadig op haar zal neerdalen, en Julienne is ontdaan, en ze zegt dat ze niet begrijpt waar Felices haat vandaan komt, Julienne heeft haar nooit iets misdaan, en ze heeft trouwens... En een verhuizer komt hen vertellen dat de spul-len zijn ingeladen en dat ze kunnen vertrekken, ik ga lopen, zegt Felice tegen de man, en ze keert Julienne haar rug toe en zonder een woord of een groet verdwijnt ze om de bocht van de trap, uit Juliennes leven, en hij en Julienne gaan met de man mee naar beneden en daar blijkt dat drie van de verhuizers ook zijn gaan lopen, en dus klimmen ze samen, hij en Julienne, in de cabine van de autocamion, terwijl de bestuurder de motor aanzwengelt.

En hij zit tussen Julienne en de bestuurder in, en ze zeggen geen van drieën een woord, de brief met de blauwe boodschap brandt in zijn zak en hij kijkt uit over de wereld voor de bumper van de autocamion als een koning over zijn rijk, brommend scheren ze over het wegdek, fiet-sers, paarden, wagens, voetgangers, alles wijkt haastig voor hen uiteen, en hij kijkt op hen neer, hun hoeden ziet hij, de rug en de gestrekte nek van de paarden, en hij kan door de ramen op de langsglijdende boven-verdiepingen naar binnen kijken, en hij ziet dat zij gretig in de deftige slaapkamers gluurt van Vercruysse en van Delespaul van Aerden, naar de hemel van hun bedden en het vergulde behang aan hun muren, en zijn blik kruist per ongeluk de hare en ze glimlacht naar hem, en hij wendt zijn hoofd af.

En binnen enkele minuten zijn ze op de Markt, en de verhuizers begin-nen met uitladen en zij geeft aanwijzingen, wat waarheen moet en in welke volgorde, en ze gehoorzamen haar zonder commentaar, ook zon-der grappen, zwijgend ploegen ze met huisraad en dozen door het huis, en hij klimt de trappen op naar haar slaapkamer en gaat daar op een van de bedden zitten en haalt de enveloppe uit zijn zak en hij scheurt hem open, hij vindt alleen zijn eigen brief, exact zoals hij hem heeft ver-stuurd en dus ongelezen. Wat als de blauwe tekst een verwensing is, een brief van je vermiste man weigeren doe je alleen als je verbitterd bent, het kan geen kooswoordje zijn, geen smeekbede, geen vraag, en hoe langer hij naar de blauwe hanenpoten staart hoe duivelser ze worden, alsof ze hem van een afstand heeft vervloekt, en zij roept van beneden dat de verhuizers weg zijn en of hij kan komen helpen. Eerst de spullen voor in de keuken, zegt ze als hij haar in de gang passeert, en hij zet de keukenkast voor haar in elkaar en pakt de dozen voor haar uit terwijl zij de spullen opbergt, en alles in een wederzijds vijandig zwijgen, en uiteindelijk als de kinderen enthousiast uit school komen en ze met z'n vieren brood eten, smelt de stilte tussen hen weg tot een terughoudende vriendelijkheid.

En na het middagmaal zet hij de meubels in de salon voor haar in elkaar, en Käthe heeft met haar vloek het duister opgeroepen, het ver-gezelt hem waar hij ook gaat, hij is bang dat het hem zal opslokken als hij het toelaat, en nadat zijn werk is gedaan, zit hij aan de tafel en pakt de geheimzinnige enveloppe uit zijn zak en staart naar de verwensing, en zij komt hem thee brengen, ze zet het kopje voor hem op tafel en ze zegt dat ze het in Duitsland niet makkelijk hebben, en hij begrijpt niet waarom ze dat zegt. Dat bedrag, zegt ze, en ze wijst naar de blauwe tekst, en hij vraagt haar wat zij gelooft dat er staat, 319 met negen nul-len, zegt ze, hoe heet dat, een miljard, en ze komt, net als in hun oude huis, tegenover hem zitten, en ze vertelt over de krankzinnige inflatie in Duitsland, blijkbaar is het nu al zo erg dat dertig Belgische centiemen 319 miljard Duitse marken waard zijn. En opluchting maakt zich van hem meester, 319 miljard, natuurlijk dat is wat er staat, hij herkende Käthes handschrift al niet, en ze zegt dat ze hem genoeg Belgische franken zal meegeven zodat hij zich in Duitsland kan redden. En dan valt er een stilte, en ze zegt dat er zoveel is te regelen voor zijn reis en voor de verhuizing, kun je morgen nog blijven, vraagt ze, en hij zegt dat dat goed is, maar dan gaat hij ook echt weg, geen uitstel meer, en daar stemt ze mee in, en nu zijn ze allebei opgelucht, bijna gelukkig, en ze gaan verder met uitpakken en de zon schijnt door de grote ramen naar binnen en de klok van het belfort slaat majestueus luid en nabij, het geluid dringt door de geopende ramen naar binnen en dreunt in zijn borst.

En tegen het einde van de middag zegt ze dat het al een beetje op thuis begint te lijken, en ja, dat vindt hij ook, zegt hij, en op de een of andere manier kan in zijn hoofd de zekerheid van zijn vertrek naar Duitsland bestaan naast gedachten aan een leven hier met haar, alsof het een het ander niet uitsluit, en ze werken door tot na middernacht, en dan is het merendeel van de spullen uitgepakt en op zijn plaats gezet, morgen moet alleen de winkel nog worden ingericht. En terwijl ze zich vermoeid in het schelle, elektrische licht uitkleden, aan weerszijden van het oude bed, en zij op de rand gaat zitten om haar jarretels los te maken, zegt ze dat ze morgen naar het stadhuis zullen gaan voor een reispas en naar de statie voor informatie en een treinkaartje, en ze legt er de nadruk op alsof ze bang is dat hij er anders stiekem in het holst van de nacht vandoor zal gaan, en morgen, morgen zal ze wel weer een nieuwe smoes verzinnen om hem hier nog een paar dagen te houden, en misschien is dat de reden dat hij niet over zijn reis kan nadenken en dat Käthe verder weg lijkt dan ooit.

Hij ligt in de schemer naast haar, en de maan werpt de schaduw van het belfort door de gordijnen over hun voeteneinde, en het is alsof hij zeeën van tijd heeft, alsof hij nooit op het perron zal staan en in de trein zal stappen, en toch zit hij ook niet gevangen in zijn leven hier met haar, en zij slaapt niet, haar schouders schokken en ze slaakt een beverige zucht, en daarna nog een, en ze haalt voorzichtig haar neus op, in de hoop dat hij niet zal merken dat ze huilt. En hij ligt roerloos te luisteren naar haar gesmoorde snikken die de statie schetsen en de trein die hem naar Käthe zal brengen en dit mooie, deftige huis zonder hem en zij alleen in dit versleten bed dat is gemaakt voor twee, en zijn zee van tijd krimpt tot een enkele miezerige dag, en hij zou zich naar haar toe willen keren en haar troostend in zijn armen nemen en haar valse hoop geven, hoop zodat hij, in de zekerheid van een nieuw uitstel, nog even in het niemandsland tussen blijven en vertrekken kan vertoeven.

En hij draait zich op zijn zij, zijn gezicht naar haar rug toe, en zijn hand ligt al bijna rond haar middel als ze ineens muisstil wordt, alsof ze schrikt van zijn nabijheid, en hij wacht tot ze verder zal huilen, maar ze geeft geen kik, en hij raakt haar niet aan. En zo vallen ze in slaap, en ieder uur worden ze beiden gelijktijdig wakker van het gelui van het belfort, een uur, twee uur, drie, vier, vijf, de klokken tellen hen door de nacht heen, alsof de tijd hen voortjaagt naar zijn laatste dag met haar, en als de klokken zeven maal slaan staat zij op, heb je geslapen, vraagt ze, zeven keer, zegt hij, en ze lacht zo zonnig, hij kan zich niet voorstellen dat ze vannacht stilletjes lag te huilen.

En hun vertrouwde routine is verdwenen, hij hoeft geen kolen en water voor haar te halen, zich niet in haar vuile water te wassen, hij moet haar alleen helpen met het aansteken van de pit op het gasfornuis, ze laat het spiegelei dat ze voor hem bakt aanbranden omdat ze, zoals ze verzucht, opnieuw zal moeten leren koken, en aan tafel is ze stil terwijl de kinderen honderduit praten, hij gelooft dat ze op een nieuwe smoes broedt om hem tot uitstel te verleiden, maar nadat ze de vaat met het warme water uit de kraan heeft gedaan en minstens vijf keer heeft verklaard hoe handig dat wel niet is, zegt ze dat ze dan nu maar naar het stadhuis moeten. En hij zegt dat ze wat hem betreft ook eerst de winkel kunnen inruimen, en zij zegt tot zijn verbazing dat ze dat beter later kunnen doen, misschien duurt het een tijdje om een reispas te laten maken, zegt ze, als ze wachten en vanmiddag gaan, heeft hij de pas misschien morgen en moet hij zijn vertrek weer een dag uitstellen, en hij vermoedt dat ze weet dat het dagen of misschien zelfs weken duurt voordat zo'n reispas klaar is, of erger nog, dat ze weet dat hij geen pas zal krijgen omdat niemand er zeker van is wie hij is.

En ze wonen zo ongeveer naast het stadhuis, langs de Banque de la Lys en drie huizen verder steken ze de Rijsselstraat over en staan ze al onderaan de trappen van het monumentale stadhuis, en binnen hoeven ze niet te wachten, ze worden direct geholpen door een jongeman en zij doet het woord, ze vraagt een reispas aan op naam van Amand Coppens, ze heeft een foto van hem in uniform meegenomen, en de jongeman vult zijn uiterlijke kenmerken op een formulier in en dan geeft hij het samen met een vulpen aan hem. En als enige hier gelooft hij dat hij valsheid in geschrifte gaat plegen, hij moet verklaren haar man te zijn om weer de man van Käthe te kunnen worden, en hij verzint een handtekening voor Amand Coppens, en dan verdwijnt de jongeman door een deur en blijft een tijdje weg, en ze wachten samen, somber zwijgend alsof ze op een begrafenis zijn, en hij gelooft dat de jongeman zal terugkomen met een agent om hem te arresteren, maar de jongeman overhandigt hem na een kwartier de reispas met een stempel en een handtekening van de burgemeester erop en dan staan ze weer buiten.

En ze dringt erop aan dat ze nu direct naar de statie gaan, zodat ze vervolgens ononderbroken aan de inrichting van de winkel kunnen werken, en hij begrijpt niet wat haar bedoeling is, welk obstakel ze in gedachten heeft om hem hier te houden, en ze lopen samen naar de statie en ook daar verloopt alles voorspoedig, een spoorwegbeambte bladert door verschillende spoorboekjes en schrijft op haar aandringen de reis tot in detail voor hem uit, en tot zijn verbazing bestaat er werkelijk een station dat Felderhoferbrücke heet, het ligt in de buurt van Keulen, en als hij vannacht om elf over vier uit Kortrijk weggaat, is hij daar morgenmiddag om twee voor halfzes.

Wil je die trein nemen, vraagt ze, en elf over vier vannacht is erg snel en de namen van al die stations en de treintijden zijn erg concreet, en hoe reëler zijn reis wordt hoe meer hij aan het bestaan van Käthe begint te twijfelen, met iedere stap die hij in haar richting zet, doet zij er als een beschroomd, kuis meisje twee van hem vandaan, maar hij zegt dat de trein van elf over vier hem goed lijkt, en dus vertrekt hij vannacht, over minder dan achttien uur. En ze koopt alvast een kaartje voor hem tot aan de grens in Herbesthal, ze staat erop dat hij tweede klasse zal reizen hoewel dat bijna het dubbele kost van de derde klasse, het is een verre reis, zegt ze, en ze wil dat hij comfortabel zit, en zonder morren betaalt ze de 58 franken en 50 centiemen voor het tweedeklassekaartje. En als ze door de drukke stad teruglopen naar huis vraagt ze of hij blij is, en dat beaamt hij, en dat is blijkbaar haar plan, hem geen strobreed meer in de weg leggen in de hoop dat hij uit zichzelf zal besluiten om bij haar te blijven, omdat hij te laf is, te bang om weg te gaan.

En in de schaduw van zijn vertrek pakken ze samen de laatste dozen uit en richten ze de winkel in, en ze laat hem al het zware werk doen waarvoor ze een man nodig heeft, tillen, timmeren, zagen, repareren, zodat ze morgen geen buurman of een vakman zal hoeven vragen, en zo nu en dan wil ze weten hoe laat het is en hij weet dat ze net als hij uitrekent, nog vijftien uur, nog veertien, twaalf, tien, en ze wacht, gelooft hij, ze wacht totdat zijn wilskracht het begeeft. Maar als de kinderen naar bed toe gaan en zij hun vertelt dat het de laatste keer is dat ze papa zullen zien omdat hij vannacht voorgoed weggaat, begint hij te twijfelen aan haar kwade opzet, en Gust en Roos nemen beleefd met een handdruk afscheid van hem, en Roos wil weten of het weer oorlog is en of hij naar de loopgraven moet om het vaderland te verdedigen, en Gust veronderstelt dat hij teruggaat naar het gekkengesticht, en daar houden ze het maar op, gek is beter dan getrouwd zijn met een andere vrouw.

En dan als de kinderen slapen lopen ze gearmd door de donkere Doornijkstraat naar het oude huis, en bij het licht van een flakkerende petroleumlamp inspecteren ze de lege kamers, en ze vinden een vergeten vork en een gebroken potlood en zij veegt de vloeren aan, en het is zo treurig alsof hij al is vertrokken en dit voortaan haar eenzame leven is, en ze roken voor de laatste keer samen een sigaret op de drempel van de deur naar het achterplaatsje, en zij zegt dat ze zo gelukkig is geweest in dit huis met hem, en ook al herinnert hij zich er niets van en gelooft hij dat ze het heeft verzonnen, zij zal er altijd met veel vreugde aan terugdenken, zegt ze. En hij vraagt haar of ze nog eens sjoeke tegen hem wil zeggen, en dat doet ze, hoewel het haar moeite kost om er niet bij te huilen, en zij vraagt of hij haar voor deze ene keer Julie wil noemen, en de naam rolt van zijn tong alsof hij hem duizenden keren heeft uitgesproken, en haar ogen vullen zich met tranen en ze veegt ze verontschuldigend met de rug van haar hand weg, en ze zijn zich er allebei van bewust dat ze niet alleen bezig zijn om afscheid te nemen van het oude huis, maar ook van elkaar, want hij gaat werkelijk weg, dat beseft hij nu, nog zes uur.

En ze lopen terug naar haar nieuwe huis en zij pakt de enige koffer die ze bezit voor hem in, ze doet het met zorg en liefde, kleren voor alle denkbare weersomstandigheden, nieuwe toiletartikelen uit de winkelvoorraad, brood en chocoladerepen en water en sigaretten voor onderweg, haar naam en adres en pen en papier om haar te laten weten dat hij veilig is aangekomen, zegt ze, als hij dat tenminste wil, het is geen verplichting, en tweehonderd franken geeft ze hem mee, en dat is veel te veel, maar ze staat erop, en ze drukt hem op het hart om nooit Duitse marken als wisselgeld te accepteren, hoeveel miljarden het ook zijn, en ze zal hem vannacht naar de statie brengen, belooft ze, en hij zegt dat ze ook nu afscheid kunnen nemen zodat ze straks door kan slapen, maar daar is natuurlijk geen sprake van.

En ze gaan vroeg naar bed, ze windt de wekker op en zet hem op halfvier en dan kleden ze zich voor de laatste keer aan weerszijden van het bed uit, hij hoort hoe ze haar jurk over haar hoofd trekt en ze gaat op de rand zitten om haar jarretels los te maken, en ze zwijgt, en hij heeft zijn pyjama nog niet aan als hij haar blote voeten op de planken vloer hoort, en hij zegt dat hij nog niet klaar is, en ze antwoordt niet. Ze staat voor hem, naakt en nerveus en verlegen, en hij kijkt, hij zou zijn hoofd af moeten wenden, maar hij kijkt naar haar, en terwijl zijn blik haar bleke huid streelt, overbrugt zij voorzichtig de meters die hen scheiden, en ze is vlak bij hem, hij hoort haar gejaagde ademhaling, ziet haar gespannen trillende lijf, en zijn verstand staat stil, er is geen gisteren, geen morgen, geen Käthe, geen trein, geen oorlog, alleen dit moment met haar. En zij neemt zijn handen en legt ze op haar borsten, en zijn lichaam herkent het hare, het houdt van dit vrouwenlichaam, het droomt ervan, verlangt ernaar en het kent geen twijfels, en ze liggen op het oude bed in de nieuwe kamer en zij reikt naar het koord van het elektrische licht, en de schaduw van het belfort kruipt door de gordijnen naar binnen en valt als een kuise deken over hen heen.

En ze weet precies wat hij wil, beter dan hijzelf, en hij laat zich in het donker door haar verlangen en haar zinloze, zinnelijke hoop opslokken, en ze rekt zijn begeerte zoals ze al die dagen zijn vertrek heeft uitgesteld, ze wakkert hem aan, ze wacht, ze begint opnieuw, weer net niet, ze wacht, en ze beweegt behoedzaam totdat hij binnen in haar uit zijn voegen barst en ze hapt naar adem en haar gesteun verdrinkt in het luiden van het belfort, twaalf keer slaat de klok, en de zware tonen resoneren door hun lichamen alsof de wereld hen wakker schudt, en de trein van elf over vier en de verstrijkende tijd wringen zich tussen hen in, en wanhoop neemt de plaats in van zijn bevredigde verlangen, en hij huilt met een heftigheid waarvoor hij zich schaamt, maar zijn lichaam geeft zich er onbeheerst aan over, zoals het ook haar naaktheid heeft verwelkomd. En zij houdt hem in haar armen en ze streelt hem sussend over zijn rug en door zijn haar en ze kust zijn tranen weg en ze noemt hem sjoeke en ze zegt dat het niet geeft, dat ze het begrijpt en dat ze bij hem is en dat ze altijd bij hem blijft en dat ze van hem houdt en nog heel veel meer wat niet tot hem doordringt, maar de toon van haar stem, zo vol oprechte liefde en begrip, kalmeert hem.

En hij valt in slaap, en hij ontwaakt in de coupé van een trein die geruisloos door de groene velden glijdt, en zij zegt dat de reis 666 miljard marken kost, en hij stapt in zijn uniform uit op station Felderhoferbrücke, het is een enorme statie, met grijze muren en puntdaken en eindeloze gangen en trappen, en Käthe is er niet om hem te verwelkomen, het perron is verlaten, alle meubels zijn al verhuisd, en dan dringt tot hem door dat Käthe dood is, daarom kreeg hij zijn brief terug, dat klokgelui is voor haar begrafenis.

En hij schrikt wakker, en zij wordt ook wakker van het belfort dat één uur slaat, ze draait zich lui om en ze is vergeten dat ze naakt is, ze ligt op haar rug en haar blote borsten en buik lichten obsceen vaal op in de schemering, en hij voelt zich leeg alsof alle illusies hem verlaten hebben, vijf jaar is een lange tijd, misschien is ze dood, hertrouwd, verhuisd, en hij heeft haar bedrogen met een andere vrouw, maar er is geen twijfel in hem, hij moet gaan. En hij ligt naast haar en hij wacht totdat het belfort twee slaat en vervolgens drie en ze ontwaakt half en valt dan weer in slaap, en hij staat heel zachtjes op en zet de wekker uit en hij loopt met zijn kleren in zijn armen de trap af, hij verkleedt zich in de badkamer en dan haalt hij de zorgvuldig ingepakte koffer uit de salon, trekt zijn jas aan en zet zijn hoed op, en hij loopt de donkere trap af, en dan door de winkel.

En hij staat buiten op de uitgestorven Markt en voordat hij voor de laatste keer de Doornijkstraat in slaat, doet hij een paar stappen het plein op en hij tuurt naar het raam waarachter hij weet dat zij ligt te slapen, bloot en onwetend, en in gedachten neemt hij afscheid van haar, en hij loopt door de stille, slapende stad, langs haar oude huis dat er al net zo eenzaam bij staat, en op het perron gaat hij op het bankje zitten en hij wacht op de trein. En hij heeft het zelf zo gewild, zo alleen, zo zonder kans op nieuwe twijfels, maar toch verlangt hij naar haar haastige voetstappen die door de deuren van de statie het perron op snellen, de manier waarop ze Amand naar hem roept, opgelucht en buiten adem, de vanzelfsprekendheid waarmee ze naast hem op het bankje gaat zitten en alleen al haar aanwezigheid maakt het moeilijk om in de trein te stappen, en natuurlijk komt ze ook nog met argumenten, smeekbedes, wanhopige tranen, daar heeft hij zichzelf tegen beschermd. Ze zal om vier uur wakker worden van het gelui van het belfort, geschrokken merken dat ze alleen in bed ligt, en ze zal haar kleren aanschieten en zeer onvrouwelijk en ondeftig zo hard mogelijk door de donkere straten rennen die hij net ook heeft doorkruist, en ze zal te laat komen, misschien om kwart over, misschien iets eerder als ze echt de longen uit haar lijf loopt, en dan zal ze nog net de trein de statie uit zien rijden.

En het is kwart voor vier, hij ijsbeert over het lege perron, zijn blik rust zo nu en dan op de deuren van de statie, ze slaapt, ze slaapt nog steeds, en hij stelt zich haar voor zoals hij haar voor het laatst heeft gezien, liggend op haar rug, haar blote borsten en buik, haar ene arm half omhoog naast haar hoofd op het kussen, haar andere gestrekt langs haar lichaam, haar hand losjes op haar buik, haar devoot gesloten ogen, haar wellustig half geopende mond. En het is vier uur, in de verte hoort hij de klokken van verschillende kerken slaan, en hij voelt haar schrik alsof die hem zelf overkomt, en zijn hart bonst en hij telt de minuten, nu moet ze haar kleren hebben aangetrokken, nu stormt ze de trappen af, nu rent ze naar buiten, nu is ze bij het Magazijn der Beurs, nu bij de

Halle, bij haar oude huis, en misschien heeft hij zich misrekend, is de afstand naar de statie kleiner, kan ze harder lopen, en hij tuurt naar de deuren van de statie en hij luistert ingespannen of hij voetstappen over het plein hoort naderen.

En daar ziet hij de trein aankomen, drie lichtjes in de verte, en ze komen verrassend snel naderbij, en hij hoort het gepuf van de locomotief dat ruw de stilte van de nacht verstoort, ze heeft nog een paar minuten, en hij stelt zich voor dat ze op dat moment het Statieplein op rent en ook de trein aan hoort komen en misschien roept ze hem, hij verbeeldt zich dat hij haar boven het lawaai van de binnenrijdende locomotief uit 'Amand' hoort gillen, en de wagons glijden langs hem heen en ze houden stil. En er is helemaal niemand, zoals in een droom, de trein is leeg, het perron is donker en verlaten, er is geen conducteur, en ook zij is er niet, hij is alleen, en een gevoel van zinloosheid dat bedrieglijk veel op vrijheid lijkt, omarmt hem, en hij pakt zijn koffer van het bankje en langzaam loopt hij naar de deuren van het tweedeklasserijtuig dat uitnodigend voor hem is gestopt, en hij opent de deur en staand op de treeplank draait hij zich nog een keer om en kijkt naar de deuren van de statie. Misschien is ze niet wakker geworden van het gelui van het belfort, misschien is ze wakker geworden maar moedeloos in bed blijven liggen, en in een opwelling stapt hij van de treeplank en loopt terug naar het bankje en hij pakt zijn zakdoek uit de zak van zijn colbertje, een zakdoek waarop zij de initialen AC heeft geborduurd, en hij vouwt hem uit en legt hem midden op het bankje met een kiezelsteentje erop, zodat ze straks, als ze overstuur en buiten adem hier op deze plek staat waar hij nu staat, weet dat hij aan haar heeft gedacht en niet zomaar is vertrokken.

En dan stapt hij weer in de trein, hij zoekt een plaats in de coupé en hij schuift het raam open en leunt naar buiten en hij kijkt het perron af, nog steeds is ze er niet, en de locomotief braakt wolken lauwe, vette stoom uit en de wagons komen in beweging en het bankje met de zakdoek schuift aan hem voorbij en dan de deuren van de statie en het einde van het perron. Hij leunt verder naar buiten en hij blijft door wolken stoom langs de wagons naar de statie turen, en de trein maakt vaart, en bij de spoorwegovergang kijkt hij een laatste keer de donkere Doornijkstraat in, het oude huis ligt net te ver weg, na de bocht, en dan laat hij zich op de bank zakken, hij heeft zich alsmaar beziggehouden met het afscheid, met zijn vertrek, en nu is dat moment ineens voorbij, en zelfs de gedachte aan haar, net te laat op het uitgestorven perron, kan hem niet redden van een gevoel van totale eenzaamheid en leegte, alsof hij niet zijn zakdoek maar zichzelf voor haar op dat bankje heeft achtergelaten.

12

De trein raast door het duistere land, soms ontwaart hij vlak bij het silhouet van een boom tegen de blauwe nachtlucht, soms het licht van een afgelegen boerderij waar men al is opgestaan om de koeien te melken, de eerste halte is het verlaten perron van Waereghem, en hij staart naar de deuren van de statie alsof zij ook hierdoor aan zou kunnen komen rennen om hem van hemzelf te redden, en de spooktrein zet zich langzaam en zonder aanwijsbare aanleiding opnieuw in beweging en de bewoonde wereld glijdt weg, en hij is weer alleen met haar, hij sluit zijn ogen en hij weet zeker dat ze niet terug is gegaan naar bed, ze is nog op het station, ze kan niet terug naar huis, dan zou ze hem definitief opgeven, lamgeslagen door het noodlot is ze op het bankje blijven zitten met zijn zakdoek in haar hand gepropt en ze huilt niet, en ze lijkt nabij nu hij weet dat ze op het perron is en zo nu en dan een trein langs ziet rijden, en hij hoort haar stem, heel duidelijk alsof ze naast hem zit, sjoeke, fluistert ze.

En bij de volgende halte staat hij op, het bord Deynze schuift langs hem heen en hij neemt zijn koffer in zijn hand en hij loopt door het gangpad naar het balkon, hij staat al op de treeplank als hij een man en een vrouw over het donkere perron ziet naderen, gearmd en beiden in rouwkleding, ze lopen plechtig in zijn richting alsof ze hem de dood komen aanzeggen, en hij deinst terug de trein in, en ze passeren hem en de vrouw knikt vanachter haar voile naar hem, en hij neemt zijn hoed voor haar af, en Käthe, ach Käthe, hij weet ineens zeker dat ze dood is. En de man en vrouw stappen verderop in het eersteklasserijtuig, en verdriet zinkt in hem neer als modder op de bodem van een meer, en hij stapt niet uit, hij gaat weer op zijn plek bij het raam zitten en de trein begint langzaam te rijden, niet langer van Kortrijk en Julienne vandaan, maar naar Käthe toe.

En in Gent moet hij overstappen op de trein naar Brussel, en terwijl hij over het enorme, verlichte, uitgestorven perron loopt, heeft hij het gevoel dat er iets achter hem is dat als een sluipschutter in een hinderlaag naar hem loert, en hij werpt een snelle blik over zijn schouder en de man en vrouw in rouwkleding zijn vlakbij, door de voile ziet hij haar blauwe ogen die hem aandachtig opnemen, en hij draait haar zijn rug toe en loopt haastig verder, het geluid van zijn voetstappen verdrinkt in de leegte van de statie, en hoog boven hem hangt het dak aan zijn gietijzeren balken en naast hem groeien palmen en bloeien bloemen, het is er prachtig als een tuin in een warm land, maar hij kan het gevoel niet onderdrukken dat al dat moois is aangelegd om iets gruwelijks te verbergen, duisternis borrelt in hem op en stijgt langzaam van zijn buik naar zijn keel en beneemt hem de adem. Hij was hier, hij was hier al eens eerder met een vrouw, een onbekende vrouw, hij ziet de angst in haar ogen, zoals ze naar hem kijkt, alsof ze zich geen raad weet met haar verwerpelijke gevoelens, en hij moet stil blijven staan, zijn hart bonkt in zijn hoofd en de palmbomen in de enorme, gretige ruimte golven ritmisch om hem heen, en op de statieklok ziet hij dat het tien over halfzes is, de trein vertrekt over twee minuten, duizelend zet hij het op een lopen, op goed geluk volgt hij de man en vrouw in het zwart die hem zojuist zijn gepasseerd, ze lopen naar een trein die ongeduldig in stoomwolken badend staat te wachten en ze stappen in het eersteklasserijtuig en hij springt in het aangrenzende tweedeklasserijtuig en staand op de treeplank tuurt hij langs de wagons, de trein gaat inderdaad naar Brussel, en het was Julienne, weet hij ineens, met haar was hij hier.

En hij ziet de statie door haar ogen, de avontuurlijke palmbomen, de kleurrijke, deftige bloemenperken, het dak met de gietijzeren balken dat als een nachthemel boven de sporen zweeft, en hij kalmeert, de conducteur fluit en zwaait met zijn spiegelei naar de machinist en de trein vertrekt, en hij gaat op een bank bij het raam zitten. En er zijn ook andere reizigers in de coupé, ze praten onderling en een man eet een stuk brood en een vrouw gaapt slaperig achter haar hand en strekt haar benen, en bij iedere halte stappen er meer passagiers in vanuit de donkere wereld buiten de trein, ze hebben hun warme bedden verlaten, hun veilige huizen, en nu zijn ze hier bij hem, en de coupé vult zich met hun stemmen en hun geuren en hun lichamen, en met z'n allen stuiven ze door het land naar waar oorlogen en historie de grens hebben getrokken.

En het wordt langzaam licht, de zon hangt bloedrood boven de Belgische velden te aarzelen en haar ochtendstralen kussen de kale boomtoppen en de daken van de boerderijen en werpen lange schaduwen over de weilanden, een schimmige, tweede trein reist met hen mee, soms blijft hij een eindje achter, raakt vervormd, springt soepel over sloten en wegen die het spoor kruisen en haalt hen dan weer in, en hij eet een stuk brood met spek, en hij denkt aan haar, ze is opgestaan in haar nieuwe huis, helemaal alleen heeft ze zich in de badkamer met de koperen kranen gewassen, en helemaal alleen zit ze nu met een kop koffie aan de keukentafel en ze denkt aan hem, en hij heeft medelijden met haar, zij is verloren, terwijl hij is ontkomen aan haar begerige, verstikkende liefde, dat gevoel heeft hij, hij is vrij. En hij probeert zich de plek voor te stellen waar de trein hem heen zal brengen, over minder dan negen uur zet hij voet in zijn oude leven en moet hij de Louis Blauwaert zijn die Käthe als haar man zal herkennen, Julienne hield van zijn zwakheden, zijn angsten, zijn nachtmerries, maar Käthe was met een avonturier getrouwd, een man zoals ze die kende uit de romans die ze verslond, en in gedachten oefent hij zijn Duits en wat hij haar over zijn jaren zonder haar zou kunnen vertellen.

En de trein mindert vaart en rijdt langs grote, indrukwekkende gebouwen de statie van Herbesthal binnen, alle passagiers stappen uit en hij daarom ook, voor veertien Belgische franken koopt hij een Duits derdeklassekaartje naar Felderhoferbrücke, en voordat hij het perron op mag waar de trein naar Keulen staat te wachten, moet zijn reispas door de Belgische douane worden gecontroleerd, en terwijl hij in de rij staat en stapje voor stapje de beambte in uniform nadert, wordt hij zenuwachtig, de douanier vraagt de mensen vóór hem naar de reden van hun reis, en ze vertellen in het Duits dat ze teruggaan naar huis, en als hij er niet over na had gedacht was dat ook zijn antwoord geweest, maar volgens zijn reispas is hij Amand Coppens. En zijn hand trilt terwijl hij de douanier zijn pas overhandigt, de man bestudeert het document en kijkt hem dan doordringend aan en Louis probeert zijn blik zelfverzekerd te ondergaan, maar zonder dat hij het wil slaat hij zijn ogen neer, en als hij zijn fout onmiddellijk corrigeert is de uitdrukking op het gezicht van de douanier van geroutineerd streng in achterdochtig veranderd. Als enige hier in deze rij, in deze hele statie is hij een verrader, een man zonder land, en op de vraag van de douanier naar het doel van zijn reis zegt hij kalm dat hij een oude vriend gaat opzoeken, een Duitser, veronderstelt de douanier, en hij zegt dat zijn vriend een Belg was maar voor de oorlog tot Duitser is genaturaliseerd, en daar denkt de douanier waarschijnlijk het zijne van, hij geeft hem met een spottend glimlachje zijn pas terug en wenst hem een prettige reis.

En hoewel de douanier niets kan hebben vermoed, houdt hij er toch een onprettig gevoel aan over, alsof de man hem heeft verteld dat hij niet in Duitsland thuishoort omdat hij het alleen door het vertellen van een leugen kan betreden, en dat gevoel wordt sterker als de trein na Aken op een klein station stopt en er mannen in uniform door de coupé lopen en opnieuw de reispassen van de passagiers willen zien, en omdat de man hem in het Duits aanspreekt, antwoordt hij ook in het Duits, en de man werpt een blik op zijn reispas en merkt op dat hij een Vlaming is, u spreekt vloeiend Duits, zegt hij in het Frans. En Louis voelt zich gedwongen om over zijn tijd als seizoenarbeider op het Duitse platteland te vertellen, hij pootte en rooide aardappels, zegt hij, en terwijl hij praat weet hij dat hij te hard zijn best doet, maar hij kan niet meer terug, u houdt van Duitsland, concludeert de man met ironie in zijn stem alsof hij het over een onaantrekkelijke, gerimpelde oude vrijster heeft. En aan de andere kant van het gangpad spreekt zijn collega ook Frans met een passagier, en het dringt tot Louis door dat de mannen geen Duitsers zijn maar Fransen, en hij begrijpt niet waarom Fransen in Duitsland passen zouden controleren, de man kijkt nog eens naar zijn reispas maar kan er niets bijzonders aan ontdekken, en hij wenst Louis *bon voyage* en wendt zich tot de reiziger in de volgende bank.

En Louis kijkt uit het raam en er lopen soldaten in Frans uniform over het perron, hun geweer losjes over de schouder en ze praten gemoedelijk met elkaar alsof ze een ochtendwandeling maken, en hij schuift het raam open en hangt naar buiten, een eindje terug ziet hij een bord hangen met de naam van het station, Stolberg, en een kwartier geleden waren ze in Aken, dit moet Duitsland zijn, dat kan niet anders. Maar het wordt nog vreemder als de trein een uur later op een station stopt dat Horrem heet en daar Britse soldaten instappen die ook zijn reispas willen zien, Julienne moet tegen hem hebben gelogen, de oorlog is helemaal niet voorbij en Duitsland is aan de verliezende hand, en met een klap dringt tot hem door dat ze hem daarom heeft laten gaan, ze wist dat hij niet ver zou komen, niet voorbij het front, en misschien wist ze zelfs dat Felderhoferbrücke en Werschberg niet meer bestaan, dat zijn oude leven begraven ligt in modderige granaattrechters, en daarom werd zijn brief aan Käthe teruggestuurd en heeft de Duitse mark zijn waarde verloren.

En hij zit roerloos aan het raam terwijl de trein weer begint te rijden, hij speurt de omgeving van het spoor af, op zoek naar de oorlog, en hij ziet glooiende velden en twee spelende jongetjes op een zandpad, een meer, een kasteel op een heuvel in de verte, en een vredig dorp met een kerk en een kerkhof, en boeren, maar geen paarden en geen koeien, dat valt hem op, en als er meer bebouwing verschijnt omdat de trein Keulen nadert, lopen er Britse soldaten met geweren op straat, en ook in de statie wemelt het van de Britse soldaten.

En hij heeft een halfuur in Keulen om over te stappen, hij dwaalt door de statie op zoek naar het juiste spoor en hij ziet een jongen van een jaar of twaalf die de *Kölnischen Volkszeitung* probeert te verkopen, en hij loopt op hem toe en drukt hem een briefje van tien Belgische franken in de hand en de jongen schudt zijn hoofd en geeft hem het geld terug, hij wijst met zijn wijsvinger in zijn mond, *Essen*, zegt hij, en Louis zegt dat hij geen wisselgeld hoeft, alleen een krant, en de jongen merkt dat hij Duits spreekt en vertelt hem dat geld minder waard is dan het papier waarop het is gedrukt, hij wil eten of desnoods kleren hebben, zegt hij, en Louis zegt dat hij hem ook geen Duitse marken aanbiedt, maar tien Belgische franken, dat is nog steeds een klein fortuin, en hij drukt de jongen opnieuw het briefje in zijn hand, de jongen laat het geld op de grond dwarrelen en hij spuugt erop en gaat er dan vandoor alsof hij niet het geld heeft vernederd maar de gever ervan. En Louis raapt het briefje op en veegt het schoon met de mouw van zijn jas, en terwijl hij dat doet wordt hij aangeklampt door een man in nette kleren, een heer zo op het eerste gezicht, en de man vraagt hem om eten voor zijn vrouw en kinderen, en Louis biedt hem het briefje van tien franken aan, maar zo gauw de man begrijpt dat het Belgisch geld is, draait hij hem de rug toe en verdwijnt in de menigte, en Louis stopt het geld verrast terug in zijn zak en nu hij erop let ziet hij opvallend veel bedelaars in de statie, sommige in oude, vuile kleren, maar de meeste zien eruit als nette burgers zoals hijzelf.

En hij loopt verder en uiteindelijk vindt hij het spoor waar om negen over drie de trein naar Hennef vertrekt, de trein is te laat, en het wordt twintig over drie, halfvier, en er zijn meer reizigers die staan te wachten, er wordt gemopperd op die vervloekte machinisten, een vrouw met een Brits accent vertelt dat ze vorige week in een trein zat die halverwege het traject, gewoon midden in de velden, niet verder reed omdat de machinist en de stoker het nut van werken niet langer inzagen, ze stapten uit en gingen naar huis, zegt ze, en toen de passagiers hen verontwaardigd terugriepen, verklaarden de mannen dat ze geen trekpaarden waren, wie wil er werken voor een kruimel brood, nee erger nog, voor een druppel water, een snipper papier, zeiden ze, iedere week werd hun salaris aangepast aan de inflatie, maar binnen een uur was het al niets meer waard.

En wij dan, zegt de vrouw, wij hebben met moeite een kaartje betaald, en dan rijdt de trein niet, en een oudere man meent dat het niet aan de machinisten ligt maar aan sabotage van het spoor of de locomotieven, en anderen zeggen dat die vernielingen en stakingen een maand geleden op bevel van de regering zijn beëindigd, maar ja, zegt de oudere man, die rails en locomotieven zijn niet zomaar gerepareerd als niemand meer voor geld wil werken. En Louis informeert voorzichtig waar op het moment het front ligt, en de andere reizigers kijken hem verwonderd aan, u bedoelt welk deel van het land is bezet, veronderstelt de oudere man, en hij begint aan een uiteenzetting die zo ingewikkeld is dat Louis er alleen uit begrijpt dat het Ruhrgebied door verschillende landen is bezet, ze hebben het onderling verdeeld als roofdieren een hulpeloze prooi, en het heeft iets met herstelbetalingen aan de hebzuchtige, hard-vochtige geallieerden te maken die Duitsland willen vernederen totdat het op de knieën ligt en om genade smeekt. En alles, volgens de man, de absurde geldontwaarding, de honger, de sabotage, de stakingen, de rel-len, kortom de vernietiging van wat ooit een grootse, trotse Duitse natie was, is de schuld van de Fransen, daar komt de man telkens op terug, hij haat de Fransen, als die met hun schijnheilige, amorele fratsen en hun arrogantie van de aardbodem werden gevaagd, waren alle problemen opgelost, en het lijkt Louis beter om niet verder te vragen.

En ze wachten met z'n allen of de trein van negen over drie mis-schien toch nog komt, en dan na een uur wachten ze op de volgende trein, die van drie over halfvijf, en ook die komt niet, en steeds meer reizigers geven het op en gaan weg, en er komen nieuwe reizigers voor in de plaats die algauw ook begrijpen dat de trein niet rijdt, en uitein-delijk staat Louis in zijn eentje op het perron en is het halfacht 's avonds en hij heeft geen idee wat hij nu moet. Hij pakt zijn koffer op en dwaalt tussen de andere verloren mensen door de statie, en hij ziet een man in spoorweguniform, hij vraagt hem of er morgen misschien een trein naar Hennef gaat, en dat lijkt de man onwaarschijnlijk, maar twee hal-tes verderop, in Troisdorf, rijdt de trein naar Hennef nog wel, zegt hij, en die naam, Troisdorf, roept een vertrouwd, hoopvol gevoel in Louis op alsof hij er ooit thuis is geweest, en hij loopt de statie uit.

Het is inmiddels donker geworden en hij is op een druk, verlicht plein, met veel voetgangers en trams en taxi's, en aan zijn linkerhand een enorme kathedraal die als een statig, bebladerd bos uit de aarde naar de nachthemel rijst, en hij spreekt een taxichauffeur aan die tegen zijn auto staat geleund, en eerst is de man verheugd omdat hij een klant heeft die helemaal naar Troisdorf moet, wat vijfentwintig kilometer hier van-daan schijnt te zijn, maar als Louis de man een briefje van tien franken aanbiedt, wordt hij ineens erg onvriendelijk, hij zegt dat hij nooit buiten de stad komt met zijn taxi, en Louis heeft geen idee hoeveel een rit naar Troisdorf kost en hij verdubbelt zijn bod tot twintig franken. En de man zegt dat een Fransman als hij vast beter vervoer kan krijgen dan een armzalige, Duitse taxi, en Louis zegt dat het Belgisch geld is, niet Frans, en dat maakt blijkbaar geen verschil, want de man draait hem zijn rug toe en knoopt een gesprek aan met een collega die net langsloopt.

En Louis probeert het bij de chauffeur van de volgende taxi en die reageert vriendelijker op het Belgische geld, hij kan het niet aannemen, zegt hij, het is voor Duitsers verboden om buitenlands geld te bezitten, en ook al zou hij zich daar niets van aantrekken en Louis met franken laten betalen, dan nog zouden ze met de taxi niet ver komen want hij zou benzine moeten kopen en niemand die Belgische franken als ruilmiddel accepteert, u moet de franken bij een bank tegen Duitse marken inwisselen, en dan direct, voordat de koers opnieuw zakt, een taxi huren, raadt de man hem aan.

En het is halfnegen in de avond en de banken zijn gesloten, en dus probeert hij het bij nog een tiental andere taxi's, eerst met zijn Belgische franken, maar het enige effect daarvan is dat de chauffeurs stuurs en sommige zelfs ronduit onbeschoft tegen hem worden, en daarna probeert hij het met de pakjes Bastos die Julienne voor hem in de koffer heeft gestopt, en dat heeft een nog averechtser effect dan de Belgische franken, de chauffeurs gaan er plotseling vanuit dat hij een Franse soldaat op verlof is en weigeren een woord met hem te wisselen, en ook de Martougin-chocoladerepen maken dat ze hem haten. En hij scheurt de verpakking met de Vlaamse en Franse tekst ervanaf en toont de volgende chauffeur de plak chocolade zonder het papier eromheen en dat helpt, de man is tenminste bereid om hem een eindje te rijden, een reep is een kilometer, beweert hij, en Louis heeft natuurlijk geen vijfentwintig repen, hij raakt verwikkeld in een onderhandeling die uit de hand loopt nadat de man de inhoud van zijn koffer heeft gezien, en uiteindelijk weigert Louis om nog meer te bieden en hij loopt weg, hij verwacht dat de man hem terug zal roepen, maar dat gebeurt niet. En Louis probeert het met onverpakte chocoladerepen en losse sigaretten bij andere chauffeurs, maar allemaal zien ze zijn koffer en zijn onberispelijke kleren en ze veronderstellen dat er meer bij hem te halen valt, en hij kan zich niet veroorloven om alles wat hij bezit aan een enkele taxirit te besteden, hij besluit de ochtend af te wachten.

En hij heeft honger maar hij durft zijn laatste brood niet op te eten waar al die armoedzaaiers en bedelaars bij zijn, hij loopt het station weer in en doolt van perron naar perron, en uiteindelijk belandt hij op een donker rangeerterrein, en alsof hij een zwerver is die heimelijk zijn behoefte doet, knielt hij achter een lege goederenwagon en hij neemt een hap van het brood met kaas dat Julienne met zorg voor hem heeft klaargemaakt, en hij kauwt haastig en hij merkt dat hij intussen zijn omgeving in de gaten houdt. Hij is zich bewust van de donkere hoeken en gaten waar een sluipschutter zich zou kunnen verschuilen en hij luistert ingespannen naar de geluiden van de statie en de stad, een trein die over de rails onder de overkapping dendert, een continue ruis van menselijke stemmen, voetstappen, auto's, trams, de wind, en het bonzen van zijn eigen bloed. En naast hem in de volgende wagon denkt hij iets te zien bewegen, een schim die langs de halfgeopende deur glijdt, hij laat zich plat op zijn buik vallen, maar vervolgens blijft het stil, en pas als hij met zijn koffer in zijn hand langs de goederentrein loopt, terug naar het perron, ziet hij dat er in verschillende wagons mensen wonen, geen vervuilde, eenzame mannen, maar hele gezinnen met hun huisraad en kinderen, en een vrouw kookt water op een houtvuurtje, ze groet hem vriendelijk, en hij groet terug alsof hij een avondwandeling door een doodgewone straat maakt.

En hij is weer op het statieplein met de taxi's en hij slaat linksaf in de richting van de grote kathedraal, en staand aan de voet van het massief van bogen en torens en beelden is het alsof zijn blik langs de muren omhoog wordt getild, als een enorme waterval stort de stenenmassa zich in de sterrenhemel boven de stad, en hij blijft een tijdje met zijn hoofd in zijn nek staan kijken, terwijl andere mensen, voor wie de kathedraal zo alledaags is als een trein of een boom, hem met hun blik op de straat gericht passeren. En hij slentert verder, over een weg langs de Rijn, er staan lantaarns maar ze branden niet, en in het donker klotst het water onrustig tegen de kade en tegen de boten die er liggen aangemeerd, hij ziet de silhouetten van mensen die aan de oever zitten en soms komt iemand hem tegemoet, en hoewel het een brede straat is, kiezen ze er onveranderlijk voor om hem op minder dan een meter afstand te passeren alsof ze zich afvragen of er wat bij hem te halen valt.

En hij slaat rechtsaf, terug de binnenstad in, en daar staan op iedere hoek Britse soldaten en is het ook drukker en lichter, hoewel de winkels zijn gesloten, winkels kun je het eigenlijk niet noemen want in veel etalages hangt een bord met de tekst *Verkauf im Tausch gegen Lebensmittel*. En hij komt mensen tegen die met een kom soep op straat lopen, hun ogen angstvallig op de golvende vloeistof gericht, ze komen allemaal uit een zijstraat en als hij die inslaat, ziet hij dat de stoep over een lengte van tientallen meters is gevuld met een lange rij dicht op elkaar gepakte wachtenden, vrouwen en kinderen en mannen met een lege pan of een kom in hun handen, en sommige zelfs met een nachtspiegel, en allemaal wachten ze gelaten totdat ze van iemand in het loket van een vroegere cinema een pollepel soep krijgen opgeschept, het is een zwijgende rij mensen, niet vijandig, niet beschaamd, niet gretig, niet ongeduldig, het is alsof ze met hun verlangens ook hun persoonlijkheid hebben verloren, alsof die zoals het geld is ontwaard tot iets waarvoor niemand nog moeite wil doen.

En tegen elven 's avonds, als hij in een brede straat loopt met een middenberm vol bomen en planten, raakt hij verzeild tussen in avondkleding gehulde mensen die vanuit een paleisachtig gebouw de straat op stromen en in gereedstaande auto's stappen, ze zijn naar de opera geweest begrijpt hij van de affiches, en naast het gebouw is een romantisch parkje met bomen en muren en torentjes, en hij ontvlucht de tijdens de inflatie op wonderbaarlijk wijze rijk gebleven of misschien zelfs rijk geworden mensen, en beklimt de trap naar het paradijs, en hij gaat op een laag muurtje langs een bloemenperk zitten. Zijn voeten doen pijn en hij trekt zijn schoenen en sokken uit, de avondlucht streelt weldadig fris zijn blote voeten, en hij sluit zijn ogen en hij is bijna weggedoezeld als een vrouwenstem hem wekt, *mein Herr*, zegt ze, en even gelooft hij dat het Käthe is, hij opent zijn ogen en een tengere vrouw in een lichtgekleurde zomerjurk staat voor hem en ze steekt haar hand naar hem uit in een gebaar dat het midden houdt tussen een smeekbede en een vraag. En hij zegt dat hij niets heeft om haar te geven, en blijkbaar denkt ze dat hij bij de operabezoekers hoort, want ze gelooft hem niet, hij leest het in haar ogen, en ze zegt dat ze niet van hem verlangt dat hij haar iets cadeau doet, ze wil ruilen, zegt ze, dat is letterlijk het woord dat ze gebruikt, *austauschen*, en hij zou niet weten wat ze hem te bieden zou kunnen hebben, ze is lijkbleek en ondervoed en ze draagt niet eens een jas, alleen een dunne, versleten zomerjurk, maar als hij haar vraagt wat ze hem denkt te kunnen geven en zij beschaamd het antwoord niet over haar lippen krijgt, begrijpt hij het, en juist omdat ze welgemanierd en in Hoogduits zo haar best doet om haar gevoel van eigenwaarde te behouden, raakt haar wanhoop hem des te pijnlijker.

En hij trekt zijn jas uit en biedt hem haar aan, en hij ziet hoe ze naar de warmte ervan verlangt maar ze raapt al haar trots bij elkaar en ze weigert, ze zegt dat hij die jas zelf nodig heeft, ze wil hem niet benadelen, zegt ze, ze kan alleen van hem aannemen wat hij zonder moeite kan missen, en hij opent zijn koffer en hij geeft haar een van de plakken chocolade, ze ziet de Martougin-wikkels waarin de andere twee nog zijn verpakt, maar ze zegt er niets van, alsof ze zich door haar armoede erbij heeft moeten neerleggen dat iedereen nu eenmaal geheimen heeft.

En ze houdt de chocolade in haar hand geklemd en hij hoopt dat ze op het muurtje naast hem zal komen zitten zodat hij kan toekijken terwijl ze de lekkernij naar binnen schrokt, hij verlangt naar haar gegeneerde, vernederende verlies van zelfbeheersing, alsof ze toch zijn overeengekomen dat hij in ruil voor enkele schamele, materiële goederen een paar minuten haar lichaam mag bezitten, maar ze blijft staan en ze durft niet naar de chocolade in haar hand te kijken, zo bang is ze dat ze zich niet zal kunnen inhouden. En hij neemt het colbertje van zijn bruine kostuum uit de koffer en hij houdt het voor haar op, en met een gewoontegebaar alsof ze bij haar thuis zijn, draait ze hem haar rug toe, en hij helpt haar in het jasje en met een elegant damesgebaar steekt ze haar armen een voor een in de mouwen, de plak chocolade houdt ze daarbij stevig vast, en het jasje hangt treurig om haar smalle schouders, en ze is ineens opvallend armoedig geworden maar hij zegt dat het haar goed staat en ze accepteert zijn compliment als iets vanzelfsprekends.

En hij wil niet dat ze gaat, hij vraagt of ze naast hem komt zitten, en ze overweegt het vanwege de twee chocoladerepen die ze in zijn koffer heeft gezien, en de macht die hij over haar heeft, hij mag er niets mee doen, maar het idee dat het eenvoudig zou kunnen, is bedwelmend, hij herschikt de spullen in zijn koffer en houdt daarbij net iets langer dan noodzakelijk de Martougin-repen in zijn hand, en hij is zich bewust van haar gretige blik die als stroop aan zijn vingers kleeft. En ze komt naast hem zitten, en hij kijkt naar de chocoladereep in haar handen die in haar schoot rusten, wilt u hem niet, vraagt hij, en ze knikt woordeloos maar maakt geen aanstalten om een hap te nemen, en hij zegt dat als ze geen honger heeft hij de reep graag van haar terug wil hebben, ik heb ook al een tijd niets gegeten, zegt hij. En hij steekt zijn hand uit naar de chocolade in haar schoot en prompt propt ze de helft van de reep in haar mond, het gaat zo snel dat haar verstand niet tussenbeide kan komen, en nadat ze eenmaal van de zoetigheid heeft geproefd is ze verloren, met neergeslagen ogen kauwt en slikt ze verwoed, en hij geniet bijna net zo van haar overgave, van de teloorgang van haar menselijke waardigheid, als zij van de chocolade. En zo gauw er tussen haar malende kaken plaats is, verdwijnt ook de andere helft van de reep ertussen, en ze houdt haar ogen gesloten, en haar lippen worden plakkerig bruin en ze zucht zo nu en dan van genot, en dat hij daar zo onbeschaamd naar kan kijken, alsof hij door haar te eten te geven het recht heeft verdiend om haar te onteren, is vooral vernederend voor hemzelf, op een geheimzinnige manier glijdt de schande van haar af zonder haar te beschadigen, wordt ze er alleen heiliger en onschuldiger van.

En nadat ze de laatste resten van de bruine, zoete massa heeft doorgeslikt, houdt ze haar ogen nog even gesloten alsof ze zich de herinnering probeert in te prenten, en als ze ze opent, kijken ze recht in de zijne en ze glimlacht naar hem, is dat wat u van me wilde, vraagt ze, en beschaamd stijgt het bloed hem naar de wangen, en voordat hij een weerwoord kan bedenken, staat ze op en ze wenst hem een *guten Abend* en ze loopt weg, de trappen af naar de straat, haar armen kouwelijk over zijn te grote jasje gekruist. En dat ze een bewijs van hun ontmoeting met zich meedraagt, nog maanden, en dat andere mannen haar erin zullen begeren, dat ze gretig zullen toekijken terwijl ze het uittrekt, maakt dat hij zich nog smeriger voelt, en Käthe is vlakbij, hij voelt haar lichaam onder zijn handen, warm en bloot, en alleen een slordig gestapeld muurtje en een dak als een houten hemelgewelf scheiden hen van de heuvels en de wolken. En hij gelooft dat hij haar vernedert, totdat hij begrijpt dat zij het is die hem vernedert, alleen laat ze hem het smerige werk zelf opknappen, ze houdt hem haar lichaam als een spiegel voor, en zo ijdel en feilloos als ze weet dat hij haar niet kan weerstaan ook al wil hij haar niet, haar wraak is een duizendmaal wreder dan wat hij haar ooit zou kunnen aandoen. Hij draagt de herinnering eraan met zich mee terug naar het front, waar die in zijn hoofd uitdijt en eenzaam verder woekert, en ze schrijft hem niet, geen excuses, geen begrip, zelfs geen standaardbriefje om hem te laten weten hoe het met haar en de kinderen gaat, ze is zo onbuigzaam als de kaften van de boeken waarmee ze haar hoofd heeft gevuld.

En hij heeft honger, maar de Martougin-repen in zijn koffer staan hem tegen en het brood dat Julienne voor hem had gesmeerd heeft hij opgegeten, hij bezit alleen een kapitaal in franken dat hij niet kan uitgeven, en zijn blote voeten zijn steenkoud, hij trekt zijn sokken en schoenen aan, en wat als ze hem niet wil zien, wat als ze hem nog steeds niet had vergeven toen hij vermist raakte en dat ze hem dat al helemaal niet kon vergeven, sneuvelen om haar op de knieën te dwingen, sneuvelen zodat al zijn schuld de hare werd, wat als ze daarom zijn brief terugstuurde naar Kortrijk.

En hij zit op het muurtje met zijn hoofd in zijn handen en hij heeft het gevoel dat hij niet werkelijk bestaat, als hij zich nu hier op de stenen neervlijt en de dood door kou en ondervoeding afwacht zou er geen haan naar kraaien, Käthe zou geloven dat hij vijf jaar geleden was gesneuveld, Julienne zou denken dat hij zijn oude leven met Käthe had opgepakt, en heel even ontglipt hij zichzelf, alsof hij op het ijs onderuitgaat en door een wak onder water verdwijnt, het is stikdonker binnenin hem en er is niets, geen gevoel, geen gedachte, geen besef, en hoelang het duurt weet hij niet. Als hij weer tot zichzelf komt, zit hij nog steeds op hetzelfde muurtje, de koude, herfstige nachtlucht hangt roerloos boven hem, en hij staat op, hij loopt de straat op, met stevige passen zodat hij weer warm wordt, en hij probeert niet aan Käthe te denken, niet aan die vrouw met haar chocoladelippen en zijn colbertje, maar ze versmelten tot één broodmager, hongerig vrouwenlichaam en het is het laatste waaraan hij wil denken, en daarom spookt het alsmaar door zijn hoofd, dat zij gedwongen zou zijn om zich in ruil voor eten of geld of kleren aan mannen te verkopen, zijn Käthe met haar hooggestemde principes, haar romantische dromen, zijn Käthe die bij seks aan de varkens dacht.

En hij slaapt aan de overzijde van de Rijn, onder een boom met uitzicht op het water en de kathedraal die, gezien vanaf zijn harde bed van zand en zijn koffer als kussen, op een mens lijkt die beide armen om zijn opgetrokken knieën heeft geslagen en met zijn twee hoofden op langgerekte halzen hoger reikt dan de vuilgele, roerloze maan, en als hij wakker wordt is de stad al ontwaakt en in het eerste ochtendlicht is een straatveger het plein aan het schoonvegen, bankbiljetten dansen als bleke herfstbladeren voor zijn bezem uit, samen met de paardenvijgen veegt hij ze op een blik en gooit ze in zijn vuilnismand. En Louis bukt zich en raapt een van de biljetten uit de goot, het is tien miljoen mark, en als hij zich opricht kijkt hij in de spottende ogen van de straatveger en de man zegt, de paardenvijgen branden langer, en Louis laat het geld in de mand vol rommel dwarrelen, hij durft de man niet de weg naar een bank te vragen, maar hij vindt er een in de buurt van de statie, geruststellend gehuisvest in een voornaam gebouw.

En hij gaat er naar binnen en in de enorme hal is het opvallend stil en ze laten hem erg lang wachten voordat een oudere man hem enigszins afwezig te woord staat, en al snel blijkt dat de bank niet de middelen heeft om Belgische franken tegen Duitse marken te wisselen, als Louis een briefje van één frank had, zou de man het nog kunnen overwegen, zegt hij, maar het kleinste biljet dat Louis bezit is tien franken, en dat is een veel te groot bedrag. En Louis zegt dat hij bereid is om tien franken tegen de waarde van één frank in te wisselen, maar dat is uitgesloten volgens de man, hij mag geen giften van klanten aannemen, en hoe Louis ook pleit en redeneert, zo blijft de man het hardnekkig zien, als een gift, en uiteindelijk moet Louis het wel opgeven. En hij probeert nog vier andere banken en geen van alle kunnen ze tien franken voor hem wisselen, het is te absurd voor woorden, tien franken, dat is wat

Julienne in haar fotostudio klanten voor een portretfoto vraagt, en hier heeft een grote bank zo'n bedrag niet eens in kas, of misschien hebben ze het wel, maar bewaren ze het voor vaste klanten, want Louis passeert in de laatste bank die hij binnengaat mannen die zeven zware, rieten manden de deur uit sjouwen, manden vol bankbiljetten ongetwijfeld.

En gefrustreerd loopt hij terug naar de statie, en in een portaal van de kathedraal knielt hij neer achter een struik en hij opent ongezien zijn koffer, hij scheurt de twee Martougin-repen uit hun wikkels en haalt de Bastos-sigaretten uit hun pakjes en stopt ze los in zijn jaszakken, en dan loopt hij terug naar het plein, hij hoopt een ouderwetse taxi te vinden, geen auto die dure benzine slurpt, maar een rijtuig met een paard ervoor dat eenvoudig gras en haver eet. En bij het station is er geen, hij dwaalt door de binnenstad en aan de haven vindt hij een man die met zijn paard-en-wagen op een lading uit de afgemeerde schepen hoopt, hij spreekt hem aan en biedt hem eerst alleen een van de chocoladerepen aan, en de man is niet zo uitgekookt als de taxichauffeurs bij de statie, hij lijkt bijna net zo wanhopig als Louis zelf, en Louis hoeft hem alleen de tweede reep aan te bieden, niet eens de sigaretten, voordat hij toehapt.

En Louis legt zijn koffer in de wagen en klimt naast de man op de bok, ze rijden over de Rijnkade naar het zuiden, langs havengebouwen en afgemeerde boten en scheepswerven, en de man blijkt Wilhelm te heten, hij was enkele maanden geleden nog hoogleraar geneeskunde aan de universiteit hier in Keulen, maar door de geldontwaarding was het niet meer mogelijk om met zijn vrouw en zes kinderen van zijn salaris te leven, hij kon hen beter onderhouden door ritjes met zijn paard-en-wagen, zegt hij, en zo weet hij dus alles van het menselijk lichaam en doet hij desondanks het werk van een ongeschoolde arbeider. De wereld wordt geregeerd door oorlogszuchtige politici die mensen als pionnen gebruiken, zegt hij, en door een abstract begrip als geld dat de rijken rijker maakt en de armen armer, en je zou denken, zegt hij, dat het een verbetering zou zijn als je een van beide afschaft, maar niets is minder waar, persoonlijk heeft hij liever de oorlog dan deze mensonterende chaos waarin Duitsland nu verkeert, en hij praat over zijn tijd als arts aan het front alsof hij een interessant college geeft, bloederig doorspekt met wonden en amputaties en Latijnse termen.

En het paard komt maar langzaam vooruit, na een uur zijn ze pas de stad uit, en langs de kant van de weg lopen mannen en vrouwen en soms zelfs kinderen van nog geen tien jaar oud met tassen en knapzakken, en eerst denkt Louis daar niets van, maar als het er meer worden en hem opvalt hoe moe en mager sommige zijn, dringt tot hem door dat ze op zoek zijn naar eten op de akkers of de boerderijen, en hoewel enkele hen groeten, kijkt Wilhelm strak voor zich uit en zegt hij geen woord tegen hen, alsof ze hem pijnlijk herinneren aan een lot dat ook het zijne kan zijn als hij op een dag geen ritjes met zijn paard-en-wagen meer weet te regelen. En misschien is er ook een louter praktische reden voor zijn onvriendelijkheid, want naarmate ze verder van de stad verwijderd raken en de mensen langs de weg berooider worden, spreken ze Wilhelm en Louis vaker aan en ze vragen om eten en ze proberen zelfs zonder toestemming op de kar te klimmen, en Wilhelm slaat met zijn zweep naar hen, en ze aanvaarden zijn grofheid als iets vanzelfsprekends en ook Wilhelm schaamt zich er niet voor.

En op een kruising houdt hij de wagen stil en met gegeneerd neergeslagen ogen zegt hij dat hij alleen verder rijdt naar Troisdorf als Louis hem meer te bieden heeft dan die twee chocoladerepen, hij moet straks dat hele eind naar Keulen ook weer terug, zegt hij, pas tegen de avond zal hij thuis zijn en al die tijd heeft hij dan niets verdiend, en Louis springt van de bok en pakt zijn koffer, en hij zegt kortaf dat het in orde is, hij gaat wel lopen. En dat was niet Wilhelms bedoeling, hij zegt snel dat hij ook tevreden zou zijn met een klein beetje meer, een stukje brood, een paar miljard marken, en hij is net zo zielig als de mensen die hij met de zweep van zijn kar slaat, Louis zou medelijden met hem moeten hebben, maar hij voelt niets voor hem, en Wilhelm zegt dat het nog meer dan tien kilometer is, veel te ver om te lopen, en Louis vraagt hem welke kant Troisdorf uit is en slaat dan linksaf op de kruising, van de rivier vandaan, hij zet de pas erin en hij kijkt niet om naar Wilhelm en zijn paard, tegen de tijd dat hij de spoorlijn oversteekt die hem gisteren al naar Käthe had moeten leiden, zijn Wilhelm en zijn vrouw en zes kinderen en zijn smeekbede uit zijn geheugen verdwenen zoals hij ook een boom langs de weg vergeet of een blaffende hond op een erf.

En hij ziet er te netjes uit voor een hongerige gelukszoeker, mensen bedelen bij hem om eten en hij moet telkens uitleggen dat hij niets heeft, dat hij net is als zij, en uiteindelijk trekt hij daarom zijn jas uit en zet zijn hoed af en doet ze in de koffer, en hij verwisselt het donkerblauwe colbertje dat bij zijn broek kleurt tegen een licht zomers jasje, in de hoop dat hij er armoedig uitziet. En waarschijnlijk is de route langs de spoorbaan korter maar hij neemt een smalle weg door het bos en de heide, en daar wijkt hij zo nu en dan vanaf om veenbessen en paddenstoelen en kastanjes te zoeken en om stiekem achter een heuvel een Bastos te roken, en zijn broek en zijn schoenen zijn zo nat en smerig geworden dat niemand hem meer om eten vraagt, in het volgende dorp kijken bewoners net zo argwanend naar hem als naar de gelukzoekers die voor en na hem passeren.

En pas als hij na twee uur stug doorlopen in Troisdorf aankomt en onmiddellijk weet dat hij hier eerder is geweest, hij herkent de statie en de kerk en de brede straat met de trambaan, merkt hij dat hij al een hele tijd was vergeten dat hij geen soldaat meer is, dat de oorlog voorbij is, en voordat hij de statie binnengaat, trekt hij zijn jas weer aan en zet zijn hoed op en hij probeert de modder uit zijn broek te kloppen. En het is verdacht stil in de hal van de statie, hij wacht een tijd bij het loket en uiteindelijk roept hij hard of iemand hem kan helpen en hij timmert met zijn vuist op de balie, maar er komt niemand, en hij loopt naar het perron en daar hangt een papier op de muur waarop staat dat de treinen voor onbepaalde tijd niet rijden, en hij laat zich op een bankje zakken en hij vloekt binnensmonds, geen Käthe vanavond, en hij sluit vermoeid zijn ogen en denkt aan haar, wat een land om in te wonen.

En hij loopt de statie uit en hij weet tot zijn verbazing precies waar een bakkerij is, hij is er binnen enkele minuten en hij probeert een brood te kopen in ruil voor sigaretten, en de bakkersvrouw is niet happig op de sigaretten, maar ze laat zich voor tien stuks vermurwen, en hij gaat terug naar de statie en eet daar op het verlaten perron in alle rust een deel van het brood op en stopt de rest in zijn koffer. En dat uitzicht over de rails en de straat die van hem vandaan kronkelt en de huizen en die grote kerk en de lage, herfstig gekleurde heuvels in de verte, hij heeft hier met Käthe gezeten, en ineens weet hij zeker dat de explosievenfabriek waar ze in de oorlog werkte hier in Troisdorf was, ze had een kamer in de buurt van de bakkerij waar hij net is geweest, en als hij zijn verlof bij haar doorbracht, haalde ze 's ochtends verse broodjes bij diezelfde bakkersvrouw die toen nog vriendelijk was.

En hij gaat terug naar de bakkerij, en hij staat met zijn rug naar de etalage gekeerd en het moet daar zijn, in die zijstraat rechts, Käthes kamertje was op de bovenverdieping, ze deelde het met twee andere vrouwen en op verlof sliep hij bij haar in haar smalle bed, en als hij 's ochtends wakker werd en nog wat naast haar bleef liggen kon hij door de kier tussen de gordijnen de lange, rechte schoorstenen van de springstoffenfabriek als trotse oorlogsmonumenten boven de huizen uit zien steken, en hij herinnert zich het witte huis op de hoek met de twee balkons exact boven elkaar en het gepiep en geratel van de tram die door de straat ernaast reed, maar als hij de zijstraat inslaat, herkent hij niets, en de volgende zijstraat is een eind verderop en ook die is het niet.

En zo dwaalt hij door het dorp, en soms meent hij iets te herkennen, en hoewel het dorp klein is, vindt hij het armoedige huis waarin Käthe woonde niet, ook de straat niet waarin het stond, zelfs geen straat die erop lijkt, de fabrieksschoorstenen zijn er wel en hij loopt in hun richting, naar de rand van het dorp, ze blijken op een groot terrein te staan dat hij niet op mag, het is afgesloten met een hek, niet het hek waarbij hij 's ochtends afscheid nam van Käthe waarna ze zich in de rij geel gekleurde vrouwen voegde. En hij loopt rond het terrein, over de heide, er zijn tientallen fabrieksgebouwen, kleine hallen van een enkele verdieping met boogramen, en in geen ervan werkte Käthe, in zijn herinnering was het gebouw waar zij naarbinnen ging groter en hoger en erachter begon direct de heide.

En hij maakt nog een rondje om het terrein en tuurt dan een tijdje door de tralies van het hek, het is niet de springstoffenfabriek waar zij werkte, en tot zijn verbazing is hij niet teleurgesteld, hij is zelfs opgelucht. Het idee dat ze misschien niet bestaat, dat hij haar heeft verzonnen, haar en haar armoede, de vernederingen die zij dankzij zijn afwezigheid heeft moeten doorstaan, de brief die ze bij wijze van woordeloze afwijzing aan hem heeft teruggestuurd, zijn duistere herinneringen aan wat er zich tussen hen in die schuur heeft afgespeeld, allemaal niet waar, ontsproten aan zijn verbeelding, hij hoeft het alleen nog maar te bewijzen.

En hij loopt terug naar de dorpskern en vraagt daar voor de veiligheid verschillende mensen de weg naar Felderhoferbrücke, en lang niet iedereen kent de plaats, maar de mensen die menen te weten waar het ligt wijzen naar het noordoosten, het is hier twintig tot dertig kilometer vandaan, zeggen ze, en met zijn laatste sigaretten weet hij bij de beenhouwerij een stuk worst los te krijgen, over een uur is het donker, maar hij blijft niet in het dorp, hij loopt met de ondergaande zon in zijn rug de heide op. En na een tijdje stuit hij op een beek die te breed is om te doorwaden, en in de schemering sprokkelt hij wat hout en langs de waterkant maakt hij een vuurtje en hij eet brood met worst, de zon zakt achter de heuvels en het gekabbel van het stromende water vermengt zich met het geruis van de wind door de bomen en het geritsel van onzichtbare dieren die in het donker om hem heen scharrelen, en hij gaat in het gras liggen en dekt zich toe met kleren uit de koffer die naar Julienne ruiken, en boven hem in de donkerblauwe nachthemel schitteren de sterren in een oneindige band van licht, en hij is gelukkig.

En hij droomt dat hij niet Käthe terugvindt, maar de oorlog, en hij beseft dat hij daar al die tijd naar op zoek is geweest, hij heeft zijn oorlog alleen een vrouwennaam gegeven en haar lichaam is verwoest en onvruchtbaar en koud en ze is getrouwd met de dood, en hij wordt wakker van de kou, het is nog donker, maar hij gaat op weg, hij loopt langs de oever van het riviertje, hopend op een doorwaadbare plek of een brug, die vindt hij pas na meer dan een uur.

De zon komt net op en de weg over de brug leidt een klein dorp in, en voordat de bebouwing begint, zitten zes vrouwen zwijgend en moedeloos in het gras, en als hij in een normaal land was geweest, had hij hun zijn hulp aangeboden, nu knikt hij vaag naar hen en loopt snel door, en een van de vrouwen springt op en komt achter hem aan, en ze vraagt hem of hij een paar minuten wil wachten, verder niets, alleen even wachten, en hij houdt verrast stil en de vrouw leidt hem naar de kant en biedt hem een plek aan bij hen in het gras, en ze wachten, waarop blijkt pas na een tijdje, vier kinderen komen over de weg uit het dorp aangesloft, en ze hebben niets gekregen, zeggen ze, ze hebben alles gedaan wat ze moesten doen, schattig kijken, huilen, smeken, zeggen dat ze wezen waren, niets hielp, ze zijn zelfs uitgescholden, zeggen ze.

En terneergeslagen staan de vrouwen op en hij loopt achter de groep aan door het dorp, en een keukenraam van een van de huizen zwaait open en een huisvrouw gooit een emmer water naar de kinderen en roept dat ze achterbakse oplichtertjes zijn, wezen hè, en wie zijn dat dan, zeker niet jullie moeders, en kijk nou, jullie hebben zelfs een vader, kleine profiteurs, en Louis roept verontwaardigd naar de vrouw dat hij die kinderen nog nooit heeft gezien en zeker niet hun vader is, en de vrouw noemt hem een klaploper en sluit het raam, en hij is de enige die zich over haar schandalige gedrag opwindt, de kinderen en de vrouwen lopen met gebogen hoofden door, alsof ze terecht zo worden behandeld. En hij zegt hun dat ze niet afhankelijk hoeven te zijn van de welwillendheid van andere mensen, als ze het dorp uit zijn neemt hij hen mee het bos in en zoekt paddenstoelen en kastanjes voor hen, en hij trekt zijn schoenen en sokken uit en rolt zijn broekspijpen op en gaat in de snel stromende beek staan en hij tuurt in het water en na tien minuten pakt hij een forel uit het water en gooit hem op de kant, en dat vinden ze wonderbaarlijk, ze willen het allemaal proberen, de jongetjes rollen hun broek op en de meisjes en de vrouwen knopen hun jurk rond hun middel en wagen zich in het koude water, en ze vangen niets maar ze hebben wel veel plezier. En de jongetjes sprokkelen hout en hij maakt een vuurtje, en de vrouwen halen kommen en bekers uit hun tassen en Anna, de ondernemendste en ook de mooiste vrouw van het groepje, kookt daar forel-paddenstoelen-kastanje-soep in, en ze zitten als een ongewoon samengesteld gezin met z'n allen rond het vuur, en Anna en de andere vrouwen behandelen hem met respect, ze vleien hem en flirten zelfs een beetje met hem, en hij weet natuurlijk waarom ze dat doen, en hij laat het zich aanleunen en voelt zich hun beschermer.

Hij vertelt hun dat hij op weg is naar zijn vrouw die hij al vijf jaar niet heeft gezien, en hij is niet eerlijk tegen hen, hij maakt er een romantisch verhaal van, al die tijd, zegt hij, wist hij niet waar ze was, hij heeft sinds het einde van de oorlog door Europa gezworven op zoek naar haar, maar nu denkt hij eindelijk te weten waar ze woont. En de kinderen en Anna en haar berooide vrouwen vergeten dat eten zoeken het doel van hun tocht is, ze zweren dat ze hem eigenhandig bij zijn vrouw zullen afleveren, en Else, de jongste vrouw, huilt om zijn toewijding aan de liefde, en hij gaat er zelf ook bijna in geloven.

En ze lopen verder langs de rivier, en in zijn eentje zou hij binnen een dag in Felderhoferbrücke kunnen zijn, maar met deze vrouwen en kinderen erbij gaat het minstens twee of drie dagen duren, en Anna loopt naast hem en ze praat over haar vorige leven, haar echte leven, noemt ze het, en zo nu en dan zendt ze hem een peinzend glimlachende blik uit haar grijsblauwe ogen en ze lijkt helemaal niet op Käthe, maar het is alsof Käthe bij hem is, een vrouw die op hem vertrouwt en hem onverbiddelijk vorm geeft.

En in de schemering trekken ze op een bouwland aardappels uit de grond en vanaf de nabijgelegen boerderij komen de boer en zijn hond naar hen toe gerend, en de hond blaft en de man schreeuwt naar hen en hij heeft een jachtgeweer bij zich en hij schiet op hen alsof ze wilde zwijnen zijn, en hij neemt het jongste meisje, dat nog geen zes jaar oud is, in zijn armen en ze rennen voor hun leven, en pas als ze de bescherming van de bosrand hebben bereikt, staan ze buiten adem stil. En ze maken een kamp in de heuvels langs de beek, en als het donker is gaat hij terug naar het bouwland en hij neemt wraak, de vrouwen lachen om hem en noemen het de aardappeloorlog, en Anna gaat met hem mee, samen rooien ze systematisch een paar vierkante meter van het bouwland, en als ze weer terug zijn in het kamp koken de vrouwen de aardappels, en 's nachts deelt hij de kleren uit de koffer waarmee hij zich toedekt met Anna, en hij droomt dat hij naast Käthe in het stro van de varkensstal ligt.

En 's ochtends is hij als eerste wakker en de hoopvolle tocht naar haar toe, de dagen die haar van hem scheiden, zijn aantrekkelijker dan de gedachte aan Käthe zelf, en als ze vertrekken ziet hij aan de stand van de zon dat ze te ver naar het noorden afdwalen, en hij corrigeert het niet, hij wijkt zelfs nog een eindje verder in de verkeerde richting af. En 's avonds vinden ze een mager, verdwaald schaap in het bos en met zijn scheermes snijdt hij het de keel af, en het komt door tien paar met huiverig ontzag toekijkende ogen dat hij geniet van zijn eigen koelbloedigheid, en hij vilt het beest en snijdt het in bloederige stukken en ze koken het vlees met de rest van de aardappelen van gisteren en ze eten het op, en ze zijn uitgelaten, zo heerlijk en ongekend veel hebben ze in maanden niet gegeten, zegt Anna. En na de maaltijd verzinken ze verzadigd in gedachten en ze beelden zich in dat ze thuis zijn en dat hij hun man is en dat ze van hem houden, en 's nachts ligt hij naast Anna en hij droomt dat hij een machinegeweer leegschiet op een peloton soldaten en het is geweldig, en daarom doet hij het, niet omdat de mannen dood moeten, maar omdat Anna en haar vrouwen hem erom bewonderen. En hij wordt vol verstikkende zelfhaat wakker, en Anna is weg, hij gaat overeind zitten en ook de andere vrouwen en de kinderen zijn verdwenen, ze hebben zijn koffer opengemaakt en eruit meegenomen wat ze konden gebruiken, zijn jasjes, zijn sjaal, zijn warme ondergoed, zijn dikke sokken, zijn scheermes, en hij is woedend, niet op hen, maar op hemzelf.

En het is nog geen middernacht, er is geen maan, en in het donker vertrekt hij, hij oriënteert zich op de poolster en hij loopt in zuidoostelijke richting dwars door het bos, in zo'n hoog tempo dat hij na een uur moe is en moet uitrusten, maar algauw staat hij weer op en gaat verder, morgen, morgen zal hij Käthe vinden. En als hij op een brede beek stuit die hij eigenlijk via een brug zou moeten oversteken, kleedt hij zich uit en hij bergt zijn kleren in de koffer en naakt waadt hij met de koffer boven zijn hoofd het koude water in, en de stroming is sterk en hij haalt zijn voet open aan een steen, maar hij bereikt de overkant, en hij droogt zich met een overhemd af en trekt zijn kleren weer aan. En na een kwartiertje stuit hij op een landweg en die volgt hij door verschillende slapende dorpen, en rond drie uur 's nachts bereikt hij de smalle spoorlijn die naar Felderhoferbrücke moet gaan, en omdat er toch geen treinen rijden, loopt hij tussen de rails verder, en die leiden hem een klein dorp binnen waar de trein op een stationnetje stopt dat niet meer dan een woonhuis met een plaatsnaambord is, Herrnstein heet het hier, en hij zit er een tijdje op de stoep met zijn rug tegen de muur en drinkt een paar slokken water uit de melkfles die Julienne hem heeft meegegeven.

En in de verte boven op een heuvel tekent zich een burcht tegen de nachtlucht af en aan de overkant van de spoorbaan stroomt een riviertje, en het dorpje, de burcht, het water dat zich kronkelend en glinsterend een weg door de heuvels baant, hij herkent het geen van alle, hoewel hij het vaak uit het raam van de trein moet hebben gezien. En ook het volgende stationnetje, dat de naam Büchel draagt, kent hij niet en de naam heeft hij nog nooit gehoord, maar hij loopt stug verder in de richting waarin hij al de hele nacht gaat, en tot zijn verbazing staat hij na tien minuten ineens oog in oog met het bord Felderhoferbrücke, je kunt het geen statie noemen, het is een halte voor een *Gasthof* dat Büscher heet.

En met trillende knieën verlaat hij de rails en gaat het dorp in, er staan verspreid wat grote, hoge vakwerkhuizen waarvan een groot deel als *Gaststätte* in gebruik is, en tussen de straat en de beek is een distilleerderij met een fabrieksschoorsteen die je al van verre ziet, dat is het Felderhoferbrücke waarvan hij al weken droomt, hij zou zweren dat hij er nog nooit is geweest. En na enige minuten is hij het dorp alweer uit, en daar splitst de straat zich, naar rechts een brug over het riviertje, en naar links een smalle weg langs het water, en hij heeft geen idee welke kant Werschberg uit is, op goed geluk slaat hij linksaf, en de weg blijft de beek volgen, en dat kalme, kabbelende water en de lage heuvels die aan de duistere horizon in de wolken lijken op te gaan, geven hem weer wat hoop. Hij verlaat de verharde weg en loopt langs de oever, op zoek naar de plek waar Käthe graag aan de waterkant zat te lezen, en soms lijkt het erop, dezelfde bocht in de beek, de breedte van de stroom, het hoge gras, maar het is het nooit helemaal, en hij besluit het ochtendlicht af te wachten en dan aan een boer of voorbijganger de weg te vragen.

En hij klimt aan de overzijde van de weg omhoog om daar in het gras wat te slapen, en recht voor hem uit op de top van de heuvel ziet hij een schuurtje staan, het is donker en hij is er nog tientallen meters vandaan, maar hij weet onmiddellijk dat dit het is, en terwijl hij er met haastige passen heen loopt, slaat het duistere, vreemde landschap om in een vertrouwde omgeving, alsof hij al die tijd zijn ogen heeft dichtgeknepen en niet heeft willen zien, hij herkent alles, de glooiende weiden, het kronkelende riviertje beneden hem, de bomen langs de oevers, de heuvels in de verte, de wolken die kalm achter de groene ruggen opdoemen om over het dal te drijven.

En met bonzend hart staat hij voor de schuur die eigenlijk een afdak op palen is, en aan de verste zijde verdwijnt dat dak ook nog eens in de helling, alleen een muurtje van slordig gestapelde veldkeien geeft de grens tussen gebouw en aarde aan, en hij doet een paar stappen naar voren zodat hij onder het afdak staat. En als hij nog had getwijfeld, had hij het nu geweten, de balken, de dakconstructie, de dwarsplanken waarmee het is afgetimmerd, allemaal precies zoals in zijn dromen, het is alleen gedeeltelijk ingestort, in de hoek met het stenen muurtje zijn de balken gebroken en is het dak naar beneden gekomen, en als hij op de plek gaat liggen waar hij met Käthe lag, kan hij de nachthemel naar binnen zien gluren. Het benauwt hem, zijn oorlogsherinneringen zijn zo tastbaar dat hij het gevoel heeft dat hij er ieder moment in terug kan stappen, en de zelfhaat, de walging waardoor ze worden vergezeld, kleuren zijn blik, hij weet precies wat hij die laatste keer tegen Käthe heeft gezegd en zij tegen hem.

Ze gingen tijdens zijn verlof op zondagen altijd van haar kamertje in Troisdorf terug naar de boerderij, en ze liepen samen van de statie in Felderhoferbrücke naar Werschberg, langs de beek die hij zonet ook volgde, en hij was zo wanhopig, hij verlangde naar haar begrip en liefde, en hij bekende haar dat hij een peloton soldaten met een machinegeweer had neergemaaid en hoe fantastisch hij zich daardoor had gevoeld en hoe volstrekt onvergeeflijk hij dat vond. En zij weigerde het te begrijpen, ze verschool zich achter haar vaderlandsliefde, hij had gedaan wat een soldaat moest doen, zei ze, zij walgde niet van zijn daad maar van zijn laffe zelfhaat, wat deed hij aan het front als hij niet wilde doden, zei ze. En ze had het natuurlijk over zichzelf, getrouwd met een buitenlander en haar opoffering aan haar land vormde haar enige verdediging tegen verdachtmakingen door dorpsgenoten en kennissen, van de ochtend tot de avond maakte ze explosieven en ze wilde dat blijven zien als een louter mechanische handeling met alleen zeer zuivere en vaderlandse gevolgen.

En hij had van haar onschuld gehouden, ontroerend als die van een kind dat nog nooit onterecht een pak slaag heeft gehad, daarom was hij met haar getrouwd, maar het stond hem nu zo tegen dat hij tot in de bloederigste details de gruwelijkheden opsomde die hij aan het front had gezien, veroorzaakt door de explosieven die zij en vrouwen zoals zij opgewekt maakten, alsof ze een heerlijke maaltijd bereidden. En ze luisterde met een onbewogen gezicht, in gedachten zette ze zijn woorden niet om in beelden, ze nam ze op en spuugde ze onaangeraakt weer uit, en ze zei dat het kwam doordat hij een buitenlander was dat hij zo tegen de oorlog aankeek, als hij een Duitser was geweest, had hij het zijn plicht geacht om voor hun vaderland tegen de barbaren te vechten, dat zei ze, en hij had verdomme alles voor haar opgegeven, zijn familie, zijn ouderlijk huis, zijn katholieke geloof, zijn land, zijn nationaliteit. En hij zei haar dat hij van avontuur hield, daarom had hij door Duitsland en Frankrijk gezworven en had zij hem ontmoet, en zo had hij ook hun huwelijk gezien, hij dacht dat ze haar boekendromen wilde verwezenlijken en ze fantaseerden samen over reizen, maar ze kwamen nooit verder dan dat armoedige kamertje van haar in Troisdorf, meer hoefde ze van de wereld niet te zien, en hoe dacht ze dat hij zich al die jaren had gevoeld, dat monotone, ongekend saaie, geestdodende boerenleven met haar dat zich zo langzaam voortbewoog als de aardappels groeiden, het verstikte hem, en hij had de mobilisatie met beide handen aangegrepen, de oorlog was een avontuur en hij kon tenminste weg van haar en de boerderij, zei hij.

En hij had gehoopt dat ze ruzie zouden krijgen, met geschreeuw en gevloek en gehuil en veel wederzijds ongelijk, maar ze bleef ijzig kalm, hij wist zelfs niet eens of hij haar had gekwetst, of ze misschien al die jaren had geweten hoe hij zich voelde en alleen niets had gezegd. En altijd als ze op zondagochtend van Felderhoferbrücke naar de boerderij liepen, gingen ze een kwartiertje naar de schuur in de heuvels om daar te doen wat ze in haar kleine kamertje alleen konden als ze eerst hun bedoelingen beschamend duidelijk maakten en haar huisgenoten vroegen weg te gaan, en op de boerderij van haar ouders ging het ook niet want daar sliepen ze op een kamer met hun twee kinderen, en tot zijn verbazing klom ze zoals voorgaande keren de heuvels in en hij volgde haar. En in de schuur deed ze alsof hun gesprek nooit had plaatsgevonden, ze stapte uit haar onderbroek en ging op haar rug op de aangestampte aarde onder de balkenhemel liggen en hij wilde helemaal niet, maar hij deed het toch en hij wist niet of het van het begin af aan haar opzet was geweest of dat het gaandeweg door hun beider weerzin gebeurde, zij verzette zich niet, hij gebruikte geen geweld, en toch was het een verkrachting, alleen was niet duidelijk wie de dader was en wie het slachtoffer. Hij gebruikte haar lichaam om zijn walging over hemzelf aan te wakkeren, hoe minder hij naar haar verlangde, hoe noodzakelijker het leek om zich in haar te dringen en zich schuldig te maken aan liefdeloosheid en bruutheid, en zij wist het en liet hem begaan, zoals ze ook de dodelijkste explosieven fabriceerde met schone handen en een zuivere geest en een trots gele huid.

En ze hadden er geen woord over gezegd, na afloop had ze haar onderbroek weer aangetrokken en hij had zijn uniformbroek opgehesen en ze waren naar de boerderij gelopen, en de hele dag hadden ze elkaar ontweken, en de volgende dag waren ze samen met de trein naar Troisdorf gegaan en hij was vanaf daar doorgereisd, terug naar het front, en ze had hem op het perron bij het afscheid niet omhelsd. En hij had haar vanuit de loopgraven verschillende brieven geschreven waarin hij zijn spijt betuigde en haar bekende hoe hij verlangde naar het eenvoudige boerenleven met haar, maar ze beantwoordde zijn brieven nooit, geen woord hoorde hij van haar, en hij was zo wanhopig dat hij desertie overwoog om haar te kunnen opzoeken, of zelfmoord door zich in het niemandsland op te richten en op de trefzekerheid van de scherpschutters aan de overzijde te vertrouwen, maar hoe groter zijn walging hoe minder hij er van los wilde komen, hij moest het allemaal ondergaan, totdat zijn verstand buiten hem om besloot dat de situatie volstrekt onleefbaar was en hij vermist raakte. Het was als doodsbang in een granaattrechter schuilen, als de wereld ontvluchten in een boek, wanneer hij het haar had kunnen uitleggen, had ze het als geen ander begrepen, maar ze kreeg alleen bericht dat hij werd vermist en vermoedelijk was gesneuveld, en haar laatste herinnering aan hem speelde zich af in deze schuur waar hij nu op zijn rug ligt, op de plek waar zij toen lag, met uitzicht op de ruwe balken boven haar en verstikt door hun beider afgrijzen. Ze moet het in de afgelopen vijf jaar allemaal hebben gevoeld, schuld, woede, machteloosheid, verdriet, en hij kan het niet ongedaan maken, alleen nog verergeren voor haar, hij moet niet naar haar toe gaan.

En hij ligt daar roerloos op zijn rug en hij mist haar zo pijnlijk alsof hij gisteren afscheid van haar heeft genomen en ze zit weer aan de waterkant en ze leest hem voor en haar stem verwaait tussen het hoge gras en ze strijkt weer gedachteloos haar lange, blonde haar naar achteren waarna het koppig over haar voorhoofd terugvalt en haar grijsblauwe, peinzende ogen met daarachter die onschuldige, romantische meisjesdromen en haar lichaam vol sproeten alsof ze in een onbewaakt ogenblik naakt door de modder is gerend en haar stem die zangerig deint als ze ontroerd is en zegt ze dan zijn naam, zo wil hij voor altijd heten, zo Duits, zo bedeesd, zo innig, en de tranen druppen uit zijn ooghoeken langs zijn slapen op de aarden vloer, en buiten lost de nacht langzaam op in de schemering en dan in de dag.

En hij staat op en loopt de heuvel af naar de weg, en hij keert niet om, hij kan het niet, hij moet weten hoe het haar is vergaan, hij zal zich in de buurt van de boerderij verstoppen, misschien bij het riviertje waar ze hopelijk nog komt om aan hem te denken of om te lezen, en hij zal geduldig op haar wachten en als hij haar heeft gezien, zal hij geruisloos weer gaan, ze zal nooit weten dat hij haar heeft opgezocht. En dat idee trekt hem onweerstaanbaar aan, alsof hij die eerste keer met haar kan herbeleven, zittend aan weerskanten van de beek, zo heeft hij haar nadien nooit meer bezeten.

En in het eerste licht van de ochtend loopt hij over de smalle weg die hij met haar zo vaak heeft genomen, omarmd door de heuvels en het kronkelende riviertje, en voordat hij hem ziet weet hij al dat hij zo meteen op een vijfsprong zal staan met aan zijn linkerhand een watermolen, en zonder aarzelen kiest hij voor de zandweg, rechtdoor. En voor de veiligheid wijkt hij na enkele tientallen meters van het pad af en gaat de heuvels in, het is mistig en hij waadt door het natte gras van de weide en links van hem ligt het bouwland van Käthes familie, de aardappels zijn nog niet gerooid, en staand op de heuvelrug ziet hij de boerderij met de schuren aan zijn voeten liggen, en beschermd door de mist en een bomenrij daalt hij voorzichtig af. En alles is nog precies zoals toen hij vertrok, het statige, witte vakwerkhuis met de kleine, ingedeelde ramen dat hem altijd aan een vrouw deed denken die haar ogen dichtknijpt tegen de zon, de grote schuren er in een half vierkant omheen gebouwd, het keurige erf, zijn leven is zonder hem onverstoorbaar verdergegaan, poten, rooien, melken, maaien, slachten, zomer, winter, en de eenzaamheid bespringt hem, alsof met haar lichamelijke nabijheid de band tussen hen onherroepelijk is verbroken.

En er brandt licht achter het keukenraam, en hij weet dat ze nu melk kookt voor de pap en eieren en worstjes bakt, en in gedachten hoort hij haar stem, hoe ze tegen de kinderen praat, en hij hurkt achter de laatste boom en wacht met een zwaar hart, het voelt niet als mededogen, het voelt als het ultieme bedrog. Hij kan haar schim onderscheiden die onwetend van zijn blik achter het glas beweegt, daar is ze, nog geen twintig meter van hem vandaan, en ze gelooft dat hij dood is, en hij vertelt zichzelf dat hij haar duidelijk moet zien, haar moet herkennen, dan zal hij weer gaan, ze zal straks de deur uit stappen en in gedachten verzonken schuin het erf oversteken, zoals hij haar duizenden malen heeft zien doen, en ze zal naar de weide naast de schuur gaan om daar de varkens te voeren.

En hij wacht, en de deur gaat open, en zijn hart bonst in zijn keel en er lopen twee kleuters het erf op, dat moeten Emma en Ernst zijn, en daar achteraan komt zij, maar hij herkent haar nauwelijks, haar lange, blonde haar heeft ze afgeknipt, het reikt net tot in haar nek, alsof ze het van verdriet uit haar hoofd heeft getrokken en het net weer begint aan te groeien, en ze is dikker geworden, en hoewel ze fysiek meer ruimte in beslag neemt, is ze ook onzichtbaarder geworden, ze gaat naadloos in haar omgeving op, zoals de paarden en de wolken en de boerenzwaluwen. Het doet hem pijn, alsof hij haar, door haar in de steek te laten, aan de dodelijke alledaagsheid heeft uitgeleverd waartegen ze met haar boeken vergeefs had gevochten, en tegelijkertijd ontroert het hem dat ze zo gewoon lijkt, alsof ze naakt en onbeschermd voor hem staat, en hij richt zich op om beter naar haar te kunnen kijken.

En een grote, zwarte hond verschijnt vanachter haar rokken en ach, het is Issie, en zij is nauwelijks veranderd, ze is alleen grijs geworden rond haar snuit, en hij verlangt zo naar dat gespierde hondenlichaam onder zijn handen, haar natte neus in zijn nek, en Issie heft haar kop op en haar blik dwaalt over het erf in zijn richting en ze blaft een keer luid. En Käthe kijkt ook zijn kant uit, ze ziet hem staan en ze roept naar hem dat hier niets te halen valt en als hij niet heel snel weggaat, zegt ze, stuurt ze de hond op hem af, en haar stem treft hem als een mokerslag, zo bekend en reëel en nabij, en hij verroert zich niet, en zij doet een paar stappen terug en reikt naar binnen, direct naast de deurpost, en ze heeft een jachtgeweer in haar hand, ze zet het aan haar schouder en richt het op hem, en ze zegt iets tegen Issie. En Issie stormt blaffend over het erf op hem af en hij keert zich snel om en klimt de heuvel op, en het geblaf stopt en hij neemt aan dat ze bij de erfgrens is omgekeerd, maar plotseling bespringt ze hem, hij voelt haar poten op zijn rug en hij verliest bijna zijn evenwicht, hij gelooft dat hij door zijn eigen hond dood zal worden gebeten. En hij draait zich om en ze kwispelt wild en likt hem met grote, onbeheerste halen in zijn gezicht en hij knielt voor haar neer en hij legt zijn armen om haar heen en hij praat in het Vlaams tegen haar zoals hij vaak deed, en hij huilt, en als hij opkijkt, is Käthe hem tot op enkele meters genaderd, ze staat aan de rand van het erf en ze heeft haar geweer laten zakken, de loop wijst weifelend naar de grond.

En er is geen weg terug, hij richt zich op en hij zegt haar naam, en hij ziet haar verstarren, de blik uit haar grijsblauwe ogen slaat zich als een weerhaak in zijn gezicht, en ze beweegt haar lippen maar geen geluid komt er uit haar keel, en dan zakt ze krachteloos door haar knieën, alsof ze knielt om te bidden, en hij rent naar haar toe en Issie komt achter hem aan, en hij hurkt voor Käthe neer en pakt haar handen, en ze is lijkbleek, ze trilt over haar hele lichaam. En hij wist dat hij haar deze ontmoeting niet moest aandoen, hij is ontzettend egoïstisch geweest, maar hij voelt haar ruwe, warme vingers, hij ziet haar noordelijk blauwe ogen, de meisjessproeten op haar neus en haar wangen, en hij praat zacht tegen haar en na even merkt hij dat hij net als tegen Issie Vlaams spreekt, en zij staart hem aan, en pas als Emma haar angstig aan haar rok trekt en vraagt wat er is, weet Käthe wat uit te brengen, ze zegt dat ze naar binnen moeten gaan, nu meteen. Wie is die meneer, mama, wil Emma weten, en Käthe zegt dat ze geen idee heeft, een bedelaar, zegt ze, en terwijl ze die woorden uitspreekt kijkt ze hem niet aan, en de kinderen verdwijnen naar binnen, en ze blijven met z'n tweeën op het erf achter, met de schuren en het mistige heuvelland om hen heen.

En hij helpt haar overeind en biedt zijn excuses aan dat hij haar zo overvalt, maar je wist dat ik zou komen toen je mijn brief zag, zegt hij, en zij snapt niet over welke brief hij het heeft, zegt ze, haar stem beeft alsof haar hart zich bonzend in haar keel heeft gewrongen, en hij zou haar zo graag in zijn armen nemen en troosten, zoals vroeger zijn taak was, ze is vlakbij en vertrouwd als in een droom, en hij begrijpt haar verwarring pijnlijk goed, maar iets in haar maakt dat hij afstand houdt, alsof ze voor de gedachte aan hem terugdeinst. En ze vraagt wat hij haar had geschreven en wanneer, en hij gelooft dat ze de brief werkelijk niet heeft gezien, en ze dempt haar stem, zoals ze ook stiekem achter de stal met elkaar spraken toen haar ouders nog niet mochten weten dat ze haar hart aan een van hun seizoenarbeiders had verloren, en hij vertelt haar dat hij vijf jaar lang aan geheugenverlies heeft geleden en niet wist wie hij was en haar dus ook niet kon schrijven of bezoeken.

Geheugenverlies, herhaalt ze, en hij denkt dat ze hem niet gelooft en probeert haar uit te leggen dat veel soldaten zelfs nu nog psychische problemen hebben, en ja, zegt ze, dat weet ze, en ze knikt er nadrukke-lijk bij, en het is een zonderling gesprek, balancerend op de grens van vertrouwelijkheid en vervreemding, en hij zegt dat hij langs de rivier hierheen is gelopen en dat hij dacht aan hoe ze vroeger aan de oever zat te lezen. En in de hoop haar nader te komen, wil hij vertellen over hoe hij van over het water naar haar keek en hoe ze hem zo wekenlang iedere avond voorlas, *Die Elixiere des Teufels*, weet je nog wel, maar haar gezicht sluit zich alsof ze hem na een ruzie de rug toekeert, en hij slikt zijn woorden in, en er valt een zware stilte tussen hen die met iedere seconde meer op een afwijzing begint te lijken.

En zij zegt snel dat ze blij is dat hij niet is gesneuveld, en ze zegt het op de toon van een opmerking over het weer, hij hoort aan haar stem dat het de inleiding is tot iets beschamends, iets wat ze zichzelf deson-danks heeft opgelegd, en mijn God, ze gaat hem wegsturen, haar eigen man, wegsturen, en hij verlangt hevig naar zijn onwetendheid van van-ochtend, van nog geen tien minuten geleden. En ze leest zijn gezicht als een open boek, ze legt haar hand zacht op zijn onderarm en ze kijken elkaar aan, en in haar ogen ligt het verleden besloten, ze weet het alle-maal nog, ze heeft er honderden keren aan gedacht, en haar lippen zijn vlakbij, hij wil haar kussen, maar hij durft niet.

Mama, zegt een jongetje in schooluniform, we gaan, en Käthe draait zich om en ze praat met de twee kinderen, en hij hoort aan haar stem hoe ze haar best doet om het gesprek zoals op andere ochtenden te laten klinken, maar de kinderen gluren achterdochtig naar hem, een donkerblond jongetje van een jaar of negen en een meisje met lichtbruin, lang haar in een vlecht van rond de elf jaar oud. En dan dringt tot hem door dat er vijf jaren zijn verstreken, niet die twee kleuters van daarnet, maar dít zijn Emma en Ernst, hoe klein waren ze toen hij hen voor het laatst zag, hij herinnert zich dat hij die zondagmiddag na de vernedering in de schuur met hen in de beek speelde om aan Käthe en zijn schoonouders te ontkomen, ze waadden met hun blote beentjes door het water en ze gingen op in hun spel zonder zich aan hem te storen, en hij zag hen nauwelijks terwijl hij bij hen was, en terug aan het front weigerde hij de herinnering aan die twee onschuldige kinderen bloot te stellen aan de gruwelen van de oorlog, hij beschermde hen door hen te vergeten. Ze zijn zonder hem groot geworden, en ze staren elkaar aan, hij en zijn kinderen, en Käthe wil onmiskenbaar niet dat ze weten dat hij hun vader is, ze heeft haar rug afwerend naar hem toegekeerd en niet een keer kijkt ze achterom en ze zegt niets tegen hen over hem, alsof ze hoopt dat hij zal zijn verdwenen als ze zich straks omdraait, en het besef drukt zwaar op zijn borst, ze heeft hem niets vergeven, in haar hoofd is hun ruzie gegroeid en gegroeid totdat er alleen de man uit de schuur overbleef, en die man staat nu op haar erf.

En de kinderen lopen langs de boerderij en dan naar rechts de weg af, en ze kijkt hen na, alsof ze gelooft dat hen van alles kan overkomen, nu op een alledaagse herfstochtend de doden blijken te kunnen verrijzen, en ze keert zich naar hem toe, met een ongemakkelijk, enigszins gegeneerd lachje rond haar mond, en ach, hij begrijpt het ineens, de twee kleuters van daarnet, die blonde kinderen, hoe oud waren ze, vier en twee misschien. En hij vraagt haar wie haar man is, en ze weet beduusd niet wat ze moet antwoorden, je bent toch hertrouwd, zegt hij, en haar gezicht zijgt uit de plooi, zoals ze daarnet van schrik door haar knieën zakte, en hij kan tot in haar ziel kijken, zo ontwapend, zo weerloos was ze nog nooit, hoe hij daar in bed soms ook zijn best voor deed, en in plaatsvervangende schaamte wendt hij zijn blik af, zodat ze zichzelf ongezien bij elkaar kan rapen. En met onvaste stem zegt ze dat ze dacht dat hij, dat zij, dat ze ervan overtuigd was, en iedereen, zegt ze, en hij zegt dat hij het haar niet kwalijk neemt, hij begrijpt het, zegt hij, ze dacht dat hij dood was, en waarom zou hij dat ook niet zijn, en het leven gaat immers verder, daar is niets tegen te doen.

En hij merkt dat hij het haar niet alleen niet kwalijk neemt, dat hij zelfs opgelucht is, ze heeft hem vergeven, de schuur is lang geleden, ze haat hem niet, ze is alleen met een ander getrouwd, en ze zegt dat in de brief die ze van zijn *Feldwebel* kreeg stond dat hij werd vermist en waarschijnlijk was gesneuveld, letterlijk stond dat er, dus wat moest ze anders geloven. En hij zegt nogmaals dat hij het begrijpt, maar zijn verstand fluistert intussen, die kinderen, hoe oud zouden ze zijn, dat meisje zag eruit alsof ze vier was, dan zou ze een jaar nadat hij werd vermist al moeten zijn verwekt, een jaar, één keer poten, rooien, zaaien, maaien en ze was al hertrouwd, ze had niet eens kunnen afwachten of ze zijn lichaam daadwerkelijk zouden vinden.

En ze staan tegenover elkaar op het lege erf, hij met zijn vuile jas en bemodderde schoenen en zonder hoed, en zij in haar jurk, zonder jas, ze heeft het koud, hij ziet het aan de stijve manier waarop ze haar armen over elkaar slaat, maar ze vraagt hem niet binnen en ze durft ook niet terug te gaan naar de keuken, ze vraagt hem hoelang hij onderweg is geweest en hoe hij hier is gekomen, en terwijl hij over zijn voettocht vertelt en zij zijn woorden afwezig langs zich heen laat drijven, ziet hij hoe ze een snelle blik over haar schouder door het raam de keuken in werpt, waar de twee kleuters waarschijnlijk zijn.

En hij zou haar alleen moeten laten, beleefd moeten zeggen dat hij haar het allerbeste toewenst en vertrekken, maar hij krijgt de woorden niet over zijn lippen, zijn verstand staat stil bij het idee dat hij haar de rug toe zou keren en het erf af zou lopen, een man zonder gezin, zonder toekomst, niet eens een man, een naamloos, gevoelloos ding. En hij blijft staan, en zij ook, en ze maken een praatje alsof ze buren zijn die elkaar toevallig op straat zijn tegengekomen, ze vermijden kunstig alle valkuilen van het verleden en ze hebben het ook niet over haar kinderen of haar nieuwe huwelijk, ze bevinden zich samen in een zonderling luchtledige, en misschien zou ze hem tegenhouden als hij aankondigde dat hij wegging, maar hij durft het er niet op te wagen, en zij durft op haar beurt niet het besluit te nemen om hem in haar huis en haar leven te nodigen.

En hij vertelt over de treinen die niet reden en over de inflatie, en zij zegt dat ze hier op het platteland niet veel last hebben van de geldontwaarding, ze leven van de opbrengst van het land en hun beesten, en ze ruilen met andere boeren, we hebben de hypotheek op de schuren en het land afbetaald, zegt ze, voor de prijs van een brood, en ze lachen samen om de absurditeit van een wereld waarin geld volstrekt waardeloos blijkt te zijn en mensen uit de dood kunnen opstaan, en ze kijken elkaar per ongeluk in de ogen en geschrokken wenden ze hun blik weer af, en ze staan krampachtig tegenover elkaar, hij merkt dat hij onbewust zijn armen heeft gekruist net als zij, alsof hij haar bespot, en hij laat zijn armen langs zijn zij hangen.

En er loopt een man het erf op, een boer aan zijn kleren te zien, en zij voelt dat hij ergens naar kijkt en werpt een blik over haar schouder, en ze draait zich onmiddellijk weer terug en in haar verschrikte ogen leest hij wie de boer is, en in een fractie van een seconde neemt hij de beslissing die hij alsmaar voor zich uit heeft geschoven, hij geeft haar een hand en bedankt haar voor het gesprek en pakt zijn koffer op, en hij kijkt haar aan, hij ziet haar dodelijke schaamte, een lafheid die ze zichzelf nooit meer zal kunnen vergeven, zij met haar hoogstaande principes, haar romantische idealen, maar ze protesteert niet, dit is de laatste keer dat ze samen zijn. En hij houdt haar hand te lang vast en hij prent zich haar in, haar ijsblauwe ogen, haar zware wenkbrauwen, haar sproeten, haar korte, blonde haar, het gevoel van haar koude hand in de zijne terwijl ze aarzelend haar vingers beweegt en in de zijne knijpt, een gebaar dat het midden houdt tussen genegenheid, dankbaarheid en angstig ongeduld.

En hij laat haar los en hij loopt het erf af, haar volgende man tegemoet, en hij is toch nieuwsgierig wie zijn plaats heeft ingenomen, en hij kijkt de man in zijn gezicht terwijl hij hem passeert en hij groet hem beleefd, hij heeft het gevoel dat hij hem eerder heeft gezien, zijn jongensachtige oogopslag, zijn licht gebogen rug alsof hij een last met zich meedraagt, en de man herkent hem ook, hij blijft staan, Louis, zegt hij, niet verbijsterd of geschokt, het is een constatering. En ze schudden elkaar de hand, en terwijl ze dat doen schiet hem de naam van Käthes man te binnen, het is Rainer Berger, de jongste zoon van de smid uit Reinshagen die in hetzelfde peloton zat als hij, ze hebben kleren, bedden, eten, ontberingen en herinneringen aan thuis gedeeld. En ze wenden zich gelijktijdig naar Käthe die in roerloze ontzetting naar hen kijkt, en dan komt ze in beweging en ze loopt over het erf naar hen toe, ze staat naast hem en ook naast Rainer, alsof ze het heeft uitgemeten, niet te dicht bij de een, niet te dicht bij de ander, op haar eigen eiland van schaamte en schuld, en het is Rainer, niet Käthe, die hem zonder aarzelen binnen nodigt, de enige ook die zonder bijgedachten blij lijkt te zijn met zijn opstanding uit de dood, en Käthe protesteert niet, ze legt zich neer bij haar mans grootmoedige besluit, opgelucht laat ze zich door hem uit haar dilemma verlossen.

En Louis ziet hoe ze naar Rainer kijkt terwijl ze gedrieën over het erf naar de boerderij lopen, ze is trots op hem, en Louis denkt dat Rainer zich zo in haar leven moet hebben gewurmd, hij heeft Louis gerespecteerd en zijn kameraadschap met hem aan het front benadrukt, hij kon alles met Louis doen, de doden protesteren niet, en al was hij misschien in Käthes hoofd toen nog niet dood geweest, Rainer had hem doodgepraat en haar zinloze, verspilde gevoelens voor haar eerste man gebruikt om haar te veroveren. En hij mag niet zo denken, hij is jaloers, als enige van hen drieën, terwijl hij er het minste recht toe heeft, en hij loopt tussen haar en Rainer de bijkeuken binnen, en het lijkt of hij als een buitenstaander zijn eigen leven binnenstapt, hij ziet zijn vertrouwde thuis van een objectieve afstand, en ook zijn verwarring en ontroering en vreugde zijn niet helemaal van hem, hij bespot de tranen die in de schemer van de bijkeuken in zijn ogen opwellen, en voordat hij in de verlichte keuken staat, wrijft hij ze met zijn hand weg, en hij ziet dat zij het ziet en snel haar blik afwendt, alsof ze zich heeft gebrand.

En er is niets veranderd, de ruwhouten keukentafel, de strenge, rechte stoelen, de lelijke, groene wandtegels, de donkere kasten langs de muren, het uitzicht over het erf, en de twee kleuters komen vanuit de kamer naar Käthe toe gerend, en hun oma volgt hen, ze let niet op hem, ze houdt hem voor een seizoenarbeider of een knecht, pas als Rainer hem een plek aan tafel aanbiedt en Louis hem bedankt en Käthes moeder zijn stem hoort, kijkt ze verrast naar hem, en Käthe zwijgt, maar Rainer zegt tegen haar, Louis is terug, moeder, en door dat woord moeder tegen haar, hoewel Louis het altijd met tegenzin uitsprak, omdat hij het idee had dat hij er de nagedachtenis van zijn eigen moeder mee verraadde, dringt met een plotse onontkoombaarheid tot hem door dat hij niet meer bestaat, hij is dood, zijn plaats vergeven.

En hij gaat onder de verbijsterde blik van zijn schoonmoeder aan de tafel zitten, en zij verdwijnt om haar man uit de stal te halen, en zijn schoonvader verschijnt in de deuropening, hij is grijzer geworden en zijn gezicht smaller en beniger, maar nog steeds die ijzige blik uit de ogen die zijn dochter van hem heeft geërfd, en hij is niet verrast dat hij Louis in zijn huis ziet, alsof hij vijf jaar lang heeft geloofd dat die verdomde buitenlander niet zomaar spoorloos kon verdwijnen, en hij geeft hem een hand en Louis kijkt hem vluchtig aan. En hij wist het, denkt hij, zijn schoonvader wist als enige dat hij zou komen, de briefdrager moet hem de brief hebben gegeven en zonder met zijn dochter te overleggen liet hij hem terugsturen, hij was het, dat kan niet anders, en Louis voelt de oude haat oplaaien voor de man die weigerde zijn enige kind aan een minderwaardige, Vlaamse seizoenarbeider af te staan, maar hij kende zijn dochter zo slecht dat hij haar met zijn verzet alleen in Louis' armen dreef, en zij kende haar vader zo goed dat ze hem kon dwingen haar liefde te accepteren, zijn eigen vrouw zag hij nauwelijks, zijn dochter was de enige vrouw van wie hij hield, zij was niet onbeduidend zoals alle andere vrouwen, en haar lichaam was heilig, onaanraakbaar en onbestaanbaar. En Louis had geprobeerd hem uit Käthe te verdrijven, maar dat was hem nooit overtuigend gelukt, iets waarvan zijn schoonvader zich niet bewust was, had hij het wel geweten dan had hij misschien niet zo'n hekel aan zijn schoonzoon gehad, die hem niet alleen zijn dochter had ontstolen maar die ook de boerderij moest erven, en toen goddank, kwam de oorlog en raakte hij vermist, een geschenk uit de hemel, zo moet zijn schoonvader het hebben ervaren. En het doet Louis pijn om aan haar ontredderende verdriet te denken dat ze waarschijnlijk voor zichzelf hield, zoals ze het liefst met al haar gevoelens deed, en ook omdat niemand haar rouw deelde, haar ouders waren in stilte opgelucht, haar kinderen te klein om haar gevoelens te begrijpen, en daarom, denkt hij, hertrouwde ze zo snel, ze wierp zich in de armen van de eerste de beste die de moeite nam zich haar leed aan te trekken.

En ach, hij zit aan de keukentafel en hij kijkt naar haar vertrouwde gestalte, haar rijzige, rechte rug, haar hoekige schouders in de donkergroene jurk, terwijl zij een ontbijt voor hem maakt, en ze doet er zo lang over en niet een keer draait ze zich om of reageert ze op het zich moeizaam voortslepende gesprek tussen hem en Rainer, het is alsof ze zichzelf uit de situatie heeft weggedacht, zoals ze vroeger in een boek kon verzinken. En haar moeder komt naast haar staan en zegt, ga jij maar zitten, Kätchen, en ze neemt het bakken van het roerei van haar over, en Käthe loopt naar de servieskast en opent die en ze staat een tijd naar de borden en glazen te staren en ze verroert zich niet, en haar moeder zegt nogmaals dat zij dat allemaal wel zal doen, ga nou maar zitten, en Käthe schuift de stoel naar achteren die al haar hele leven de hare is en ze zit schuin tegenover hem, ze tuurt met gebogen hoofd naar haar handen in haar schoot en ze weet dat iedereen aan de tafel naar haar kijkt.

En haar moeder zet een bord met roerei en twee worstjes voor hem op tafel en een glas warme melk, ze herinnert zich nog waarmee hij altijd ontbeet, en dat ontroert hem van die stugge vrouw die hij nooit na heeft kunnen komen, en hij begint te eten, en bij de eerste hap merkt hij dat hij razende honger heeft, maar hij probeert niet te schrokken, en als hij al kauwend van zijn bord opkijkt, ziet hij nog net dat ze haar ogen neerslaat en dat ze een licht geamuseerde blik op hem had gericht, zoals ze ook de dieren kon voeren, met een spot die niet de hongerige beesten betrof maar haarzelf, alsof ze zichzelf voorhield dat welke hogere, romantische gevoelens ze ook koesterde, dit het onontkoombare nut was van haar bestaan. En ze vraagt hem, wil je nog wat hebben, en hij hoort geen ironie in haar stem, alleen medelijden, en hij voelt zich vernederd maar is niet in staat te weigeren, en voordat ze kan opstaan om meer eieren voor hem te bakken, is haar moeder al bij het fornuis en hij ziet haar stille ergernis, de manier waarop ze haar lippen op elkaar klemt.

Het is de vreemdste dag uit haar leven, niet alleen voor haar, voor de hele familie, en het vreemdste is nog wel dat hij zo veel gemeen heeft met alle voorgaande, doodnormale dagen, Rainer en haar vader moeten weer aan het werk, zeggen ze, en ze gaan naar buiten, Louis ziet hen zij aan zij over het erf lopen, zwijgend, en de mist is bijna opgetrokken, naast de schuur zijn de eiken van de houtwal en de heuvels in de verte te onderscheiden en een havik hangt roerloos boven de akker met de dood in zijn klauwen. En zijn schoonmoeder zet een tweede bord met roerei voor hem neer en terwijl hij eet gaat zij naar de kinderen in de woonkamer, en hij is alleen met Käthe, en hij probeert haar blik te vangen, Keet, zegt hij zacht, en alsof het buiten haar verstand om gebeurt, richt ze onmiddellijk haar hoofd op en ze kijken elkaar aan en hij glimlacht naar haar, en voordat zij kan reageren is haar moeder alweer terug, met de kinderen, en dankbaar houdt Käthe zich met hen bezig.

En hij is klaar met eten en hij zit daar maar, Käthe richt nooit het woord tot hem, zijn schoonmoeder vraagt zo nu en dan iets waarop hij kort antwoordt, en hij gelooft dat ze wachten totdat hij uit zichzelf zal vertrekken, alsof hij een zwerver is die ze uit liefdadigheid een maaltijd hebben aangeboden, maar hij is haar man, voor de wet zelfs haar enige man, Rainer is degene die geen rechten heeft. En zijn schoonmoeder wil weten waar hij de afgelopen vijf jaar is geweest, en hij vertelt over zijn geheugenverlies en van het gesticht maakt hij een ziekenhuis voor veteranen en Julienne laat hij helemaal weg, hij zegt dat heel langzaam zijn herinneringen terugkeerden en dat hij toen op zoek is gegaan naar Käthe, en hij kijkt naar haar en zij doet alsof het gesprek haar niet aangaat, ze heeft haar zoontje op schoot genomen en wrijft met haar hand gedachteloos over zijn rug.

En zijn schoonmoeder vertelt hoe de afgelopen vijf jaar hier bij hen op de boerderij zijn verlopen, in januari 1918 kregen ze bericht van zijn vermissing, en iets meer dan een jaar later hebben ze hem officieel dood laten verklaren, zegt ze, en ze noemt Käthes naam niet, maar zij moet het zijn geweest die zo snel het verzoek bij de rechtbank heeft ingediend, zij moet het document zelf hebben ondertekend, bijna vier jaar lang had hij kogels en granaten en ontberingen overleefd om vervolgens door de hand van zijn eigen vrouw te sterven, en ze heeft toch naar hun gesprek geluisterd en ze zegt haastig dat het op dat moment het verstandigste leek, als hij officieel was overleden had ze recht op een weduwenpensioen, zegt ze. Waarvoor je nu nog geen kruimel brood kunt kopen, vult hij aan, en zij zwijgt, en zijn schoonmoeder zegt dat het destijds veel geld was, je wilde graag hertrouwen, zegt hij tegen Käthe en ze kijkt hem aan over het blonde hoofd van haar zoontje, Frieda Müller, zegt ze, en Alma, de oudste dochter van Hennings uit Löbach, en Irmgard en Anne van Wehrmann en Eva van Tauber zijn allemaal in de oorlog weduwe geworden en allemaal zijn ze opnieuw getrouwd. En hij vraagt haar sinds wanneer ze precies doet zoals de anderen, ik kon toch niet weten dat je terug zou komen, zegt ze, je had gewild dat ik dood was gebleven, zegt hij, nee, zegt ze, nee natuurlijk niet, nee, maar hij weet dat ze niet de waarheid spreekt, en daar is hij bedroefd over en zijzelf ook, dat is het enige wat ze nog kunnen delen, verdriet over het verleden dat toch ooit ook uit gelukkige momenten bestond, maar nu met terugwerkende kracht beladen is met wat erop is gevolgd.

En schuldbewust zegt ze nog eens dat ze blij is, heel blij, dat hij nog leeft en dat ze wilde dat het anders was gelopen, maar als ze hem niet direct na een jaar dood had laten verklaren, had ze het later wel moeten doen, vijf jaar is een lange tijd, zegt ze, en Julienne, hij denkt ineens aan Julienne met haar vol liefde ingepakte koffer en haar gesmeerde boterhammen en haar Bastos-sigaretten, en alweer zwemmen er tranen in zijn ogen, hij is moe, hij had vannacht moeten slapen. En Käthe wendt haar blik af en ze zet haar zoontje op de grond en staat op en ze begint aan het koken van het middagmaal, ze schilt aardappels, snijdt kool en uien, en hij hoopt alsmaar dat haar moeder hen alleen zal laten, maar dat gebeurt niet, met opzet vermoedt hij, en Rainer en haar vader komen van het land naar binnen en misschien geloofden ze dat hij zou zijn vertrokken, maar Rainer groet hem vriendelijk en komt naast hem zitten, en zijn schoonvader knikt stug naar hem.

En ook Emma en Ernst komen thuis van school, ze zitten vlak bij hem aan tafel tijdens het middagmaal en hij kijkt heimelijk naar hen, hij herkent Käthe in hen en ook hemzelf, vooral in Ernst, en niemand vertelt hun dat hij hun vader is, hun echte vader, en hij durft het hun ook niet uit zichzelf te zeggen. Hij vraagt hun naar school en naar wat ze het liefst op de boerderij doen, en hij vertelt dat hij vroeger zelf graag in de beek speelde en hij beschrijft de spelletjes die hij met hen deed en hij vertelt ze alsof het zijn vader was die ze met hem speelde, en hij hoopt dat ze zich hem zullen herinneren, dat ze zullen zeggen, dat deden wij ook met onze vader, en dan zal hij zeggen, dat ben ik, ik ben jullie vader, maar ze luisteren beleefd en ze zeggen niets. En hij ziet Käthe steeds onrustiger worden en ze zegt tegen Ernst en Emma, vertel hem eens dat we naar de Rijn zijn geweest en hoe leuk dat was, en Emma zegt dat ze vorig jaar in de zomer met papa en mama, zegt ze, met een grote boot op de Rijn hebben gevaren, en er stonden allemaal kastelen langs de kant, vult Ernst aan, en hij vertelt enthousiast over het grote, middeleeuwse kasteel dat ze hebben bezocht.

En Louis wisselt een blik met Käthe, en ze is boos op hem, met veel moeite heeft ze haar verdriet achter zich gelaten en een nieuw leven opgebouwd, een gelukkig leven met reisjes op de Rijn en vier kinderen en een man van wie ze houdt, en dan komt hij terug en rijt haar oude wonden open. En Rainer heeft ook gemerkt dat zij zich aan Louis ergert, en hoffelijk maakt hij Louis voor haar onschadelijk door een gesprek met hem aan te knopen over poten en rooien, en Louis kan niet anders dan erin meegaan, en zo nu en dan kijken ze allebei naar Käthe, maar zij doet alsof ze niet in de gaten heeft dat ieder woord, ieder gebaar van hen om haar draait, ze houdt zich bezig met haar jongste zoontje dat met zijn eten knoeit, en uiteindelijk neemt ze hem de lepel uit zijn hand en voert ze hem, en ze praat zachtjes tegen hem, alsof ze met haar intieme gefluister een muur rondom haar en het jongetje optrekt. En hij houdt van haar, God wat houdt hij van haar, hij had de wereld willen ontdekken, maar hij strandde hier in Werschberg, bij de geheimzinnige, onweerstaanbare, onkenbare wereld in haar hoofd, hij verlangde ernaar te veroveren wat niet te veroveren viel, en zijn enige troost is dat Rainer ongetwijfeld ook niet tot haar is doorgedrongen, ze is nog altijd zo maagdelijk als pasgevallen sneeuw.

En Rainer vraagt hem of hij straks meegaat naar het land, ze zijn gisteren begonnen met rooien, zegt hij, en Louis wil niet bij haar weg, en aardappels interesseerden hem ook al niet toen hij ze nog zelf uit de grond moest halen, maar het lijkt hem verstandig om haar met rust te laten en niet onder druk te zetten, en hij stemt in met Rainers voorstel, en zijn schoonvader kijkt op van zijn bord en zegt dat er niets te beleven valt bij het rooien, laat hem de beesten zien, zegt hij, en Rainer geeft onmiddellijk toe, alsof hij op zijn kop heeft gekregen, en Louis begrijpt niet waarom zijn schoonvader niet wil dat hij over hun bouwland zou lopen, alsof hij het in beslag zou kunnen nemen door er voet op te zetten. En als hij na het eten achter Rainer aan naar buiten loopt en zij de tafel aan het afruimen is, bedankt hij haar in het voorbijgaan voor het eten, hij zegt dat het erg lekker was, en ze gaat verder met het opstapelen van de vuile borden, ze kijkt hem niet aan, maar hij ziet dat ze glimlacht en hij legt bijna zijn hand op haar rug, nog net op tijd weet hij zich in te houden.

En hij loopt met Rainer over het erf en zij staat voor het keukenraam en kijkt hen na, en Issie die naast de bijkeukendeur lag, voegt zich bij hen, hij voelt haar natte neus tegen zijn hand duwen en hij aait haar over haar kop, en Rainer zegt, Isa, terug naar je plek, en de hond blijft teleurgesteld staan, haar oren in haar nek. En Louis buigt zich over haar heen en drukt een kus op haar kop en terwijl hij dat doet, ziet hij Käthe nog steeds bij het raam, en zij moet weten dat hij weet dat zij naar hem en Issie kijkt, maar ze wendt zich niet af, en hij kriebelt Issie achter haar oren en hij zegt zacht in het Vlaams tegen haar, is ze gelukkig Issie, geloof je dat ze gelukkig is met hem, en Issie kwispelt aarzelend en sjokt terug naar haar plek naast de bijkeukendeur.

En hij loopt met Rainer naar de varkensweide, en op de akker achter de boerderij, halverwege de heuvel ziet hij tientallen seizoenarbeiders op hun knieën zitten, de rieten manden met gerooide aardappels naast zich, en hij denkt hoe onvoorstelbaar vreemd het is dat hij dertien jaar geleden daar ook zat, op precies diezelfde akker, en dan dringt tot hem door waarom zijn schoonvader niet wilde dat hij bij het rooien zou zijn, hij was bang dat een van de arbeiders hem zou herkennen, het zou zich als een lopend vuurtje over alle boerderijen in de omtrek verspreiden, Käthe Tönsing met haar twee mannen, de schande ervan, ze zouden het nooit meer in stilte onder elkaar kunnen oplossen. En achter het hek in de modderige weide scharrelen de varkens rond, en het zijn ongetwijfeld andere varkens maar hij klakt met zijn tong zoals Käthe altijd deed als ze hen kwam voeren, en ze komen knorrend aangestormd, en Rainer glimlacht, ze herkennen je, zegt hij, en Louis zwijgt, en ze kijken samen naar de varkens en naar de paarden die in de weide achter het huis lopen, en als een rechtgeaarde zoon van een hoefsmid vertelt Rainer wat een mooie beesten het zijn, en Emma, zegt hij, kan al heel behoorlijk rijden.

En Louis verontschuldigt zich, hij moet naar het privaat, het is in de tuin naast de boerderij, en hij loopt over het erf, vlak langs het keukenraam en hij kijkt naar binnen, ze is met de vaat bezig en ze is alleen, haar blik kruist afwezig de zijne, en haastig gaat hij de stal binnen die aan het woonhuis grenst, maar hij neemt niet aan de overzijde de deur naar de tuin, hij slaat linksaf, de gang in en hij staat in de keuken. En ze is verdwenen, de afwasborstel ligt in de teil afwaswater, de helft van de vuile vaat staat ernaast en aan de andere kant de schone, ze moet direct zijn weggegaan nadat ze hem langs zag lopen, en hij gaat terug de stal in, bezoekt het privaat, waar bankbiljetten dienst doen als toiletpapier, en op de terugweg opent hij heel zacht de deur naar de gang, hij trekt zijn schoenen uit en op kousenvoeten sluipt hij naar de keuken. Er is niets veranderd, het lauwe afwaswater, de verlaten vaat, ze is bang, en hij heeft de neiging om haar te zoeken en te troosten, maar hij is juist het probleem, niet zoals vroeger degene bij wie ze na lang uitstellen en een grote innerlijke worsteling haar hart luchtte.

En hij trekt zijn schoenen weer aan en gaat terug naar Rainer die tegen de muur van de schuur geleund een sigaret staat te roken, hij biedt Louis er ook een aan, en de rookwolken die ze gedachteloos uitblazen, warrelen over het erf, en daar aan de overkant is het keukenraam en Käthe is verdergegaan met de vaat, hij ziet haar silhouet. En Rainer hoest met afgewend hoofd een paar keer en begint te praten, hij vertelt dat hij vlak nadat Louis vermist raakte tijdens een vijande-lijke loopgraafoverval gifgas inademde en naar een militair hospitaal werd gestuurd en vandaaruit naar huis, omdat hij te slecht zag en te veel last van benauwdheid had om aan het front te kunnen vechten, en bovendien liep de oorlog ten einde. En hij had jaren in de loopgraven verdragen, maar hij was nog nooit zo bang als toen, tijdens die eerste zomer thuis, hij dacht dat hij op die laffe, wanhopige, eenzame manier zou sterven, en nu nog steeds, zegt hij, krijgt hij vaak niet genoeg lucht, en in zijn nachtmerries is hij altijd zijn gasmasker kwijt, hij kan het niet vinden omdat het gas zijn ogen heeft aangetast en langzaam wordt het duister rondom hem, hij is volkomen blind, en hij is bezig in zijn eigen longvocht te verdrinken, hij voelt het in zijn lichaam stijgen als de zee bij vloed en zijn adem raspt door een steeds smallere opening zijn keel binnen, en dan schrikt hij naar adem happend wakker.

Het is verschrikkelijk, zegt hij met een beschaamd lachje, en hij vraagt of Louis ook last heeft van nachtmerries over de oorlog, en Louis zegt van niet, en terwijl hij het antwoord uitspreekt herinnert hij zich heel helder, alsof het afgelopen nacht is gebeurd, dat hij voortdurend nacht-merries had en dat Julienne tot de ochtend over hem waakte, ze wist hem altijd op het juiste moment te wekken, voordat het ondraaglijk werd en ze nam hem in haar armen en verdreef de gruwelijke beelden, en heel even heeft hij het desoriënterende idee dat hij zich op dit moment in zo'n nachtmerrie bevindt, dat het alleen niet afschuwelijk genoeg is en ze hem daarom nog niet wakker heeft geschud, en ze is vlakbij, hij bespeurt haar aanwezigheid, zoals hij Käthes blik op zijn gezicht voelt rusten en de heuvels om zich heen weet, zelfs als hij zijn ogen sluit.

En Rainer zegt dat hij nu niet meer begrijpt hoe ze al die ellende aan het front hebben verdragen, hij kan het ook aan niemand uitleggen, zegt hij, en niemand interesseert het ook echt, en Louis denkt dat hij het over Käthe heeft, en ze steken een tweede sigaret op samen. En Käthe is nog steeds niet klaar met de vaat, en zoals ze hier met z'n tweeën de tijd staan te verdrijven, pratend, zwijgend, rokend, peinzend, zo hebben ze nachten aan het front samen wachtgelopen, samen in een loopgraaf gezeten en gewacht tot de foerageur eten kwam brengen, tot ze op patrouille moesten, tot ze gingen slapen, tot het stopte met regenen, en dan vertelden ze elkaar over thuis, Rainer over zijn familie en de smidse, en Louis over de boerderij en over de moeilijkheden met zijn schoonouders en over de kinderen en over Käthe, meestal over haar, en daar luisterde Rainer ook het liefst naar, herinnert Louis zich. En misschien had hij met zijn verhalen vol heimwee Rainer onbedoeld aangemoedigd om verliefd op haar te worden, had Rainer bij gebrek aan een vrouw om in de kou en de modder naar te verlangen over haar gedroomd, en had hij haar daarom opgezocht in die vreselijke eerste zomer na zijn thuiskomst, zij was zijn enige band met het front, alsof zij met hem in de loopgraven was geweest, en hij wist van alles over haar wat hij niet behoorde te weten, waarvan zij niet vermoedde dat hij het wist, en daarom meende ze dat hij haar begreep zoals niemand anders dat deed, en misschien geloofde ze zelfs dat Louis had gewild dat zijn kameraad Rainer haar zou troosten.

En ze maken hun sigaretten uit en gaan naar binnen, ze zitten bij haar in de keuken aan de tafel, zij droogt de vaat en veegt de vloer en haar moeder haalt de kinderen na hun middagdutje uit bed, en Rainer speelt verveeld met zijn zoontje en hij gaat niet terug naar het land, en Louis ziet aan ieder gebaar van Käthe, zelfs als ze met haar rug naar hem toe staat, dat ze zich ergert aan Rainers ledige, nutteloze aanwezigheid, maar ze zegt er niets van, en Rainer werpt zo nu en dan een blik op Louis, alsof hij bang is dat Louis haar onder zijn ogen zal verleiden. Hij heeft mijn brief teruggestuurd, denkt Louis, niet haar vader, maar Rainer, hij wist al een aantal dagen dat Louis zou komen, hij heeft nagedacht over wat de beste aanpak zou zijn, hoe hij de meeste kans maakte om haar te behouden, grootmoedig zijn, vriendelijk, haar in geen geval onder druk zetten, maar dat houdt hij alleen vol als hij haar vertrouwt, en dat kan hij niet opbrengen. Käthe moet zich een gevangene in haar eigen huis voelen, en het wordt nog benauwender als de hele familie bij elkaar is voor het avondmaal, haar vader, haar moeder, haar man, allemaal betrapt Louis hen op steelse blikken in haar richting, en geen van allen zeggen ze een woord over de vreemde, onwenselijke situatie, ze wachten totdat zij laat blijken wat ze wil, totdat ze een beslissing heeft genomen, zij is de enige die een einde kan maken aan deze impasse, en allemaal geloven ze dat ze eigenlijk maar één keuze kan maken, de eenvoudigste waarmee ze alleen Louis pijn doet, en misschien zichzelf een beetje, een andere uitkomst is ondenkbaar, maar zij doet al de hele dag alsof ze dat niet weet, alsof ze zelfs niet begrijpt dat er een besluit moet worden genomen, en hij kan niet inschatten of dat is omdat ze de gedachte aan nog meer schuld niet aankan en hoopt dat haar vader uiteindelijk de beslissing voor haar zal nemen, of dat ze voor hem zou willen kiezen maar niet durft.

En als ze na de vaat te hebben gedaan naar het privaat gaat, glipt hij ongezien de stal in en daar wacht hij haar op, ze kent blind de weg in huis, ze heeft geen lamp meegenomen en ze ziet hem pas als ze vlak bij hem is, en ze schrikt, ik ben het, zegt hij, en ze zwijgt. Praat met me, zegt hij, en ze zegt dat ze dat al vijf jaar lang heeft gedaan, ik heb je alles verteld, zegt ze, en hij gelooft dat ze nog wat wil zeggen, en zijzelf ook want ze blijft staan, maar er komen geen woorden, alsof ze heel veel meer van hem hield toen hij nog dood was en hij haar onvoorstelbaar heeft teleurgesteld door ineens levend op te duiken.

En de avond brengt hij met haar en haar familie in de woonkamer door, alles is precies zoals hij zich herinnert, de mahoniehouten tafel met de stoelen eromheen, het grijsbruine vloerkleed met een hertenmotief erin geweven, de grote, staande klok, haar piano, de klep dichtgeslagen alsof ze er nooit meer op speelt, de donkerblauwe sofa, de twee prenten aan de muur, een romantisch jachttafereel en Mozes die het water van de Rode Zee scheidt. En Käthe naait aan de tafel een hemd voor Rainer, en zijn schoonmoeder zit met haar breiwerk op de sofa, en Rainer en zijn schoonvader lezen de krant, uit verveling neemt hij zelf ook een paar pagina's, maar hij weet niets van de politieke situatie en zijn gedachten zijn ook niet bij de woorden, vijf keer begint hij opnieuw aan hetzelfde stuk, en de tijd kruipt in de vorm van de tikkende klok tergend langzaam voort, en niemand zegt iets. Hij betrapt zijn schoonmoeder, terwijl haar breipennen werkeloos in haar schoot rusten en ze met een afwezige, droeve blik naar Käthe staart, en zijn schoonvader kijkt zo nu en dan over de krant naar zijn dochter, en een keer kijkt zij net op dat moment ook op en als ze haar vaders doordringende blik bemerkt, slaat ze snel haar ogen neer.

En het loopt tegen halftien, het tijdstip waarop ze altijd naar bed gaan, en haar vader vouwt zijn krant dicht en hij bukt zich en legt hem op de stapel bij de kachel en als hij zich opricht, zegt hij tegen Louis dat hij er blijkbaar vanuit gaat dat ze een plek voor hem hebben vannacht, en die is er niet, zegt hij, alle kamers en bedden zijn bezet, en Käthe heeft erover nagedacht, ze zegt haastig dat zij bij haar twee jongste kinderen zal slapen, dan kan Louis haar plaats in bed naast Rainer krijgen, en dat vinden haar ouders een onaanvaardbare regeling, en Rainer en Louis eigenlijk ook, maar ze houden beiden wijselijk hun mond. En Käthe zegt dat Louis dan maar bij de kinderen moet slapen, en nadat haar moeder heeft laten weten, zo zegt zij, het ongepast te vinden dat haar kleinkinderen bij een vreemde man in bed zouden slapen, blijft alleen de sofa hier in de woonkamer over, en haar vader zegt tegen haar dat ze de situatie kennelijk niet begrijpt, zolang er niets is besloten, is zij een vrouw met twee echtgenoten, een zondige, zeer wankele positie, denkt ze dat ze zomaar met hen beiden onder één dak kan slapen.

En voor het eerst vandaag verheft ze haar stem met iets van haar oude bezieling en ze vraagt haar vader verontwaardigd wat hij dan wil, moet zij voor straf in de weide tussen de beesten gaan slapen alleen omdat ze niet heeft voorzien dat haar man nog leefde, en haar verdriet en pijn en verwarring die ze de hele dag eronder heeft weten te houden, staan op haar gezicht te lezen, en haar vader kan het moeilijk aanzien, hij wendt zich tot Louis en verwijt hem op scherpe toon dat als hij een echte man is, een man met principes en een hart, hij uit zichzelf vertrekt, zou hij weten hoe Käthe eraan toe was in de maanden na het bericht van zijn vermissing, zegt hij, hoeveel moeite het hen heeft gekost om haar weer op de been te helpen, dan was hij niet gekomen vandaag, en het is een daad van groot egoïsme, een bewijs van zijn gebrek aan karakter dat hij hier nog steeds is. En Käthe zegt dat ze het ondraaglijk had gevonden als ze er ooit achter was gekomen dat hij nog leefde en hij haar niet had opgezocht, en haar vader zwijgt, en Käthe zegt dat hij toch ergens zal moeten slapen vannacht, of wilt u hem op straat zetten, en haar vader zegt dat er plaats is op de hooizolder, en Käthe vindt het beschamend dat ze hun gasten blijkbaar als beesten behandelen, hij is mijn man, zegt ze.

En vanwege die vier woorden zegt hij dat hij het niet erg vindt om op de hooizolder te slapen, en daar is iedereen opgelucht over, zelfs zij, hoewel ze nog een tijdje tegensputtert, en nadat haar ouders naar bed zijn gegaan, haalt zij drie dekens en een kussen voor hem van boven, en ze geeft hem een petroleumlamp mee en ze brengt hem naar de stal om hem volstrekt overbodig de ladder naar de hooizolder te wijzen, en

Rainer volgt haar op de voet alsof hij bang is dat ze hem goedenacht zal willen kussen. En als hij de ladder op is geklommen en zij hem op de vierde sport de dekens en het kussen aanreikt, raakt hij even haar hand aan, en ze kijkt hem aan bij het vage, gelige licht van de lamp dat in de hoge stal verdrinkt, en hij wenst haar in het Vlaams goedenacht, zoals ze altijd deden, en zij antwoordt ook in het Vlaams, enigszins onwennig, en met dat ontroerende Duitse accent van haar, en ze is nog steeds zijn Keet, van hem en van niemand anders.

En hij kijkt haar met opzet niet na terwijl ze met Rainer aan haar zijde de boerderij in loopt en de deur achter zich dichttrekt, hij probeert niet te bedenken dat ze zich zo meteen onder Rainers ogen zal uitkleden en dat ze naast hem in bed zal stappen en dat haar nachtzoen voor hem zal zijn, en hij ligt in het stro, met zijn gezicht gekeerd naar de muur van de hooizolder, en aan de andere kant van die muur is haar slaap-kamer en als ze het bed niet hebben verplaatst en zij nog steeds aan de binnenzijde slaapt dan ligt ze vlak naast hem, en de dekens en de kus-sensloop ruiken onnavolgbaar naar thuis, naar haar, en daar huilt hij zacht om, nu toch niemand het ziet, en hij is doodmoe maar hij slaapt niet, hij merkt dat hij ligt te wachten, hij wacht tot ze zal komen, hij is ervan overtuigd dat zij aan de andere kant van de muur ook wacht, tot-dat Rainer slaapt, en dan stapt ze heel voorzichtig uit bed en sluipt ze de trap af, en hij luistert of hij de deur naar de stal hoort kraken. En er zijn vele geluiden, een paard dat in zijn box beweegt, een uil die van de balken opvliegt, het geritsel van muizen in het hooi, de wind die boven zijn hoofd over het dak strijkt, en hij bedenkt wat hij tegen haar zal zeg-gen als ze komt, het is zijn enige kans om haar voor zich te winnen, en de argumenten dwarrelen door zijn hoofd, zinnen die hij zeker tegen haar moet zeggen, zinnen die hij niet mag uitspreken omdat ze Rainer, en dus ook haar, beledigen.

En hij steekt de petroleumlamp aan en daalt de ladder af en zachtjes opent hij de deur naar de boerderij, en hij is in de bijkeuken en Issie die op haar kleed lag te slapen staat verrast op en begroet hem, en hij knielt bij zijn koffer neer en doorzoekt de inhoud, helemaal onderin vindt hij het schrijfpapier en de vulpen, en hij gaat ermee op de grond zitten en de koffer gebruikt hij als tafel en Issie komt naast hem liggen, ze legt haar kop zwaar in zijn schoot, en hij probeert zijn argumenten geordend op te schrijven, maar in woorden op papier geformuleerd blijken ze alle-maal ongeldig en egocentrisch, zijn enige rechtvaardiging is haar geluk, haar liefde voor hem, en het is niet aan hem om daarvan de waarde te schatten.

En hij weet dat zij ook wakker ligt en denkt en wikt en weegt, daar boven hem in haar bed, en hij bergt het schrijfpapier op en er glijdt iets tussenuit, een foto, Julienne moet hem er ongezien in hebben gedaan toen ze de koffer voor hem inpakte. Ze liggen samen op hun rug in het gras aan de oever van de Leye, hij heeft zijn colbertje uitgetrokken en onder zijn hoofd gelegd en zijn arm rust losjes om haar nek en zij heeft steunend op haar elleboog haar hoofd een eindje opgericht, ze draagt geen hoed, die houdt ze half voor hun gezicht, alsof ze hen tegen het onbeschaamde gegluur van de camera wil beschermen om hem in alle rust te kunnen kussen, en haar lippen raken nog net de zijne niet, en ze lachen allebei en de zon schijnt, en schaduwen van een boom en van een uiteengewaaide wolk dansen liefkozend over hen heen, en haar benen en voeten zijn bloot en onder haar jurk heeft ze haar ene knie opgetrokken, alsof ze zich nadat de foto is gemaakt op hem zal rollen om tussen de bloemen en het kabbelende water en de ruisende bomen vrijmoedig met hem te vrijen.

En het is een perfecte en geposeerde en tegelijkertijd wonderbaarlijk natuurlijke foto, alsof ze door de juiste houding aan te nemen vorm hebben gegeven aan hun diepste gevoelens, en hij bergt hem in zijn koffer, helemaal onderin, waar hij hem alleen zal vinden als hij ernaar zoekt, en hij staat op en Issie heft verstoord haar kop op en sjokt naar haar kleed in de hoek, en hij aait haar en gaat terug naar de hooizolder. En hij wacht niet meer want ze zal niet komen, hij valt in slaap, en hij ligt naast Julienne in het bed in de armoedige slaapkamer met de watervlekken in de vloer en de waslijnen aan het voeteneinde, en aan de andere kant van de muur slaapt Käthe, hij ziet haar niet, maar hij weet dat ze er is, en als hij een echte man was, zegt ze, een man met principes en een hart dan zou hij haar nooit zijn vergeten, vijf jaar lang wilde hij niet weten dat ze bestond, vijf jaar lang.

En hij wordt wakker, het is aardedonker om hem heen en hij steekt de petroleumlamp aan en kijkt op zijn horloge, het is halfvijf, en hij daalt de ladder af en in de bijkeuken wekt hij Issie, ze staat slaperig en verrast op en ze lopen samen naar buiten, het erf op, en boven hen hangt een onmetelijke wereld van duistere ruimte en licht, en hij en Issie en de boerderij met het bed waarin zij met Rainer ligt te slapen en zelfs de heuvels en de akkers en de rivier, alles is van een troostende onbeduidendheid, alsof hij het ene leven zou kunnen verliezen om moeiteloos in een ander te stappen, het verschil nauwelijks zou merken, zo onbelangrijk is het, als een regendruppel die in plaats van in het gras op een boomblad valt.

En hij steekt de zandweg over en Issie draaft opgewekt voor hem uit, ze weet waar ze heen gaan, de heuvel op en dan de volgende weg over en het beekdal in, en bij het licht van de maan lopen ze samen langs het riviertje, het water is zilverwit en de heuvels wazig donkerblauw, als verre wolken aan de einder. En hij kan de plek niet vinden waar zij het liefst zat te lezen, wel de smalle brug waarover hij die eerste keer haar oever bereikte, en hij loopt vanaf daar terug, en waarschijnlijk was het hier, maar er zijn in die vijf jaar jonge bomen opgeschoten en de heuvels lijken dichterbij en hoger, en ach, het verleden, ooit toen hij het was vergeten, leek het hem van het grootste belang, maar nu hij het heeft teruggekregen, maakt het hem alleen bedroefd en het heden teleurstellend ontoereikend.

En hij loopt achter Issie aan langs het water en hij probeert zijn omgeving te zien alsof het voor het eerst is, maar herinneringen blijven zich opdringen aan vorige keren dat hij hier ook met Issie was, en eigenlijk is er niet zoveel veranderd, alleen zijn eigen gevoel en daardoor is het onherkenbaar anders, alsof hij het riviertje en de heuvels en de weiden en de bomen nog nooit heeft gezien zoals ze werkelijk zijn, alleen de weerspiegeling van zijn eigen gemoed, en de onheilspellende gedachte dat zoiets niet alleen voor de hem omringende natuur geldt maar ook voor Käthe dringt zich aan hem op. En hij zit in het koude, natte gras en Issie zit naast hem en hij legt zijn arm om haar heen en zijn hoofd op haar kop, ze likt hem een keer in zijn nek en kijkt dan bewegingsloos voor zich uit, en hij heeft geen idee wat ze denkt, of ze denkt, maar haar aanwezigheid zonder voorbehoud of vragen troost hem.

En na een tijdje lopen ze terug naar de boerderij en vanaf de laatste heuvel ziet hij het licht in de keuken al branden, het heeft iets bedrieglijk gezelligs, alsof er iemand voor hem is opgebleven, en hij loopt over het erf de deur naar de bijkeuken binnen, en ze staat in haar ochtendjas brood te smeren, haar korte haar in slaperige plukken rond haar hoofd, en ze gaapt, en ze kijkt niet om naar hem terwijl ze zegt, ik heb je sokken gestopt, ze liggen bij je klompen, en hij hoort onmiddellijk aan haar stem dat ze tegen Rainer meent te praten, niet zozeer door de praktische intimiteit van alledag, maar door de onverschilligheid, vroeger tegen hem sprak ze nooit op zo'n toon.

En hij zegt haar goedemorgen, ik wist niet dat je al op was, zegt ze, en er sluipt behoedzaamheid in haar stem en gebaren, en hij verlangt hevig naar de ochtenden dat ze op dit tijdstip koffie voor hem zette en ze slaperig samen aan de keukentafel zaten voordat hij de koeien ging melken, en hoe ze dan soms wat zeiden en soms ook niet, en haar stem, zo vol vertrouwelijkheid en vertrouwen, zoals ze nooit tegen een ander sprak, hoe zijn vermissing haar leven moet hebben verminkt, tot in het kleinste detail, en een golf van medelijden overspoelt hem. En hij zegt tegen haar rug dat het hem zo spijt, wat, vraagt ze zonder veel interesse, en hij zegt dat hij haar in de steek heeft gelaten, en ze vraagt niet wanneer of waarom, ze zwijgt, en terwijl ze afwezig een stuk kaas afsnijdt, zegt hij dat hij die laatste maanden voor zijn vermissing vergeefs op een brief van haar heeft gewacht, ik werd er wanhopig van, zegt hij, en zij zegt eenvoudig, ik was boos, zoals ze zou vaststellen dat het regent, een gegeven waaraan nu eenmaal niet valt te tornen. Nog steeds, vraagt hij, nee, zegt ze, op een dode kun je niet boos blijven, maar nu ik weer leef, vraagt hij, en ze zegt, nee, ze is niet boos op hem, en het klinkt zo achteloos, het is niet zomaar een ontkenning, het is zelfs een ontkenning van de mogelijkheid dat ze al die tijd haar woede voor hem had kunnen koesteren, en misschien bedoelt ze te zeggen dat ze te veel van hem hield om haar herinneringen aan hem door een ruzie te laten overschaduwen, maar op de een of andere manier weet ze hem het gevoel te geven dat het een kunstig verpakte belediging is.

En Rainer komt de keuken binnen en hij ziet ontstemd dat zij daar samen met Louis is, en ze zet een bord met boterhammen voor hem neer en ze zit tussen hen in aan tafel, en ze zwijgen alle drie, en na enige tijd staat Rainer op en Louis biedt hem zijn hulp aan bij het melken van de koeien, Rainer gaat aarzelend op zijn voorstel in, maar zij zegt dat gasten hier niet hoeven te werken, Rainer kan het wel alleen af, zegt ze, en Rainer protesteert niet, hij loopt haastig de trap op en als hij terug is, gaat hij weer aan de keukentafel zitten, hoewel hij zijn brood op heeft, en zij zegt tegen hem, het is al halfzeven, en hij knikt en verroert zich niet. En pas als zijn schoonmoeder de keuken binnenkomt, staat hij op en gaat naar buiten, en Käthe kijkt hem na door het raam en als ze zich omdraait, kruist haar blik per ongeluk de zijne, en in plaats van de verwachte ergernis ziet hij alleen berusting op haar gezicht, en vijf jaar is lang, te lang om boos of wanhopig te blijven, te lang om iedere dag te betreuren dat je met de verkeerde bent getrouwd.

En terwijl zij in de bijkeuken is om zich te wassen en zijn schoonmoeder naar boven is gegaan om de kinderen uit bed te halen, probeert hij te bedenken wat hem te doen staat en hoeveel tijd hij daarvoor zal krijgen, niet lang, morgen of overmorgen of misschien vandaag al zal zijn schoonvader ingrijpen, en zij loopt langs hem op weg naar boven, en hij vraagt haar of hij ergens mee kan helpen, zal ik het fornuis aansteken, water halen, melk voor de pap koken, en ze lacht alsof hij voorstelt om haar kinderen te baren, en weg is ze, de trap op. En hij wacht verveeld aan de keukentafel, en hij staat op en slentert de woonkamer binnen, hij opent het deksel van haar piano en slaat een paar toetsen aan, hij is vals, ze speelt er kennelijk allang niet meer op, en hij sluit het deksel weer en knielt bij de kast met het zondagse servies, op de onderste plank, achter de tafelkleden en servetten, staan zoals vroeger haar boeken, keurig op een rijtje, en hij pakt *Het duivelselixer* van Hoffmann eruit en gaat ermee aan de keukentafel zitten, en hij slaat het open. En zij komt naar beneden, ze heeft een andere, nettere jurk dan gisteren aangetrokken valt hem op, terwijl ze gewoonlijk alleen van zaterdag op zondag van kleren wisselt, en ze loopt achter hem langs en hij ziet haar blik over het boek glijden maar ze zegt niets, ze knoopt haar schort voor en knielt bij het fornuis neer, en hij begint hardop de eerste bladzijde voor te lezen.

Mijn moeder heeft me nooit verteld, zegt hij, in welke omstandigheden mijn vader leefde, maar wanneer ik me de verhalen herinner die zij mij in mijn jeugd over hem vertelde, moet ik wel geloven dat hij een man van diepgaande kennis en grote wijsheid was. En hij werpt een blik op haar en ze zit nog in dezelfde gehurkte houding, roerloos, haar handen op de rand van de asla alsof hij haar een mes in haar rug heeft gestoken, en hij leest snel verder en vanuit zijn ooghoek ziet hij dat ze zich opricht, en hij verheft zijn stem terwijl ze wegloopt om in de bijkeuken de asla te legen. En ze blijft lang weg en hij luistert maar hoort geen enkel geluid, hij gelooft dat ze boven de emmer met roet heel stil is blijven staan om haar zelfbeheersing te hervinden, en hij is inmiddels halverwege de tweede bladzijde en net als destijds op de tegenover elkaar gelegen oevers van de rivier zoekt zijn stem zich aarzelend een weg naar haar, door de keuken, door de kier van de deur, de schemerige bijkeuken in. Nog steeds ruist om mij het donkere bos, zegt hij, waart om mij de geur van de weelderig kiemende grassen, van de kleurrijke bloemen die mijn wieg waren. En ze loopt de keuken binnen en ze schuift de asla in het fornuis, en ze komt achter hem staan en even gelooft hij dat ze zich over hem heen zal buigen om in het boek te kijken, maar ze zegt, ga eens opzij, en hij voldoet aan haar verzoek en ze bukt zich en pakt de kolenkit die schuin naast zijn stoel staat, en ze loopt naar buiten om hem bij het kolenhok te vullen en hij wacht totdat ze weer terug is, en hij vraagt, zal ik verder lezen. Goed, zegt ze achteloos, en terwijl zij het ontbijt voor de hele familie maakt, leest hij haar de eerste paragraaf voor eindigend met, ik was tot in het diepst van mijn ziel geroerd en moest ook huilen, eigenlijk zonder te weten waarom.

En hij wacht even voordat hij de bladzijde omslaat, en hij vraagt haar of ze nog weet hoe ze hem wekenlang aan de beek dit boek voorlas, hmm hmm, beaamt ze, en hij zegt dat het de eerste herinnering aan haar was die in hem opkwam toen hij zijn geheugen terug begon te krijgen, en het is niet waar maar dat kan zij niet weten, en ze reageert niet, ze breekt drie eieren op de rand van de koekenpan, en hij begint aan de tweede paragraaf, en Emma en Ernst komen de keuken binnen. Emma gaat nieuwsgierig naast hem zitten, ze vraagt wat hij aan het lezen is, en hij zegt dat het haar moeders lievelingsboek is, en Käthe zegt zonder zich van het fornuis af te keren, niet mijn lievelingsboek, het jouwe, en weer op die onverschillige toon, alsof ze het over een andere vrouw heeft die de man van haar leven dacht te hebben ontmoet en hem vervolgens verloor. En hij slaat het boek dicht, maar Emma wil graag dat hij verder leest en hij opent het weer en begint opnieuw aan de tweede paragraaf terwijl zijn schoonouders en Rainer de keuken binnenkomen en tegen elkaar en Käthe praten en niemand luistert naar Hoffmanns woorden, alleen Emma, pas als zijn schoonmoeder een bord met roerei en spek en een glas warme melk voor hem op tafel neerzet, legt hij het boek weg.

En Emma glimlacht naar hem met haar moeders vroegere in zichzelf gekeerde geluk, en ze zegt dat ze het een erg mooi verhaal vindt, en hij is ontroerd dat zij zijn dochter is, al weet ze het niet, zo pienter en eerlijk en gevoelig, en hij geeft haar het boek en zegt dat ze het zelf uit kan lezen. En Käthe zit aan de overzijde van de tafel en haar vader en Rainer voeren over haar hoofd heen op luide toon een gesprek over het rooien van de aardappels, maar zij heeft kennelijk hem in de gaten gehouden, want ze zegt dat Emma veel te jong is voor *Het duivelselixer* en ze steekt dwingend haar hand uit over de tafel en Emma geeft haar met tegenzin het boek. En Käthe legt het naast haar bord neer, ze leunt er met haar arm op terwijl ze eet en haar jongste zoontje morst er een stuk spiegelei op, en nadat ze het heeft opgepakt en in haar eigen mond heeft gestoken, veegt ze achteloos met haar wijsvinger het vet van de kaft, en vroeger waren haar romans haar liefste en kostbaarste bezit, het is alsof ze niet haar lievelingsverhalen maar zichzelf zo verwaarloost, en als ze het met opzet deed, uit zelfverachting, dan kon hij nog geloven dat ze te redden was, maar ze lijkt zelf niet te merken dat ze is veranderd, alsof ze in die vijf jaar langzaam in slaap is gesukkeld.

De hele ochtend blijft hij in de keuken bij haar en de jongste kinderen en haar moeder, hun leven plooit zich soepel om hem heen als rivierwater rond een steen, ze bekommeren zich niet om hem, hij is geen gast maar ook geen lid van het gezin, en haar moeder laat hen gedachteloos alleen als ze in de bijkeuken boter gaat karnen, en Käthe kneedt het brooddeeg en let intussen op de kinderen die rond haar op de grond spelen. En hij vraagt haar om hem over haar leven te vertellen, en ze zegt dat er niet zoveel is gebeurd, behalve dan wat hij al weet, maar na een tijdje aandringen komt ze met een opsomming van feiten, en ze hebben allemaal betrekking op Rainer en de kinderen, niet op haar, en als hij haar daarop wijst, zegt ze dat zij haar leven zijn, en ze kijkt hem aan met de klomp deeg in haar handen en ze glimlacht er een droeve verontschuldiging bij alsof het haar zelf ook verbaast dat die woorden uit haar mond rollen.

En hij komt achter haar staan en legt zacht zijn hand op haar rug, en hij zegt, Keet, en zij schudt afwerend haar hoofd, en haar zoontje begint te huilen omdat zijn zusje het houten paardje waarmee hij speelde heeft afgepakt, en zij tilt hem op en troost hem en ze zegt tegen haar dochtertje dat zij een pop heeft, het paardje is niet van jou, en ze streelt haar zoontje door zijn blonde haar en ze kust hem op zijn wang, ga je weer spelen, zegt ze, en ze is geduldig en liefdevol met hen maar toch vooral nuchter, zoals een boer met zijn beesten. En ze zet haar zoontje terug op de grond, en hij vertelt haar over zijn wandeling vanochtend vroeg met Issie langs de rivier en over de immense sterrenhemel en zijn eigen nietigheid, en ze luistert terwijl ze het deeg wegzet om het te laten rijzen, en ze zegt dat toen hij net werd vermist ze Emma en Ernst iedere avond voor het slapengaan vertelde dat hun vader in de hemel was, en dan vroegen ze waar dat was en ze wees hen op de sterren en de maan, en ze namen haar woorden letterlijk, alsof de hemel een plek zoals de keuken of de stal was, en op een avond betrapte ze hen terwijl ze samen in een boom probeerden te klimmen, en toen ze hen op hun kop gaf, zeiden ze dat ze hadden geprobeerd om papa tussen de sterren op te zoeken.

En ze lacht naar hem met de ontroering van toen in haar ogen, en even heeft hij het gevoel dat hij met zijn terugkeer iets onherstelbaar heeft vernield, alsof zijn dood een toestand was waarin zij en de kinderen verkeerden en niet hij, en hij hun in zijn onwetendheid en grenzeloze egoïsme hun geliefde dode heeft ontnomen, en hij zwijgt. En zij gelooft dat hij verdrietig is vanwege Emma en Ernst en ze zegt dat ze hun zal vertellen dat hij hun vader is als hij dat graag wil, ze is wel bang dat het hen zal verwarren, zegt ze, ze zullen gaan geloven dat de dood tijdelijk is, en hoe moet dat dan als er echt iemand sterft. En hij zegt dat hij het begrijpt, o hij begrijpt het zo goed, ze gaat hen alleen uit hun mooie droom van een heldhaftige, dode vader wekken als het echt niet anders kan, en hij zegt dat ze het hun maar moet vertellen als ze voor hem zou kiezen, en ze zit tegenover hem aan tafel appels te schillen voor de appelmoes en ze heft overrompeld haar hoofd op, en hoewel ze zichzelf onmiddellijk corrigeert, ziet hij haar verrassing.

En hij is plots woedend op haar, waarom deze hele schijnvertoning, dit zwijgende, laffe gewacht als het niet is omdat zij geen beslissing durft te nemen, doen ze dit godverdomme voor hem, om hem te sussen, staat de uitslag al van tevoren vast, is er helemaal geen dilemma, en hij schuift zijn stoel naar achteren en voordat hij kan zeggen dat hij nu onmiddellijk vertrekt, zegt zij al, nee, nee, je mag niet gaan, niet zo. En hij vraagt hoe hij dan moet gaan, op een manier die haar uitkomt zeker, zodat zij er geen rotgevoel aan overhoudt, maar hij is geen dode die alleen in haar gedachten bestaat en precies doet wat zij wil, hij vertrekt wanneer hij daar zin in heeft en ze vergeet hem heus wel weer, dat heeft ze de vorige keer ook binnen een paar maanden gedaan, en dan kan ze ongestoord dit bloedeloze, geestdodende leven voortzetten waarin ze zich heeft begraven.

Dat zegt hij, en zoals zij ook in een fractie van een seconde aanvoelde dat hij boos was, zo herkent hij ook onmiddellijk in haar de opwellende verontwaardiging, en ze staan tegenover elkaar aan weerskanten van de keukentafel en ze zegt dat hij niet het recht heeft om over haar te oordelen, ze heeft niets verkeerd gedaan, en o, zegt hij spottend, sinds wanneer is dat haar hoogste doel, niets verkeerd doen, dat is nou wat hij bedoelde met een geestdodend leven. En haar gezicht vertrekt zich in een grimas van pijn, en ze zegt met een ademloos zachte stem, die hij van hun ruzies was vergeten, dat het zeldzaam oneerlijk is om haar te verwijten wat hij zelf heeft veroorzaakt, nooit in haar leven heeft iemand haar zoveel aangedaan als hij, en ze dacht dat ze dat nooit meer zou laten gebeuren, en nu ben je terug en godallemachtig, zegt ze, en ze maakt haar zin niet af, ze kijkt hem alleen aan met een hulpeloze blik die hem door merg en been gaat.

En het is alsof de afgelopen vijf jaar niet zijn verstreken, alsof ze nog steeds zijn Keet is die zich alleen aan hem durft bloot te geven, en hij zet een paar passen in haar richting rond de tafel en zij in de zijne, en hij weet niet of hij het uit zichzelf doet of dat zij hem ertoe aanzet, maar hij houdt haar ineens in zijn armen en onder zijn handen voelt hij het warme leven in haar ademen en bonzen, en ze klemt zich tegen hem aan alsof ze in hem verlangt te verdwijnen en vergeten. En over haar hoofd heen ziet hij zijn schoonmoeder in de deuropening staan, en de verblufte schrik in haar ogen, alsof is gebeurd wat zij voor zo onwaarschijnlijk hield dat ze er niet eens over heeft nagedacht, en dan dringt tot hem door, ze gaat voor mij kiezen, ze wil mij, en hij drukt een triomfantelijke kus op haar haar en hij laat haar los. En nu merkt zij ook dat ze niet alleen zijn, en met neergeslagen ogen loopt ze langs haar moeder en ze neemt de klomp gerezen deeg en begint die opnieuw te kneden, en haar moeder zegt tegen haar dat de kinderen alles hebben gezien, en Käthe zwijgt, wat moeten ze daarvan denken, zegt haar moeder, en Käthes handen slaan het deeg op de tafel neer en ze knijpen er hard in en ze antwoordt niet. En haar moeder zegt dat ze allang geen kind meer is, ze is de moeder van vier kinderen, ze kan niet dom en roekeloos en zelfzuchtig zijn zoals dertien jaar geleden, toen ze zo nodig met een arme seizoenarbeider moest trouwen omdat het dramatisch en romantisch was en haar ouders het niet wilden. En Käthe zegt niets, ze knielt bij haar kinderen op de grond en ze praat zacht tegen hen over het houten paardje en de pop en over de koeien in de wei en de hond op het erf, alsof ze moet bewijzen dat ze een goede moeder is, en haar moeder kijkt neer op haar gebogen hoofd, en als Käthe volhardt in haar aandacht voor de kinderen, loopt haar moeder tot zijn verbazing terug naar de bijkeuken om verder te karnen, en ze zijn opnieuw samen.

En Käthe richt zich op en hij probeert haar blik te vangen maar ze houdt haar ogen neergeslagen en ze kneedt het deeg voor het brood, en hij zou willen aandringen, zeg me dat je mij wilt, zeg het hun, en als je niet durft dan zal ik het ze wel vertellen, maar hij houdt zijn mond, en hij zou achter haar willen gaan staan en zijn armen om haar heen leggen en haar kussen, maar hij zit aan de tafel en hij verroert zich niet, hij moet nu niet onbesuisd het terrein weer prijsgeven dat hij zo onverwacht heeft gewonnen. Daar rekent zijn schoonmoeder blijkbaar op, ze heeft de deur naar de bijkeuken op een kier laten staan en hij hoort het ritmische gebonk en geplons van de karnstok in de melkton, en zo nu en dan stopt het, en dan weet hij dat ze luistert naar de geluiden bij hen in de keuken, en hij pakt *Het duivelselixer* dat Käthe op tafel heeft laten liggen en hij leest zwijgend verder in paragraaf twee.

En ze houdt even op met het kneden van het deeg en hij voelt hoe ze zich naar hem omkeert en haar blik rust op hem maar hij kijkt niet op, en ze kneedt weer verder, en daarna knielt ze neer voor het fornuis en schuift ze het deeg in de oven, en weer weet hij dat ze naar hem kijkt, en weer doet hij alsof hij het niet merkt, en ze schilt en kookt de aardappels voor het middagmaal en ze praat tegen de kinderen, en telkens die heimelijke blikken op hem alsof ze iets van hem verwacht. En het is verleidelijk om haar te geven waarnaar ze verlangt, maar hij is bang dat hij haar alleen van zich weg zal duwen als hij eerlijk tegen haar is, en hij leest verder, de woorden vloeien zonder een spoor achter te laten door zijn hoofd, en ze zit op haar hurken bij het fornuis en haalt het brood uit de oven en ze kijkt naar hem, en hij kan het niet laten, hij beantwoordt haar blik en hij glimlacht geruststellend naar haar en ze wendt zich niet van hem af, ze blijft hem in de ogen kijken, maar ze lacht niet terug, er is iets hards in haar geslopen, iets ondoordringbaars, alsof ze zich in zichzelf heeft verschanst.

En die talloze blikken van haar, hij heeft plots het idee dat ze hem wil dwingen tot nog een ruzie, nog een onbetamelijke omhelzing, zodat ze hem zonder wroeging de deur kan wijzen, en hij slaat zijn ogen neer, en haar moeder komt de keuken binnen met een kom boter en een kan karnemelk, en voor haar heeft Käthe diezelfde ongenaakbare blik, en ook als ze met z'n allen aan tafel zitten tijdens het middagmaal verandert haar houding niet, ze probeert haar vader en dan Rainer uit zijn tent te lokken, en vervolgens bij het afruimen van de tafel zoekt ze ruzie met haar moeder over haar jongste zoontje dat verschoond moet worden. Ze is als een gewonde vogel die in paniek om zich heen pikt, en haar moeder zegt, Kätchen alsjeblieft, gedraag je, en verdwijnt met de twee kinderen naar boven, en hij is opnieuw alleen met haar in de keuken, en hij gelooft dat hij nu aan de beurt is, maar ze haalt water bij de pomp en ze wacht zwijgend totdat het kookt en ze doet zwijgend de vaat, en daarna vult ze een emmer met sop en begint ze op haar knieën de tegelvloer te dweilen, ze zet de stoelen op de tafel, alleen de zijne niet waarop hij zit te lezen. En als ze bij hem is aangekomen met haar natte dweil gaat ze ervanuit dat hij begrijpt dat hij zijn voeten een paar seconden van de grond moet halen, maar hij doet alsof hij niet merkt dat zij geknield naast zijn stoel wacht, en ze tikt hem op zijn been, en hij reageert niet, en ze zegt, til je voeten eens op, en hij beweegt zich niet en leest verder, en zij verheft haar stem, Lou, zegt ze, en hij kijkt op uit zijn boek en hij zegt, dweil maar om me heen.

Doe niet zo belachelijk, zegt ze en de woede trilt in haar stem, ze houdt zich met moeite in, hij hoeft haar maar een klein zetje te geven en ze belanden in de ruzie waarnaar ze al uren snakt, onbeheerst en gevaarlijk oprecht, maar ook intiem zoals een huwelijk en zijn enige kans op een besluit van haar persoonlijk, en hij zegt dat ze al twee dagen doet alsof hij niet bestaat, dus dan doet hij hetzelfde met haar. En ze richt zich op en hij gelooft dat ze met een driftig gebaar de natte dweil in zijn schoot zal smijten, en op het laatste moment durft ze niet, hij kijkt haar strak aan en haar blik dwaalt af en in gedachten wijkt ze achteruit, een seconde, een minuut, uren, dagen, jaren van hem vandaan, alsof ze zich terugtrekt in het bastion van het heimelijke leven dat ze alleen met een dode man kan delen.

En ze bukt zich en dweilt om hem heen, en hij staat op en zet zijn stoel op de tafel, maar ze keert niet terug naar de plek waar hij heeft gezeten, op haar knieën doet ze de hele keuken en de tegelvloer is een natte, roodbruine vlakte met een droog vierkant erin uitgespaard, alsof ze haar angst voor hem op de plavuizen heeft uitgetekend, en hij kijkt vanaf de drempel toe en als zij langs hem de bijkeuken in loopt om het water op het erf weg te gooien, neemt hij haar de dweil uit handen en hij bukt zich en veegt een paar keer over het droge vierkant totdat het niet meer is te onderscheiden van de rest van de vloer, en ze zegt niets. De rest van de middag ontwijkt ze hem, ze dweilt de woonkamer, de gang, bezemt de trap en de slaapkamers, ze voert de varkens en de kippen, en ze staat haar plek bij hem in de keuken af aan haar moeder, en hij kan niet anders dan verder lezen, en tegen de tijd dat zijn schoonmoeder het avondmaal op tafel zet, is hij halverwege het boek, en Käthe zit tegenover hem, ze kijkt niet een keer in zijn richting, alsof ze zich constant van hem bewust is en ieder gebaar van haar een antwoord is op zijn stille aandringen.

En nadat de kinderen naar bed zijn gegaan, trekt ze de deur achter zich dicht en verstopt ze zich in de keuken om te strijken, en hij zit in de woonkamer bij Rainer en haar ouders, ze zeggen geen woord over haar, alsof ze haar en haar ongepast tweevoudige huwelijk kunnen doodzwijgen, en hij leest onverstoorbaar verder, maar als hij naar het privaat gaat, ziet hij dat ze niet in de keuken is, het gestreken wasgoed ligt op de tafel, het ongestreken hangt over een stoel op haar te wachten, en zij is verdwenen. En nadat hij het privaat heeft bezocht, zoekt hij haar op de bovenverdieping, in de stal, de schuur, de tuin, en heel in de verte gelooft hij haar te zien, in de weide bij de paarden, en hij leunt tegen de muur van de schuur en hij wacht, zijn ogen wennen langzaam aan het donker, en ze is inderdaad bij de paarden.

Hij ziet haar silhouet afsteken tegen de blauwe nachtlucht, ze staat tussen hen in met haar arm om de nek van een van hen, en ze klimt op zijn donkere rug en ze legt zich voorover in zijn manen, en het paard staat roerloos onder haar en hij weet dat ze nooit zou willen dat hij dit zag, hij heeft juist het gevoel dat het een daad van liefde is om haar te willen kennen zoals zij alleen zichzelf kent, maar als ze van de paardenrug stapt en hij haar door de weide in de richting van de boerderij ziet lopen, maakt hij snel zijn sigaret uit en gaat naar binnen. En om halftien als iedereen naar bed gaat, komt hij haar tegen in de gang en zij heeft op weg naar boven haar armen vol gestreken was en hij wenst haar goedenacht in het Vlaams en zij antwoordt in het Duits.

En het is koud in de stal, rond het vriespunt is het buiten, en hij dekt zich in het hooi toe met de drie dekens en hij slaapt bijna onmiddellijk in, hij zit op haar grijswitte schimmel, Hoffmann, en ze zegt dat hij moet gaan, en hij gelooft dat ze het over het paard heeft, maar ze bedoelt hem, en er rijdt een trein langs, traag glijden de wagons langs het perron, en hij ziet haar in de eersteklassecoupé voor het raam staan, het is Julienne en ze heeft lang, donker, krullend haar en ze draagt een deftige japon en een grote hoed, en ze ziet er jong en charmant uit, als een vrouw in haar wittebroodsweken. En ze klopt op het raam en ze roept naar hem en ze gebaart, en als hij niet begrijpt wat ze bedoelt, bonst ze met haar vuisten op het glas en ze gilt naar hem en ze wijst, en de trein rijdt langzaam verder en de wagon verdwijnt steeds verder uit het zicht en hij heeft geen idee wat ze van hem wil, en dan dringt tot hem door dat ze naar iets achter hem wijst, en hij draait zich om, Lou, fluistert ze met haar vertederend Duitse accent, en hij opent slaperig zijn ogen en zij staat over hem heen gebogen.

Hij ziet in het donker vaag haar blonde haar en haar witte nachthemd en daaroverheen heeft ze een jas aangeschoten, en ze is gekomen, ze is eindelijk gekomen, en zijn hart slaat een galop in zijn borst, hij zit rechtop in het hooi en zoekt naar de lucifers in de zak van zijn colbertje, maar zij zet de petroleumlamp weg, en ze trekt haar jas uit en ze komt naast hem onder de dekens in het hooi liggen, en haar koude handen raken vluchtig de zijne, hij pakt ze vast en warmt ze tussen zijn handen en vervolgens tegen zijn borst onder zijn jasje. En hij durft haar niet te vragen of ze een besluit heeft genomen, nu het moment eindelijk daar is, zou hij willen dat het nog even op zich liet wachten, en zij zwijgt ook, ze ligt tegen hem aan en haar lippen zoeken de zijne en verrast beantwoordt hij haar kus, en haar handen bevrijden zich uit zijn greep en ze dwalen over zijn borst en zijn hals en zijn wangen, alsof ze nog steeds niet kan geloven dat hij echt is. En ze omarmen en strelen elkaar en ze zoenen, maar ze vrijen niet, hij weet dat zij het liever zo heeft, en het juicht in hem, dit is haar besluit, ze is van hem, nog altijd, en ze vergeten Rainer die aan de andere kant van de muur slaapt, hij is een onbelangrijk intermezzo in haar leven, zoals bij hem het gesticht en Julienne, en ze zeggen geen woord terwijl hun lichamen elkaar vinden. En het is zo donker dat hij de nok van het dak of de muren niet kan onderscheiden, hij heeft het gevoel dat ze worden omgeven door een enorme, allesverslindende ruimte, alsof ze onder de sterrenhemel in het gras liggen, en ze zijn in hun zwijgen aan elkaar overgeleverd, en zo was het ook toen hij die eerste weken naar haar stem luisterde vanaf de overzijde van de rivier, hij kende haar door en door omdat ze deel uitmaakte van hem, en alles wat erop volgde kon alleen een teleurstelling zijn die afstand schiep.

En ze vallen in elkaars armen in slaap, en als hij wakker wordt, is ze verdwenen en even weet hij niet of hij haar heeft gedroomd, maar hij ruikt haar op zijn huid en zijn handen, en hij ligt loom op zijn rug in het hooi aan haar te denken, aan haar lichaam, haar zwijgen, haar zonderlinge vrijmoedigheid, en dan begrijpt hij dat ze niet hem maar de dode man heeft liefgehad met wie ze vijf jaar lang heeft geleefd, voor hem waren haar kussen, haar strelingen, de man die alles van haar wist. En hij durft de conclusie niet in zijn hoofd te formuleren, maar als hij op weg naar het privaat zijn koffer aan de voet van de ladder vindt, weet hij dat zij hem daar heeft neergezet en dat ze haar besluit heeft genomen, en terwijl hij naar het privaat gaat verzamelt hij zijn laatste herinneringen aan haar, als een beest voedsel voor zijn winterslaap, hoe ze rook, hoe ze zuchtte, hoe haar handen op zijn huid aanvoelden, haar blote buik op de zijne, haar dijen, haar borsten.

En dan knielt hij met de petroleumlamp bij de koffer neer, ze heeft Rainers ransel ernaast gelegd zodat hij niet langer met een koffer hoeft te sjouwen op zijn tocht door de velden, en in de ransel heeft ze het brood gestopt dat ze gisteren heeft gebakken en aardappels en uien en wortels en appels en kaas en een fles melk en twee worsten en een ham en drie kostuums van Rainer en warm ondergoed en dikke sokken en twee dekens en een stuk zeep en een scheermes. En het ontroert hem dat ze zich zo moederlijk om hem bekommert, maar hij heeft ook het idee dat ze haar schuldgevoelens heeft geprobeerd af te kopen, en niets persoonlijks, niets sentimenteels heeft ze hem meegegeven, alsof ze hun huwelijk met haar besluit denkt te kunnen uitwissen, alleen onderin de plunjezak, in de dekens gevouwen vindt hij *Het duivelselixer*, en hij slaat het open, ze heeft er geen opdracht voor hem in geschreven, alleen haar naam, in een kinderlijk handschrift, die er al van ver voor hun eerste ontmoeting in stond, en hij bladert er vluchtig doorheen, nergens in de kantlijn een boodschap van haar, geen onderstreepte regel, niets.

En hij doet wat zij het liefst wil, hij pakt zijn koffer over in de ransel en hij vertrekt voordat de nieuwe dag op de boerderij begint, hij neemt alleen afscheid van Issie die in de bijkeuken ligt te slapen, maar nadat hij haar heeft geaaid en zacht op haar kop gekust en heeft gefluisterd dat hij hoopt dat ze nog lang en gelukkig zal leven en dat ze goed op Käthe moet passen, staat ze op en ze komt opgewekt achter hem aan naar buiten. Hij zou haar terug moeten sturen, en hij krijgt het niet over zijn hart, ze loopt naast hem over het zandpad en voordat de boerderij voorgoed uit het zicht verdwijnt, blijft hij staan en kijkt nog eenmaal naar het vage, witte silhouet van het vakwerkhuis tussen de sluimerende heuvels, en Issie staat naast hem, haar snuit tegen zijn knie en ze neemt de omgeving aandachtig in zich op alsof ook zij dit alles voor het laatst ziet, en hij besluit dat zij Käthes persoonlijke afscheidscadeau aan hem is, de hond die altijd al het meest van hem was, niet van haar, niet van haar vader. En hij zegt tegen Issie in het Vlaams, ga je mee, en samen lopen ze de zandweg uit, over de vijfsprong bij de watermolen en dan door het dal langs de rivier, maar tegen de tijd dat hij de schuur bovenop de heuvel ziet staan en aan de horizon de lucht heel zwak lichtblauw begint te kleuren, wordt zij steeds onrustiger, ze kijkt achterom en ze blijft staan, en ze is al oud en wat voor leven zou ze met hem tegemoet gaan. En hij neemt opnieuw afscheid van haar, toe maar, zegt hij in het Vlaams tegen haar, je mag naar huis, ga maar, en ze draait zich om en op een drafje verdwijnt ze uit het zicht over de zandweg en ze kijkt niet een keer om.

En een laatste maal klimt hij de heuvel op naar de schuur en hij zit onder de balken met zijn rug tegen het muurtje van slordig gestapelde keien, nu ze hem vannacht opnieuw heeft liefgehad, herinnert hij zich niet meer die keer in de schuur voorafgaand aan zijn vermissing, maar de keren daarvoor, toen ze verlegen naar elkaar lachten als ze het laatste huis van Felderhoferbrücke waren gepasseerd en ze van elkaar wisten dat ze aan de schuur dachten die op hen stond te wachten, en iedere pas bracht hen dichter bij zijn landelijke geur van stro en schapenpoep en zijn uitzicht over de glooiende, groene heuvels, en het onbetamelijke geheim dat hen verbond vergezelde hen op hun wandeling langs de rivier, het kleurde het water en de lucht en de bomen, en zo nu en dan wisselden ze een beschaamde blik. En die wandeling met haar van de statie naar de boerderij, daaruit bestond zijn verlof, de rest van de uren waren onbelangrijk, het ging niet eens om wat er in die schuur tussen hen gebeurde, dat herinnert hij zich nauwelijks nog, het was de met haar gedeelde verwachting, het verlangen, geen oorlog meer die tussen hen in stond, geen misverstanden, geen teleurstellingen, alleen dat moment waarop de schuur verscheen, lokkend bovenop zijn heuvel, het moment waarop ze om zich heen keken en zich afvroegen of er niemand in de buurt was, en dan weken ze samen van de weg af. Ze begonnen aan de klim door het hoog opschietende gras, en een keer, herinnert hij zich, gingen ze halverwege de helling op een steen zitten en ze stelden het ogenblik nog even uit waarop ze de schuur zouden hebben bereikt en zij uit haar onderbroek zou stappen en voordat het goed en wel was begonnen, was het dan eigenlijk alweer voorbij.

En daar zit hij nu opnieuw onder de balken waarnaar zij keek als ze op haar rug onder hem lag, en hij eet haar brood met kaas en worst en drinkt melk uit de fles die zij hem heeft meegegeven, en nu hij zichzelf uit haar leven heeft weggecijferd en het geen zin meer heeft om nog jaloers te zijn op Rainer durft hij toe te geven dat ze misschien helemaal niet ongelukkig is, dat ze zich niet heeft verdoofd met honderden zich eender voortslepende dagen, maar dat ze zich er loom en geduldig in heeft uitgestrekt zoals ze vroeger voordat ze trouwden uren kon liggen lezen, en hij denkt dat ze na zijn vermissing de last van haar hooggestemde dromen met een zucht van verlichting van haar schouders heeft laten glijden, alsof ze ze alleen zo lang met zich mee was blijven torsen omdat hij dat van haar verwachtte, omdat ze bang was dat hij anders niet meer van haar zou kunnen houden. En misschien was ze nooit de vrouw geweest die hij in haar wilde zien, wilde hij de geheimzinnige vrouw aan de overkant van de rivier en was zij gewoon een in zichzelf gekeerd, intelligent meisje dat voorbeschikt was om moeder en boerin te worden zoals haar moeder en haar grootmoeder.

En de zon komt langzaam op boven de heuvels en in het eerste ochtendlicht loopt hij Felderhoferbrücke binnen, de treinen rijden nog steeds niet, en hij besluit om in een ruk terug te lopen naar Keulen, niet met een omweg over Troisdorf, hij heeft haast, hoewel er niemand op hem zit te wachten, hij weet niet waarnaar hij onderweg is, alleen dat hij niet in dit land wil blijven dat hem aan de oorlog herinnert en aan haar, dit land waarvan de inwoners hun gat afvegen met bankbiljetten en met scherp schieten op hongerige medemensen, een land dat zijn beschaving heeft afgelegd zoals een soldaat in de loopgraven, bereid te doden om het vege lijf te redden. En hij vermijdt de wegen en de mensen uit de stad die op zoek naar eten rond de dorpen zwerven, hij loopt over de velden en heuvels, waadt door riviertjes, zet werktuigelijk zijn ene voet voor de andere en hij pauzeert nauwelijks, hij verlangt naar de vergetelheid van de vermoeidheid, en halverwege de ochtend stuit hij op een brede rivier die hij alleen zwemmend zou kunnen oversteken, en hij loopt langs de oever naar het noorden en al snel vindt hij een brug. En hetzelfde gebeurt hem een uur later nog eens, maar daarna zijn er geen grote obstakels meer, en rond één uur 's middags herkent hij de weg lang de Rijn die hij in het heengaan met paard-en-wagen heeft afgelegd, en hij loopt tegen de stroom berooide voetgangers in naar Keulen, en hij groet hen geen van allen en zij hem ook niet.

En in Keulen volgt hij nog steeds de oever van de Rijn, en dan staat hij weer op het plein tussen de grote kathedraal en de statie en hij is te moe om nog weerstand aan zijn gedachten te kunnen bieden en ze slaan als een vloedgolf over hem heen, de hoop die hij had toen hij hier de vorige keer was, een man met een doel, zijn vrouw en kinderen die hem zouden verwelkomen, en nu, hij gaat op de trappen naar de kathedraal zitten en steunt zijn hoofd in zijn handen en hij gelooft dat hij hier dan maar moet blijven, hij is op weg naar niets, hij laat niets achter. En mensen lopen met afwezige blikken langs hem heen, en hij ziet zichzelf door hun ogen, een arme zwerver zoals er duizenden in de stad zijn, geen kruimel, geen mark, geen aandacht waard, hij heeft zijn geheugen terug, maar het heeft hem niets gebracht, alleen ellende, en hij denkt aan vroeger toen hij een jongen was en zijn moeder nog leefde, hoe eenvoudig het leven toen leek, en zijn vader, hoe zou het met hem zijn.

Toen de oorlog uitbrak en hij in het Duitse leger vocht en zijn vier broers aan Vlaamse zijde, voor de geallieerden, had zijn vader hem nog twee brieven geschreven, allebei om in zakelijke bewoordingen de dood van een van zijn broers te melden en daarna hoorde hij nooit meer iets, hij had Käthe moeten vragen of ze zijn familie van zijn vermissing op de hoogte had gebracht, hij vermoedt van niet, ze zagen hem als een landverrader en zijn Duitse vrouw als de vijand, en zij had hen nooit ontmoet, ze had waarschijnlijk niet eens zijn vaders adres.

En hij besluit dat hij naar Leuven zal gaan in de hoop dat zijn vader en zijn twee overgebleven broers nog leven, en misschien zijn ze bereid om hem te vergeven nu de oorlog en zijn huwelijk beide voorbij zijn, en het helpt om een eindbestemming voor zijn reis te hebben. Hij staat op en in de statiehal gaat hij naar het loket en tegen de beambte die verveeld voor zich uit zit te kijken zegt hij dat hij een treinkaartje naar de grens in Herbesthal wil en dat hij alleen met Belgische franken kan betalen, en de man zegt wat hij al verwachtte, dat hij geen buitenlands geld kan aannemen, maar Louis houdt vol en uiteindelijk na lang vernederend aandringen en smeken krijgt hij een derdeklassekaartje in ruil voor 186 franken, al het geld dat hij bezit, het is een absurd hoog bedrag, een hele maand huur van het grote, deftige huis op de Groote Markt voor een treinreis van minder dan twee uur, hij hoort het haar in zijn oor fluisteren, afkeurend en veroordelend, je laat je belazeren, sjoeke. En hij groet de beambte en keert hem de rug toe, en met het kostbare kaartje op zak wacht hij een halfuur op het perron tot de trein van drie over halfzes naar Herbesthal komt, en om hem heen hoort hij mensen Vlaams praten, voor het eerst in een week, en een bedrieglijk sentimenteel gevoel bekruipt hem alsof hij onderweg is naar huis, en hij zit op een bankje en zij houdt hem gezelschap, ze wijst hem op de hoeden en de jurken van de vrouwen en op de zon die door de ramen onder het dak op het perron valt en een vervormd ruitpatroon aan zijn voeten werpt, en ze fluistert, kijk nog eens naar mijn foto, maar hij opent zijn ransel alleen om een stuk kaas te eten, en hij stapt in de trein.

Hij is zo moe, hij slaapt al voordat ze de laatste huizen van de stad achter zich hebben gelaten, en langs de ramen glijdt het perron van een onbekende stad, de trein mindert vaart en hij kijkt verveeld naar de mensen daarbuiten en hij herkent haar, ze heeft de oude, blauwgrijze jurk aan die ze in de eerste maanden droeg nadat ze hem uit het gesticht had meegenomen. En ze ziet hem ook en ze zwaait naar hem en op een holletje komt ze naar de trein en ze klopt met haar trouwring tegen het raam, zoals ze er soms ook gedachteloos mee op de tafel tikt in de maat van een liedje in haar hoofd, en haar gezicht is vlakbij achter het glas, alsof ze hem probeert te kussen, en het overweldigt hem, een warm gevoel van medeleven, van vertrouwen, van verlangen, van zekerheid dat zij hetzelfde voor hem voelt, het is alsof hij tot de rand toe is gevuld met zichzelf en bijna overloopt, en hij staat op en hij wil het raam opendoen om haar stem te horen, maar de locomotief fluit schel en begint harder te rijden, en ze moet rennen om hem bij te houden en hij grijpt haar hand beet en hij trekt haar voort over de stenen van het perron, en hij voelt hoe haar vingers zich wanhopig aan hem vastklampen en ze raakt buiten adem, sjoeke, roept ze, sjoeke, laat me los, en het winkelbelletje, hij hoort het winkelbelletje, hij moet een klant helpen.

En hij schrikt wakker, en dat wonderbaarlijke gevoel geliefd te zijn, te weten dat iemand hem kent blijft bij hem, en op station Herbesthal stapt hij uit en zonder problemen komt hij met de reispas van Amand Coppens door de douane, en hij is terug in België, het land van geld en winkels en overvloed, en hij dacht dat hij daar naar verlangde, maar hij voelt zich vreemd misplaatst, zoals op de eerste dag van een verlof, die benauwende stilte zonder het geluid van het afweergeschut, al die kleuren, die mensen en vooral het verwarrende idee dat hij ooit ook in deze wereld thuishoorde.

En hij kan geen kaartje naar Leuven kopen, hij heeft letterlijk geen cent en het is te ver om te lopen, het enige wat hij kan doen is het horloge verpanden dat Julienne voor hem heeft gekocht, of het exemplaar van *Het duivelselixer* dat Käthe hem heeft meegegeven, en terwijl hij door de omgeving dwaalt op zoek naar een lommerd probeert hij te besluiten of hij het horloge of het boek zal opofferen, het voelt allebei als verraad aan zijn herinneringen. En als hij uiteindelijk in Eupen een lommerd vindt, is hij opgelucht dat die gesloten blijkt te zijn omdat het inmiddels al na halfnegen in de avond is, en hij kan ook geen hotelkamer betalen, hij loopt het dorp uit en onder een eik in een groot bos gaat hij zitten, en hij probeert een vuurtje te maken maar het hout is te nat. En hij rolt zich in de twee dekens die Käthe hem heeft meegegeven en hij slaapt wat, het begint te regenen, de druppels roffelen om hem heen, hoog boven hem in de boomkruinen, op de takken, en lager, op de struiken en ritselend om hem heen op het tapijt van herfstbladeren, en het geruis schetst in het duister een onmenselijk grote, onverschillige ruimte, als een kathedraal zonder God, en het water dringt door de dekens heen en loopt in zijn kraag en dan in een stroompje over zijn rug. En hij heeft het koud, hij zou moeten opstaan, in beweging blijven, terug naar de bewoonde wereld om te schuilen, maar hij blijft tegen de ruwe stam zitten en laat zich door de regen overspoelen en hij huilt, zijn tranen druppen met de regen op de grond, en zo dommelt hij half in.

En Julienne vult de tobbe voor hem met heet water, de damp slaat ervanaf, en ze zegt, kleed je maar uit, en hij staat huiverend en bloot voor haar en hij laat zich in het heerlijk warme water glijden, en zij raapt zijn kleren van de vloer en haalt zijn zakken leeg, ze vindt vijf briefjes van twintig franken, en dat kan niet want hij heeft al zijn geld uitgegeven, zegt hij, hij bezit niets meer, en ze laat hem zien waar ze de bankbiljetten heeft gevonden, in de voering van je jas, zegt ze, naast de binnenzak, en pas op, zegt ze, anders worden ze nat. En hij ontwaakt met die woorden van haar in zijn gedachten, en de droom was zo vreemd helder, alsof hij werkelijk bij haar in de keuken van haar oude huis was, dat hij de doornatte dekens van zich af gooit en gaat staan en hij bevoelt zijn jas, en inderdaad op exact de plek die zij hem in de droom heeft gewezen, zit er iets in de voering. En het is stikdonker, op de tast trekt hij aan de stof tot die scheurt en hij steekt zijn hand naar binnen en hij houdt vijf bankbiljetten in zijn hand, en hij is niet eens verbijsterd, daar verbaast hij zich over, meer dan over de wonderbaarlijke droom en de vondst, alsof hij al wist dat Käthe en zijn kameraden en zijn geheugen, dat de hele wereld hem in de steek zou kunnen laten, alleen Julienne niet.

En hij bergt de natte dekens in zijn ransel en loopt terug naar Eupen, en tegen de tijd dat hij bij de statie van Herbesthal aankomt, is het gestopt met regenen en het is iets na middernacht, op het bord bij het loket ziet hij dat er over een uur een trein naar Brussel vertrekt, en op het toilet trekt hij droge kleren aan, in plaats van de natte jas doet hij twee colbertjes over elkaar aan en als de trein komt, koopt hij een derdeklassekaartje naar Kortrijk bij de conducteur. Het is een reis van nog bijna zeven uur, maar zijn gedachten snellen voor hem uit, en het is alsof niet alleen de ochtend met iedere afgelegde kilometer dichterbij komt, ook het jaar dat hij met haar heeft doorgebracht krijgt in zijn herinnering steeds duidelijker contouren, alsof iemand het licht in de donkere kamer van zijn geheugen heeft ontstoken, de lange, gelukkige avonden met haar in de studio terwijl ze samen de doden tot leven probeerden te wekken, de vertrouwde uren bij haar aan de keukentafel terwijl zij het eten kookte, samen roken op de drempel van de deur naar het achterplaatsje, samen vrijen in het versleten, krakende bed, hun wandelingen langs de Leye, hoe ze samen in het gras lagen, hoe ze uren achtereen dansten in de Palace, zwommen in de Leye, samen fietsten, hij op het zadel en zij op de stang voor hem en hoe haar jurk dan om haar benen fladderde en hoe ze daarom lachte.

Alles weet hij, van de dag in het gesticht waarop hij haar voor het eerst zag en zij hem omhelsde terwijl hij een gek in een dwangbuis was, tot de nacht waarin hij zich in de deuropening van de slaapkamer omdraaide en een laatste blik op haar wierp, en zij sliep, bloot, in kinderlijke onschuld, half door de dekens toegedekt, en hoe bang ze allebei waren, die laatste weken voor wat hen te wachten stond, en hoe hij haar daarna heeft behandeld omdat hij zich haar niet meer herinnerde, en wat hij toen niet begreep, ziet hij nu, hoe verschrikkelijk het voor haar moet zijn geweest. En ach, het is wreed, maar hij moet haar nog meer aandoen, hoe ze het ook zal ontkennen, hoe wanhopig ze zich ook aan haar illusies zal proberen vast te klampen, hij zal haar moeten dwingen om toe te geven dat ze weet dat hij niet haar Amand is, meteen als hij haar in zijn armen sluit, voordat hij zich kan bedenken, moet hij haar over Käthe vertellen en hij moet niet accepteren dat ze een nieuwe vluchtweg uit de realiteit zoekt, en als hem dat is gelukt, kunnen ze eindelijk samen in alle rust gelukkig zijn, zonder verwarring, zonder dreigingen, zonder zorgen. En hij stelt zich tientallen malen het moment voor dat hij de deur van de winkel op de Groote Markt binnenloopt, hoe zij boven in de salon of in de keuken is en het winkelbelletje hoort, en ze loopt de trap af en ze ziet hem, en hoe onvoorstelbaar groot haar blijdschap is, en ze omhelzen elkaar, en hij repeteert duizend keer de ontnuchterende woorden die hij vervolgens moet uitspreken.

En in het verlaten, donkere station van Brussel wacht hij drie kwartier op de trein naar Kortrijk, en dan als hij instapt en de wagon badend in stoomwolken langs de stille huizen van de stad glijdt, wordt hij ze-nuwachtig, nog maar tweeënhalf uur, en hij stelt zich voor dat zij ligt te slapen in hun oude bed in de nieuwe slaapkamer in de schaduw van het belfort, en hij kijkt op zijn horloge en hij wacht tot de wijzers vijf uur aangeven, en nu, denkt hij, nu wordt ze wakker van vijf klokslagen, en om zes uur is de trein net uit Burst vertrokken en ontwaakt zij alweer van het geluid van het belfort. En om halfzeven stelt hij zich voor dat ze opstaat en zich slaperig wast in de badkamer met de koperen kranen, en als de klokken zeven keer slaan is ze in de keuken, en hij is vlakbij, bijna in Anseghem, de laatste halte voor Kortrijk, en zij heeft geen idee dat dit de dag is dat ze hem zal terugzien, en de zon is nog niet op, maar aan de horizon wordt de oostelijke hemel al lichter.

En als de trein station Kortrijk binnenrijdt en hij met trillende be-nen op het perron stapt, zou hij het liefst een tijdje op hun bankje gaan zitten, maar hij wil haar verrassen voordat ze om acht uur de winkel opent, zodat ze niet door klanten kunnen worden gestoord, en hij loopt haastig de statie uit, het plein over en hij neemt de kortste weg, door de Doornijkstraat, langs hun oude huis. Het is opnieuw verhuurd, aan een schoenmaker, en dat is een vreemd idee alsof hij jaren is weggeweest en hij haar en haar leven dat ooit ook het zijne was nauwelijks zal herken-nen, maar de rest van de straat is nog exact zoals toen hij hem vorige week voor het laatst zag, de bomen, de winkels, de Halle, de Post.

En dan is hij op de Groote Markt, de oranje bol van de opgaande zon is net boven de daken van de huizen te zien en hangt naast de toren van de Sint Maartenskerk, onder de wijzerplaat van de klok, en de rij gebou-wen aan de overzijde van de Markt, van de Grand Bazar tot de Banque de la Lys licht warmgeel op, alsof de hemel met ingehouden adem haar schijnwerpers heeft gericht op de plek waar hij haar zal ontmoeten. En hij loopt langzaam langs Hotel du Damier, langs de Cinema Royal en apotheek Driane, en dan staat hij voor de in ochtendgoud badende etalage met in rode letters Photographie A. Coppens op de ruit geschil-derd, ze heeft een camera op een statief voor het raam gezet en haar mooiste portretfoto's uitgestald, en ze heeft een nieuw affiche opgehan-gen waarop ze voor 25 franken aanbiedt om van oorlogsverminkten een foto te maken waarop ze er weer zo jong en ongeschonden uitzien als voordat ze naar het front vertrokken.

En hij tuurt naar binnen, ze is niet in de winkel, en hij legt zijn hand op de klink en hij haalt diep adem, en hij opent de deur en boven zijn hoofd klingelt opgewekt het vertrouwde belletje en zijn hart slaat een slag over, en hij staat in de winkel, de deur valt achter hem dicht en hij neemt zijn ransel van zijn rug en zet hem naast zich neer op de vloer en hij wacht. Hij hoort haar voetstappen op de trap, haastig, en halverwege, net als in de Doornijkstraat, vertraagt ze werktuigelijk haar pas alsof ook deze trap een bocht maakt, en hij ziet haar schoenen en kousen en haar groengrijze jurk voordat zij hem kan zien, en ze zegt, de winkel is nog niet open, en die diepe, lijzige stem van haar, alsof tussen twee woorden haar gedachten telkens een eindje afdwalen en ze ze tot de orde moet roepen. En hij zegt, Julie, en haar voeten houden stil, een verbijsterde fractie van een seconde, en dan neemt ze de laatste treden rennend, en het is precies zoals hij zich heeft voorgesteld, haar blijdschap, haar omhelzing, en toch ontbreekt er iets, het is alsof ook zij, net als hij, de begroeting in gedachten duizendmaal heeft geoefend, alsof ze wist dat hij bij haar zou terugkomen, alsof ze zichzelf net als in de jaren na de oorlog nachtenlang over zijn thuiskomst heeft verteld, er zich aan heeft vastgeklampt, en uiteindelijk als hij te lang op zich had laten wachten, had ze de werkelijkheid opnieuw naar haar hand gezet.

En ze kussen elkaar en nog eens en nog eens, en ze legt haar hoofd tegen zijn schouder en haar krullen kriebelen in zijn hals en hij houdt haar stevig vast en ze vraagt, kon je Käthe niet vinden, en hij voelt haar angst, haar spieren spannen zich onder zijn handen en ze houdt haar adem in, en hij is ineens net zo bang als zij, ze houdt van de man die zij van hem heeft gemaakt, en hij weet hoe hij haar als Amand Coppens moet liefhebben. Wat als ze niet zonder Amand kunnen, niet zonder het wonder van zijn terugkeer, niet zonder de verhalen over het dienstmeisje dat verliefd werd op de zoon des huizes, wat als zijn oorlogsherinneringen haar liefde ombrengen, als Käthe en het voorlezen aan de rivier het dansen in de Palace en het nachtelijke zwemmen ontkrachten, bij een boek kun je een paar bladzijden teruggaan, in een droom kun je opnieuw beginnen, maar de werkelijkheid eenmaal gezegd, kan niet ongedaan worden gemaakt. En ze bemerkt zijn aarzeling, en ze laat hem haastig los en ze zegt dat hij wel honger zal hebben, kom je mee naar boven, en hij houdt haar tegen, pakt haar hand en hij zegt, Käthe bestaat niet, en zij vraagt verrast, niet, en nu ziet hij de verblufte, dankbare vreugde die hij daarnet bij hun begroeting miste, en hij weet het zeker, ik ben Amand, zegt hij.

Van Anjet Daanje verscheen eerder bij Uitgeverij Passage:
jl. (roman)

Voor de volledige bibliografie van Anjet Daanje zie www.anjetdaanje.nl